OUTLANDER

LIVRE-1
Le chardon et le tartan

Diana GABALDON

OUTLANDER

LIVRE-1
Le chardon et le tartan

Traduit de l'anglais (États-Unis)
par Philippe Safavi

Précédemment paru aux Éditions J'ai lu en deux volumes :
La porte de pierre
Le bûcher des sorcières

Titre original :
OUTLANDER

© Diana Gabaldon, 1991

Pour la traduction française :
© Presses de la Cité, 1995

À la mémoire de ma mère,
Jacqueline Sykes Gabaldon,
qui m'a appris à lire.

Chaque jour, des milliers de gens disparaissent. N'importe quel policier vous le confirmera. Mieux encore, interrogez un journaliste. Les avis de recherche sont le pain quotidien de la presse.

Des adolescentes fuguent. De jeunes enfants se perdent ou sont kidnappés. Des femmes au foyer au bord de la crise de nerfs prennent l'argent du ménage et sautent dans un taxi qui les emmène à la gare la plus proche. Des financiers internationaux changent de nom et se volatilisent dans la fumée de leur havane.

La plupart réapparaissent tôt ou tard, morts ou vifs. Au bout du compte, toutes les disparitions finissent par s'expliquer.

Enfin... presque toutes.

PREMIÈRE PARTIE

Inverness, 1945

1

Un nouveau départ

À PREMIÈRE VUE, CE PETIT COIN TRANQUILLE DES HIGHLANDS ne se prêtait guère aux disparitions. Nous étions en 1945, et le bed and breakfast de Mme Baird ressemblait à des milliers d'autres établissements du même genre dans la région : calme et propret, avec un papier à fleurs un peu vieillot, un parquet briqué à l'encaustique et une salle de bains équipée d'un chauffe-eau à pièces. Notre hôtesse, une petite dame rondelette, était accommodante. Elle n'émit aucune objection en voyant Frank envahir son minuscule salon rose avec les dizaines de livres et de dossiers sans lesquels il ne se déplaçait jamais.

Je la croisai dans le vestibule au moment de sortir. Elle me rattrapa par le bras et passa sa main potelée dans mes mèches en bataille.

— Mais ma chère madame Randall ! Vous ne pouvez pas sortir coiffée comme un as de pique ! Laissez-moi vous arranger ça. Voilà ! C'est mieux. D'ailleurs, ma cousine vient justement d'essayer une nouvelle indéfrisable qui, paraît-il, est une vraie merveille ! Pourquoi n'en touchez-vous pas deux mots au coiffeur ?

Je n'eus pas le courage de lui expliquer que les fabricants de produits capillaires n'étaient pour rien dans le désordre de ma tignasse châtain clair et que seule la nature était en cause. Ses frisettes méticuleusement permanentées semblaient immunisées contre une telle anarchie.

— Je n'y manquerai pas, madame Baird, mentis-je. Je fais juste un saut au village pour retrouver Frank. Nous serons de retour pour le thé.

Je m'éclipsai rapidement sans lui laisser le temps de déceler d'autres défauts dans ma tenue peu réglementaire. Après quatre ans de privations dans mon uniforme d'infirmière de la Royal Army, j'étais déterminée à ne porter que des robes légères aux couleurs gaies, totalement inadaptées aux longues marches dans les bruyères.

Il faut dire que je n'étais pas venue pour me promener dans la lande. J'avais plutôt espéré m'adonner à la grasse matinée et paresser de longs après-midi au lit avec Frank, à faire tout autre chose que dormir. Malheureusement, avec Mme Baird passant inlassablement l'aspirateur devant la porte de notre chambre, l'atmosphère était rarement propice au flirt langoureux.

— Ce doit être le bout de tapis le plus sale de toute l'Écosse, avait grommelé Frank ce matin même tandis que, encore couchés, nous étions bercés par le vrombissement féroce dans le couloir.

— Je crois plutôt que notre chère Mme Baird s'est mis en tête de protéger ma vertu, avais-je renchéri. Finalement, nous aurions peut-être mieux fait d'aller à Brighton.

Nous avions choisi les Highlands pour nous reposer un peu avant que Frank ne prenne son poste de professeur d'histoire à Oxford. L'Écosse avait été moins touchée par les horreurs de la guerre que le reste du pays. En tant que lieu de villégiature, elle était également moins susceptible d'être prise d'assaut par les milliers de sujets britanniques résolus à célébrer le retour de la paix dans une liesse frénétique.

En outre, je crois que nous pensions tous deux secrètement que les Highlands étaient un choix symbolique pour nos retrouvailles. C'était ici que, sept ans plus tôt, nous nous étions mariés et avions passé notre lune de miel de deux jours, à la veille de la guerre. C'était donc l'endroit idéal pour nous redécouvrir. Hélas, nous avions oublié que si le golf et la pêche étaient les sports favoris des Écossais, les commérages étaient également une des activités principales dans les chaumières. Et lorsqu'il pleut tout au long de la sainte journée, les gens passent plus de temps dans les chaumières que sur le green ou au bord de la rivière.

— Où tu vas ? avais-je demandé en voyant Frank faire mine de se lever.

— Je ne tiens pas à décevoir cette charmante vieille dame.

Assis sur le bord du vieux lit en fer, il se mit à sautiller doucement sur place, faisant grincer les ressorts. Dans le couloir, l'aspirateur s'interrompit aussitôt. Après quelques minutes de couinements rythmiques, il émit un râle sonore et théâtral puis se laissa tomber en arrière dans un fracas métallique. J'enfouis ma tête dans l'oreiller pour étouffer mon fou rire et ne pas perturber le silence attentif derrière la porte.

Frank fronça ses sourcils d'un air réprobateur et chuchota :

— Tu es censée gémir d'extase au lieu de ricaner sottement. On va croire que je ne suis pas à la hauteur.

— Tu n'espères tout de même pas m'avoir satisfaite en gigotant deux minutes !

— Ingrate ! Je croyais être venu ici pour me reposer.

— Gros paresseux ! Si tu tiens à ajouter une nouvelle branche à ton arbre généalogique, tu devras montrer un peu plus d'ardeur à l'ouvrage.

La passion de Frank pour les histoires de famille était également à l'origine de ce choix des Highlands. Selon un de ces bouts de papier jauni qu'il traînait toujours avec lui, l'un de ses assommants ancêtres était venu se perdre dans ce trou pour une raison obscure vers le milieu du XVIIIe siècle... ou était-ce au XVIIe ?

— Si mon nom finit comme un moignon stérile sur l'arbre des Randall, grogna-t-il, ce sera la faute de la passion de notre hôtesse pour son aspirateur. Après tout, nous sommes mariés depuis près de huit ans. Le petit Frank junior n'a pas besoin d'être conçu devant témoins pour être légitimé.

— Encore faut-il qu'il soit conçu, soupirai-je.

Je commençais à craindre que nous ne puissions jamais avoir d'enfant. Nous avions été déçus une fois de plus juste avant de partir pour les Highlands.

— Avec cet air vivifiant et cette alimentation saine ? S'il doit paraître, ce sera ici ou jamais !

La veille au soir, nous avions dîné de harengs frits. Au déjeuner précédent, on nous avait servi du hareng mariné. L'odeur âpre qui s'élevait dans l'escalier laissait encore présager du hareng au petit déjeuner, fumé cette fois.

— Si tu n'envisages pas une seconde performance pour le bon plaisir de Mme Baird, tu ferais bien de t'habiller, suggérai-je. Tu ne dois pas rencontrer le pasteur à dix heures ?

Le révérend Reginald Wakefield, vicaire de la paroisse locale, avait proposé à Frank de lui montrer des registres baptistaires d'un intérêt palpitant. Il l'avait également alléché en lui promettant d'exhumer quelque dépêche militaire moisie ou autre gribouillis du même genre mentionnant son ancêtre notoire.

— Comment s'appelait cet arrière-arrière-arrière-arrière-grand-père déjà ? demandai-je d'un air détaché. Celui qui est venu mettre son nez par ici pendant un des soulèvements, c'était Willy ou Walter ?

— Jonathan, rectifia-t-il.

Frank supportait ma profonde indifférence pour ses ancêtres avec stoïcisme, mais il restait toujours sur le qui-vive, prêt à profiter du moindre signe de curiosité pour me débiter toutes les informations connues sur les premiers Randall et leurs degrés de parenté. Tandis qu'il boutonnait sa chemise, je vis briller dans ses yeux la lueur fébrile du conférencier fanatique.

— Jonathan Wolverton Randall, commença-t-il, plus connu sous le surnom fringant de « Black Jack » qu'on lui donna dans l'armée, sans doute à l'époque où il était en garnison dans la région. « Wolverton » venait de son grand-oncle maternel, un petit chevalier du Sussex.

Je me laissai tomber à plat ventre sur le lit en ronflant bruyamment. Frank ne se laissa pas intimider.

— Il a acheté son titre d'officier dans les années 30 – 1730, cela s'entend –, puis a servi comme capitaine des dragons. D'après les documents d'époque que la cousine May m'a envoyés, il aurait fait une belle carrière dans l'armée. Il n'avait guère le choix : étant le cadet de sa famille, son avenir était tout tracé. Le benjamin a suivi lui aussi la tradition en entrant dans les ordres, mais je n'ai encore rien trouvé à son sujet. Toujours est-il que le duc de Sandringham a fait un éloge dithyrambique du travail de Jack Randall dans les Highlands avant et pendant le second soulèvement jacobite de 1745.

Il ajouta à l'intention des plus incultes de l'assistance, à savoir moi :

— Tu sais… Charles-Édouard Stuart, « Bonnie Prince Charlie », dit le Prétendant, et tout et tout…

— Si tu veux mon avis, interrompis-je en me redressant pour tenter de remettre un peu d'ordre dans ma coiffure, les Écossais n'ont pas encore compris qu'ils avaient perdu la bataille. Hier soir, au pub, j'ai entendu le barman nous traiter en douce de *Sassenach*.

— Bah, pourquoi pas ? répondit Frank, magnanime. Après tout, cela ne signifie rien d'autre qu'« anglais », ou au pire *Outlander*, quelqu'un qui n'est pas d'ici… ce que nous sommes.

— J'avais fort bien compris, merci. C'est son ton qui m'a déplu.

Frank fouilla dans le tiroir du bureau à la recherche d'une cravate.

— Il était sans doute agacé parce que je me suis plaint que sa bière était trop fade. Je lui ai dit que pour obtenir une authentique bière des Highlands, il fallait jeter une vieille botte dans la cuve de fermentation et que le dernier jus devait être passé dans un slip usé.

— Je comprends maintenant pourquoi l'addition était si salée !

— Naturellement, j'ai présenté les choses avec la plus grande diplomatie, mais uniquement parce que le terme « slip » n'existe pas en gaélique.

J'étais justement en train de chercher le mien. Je demandai, intriguée :

— Pourquoi ? Les anciens Gaëls ne connaissaient pas les sous-vêtements ?

Frank esquissa un sourire entendu.

— Ne me dis pas que tu n'as jamais entendu cette vieille rengaine sur ce qu'un Écossais porte sous son kilt ?

— Je me doute qu'ils ne portent pas des gaines-culottes descendant jusqu'à mi-cuisse, rétorquai-je, piquée. Tiens, ça me donne une idée ! Cet après-midi, pendant que tu batiforeras avec tes vicaires, je vais me mettre à la recherche d'un porteur de kilt et mener une enquête.

— Tâche de ne pas te faire arrêter, Claire ! Ce serait très mal vu à Oxford.

De fait, aucun porteur de kilt ne traînait sur la place du village. Pourtant, il y avait du monde, principalement des dames du genre de Mme Baird, faisant leurs courses. Avec leurs robes imprimées et leur caquetage incessant, elles emplissaient les magasins d'une atmosphère chaleureuse et douillette, rempart efficace contre la brume froide du matin.

N'ayant encore aucune maison à entretenir, je n'avais pas grand-chose à acheter, mais j'aimais me promener dans les boutiques pour me repaître du spectacle des rayonnages à nouveau remplis. Nous avions tous souffert de ces longues années de rationnement, manquant des produits les plus élémentaires comme le savon, les œufs, et plus encore de ces petits luxes tels qu'*Heure bleue*, mon parfum favori.

Mon regard s'attarda sur une vitrine pleine d'objets pour la maison : des napperons brodés, des couvre-théières, des carafes, des verres, une pile de moules à tarte très ordinaires et trois vases.

Je n'avais jamais possédé de vase de ma vie. Pendant la guerre, j'avais été logée dans les quartiers des infirmières, d'abord à l'hôpital de Pembroke, puis sous les tentes d'un campement militaire en France. Avant cela, je n'étais restée nulle part suffisamment longtemps pour justifier une telle acquisition. De plus, si j'avais eu un vase, oncle Lamb aurait eu tôt fait de me le remplir de fragments de poteries antiques avant que j'aie pu mettre la main sur un bouquet de marguerites.

Mon cher oncle Lamb. Quentin Lambert Beauchamp, « Q » pour ses élèves d'archéologie et ses amis, « professeur Beauchamp » pour le cercle académique dans lequel il évoluait et devant lequel il tenait ses conférences.

C'était le frère de mon père et mon seul parent encore en vie pendant mon enfance. Il avait hérité de moi quand j'avais cinq ans, après la mort de mes parents dans un accident de voiture. Sur le point d'embarquer pour le Proche-Orient, il avait retardé son départ le temps d'organiser les funérailles et de m'inscrire dans une pension pour jeunes filles de bonne famille, où j'avais catégoriquement refusé de pénétrer.

Confronté à la nécessité de dénouer mes doigts potelés, agrippés à la poignée de portière de son automobile, et de me traîner jusqu'au perron de l'établissement, oncle Lamb, qui détestait les esclandres, avait poussé un soupir d'exaspération avant de capituler. Dans la voiture qui nous emmenait tous les deux, il s'était fait une raison et avait lancé mon canotier flambant neuf par la fenêtre.

— Quelle horreur ! avait-il bougonné en le regardant voltiger gaiement par le rétroviseur. Je ne comprends vraiment pas pourquoi les femmes s'entêtent à porter des chapeaux.

Il s'était ensuite tourné vers moi, me dévisageant d'un œil torve.

— Mettons les choses au point, avait-il annoncé d'une voix grave. Sous aucun prétexte tu ne joueras à la poupée avec mes statuettes funéraires persanes. Le reste, si tu veux, mais elles, jamais ! On est bien d'accord ?

J'avais hoché la tête, satisfaite. Après quoi, je l'avais suivi au Proche-Orient, en Amérique du Sud, puis sur des dizaines d'autres sites de fouilles de par le monde. J'avais appris à lire et à écrire avec les brouillons de ses articles d'archéologie, à creuser des latrines, à faire bouillir l'eau, et des tas d'autres choses peu convenables pour une jeune fille bien née… jusqu'au jour où un jeune et séduisant historien était venu consulter oncle Lamb sur un point de philosophie française inspiré par une pratique religieuse de l'ancienne Égypte.

Même après notre mariage, Frank et moi avions mené la vie nomade des jeunes universitaires, sillonnant l'Europe pour participer à des conférences, passant d'un meublé à l'autre, jusqu'à ce que la guerre envoie Frank à l'école des officiers puis au service des renseignements et moi à l'école d'infirmières. La maison d'Oxford serait notre premier vrai foyer.

Coinçant fermement mon sac sous le bras, j'entrai dans la boutique d'un pas résolu et achetai les trois vases.

Je retrouvai Frank au croisement de High Street et de Gereside Road. Il lança un regard surpris à mes acquisitions.

— Des vases ? Excellente idée ! Tu vas peut-être cesser de garnir les pages de mes livres avec tes fleurs.

— Ce ne sont pas des fleurs mais des spécimens. Je te rappelle que c'est toi qui m'as suggéré de m'intéresser à la botanique. « Ça t'occupera, maintenant que tu n'as plus personne à soigner », c'est bien ce que tu as dit, non ?

— C'est vrai, admit-il en souriant, mais je ne pensais pas me retrouver les genoux couverts de pétales et de tiges desséchés chaque fois que j'ouvrirais un livre. À propos, c'est quoi, cette saleté marronnasse que tu as mise dans mon répertoire de symboles héraldiques ?

— Du marronnier d'Inde. C'est excellent pour les hémorroïdes.

— Tu prépares des stocks pour mon grand âge imminent ? Tu es trop bonne.

Nous poussâmes la grille en riant et Frank s'effaça pour me laisser gravir les quelques marches étroites du perron.

Soudain, il me retint en m'attrapant par le bras.

— Attention ! Regarde sur quoi tu viens de marcher.

Je soulevai vivement le pied et vis une grande tache couleur rouille sur le seuil.

— C'est bizarre, dis-je. Je vois Mme Baird lessiver ses marches tous les matins. Qu'est-ce que c'est, à ton avis ?

Frank se pencha et huma la tache.

— On dirait du sang.

— Du sang ! glapis-je en reculant d'un pas. Mais le sang de qui ?

Je lançai un regard inquiet vers la maison.

— Il est peut-être arrivé quelque chose à Mme Baird !

Notre hôtesse était tellement obsédée par la propreté que je ne pouvais l'imaginer laissant des taches de sang sécher devant sa porte sans qu'une terrible catastrophe soit survenue. L'espace d'un instant, j'eus la vision d'un tueur fou armé d'une hache tapi dans le salon, prêt à bondir sur nous dès que nous ouvririons la porte.

Frank prit un air songeur, puis se pencha sur la pointe des pieds par-dessus la haie qui nous séparait du jardin voisin.

— Je ne pense pas, dit-il finalement. Il y a la même tache devant la porte des Collin.

Je me rapprochai de lui, tant pour me rassurer que pour regarder moi aussi chez les voisins. Les Highlands ne me semblaient guère un endroit propice pour les tueurs en série, mais, à y bien réfléchir, ces gens-là sévissent rarement en suivant une logique géographique.

— Voilà qui est plutôt... déplaisant, observai-je dignement.

La maison d'à côté ne donnait pas le moindre signe de vie.

— Qu'est-ce qui a bien pu se passer ?

Frank fronça les sourcils, l'air concentré. Puis, saisi d'une soudaine inspiration, il se frappa la cuisse.

— Ça y est, je crois que j'ai compris ! Ne bouge pas, je reviens dans un instant.

Il dévala les marches, traversa le jardin en flèche et disparut dans la rue, me laissant plantée seule sur le pas de la porte.

Il revint bientôt, le visage rayonnant.

— Je m'en doutais, toutes les maisons de la rue y ont eu droit.

— Droit à quoi ? À la visite d'un malade mental ? m'écriai-je encore un peu nerveuse à l'idée d'être restée seule quelques instants en compagnie d'une flaque de sang.

Frank se mit à rire.

— Mais non, à un sacrifice rituel. C'est absolument passionnant !

Il se mit à quatre pattes pour inspecter de plus près la marque rousse.

Cette information n'était pas plus rassurante que ma théorie d'un fou furieux errant avec sa hache. Je m'accroupis près de lui, fronçant le nez. Il était encore trop tôt dans la saison pour les mouches, mais quelques gros moucherons tournoyaient lentement au-dessus de la tache.

— Qu'est-ce que tu entends exactement par « sacrifice rituel » ? Mme Baird est une fervente croyante. Elle va à l'église tous les matins, comme la plupart des voisins. Ce n'est pas un pays de druides ici, tu sais.

Il se releva, époussetant les brins d'herbe sur son pantalon.

— Tu n'y connais rien, ma fille. Il y a peu d'endroits au monde où la sorcellerie et les vieilles superstitions soient plus vivantes et mieux intégrées à la vie quotidienne que dans les Highlands, bons chrétiens ou pas. Mme Baird croit aux anciennes légendes, comme tous les gens d'ici.

Il indiqua la tache de la pointe de sa chaussure impeccablement cirée.

— C'est le sang d'un coq noir, expliqua-t-il d'un air satisfait. Ces maisons sont récentes, vois-tu... des préfabriqués.

Je lui lançai un regard glacial.

— Oh, mais tout s'explique ! minaudai-je. Et peut-on savoir ce que ça change ? Et où est passé tout le monde ?

— Au pub, sans doute. Allons y faire un tour, on verra bien.

Me prenant par le bras, il m'entraîna vers la rue et nous reprîmes la direction de Gereside Road.

— Autrefois, expliqua-t-il en chemin, il n'y a pas si long-temps d'ailleurs, la coutume voulait qu'on fasse un sacrifice chaque fois qu'on bâtissait une nouvelle maison. C'était une sorte d'offrande aux esprits de la terre. Tu sais : *Sur son pre-mier-né il bâtit sa demeure et son plus jeune fils en devint l'huis.* C'est vieux comme le monde.

— Charmant ! dis-je en réprimant un frisson de dégoût. Je suppose que le fait de tuer une volaille au lieu d'un être humain doit être interprété comme une preuve de modernité. Si j'ai bien compris, ces maisons modernes ont été construites au mépris de la tradition et leurs occupants actuels réparent cette omission.

— Exactement.

Satisfait de ma vivacité d'esprit, Frank me gratifia d'une petite tape dans le dos avant de poursuivre son explication :

— Le vicaire m'a confié que beaucoup de gens par ici ont pris la guerre comme un châtiment divin pour s'être détournés de leurs racines et avoir négligé certaines précautions, comme enterrer un cadavre sous les fondations de leur maison ou brûler leurs arêtes de poissons dans la bruyère, sauf s'il s'agit de haddock, naturellement. On ne brûle jamais des restes de haddock, tu savais ça ? Au risque de ne plus jamais en pêcher. Les arêtes de haddock doivent impérativement être enterrées.

— Je m'en souviendrai. Tu ne saurais pas, par hasard, comment faire pour ne plus jamais voir un hareng de sa vie ? Je m'y attellerais de ce pas.

Il fit non de la tête, soudain plongé dans une de ses transes d'historien qui le coupaient du reste du monde, l'esprit tout entier occupé à fouiller dans sa mémoire phénoménale.

— Je ne sais pas comment me débarrasser des harengs, répondit-il enfin, mais je sais comment faire avec les souris : on suspend des branches de genévrier. *Du genévrier dans la maison, les souris ne tournent plus rond !* Mais pour en revenir aux corps enterrés sous les fondations, savais-tu que cette pratique a donné à la région un bon nombre de ses fantômes ? Tu vois Mountgerald, la grande maison au bout de High Street ? Figure-toi qu'elle est hantée par un ouvrier qui a été sacrifié au moment de sa construction. Ça remonte au XVIIIe siècle, c'était pratiquement hier, pour tout dire.

» On raconte que, sur l'ordre du propriétaire de la maison, on a d'abord érigé un mur, puis on a fait tomber une grosse pierre sur la tête d'un des ouvriers, le moins sympathique, je suppose. Ensuite, ils ont bâti la maison par-dessus. Depuis, le malheureux hante la cave, qui correspond au lieu où il a été tué, sauf le jour anniversaire de sa mort et les quatre Old Days.

— Les Old Days ?

— Les anciennes fêtes. Hogmanay, qui correspond au Nouvel An, Midsummer Day, au milieu de l'été, Beltane, à l'équinoxe de printemps, et All Hallows, à la Toussaint. Les druides et les premiers Pictes respectaient les fêtes du soleil et du feu. Ces jours sacrés, les fantômes sont libérés et peuvent errer librement dans la nature, pour faire le bien ou le mal à leur guise.

Il se gratta le menton d'un air songeur.

— D'ailleurs, on approche de la date de Beltane. Mieux vaut rester sur tes gardes quand tu passes devant le cimetière.

Il me lança un regard malicieux et je compris que la leçon était terminée.

— Et ils sont nombreux, les fantômes locaux ? demandai-je prudemment.

— Je ne sais pas. Fais-moi penser à interroger le vicaire à ce sujet la prochaine fois qu'on le rencontre.

De fait, nous le rencontrâmes quelques minutes plus tard. Il était au pub, comme tout le village apparemment, portant un toast à la récente sanctification des nouvelles maisons.

Il fut légèrement embarrassé d'être surpris en train de cautionner des pratiques païennes et nous assura qu'il s'agissait uniquement de préserver de pittoresques coutumes locales.

— C'est absolument passionnant, nous confia-t-il.

Hélas, je reconnus bien là le chant de l'érudit, aussi facilement identifiable que le cri de la grive. Le sang de Frank ne fit qu'un tour : répondant aussitôt à l'appel d'un individu de son espèce, il entama la danse rituelle du chercheur et les deux hommes se lancèrent à corps perdu dans une conversation « absolument passionnante » sur les archétypes et les parallèles entre superstitions archaïques et croyances modernes. Je poussai un soupir et jouai des coudes vers le bar. J'en revins bientôt avec une fine à l'eau dans chaque main.

Sachant par expérience à quel point il était difficile de détourner l'attention de Frank lorsqu'il était plongé dans ce genre de discussion, je lui pris la main, y plaçai le verre et rabattis ses doigts autour, lui laissant néanmoins la responsabilité de porter son cognac à la bouche.

Je découvris Mme Baird assise sur un banc près de la fenêtre, bavardant avec un homme d'un certain âge qu'elle me présenta, les yeux rendus brillants par l'alcool et le plaisir d'être en bonne compagnie.

— Voici M. Crook, le monsieur dont je vous parlais, madame Randall, annonça-t-elle. Celui qui connaît tout un tas de plantes.

Se tournant vers M. Crook, elle expliqua :

— Mme Randall s'intéresse de près aux petites plantes. Elle les serre dans des livres.

À la fois poli et un peu sourd, M. Crook l'écouta en hochant la tête.

— Vraiment ? dit-il. Je possède quelques presses, des vraies, faites pour conserver des herbes et toutes sortes de plantes. C'est mon neveu qui me les a offertes, à l'époque où il était à l'université et rentrait à la maison pour les vacances. Je n'ai jamais eu le courage de lui avouer que je ne m'en servais jamais. Les plantes, voyez-vous, on les suspend par la tige ou on les fait sécher dans un cadre, avant de les stocker dans de la gaze ou un flacon, mais je ne vois pas ce que je pourrais faire d'une pauvre plante écrasée sous une presse.

— Eh bien… vous pourriez les regarder de temps en temps, je ne sais pas, suggéra aimablement Mme Baird. Mme Randall a fait des compositions charmantes avec des mauves et des violettes. Vous pourriez en faire, vous aussi, et les mettre sous verre pour les accrocher au mur.

— Mmmm… fit M. Crook sans conviction. En tout cas, si mes presses peuvent vous être utiles, madame, elles sont à vous. Ça me ferait mal au cœur de les jeter mais, d'un autre côté, je ne vois vraiment pas ce que je pourrais en faire.

J'assurai M. Crook que je serais ravie de le débarrasser de ses presses, et plus encore s'il avait l'amabilité de me montrer où trouver quelques-unes des plantes rares de la région. Il me dévisagea longuement, la tête penchée de côté comme une vieille crécerelle, puis sembla conclure que mon intérêt était sincère. Nous décidâmes alors de nous retrouver le lendemain matin pour une visite guidée des taillis des environs. Frank devait se rendre à Inverness pour consulter certaines archives à l'hôtel de ville et je n'étais que trop contente d'avoir une bonne excuse pour ne pas l'accompagner. Pour moi, n'importe quel vieux bout de papier en valait un autre.

Peu après, Frank prit congé du vicaire et nous reprîmes le chemin de la maison en compagnie de Mme Baird. Je n'osais évoquer le sang de coq sur le perron, mais Frank n'eut pas autant de scrupules et la soumit à un interrogatoire en bonne et due forme sur les origines de cette tradition.

— Je suppose que c'est une coutume très ancienne ? lança-t-il en décapitant les herbes folles sur le bord de la route à grands coups de canne.

Les ansérines et les quintefeuilles étaient déjà écloses. Les branches de genêt ployaient sous leurs gros bourgeons ; dans une semaine, elles seraient en fleur.

— Oh, pour ça, je pense bien ! s'exclama Mme Baird.

Elle se dandinait sur ses courtes jambes, marchant d'un pas si leste que nous avions peine à la suivre.

— C'est vieux comme le monde. Ça remonte même à avant les géants.

— Les géants ? m'étonnai-je.

— Oui, les Fionn et les Feinn, vous savez.

— Les contes gaéliques ! observa Frank, vivement intéressé. Ce sont des héros de légendes, probablement d'origine norroise. La région a été fortement marquée par les influences scandinaves, comme tout le littoral occidental à vrai dire. Certains lieux portent même un nom norrois.

Je levai les yeux au ciel, pressentant une nouvelle avalanche de données historiques. Mme Baird, plus indulgente, lui adressa un sourire encourageant et nous confia s'être rendue dans le Nord où elle avait vu le Rocher des Deux-Frères. C'était bien scandinave, n'est-ce pas ?

— Les peuples du Nord ont descendu cette côte des centaines de fois entre 500 et 1300, expliqua Frank, le regard rivé sur la ligne d'horizon comme s'il apercevait les drakkars toutes voiles dehors. C'étaient des Vikings. Ils amenaient avec eux leurs légendes et leurs mythes. L'Écosse est un bon pays pour les mythes. Ils semblent y prendre racine.

Là, j'étais enfin d'accord avec lui. Le soir tombait et un orage s'annonçait. Dans la lumière surnaturelle qui couvait sous l'épais manteau de nuages, même les maisons flambant neuves semblaient aussi anciennes que le vieux calvaire couvert de mousse qui se dressait à cent mètres de nous, gardant le même croisement depuis un millénaire. C'était une nuit idéale pour rester enfermé chez soi, les volets clos.

Hélas, plutôt que de rester confortablement lové dans le salon douillet de Mme Baird à regarder des vues stéréoscopiques de Perth Harbor, Frank choisit d'aller prendre un verre chez M. Bainbridge, un notaire passionné par les archives historiques de sa région. Me souvenant de ma précédente rencontre avec M. Bainbridge, je choisis Perth Harbor.

— Essaie de rentrer avant l'orage, dis-je en embrassant Frank. Et transmets mes amitiés à M. Bainbridge.

— Euh… oui, bien sûr, répondit Frank en évitant de croiser mon regard.

Il enfila son pardessus et sortit en attrapant au vol un parapluie dans le vestibule.

Je refermai la porte derrière lui sans tirer le verrou afin qu'il puisse rentrer sans réveiller Mme Baird. En revenant au salon, je souris malgré moi en pensant que Frank ne ferait sans doute aucune allusion à sa femme, un geste que M. Bainbridge apprécierait certainement. Je ne pouvais guère le lui reprocher.

Lors de notre visite chez M. Bainbridge, l'après-midi précédent, tout avait pourtant bien commencé. J'avais été parfaite : discrète, bien élevée, intelligente mais sans en rajouter, bien coiffée et vêtue sobrement, bref le modèle même de la femme d'un éminent professeur d'Oxford… jusqu'à l'heure du thé.

J'examinai la paume de ma main droite où une grande cloque encore douloureuse couvrait la base de quatre doigts.

Après tout, je n'y étais pour rien si ce cher M. Bainbridge, veuf de son état, se satisfaisait d'une vieille théière bon marché en fer-blanc. Et puis, même s'il ne l'avait fait que par politesse, il n'avait qu'à ne pas me demander de servir le thé. Sans compter qu'il aurait pu me prévenir que le manchon isolant qu'il m'avait fourni à cette intention était troué et que le fer-blanc chauffé au rouge allait entrer en contact direct avec mon épiderme délicat.

Non, lâcher la théière était une réaction parfaitement normale et saine. Que celle-ci soit tombée sur les genoux de M. Bainbridge était pure coïncidence, il fallait bien qu'elle tombât quelque part. Ce fut mon « Bordel de merde ! » – lancé d'une voix qui avait étouffé le cri de douleur de M. Bainbridge – qui suscita le regard noir de Frank par-dessus ses petits fours.

Une fois remis du choc, M. Bainbridge avait fait preuve d'une grande courtoisie. Il s'était précipité sur ma main brûlée sans prêter attention aux excuses de Frank, qui se hâta d'expliquer que j'avais travaillé dans un hôpital militaire pendant près de deux ans.

— Je crains que mon épouse n'ait ramassé quelques… euh… expressions colorées auprès des Yankees, avait-il balbutié avec un sourire crispé.

— En effet, avais-je sifflé entre mes dents tout en enveloppant une serviette humide autour de ma main. Certains hommes tendent à s'exprimer d'une manière des plus pittoresques quand on leur extrait des fragments d'obus du corps. Allez savoir pourquoi !

Avec tact, M. Bainbridge avait tenté de ramener la conversation vers un terrain plus neutre en déclarant qu'il avait toujours été fasciné par l'évolution du langage dit « profane » à travers les âges :

— Prenez *Gorbliney*, par exemple, une corruption récente du juron *God blind me*, « que Dieu me rende aveugle ».

— Absolument, renchérit Frank, prenant la balle au bond. Sans sucre, merci, Claire. Mais que dire de *Gadzeuks*? L'origine de « Gad » est très claire, ça vient de *God* – Dieu – mais le *zeuk*?...

— À mon avis, cela dériverait d'un vieux mot écossais : *yeuk*, qui signifie « démangeaison ». Une hypothèse intéressante, non ?

Frank acquiesça, laissant sa mèche peu académique lui retomber devant les yeux.

— Captivante, cette évolution du profane, concéda-t-il.

— Oui, et ça ne s'arrête pas là, avançai-je en pêchant un morceau de sucre du bout des pinces en argent.

— Vraiment ? fit M. Bainbridge poliment. Avez-vous rencontré des variations intéressantes au cours de votre expérience sur... euh... le terrain ?

— Oh oui ! Il y en a une que j'affectionne particulièrement. Je la tiens d'un Yankee. Un certain Williamson, originaire de New York. Elle lui venait spontanément chaque fois que je changeais ses bandages.

— Mais que disait-il donc ?

— « Salope de Roosevelt de mes deux ! » répondis-je en laissant élégamment tomber un sucre dans le café de mon tendre époux.

Je passai un moment très agréable en compagnie de Mme Baird puis montai dans ma chambre pour me préparer au retour de Frank. Sachant qu'il pouvait difficilement avaler plus de deux verres de sherry à la suite, je l'attendais de bonne heure.

Le vent se levait et l'air de la chambre était chargé d'électricité, rendant vaines toutes mes tentatives pour remettre de l'ordre dans ma coiffure. Par ce temps, il valait mieux se contenter d'un brossage de dents. J'avais beau les rabattre en arrière, mes boucles hirsutes retombaient opiniâtrement le long de mes joues.

L'aiguière était vide. Frank avait utilisé l'eau pour faire sa toilette avant de se rendre chez M. Bainbridge et je n'avais pas pensé à la remplir au robinet de la salle d'eau. Je saisis mon flacon d'*Heure bleue* et en versai une dose généreuse dans ma paume. Je me frottai vigoureusement les mains avant que le parfum s'évapore et lissai mes cheveux en arrière. Puis j'en versai un peu sur ma brosse et rabattis mes mèches derrière les oreilles.

Voilà qui est mieux, pensai-je en tournant la tête de droite à gauche pour apprécier le résultat dans le vieux miroir écaillé. L'humidité avait dissipé l'électricité et mes cheveux flottaient en lourdes boucles brillantes autour de mon visage. En s'évaporant, l'alcool avait laissé un parfum agréable dans la pièce. Voilà qui mettrait Frank dans les meilleures dispositions. *Heure bleue* était son parfum favori.

Un éclair illumina le ciel, suivi d'un roulement de tonnerre. La lumière s'éteignit quelques secondes plus tard. Jurant entre mes dents, je cherchai à tâtons le tiroir de la commode.

J'avais aperçu des bougies et des allumettes quelque part. Dans les Highlands, les coupures de courant étaient si fréquentes que toutes les chambres d'auberge et d'hôtel en étaient nécessairement équipées. J'en avais vu dans les hôtels les plus chics, parfumées au chèvrefeuille et présentées dans de rutilants chandeliers en verre dépoli ornés de pendeloques.

Celles de Mme Baird étaient on ne peut plus simples : de vulgaires bougies blanches. Mais il y en avait tout un tas, ainsi que trois pochettes d'allumettes. Ce n'était pas le moment de faire des chichis.

J'attendis l'éclair suivant pour repérer le bougeoir en céramique bleue sur la coiffeuse. J'y glissai une bougie puis éclairai la pièce en allumant des bougies un peu partout. Bientôt, la chambre baignait dans une belle lumière chaude et dorée. Très romantique. Non sans une certaine présence d'esprit, je pris soin d'éteindre l'interrupteur afin qu'un retour soudain du courant ne vienne gâter l'atmosphère à un moment inopportun.

Les bougies ne s'étaient pas consumées de plus d'un demi-centimètre quand Frank entra comme une bourrasque dans la chambre, soufflant trois bougies sur son passage.

Il claqua la porte derrière lui, en éteignant deux autres. Se retrouvant plongé dans la pénombre, il s'immobilisa, passant une main dans ses cheveux ébouriffés. Je me levai et rallumai patiemment les bougies éteintes, non sans lui faire remarquer – très gentiment – qu'il avait une drôle de manière d'entrer dans une chambre. Ce ne fut qu'après avoir restauré mon éclairage savant et m'être tournée vers lui pour lui offrir un petit verre de remontant que je remarquai son teint blême et son air ahuri.

— Qu'est-ce qui se passe, Frank ? On dirait que tu viens de croiser un fantôme !

— C'est que… euh… tu ne crois pas si bien dire !

Il saisit machinalement ma brosse et s'apprêta à se recoiffer. Une bouffée d'*Heure bleue* lui titilla les narines. Fronçant le nez, il reposa la brosse, optant pour son peigne de poche.

Il lança un regard par la fenêtre que fouettaient régulièrement les branches d'un aulne. Un volet claquait quelque part et il me vint à l'esprit que l'un de nous aurait peut-être dû aller le fermer, quoique ce remue-ménage dehors soit plutôt agréable à entendre.

— C'est un sale temps pour les fantômes, tu ne penses pas ? observai-je. Je croyais qu'ils aimaient hanter les cimetières par les nuits mornes et brumeuses.

Frank émit un petit rire nerveux.

— Bah ! Les histoires de Bainbridge ont dû me monter à la tête. Ça, et un sherry de trop. Ce n'était sans doute rien.

— Mais qu'est-ce que tu as vu exactement ? demandai-je, intriguée, en m'asseyant sur le plateau de la coiffeuse.

Je lui indiquai du menton la bouteille de whisky et Frank s'empressa de nous servir un verre.

— Un homme, rien de plus.

Il se versa un doigt d'alcool et deux pour moi.

— Il se tenait là, sur la route, juste devant la maison.

— Devant la maison ! m'esclaffai-je. Alors, aucun doute, c'était bien un fantôme. J'imagine mal un être humain attendant dehors par une nuit pareille !

Frank inclina l'aiguière au-dessus de son verre, puis me lança un regard accusateur en ne voyant rien venir.

— Ne me regarde pas comme ça ! C'est toi qui l'as vidée avant de partir à ton rendez-vous. Quant à moi, je préfère mon whisky sec.

Pour illustrer mon propos, j'avalai aussitôt une longue gorgée.

L'espace d'un instant, Frank sembla tenté de redescendre chercher de l'eau au rez-de-chaussée, mais il se ravisa et poursuivit son histoire en buvant les lèvres pincées comme si son verre contenait du vitriol et non le meilleur single malt Glenfiddich.

— Il attendait de ce côté-ci du jardin, derrière la clôture. Il m'a semblé…

Il hésita.

— Il m'a semblé qu'il épiait ta fenêtre.

— Ma fenêtre ? Ça alors !

Je réprimai un petit frisson et me précipitai – quoiqu'un peu tard – pour fermer les volets. Frank me suivit dans la pièce en poursuivant :

— Moi-même je pouvais te voir. Tu te brossais les cheveux en pestant contre tes épis.

— Dans ce cas, notre espion a dû bien s'amuser !

Frank secoua la tête. Il sourit et aplatit mes cheveux de ses mains.

— À vrai dire, il ne riait pas du tout. Il avait même l'air terriblement abattu. Je n'ai pas bien distingué son visage. C'est plutôt sa posture qui me fait dire ça. Je suis arrivé par-derrière et, le voyant planté là, je lui ai demandé poliment si je pouvais le renseigner. Au début, j'ai cru qu'il n'avait pas entendu, à cause du bruit du vent. Alors, j'ai répété ma question et j'ai voulu lui donner une tape sur l'épaule pour attirer son attention. Mais avant que j'aie pu le toucher, il a fait volte-face, me bousculant presque, et il s'est éloigné.

— Pas très poli, mais rien de franchement surnaturel, observai-je en finissant mon verre. Il ressemblait à quoi ?

— Un grand gaillard. Il portait tout l'attirail des Écossais, avec le kilt, le sporran[1], le plaid jeté sur l'épaule et retenu par une superbe broche représentant un cerf bondissant. J'aurais bien aimé lui demander d'où elle venait, mais il ne m'en a pas laissé le temps.

J'allai vers le secrétaire et me versai un autre whisky.

— Ça n'a rien d'extraordinaire, remarquai-je, la plupart des hommes du village possèdent de tels vêtements.

— Mmouais… fit Frank d'un air songeur. Mais ce n'est pas sa tenue qui m'a chiffonné. En partant, il est passé si près de moi que, normalement, il aurait dû au moins me frôler. Pourtant, je n'ai rien senti. Ça m'a tellement intrigué que je me suis retourné pour le suivre des yeux. Il a remonté Gereside Road puis, juste avant d'atteindre le virage, il s'est… volatilisé. J'en ai eu la chair de poule.

— Ton attention a dû être distraite une seconde juste au moment où il est entré dans l'ombre, suggérai-je. Le virage est bordé d'arbres.

— J'aurais juré ne pas l'avoir quitté des yeux un seul instant, marmonna Frank.

Il se tourna brusquement vers moi.

— Je sais ! s'exclama-t-il. Je me souviens maintenant de ce qui m'a paru si bizarre chez lui, même si je ne l'ai pas compris sur le moment.

— Quoi ?

1. Sorte d'escarcelle, souvent en fourrure, portée sur le devant du kilt et retenue par une ceinture. (*N.d.T.*)

Il commençait à me bassiner avec son histoire de fantôme. J'avais hâte de passer à un sujet plus palpitant, comme notre lit par exemple.

— Le vent qui se déchaînait ne semblait avoir aucun effet sur ses vêtements. Son kilt et son plaid ne bougeaient pas d'un poil, sauf quand il s'est mis à marcher.

Nous nous regardâmes un moment sans rien dire.

— Brrr… fis-je enfin. Je n'aime pas beaucoup ça !

Frank abandonna brusquement son air songeur.

— Bah… répondit-il en souriant. Au moins, j'aurai quelque chose à raconter au vicaire à notre prochaine rencontre. Il s'agit peut-être d'un fantôme connu dans le coin. Il se délectera à me raconter dans le détail son histoire sanglante.

Il lança un regard à sa montre.

— Mais pour le moment, je crois qu'il est temps de se mettre au lit.

— À la bonne heure, murmurai-je.

Je l'observai dans le miroir tandis qu'il ôtait sa chemise et cherchait un portemanteau. Soudain, il se tourna vers moi.

— Dis-moi, Claire, tu as déjà soigné des Écossais ? Quand tu étais au campement militaire ou à Pembroke ?

— Bien sûr, répondis-je, surprise. À Amiens, il y avait beaucoup d'hommes des régiments Seaforth et Cameron, puis, plus tard, après Caen, on a eu toute une flopée de soldats du régiment Gordon. De gentils garçons, la plupart. Très stoïques en général, sauf au moment des piqûres.

Je souris en me souvenant de l'un d'entre eux en particulier.

— Il y avait notamment ce grand-père… un cornemuseur du 3e bataillon de Seaforth. Il ne supportait pas les injections, surtout dans la fesse. Il préférait souffrir le martyre sans broncher, pendant des heures, plutôt que de laisser l'une d'entre nous s'approcher avec une seringue. Et même quand il n'en pouvait plus, il essayait de nous convaincre de lui faire une intramusculaire dans le bras.

Je me mis à rire en repensant au caporal Chisholm.

— Un jour, il m'a déclaré : « Bon d'là ! Quitte à me retrouver sur le ventre les fesses à l'air, je veux une pépée sous moi, pas derrière mon dos armée d'une épingle à chapeau ! »

Voyant le sourire gêné de Frank, je me hâtai de le rassurer :

— Je te promets de ne pas raconter cette histoire devant tes collègues à l'université.

Son visage s'éclaira, il vint se poster derrière moi, et déposa un baiser sur le sommet de ma chevelure.

— Ne t'inquiète pas, tu pourras bien leur raconter n'importe quoi, ils vont t'adorer. Mmmm... tes cheveux sentent bon.

— Tu aimes ?

Ses mains glissèrent sur mes épaules et vinrent caresser mes seins par-dessus ma fine chemise de nuit. Je le regardai dans le miroir, son menton posé sur mon crâne.

— J'aime tout de toi, chuchota-t-il. Comme tu es belle à la lueur des bougies ! Tes yeux luisent comme du cognac dans un verre en cristal, et ta peau a la couleur de l'ivoire. Une vraie sorcière... Je devrais peut-être couper définitivement l'électricité.

— Comment ferons-nous pour lire au lit ?

— Nous ne lirons plus.

— Vraiment, et qu'est-ce qu'on pourrait y faire d'autre... à part dormir, bien sûr ? dis-je en me retournant pour l'enlacer.

Un peu plus tard, nous étions blottis l'un contre l'autre derrière les volets clos ; je levai ma tête de sur son épaule et demandai :

— Pourquoi est-ce que tu m'as demandé si j'avais soigné des Écossais, tout à l'heure ? Tu te doutais bien que oui. Il y avait des hommes venant de partout sur le champ de bataille.

Il s'étira et me caressa doucement le dos.

— Mmm ? Oh, pour rien, juste comme ça. C'est juste que, quand j'ai vu ce type, là-dehors, je me suis dit que peut-être...

Il hésita.

— Euh, c'était quelqu'un que tu avais connu pendant la guerre… et qu'il était passé pour te voir… je ne sais pas, quelque chose comme ça.

— Dans ce cas, il aurait frappé et m'aurait demandée.

— Eh bien… dit Frank sur un ton détaché, c'est peut-être qu'il ne tenait pas tellement à tomber sur moi.

Je me redressai sur un coude, dévisageant Frank. Une dernière bougie brûlait encore sur la table de chevet et je distinguais parfaitement ses traits. Il tournait la tête, faisant mine de contempler d'un air inspiré une gravure de Bonnie Prince Charlie accrochée au mur.

Je lui pris le menton et le forçai à se tourner vers moi. Il écarquilla les yeux en feignant la surprise.

— Tu insinues, sifflai-je, que l'homme que tu as vu serait… Je cherchai le mot juste.

— Un amant ? proposa-t-il.

— Un ancien flirt ? terminai-je.

— Mais pas du tout, répondit-il mollement.

Il me saisit les mains et essaya de m'embrasser, mais c'était mon tour de me détourner. Il ne parvint qu'à me forcer à m'allonger de nouveau à ses côtés.

— C'est seulement que… tu sais, Claire, on a été séparés pendant de longues années. En six ans, on ne s'est vus que trois fois, et encore, jamais plus d'une journée à la fois. Il n'y aurait rien d'étonnant à ce que… je veux dire, tout le monde sait que les médecins et les infirmières sont soumis à une terrible pression pendant les urgences et… euh… c'est juste que… euh… je comprendrais très bien que quelque chose soit… arrivé spontanément…

J'interrompis ses divagations en bondissant hors du lit.

— Tu crois que je t'ai trompé ? fulminai-je. C'est ça ? Si c'est le cas, tu peux quitter cette chambre sur-le-champ. Tu peux même quitter cette maison ! Comment peux-tu…

Se redressant sur le lit, Frank tendit les bras pour me calmer.

— Bas les pattes ! m'écriai-je. Réponds-moi ! C'est ce que tu penses, n'est-ce pas ? Il a suffi qu'un inconnu lance un regard vers ma fenêtre pour que tu en conclues aussitôt que je me suis envoyée en l'air avec mes patients !

Frank sortit du lit et me prit dans ses bras. Je restai de marbre, mais il insista, caressant mes cheveux et me massant les épaules comme lui seul savait le faire.

— Non, je n'ai jamais dit ça ! se défendit-il.

Il me serra contre lui et je me détendis légèrement, sans toutefois répondre à ses caresses.

Après que nous fûmes restés un long moment immobiles, il murmura :

— Je sais bien que tu ne ferais jamais une chose pareille. Je voulais juste dire que, même si cela avait été le cas, ma chérie, cela n'aurait fait aucune différence. Je t'aime. Et ce que tu aurais pu faire n'y changerait rien.

Il prit mon visage entre ses mains. Ne mesurant que dix centimètres de plus que moi, il n'avait aucun mal à me fixer dans les yeux.

— Tu me pardonnes ? chuchota-t-il.

Son haleine, légèrement parfumée au Glenfiddich, me caressait doucement le visage. Ses lèvres pleines et accueillantes étaient si proches qu'elles effleuraient presque les miennes.

Derrière la fenêtre, un nouvel éclair annonça que les nuages venaient de percer. Quelques secondes plus tard, une pluie diluvienne vint s'abattre contre la vitre.

Je glissai doucement mes bras autour de sa taille.

— *La qualité du pardon se mesure à sa douceur*, citai-je. *Il tombe doucement comme la rosée du ciel...*

Frank se mit à rire et leva les yeux vers le plafond où les taches d'humidité laissaient présager une nuit moite.

— Si c'est là la démonstration de ton pardon, dit-il, je n'ose imaginer ta vengeance !

La foudre tonna comme un coup de mortier, répondant à sa question. Nous éclatâmes de rire, de nouveau détendus.

Ce ne fut que plus tard, tandis que je l'écoutais respirer régulièrement à mes côtés dans le lit, que le doute m'envahit. Rien dans mon comportement ne pouvait lui laisser supposer une infidélité de ma part. Je dis bien de ma part. Mais, pour reprendre ses propres termes, « six ans… c'est long ».

2

Le cercle de pierres

LE LENDEMAIN MATIN, M. CROOK PASSA me prendre à sept heures comme prévu.

— Vaut mieux partir au lever du jour, pendant que les boutons-d'or sont encore couverts de rosée, pas vrai, ma fille ? lança-t-il, frétillant d'une galanterie désuète.

Il était venu sur une vieille motocyclette qu'il avait trafiquée en y apportant quelques améliorations de son cru. Les presses étaient solidement fixées des deux côtés de l'énorme engin, comme des bouées sur un remorqueur. Nous fîmes une belle promenade dans la campagne, nous délectant d'un merveilleux silence chaque fois que l'infernal bolide de M. Crook cessait sa joyeuse pétarade et que les rugissements du moteur mouraient après quelques hoquets graveleux. Le vieil homme s'avéra une inestimable mine de renseignements en matière de plantes locales. Non seulement il savait où les dénicher, mais il connaissait leurs vertus médicinales et la meilleure façon de les préparer. Je regrettai amèrement de ne pas avoir emporté un carnet où consigner ses précieuses recettes. Je tentai de mon mieux d'imprimer ses conseils dans ma mémoire, me concentrant sur sa voix éraillée tout en rangeant nos spécimens dans les lourdes presses.

Nous pique-niquâmes au pied d'une étrange butte au sommet aplati. Elle était aussi verdoyante que les innombrables collines de ce paysage vallonné, présentant les mêmes crevasses et saillies rocheuses. Toutefois, contrairement aux autres, un sentier en terre battue grimpait le long de son flanc et disparaissait abruptement derrière un bloc de granit.

— Qu'est-ce qu'il y a là-haut ? demandai-je en indiquant le sommet de la butte du bout de mon sandwich au jambon. Ce n'est pas très facile d'accès pour un pique-nique.

— Ah, ça ! répondit M. Crook en lançant un regard vers le sentier. C'est Craigh na Dun, ma fille. Je comptais vous y emmener tout à l'heure.

— Vraiment ? Il y a quelque chose de particulier à voir ?

— Oui.

Je ne pus rien en tirer de plus si ce n'est :

— Chaque chose en son temps, ma fille.

Le moment venu, je m'inquiétai pour ses vieilles jambes en le voyant s'élancer d'un pas leste vers le sentier escarpé. Mes craintes s'évanouirent bientôt tandis que je le suivais avec peine. Bientôt, M. Crook me tendit sa main noueuse et m'aida à me hisser au sommet de la colline.

— Nous y voilà ! dit-il simplement.

Il fit un grand geste du bras comme s'il me présentait ses terres.

— Mais… c'est un cromlech ! m'écriai-je, ravie. Un petit Stonehenge !

Je n'étais pas retournée dans la plaine de Salisbury depuis le début de la guerre mais, peu après notre mariage, Frank et moi avions visité Stonehenge. Comme les autres touristes autour de nous, nous avions déambulé, ébahis, entre les menhirs géants et étions restés subjugués par la pierre dite « de l'autel ». Nous dûmes nous retenir de pouffer de rire en écoutant un guide débiter avec un fort accent cockney : « C'est bien là, m'sieu dames, que de terrribles drrruides commettaient d'atrrroces sacrrrifices z'humains » devant un autocar de touristes italiens occupés à mitrailler de leurs appareils photo un rocher somme toute ordinaire.

Avec la méticulosité dont Frank faisait preuve quand il rangeait ses cravates sur le portemanteau, veillant à ce que leurs extrémités soient parfaitement alignées, nous avions suivi le périmètre du cercle, calculant les distances entre les empreintes en forme de Z et celles en forme de Y, puis compté les linteaux du cercle intérieur de *sarsen*.

Trois heures plus tard, nous connaissions le nombre exact de trous en Z et en Y (cinquante-neuf, si cela vous intéresse, moi pas), mais n'en savions pas plus sur la raison d'être de cette structure que les dizaines d'archéologues amateurs et professionnels qui avaient étudié les lieux à quatre pattes au cours des cinq cents dernières années.

Ce n'étaient pas les hypothèses qui manquaient, naturellement. Ma longue expérience du milieu des chercheurs m'avait appris qu'une opinion bien formulée valait mieux qu'une certitude mal exprimée, surtout pour gravir les échelons de la profession.

Un temple, un cimetière, un observatoire astronomique, un lieu d'exécution (d'où la pierre appelée à tort « du bourreau » qui gît sur le flanc, à demi enfouie dans sa fosse). Un marché à ciel ouvert. Cette dernière idée me plaisait particulièrement. J'imaginais les braves ménagères du Mégalithique se promenant entre les menhirs, panier sous le bras, examinant d'un œil critique le vernis du dernier arrivage de poteries en argile rouge et écoutant d'une oreille sceptique les harangues des boulangers de l'âge de pierre, des marchands de pelles en os et des représentants en perles d'ambre.

Un détail contredisait cette théorie : la présence d'un ossuaire sous la pierre de l'autel et les restes humains carbonisés dans les trous en Z. À moins qu'il ne s'agisse des restes de malheureux marchands accusés de truquer leurs balances, il ne paraissait pas très hygiénique d'enterrer ses morts sous la place du marché.

Le cromlech miniature au sommet de la colline ne comportait aucune trace de sépultures. Par miniature, je veux dire que le cercle de pierres dressées était sensiblement plus petit que celui de Stonehenge, mais chaque menhir était néanmoins massif et faisait deux fois ma taille.

J'avais entendu un autre guide de Stonehenge déclarer qu'on trouvait des monuments similaires un peu partout en Grande-Bretagne et en Europe, plus ou moins bien conservés, avec de légères variantes dans leur orientation ou leur forme, mais tous d'origine et d'utilité inconnues.

M. Crook se tint à l'écart, m'observant avec un sourire indulgent tandis que je me promenais entre les pierres, m'arrêtant ici et là pour les effleurer du bout des doigts, comme si le simple contact de mes mains risquait de laisser mon empreinte sur les roches monumentales.

Certains menhirs étaient striés de veines aux couleurs fanées. D'autres étaient tachetés de grains de mica qui brillaient au soleil. Tous étaient nettement différents des roches qui affleuraient un peu partout dans la lande. Les hommes qui avaient érigé ces cercles de pierres, quels que soient leurs desseins, s'étaient donné la peine de les extraire, de les tailler et de les transporter jusqu'ici. Tailler ? Mais comment ? Transporter ? Par quels moyens et sur quelles distances inimaginables ?

— Il faut que mon mari voie ça, dis-je à M. Crook. Il n'en reviendra pas. Je le conduirai jusqu'ici un de ces jours.

Je le remerciai chaleureusement de m'avoir montré toutes ces plantes et ce site, et il m'offrit galamment son bras pour m'aider à redescendre le sentier. Après un regard vers la pente vertigineuse qui nous attendait, je décidai qu'il était infiniment plus stable sur ses jambes que moi et m'agrippai à lui.

Ce même après-midi, je descendis d'un pas vaillant le chemin qui menait au village pour aller chercher Frank chez le vicaire. Je respirais avec plaisir les fortes senteurs des Highlands, un mélange de bruyère, de sauge et de genêt, épicé çà et là d'une odeur de feu de bois et de l'inévitable fumet de hareng frit. Le village était niché au fond d'une cuvette que surplombait l'une de ces falaises vertigineuses typiques des landes écossaises. La route était bordée de charmants cottages. La prospérité due à l'après-guerre s'était traduite ici par une nouvelle couche de peinture sur les façades. Même le presbytère, vieux d'un siècle au moins, arborait un crépi jaune vif qui contrastait avec ses fenêtres à demi affaissées.

La gouvernante m'ouvrit la porte. C'était une grande femme sèche portant trois rangées de perles artificielles autour du cou. En entendant mon nom, elle me fit entrer et me précéda dans un long couloir sombre et étroit, tapissé de gravures jaunies de personnages qui avaient dû être illustres en leur temps, à moins qu'il ne s'agisse des ancêtres du maître de maison. Toutefois, ils auraient pu tout autant être les membres de la famille royale, car on n'y voyait pas grand-chose.

En revanche, le bureau du vicaire était baigné de lumière, grâce à trois immenses fenêtres qui allaient pratiquement du sol au plafond. Près du foyer, un chevalet soutenait une toile inachevée représentant un paysage de falaises noires se détachant sur un ciel nocturne. C'était sans doute la raison des verrières, qui avaient dû être ajoutées longtemps après la construction de la maison.

Frank et un petit homme trapu portant le col blanc ecclésiastique étaient penchés au-dessus d'un bureau couvert de vieux papiers. Frank leva à peine le nez mais le vicaire interrompit ses explications et se précipita pour m'accueillir, son visage rond rayonnant d'amabilité.

— Madame Randall ! s'exclama-t-il en secouant vigoureusement ma main. Quel plaisir de vous revoir ! Vous arrivez juste à temps pour entendre la grande nouvelle !

— Nouvelle ?

Je jetai un regard vers les vieux papiers noircis et calculai que la nouvelle en question devait dater du milieu du XVIIIᵉ siècle. Pas vraiment le scoop de l'année !

— Mais oui. Nous avons retrouvé la trace de l'ancêtre de votre mari, Jack Randall, dans les dépêches militaires de l'époque.

Il s'approcha de moi et, prenant un air mystérieux, me chuchota du coin des lèvres comme un gangster dans un film américain :

— J'ai... euh... emprunté les textes originaux au bureau des archives locales. Motus et bouche cousue, n'est-ce pas ?

Amusée, je promis de ne jamais trahir son terrible secret et cherchai autour de moi un siège confortable où recevoir les dernières révélations du Siècle des lumières. Une grande bergère près de la fenêtre me parut convenir parfaitement à l'occasion, mais au moment de la tourner face au bureau, je découvris qu'elle était déjà occupée. Un garçonnet aux cheveux noirs et brillants était recroquevillé en chien de fusil dans le fond du fauteuil, profondément endormi.

— Roger !

Le vicaire vint à mon secours, apparemment aussi surpris que moi. L'enfant sursauta et se redressa brusquement, ouvrant de grands yeux couleur de mousse.

— Qu'est-ce que tu fais ici, petit vaurien ? gronda affectueusement le vicaire. Tu t'es encore endormi sur tes bandes dessinées ?

Il ramassa des planches colorées sur le sol et les tendit à l'enfant.

— Allez, ouste ! Laisse-moi travailler avec M. et Mme Randall. Oh, attends ! J'ai oublié de te présenter. Madame Randall, voici mon fils, Roger.

Je fus un peu surprise. J'aurais juré que le révérend Wakefield était vieux garçon. Je serrai poliment la petite main tendue, résistant ensuite à l'envie d'essuyer un certain résidu poisseux sur ma jupe.

Le révérend Wakefield regarda l'enfant s'éloigner vers la cuisine avec un sourire attendri.

— À dire vrai, c'est le fils de ma nièce, nous confia-t-il. L'avion de son père a été abattu au-dessus de la Manche et sa mère est morte pendant le Blitz. Alors, je l'ai pris à ma charge.

— C'est très généreux de votre part, murmurai-je.

Je repensai à oncle Lamb. Lui non plus n'avait pas survécu au Blitz. Il avait été tué par un obus tombé sur l'amphithéâtre du British Museum où il donnait une conférence. Le connaissant, il aurait certainement été soulagé d'apprendre que l'aile des antiquités persanes qui jouxtait l'amphithéâtre avait été épargnée.

— Mais pas du tout, pensez-vous ! se défendit modestement le vicaire. La présence d'un enfant dans cette maison nous redonne un peu de vie. Asseyez-vous, je vous en prie.

Mais Frank ne m'en laissa pas le temps.

— Un coup de chance inouï, Claire ! s'exclama-t-il avec enthousiasme tout en feuilletant les pages flétries. M. Wakefield a déniché toute une série de dépêches militaires où il est question de Jonathan Randall.

— Plus précisément, intervint le vicaire en prenant un des papiers des mains de Frank, il semblerait plutôt que ce capitaine ait fait beaucoup parler de lui. Il a commandé la garnison de Fort William pendant près de quatre ans et semble avoir pris un malin plaisir à persécuter la population locale au nom de la couronne d'Angleterre.

Il extirpa une liasse de documents de la pile sur la table et les étala devant nous.

— Tout ceci, reprit-il, sont des rapports de plaintes déposées contre le capitaine par plusieurs familles et propriétaires terriens. Il y est accusé de toutes sortes de méfaits, allant du viol de leurs femmes de chambre par ses soldats au vol de chevaux, en passant par un assortiment d'« outrages » dont la nature n'est pas précisée.

Ce détail m'amusa.

— Je vois que ta lignée n'est pas exempte de la proverbiale brebis galeuse !

Frank haussa les épaules.

— Il était ce qu'il était, peu m'importe. Je veux juste savoir. Ce genre de plaintes n'a rien d'inhabituel pour l'époque. Les Anglais en général, et les soldats en particulier, étaient détestés

partout dans les Highlands. En revanche, ce qui est plus étonnant, c'est qu'aucune de ces plaintes ne semble avoir eu de suite.

Le vicaire, incapable de tenir plus longtemps, renchérit :

— Absolument. À cette époque, les officiers n'étaient pas
soumis à un contrôle rigoureux comme de nos jours. Pour
les affaires courantes, ils avaient le champ libre. Mais, dans
ce cas précis, c'est vraiment étrange. Aucune de ces plaintes
ne semble avoir donné lieu à une enquête. Après avoir été
enregistrées, elles ont tout bonnement été mises au panier.
Vous voulez mon avis, Randall ? Votre ancêtre devait avoir un
protecteur, quelqu'un en mesure d'empêcher que ces affaires
ne remontent jusqu'à ses supérieurs.

Frank se gratta la tête, regardant les documents d'un air
dubitatif.

— Vous avez sans doute raison. Mais ce devait être un
homme très puissant, un haut gradé, ou un noble peut-être.

— Oui, voire…

Le vicaire fut interrompu dans ses supputations par l'arrivée
de Mme Graham, sa gouvernante.

— Voici quelques rafraîchissements, messieurs, annonça-
t-elle.

Elle déposa son plateau en plein milieu du bureau, laissant
tout juste le temps au vicaire de sauver ses précieuses dépêches.
Puis, elle se tourna vers moi, qui me tordais d'ennui dans
mon fauteuil, l'air las.

— Je n'ai apporté que deux tasses, j'ai pensé que Mme Randall accepterait de se joindre à moi dans la cuisine. J'ai du…

J'étais debout avant qu'elle ait eu le temps d'achever sa
phrase, trop heureuse d'accepter l'invitation. J'entendis les
débats reprendre derrière moi tandis que je poussais les portes
battantes qui donnaient sur la cuisine du presbytère.

Le thé était vert, chaud et parfumé, avec des fragments de
feuilles tournoyant dans le liquide.

— Mmm, fis-je en reposant ma tasse. Je n'avais pas bu du
vrai Oolong depuis une éternité.

Mme Graham hocha la tête, ravie de ne pas s'être donné du mal en vain. Elle avait placé des sets de table en dentelle sous les tasses en porcelaine et un pot de crème fraîche épaisse pour accompagner nos petits pains au lait.

— Ne m'en parlez pas ! Le Oolong était introuvable pendant la guerre. Et pour lire l'avenir, il n'y a rien de tel. J'avais un mal fou avec l'Earl Grey. Les feuilles se désagrègent si vite, on n'y voit plus rien.

— Vous lisez dans les feuilles de thé ? demandai-je, assez amusée.

Rien ne pouvait être plus éloigné de ma conception de la diseuse de bonne aventure que cette vieille dame emperlée et grisonnante. Je la regardai boire une longue gorgée, et suivis des yeux le liquide qui coulait dans sa gorge fripée. Elle se tapota délicatement les lèvres du bout de son mouchoir brodé avant de répondre :

— Mais certainement, ma chère ! Tout comme ma grand-mère et sa grand-mère avant elle. Finissez votre tasse et je vous dirai ce que vous avez là.

Elle resta silencieuse un long moment, inclinant la tasse vers la fenêtre pour l'inspecter à la lumière, ou la faisant rouler entre ses longs doigts noueux. Puis elle la reposa délicatement comme si elle craignait qu'elle ne lui explose au visage. Les plis aux commissures de ses lèvres se creusèrent et elle fronça les sourcils.

— Ça par exemple ! C'est l'un des cas les plus étranges que j'aie vus jusqu'ici.

— Ah ? fis-je, intriguée. Vais-je rencontrer un bel inconnu ténébreux ou traverser l'océan ?

Elle accepta mon ironie avec grâce et esquissa un léger sourire.

— Peut-être que oui… à moins que non. C'est justement ce qui est étrange dans votre tasse. Tous les signes se contredisent. Je vois là une feuille incurvée, qui signifie un voyage, mais elle est recouverte d'une feuille coupée qui signale l'immobilité.

Et pour ce qui est des inconnus, vous êtes servie ! J'en vois toute une flopée et, si je ne me trompe pas, l'un d'entre eux est votre mari.

Je trouvai ça moins drôle. Après six années de séparation forcée, mon mari et moi ne nous étions retrouvés que depuis deux mois. S'il était vrai que, dans une certaine mesure, Frank était encore pour moi un inconnu, je n'aimais pas trop l'idée que ma vie privée soit aussi lisible.

Mme Graham semblait soucieuse.

— Montrez-moi votre main, mon enfant.

La sienne était osseuse, mais d'une chaleur surprenante. La chevelure grise penchée devant moi dégageait des effluves de lavande. Mme Graham scruta ma paume un long moment, suivant parfois le tracé d'une ligne du bout du doigt, comme on suit une carte dont toutes les routes déboucheraient sur des culs-de-sac et des étangs sablonneux.

— Alors, vous voyez quelque chose ? demandai-je en m'efforçant de conserver un ton indifférent. Ou est-ce que mon destin est trop affreux pour m'être révélé ?

Mme Graham leva des yeux interrogateurs, puis me dévisagea longuement d'un air songeur. Enfin, elle secoua la tête et pinça les lèvres.

— Mais non, ma chère, ce n'est pas le destin qu'on lit dans la main, mais uniquement son essence.

Elle pencha sa tête de pinson sur le côté.

— Saviez-vous que les lignes de nos mains se modifient avec le temps ? À une autre période de votre vie, on y verrait sans doute tout autre chose.

— Je l'ignorais. Je pensais qu'elles étaient inscrites depuis la naissance, comme les empreintes digitales.

Je réprimai une envie de retirer précipitamment ma main.

— À quoi sert de lire dans les mains, alors ? demandai-je.

Je n'avais pas voulu lui manquer de respect, mais cet examen me gênait un peu, surtout après la lecture des feuilles de thé. Mme Graham sourit et replia mes doigts sur ma paume.

— Nos mains nous montrent ce que nous sommes, ma chère. C'est pourquoi elles changent, ou du moins le devraient. Ce n'est, hélas, pas toujours le cas. Certains malheureux n'évoluent jamais, mais ils sont rares.

Elle serra ma main fermée et lui donna une petite tape.

— Je doute que vous en soyez. Votre main témoigne déjà de nombreux changements pour une personne aussi jeune. C'est probablement à cause de la guerre, ajouta-t-elle comme en elle-même.

De nouveau intriguée, je rouvris la main malgré moi.

— Et d'après ma main, qui suis-je ?

Mme Graham fronça les sourcils, mais ne prit pas ma main tendue.

— Je n'en sais rien. C'est étrange, la plupart des mains ont des points communs. Ce n'est pas qu'« une fois qu'on en a vu une, on les a toutes vues », mais enfin… Les dessins se répètent, voyez-vous.

Elle esquissa une grimace encourageante, qui se voulait sans doute être un sourire, dévoilant une rangée de dents trop belles pour être vraies.

— C'est tout l'art des diseuses de bonne aventure. Avant la guerre, je le faisais pour la kermesse de la paroisse, une fois par an. Maintenant que la paix est revenue, je suppose qu'on va de nouveau me le demander. Je me déguisais avec un turban surmonté d'une plume de paon – empruntée à M. Donaldson – et une robe « reflétant toute la splendeur de l'Orient » – ça, c'était la robe de chambre du vicaire, jaune comme le soleil et couverte de paons brodés. Quand une jeune fille se glissait dans ma tente, je l'observais en douce en faisant semblant de regarder sa main. Si elle portait un chemisier déboutonné jusqu'au nombril, un parfum bon marché et des boucles d'oreilles lui tombant sur les épaules, pas besoin d'une boule de cristal pour deviner qu'elle serait enceinte avant la fin de l'année. Toutefois, quand elle n'avait pas encore de bague au doigt, j'estimais plus convenable de lui annoncer qu'elle allait bientôt se marier.

Nous nous mîmes à rire.

— Alors, comme ça, vous ne regardez la main que pour vérifier si elle porte une alliance ou non ?

Elle parut surprise.

— Oh, mais bien sûr que non ! C'est juste que, le plus souvent, on sait à l'avance ce qu'on va y trouver.

Elle indiqua ma main d'un signe de tête.

— Mais je ne retrouve pas les dessins habituels dans la vôtre. Regardez le pouce, par exemple…

Elle se pencha en avant et l'effleura du doigt.

— Il ne devrait plus changer beaucoup. Il indique que vous avez du caractère et que vous n'aimez pas qu'on vous contredise.

Elle me lança un clin d'œil.

— Votre époux aurait sans doute pu vous en dire autant. Pareil ici…

Elle indiqua la partie charnue à la base du pouce.

— C'est le mont de Vénus. Chez un homme, il indique un coureur de jupons. Chez une femme, c'est un peu différent. C'est, comment dire… j'espère que vous ne le prendrez pas mal… disons que votre mari ne doit pas s'ennuyer au lit avec vous.

Elle émit un gloussement grivois inattendu et je devins cramoisie.

La vieille dame se pencha à nouveau sur ma main, picotant ici et là ma paume du bout de l'ongle pour appuyer ses mots.

— Votre ligne de vie est nette. Vous êtes d'une constitution robuste et le resterez sans doute. Elle est interrompue, ce qui signifie un grand changement. Mais c'est vrai pour la plupart d'entre nous, n'est-ce pas ? Pourtant, la vôtre est particulièrement hachurée. On dirait des petits segments mis bout à bout. Votre ligne de mariage… (Elle fit une moue surprise.)… est divisée. Cela n'a rien d'extraordinaire, cela veut dire deux mariages…

Je tressaillis à peine, mais mon mouvement infime avait été perçu par la vieille dame qui leva les yeux vers moi. Finalement, elle était vraiment une diseuse de bonne aventure perspicace.

— Non, non, ma chère, me rassura-t-elle, cela ne signifie pas que quelque chose va arriver à votre cher mari. Mais, dans l'éventualité où vous vous trouveriez séparés… vous n'êtes pas de celles qui portent le deuil pour le restant de leurs jours. Vous saurez aimer de nouveau si votre premier amour s'est éteint.

Elle plissa les yeux en fixant ma main, suivant du bout de son ongle court ma ligne de mariage.

— Généralement, les lignes doubles se brisent. Or, la vôtre est fourchue.

Elle leva des yeux coquins.

— Vous êtes sûre de ne pas avoir un deuxième mari en cachette ?

Je fis non de la tête en riant.

— Où trouverais-je le temps ?

Je tournai ma main, lui présentai sa tranche désespérément lisse et demandai d'un air détaché :

— J'ai entendu dire que les petites rides sur le côté indiquaient le nombre d'enfants qu'on aurait.

— Pfft… des histoires de bonne femme ! Lorsque vous aurez eu un enfant ou deux, vous aurez peut-être des rides ici, vous les aurez surtout sur la figure. Ça ne veut strictement rien dire.

— Vraiment ?

J'étais stupidement soulagée. J'allais l'interroger à propos des sillons profonds à la base de mon poignet (une propension au suicide ?) quand le révérend Wakefield fit irruption dans la cuisine en portant les tasses vides. Il les déposa près de l'évier et se mit à fouiller bruyamment dans le placard, espérant manifestement que Mme Graham viendrait à son secours.

Cette dernière se leva précipitamment pour protéger son sanctuaire et, poussant délicatement le révérend de côté, se mit à assembler le service à thé sur le plateau pour l'emporter dans le bureau. Le vicaire m'attira sur le côté et me chuchota :

— Venez donc nous rejoindre dans le bureau, madame Randall. Nous venons de faire une nouvelle découverte passionnante.

En dépit de son apparence flegmatique, il bouillonnait d'excitation comme un jeune garçon qui cache un crapaud dans sa poche. De toute évidence, je n'échapperais pas à la note de teinturerie du capitaine Randall, à ses reçus de cordonnerie ou toute autre révélation aussi renversante.

Frank était tellement absorbé par sa lecture qu'il leva à peine la tête quand nous entrâmes. Il tendit à contrecœur le document qu'il étudiait au vicaire et vint se poster derrière lui pour lire par-dessus son épaule, comme s'il ne pouvait supporter de quitter le papier des yeux un seul instant.

— Alors ? m'enquis-je poliment, tripotant les morceaux de papier sales. Hum, je vois, c'est fort intéressant en effet.

De fait, la page qu'il me montrait était couverte d'une écriture arachnéenne, si fanée et fleurie qu'on se demandait quel était l'intérêt de la déchiffrer. Une feuille portait un sceau en forme de couronne.

— Le duc de… Sandringham, c'est ça ? demandai-je.

Un léopard était couché sous la couronne.

— Oui, c'est bien ça, répondit le vicaire, de plus en plus rayonnant. Comme vous le savez, c'est une lignée qui s'est éteinte depuis…

Je l'ignorais mais hochai la tête d'un air inspiré. L'un des avantages avec les historiens, c'est qu'il est inutile de se creuser la tête pour entretenir la conversation. Il suffit de hocher la tête à intervalles réguliers et de ponctuer leurs monologues de brefs « Ah, vraiment ? », ou « Comme c'est intéressant ! »

Après moult « Je vous en prie », « Oh mais non, faites donc » et « Mais si, mais si, j'insiste », ce fut le vicaire qui remporta l'honneur de m'annoncer la grande nouvelle. En fait, tout ça pour me dire simplement que l'ancêtre de mon époux, le tristement célèbre Black Jack Randall, n'était pas seulement un galant officier de la Couronne, mais également un fidèle agent secret du duc de Sandringham.

— Je dirais presque un « agent provocateur », non, monsieur Randall ?

Le vicaire rendit gracieusement son bout de papier à Frank.

— Tout à fait. Naturellement, l'auteur de la lettre ne met pas les points sur les *i*…

Il tourna les pages du bout de l'index.

— … mais il semblerait que la mission de Jonathan Randall ait été d'éveiller les sentiments jacobites, s'il y en avait, parmi les familles écossaises les plus influentes de la région. Le but étant de confondre tout baronnet ou chef de clan soutenant secrètement le prétendant au trône Charles-Édouard. Mais c'est étrange. Sandringham n'était-il pas lui-même soupçonné d'être jacobite ?

Frank tourna un visage interrogateur vers le vicaire. Le vicaire prit le même air perplexe.

— Mais oui, vous avez parfaitement raison. Attendez, vérifions dans les Mémoires de Cameron.

Il se précipita vers les étagères croulantes de volumes reliés en veau.

— Je suis sûr qu'il parle de Sandringham quelque part.

— Passionnant… murmurai-je, laissant mon attention dériver vers l'énorme bibliothèque qui couvrait tout un mur du plancher jusqu'au plafond.

Les étagères croulaient sous un extraordinaire assortiment d'objets, surtout des papiers, mais également des factures de gaz, du courrier, des bulletins du conseil du diocèse, des pages flottantes de romans, des notes griffonnées de la main du vicaire, et des babioles diverses : clefs, bouchons, et ce qui me parut être des pièces détachées d'automobile, reliées par des bouts de ficelle.

Je contemplais oisivement ce désordre, écoutant d'une oreille le débat qui se poursuivait derrière moi. (Le duc de Sandringham était bien jacobite, fut-il décidé.) Mon attention fut soudain attirée par un arbre généalogique accroché dans un coin avec quatre punaises. Les premiers noms en bas de l'arbre remontaient au XVIIe siècle. Mais ce fut sur le dernier nom tout en haut que mon regard s'arrêta : « Roger W. (MacKenzie) Wakefield. »

J'interrompis les deux érudits en train de décider si la fleur entre les pattes du léopard des Sandringham était un lis ou un crocus.

— Excusez-moi, c'est l'arbre de votre fils ?

— Pardon ? Mais... euh... oui.

Le vicaire accourut, de nouveau radieux. Il détacha délicatement le papier et le posa sur la table devant moi.

— Je ne voulais pas qu'il oublie ses origines, voyez-vous. Il vient d'une famille très ancienne. Elle remonte au début du XVe siècle.

Il suivit avec révérence les ramifications de l'arbre du bout du doigt.

— Je ne lui ai donné mon nom que pour des raisons de commodités, puisqu'il vit ici. Mais je ne voudrais pas qu'il oublie d'où il vient.

Il fit une petite grimace comme pour se faire pardonner.

— Ma propre famille, je le crains, n'est pas très folichonne, généalogiquement parlant. Elle ne compte que des vicaires et des archidiacres, avec un libraire de temps à autre, les excentriques de la famille. Les traces les plus anciennes ne remontent qu'à 1762. Ce n'étaient pas de très bons archivistes, hélas.

Il eut une moue compatissante pour excuser la léthargie de ses ancêtres.

Il était déjà tard quand nous quittâmes le presbytère. Le vicaire nous laissa partir en promettant de porter les lettres en ville pour les faire recopier à la première heure. Sur le chemin du retour, Frank bavassait gaiement à propos des espions et des jacobites quand il remarqua enfin mon silence.

— Qu'est-ce qu'il y a, ma chérie ? s'inquiéta-t-il en me prenant le bras. Tu ne te sens pas bien ?

— Non, ce n'est rien. Je pensais simplement…

J'hésitai, car nous avions déjà abordé la question à plusieurs reprises.

— Je pensais à Roger.

— Roger ?

Je poussai un soupir d'impatience.

— Vraiment, Frank ! Tu es parfois si… tête en l'air ! Roger, le fils du révérend Wakefield.

— Ah oui, bien sûr ! dit-il d'un ton vague. Charmant enfant ! Mais qu'est-ce qu'il a ?

— Rien, c'est juste que… il y a beaucoup d'enfants comme lui. De petits orphelins…

Il me lança un regard de biais et secoua la tête.

— Non, Claire, pas question ! Tu sais bien ce que je pense de l'adoption. C'est que… je ne sais pas si je pourrais aimer un enfant qui n'est pas de… euh, de mon sang. C'est parfaitement idiot et égoïste, je sais, mais je n'y peux rien. Peut-être qu'avec le temps je changerai d'avis, mais pour le moment…

Nous fîmes quelques pas dans un silence de plomb. Soudain, il s'arrêta et prit mes mains entre les siennes.

— Claire, je veux *notre* enfant. Tu es ce que j'ai de plus précieux au monde. Bien sûr, je veux avant tout que tu sois heureuse, mais j'aimerais aussi… te garder rien que pour moi. Je crains qu'un enfant venant d'ailleurs, avec lequel nous n'aurions aucun lien préalable, ne devienne un intrus et nous mette mal à l'aise. Ce que je voudrais, c'est te donner un enfant, le voir grandir en toi, le voir naître… alors j'aurais davantage l'impression qu'il est… une extension de toi. Et de moi. Un membre de notre famille à part entière.

Il me fixait d'un regard implorant.

— Oui, oui… je comprends.

Je me résignai à laisser tomber le sujet… pour le moment. Je me tournai pour reprendre la marche, mais il me retint et me serra dans ses bras.

— Claire, je t'aime.

La tendresse dans sa voix m'alla droit au cœur. Je posai ma tête contre sa veste, sentant sa chaleur et la force de ses bras autour de moi.

— Moi aussi, je t'aime.

Nous restâmes enlacés un long moment, oscillant lentement sous l'effet du vent qui balayait la route. Soudain, Frank me libéra légèrement et baissa les yeux vers moi.

— En outre, dit-il doucement, écartant les mèches que le vent rabattait sur mon visage, nous n'avons pas encore capitulé, n'est-ce pas ?

— Non, c'est vrai, souris-je.

Il prit ma main, la cala sous son coude et nous reprîmes la route.

— Tu te sens d'attaque pour une nouvelle tentative ?

— Oui, pourquoi pas ?

Nous marchâmes, main dans la main, vers Gereside Road. Ce fut la vue de Baragh Mhor, le monument picte qui se dressait au carrefour, qui me rappela le cromlech.

— J'avais oublié ! m'écriai-je. J'ai quelque chose de très excitant à te montrer.

Frank me lança un regard coquin et serra ma main plus fort.

— Moi aussi, dit-il. Tu me montreras le tien demain.

Le lendemain, toutefois, nous avions un autre projet que j'avais oublié : une excursion sur le « Great Glenn » du fameux loch Ness.

La route était longue et nous dûmes partir avant le lever du soleil. Une voiture nous attendait devant la porte, son moteur fumant dans le froid glacial de l'aube. Je m'installai douillettement sous une couverture, et bientôt, confortablement nichée dans le creux de l'épaule de Frank, je me laissai sombrer dans une délicieuse torpeur. Mon dernier souvenir conscient fut la nuque de notre chauffeur se détachant sur le fond rougeoyant du soleil levant.

Nous arrivâmes après neuf heures. Frank avait réservé un guide qui nous attendait près de la berge dans un petit bateau à voile.

— Si ça vous va, m'sieu, on longera ce côté du loch jusqu'au château d'Urquhart. On y fera une petite pause avant de continuer.

Notre guide, un petit homme sec, portait une chemise en coton usée jusqu'à la trame et des pantalons de serge. Il glissa soigneusement le panier du pique-nique sous un banc avant de tendre sa main calleuse pour m'aider à monter à bord.

C'était une journée splendide. Les arbres en fleurs sur les berges escarpées se reflétaient dans l'eau noire. En dépit de sa mine revêche, notre guide était fort intéressant et loquace, nous indiquant au passage les îles, les châteaux et les ruines qui bordaient le long bras de mer.

— Là-bas, au loin, c'est le château d'Urquhart.

Il montrait un mur de pierre lisse, à peine visible entre les arbres.

— Du moins, ce qu'il en reste. Depuis qu'il a été maudit par les sorcières du Glenn, il n'a connu que des malheurs.

Il nous raconta l'histoire de Mary Grant, fille du laird d'Urquhart, et de son amant, le poète Donald Donn, fils de Mac-Donald de Bohuntin. Le laird n'appréciant guère la manie du prétendant de sa fille de « mettre la main » sur tout le bétail qu'il rencontrait (un métier ancien et honorable dans les Highlands, nous assura le guide), il interdit aux jeunes gens de se voir. Naturellement, ils bravèrent l'interdit. Le père l'apprit. Donald fut attiré dans un guet-apens et capturé. Condamné à mort, il supplia d'être décapité comme un gentleman et non pendu comme un vulgaire voleur. On accéda à sa requête. Pendant qu'on le menait au billot, il répétait : « Le Diable attrapera

58

le laird de Grant par les pieds et Donald Donn ne sera pas pendu. » Ce en quoi il n'avait pas tort. La légende raconte que sa tête avait roulé au sol en déclarant : « Mary, soulève ma tête. »

Je frissonnai et Frank passa un bras autour de mon épaule.

— Un fragment de sa poésie a survécu jusqu'à nous, dit-il doucement.

> *Demain, je serai sur une colline, sans tête.*
> *N'aurez-vous donc pitié de ma mie endeuillée,*
> *Ma Mary, la belle aux yeux tendres ?*

Je pris sa main et la serrai tendrement.

À mesure que les histoires de trahison, de meurtre et de violence se succédaient, je comprenais d'où le loch tenait sa sinistre réputation.

— Et le fameux monstre ? demandai-je, en me penchant au-dessus des profondeurs noirâtres.

Le mythe semblait parfaitement adapté au décor.

Notre guide haussa les épaules et cracha dans l'eau.

— Y a pas à dire, notre loch est bizarre. Y a des bruits qui courent, des histoires qui disent qu'un dragon vieux et féroce vivait autrefois au fond du loch. On lui offrait des sacrifices, des agneaux, et parfois même des petits enfants qu'on jetait dans l'eau dans des paniers en osier.

Il cracha de nouveau.

— Y en a qui disent que le loch n'a pas de fond, juste un trou plus profond que tout ce qu'on a jamais vu en Écosse. D'un autre côté…

Ses yeux ridés se plissèrent encore un peu plus.

— … y a quelques années, une famille du Lancashire a débarqué au commissariat d'Invermoriston en hurlant qu'ils venaient de voir Nessie sortir de l'eau et se cacher dans la fougère. C'était un monstre horrible à voir, couvert de longs poils rouges, avec des cornes immenses. Il mâchait quelque chose et du sang lui dégoulinait des babines.

Il leva une main, arrêtant mon cri d'effroi.

— Ils ont envoyé un officier de police sur place. Quand il est revenu, il a déclaré : « Will, pour ce qui est du sang, tu peux rayer ce détail de la déposition. Pour le reste, tout est exact, c'est la description parfaite d'une belle vache mâchant de la bruyère ! »

Nous parcourûmes une bonne moitié du loch avant de débarquer pour un déjeuner tardif. Là, la voiture nous attendait et nous refîmes le chemin en sens inverse à travers le Glenn, ne voyant rien de plus sinistre qu'un renard roux au milieu de la route, tenant un petit rongeur dans sa gueule. En nous apercevant, il bondit dans le fossé et fila comme une flèche le long du rivage.

Il était très tard quand nous arrivâmes enfin chez Mme Baird, épuisés. Nous nous soutînmes mutuellement sur le perron tandis que Frank cherchait les clefs, riant encore des événements de la journée.

Ce ne fut qu'en me déshabillant que le cercle de menhirs de Craigh na Dun me revint en mémoire. J'en parlai à Frank et sa fatigue s'évanouit sur-le-champ.

— Non ? Et tu sauras retrouver le chemin ? Fantastique, Claire !

Il me gratifia d'un sourire éclatant et se mit à fouiller dans la valise.

— Qu'est-ce que tu cherches ?

— Le réveil.

— Mais pour quoi faire ? demandai-je, médusée.

— Je veux être réveillé à temps pour les voir.

— Qui ça ?

— Les sorcières.

— Les sorcières ! Qui a parlé de sorcières ?

— Le vicaire. Sa gouvernante en est une.

Je revis en pensée la très digne Mme Graham et me mis à rire.

— Tu plaisantes !

— Ben... à vrai dire, ce ne sont pas tout à fait des sorcières. Il y a eu des sorcières en Écosse pendant des siècles. On les brûlait vives encore au XVIIIe. Celles-ci sont plutôt des sortes de druides. Je ne pense pas qu'il s'agisse à proprement parler d'un sabbat ou d'un culte satanique. D'après le vicaire, plusieurs femmes du village se retrouvent régulièrement pour perpétuer les rites des anciennes fêtes solaires. Vu sa position, il ne peut pas se permettre de les suivre de trop près, mais il est trop curieux pour s'en désintéresser. Il ignore où ont lieu les cérémonies, mais s'il existe un cromlech dans les parages, pas la peine de chercher plus loin !

Il se frotta les mains, savourant d'avance le plaisir de la découverte.

— Ça, c'est une veine ! s'exclama-t-il.

Se lever une fois avant l'aube pour une balade matinale est amusant. Le faire deux jours de suite relève du masochisme.

Cette fois, il n'y avait ni voiture chauffée, ni plaid, ni Thermos pour nous attendre. Je me traînais à demi endormie derrière Frank vers la colline, les mains enfoncées dans les poches de mon cardigan, trébuchant sur des racines, m'écrasant les orteils contre les pierres, pestant contre le froid et la brume.

Après un dernier effort pour nous hisser au sommet de la colline, le cromlech se dressa devant nous, les menhirs à peine visibles dans la pénombre. Frank s'immobilisa, pétrifié d'admiration, tandis que je reprenais mon souffle, adossée contre une roche.

— Magnifique, murmura-t-il.

Il marcha silencieusement vers le cercle, disparaissant derrière les imposantes silhouettes de pierre. Pour être magnifiques, elles l'étaient, mais elles étaient aussi franchement inquiétantes. Je frissonnais, pas seulement sous l'effet du froid. Si ceux qui les avaient érigées avaient voulu impressionner, ils savaient ce qu'ils faisaient.

Frank réapparut quelques instants plus tard derrière moi.

— Il n'y a encore personne, murmura-t-il en me faisant sursauter.

Une lueur, à peine une nuance de gris plus pâle que la nuit, commençait à poindre sur la ligne d'horizon. Je suivis Frank vers un buisson d'aulnes au bord du sentier. Il avait repéré un minuscule espace entre les arbres, juste assez grand pour nous accueillir debout l'un contre l'autre. Le chemin était nettement visible, ainsi que l'intérieur du cercle de pierres qui n'était qu'à une trentaine de mètres. Frank n'avait pas son pareil pour se glisser sans bruit dans l'obscurité. Je me demandai – et ce n'était pas la première fois – quel genre de travail il avait bien pu effectuer pendant la guerre.

Encore somnolente, je n'aspirais à rien d'autre qu'à me nicher confortablement sous un buisson douillet. Hélas, nous n'en avions pas la place et je fus contrainte de rester debout, scrutant le sentier escarpé pour voir apparaître nos druidesses. Je commençais à avoir des crampes dans les reins et j'avais mal aux pieds, mais l'attente ne serait sans doute pas longue. À l'est, la ligne d'horizon avait viré au rose pâle et je calculai qu'il ne restait guère plus d'une demi-heure avant l'aube.

La première était aussi discrète que Frank. Nous entendîmes tout juste un léger roulement de pierre quand ses pieds butèrent contre quelques cailloux près du sommet de la colline. Je distinguai alors une chevelure argentée. Mme Graham. C'était donc vrai. La gouvernante du vicaire était vêtue sobrement, avec une jupe en tweed et un manteau de laine. Elle portait un paquet blanc sous le bras. Elle disparut derrière l'une des pierres dressées, aussi silencieuse qu'un fantôme.

Les autres suivirent rapidement, seules, par deux ou trois, avec des fous rires étouffés et des chuchotements qui cessèrent sitôt qu'elles approchèrent du cromlech.

J'en reconnus quelques-unes. Il y avait Mme Buchanan, la factrice, ses cheveux blonds fraîchement permanentés laissant une forte senteur de *Soir de Paris* dans son sillage. Je me mordis la lèvre pour ne pas rire. Voilà donc à quoi ressemblait une druidesse moderne !

Elles étaient quinze en tout. La plus âgée, Mme Graham, devait avoir la soixantaine, et j'avais déjà croisé la plus jeune au village, d'une vingtaine d'années tout au plus, poussant un landau. Toutes étaient équipées pour la marche dans la bruyère et portaient un paquet sous le bras. Sans échanger un mot, elles disparurent derrière les pierres et les buissons, pour réapparaître quelques instants plus tard, les mains vides et vêtues d'un drap blanc noué sur une épaule. De fait, une légère odeur de lessive m'avait chatouillé les narines quand l'une d'elles était passée devant notre buisson.

Elles s'assemblèrent hors du cercle de pierres, formant une ligne allant de la plus âgée à la plus jeune, et attendirent en silence. Le jour se levait peu à peu.

Lorsque le soleil émergea enfin de la ligne d'horizon, elles avancèrent vers le centre du cercle en file indienne. Elles firent lentement plusieurs fois le tour intérieur du cromlech, aussi dignes et solennelles que des cygnes tournoyant sur un lac.

Soudain, la meneuse s'arrêta, leva les bras vers le ciel et s'avança vers le centre du cercle. Se tournant vers les pierres orientées à l'est, elle prononça quelques mots d'une voix claire. Elle ne parlait pas fort, mais sa voix se répercutait contre les roches, comme si l'appel émanait des menhirs eux-mêmes.

L'incantation, inintelligible pour moi, fut répétée par les danseuses. Car entre-temps elles s'étaient mises à danser. Sans se toucher, mais les bras tendus, elles sautillaient sur place et se balançaient, sans cesser de tourner. Soudain, la ronde se scinda en deux. Sept d'entre elles continuèrent à tourner dans le sens des aiguilles d'une montre, tandis que les autres faisaient volte-face et partaient dans le sens inverse. Les deux demi-cercles se croisaient de plus en plus vite, formant parfois une boucle complète, parfois une double ligne courbe. La meneuse se tenait toujours au centre, parfaitement immobile, lançant régulièrement son appel plaintif et aigu, dans une langue morte depuis longtemps.

Elles auraient dû paraître ridicules, et peut-être l'étaient-elles. Un groupe de femmes, déguisées avec un drap, bon nombre d'entre elles grosses et loin d'être agiles, paradant en cercle au sommet d'une colline. Pourtant, leur chant me donnait la chair de poule.

Elles s'arrêtèrent toutes en même temps et se tournèrent vers le soleil levant, formant deux lignes parallèles. À mesure que le soleil s'élevait, la lumière avança entre les menhirs situés à l'est, suivit le couloir laissé par les deux rangées de danseuses et alla inonder une grande pierre fendue de l'autre côté du cromlech.

Les femmes se tinrent un moment immobiles, disparaissant dans l'ombre de chaque côté du grand faisceau de lumière. Puis Mme Graham se mit à parler, toujours dans cette même langue étrange. Elle pivota sur place et marcha, le dos droit, ses mèches argentées luisant au soleil, le long du chemin de lumière. Sans un mot, les danseuses la suivirent. Elles s'engouffrèrent une à une dans la grande fissure de la pierre principale et disparurent.

Nous nous accroupîmes entre les aulnes jusqu'à ce que les femmes réapparaissent dans leur tenue de ville, riant et papotant comme si de rien n'était, et s'éloignent en groupe sur le sentier, en route pour aller prendre un café au presbytère.

— Mon Dieu ! soufflai-je en m'étirant, essayant de chasser les fourmillements dans mes jambes. Quelle vision !

— Merveilleux ! s'exclama Frank. Je n'aurais voulu rater ça pour rien au monde.

Il se glissa hors de notre cachette comme un serpent, me laissant me dépêtrer entre les branchages tandis qu'il s'avançait au milieu du cercle, le nez au ras du sol comme un limier flairant la trace du gibier.

— Qu'est-ce que tu cherches ? demandai-je.

J'entrai dans le cercle avec quelques hésitations mais le soleil était déjà haut et les menhirs, quoique toujours impressionnants, avaient beaucoup perdu de leur aspect menaçant à l'aube.

— Des repères, répondit-il en avançant à quatre pattes, scrutant l'herbe. Comment savaient-elles où se placer et où s'arrêter ?

— Bonne question, je ne vois rien.

Toutefois, je remarquai une plante intéressante poussant au pied de l'une des grandes pierres. Du myosotis ? Non, probablement pas. Celle-ci avait des pétales bleu nuit et un cœur orange. Intriguée, je m'approchai. Frank, qui avait l'ouïe plus fine que la mienne, bondit soudain et m'attrapa par le bras, m'entraînant hors du cercle juste au moment où une des druidesses entrait de l'autre côté.

C'était Mlle Grant, la petite dame potelée qui tenait la boutique de confiseries et de pâtisseries dans High Street. Elle regarda autour d'elle en plissant les yeux, puis fouilla ses poches à la recherche de ses lunettes. Les mettant sur son nez, elle fit le tour du cercle. Enfin, elle trouva ce qu'elle était venue rechercher, un peigne en écaille. Elle le remit en place, ajustant ses mèches épaisses et brillantes. Mais elle ne semblait pas particulièrement pressée de rentrer au village ouvrir sa boutique. Elle s'assit sur un rocher, s'adossa confortablement à un géant de pierre et alluma une cigarette.

Frank laissa échapper un soupir d'exaspération.

— Hum, chuchota-t-il. On ferait mieux de s'en aller. Telle qu'elle est partie, elle pourrait rester là toute la matinée. Et puis, je ne vois aucune trace dans l'herbe.

— Si tu veux, on reviendra plus tard, suggérai-je, toujours intriguée par la fleur bleue.

— D'accord.

Mais apparemment, le cromlech ne l'intéressait déjà plus. Toute son attention était concentrée sur les détails de la cérémonie. Sur le chemin du retour, il m'assaillit de questions, m'enjoignant de me rappeler la formulation exacte des incantations et l'ordre des pas des danseuses.

— Du norrois, conclut-il enfin, d'un air satisfait. Les racines des mots viennent du vieux norrois, j'en suis pratiquement sûr. Mais la danse…

Il secoua la tête.

— Non, la danse doit être plus ancienne que ça. Beaucoup plus ancienne. Je ne dis pas que les peuples scandinaves ne connaissaient pas la figure de la ronde, ajouta-t-il en fronçant les sourcils d'un air critique comme si j'avais soutenu le contraire. Mais ce pas croisé avec deux demi-cercles, c'est… hum, ça me rappelle… On retrouve un motif similaire sur les poteries pictes, mais je me demande…

Il sombra dans l'une de ses transes, marmonnant à voix haute. Il ne revint sur terre que lorsqu'il glissa sur quelque chose au milieu du chemin au pied de la colline. Il tomba en avant les bras tendus et dévala les derniers mètres du sentier, atterrissant dans un champ de trèfle.

Je me précipitai derrière lui. Quand je le rejoignis, il était assis dans le pré.

Il paraissait indemne.

— Ça va ? demandai-je quand même.

— Je crois, répondit-il en se frottant le crâne et lissant ses cheveux en arrière. Sur quoi j'ai trébuché ?

— Ça !

Je lui tendis une boîte de sardines, oubliée par quelque campeur négligent.

— Une des menaces de la civilisation, ajoutai-je.

— Ah !

Il prit la boîte, regarda à l'intérieur, puis la lança par-dessus son épaule.

— Vide, dommage ! Cette excursion matinale m'a ouvert l'appétit. Si on allait voir si Mme Baird peut nous offrir un petit déjeuner tardif ?

— C'est une idée, répondis-je en enlevant quelques brins d'herbe de sa veste. Personnellement, j'avais plutôt pensé à attendre jusqu'à l'heure du déjeuner.

Nos regards se croisèrent.

— Ah, fit-il simplement en me lançant un regard entendu.

Sa main remonta lentement le long de mon bras et glissa derrière ma nuque, son pouce me chatouillant gentiment le lobe de l'oreille.

— Effectivement, c'est une idée.

— Mais uniquement si tu n'as pas trop faim, précisai-je.

Son autre main se fraya un chemin le long de mon dos. Il m'attira à lui d'une légère pression dans le creux de mes reins. Il entrouvrit les lèvres et enfouit sa tête dans mon corsage, son souffle caressant la pointe de mes seins.

Il me coucha doucement dans l'herbe. Les tiges de trèfle semblaient flotter dans l'air autour de sa tête. Il se pencha sur moi et posa ses lèvres sur les miennes. Sans cesser de m'embrasser, il défit lentement un à un les boutons de ma robe, me faisant languir, s'interrompant pour glisser une main sous le tissu et titiller mes mamelons gonflés de désir. Bientôt, ma robe était ouverte jusqu'à la taille.

— Ah ! fit-il encore. Ta peau est comme du velours blanc.

Il parlait d'une voix rauque et sa mèche lui tombait dans les yeux, mais il ne fit rien pour la rabattre cette fois.

D'une légère chiquenaude, il dégrafa la fermeture de mon soutien-gorge, et se pencha pour m'embrasser. Puis il s'écarta et plaça ses deux mains en coupe sur mes seins, les pressant l'un contre l'autre, les écartant, puis les pressant de nouveau, jusqu'à me faire gémir de plaisir. Il écrasa ses lèvres sur les miennes et me serra contre lui jusqu'à ce que nos corps ne fassent plus qu'un. Puis il me mordilla doucement le lobe de l'oreille.

La main qui me caressait le dos descendit toujours plus bas, s'arrêtant soudainement avec surprise. Elle me palpa à l'aveuglette puis Frank redressa la tête et me regarda avec un drôle de sourire.

— Qu'est-ce que tu portes là ? demanda-t-il en mimant l'idiot du village. Ou, plutôt, qu'est-ce que tu ne portes pas là ?

— Je me tiens toujours prête, rétorquai-je. Quand on est infirmière, on ne sait jamais à quel type d'urgence on va devoir faire face.

— Vraiment, Claire, murmura-t-il, glissant une main sous ma jupe et remontant le long de ma cuisse vers le creux chaud et nu entre mes jambes. Ton sens pratique est terrifiant.

Ce même soir, Frank entra derrière moi dans le salon pendant que j'étais assise, un grand livre ouvert sur mes genoux.

— Qu'est-ce que tu fais ? demanda-t-il en posant ses mains sur mes épaules.

— Je cherche cette plante, répondis-je, marquant ma page avec le doigt. Celle que j'ai vue ce matin au pied d'un des menhirs. Regarde…

Je lui tendis le livre ouvert.

— J'hésite entre la famille des campanulacées, des gentianacées, des polémoniacées ou, ce qui est plus probable, des boraginacées… Ce pourrait aussi être une simple variante du myosotis. À moins qu'elle n'appartienne au même groupe que l'*Hepatica nobilis*.

Je lui indiquai une illustration en couleurs d'une anémone hépatique.

— Je ne crois pas que ce soit une gentiane, les pétales n'étaient pas vraiment ronds, mais…

— Pourquoi ne retournes-tu pas sur place pour vérifier ? suggéra-t-il. M. Crook pourrait sans doute te prêter sa vieille bécane ou, non, j'ai une meilleure idée, emprunte plutôt la voiture de Mme Baird, c'est plus sûr. De la route au sommet de la colline, le chemin n'est pas long.

— Ça ne fait jamais qu'une centaine de mètres à grimper comme une chèvre. Depuis quand tu t'intéresses aux plantes ? demandai-je, soudain méfiante.

À la lumière jaune de la lampe du salon, son visage doré ressemblait à un médaillon antique.

— Si tu veux tout savoir, ce n'est pas la plante qui m'intéresse. En revanche, si tu pouvais jeter un œil autour du cercle de pierres ?

— D'accord, mais pour chercher quoi ?

— Des traces de feux. Dans tous les documents que j'ai pu dénicher sur les rites de Beltane, il est question de feux. Pourtant les femmes de ce matin n'en ont pas fait. Je me demande si elles n'auraient pas allumé un bûcher hier soir, avant de venir danser ce matin. Dans les croyances anciennes, ces feux étaient en fait déclenchés par des bergers. Je n'ai pas vu la moindre trace de cendres à l'intérieur du cercle, mais je n'ai pas pensé à regarder à l'extérieur avant de partir.

— OK... dis-je en bâillant.

Mes deux réveils successifs avant l'aube commençaient à se faire sentir. Je refermai le livre et me levai.

— Mais il n'est pas question que je me lève avant neuf heures demain matin.

De fait, il était près de onze heures le lendemain matin quand j'arrivai au cercle de pierres. Il bruinait et j'étais trempée, n'ayant pas pensé à prendre un ciré. J'examinai attentivement l'extérieur du cercle, mais, si quelqu'un avait allumé un feu, il avait pris la peine d'en effacer toute trace.

La plante fut plus facile à trouver. Elle était là où je me souvenais de l'avoir vue, au pied de la pierre la plus grande. J'en cueillis quelques spécimens et les glissai provisoirement dans mon mouchoir avec l'intention de les ranger plus correctement dans les presses qui attendaient au pied de la colline dans la minuscule voiture de Mme Baird.

Le menhir principal était fendu verticalement en deux blocs massifs, séparés par une faille qui faisait bien un mètre de large. Pour une raison obscure, la pierre avait été scindée volontairement. On pouvait voir que les deux faces de chaque côté du passage correspondaient exactement.

Je pris soudain conscience d'un bourdonnement continu qui m'agaçait les oreilles depuis un certain temps déjà. Il semblait venir de très près. Je pensai tout d'abord à une ruche logée quelque part dans une fissure du menhir. Je posai une main contre la pierre pour mieux l'inspecter.

La roche hurla.

Je fis un bond en arrière, avec une telle vigueur que je trébuchai et tombai les fesses dans l'herbe, fixant le menhir, abasourdie.

Jamais de ma vie je n'avais entendu un tel son. Aucun mot ne peut le décrire, si ce n'est que c'était un cri inhumain… le cri d'une pierre. C'était effroyable.

Les autres menhirs se mirent à hurler à leur tour. Il y eut un bruit de bataille, des râles d'hommes à l'agonie, un fracas d'armures qui s'entrechoquent, des hennissements de chevaux pris de panique.

Je secouai violemment la tête pour tenter de dissiper le vacarme, mais il ne fit que s'accentuer. Je me levai et tentai tant bien que mal de fuir vers l'extérieur du cercle. Les bruits venaient de tous côtés, me martelant les tympans, me transperçant le crâne. Ma vue commença à se brouiller.

Je ne sais plus si je me dirigeai volontairement vers la faille de la grande pierre ou si, aveuglée par la douleur, je m'y engageai accidentellement.

Je me souviens qu'une nuit, voyageant en automobile, bercée par le ronronnement du moteur et l'impression de douce apesanteur, je me suis endormie sur le siège du passager. Le conducteur a pris un pont trop rapidement et a perdu le contrôle du véhicule. Je me suis réveillée en sursaut, passant sans transition de mon rêve de flottement à la lumière aveuglante des phares de la voiture qui se précipitait vers nous. J'eus alors l'impression de tomber en chute libre, mon estomac me remontant dans la gorge. C'est à peu près ce que je ressentis entre les deux blocs de pierre du cromlech, en bien plus puissant.

Mon champ de vision sembla se réduire à un minuscule point noir, puis celui-ci disparut, me laissant non pas dans l'obscurité totale, mais dans un vide d'une luminosité éclatante. Je me sentis tournoyer à toute allure, ou retournée comme un gant de l'intérieur vers l'extérieur. Les mots me manquent pour décrire cette sensation de déchirement total, cette impression d'être projetée violemment contre quelque chose qui n'existait pas.

En vérité, il ne se passa rien. Rien ne bougea, ne changea, ni ne sembla se produire. Pourtant, j'étais en proie à une terreur absolue, si puissante que je perdis toute notion de ce que j'étais et d'où j'étais. J'étais au cœur du chaos, et aucune force de l'esprit ou du corps n'y pouvait rien.

Ce n'est pas vraiment que je perdis connaissance mais une chose est sûre, pendant un certain temps, je n'eus plus conscience de moi-même. Je me « réveillai », si l'on peut dire, trébuchant contre une pierre au pied de la colline. Je dévalai les derniers mètres à moitié sur les fesses et terminai ma course dans l'herbe.

J'avais envie de vomir et la tête me tournait. Je rampai jusqu'à un taillis de jeunes chênes et m'adossai contre un tronc le temps de reprendre mes esprits. À quelque distance, je percevais un bruit confus de cris semblables à ceux que j'avais entendus et ressentis, au cœur du cromlech. Cependant, cette fois il s'agissait d'un son bien humain : le vacarme d'hommes en train de se battre. Je me tournai vers lui.

3

L'homme dans les bois

QUAND JE LES APERÇUS, LES HOMMES n'étaient qu'à quelques dizaines de mètres de là où je me trouvais. Ils filaient comme des lapins à travers une petite clairière. Ils n'étaient que deux ou trois, vêtus de kilts. Au loin, j'entendis une détonation que, dans ma torpeur, j'interprétai comme un coup de feu.

Lorsque apparurent à leur suite six hommes portant une veste rouge, des hauts-de-chausses et brandissant des mousquets, je ne doutai plus d'être en proie à une hallucination. J'écarquillai les yeux, me giflai les joues, tendis deux doigts devant moi. Pas de doute, je comptai bien deux doigts, j'y voyais encore clair. Je reniflai le parfum âcre et printanier des arbres, perçus la senteur d'un bouquet de trèfles à mes pieds. Mon odorat fonctionnait normalement.

Je palpai mon crâne. Aucune bosse ni douleur, aucun signe de commotion cérébrale. Mon pouls était un peu rapide mais régulier.

Les cris que j'entendais au loin changèrent brusquement. Il y eut un bruit de galop et je vis soudain un groupe de chevaux foncer droit sur moi. Ils étaient montés par des Écossais en kilt, beuglant comme des veaux des phrases en gaélique. Je bondis hors de leur route avec une agilité qui attestait que je n'avais rien perdu de mes capacités physiques, même si mon état mental laissait à désirer.

Au centre de la clairière, un des hommes en rouge, qui avait été plaqué au sol par les chevaux en fuite, se releva et agita un poing menaçant dans un geste théâtral. Alors, tout s'éclaira : un tournage ! Bien sûr ! Comment avais-je pu être aussi sotte ? On tournait un film de cape et d'épée, la énième reconstitution historique de la grande épopée écossaise.

Indépendamment de mes talents d'actrice, l'équipe du tournage n'apprécierait sans doute pas que j'introduise une note anachronique dans le champ de la caméra. Je me glissai dans le sous-bois, dans l'intention de contourner la clairière et de retrouver la route où j'avais laissé la voiture. L'entreprise s'avéra plus difficile que prévu. La végétation était dense et les ronces accrochaient mes vêtements. J'avançai lentement, piétinant les branches mortes, dégageant ma jupe à chaque pas.

S'il avait été un serpent, je lui aurais marché dessus. Il était tapi parmi les jeunes pousses, se confondant avec elles. D'ailleurs, je ne vis que sa main qui jaillit de nulle part et m'attrapa le bras.

Une autre main vint se coller sur ma bouche et je me sentis entraînée en arrière dans une jeune chênaie. Mon agresseur n'était pas tellement plus grand que moi, mais il avait une poigne d'acier. Tout en me débattant comme une forcenée, je perçus une senteur fleurie, un mélange de lavande et de quelque chose de plus épicé, mêlé à l'odeur âcre de la transpiration. À mesure que les branches se rabattaient sur nous en nous fouettant le corps et le visage, il me sembla que le bras et la main qui m'étreignaient la taille ne m'étaient pas totalement inconnus.

Je secouai violemment la tête pour dégager ma bouche.

— Frank ! hurlai-je. À quoi tu joues ?

J'étais à la fois soulagée de le trouver ici et furieuse de ce petit jeu idiot. Déjà passablement ébranlée par ma mésaventure dans le cromlech, je n'étais pas d'humeur pour une partie de cache-cache dans les bois.

Les mains libérèrent leur étreinte, mais, avant même de me retourner, je sentis qu'un détail clochait. Ce n'était pas seulement l'eau de Cologne que je ne reconnaissais pas, mais une sensation plus subtile. Je fis volte-face et restai clouée sur place.

— Vous… vous n'êtes pas Frank, balbutiai-je.

Il m'étudia avec un intérêt non dissimulé avant de répondre d'un air amusé :

— C'est un fait. Quoique j'aie un cousin répondant à ce nom. Mais je doute que vous m'ayez confondu avec lui, madame, car nous n'avons pas grand-chose en commun.

J'ignore à quoi ressemblait ce cousin, mais cet homme aurait pu être le jumeau de Frank. Ils avaient la même silhouette souple et élancée, les mêmes traits finement ciselés, les mêmes sourcils horizontaux, les mêmes grands yeux noisette, les mêmes cheveux bruns rabattus en une mèche souple sur le front.

Sauf que celui qui se tenait devant moi les portait longs, retenus en queue de cheval par une lanière de cuir. Sa peau cuivrée comme celle d'un bohémien témoignait d'une vie au grand air, exposée aux éléments, sans rapport avec le teint doré que Frank avait acquis depuis notre arrivée dans les Highlands.

— Qui êtes-vous ? demandai-je, très mal à l'aise.

Certes, Frank venait d'une grande famille, mais je croyais en connaître tous les membres résidant en Grande-Bretagne. En outre, si Frank avait eu vent de quelque parent vivant dans les Highlands, il m'en aurait parlé et aurait insisté pour qu'on lui rendît visite, armés de l'incontournable pile de documents et d'arbres généalogiques, en quête d'anecdotes croustillantes au sujet du célèbre Black Jack Randall.

L'inconnu leva les sourcils d'un air perplexe.

— Qui suis-je ? Je pourrais vous retourner la question, madame, et avec infiniment plus de raisons.

Son regard descendit nonchalamment de la racine de mes cheveux à mes orteils, se promenant avec une lenteur insolente sur ma fine robe de coton parsemée de pivoines et s'attardant avec une étrange lueur amusée sur mes jambes nues. Je ne compris pas vraiment où il voulait en venir, mais je me sentis extrêmement mal à l'aise. Je reculai de quelques pas et me heurtai à un tronc d'arbre.

Quand il se détourna enfin, ce fut comme si on m'enlevait un énorme poids de sur le ventre. Je poussai un soupir de soulagement, me rendant soudain compte que j'avais retenu mon souffle pendant toute la durée de son inspection.

Il alla chercher sa veste, jetée sur la branche la plus basse d'un jeune chêne, la brossa du revers de la main pour enlever quelques feuilles, puis l'endossa.

Je dus émettre un petit hoquet de surprise, car il leva de nouveau les yeux vers moi. La veste était écarlate. C'était une sorte de redingote avec de longues basques taillées en pointe, un col sans revers et un brandebourg le long de la boutonnière. Ses manchettes retournées faisaient bien quinze centimètres et étaient doublées en peau de buffle. Une chaînette en or pendait à l'une des épaulettes. C'était un ancien uniforme d'officier... la tenue des dragons. Ainsi, c'était un acteur... il appartenait à l'équipe de tournage que j'avais vue plus tôt. La courte épée qu'il était en train d'accrocher à sa ceinture n'était qu'un accessoire, pourtant elle était d'un réalisme à s'y tromper.

Je m'appuyai contre le tronc d'arbre et croisai les bras devant ma poitrine, essayant de me donner de l'assurance.

— Alors, vous allez me dire qui vous êtes, bon sang ! lançai-je d'une voix éraillée qui trahissait ma nervosité.

Il fit la sourde oreille, prenant tout son temps pour boutonner sa veste. Ce ne fut qu'une fois qu'il eut terminé qu'il daigna me répondre. Avec une moue ironique, il s'inclina devant moi, une main sur le cœur.

— Jonathan Randall, écuyer, capitaine du 8ᵉ régiment des dragons de Sa Majesté. Pour vous servir, madame.

Je détalai comme une folle. Je filai à travers bois, bientôt hors d'haleine, ignorant ronces, orties et cailloux… J'entendis un cri derrière moi mais, trop paniquée, je ne cherchai pas à savoir d'où il venait.

Je fuyais à l'aveuglette. Les branches fouettaient mon visage et mes bras. Mes chevilles se tordaient sur les pierres. J'étais incapable de formuler la moindre pensée cohérente, ne songeant qu'à fuir cet homme.

Un lourd poids m'atteignit dans le bas des reins et je plongeai la tête la première, atterrissant sur le ventre, le souffle coupé. Deux mains me retournèrent comme une crêpe sur le dos et je vis le capitaine Jonathan Randall tombé à genoux à côté de moi. Il haletait et avait perdu son épée dans la course, il était échevelé, couvert de boue, et manifestement très agacé.

— Peut-on savoir quelle mouche vous a piquée ? Où couriez-vous ainsi ? s'écria-t-il.

Une lourde mèche de ses cheveux s'était libérée et pendouillait sur son front, accentuant encore sa ressemblance avec Frank et mon trouble.

Il se pencha sur moi et me coinça les bras étalés en croix. Je me débattis furieusement, ne parvenant qu'à le faire s'affaler de tout son long sur moi, m'immobilisant complètement. Du coup, sa mauvaise humeur sembla s'évanouir sur-le-champ.

— Ah, c'est ça que tu voulais, la garce, hein ? lança-t-il avec un grand sourire. Je t'obligerais volontiers, ma belle, mais tu as choisi un bien mauvais moment.

Il m'écrasait de tout son poids. Sous le tapis de feuilles, une pierre m'entaillait douloureusement les reins. Je gigotai pour la déloger. Il pressa encore un peu plus ses hanches contre les miennes, ses mains clouant mes épaules au sol. J'ouvris la bouche pour laisser échapper ma fureur.

— De quel droit… commençai-je.

Il ne me laissa pas le temps de finir. Plongeant en avant, il plaqua ses lèvres sur les miennes. Sa langue fouilla ma bouche sans vergogne, tournant et dardant, se retirant puis revenant à l'assaut. Il cessa aussi soudainement qu'il avait commencé.

Il me tapota la joue.

— Pas mal, dit-il. Peut-être plus tard, quand j'aurai le temps de m'occuper de toi plus correctement.

Entre-temps, j'avais retrouvé mon souffle et en usai en hurlant comme une damnée dans son tympan. Il fit un bond en arrière comme s'il venait de recevoir de l'huile bouillante dans l'oreille. J'en profitai pour dégager un genou et le lui envoyer de toutes mes forces dans ses parties intimes, l'envoyant rouler dans la mousse.

Je me remis précipitamment sur pied. Il pivota adroitement sur le flanc et se redressa aussitôt. Je cherchai désespérément une issue autour de moi. J'étais acculée au pied de l'une de ces hautes falaises de granit qui jaillissent un peu partout dans les Highlands. L'endroit où nous nous trouvions formait un creux, comme une niche. Il en bloquait l'entrée, les bras écartés entre les parois rocheuses. Son beau visage brun exprimait à la fois la colère et la curiosité.

— Avec qui étais-tu ? tonna-t-il. Qui est ce Frank ? Je ne connais pas de Frank dans ma compagnie. Est-ce un homme qui vit dans les environs ?

Il esquissa un sourire moqueur.

— Tu ne pues pas le fumier, c'est donc que tu ne couches pas avec les culs-terreux. À vrai dire, tu m'as l'air un peu trop chère pour les paysans du coin.

Je serrai les poings et les dents. Ce mufle ne perdait rien pour attendre.

J'adoptai mon ton de mère supérieure qui faisait généralement de l'effet sur les garçons de salle un peu trop verts et les jeunes internes, et m'écriai d'un air pincé :

— Je ne comprends pas un traître mot de ce que vous racontez. Je vous ordonne de me laisser passer, sur-le-champ !

Le capitaine Randall sembla trouver cela très drôle. Je faisais de mon mieux pour contrôler la panique qui s'était emparée de moi et me martelait frénétiquement les tympans.

Il secoua lentement la tête, m'examinant de nouveau en détail.

— Je n'en ai pas terminé avec toi, ma belle, répondit-il d'un ton badin. Je me demande bien ce qu'une putain peut faire dehors, seule, en chemise et en souliers. Et de bonne facture, par-dessus le marché ! ajouta-t-il en lançant un regard vers mes mocassins crottés.

— Une quoi ! ? hurlai-je.

Il ne répondit pas. Il se contenta de me dévisager froidement, puis avança soudain d'un pas et m'attrapa par le menton. Je saisis son poignet et tirai de toutes mes forces.

— Lâchez-moi !

Il avait des doigts d'acier. Il me fit tourner la tête de droite à gauche, m'examinant à la lumière du sous-bois.

— Une vraie peau de duchesse… murmura-t-il d'un air songeur.

Il se pencha en avant et renifla.

— … un parfum français dans les cheveux…

Il me lâcha enfin et je me frottai le menton avec indignation, cherchant à effacer toute trace de son contact.

— … rien qui ne puisse avoir été offert par un riche protecteur, mais tu ne t'exprimes pas comme une gueuse.

— Trop aimable, rétorquai-je. Laissez-moi passer, mon mari m'attend. S'il ne me voit pas revenir d'ici dix minutes, il viendra à ma recherche.

— Ah, un mari !

L'expression d'admiration moqueuse s'atténua légèrement sans disparaître pour autant.

— Et comment s'appelle ce mari ? Où est-il ? Et comment se fait-il qu'il laisse sa femme errer seule dans les bois à moitié nue ?

Jusque-là, j'avais étouffé cette partie de mon cerveau qui tentait désespérément de trouver un sens à tout ce que je vivais depuis le début de l'après-midi. Elle parvint toutefois à reprendre le dessus juste à temps pour me prévenir que je ne pouvais qu'aggraver mon cas en donnant le nom de famille de Frank à cet homme, vu qu'ils portaient le même. Refusant donc de lui répondre, je fis mine de vouloir passer. Il me bloqua la route avec son bras, tandis que sa main volait vers moi.

Il y eut comme un sifflement au-dessus de nos têtes, suivi immédiatement d'une ombre traversant rapidement mon champ de vision et d'un bruit sourd de chute. L'instant suivant, le capitaine Randall gisait à mes pieds, sous un tas de loques qui remuaient. Un gros poing noir s'éleva dans les airs et s'abattit avec une puissance considérable, rencontrant manifestement quelque surface osseuse à en juger par le craquement sinistre qui retentit. Les jambes du capitaine, minces dans leurs hautes bottes brunes, s'immobilisèrent soudain.

Je me retrouvai nez à nez avec une paire d'yeux noirs et luisants. La main épaisse qui avait provisoirement détourné de ma personne les attentions peu honorables du capitaine se referma comme un étau sur mon avant-bras.

— Et vous, vous êtes qui ? demandai-je, interloquée.

Mon sauveur, si on peut l'appeler ainsi, mesurait quelques centimètres de moins que moi et était de constitution frêle, mais le bras nu qui émergeait de la chemise en lambeaux était noué de muscles et son corps tout entier semblait être fait d'une matière dure et résistante, rappelant des ressorts de sommier. Ce n'était pas non plus ce qu'on appelle un bellâtre : il avait la peau grêlée, le front bas et une mâchoire étroite.

— Suivez-moi, grogna-t-il.

Il me tira par le bras. Encore étourdie par la succession rapide des événements, j'obéis et le suivis.

Mon nouveau compagnon escalada rapidement un talus couvert d'aulnes, contourna derrière un gros rocher et nous

nous retrouvâmes sur un sentier. Il était envahi d'herbes folles et on le devinait à peine dans la bruyère, mais c'était néanmoins un chemin, zigzaguant vers la crête de la colline.

Ce n'est qu'une fois en train de dévaler l'autre flanc de la colline que je trouvai assez de souffle et d'esprit pour lui demander où nous allions. Ne recevant aucune réponse, je répétai en haussant le ton :

— Mais où on va comme ça, bordel ?

Pour toute réponse, il se jeta sur moi, le visage grimaçant, et me poussa hors du sentier. J'ouvrais la bouche pour laisser échapper un cri de protestation quand il écrasa sa grosse paluche contre mes lèvres et me plaqua au sol en roulant sur moi.

« Décidément c'est une manie ! » pensai-je tout en gigotant désespérément pour me libérer. Au même instant, j'entendis ce qu'il avait entendu et jugeai plus prudent de me taire et de cesser de remuer. Des voix s'interpellaient, ponctuées de craquements de bois mort et de bruits d'éclaboussures. Je ne pouvais entendre ce qu'elles disaient, mais elles appartenaient indubitablement à des Anglais. Je secouai furieusement la tête pour dégager ma bouche et, par la même occasion, mordis à pleines dents la main qui me bâillonnait. J'eus juste le temps de noter que mon ravisseur avait mangé des harengs au vinaigre avec les doigts avant qu'un objet contondant ne s'écrase sur ma nuque et que tout devienne noir.

Un cottage en grosse pierre se dessina soudain dans le rideau de brume. La nuit était tombée et les volets clos ne laissaient filtrer qu'un mince filet de lumière. Ignorant combien de temps j'étais restée inconsciente, je n'avais aucun moyen de savoir si nous avions parcouru une longue distance depuis la colline de Craigh na Dun ou la ville d'Inverness. Nous étions à cheval. J'étais juchée devant mon ravisseur, les mains liées au pommeau de la selle. Nous avancions lentement à travers champs.

Je n'avais pas dû rester évanouie très longtemps. Je ne présentais aucun symptôme de commotion ni d'autres effets secondaires, mis à part une douleur cuisante à la base du crâne. Mon ravisseur, peu prolixe, avait répondu à toutes mes questions, revendications et remarques acerbes par le même grognement indéchiffrable, qui sonnait à peu près comme « Mmmmphm ». Si j'avais eu le moindre doute quant à sa nationalité, cette onomatopée typiquement écossaise aurait suffi à le dissiper.

Quand notre monture s'arrêta enfin devant les ajoncs qui bordaient le cottage, mes yeux s'étaient accoutumés à la pénombre. Aussi, en pénétrant à l'intérieur, je fus d'abord aveuglée par la lumière. Puis, peu à peu, je constatai que la pièce unique n'était en fait éclairée que par un feu de cheminée, plusieurs bougies et une vieille lampe à huile désuète.

— Qu'est-ce que tu nous rapportes là, Murtagh ?

L'homme à la face de fouine me saisit le bras et me poussa devant le feu.

— Une *Sassenach*, Dougal, à en juger par sa façon de parler.

Ils étaient plusieurs hommes dans la pièce, tous les yeux braqués sur moi, certains avec curiosité, d'autres avec une concupiscence non dissimulée. Au cours de mes péripéties de l'après-midi, ma robe avait été déchirée à plusieurs endroits. Il me suffit d'un coup d'œil pour évaluer les dégâts : un accroc au niveau de ma poitrine laissait voir la courbe d'un de mes seins, détail qui très certainement n'avait pas échappé à ceux qui m'observaient. Toutefois, tenter d'y remédier n'aurait fait qu'aggraver mon cas. Je choisis donc au hasard l'un des visages devant moi et le fixai froidement, espérant faire diversion.

— Elle est bien potelée, la garce, commenta celui que je toisais, un gros aux cheveux poisseux assis près du feu.

Sans lâcher son quignon de pain, il se leva et vint m'inspecter de plus près. Il me releva le menton du dos de la main et écarta les mèches qui cachaient mon visage, laissant tomber des miettes sur le col de ma robe. Les autres s'approchèrent à leur tour, m'encerclant en une masse de plaids et de poils, puant la sueur et l'alcool. Ce n'est qu'alors que je remarquai qu'ils étaient tous en kilt, ce qui était plutôt inhabituel, même dans cette partie des Highlands. Étais-je tombée en plein milieu d'une assemblée de clan ou d'une réunion d'anciens combattants ?

— Venez par ici.

Un grand brun barbu assis à une table près de la fenêtre me fit signe d'approcher. À son ton péremptoire, j'en déduisis que c'était le chef de cette meute. Les hommes s'écartèrent à contrecœur pour me laisser passer tandis que le dénommé Murtagh me poussait en avant.

Le brun m'examina attentivement d'un regard indéchiffrable. C'était un bel homme à l'allure moins bestiale que celle de ses compagnons. Cependant, son air grave et son front creusé de rides trahissaient un tempérament qu'il valait mieux éviter de contrarier.

— Comment vous appelez-vous ?

Je fus prise de court quelques secondes, car il n'avait pas du tout la voix de stentor que j'avais attendue de son impressionnant poitrail.

— Claire… Claire Beauchamp, répondis-je, décidant sur l'inspiration du moment d'utiliser mon nom de jeune fille.

S'ils envisageaient de réclamer une rançon, je n'allais quand même pas leur faciliter la tâche en les conduisant droit à Frank ! En outre, je ne tenais pas à dévoiler mon identité à ces mufles avant de savoir à qui j'avais affaire.

— Et puis-je savoir de quel droit… commençai-je.

— Beauchamp ? interrompit le géant brun.

Décidément, j'allais devoir me faire à l'idée que personne ne m'écouterait, un manque d'éducation qui commençait à devenir tristement familier.

Le front soucieux de mon interlocuteur se plissa. En entendant mon nom, plusieurs hommes dans la pièce avaient eu un mouvement de surprise.

— C'est bien français, n'est-ce pas ?

De fait, il avait prononcé mon nom correctement à la française et non comme moi qui, en bonne Anglaise, disais simplement « Bitcheum ».

— Parfaitement, répondis-je, légèrement décontenancée.

— Où l'as-tu trouvée ? demanda-t-il en se tournant vers Murtagh.

Ce dernier, occupé à boire à une gourde en cuir, haussa les épaules.

— Au pied de Craigh na Dun. Elle s'entretenait avec un certain capitaine des dragons de ma connaissance, expliqua-t-il d'un air entendu. Il semblait y avoir un doute entre eux sur le fait que la dame soit ou non une catin.

Dougal m'examina longuement, inspectant chaque détail de ma robe en coton et de mes chaussures de marche.

— Je vois. Et quelle était l'opinion de la dame sur le sujet ? demanda-t-il en accentuant cyniquement le mot « dame » d'une manière qui me fit tiquer.

Murtagh sembla goûter cette plaisanterie douteuse. Ses lèvres esquissèrent une moue moqueuse.

— Elle assurait qu'elle n'en était pas. Le capitaine lui-même semblait partagé. Alors, il a décidé de mettre la question à l'épreuve.

— Si on en faisait autant ? suggéra le gros lard de tout à l'heure en s'avançant vers moi avec un sourire avide, les pouces glissés sous sa ceinture.

Je reculai précipitamment, mais ne pus aller bien loin, vu les dimensions de la pièce.

— Ça suffit, Rupert, tonna Dougal.

Il souriait toujours, mais son ton autoritaire arrêta net Rupert dans son élan.

— Tu sais que je n'aime pas que vous violiez les femmes, même celles de l'ennemi. Et puis, nous n'avons pas le temps.

Cette déclaration me soulagea quelque peu, même si les motivations morales sous-jacentes laissaient à désirer. Cependant, les regards lascifs de certains visages tournés vers moi n'étaient guère rassurants. J'avais l'impression d'être exhibée en public en sous-vêtements. Je n'avais pas la moindre idée de ce que mijotait cette bande de brigands, mais il ne faisait aucun doute qu'ils n'étaient guère fréquentables. Je me mordis la langue, réprimant les invectives plus ou moins pertinentes qui bouillonnaient en moi.

— Qu'en dis-tu, Murtagh ? lança Dougal à mon ravisseur. Elle n'a pas l'air sensible au charme de Rupert.

— Ça ne prouve rien, objecta un petit chauve. Il ne lui a rien offert en échange. Aucune femme n'accepterait un bougre comme Rupert sans paiement substantiel… et d'avance.

Cette observation déclencha l'hilarité générale. Dougal interrompit le vacarme d'un geste sec de la main et montra la porte d'un signe de tête. Le chauve, toujours grimaçant, s'exécuta sans rechigner et sortit.

Murtagh, le seul qui n'avait pas ri, me regarda en fronçant les sourcils.

— Non, fit-il enfin. Je ne sais pas d'où elle vient, mais je suis prêt à parier ma meilleure chemise que ce n'est pas une putain.

J'espérai du fond du cœur que sa meilleure chemise n'était pas celle qu'il portait sur le dos, auquel cas je ne donnais pas cher de ma réputation.

— Tu dois savoir ce dont tu parles, tu en as fréquenté assez, gloussa Rupert.

Dougal le fit taire.

— Nous verrons plus tard, dit brusquement ce dernier. Il nous reste encore une longue route à parcourir ce soir et il faut d'abord s'occuper de Jamie. Il ne pourra aller nulle part dans cet état.

Je reculai dans l'angle de la cheminée, espérant me faire oublier dans l'ombre. Juste avant d'entrer dans la chaumière, Murtagh m'avait délié les mains. Je pourrais peut-être m'échapper discrètement pendant qu'ils étaient occupés ailleurs. Leur attention s'était tournée vers un jeune homme affalé sur un tabouret. Pendant toute la scène, il avait à peine levé la tête, se tenant l'épaule et se balançant doucement d'avant en arrière.

Dougal écarta doucement sa main et l'un des hommes rabattit le plaid qui le couvrait, révélant une chemise crasseuse maculée de sang. Un petit moustachu vint se poster derrière lui et brandit un poignard. Saisissant la chemise par le col, il la fendit jusqu'à la taille, dégageant l'épaule.

Je tressaillis, comme tous ceux présents. Une profonde entaille lui courait du cou au bras, le sang dégoulinant sur son torse. Mais plus impressionnante encore était l'articulation elle-même. Elle saillait d'une manière affreuse, laissant le bras pendre de côté dans un angle impossible.

— Mmmmphm, grogna Dougal. Elle est sortie de son trou, pauvre vieux !

Le jeune homme redressa la tête. En dépit de ses traits tirés par la douleur et de sa jeune barbe rousse, il avait un beau visage, franc et généreux.

— Je suis tombé sur le bras quand la balle de mousquet m'a désarçonné. J'ai atterri de tout mon poids sur ma main et crac ! l'épaule est sortie.

— Crac ! tu peux le dire, bougonna le moustachu.

À en juger par son accent, c'était un homme plus cultivé que ses confrères. Il palpa l'épaule, faisant grimacer le jeune homme.

— La blessure n'est pas bien grave. La balle a traversé l'épaule en laissant une plaie nette. Les veines ne sont pas atteintes.

Il prit un vieux bout de chiffon graisseux sur la table et épongea le sang.

— Pour ce qui est de l'épaule, je ne sais pas trop quoi faire. Il faudrait un chirurgien pour la remettre en place. Tu crois pouvoir tenir le coup jusque-là, mon garçon ?

« Une balle de mousquet ? Un chirurgien ? » pensai-je, interdite.

Le jeune homme fit non de la tête, le visage blême.

— J'ai déjà assez mal sans bouger.

Il ferma les yeux et se mordit la lèvre inférieure.

— On ne peut pas le laisser là ! s'impatienta Murtagh. Les Anglais ont beau être crétins, ils vont finir par arriver jusqu'ici. Et Jamie passera difficilement pour un innocent paysan, troué comme il est.

— Sois sans crainte, le rassura Dougal, il n'est pas question de l'abandonner.

— Alors, il ne reste qu'une solution, soupira le moustachu, nous allons lui remettre l'épaule en place nous-mêmes. Murtagh et Rupert, tenez-le, j'essaie.

Je l'observai avec compassion agripper le poignet du jeune homme et commencer à le lever de force. Ce devait être atrocement douloureux mais le blessé, le visage dégoulinant de sueur, ne laissa échapper qu'un faible gémissement. Soudain, il s'affaissa en avant, et ses deux compagnons le retinrent de justesse avant qu'il ne s'écrase le nez contre le sol.

L'un des hommes déboucha une flasque et la pressa contre les lèvres du malheureux. Une odeur âpre d'eau-de-vie flotta jusqu'à moi. Le jeune homme toussa et manqua de s'étrangler, mais avala néanmoins le liquide ambré qui coulait le long de ce qui lui restait de chemise.

— Prêt pour une deuxième tentative ? demanda le chauve. À moins que tu veuilles essayer, Rupert ?

Il se tourna vers le ruffian barbu.

Le Rupert en question fit quelques exercices d'assouplissement des mains comme s'il s'apprêtait au lancement du poids. Puis il saisit à son tour le poignet du jeune homme, dans l'intention manifeste de remettre de force le bras en place, ce qui aurait sans doute pour effet de briser l'os comme une vulgaire baguette de bois sec.

— Arrêtez ! m'écriai-je malgré moi, toute velléité de fuite soudain balayée par mon professionnalisme outré.

L'assemblée se tourna vers moi d'un seul bloc, le regard interdit.

— Qu'est-ce qui lui prend à celle-là ? aboya le chauve, irrité par mon intrusion.

— Tel que vous vous y prenez, vous allez lui casser le bras, répondis-je sur le même ton. Écartez-vous s'il vous plaît.

Je poussai Rupert du coude et m'emparai du poignet du jeune homme. Celui-ci paraissait aussi stupéfait que les autres, mais ne résista pas. Sa peau était chaude, mais non fiévreuse.

— Il faut replacer l'os du bras dans l'angle correct avant de le remettre en place, expliquai-je.

Je levai le poignet en fléchissant le coude. Mon patient était assez costaud et son bras lourd comme du bronze.

— Attention, ça va faire très mal, prévins-je.

Je pliai le coude et m'apprêtai à le soulever puis à le pousser d'un coup sec.

Ses lèvres esquissèrent un sourire crispé.

— Ça ne peut pas être pire que maintenant. Allez-y.

Je commençais moi aussi à transpirer abondamment. Déjà en temps normal, remettre une épaule luxée n'est pas une mince affaire. Le faire dans de telles conditions, sur un grand gaillard plusieurs heures après l'accident, une fois les tissus enflés et les muscles tirant sur l'articulation, requérait toutes mes forces. Nous étions à deux pas du feu. Si le retour de la tête de l'humérus dans sa cavité faisait bondir le patient, nous risquions de nous retrouver tous deux les fesses dans les braises !

Soudain, il y eut un petit craquement sourd. Le jeune homme leva des yeux ahuris vers moi et tendit le bras devant lui d'un air incrédule.

— Je n'ai plus mal !

Un large sourire de soulagement illumina son visage et des exclamations ravies retentirent dans l'assemblée.

— Ne vous réjouissez pas trop vite, la douleur va revenir, prévins-je, en m'épongeant le front. Votre épaule restera très sensible pendant quelque temps. Évitez de remuer l'épaule pendant deux ou trois jours, et si vous devez absolument vous servir de votre bras, allez-y doucement les premiers temps. En cas de douleur aiguë, n'insistez pas et appliquez des compresses chaudes une fois par jour.

Si le patient écoutait attentivement tandis que je débitais machinalement mes conseils, les autres, eux, me dévisageaient avec des expressions allant de la perplexité émerveillée à la suspicion la plus profonde.

— C'est que je suis infirmière, voyez-vous, me défendis-je.

Dougal et Rupert échangèrent un regard dubitatif, puis Dougal se tourna vers moi.

— Seriez-vous capable de le remettre en état pour qu'il puisse tenir en selle ?

— Bien sûr, je pourrais lui faire un pansement, oui, répliquai-je sèchement. Encore faudrait-il que vous ayez le matériel adéquat. Mais qu'est-ce qui vous fait croire que je vais accepter de vous aider ?

Pour toute réponse, il me tourna le dos et s'adressa, dans une langue que je ne compris pas mais que je supposai être du gaélique, à une femme assise dans un coin de la pièce, noyée dans la masse d'hommes ; je ne l'avais pas remarquée. Elle était vêtue étrangement, avec une longue jupe en loques et un chemisier bouffant sous un gilet très ajusté qui rappelait vaguement les justaucorps d'autrefois. Le tout dans un état de propreté douteux, comme son visage. Cependant, en regardant autour de moi, je pus constater que la chaumière ne disposait ni d'électricité ni d'eau courante, ce qui expliquait sans doute en partie la crasse.

La femme esquissa une petite révérence et, passant devant Rupert et Murtagh, se mit à fouiller dans un coffre en bois peint posé près de l'âtre, émergeant enfin avec un tas de guenilles.

— Non, ça ne fera pas l'affaire, dis-je en les effleurant du bout des doigts. À défaut de pansements stériles, on peut se contenter d'un linge propre. Mais il faut d'abord désinfecter les plaies.

Les sourcils se levèrent.

— Désinfecter ? fit le petit homme, d'un air perplexe.

— Eh bien oui, quoi, *désinfecter* ! m'énervai-je.

Finalement, malgré son accent cultivé, il devait être un peu simplet.

— Il faut nettoyer la plaie de toutes les impuretés, puis la traiter avec une solution antiseptique pour décourager les microbes et favoriser la cicatrisation.

— Quel genre de solution ?

— De l'iode ?

Devant leurs regards perplexes, j'essayai autre chose :

— Du mercurochrome ? Du phénol dilué ? Ou peut-être tout simplement de l'alcool ?

Les visages se détendirent. Enfin un mot qu'ils semblaient reconnaître ! Murtagh me tendit la flasque en cuir. Je laissai échapper un soupir d'impatience. Je savais que les Highlanders étaient un peu arriérés, mais là, c'était trop fort.

— Écoutez, m'énervai-je, pourquoi ne pas l'emmener en ville ? Il y a bien une agglomération dans le voisinage. Il lui faut un médecin.

La femme me regarda bouche bée.

— En ville ? Quelle ville ?

Pendant ce temps, le dénommé Dougal regardait dehors en se cachant derrière le rideau. Il le laissa retomber et sortit discrètement de la pièce. Les hommes le suivirent des yeux en silence.

Quelques minutes plus tard, il revint avec le chauve. Il fit non de la tête devant les regards interrogateurs de ses compagnons.

— Non, il n'y a rien. Il faut partir maintenant, pendant que la voie est libre.

Se souvenant soudain de moi, il s'arrêta un instant, semblant réfléchir. Puis sa décision prise, il hocha la tête.

— Elle vient avec nous.

Il fouilla dans la pile de guenilles et en extirpa un morceau de chiffon, sans doute une vieille écharpe qui avait connu des jours meilleurs.

Le moustachu, lui, n'était pas du même avis.

— Pourquoi s'embarrasser d'elle ?

Dougal lui lança un regard agacé, mais laissa à Murtagh le soin de fournir les explications.

— Les Anglais seront ici avant l'aube, c'est-à-dire bientôt. Si c'est une espionne travaillant pour leur compte, on ne peut pas risquer de la laisser ici. Elle leur indiquerait dans quelle direction nous sommes partis. Et si elle n'est pas en bons termes avec eux (il me lança un regard dubitatif), on ne peut pas abandonner une faible femme seule, en chemise, avec ces lascars.

Son regard s'illumina légèrement et il palpa le tissu de ma robe.

— Et puis… on pourrait peut-être en tirer un bon prix en demandant une rançon. Elle ne porte pas grand-chose, mais c'est de la qualité.

— En outre, interrompit Dougal, elle a l'air d'être bonne guérisseuse. Elle pourra nous être utile.

Se tournant vers le jeune homme blessé, il ajouta en lui donnant une tape dans le dos :

— Désolé, Jamie. J'ai bien peur que tu doives te passer de « désinfection » pour le moment. Tu pourras tenir la bride d'une seule main ?

— Oui.

— C'est bien, mon garçon.

Il me lança le vieux chiffon graisseux.

— Tenez. Bandez la plaie, et faites vite. On s'en va. Vous deux, lança-t-il en direction de la tête de fouine et du gros Rupert, allez chercher les chevaux.

Je retournai la guenille entre mes mains.

— Je ne peux pas utiliser cette saleté, me lamentai-je. Elle est trop crasseuse.

Je n'eus même pas le temps de le voir bouger. Il me saisit par l'épaule et approcha mon visage à quelques centimètres du sien.

— Ne discutez pas.

Il me lâcha et me poussa vers le jeune homme. Puis il se dirigea vers la porte et sortit derrière ses deux acolytes. De fait, je ne songeais plus à discuter. Encore tremblante, je me concentrai sur l'épaule du blessé. L'idée d'utiliser ce chiffon infect m'était insupportable. Je tentai de dissiper ma terreur et ma confusion en cherchant quelque chose de plus convenable et, après une fouille vaine dans la pile de vêtements, optai finalement pour un morceau de rayonne arraché à ma combinaison. Ce n'était pas franchement stérile, mais c'était encore ce que j'avais de plus propre sous la main.

Le lin de la chemise du patient était élimé jusqu'à la trame, mais encore d'une robustesse surprenante. Je déchirai non sans mal le restant de sa manche et confectionnai une écharpe avec les lambeaux. Je reculai d'un pas pour évaluer mon bandage improvisé et heurtai Dougal qui était rentré silencieusement et me regardait faire.

Il hocha la tête d'un air approbateur.

— Bon travail. Venez, nous sommes prêts.

Il lança une pièce à la femme et me poussa hors de la chaumière, suivi de Jamie encore un peu blême. Une fois debout, mon patient s'avéra être très grand. Il dépassait Dougal de plusieurs centimètres, ce dernier étant loin d'être un nabot.

Rupert et Murtagh nous attendaient dehors. Ils tenaient six chevaux par le licou, tentant de les amadouer par de douces paroles en gaélique. C'était une nuit sans lune, mais la lueur vive des étoiles faisait briller les reflets métalliques des harnais. Levant la tête, je restai émerveillée. La voûte céleste n'était qu'un immense tapis scintillant. Jamais je n'avais vu autant d'étoiles. Suivant du regard la ligne d'horizon, je compris pourquoi. Puisque aucune ville dans les environs ne voilait le ciel de son halo, les astres se révélaient dans toute leur splendeur.

Soudain, je m'arrêtai net et me sentis envahie par un frisson glacé que la fraîcheur de la nuit ne suffisait pas à justifier. Comment ça, « aucune ville ne projetait son halo » ? « Quelle ville ? » s'était exclamée la vieille dans le cottage. Habituée comme je l'étais aux coupures de courant et au black-out de la guerre, l'absence de lumière ne m'avait pas frappée tout de suite. Mais nous étions en temps de paix et l'aura d'Inverness aurait dû être visible à des kilomètres à la ronde.

Dans l'obscurité, les hommes n'étaient que des silhouettes sombres. Je songeai un instant à me glisser entre les arbres, mais Dougal, devinant sans doute mes pensées, me rattrapa par le coude et me poussa vers les chevaux.

— Jamie, grimpe en selle, lança-t-il. Madame montera avec toi.

Sa poigne d'acier m'écrasa le bras.

— Si Jamie ne peut tenir les rênes d'une seule main, je vous autorise à les prendre. Mais je vous préviens : écartez-vous un tant soit peu de nous et je vous ouvre la gorge. Vous m'avez compris ?

Je hochai vivement la tête, la bouche trop sèche pour répondre. Son ton n'était pas particulièrement menaçant, mais quelque chose me dit qu'il valait mieux obtempérer. En outre, avais-je vraiment le choix ? J'ignorais où j'étais, qui ils étaient, ce que nous fuyions avec une telle hâte et où nous allions, mais je ne voyais guère d'autre possibilité que de les suivre. Frank devait être fou d'inquiétude, me cherchant partout. Toutefois, ce n'était peut-être pas le moment de le mentionner.

Ne sentant aucune résistance de ma part, Dougal lâcha mon bras et se pencha devant moi. Je restais bêtement là, plantée à le regarder tandis qu'il sifflait entre ses dents :

— Votre pied, sacrebleu ! Donnez-moi votre pied. Mais non, pas celui-là, le gauche !

Il me lança un regard las tandis que j'ôtais précipitamment mon pied droit de sa main et y plaçais le gauche. Avec un léger grognement, il me hissa sur la selle devant Jamie qui me serra contre lui de son bras valide.

Malgré la situation ambiguë, la chaleur du corps du jeune homme me rassura. Il sentait le feu de bois, le sang et la crasse, mais la brise fraîche de la nuit se faufilait sous ma robe légère et je me blottis contre lui.

Une faible traction sur les rênes suffit à faire démarrer nos montures. Nous avançâmes en silence dans le noir. Dès que nous eûmes rejoint la route, les chevaux partirent au petit trot et j'étais moi-même trop secouée pour avoir envie d'entamer une conversation, en supposant que l'un d'entre eux ait daigné m'écouter.

En dépit de son infirmité, mon compagnon semblait ne faire qu'un avec le cheval. Je sentais ses cuisses se contracter et se détendre pour diriger notre monture. Quant à moi, je m'agrippais tant bien que mal au pommeau de la petite selle pour ne pas tomber. J'avais déjà fait un peu d'équitation par le passé mais j'étais loin d'être une cavalière confirmée.

Nous arrivâmes bientôt à un croisement où nous marquâmes une brève pause pendant que le chef et le petit chauve conféraient à voix basse. Jamie lâcha les rênes et laissa notre cheval paître sur le bord de la route pendant qu'il gesticulait derrière moi.

— Attention ! chuchotai-je. Ne remuez pas comme ça ou votre pansement va se défaire. Qu'est-ce que vous faites ?

— Je voudrais rabattre mon plaid pour vous couvrir. Vous tremblez comme une feuille. Mais je n'y arrive pas d'une seule main. Vous pouvez atteindre le fermoir de ma broche ?

Après une séance de gymnastique périlleuse digne d'écuyers de cirque, nous parvînmes à dégager son plaid. Avec une dextérité surprenante, il fit virevolter l'étoffe par-dessus sa tête, la laissa retomber comme un châle sur ses épaules puis rabattit les pans autour de moi de sorte que nous étions tous deux confortablement enveloppés.

— Et voilà ! s'exclama-t-il. Je ne voudrais pas que vous arriviez gelée.

— Merci, répondis-je, reconnaissante. Mais on va où, au juste ?

Je ne pouvais voir son visage, mais il marqua une brève pause avant de répondre.

— À dire vrai, dit-il enfin en riant, je l'ignore. Je suppose qu'on le découvrira tous les deux une fois qu'on y sera, n'est-ce pas ?

Le paysage que nous traversions m'était étrangement familier. Cette masse rocheuse en forme de queue de coq qui se dressait devant nous, où l'avais-je déjà vue ?

— Cocknammon Rock ! m'exclamai-je.

— Eh bien oui, et alors ? répondit mon compagnon que cette révélation semblait laisser de marbre.

— Ce n'est pas là que les soldats anglais tendaient autrefois des embuscades ?

Je cherchai dans ma mémoire les détails de l'histoire locale dont Frank m'avait bourré le crâne des heures durant une semaine plus tôt.

— Mais si une patrouille anglaise rôde dans les parages… hésitai-je.

Je m'interrompis. Si, effectivement, une patrouille anglaise les attendait au tournant, il n'était peut-être pas très judicieux d'attirer leur attention sur elle. Cependant, en cas d'attaque, rien ne me distinguerait de mon compagnon, enveloppés tels que nous l'étions dans le plaid. Je repensai au capitaine Randall et frissonnai malgré moi. Tout, depuis mon passage malencontreux entre les deux fragments de menhir, semblait indiquer que l'homme que j'avais rencontré dans les bois était l'ancêtre de Frank, né sept générations avant lui. Je repoussais désespérément cette hypothèse absurde et totalement irrationnelle, mais ne pouvais en formuler aucune autre qui expliquât les faits.

J'avais d'abord pensé à un rêve un peu plus réaliste que d'habitude. Mais le baiser de Randall – on ne peut plus physique – avait écarté cette impression. Je ne pouvais avoir imaginé être assommée par Murtagh : la douleur à la base de mon crâne était aussi tangible que la sensation de mes cuisses frottant la selle en cet instant précis. J'avais suffisamment vu le sang couler au cours de mon existence pour en rêver la nuit. Mais l'odeur âpre et cuivrée que dégageait l'homme derrière moi n'était pas le fruit de mon imagination.

— Uh !

Il éperonna notre cheval et nous amena à la hauteur de Dougal. Nos montures avancèrent au pas pendant que les deux hommes échangeaient des conciliabules en gaélique.

Soudain, à un signal du chef, Jamie, Murtagh et le petit chauve restèrent en arrière tandis que les deux autres partaient au grand galop vers le rocher, à plusieurs centaines de mètres de distance. Dans la pénombre, je parvenais à distinguer les feuilles de mauves qui bordaient la route, mais le massif rocheux devant nous était strié de crevasses dont les ombres sinistres pouvaient dissimuler bien des dangers.

Au moment même où les éclaireurs atteignaient Cocknammon Rock, une étincelle jaillit de la masse noire. Un cri effroyable retentit derrière moi et notre monture rua comme si elle avait été piquée par une lance. Coupant à travers champs, elle partit en trombe droit vers le rocher. Murtagh et les autres galopaient à nos flancs, poussant des hurlements sauvages à vous glacer le sang.

Je tentais désespérément de me retenir au pommeau. Arrivant au niveau d'un taillis d'ajoncs, Jamie me saisit par la taille et m'envoya rouler sans plus de cérémonie dans les broussailles. Le cheval se cabra puis repartit au galop, son cavalier à demi couché sur le garrot. Contournant le rocher, ils disparurent dans l'ombre. Quand la monture réapparut de l'autre côté du massif, il n'y avait plus personne en selle.

On ne voyait pas grand-chose. J'entendais au loin des tirs de mousquets et des cris, mais sans distinguer si les mouvements que j'apercevais étaient ceux des hommes ou l'ombre des chênes qui poussaient dans les crevasses du rocher.

Je m'extirpai de mon buisson avec quelque difficulté, enlevant les feuilles épineuses de mes vêtements et mes cheveux. Je léchai le sang d'une écorchure sur le dos de ma main, ne sachant trop que faire. Attendre que l'issue de la bataille décide à ma place ? Si les Écossais l'emportaient, ou du moins en réchappaient, ils reviendraient sûrement me chercher. Dans le cas contraire, je pourrais éventuellement aller trouver les Anglais. Et si ces derniers me prenaient pour la complice des Écossais, puisque j'étais arrivée là en leur compagnie ? Complice de quoi ? Je n'en savais rien, mais, à en juger par leur comportement dans le cottage, ces rustres mijotaient quelque chose que les Anglais estimaient répréhensible.

Non. Le mieux était sans doute d'éviter les deux parties en conflit. Après tout, je savais maintenant où j'étais. Il me serait plus facile de retrouver mon chemin jusqu'à un village, même s'il me fallait marcher jusque-là. Je me mis en route d'un pas décidé, trébuchant sur d'innombrables affleurements de granit.

L'obscurité était traîtresse. Si je distinguais nettement les moindres détails sur le sol, je n'avais aucune perception du relief. Les racines qui couraient sur le sol et les pierres tranchantes m'apparaissaient à la même hauteur et je trébuchais sans cesse. Je marchais aussi vite que je le pouvais, attentive aux moindres bruits autour de moi.

Lorsque je rejoignis enfin la route, le vacarme du combat s'était estompé. Ainsi exposée, je craignais d'être vue, mais seul le chemin pouvait me mener jusqu'à des habitations. Je n'avais jamais eu le sens de l'orientation et n'avais jamais prêté attention à Frank quand il m'expliquait comment se fier aux étoiles pour naviguer dans le noir. En pensant à Frank, les larmes me montèrent aux yeux. Aussi essayai-je de m'occuper l'esprit en analysant les événements de la journée.

Si incroyable que cela paraisse, j'étais vraisemblablement tombée dans un lieu où les us et coutumes de la fin du XVIIIe siècle étaient encore en cours. Il aurait pu s'agir de quelque fête ou rituel en costume, s'il n'y avait eu les blessures du jeune homme appelé Jamie. En outre, les hommes dans le cottage n'avaient pas l'air de jouer la comédie. Leurs coutelas et leurs épées étaient bien réels.

Et si je me trouvais dans une enclave isolée où des villageois nostalgiques revivaient périodiquement leur passé ? Cela se faisait en Allemagne, je l'avais lu quelque part. Mais en Écosse ? « On n'a jamais vu des acteurs se tirer dessus avec de vraies balles de mousquet ! » railla la partie bêtement rationnelle de mon cerveau.

Je regardai vers le rocher derrière moi pour tenter de me situer, puis vers le ciel, et enfin droit devant moi. Rien, pas une lumière, pas la moindre petite lueur, rien que des branches de sapins se détachant, d'une noirceur insondable, sur le tapis d'étoiles. Mais où était donc passé Inverness ? Si c'était bien Cocknammon Rock juste derrière moi, Inverness devait se trouver à environ cinq kilomètres au sud-ouest. À cette distance, j'aurais dû apercevoir dans le ciel l'aura des lumières de la ville. Si la ville était vraiment là !

Je serrai mes bras contre ma poitrine pour me protéger du froid, essayant de maîtriser la colère qui montait en moi. En admettant l'idée absurde que j'étais plongée dans une autre époque que la mienne, Inverness existait depuis au moins six siècles. Donc, elle était forcément là, mais apparemment plongée dans le noir. Cela semblait indiquer qu'il n'y avait pas d'électricité. Autre preuve, s'il en fallait. Mais preuve de quoi, exactement ?

Une silhouette surgit dans le noir à deux pas de moi et je manquai de la percuter de plein fouet. Réprimant un cri, je fis volte-face pour prendre la fuite mais une poigne d'acier m'agrippa le bras.

— Tout doux, ma belle, ce n'est que moi.

— C'est bien ce que je craignais, grognai-je en reconnaissant la voix de Jamie.

En fait, j'étais plutôt soulagée que ce soit lui. Il me faisait moins peur que les autres, même s'il était de la même trempe. Mais il était jeune, plus jeune que moi, me semblait-il. Et je pouvais difficilement avoir peur d'un homme que je venais de soigner.

— J'espère que vous avez fait attention à votre épaule, grondai-je en usant de mon ton revêche de chef de service.

Si j'arrivais à m'imposer, je pourrais peut-être le convaincre de me laisser partir.

— Cette petite escarmouche ne lui a pas fait grand bien, admit-il en massant son épaule de sa main libre.

Au même moment, j'aperçus une immense tache de sang sur le devant de sa chemise. « Hémorragie artérielle », pensai-je automatiquement. Mais, dans ce cas, comment pouvait-il encore tenir debout ?

— Vous êtes blessé ! m'écriai-je. La plaie s'est rouverte, à moins qu'il ne s'agisse d'une nouvelle blessure. Asseyez-vous que je regarde ça !

Je le poussai vers un tas de rochers, passant rapidement en revue les consignes des premiers soins sur le champ de bataille. N'ayant rien d'autre sous la main que ce que je portais sur moi, je m'apprêtais à arracher un autre lambeau de ma combinaison pour éponger le sang quand il m'arrêta en riant.

— Non, n'y faites pas attention. Ce n'est pas *mon* sang… enfin, pas uniquement.

Je déglutis, légèrement mal à l'aise.

— Ah ! fis-je d'une voix faible.

— Dougal et les autres nous attendent un peu plus loin sur la route. Allons-y.

Il me prit par le bras, moins par galanterie que pour me forcer à l'accompagner. Je décidai de tenter le tout pour le tout et plantai fermement les talons dans le sol.

— Non ! Je n'irai pas avec vous !

Il s'arrêta, surpris.

— Mais si, venez.

Ma résistance ne semblait pas le contrarier outre mesure. Il parut même amusé du fait que je refuse de me laisser kidnapper de nouveau.

— Et si je ne viens pas, qu'allez-vous faire, me trancher la gorge ? le défiai-je.

Il réfléchit à la question et répondit calmement :

— Non. Vous ne me paraissez pas bien lourde. Si vous vous obstinez, je propose de vous jeter par-dessus mon épaule et de vous porter. Cela vous plairait-il davantage ?

Il fit un pas vers moi et j'abandonnai aussitôt toute velléité de fuite. Je ne doutai pas un instant qu'il eût l'intention de mettre son plan à exécution.

— Non ! Vous ne pouvez pas faire ça ! Vous allez rouvrir vos blessures.

Je distinguais mal ses traits, mais j'aperçus nettement deux rangées de dents souriantes.

— Bon, ben... puisque vous vous inquiétez tant de ma santé, je suppose que vous allez me suivre sans faire d'histoires ?

Je cherchai désespérément une réponse, mais n'en trouvai aucune.

Il me prit de nouveau le bras et nous partîmes droit devant nous.

Jamie ne me lâcha pas une seconde, me soutenant chaque fois que je trébuchais contre des pierres et des racines. Quant à lui, il marchait dans le noir comme en plein jour sur une route pavée. Il devait avoir du sang de chat, ce qui expliquait que je ne l'aie pas entendu venir.

Comme prévu, les hommes nous attendaient avec les chevaux non loin de là, tous indemnes. Remontant avec maladresse en selle, je donnai involontairement un coup de tête dans l'épaule de Jamie qui ne put réprimer un gémissement de douleur.

Je me vengeai de mon agacement de m'être laissé surprendre et de mon embarras devant ma maladresse en le réprimandant sèchement :

— Ça vous apprendra à faire le zouave dans la campagne et à jouer à cache-cache dans les bois et les rochers. Je vous avais dit de ne pas bouger l'épaule. Vous êtes satisfait maintenant ? Vous vous êtes sans doute déchiré des muscles par-dessus le marché !

Mes reproches semblèrent l'amuser.

— C'est que… je n'avais guère le choix. Si je n'avais pas bougé l'épaule, je ne serais sans doute plus là en ce moment. Une seule main me suffit pour rosser un Anglais, voire deux, se vanta-t-il. Mais pas trois. Et puis… ajouta-t-il en me serrant contre sa chemise poisseuse de sang, vous n'aurez qu'à m'arranger ça en arrivant.

— Peuh ! C'est ce qu'on verra, rétorquai-je en essayant de me décoller du tissu visqueux.

Il éperonna le cheval et nous repartîmes au trot. La « petite escarmouche » avait mis les hommes d'excellente humeur. Les rires gras et les plaisanteries douteuses fusaient. Ils me félicitèrent chaleureusement de les avoir prévenus de l'embuscade et portèrent des toasts en mon honneur en brandissant de petites flasques qu'ils portaient sur eux.

On m'en tendit une, mais je déclinai l'offre. Sobre, j'avais déjà suffisamment de mal à rester en selle ! D'après leur conversation, je crus comprendre que les hommes à qui ils avaient eu affaire appartenaient à une patrouille comptant une dizaine de dragons anglais, armés de mousquets et de sabres.

Quelqu'un passa une flasque à Jamie. Un fort parfum d'alcool, de tourbe et de fleurs me chatouilla les narines. Je n'avais pas soif, mais une agréable odeur de miel me rappela que je n'avais rien avalé depuis un certain temps déjà. Protestant contre ma négligence, mon estomac émit un grondement bruyant plutôt embarrassant.

— Dis donc, Jamie, on dirait que t'as faim ? Ou est-ce que tu t'es assis sur une cornemuse ? cria Rupert en se méprenant sur la source du bruit.

— Je suis tellement affamé que si j'avais une cornemuse sous la main, je la mangerais ! répondit Jamie en prenant galamment mes borborygmes à son compte.

Quelques instants plus tard, une flasque apparut au-dessus de ma tête.

— Buvez-en une gorgée, me chuchota-t-il. Ça ne vous remplira pas l'estomac, mais vous oublierez votre faim.

Ça et d'autres choses, espérai-je. J'inclinai la flasque et bus avidement.

Mon compagnon de selle avait vu juste. Le whisky alluma un petit foyer dans le creux de mon estomac, me réchauffant et atténuant les crampes dues à la faim. Nous progressâmes sans encombre sur plusieurs kilomètres, nous relayant aux rênes et buvant à tour de rôle. Toutefois, au moment où nous passions devant une chaumière en ruine, la respiration de Jamie se transforma en un râle saccadé. Notre équilibre précaire, maintenu jusqu'alors grâce au pas régulier du cheval, devint nettement plus erratique. Je m'inquiétai. Si je n'étais pas encore soûle, il était peu probable que lui le soit.

— Stop ! Arrêtez ! criai-je. Il va tomber !

Après ma dernière descente précipitée de cheval, je ne tenais pas à renouveler l'expérience.

Les autres cavaliers firent demi-tour et s'agglutinèrent autour de nous dans un brouhaha de chuchotements. Jamie glissa la tête la première comme un sac de pierres, atterrissant heureusement dans les bras d'un homme qui venait de sauter à terre. Le temps que je descende de ma monture, on l'avait déjà couché dans un champ.

— Il respire encore, dit l'un d'entre eux.

— Bravo, quelle perspicacité ! sifflai-je, cherchant frénétiquement son pouls à tâtons dans le noir.

Je le trouvai enfin. Il était rapide mais relativement stable. Je posai une main sur sa poitrine et plaquai mon oreille contre sa bouche. Ses poumons se soulevaient et s'affaissaient régulièrement en émettant un son rauque.

— Il a simplement perdu connaissance. Mettez une sacoche sous ses pieds et s'il y a de l'eau quelque part, apportez-m'en un peu.

À ma grande surprise, mes instructions furent suivies à la lettre. Apparemment, ils tenaient beaucoup à ce jeune homme. Celui-ci grogna et rouvrit les yeux. Dans la pénombre, son visage livide – la peau, tirée sur les os saillants, marquant les orbites comme deux trous noirs – rappelait un crâne de mort.

— Ça va aller, dit-il en tentant de se redresser. Je suis juste un peu étourdi, c'est tout.

Je posai une main sur son torse et le plaquai au sol.

— Restez allongé, ordonnai-je.

Je l'auscultai rapidement, puis me redressai sur les genoux et me tournai pour me trouver nez à nez avec une masse noire qui, à en juger par sa corpulence, ne pouvait être que Dougal.

— La première plaie s'est rouverte et cet idiot a reçu un coup de couteau par-dessus le marché. Je ne crois pas que ce soit grave, mais il a perdu beaucoup de sang. Il lui faut du repos et du calme. On devrait camper ici pour la nuit.

La silhouette noire fit non de la tête.

— Impossible. La garnison ne nous suivra pas jusqu'ici mais nous sommes toujours sur le territoire quadrillé par la Garde. Il nous reste encore vingt kilomètres à parcourir.

Il leva la tête, examinant les étoiles.

— Cela signifie au moins cinq heures de route, voire sept. On restera ici le temps nécessaire pour que vous arrêtiez ses saignements et que vous refassiez ses bandages, pas une minute de plus.

Je me mis à l'ouvrage en grommelant pendant que Dougal envoyait un de ses larbins monter la garde près des chevaux. Les autres en profitèrent pour se dégourdir les jambes et se détendre, éclusant leur whisky et bavardant à mi-voix. Murtagh, l'homme à la face de fouine, m'assista, déchirant des lambeaux de tissu, allant chercher de l'eau, et soulevant la tête du blessé pendant que je tentais de lui faire un nouveau pansement. Jamie, lui, avait ordre de ne pas bouger, malgré ses protestations étouffées comme quoi il se portait comme un charme.

— Un charme, mon œil ! Vous l'avez bien cherché ! aboyai-je, à bout de nerfs. Il faut être idiot pour se prendre un coup de couteau et continuer à courir comme un lapin ! Ne me dites pas que vous ne vous étiez pas aperçu que vous saigniez ! Vous avez de la chance d'être encore en vie, à galoper à travers champs dans cet état, à vous bagarrer, à vous agiter dans tous les sens, à vous jeter de cheval... mais cessez donc de gigoter, triple crétin !

La rayonne et les lambeaux de lin me glissaient entre les doigts. Je n'y voyais rien. En dépit de la fraîcheur de la nuit, la transpiration me coulait dans le cou. Je parvins enfin à nouer un des bouts de tissu puis essayai vainement d'en attacher un autre qui s'acharnait à retomber mollement dans le dos de Jamie. Celui-ci bougea, le premier nœud se défit.

— Saloperie ! m'écriai-je, excédée.

Un silence scandalisé s'abattit sur nous.

— Bon sang ! lança enfin le gros Rupert. Jamais je n'ai entendu une femme parler comme ça !

— C'est que tu ne connais pas encore ma tante Grisel ! lui répondit un autre, déclenchant l'hilarité générale.

— Si j'étais ton mari, je te donnerais une bonne correction, femme, dit une voix austère dans le noir. Saint Paul a dit : « Que femme se taise et... »

— Allez vous faire foutre, vous et votre saint Paul ! rétorquai-je.

J'essuyai mon front trempé de sueur.

— Tournez-le sur le côté gauche, ordonnai-je.

Puis, m'adressant à Jamie, je le mis en garde :

— Si vous bougez ne serait-ce que d'un millimètre avant que j'aie fini ce bandage, je vous étrangle.

— Ouille, aïe, fit-il d'une voix faible.

Je tirai trop fortement sur le dernier pansement et l'ensemble retomba lamentablement à mes pieds.

— Et merde ! m'énervai-je.

Je recommençai à zéro tandis que des murmures outrés s'élevaient derrière moi.

— On devrait peut-être l'envoyer à l'abbaye de Sainte-Anne, Dougal, suggéra un homme assis sur le bord de la route. Depuis que Jamie en est revenu, il n'a pas juré une seule fois. Pourtant, autrefois il était plus mal embouché qu'un vieux loup de mer. Quatre mois chez les moines lui ont fait du bien. Pas vrai, Jamie ? Tu n'invoques plus le nom du Seigneur en vain ?

— Toi aussi tu surveillerais ton langage si on t'avait obligé à faire pénitence, couché à plat ventre en chemise sur les dalles de la chapelle en plein mois de février ! répondit mon patient.

Les hommes se mirent à rire et il ajouta :

— En fait, la punition n'a duré que deux heures, mais j'ai mis plus d'une heure à me relever tellement j'étais raide. J'ai bien cru que je m'étais gelé les... que j'avais les os gelés.

Apparemment, il avait eu le temps de récupérer. Je souris malgré moi :

— Encore un mot et je vous fais mal, le menaçai-je.

Il esquissa un geste vers son pansement et je lui donnai une tape sèche sur la main.

— Vous oseriez ? me défia-t-il d'un air insolent. Après que j'ai partagé mon whisky avec vous !

Une flasque circulait parmi les hommes. S'agenouillant près de moi, Dougal l'inclina soigneusement pour faire boire le blessé. L'odeur âcre du whisky brut flottait dans les airs. Je l'arrêtai en retenant sa main.

— Plus d'alcool. Ce qu'il lui faut, c'est du thé chaud ou, à défaut, de l'eau.

Dougal écarta ma main et, faisant comme s'il ne m'avait pas entendue, déversa une généreuse rasade de whisky dans le gosier du blessé qui manqua de s'étrangler. Il lui laissa juste le temps de reprendre son souffle puis le fit boire à nouveau.

— Assez ! m'écriai-je en essayant de lui reprendre la flasque. Si vous le soûlez, il ne tiendra même plus debout !

Il me repoussa sans ménagement.

— Elle est pas commode, la gueuse, hein ? rit mon patient.

— Occupez-vous de votre tâche, madame, ordonna Dougal. Nous avons encore un long chemin à parcourir et le whisky lui redonnera des forces.

À peine ses bandages noués, Jamie tenta de se redresser. Je le repoussai sur le sol et l'immobilisai en posant un genou sur son sternum.

— Vous ne bougerez pas d'ici.

Je tirai sur le kilt de Dougal pour attirer son attention et le forcer à se réagenouiller à mes côtés.

— Regardez ça ! dis-je en lui fourrant les fragments de chemise trempés de sang sous le nez.

Il les rejeta avec une exclamation de dégoût.

Je lui pris la main et la posai sur l'épaule du blessé.

— Et touchez ça ! Une lame a traversé le muscle trapézoïdal.

— C'était une baïonnette, précisa le patient.

— Une baïonnette ! Mais pourquoi n'avez-vous rien dit ?

Il voulut hausser les épaules mais s'arrêta à mi-chemin avec une grimace de douleur.

— Je l'ai sentie entrer, mais je ne savais pas si c'était grave. Ça n'a pas fait très mal.

— Et maintenant, ça vous fait mal ?

— Oui, gémit-il.

— Bien fait ! rétorquai-je hors de moi. Ça vous apprendra à battre la campagne en enlevant des femmes, à t-t-tuer des gens, à...

Je me tus, au bord des larmes, tentant de me maîtriser.

Dougal commençait à trouver la conversation un peu longuette.

— Dis-moi, Jamie, tu te sens capable de tenir en selle ?

— Il ne peut aller nulle part ! protestai-je. Il devrait être hospitalisé. Comment voulez-vous...

Je m'égosillai pour rien, comme d'habitude.

— Tu peux monter à cheval ? répéta Dougal.

— Oui, si tu m'ôtes cette femme de la poitrine et que tu me trouves une chemise propre.

4

Arrivée au château

LE RESTE DE NOTRE PÉRIPLE SE DÉROULA SANS HISTOIRES, enfin… en faisant abstraction du fait que je partageais une selle avec un blessé, chevauchant en pleine nuit à travers champs, encadrée par des inconnus en kilt armés jusqu'aux dents. Du moins, nous ne fûmes ni assaillis par des bandits de grand chemin ni attaqués par des bêtes féroces. Il ne plut même pas ! Vu les conditions auxquelles je commençais à m'habituer, ce fut donc un voyage somme toute banal.

L'aube se leva en projetant des faisceaux de lumière diffuse à travers la brume. Peu après, notre destination se dressa au loin, une immense masse de pierres noires se détachant sur la lande grisâtre.

Autour de nous, la campagne commençait à s'animer. Des groupes de gens vêtus de guenilles marchaient sur la route, dans la même direction que nous. Ils s'écartaient pour nous laisser passer au trot, me lançant des regards ébahis et échangeant des commentaires sur ce qui leur paraissait manifestement être un accoutrement parfaitement excentrique.

À travers la brume épaisse, je distinguai un petit pont de pierre s'élançant au-dessus d'un ruisseau qui longeait les murailles du château avant d'aller se jeter dans un loch, quelques centaines de mètres plus loin.

Le château lui-même formait une masse compacte. Ici, ni tourelles élégantes ni remparts en dents de scie. Il ressemblait davantage à une gigantesque maison fortifiée, avec d'épais murs de pierre et de hautes meurtrières en guise de fenêtres. Des cheminées fumaient sur le toit de tuiles, ajoutant encore à la grisaille ambiante.

La porte du château était juste assez large pour laisser passer deux voitures. Ce n'est pas que j'aie particulièrement le compas dans l'œil, mais il se trouve que c'était précisément ce qui était en train de se passer au moment où nous franchissions le pont : deux charrettes tirées par des bœufs tentaient de s'y engouffrer en même temps, l'une chargée de tonneaux, l'autre de foin. Nos chevaux piaffèrent devant l'entrée en attendant que les conducteurs achèvent leurs manœuvres laborieuses.

Depuis notre dernier arrêt, lorsque j'avais hâtivement refait les bandages de Jamie sur le bord de la route, je n'avais plus ouvert la bouche. Lui aussi s'était tu, hormis quelques gémissements occasionnels chaque fois que notre monture le secouait un peu trop. Au moment où nous pénétrâmes dans la cour pavée du château, rendue dangereusement glissante par la rosée du matin, je risquai une question.

— Où sommes-nous ?

— Leoch, répondit-il simplement.

Le château de Leoch. Au moins, je savais où j'étais ! La dernière fois que je l'avais visité, ce n'était plus qu'une ruine, située à une cinquantaine de kilomètres de Bargrennan. Il était nettement plus pittoresque à présent, avec ses cochons vautrés dans la fange au pied des murailles et l'odeur pénétrante de fosse septique qui régnait dans la cour. L'idée invraisemblable que je me trouvais quelque part perdue dans le passé s'imposait à moi avec de plus en plus de force.

Une telle crasse et un tel chaos ne pouvaient exister dans l'Écosse de 1945, même après les bombardements. En revanche, une chose était sûre : j'étais toujours en Écosse. L'accent des gens dans la cour ne laissait aucun doute.

Un jeune homme vêtu de loques se précipita pour saisir les rênes de nos chevaux :

— Hé, Dougal ! lança-t-il. On ne t'attendait pas si tôt ! On ne pensait pas te voir avant l'Assemblée !

Le chef de notre petite bande sauta à terre, confiant la bride au jeune pouilleux.

— On a eu de la chance, à la fois bonne et mauvaise. Mon frère est déjà levé ? Je dois le voir sur-le-champ. Préviens la mère Fitz que mes hommes ont besoin d'un bon repas et d'un lit.

Il fit signe à Murtagh et à Rupert de le suivre et ils disparurent tous les trois sous une porte voûtée.

Ceux d'entre nous qui restaient descendirent de cheval et attendirent une bonne dizaine de minutes dans la cour que ladite « mère Fitz » daigne se montrer. Un groupe d'enfants curieux s'attroupa autour de nous, spéculant sur mes origines et ma fonction. Le plus audacieux d'entre eux avait tout juste rassemblé assez de courage pour venir tirer sur ma jupe quand une grosse matrone vêtue d'une longue robe en bure brune et d'un bonnet blanc fit irruption dans la cour et les dispersa.

— Mon petit Willy ! s'exclama-t-elle. Comme je suis contente de te revoir ! Et toi, Neddy !

Elle écrasa vigoureusement le petit chauve contre sa poitrine.

— Il vous faut un bon petit déjeuner. Filez à la cuisine, il y a de quoi nourrir tout un régiment.

En m'apercevant, elle sursauta comme si elle avait été piquée par une guêpe. Elle me dévisagea bouche bée, puis se tourna vers Jamie, attendant des explications.

— Claire, dit-il avec un bref signe de tête dans ma direction. Mme FitzGibbons, ajouta-t-il à mon intention.

Puis il précisa, comme pour se disculper :

— C'est Murtagh qui l'a trouvée hier. Dougal a dit de l'emmener avec nous.

Mme FitzGibbons referma la bouche et m'examina des pieds à la tête. Décidant finalement que je devais être inoffensive, en dépit de ma mise scandaleuse, elle me prit par le bras et m'adressa un grand sourire chaleureux mettant en évidence l'absence de plusieurs dents.

— Bien, Claire. Soyez la bienvenue. Suivez-moi, on va vous trouver quelque chose d'un peu plus… euh… convenable.

Elle lança un regard navré vers mes jambes nues et mes chaussures de marche.

Elle m'entraînait fermement vers les bâtiments quand je me souvins soudain de mon patient.

— Attendez, s'il vous plaît ! J'oubliais Jamie !

Mme FitzGibbons me lança un regard interdit.

— Jamie sait se débrouiller tout seul. Il connaît les cuisines et on lui trouvera bien un lit quelque part.

— Mais il est blessé. Il a reçu une balle hier après-midi et un coup de baïonnette la nuit dernière. Je ne lui ai fait qu'un bandage provisoire pour qu'il puisse monter à cheval, car je n'avais pas le temps de nettoyer la plaie. Il faut s'en occuper tout de suite, avant qu'elle ne s'infecte.

— « S'infecte » ?

— Oui, c'est-à-dire… qu'elle s'enflamme, vous savez ? Avec du pus, un gonflement et de la fièvre.

— Ah oui, je vois. Mais vous savez ce qu'il faut faire ? Vous êtes sorcière ? Une Beaton ?

— Quelque chose du genre.

Je n'avais pas la moindre idée de ce qu'était une « Beaton », mais le moment était mal venu pour lui dresser l'inventaire de mes qualifications professionnelles. Il commençait à bruiner. Mme FitzGibbons, partageant sans doute cet avis, rattrapa Jamie qui partait dans la direction opposée et, le prenant lui aussi par le bras, elle nous entraîna tous deux vers le château.

Après une longue marche dans une suite d'interminables couloirs glacials, à peine éclairés par les meurtrières, nous débouchâmes sur une pièce assez vaste, avec un lit, deux tabourets et, surtout, un grand feu de cheminée.

Je négligeai mon patient quelques instants, le temps de me réchauffer les mains devant les flammes. Mme FitzGibbons, apparemment insensible au froid, assit Jamie sur l'un des tabourets et lui ôta délicatement les restes de sa chemise, l'enveloppant ensuite dans un épais couvre-lit. Elle fit la grimace en apercevant l'épaule, bleuie et enflée, et tapota mon bandage de fortune.

— Il va falloir l'imbiber avant de l'enlever, expliquai-je en me détournant du feu, puis nettoyer la plaie avec un liquide pour... pour éviter la fièvre.

Mme FitzGibbons aurait fait une infirmière remarquable.

— De quoi avez-vous besoin ? demanda-t-elle simplement.

Je réfléchis. Que diable utilisait-on pour prévenir les infections avant l'apparition des antibiotiques ? Plus précisément, que pouvait-on espérer trouver dans un château écossais primitif au lever du matin ?

— De l'ail ! m'exclamai-je, triomphale. De l'ail et, si vous en avez, de l'hamamélis. Il me faudrait aussi des bandes de linge propre et une casserole d'eau bouillie.

— Je crois que je peux vous trouver ça. Je vous amène aussi un peu de consoude. Et que diriez-vous d'une infusion d'eupatoire ou de camomille ? Ce garçon me semble avoir eu une nuit agitée.

Le garçon en question commençait à tanguer dangereusement sur son tabouret, trop épuisé pour protester tandis que nous discutions de son sort comme s'il était un objet inanimé.

Mme FitzGibbons fut bientôt de retour, son tablier chargé de têtes d'ail, de sachets de gaze remplis d'herbes et de bandelettes déchirées dans un vieux drap de lin. Une petite bouilloire en fer-blanc pendait à son bras potelé. Dans l'autre main, elle portait une dame-jeanne comme si elle ne pesait pas plus lourd qu'une plume.

— Voilà ! Que dois-je faire à présent ? demanda-t-elle gaiement.

Je la chargeai de mettre l'eau à bouillir et d'éplucher l'ail pendant que j'inspectais le contenu des sachets. Il y avait l'hamamélis que j'avais demandé, de la consoude, de l'eupatoire pour faire des infusions et quelque chose que j'identifiai plus ou moins comme étant de l'écorce de cerisier.

« Parfait ! » pensai-je avec satisfaction en revoyant M. Crook m'expliquer les fonctions des plantes et des arbres qui bordaient les sentiers. Les propriétés analgésiques de l'écorce de cerisier me seraient fort utiles.

Je jetai plusieurs gousses d'ail dans l'eau bouillante, ajoutai une pincée d'hamamélis, puis plongeai les morceaux de chiffon dans la mixture. La consoude, l'eupatoire et l'écorce de cerisier infusaient tranquillement dans un bol d'eau chaude près du feu. Je puisai un certain réconfort dans ces préparatifs. Si je ne savais pas ce que je faisais là ni comment j'y étais arrivée, au moins j'avais de quoi m'occuper pendant le quart d'heure qui suivrait.

— Merci… madame FitzGibbons, dis-je respectueusement. Je crois que je peux me débrouiller seule, maintenant. Si vous avez d'autres choses à faire…

L'ogresse éclata d'un rire tonitruant, ses énormes seins se balançant sous sa robe.

— Ah, ma pauvre fille, ce sont pas les choses à faire qui manquent par ici ! Je vous ferai monter un peu de bouillon tout à l'heure. Si vous avez besoin de moi, n'hésitez pas.

Elle se dirigea vers la porte en dodelinant des hanches avec une agilité surprenante et disparut.

Je retirai les bandages avec une infinie lenteur. La rayonne adhérait à la peau et s'enlevait en faisant sauter les croûtes de sang séché. Des gouttelettes de sang frais perlèrent sur les lèvres de la plaie. Je m'excusai de lui faire mal, bien qu'il n'eût pas sourcillé, ni émis le moindre son.

Il esquissa un léger sourire coquin.

— Peuh ! Ce n'est rien. On m'a fait bien plus mal que ça par le passé, et des personnes nettement moins jolies.

Il se pencha en avant pour que je lave sa blessure et le couvre-lit glissa de sur son épaule.

La flatterie mise à part, sa remarque exprimait une indiscutable réalité : il avait effectivement connu bien pire. Le haut de son dos était zébré de marques blêmes. Il avait été sauvagement fouetté, et plus d'une fois. Certaines cicatrices formaient de gros traits boursouflés gris argent, là où les coups de fouet s'étaient chevauchés, arrachant la peau et entaillant les muscles.

Bien sûr, j'avais vu mon lot de blessures et de mutilations en tout genre dans l'hôpital militaire où j'avais travaillé, mais quelque chose dans la vision de ce dos reflétait une brutalité bestiale. Je dus sans doute marquer un temps d'arrêt, car il se tourna vers moi et aperçut mon regard. Il haussa son épaule valide.

— Ce sont ces foutus Anglais. Ils m'ont fouetté deux fois en une semaine. Ils l'auraient bien fait deux fois dans la même journée s'ils n'avaient pas eu peur que j'y passe. Il n'y a pas de plaisir à fouetter un mort.

Je m'efforçai de parler d'une voix calme tout en épongeant son sang.

— Personne n'éprouve de plaisir à commettre une atrocité de ce genre.

— Ah non ? Vous auriez dû voir sa tête !

— À qui donc ?

— Au capitaine qui m'a pelé la peau. S'il n'était pas franchement joyeux, en tout cas, il avait l'air très content de lui. Un dénommé Randall.

— Randall ! m'exclamai-je malgré moi.

Ses yeux bleu acier me dévisagèrent d'un air soupçonneux.

— Vous le connaissez ?

— Non, non ! J'ai connu une famille Randall, euh… autrefois, il y a très longtemps.

Dans mon désarroi, je laissai tomber mon linge mouillé sur le sol.

— Zut, je vais devoir le remettre à bouillir.

Je le ramassai et m'affairai devant le feu, faisant de mon mieux pour cacher mon trouble. Je ne pouvais le croire. Ce capitaine Randall était-il réellement l'ancêtre de Frank, le fringant officier aux états de service irréprochables, la gloire des armées de Sa Majesté, le petit protégé de la noblesse ? Comment un homme apparenté à mon tendre et doux époux avait-il pu infliger des sévices aussi atroces à ce jeune homme ?

J'attisai le feu, jetai quelques poignées d'hamamélis et d'ail dans l'eau bouillante, déchirai d'autres bandelettes de linge. Lorsque je me sentis capable de maîtriser mes gestes et ma voix, je revins m'occuper de Jamie.

— Pourquoi avez-vous été fouetté ? demandai-je à brûle-pourpoint.

Certes, ce n'était pas très diplomate de ma part. Mais ma curiosité était trop forte et j'étais trop fatiguée pour faire preuve de tact.

Il soupira, sursautant légèrement quand j'effleurai son épaule avec mon linge. Lui aussi était éreinté et, malgré toutes mes précautions, je le torturais avec mes soins.

— La première fois, c'était pour tentative d'évasion, la seconde pour vol. Enfin, c'est ce que disait l'acte d'accusation.

— D'où vous êtes-vous évadé ?

— Des cachots anglais, répondit-il avec une moue ironique. De Fort William, plus précisément.

— Mais pourquoi vous avait-on enfermé à Fort William ? insistai-je.

Il se frotta le front de sa main libre.

— Ah, ça ! C'était pour obstruction.

— Obstruction, évasion, vol... Vous semblez être un individu peu fréquentable, plaisantai-je en espérant le distraire de ce que je lui faisais subir.

Ce qualificatif sembla lui plaire. Il retroussa un coin des lèvres et me lança un regard rieur par-dessus son épaule.

— Pour ça, pas fréquentable du tout ! À votre place, je ne resterais pas enfermée seule avec moi. Et une Anglaise, qui plus est !

— Pour le moment, vous m'avez l'air plutôt inoffensif.

Ce n'était pas tout à fait vrai. Torse nu, le dos strié de cicatrices, couvert de sang, mal rasé et les yeux rougis après une nuit blanche à cheval, il avait tout du mauvais garçon. Fatigué ou pas, il était parfaitement en mesure de me sauter dessus si l'envie lui en prenait.

Il éclata de rire. Sa voix grave résonna dans la pièce.

— Inoffensif… comme colombe blanche, admit-il, sauf que j'ai une faim d'ogre. Si on ne me laisse pas prendre un bon petit déjeuner, je ne réponds de rien. Aïe !

— Pardon, marmonnai-je. Cette entaille est profonde et pleine de terre.

— Ce n'est rien.

Il avait pâli. J'essayai de reprendre le fil de la conversation comme si de rien n'était.

— Que signifie exactement « obstruction » ? Ça n'a pas l'air d'être un crime très grave.

Il inspira profondément, fixant la colonne en bois sculpté du baldaquin.

— Bah, ça dépend un peu de ce que les Anglais ont envie de vous reprocher. Dans mon cas, c'était d'oser défendre ma famille et mes terres, au péril de ma vie.

Il serra les lèvres, comme pour s'interdire d'en dire davantage, mais reprit bientôt, apparemment prêt à tout pour ne plus penser à son épaule.

— C'était il y a environ quatre ans. Tous les manoirs près de Fort William ont été réquisitionnés. On devait mettre tous nos biens à la disposition des Anglais et fournir le fourrage pour leurs animaux, les chevaux pour leur transport et ainsi de suite. Autant vous dire que cette mesure n'était pas très populaire, mais la plupart des gens ont donné ce qu'ils avaient. Des groupes de soldats menés par un officier passaient de maison en maison avec des carrioles et prenaient ce qu'ils voulaient : nourriture, objets… Un jour, en octobre, ce fameux capitaine Randall est arrivé à Lal…

Il se reprit aussitôt, après m'avoir lancé un regard.

— … chez nous.

J'acquiesçai pour l'encourager, sans lever les yeux de ma tâche.

— On ne pensait pas qu'ils arriveraient jusque-là. Notre manoir est assez loin du fort et pas facile d'accès. Mais ils ont fini par venir quand même.

Il ferma les yeux quelques instants.

— Mon père était absent… parti à un enterrement à la ferme voisine. Je travaillais au champ avec la plupart des hommes car on approchait des moissons et on avait du pain sur la planche. Ma sœur était seule à la maison, avec deux ou trois de nos servantes. Quand elles ont aperçu les soldats, elles se sont précipitées à l'étage et se sont caché la tête sous les draps. Elles croyaient qu'ils étaient des envoyés du diable. Elles n'avaient pas tort.

Je reposai mon linge. Le pire était fait. Il ne me restait plus qu'à appliquer un cataplasme de fortune. En l'absence d'iode ou de pénicilline, je ne voyais guère mieux pour prévenir l'infection, le tout recouvert d'un bandage bien serré. Jamie gardait les yeux fermés, se laissant faire sans broncher.

— Je suis rentré à la maison en passant par les communs. J'avais besoin d'un harnais dans la grange. C'est là que j'ai entendu les cris de ma sœur.

— Ah ? fis-je d'une voix neutre.

En fait, je mourais d'envie d'en savoir plus au sujet de ce Randall. Jusque-là, ce que j'avais appris corroborait ma première impression du personnage.

— En entrant dans les cuisines, j'ai surpris deux soldats qui pillaient notre garde-manger, remplissant leurs sacs de farine et de bacon. J'en ai assommé un d'un coup sur le crâne, puis j'ai balancé l'autre par la fenêtre. Je me suis ensuite précipité dans le petit salon où j'ai trouvé deux Anglais avec Jenny, ma sœur. Sa jupe était déchirée et l'un des hommes était griffé au visage.

Il rouvrit les yeux et sourit tristement.

— Je ne me suis pas arrêté pour poser des questions. Je me suis jeté sur eux et je leur aurais bien réglé définitivement leur compte à tous les deux, si Randall ne s'en était pas mêlé.

Randall avait mis fin à la bagarre en pressant simplement un pistolet sur la tempe de Jenny. Obligé de se rendre, Jamie avait rapidement été ligoté par les deux soldats. Le capitaine avait adressé un sourire narquois à son captif avant de déclarer : « Tiens, tiens ! Il semblerait que nous soyons tombés sur deux petits sauvages ! Les travaux forcés vont t'apprendre le respect de l'uniforme, mon garçon, et si cela ne suffit pas, mon fouet s'en chargera. Mais à chaque sauvage, sa peine. Pour toi, ma jolie sauvageonne, j'ai en réserve une autre forme d'éducation... »

Jamie s'interrompit quelques instants, serrant les dents.

— Il tenait Jenny le bras tordu derrière le dos. À un moment, il l'a lâchée pour pouvoir lui glisser une main sur le sein, et l'autre sous sa jupe. Alors...

La simple évocation de la scène le fit sourire.

— ... Jenny lui a écrasé le pied du talon et donné un grand coup de coude dans le ventre. Il en est resté plié en deux. Alors elle a fait volte-face et lui a flanqué son genou dans les bourses.

Il se mit à rire.

— Il a laissé tomber son arme et elle a voulu s'en emparer. Mais un des soldats qui me tenaient l'a attrapée avant elle.

J'avais terminé le bandage et me tenais en silence derrière lui, une main posée sur son épaule valide. Il paraissait soudain vital qu'il revive toute la scène, et je craignais qu'il ne s'interrompe en se rappelant brusquement ma présence.

— Quand Randall a retrouvé son souffle, il a ordonné à ses hommes de nous traîner dehors. Ils m'ont arraché ma chemise et attaché à la carriole. Puis Randall m'a battu avec le plat de son sabre. Il était dans une fureur noire. Ça faisait mal, mais il s'est fatigué avant moi.

Ses yeux ne riaient plus et, sous ma main, les muscles de son épaule se contractèrent.

— Il s'est arrêté et s'est tourné vers Jenny qui était retenue par un de ses dragons. Il lui a demandé si elle voulait en voir davantage, ou si elle était prête à rentrer dans la maison avec lui et lui offrir d'autres divertissements. Je ne pouvais pas bouger, mais je lui ai crié que je n'avais rien, ce qui était presque vrai, et qu'elle ne devait pas les laisser la toucher, même s'ils m'égorgeaient sous ses yeux. De là où j'étais, je ne pouvais pas la voir, mais, à en juger par le bruit que j'ai entendu, elle a dû lui cracher au visage. En tout cas, la seconde suivante, Randall m'avait attrapé par les cheveux et posait son couteau sous ma gorge.

« J'ai bien envie de te prendre au mot », avait sifflé Randall entre ses dents, entaillant la peau de sa victime avec la pointe du couteau.

— Je voyais la lame près de mon visage et les gouttes de sang qui tombaient une à une dans la poussière à mes pieds.

Il était plongé dans une sorte de transe, le regard perdu dans le vide. La fatigue, la douleur et la faim lui avaient fait oublier jusqu'à ma présence.

— J'ai voulu appeler ma sœur, lui crier que je préférais mourir que de la voir déshonorée par cette racaille. Mais Randall m'a fourré son couteau dans la bouche pour me faire taire.

Il s'essuya les lèvres, comme s'il sentait encore le goût âpre du métal. Il cessa de parler, fixant le mur devant lui.

Enfin, je n'y tins plus.

— Qu'est-il arrivé ensuite ?

Il sursauta, comme s'il se réveillait d'un long sommeil, et se frotta la nuque.

— Elle est partie avec lui, répondit-il sèchement. Elle a cru qu'ils allaient me tuer, et elle avait peut-être raison. Après ça, je ne sais pas ce qui s'est passé. Un des soldats m'a assommé avec la crosse de son mousquet. Quand je suis revenu à moi, j'étais dans la carriole avec les poules, en route vers Fort William.

— Je vois, dis-je doucement. Je suis désolée. Ça a dû être terrible pour vous.

Il retrouva soudain son sourire, sa fatigue semblant s'être évanouie.

— Pour ça, oui ! Vous n'imaginez pas à quel point la conversation des poules peut être assommante, surtout pendant un si long trajet.

S'apercevant que son bandage était terminé, il essaya de remuer le bras et grimaça de douleur.

— Ne faites surtout pas ça ! m'écriai-je. Il ne faut pas bouger. D'ailleurs, ajoutai-je en avisant quelques bandes de tissu restées sur la table, je vais vous l'attacher le long du corps. Ne bougez pas.

Il obéit sagement. Une fois assuré qu'il ne sentirait plus rien, il se détendit et me laissa faire. Sans le connaître, je sentais entre nous une étrange intimité, due en partie à la terrible histoire qu'il venait de me raconter et à notre longue chevauchée dans la nuit noire, pressés l'un contre l'autre à moitié endormis. Mis à part mon mari, je n'avais pas dormi avec beaucoup d'hommes dans ma vie. Toutefois, j'avais déjà pu observer que s'abandonner au sommeil en présence d'une autre personne générait ce sentiment d'intimité, comme si vos rêves se mêlaient aux siens. En d'autres temps plus anciens et primitifs (comme ceux-ci ?), partager sa couche avec un inconnu était un acte de confiance. Si la confiance était réciproque, le sommeil vous rapprochait bien plus que l'union des corps.

Le bandage achevé, je l'aidai à enfiler la chemise en lin épais, en la faisant passer délicatement sur l'épaule blessée. Il glissa les pans dans son kilt et me sourit.

— Merci, Claire. Vous avez des doigts de fée.

Il tendit un bras vers moi comme pour me caresser la joue, puis se ravisa. La main retomba le long du corps. Apparemment, il avait lui aussi ressenti cet étrange élan d'intimité. Je détournai rapidement la tête, esquissant un geste qui voulait dire : « Pensez-vous ! C'est si peu de chose. »

Mon regard balaya la chambre, passant sur la cheminée noire de suie, la fenêtre étroite sans vitre et les lourds meubles en chêne. Aucune prise électrique. Pas de tapis. Pas d'étincelants pommeaux en laiton sur les colonnes du lit.

Pas de doute, le décor rappelait vraiment celui d'un intérieur du XVIIIᵉ siècle. Et Frank, dans tout ça ? L'homme que j'avais rencontré dans les bois lui ressemblait à s'y méprendre, mais ce capitaine Randall n'avait rien à voir avec mon tendre et paisible époux. Et puis, même si tout ce qu'on m'avait dit sur lui était vrai – ce dont j'étais de plus en plus convaincue –, cela ne voulait rien dire. Ce n'était pas parce qu'ils figuraient sur le même arbre généalogique que ses descendants devaient se conformer en tout point à son comportement.

Mais c'était à Frank surtout que je pensais à ce moment. Si j'étais bel et bien au XVIIIᵉ siècle, où était-il, lui ? Que ferait-il en ne me voyant pas rentrer chez Mme Baird ? Le reverrais-je un jour ? Cette dernière pensée m'acheva. Depuis mon passage dans la faille de ce menhir funeste, j'avais été agressée, menacée, kidnappée, et fortement secouée dans tous les sens du terme. Je n'avais pas mangé ni dormi depuis plus de vingt-quatre heures. J'eus beau essayer de me contrôler, mon menton se mit à trembler et mes yeux se remplirent de larmes.

Je me tournai vers le feu pour cacher mon visage, mais trop tard. Jamie me prit la main, demandant doucement ce qui n'allait pas. L'or de mon alliance étincelait en reflétant les flammes et je me mis à sangloter :

— Oh... ce... ce n'est rien. Ça va aller. C'est juste... mon... mon mari... Je ne...

— Vous êtes veuve, c'est ça ?

Le ton compatissant de sa voix me fit définitivement perdre toute maîtrise de moi.

— Non... si, enfin... je ne sais pas... oui, je suppose que oui !

Emportée par l'émotion et la fatigue, je m'effondrai dans ses bras en pleurant à chaudes larmes.

Un autre que lui aurait sans doute paniqué, appelé des renforts ou pris ses jambes à son cou, mais il s'assit et m'attira à lui de son bras valide. Il me berça doucement, murmurant de douces paroles en gaélique et me caressant les cheveux. Je pleurai sans retenue, m'abandonnant momentanément à ma peur et à ma confusion. Enfin, peu à peu, je repris le dessus, tandis que Jamie caressait mon dos et ma nuque, m'offrant le réconfort de son corps protecteur. Mes sanglots s'espacèrent et je me calai avec lassitude contre son épaule. « Pas étonnant qu'il soit si efficace avec les chevaux », pensai-je soudain, sentant ses doigts me gratter doucement derrière les oreilles, écoutant son murmure apaisant et inintelligible. « Si j'étais un cheval, je le laisserais me conduire n'importe où. »

Malheureusement, cette pensée absurde coïncida avec la constatation que ce charmant jeune homme n'était finalement pas si épuisé que ça. De fait, cela commençait à devenir franchement embarrassant. Je toussotai avec tact et me relevai en me frottant les yeux d'un air innocent.

— Je suis désolée de m'être laissée aller... Je... euh... merci pour... mais je...

Je reculai en balbutiant, le visage enflammé. Il était légèrement rouge lui aussi, mais nullement décontenancé. Il me prit la main et m'attira de nouveau vers lui. Prenant grand soin de ne pas me frôler de son corps, il me mit une main sous le menton et m'obligea à lever les yeux vers lui.

— Vous ne devez pas avoir peur de moi, dit-il doucement. Ni de quiconque tant que je serai là.

Il me lâcha et se tourna vers le feu.

— Ce qu'il vous faut, c'est quelque chose de chaud qui vous remplisse l'estomac.

Je me mis à rire en le voyant tenter de servir deux bols de bouillon d'une seule main et vins à son secours. Il avait raison. La nourriture me redonna du courage. Nous avalâmes le bouillon et la mie de pain, confortablement installés devant le feu.

Enfin, il se leva, ramassa le couvre-lit tombé au sol et le remit sur le lit. Puis il me fit signe de me coucher.

— Vous feriez bien de dormir un peu, Claire. Vous êtes morte de fatigue. Reprenez des forces, vous en aurez besoin. On voudra sûrement vous poser des questions.

C'était un sinistre rappel de ma situation précaire, mais j'étais trop épuisée pour m'en inquiéter. Il insista pour que je prenne le lit et je prononçai quelques protestations de pure forme. De fait, jamais je n'avais vu un lit aussi attirant. Jamie m'assura qu'il en trouverait un ailleurs. Je me laissai tomber la tête la première dans les édredons et dormais déjà avant même qu'il atteigne la porte.

5

Le clan MacKenzie

JE ME RÉVEILLAI DANS UN ÉTAT de confusion totale. Je me souvins vaguement que quelque chose n'allait pas du tout, mais quoi ? J'avais dormi d'un sommeil si profond que, pendant quelques instants, je ne me rappelai même plus qui et encore moins où j'étais. Un froid glacial régnait dans la chambre. Je me blottis au fond du lit bien au chaud, essayant de m'enfouir davantage sous l'édredon volumineux. Mais la voix qui m'avait réveillée me hantait encore.

— Allez, levez-vous, ma fille ! Debout !

C'était une voix grave, impérieuse mais chaude, comme celle d'un chien berger. J'entrouvris un œil et aperçus une montagne de bure brune.

Mme FitzGibbons ! Sa vue me rappela brutalement à la réalité et ma mémoire revint. Ce n'était donc pas un cauchemar !

Jetant une couverture sur mes épaules, je m'extirpai péniblement du lit et me précipitai vers le feu. Mme FitzGibbons m'avait apporté un bol de bouillon fumant. Je le bus à petites gorgées, avec l'impression d'être rescapée d'un bombardement aérien. Pendant ce temps, elle étalait des vêtements sur le lit : il y avait une longue chemise de lin jaunâtre bordée d'un mince ruban de dentelle, un jupon de coton fin, deux jupes de dessus de différentes nuances de marron et un corselet

123

jaune pâle. Des bas de laine à rayures brunes et une paire de mules jaunes complétaient la panoplie.

Faisant la sourde oreille à mes protestations, la matrone me déshabilla puis m'aida à enfiler un à un mes nouveaux habits. Enfin, elle recula d'un pas pour obtenir une vue d'ensemble.

— Le jaune vous va à ravir, ma petite. Je m'en doutais. Il met en valeur vos cheveux châtains et fait ressortir le doré de vos yeux. Ce qu'il vous manque, maintenant, ce sont quelques fanfreluches.

Elle retourna sa poche comme un sac de jute, déversant sur le lit une poignée de rubans et de colifichets.

Trop étourdie pour réagir, je me laissai faire tandis qu'elle me coiffait, nouant mes mèches avec des rubans couleur primevère, gloussant devant le manque de féminité de ma tignasse tombant sur mes épaules.

— Seigneur, quelle mouche vous a piquée de couper vos cheveux aussi court, mon enfant ? Vous vous êtes déguisée ? J'ai entendu dire que certaines femmes n'hésitaient pas à se travestir en homme pour voyager en sécurité et ne pas être inquiétées par ces satanés Anglais. Non mais vraiment ! Quand est-ce que nous autres, les femmes, on pourra se déplacer tranquillement sur les routes ?

Elle monologuait à voix haute, me tripotant ici et là, cachant une mèche, arrangeant un pli. Enfin, je fus parée à sa guise.

— Paaarfait ! Et maintenant, avalez vite un morceau avant que je vous conduise chez lui.

— Lui ?

Cela ne me disait rien qui vaille. Ce « lui » allait sûrement me poser un tas de questions embarrassantes.

— Mais MacKenzie, bien sûr. Qui d'autre ?

Qui d'autre, bien sûr ! Je me souvins tout à coup que le château de Leoch se trouvait au beau milieu des terres du clan MacKenzie. Manifestement, le chef du clan était encore un MacKenzie. Cela expliquait pourquoi notre petit groupe de cavaliers avait chevauché toute la nuit pour rejoindre le château. Il constituait certainement un sanctuaire imprenable pour ceux que la Couronne recherchait. Aucun officier anglais doué de bon sens ne s'aventurerait aussi profondément sur le territoire du clan, au risque de tomber dans une embuscade mortelle au premier fourré. Seule une armée d'une taille non négligeable oserait se hasarder jusqu'aux portes du château. Je fouillais ma mémoire pour me souvenir si l'armée anglaise était jamais venue jusqu'ici quand il m'apparut soudain que le sort lointain du château de Leoch était nettement moins important pour le moment que mon avenir immédiat.

Je grignotai sans grand appétit les galettes de Mme Fitz-Gibbons, en réfléchissant activement à ma situation. Quand la matrone revint me chercher, j'avais esquissé un vague plan.

Les appartements du laird de Leoch étaient situés en haut du donjon, accessibles uniquement par un étroit escalier de pierre en colimaçon. J'entrai dans une pièce ronde, aux murs couverts de tableaux et de tapisseries. Alors que le reste du château était tout juste confortable, pour ne pas dire austère, cette salle était somptueusement décorée de meubles précieux et d'objets d'art. La lumière dorée du feu de cheminée et des nombreuses chandelles l'isolait de la grisaille et de la bruine extérieures. Ici, les meurtrières avaient été remplacées par de longues croisées qui laissaient filtrer le peu de lumière du jour.

En entrant, mon attention fut attirée par une grande volière métallique dont les courbes gracieuses épousaient la voûte du plafond et la surface bombée des murs. Elle abritait des dizaines de petits oiseaux : pinsons, bruants, mésanges, et plusieurs espèces de fauvettes. Je m'en approchai, fascinée par la multitude de petits corps rondelets et de petits yeux comme autant de perles brillantes, gemmes sur un fond de velours vert, sautillant de branche en branche entre les feuilles de chêne, d'aulne et de noyer. La cage contenait de vrais arbres dont les troncs étaient soigneusement enveloppés de paille, dans des pots en terre cuite. La pièce résonnait d'un joyeux gazouillis ponctué de bruissements d'ailes et de froissement de feuillage.

Une voix profonde et chaleureuse s'éleva derrière moi.

— De charmantes petites choses, n'est-ce pas ?

Je me tournai, le sourire aux lèvres, et restai figée sur place.

Colum MacKenzie avait les traits larges et le front haut de son frère, mais la force virile qui donnait à Dougal un air intimidant était adoucie chez lui par une expression plus accueillante. Il avait le teint plus mat, avec des yeux non pas noisette comme son frère mais gris. Il avait la même présence que son frère, qui vous donnait l'impression qu'il se tenait toujours un peu trop près de vous pour vous sentir à votre aise. Mais ce qui me prit totalement de court était que ce visage superbe et ce torse puissant étaient perchés sur deux courtes pattes maigrelettes, arquées comme si elles allaient céder d'un instant à l'autre sous leur poids. Cet homme, qui aurait dû mesurer au moins un mètre quatre-vingts, m'arrivait tout juste à l'épaule.

Avec tact, il garda le regard fixé sur la volière le temps que je me remette de ma surprise. Naturellement, il devait être habitué aux réactions des gens qui le rencontraient pour la première fois. Lançant un coup d'œil dans la pièce, il me vint à l'esprit qu'il ne rencontrait peut-être pas grand monde. Cet endroit était manifestement son sanctuaire, un univers conçu sur mesure pour et par un homme pour qui le monde extérieur était froid, voire hostile.

— Bienvenue, madame, dit-il en inclinant légèrement le chef. Je me nomme Colum ban Campbell MacKenzie, laird de Leoch. J'ai cru comprendre que mon frère vous avait… euh… rencontrée à quelque distance d'ici ?

— « Enlevée » me semble le terme exact, précisai-je.

J'aurais préféré entamer notre conversation sur un ton plus cordial, mais je n'avais qu'une chose en tête : sortir de cette prison et retourner à Craigh na Dun. J'ignorais quel phéno-mène étrange m'avait précipitée dans ce lieu, mais la solution du problème – si solution il y avait – était forcément dans le cercle de menhirs.

Les épais sourcils du laird se froncèrent légèrement et ses lèvres esquissèrent un léger sourire.

— C'est possible, admit-il. Mon frère est parfois... comment dire ?... impétueux ?

— Certes, répondis-je avec un geste de la main qui signifiait que je lui pardonnais gracieusement. Je veux bien admettre qu'il y ait eu un léger malentendu. Mais je lui saurais gré de bien vouloir me ramener... là où il m'a trouvée.

— Mmm.

Le front toujours soucieux, Colum m'indiqua un fauteuil. Je m'assis à contrecœur tandis qu'il faisait un geste à l'intention d'un valet qui attendait près de la porte. Celui-ci disparut aussitôt.

— Vous prendrez bien un rafraîchissement, madame... Beauchamp ? Il m'a semblé comprendre qu'un des hommes de mon frère vous avait trouvée dans une situation... apparemment délicate ?

Il réprima un sourire amusé et je me demandai ce qu'on lui avait rapporté sur mon état de « quasi-nudité ».

Je pris une profonde inspiration. Le moment était venu de lui débiter le petit discours que j'avais préparé. Un jour, Frank m'avait raconté que, pendant ses classes à l'école d'officiers, on lui avait donné un cours intitulé « Comment résister à un interrogatoire ». Le principe de base, pour autant que je m'en souvenais, était de coller le plus près possible à la vérité, en n'altérant que les détails qui devaient rester secrets. Ainsi, on limitait les risques de dérapage sur des aspects mineurs de sa version des faits. Restait à voir si la méthode en question était efficace ou non.

— Eh bien voilà... commençai-je. C'est que j'ai été agressée, voyez-vous.

Il hocha la tête, l'air très intéressé.

— Ah oui ? Mais par qui donc ?

Ne pas s'écarter de la vérité.

— Par des soldats anglais. Notamment par un certain Randall.

Ce nom produisit un effet visible sur le visage de mon interlocuteur. Malgré ses efforts pour ne pas tiquer, je vis ses lèvres se crisper. De toute évidence, ce nom lui était familier. Le chef des MacKenzie s'enfonça dans son fauteuil et croisa les doigts, me dévisageant attentivement.

— Aha ! fit-il. Continuez, je vous prie.

Aussi, priant pour mon salut, je poursuivis. Je lui racontai dans le détail la confrontation entre les Écossais et les dragons de Randall, car il pourrait la vérifier auprès de Dougal. Je lui répétai grosso modo ma conversation avec Randall dans la mesure où j'ignorais ce que Murtagh en avait entendu.

Il hocha la tête d'un air songeur.

— Je vois, dit-il enfin. Mais que faisiez-vous seule si loin d'Inverness ? Vous comptiez rejoindre la côte pour embarquer, je présume ?

J'acquiesçai.

Là, nous entrions de plain-pied dans le royaume de l'imaginaire. Regrettant amèrement de ne pas avoir été plus attentive aux observations de Frank sur les bandits de grand chemin, je brodai tant bien que mal une histoire qui pût paraître plausible : j'étais une veuve originaire de l'Oxfordshire (ce qui était presque vrai), partie, en compagnie d'un valet, rendre visite à des parents éloignés qui vivaient en France (soit suffisamment loin pour qu'on ne puisse le vérifier). Hélas ! Nous avions été attaqués par des bandits. Je supposais que mon valet avait été assassiné, le pauvre homme, à moins qu'il n'ait pu prendre la fuite. Quant à moi, j'avais filé à cheval à travers la forêt, pour être capturée un peu plus loin. J'étais néanmoins parvenue à fausser compagnie à mes ravisseurs, non sans leur avoir laissé mon cheval et la plupart de mes affaires, et errais seule et désemparée dans les bois quand j'étais tombée sur le capitaine Randall et ses hommes.

Je me laissai retomber contre le dossier de mon fauteuil, plutôt satisfaite de moi. Mon histoire était simple et concise. Rien
de ce que j'avais raconté ne pouvait être contredit. Cependant, le visage de Colum n'exprimait qu'une attention polie.
Il allait poser une question quand il fut interrompu par un
grattement à la porte. Un homme, que j'avais déjà aperçu la
veille en arrivant dans la cour, attendait sur le seuil en tenant
un coffret gainé de cuir.

Le laird de Leoch s'excusa et me laissa en compagnie de ses
oiseaux, m'assurant qu'il serait bientôt de retour pour poursuivre notre passionnante conversation.

Sitôt la porte refermée, je me précipitai vers la bibliothèque,
parcourant les volumes du bout du doigt. Elle contenait une
trentaine de livres et il y en avait d'autres sur une étagère de
l'autre côté de la pièce. Je feuilletai rapidement les premières
pages de chaque volume. Plusieurs ne portaient aucune date de
publication, ceux qui en avaient étaient datés de 1720 à 1742.
Colum MacKenzie aimait le luxe, mais rien n'indiquait dans
la pièce un goût prononcé pour les collections d'antiquités.
Les reliures étaient récentes, sans craquelures. Le papier était
impeccable.

Ayant abandonné tout scrupule, je fouillai sans vergogne
dans le secrétaire en olivier, l'oreille tendue pour déceler tout
bruit de pas dans l'escalier derrière la porte.

Je trouvai ce que je cherchais dans le tiroir central : une
lettre inachevée, rédigée dans une écriture fleurie qu'une ortho-
graphe excentrique et l'absence totale de ponctuation rendaient
quelque peu absconse. Le papier était frais et l'encre d'une
noirceur irréprochable. La date, elle, en haut à droite de
la page, était parfaitement déchiffrable. Elle était si criante
d'authenticité que je manquai de laisser tomber la lettre : le
20 avril 1743.

Lorsque Colum revint quelques instants plus tard, il trouva
son invitée sagement assise sur le rebord d'une des croisées,
les mains élégamment posées sur ses genoux. Assise, parce que

mes jambes ne me soutenaient plus. Les mains croisées pour les empêcher de trembler.

Il portait un plateau chargé de brocs de bière blonde et de gâteaux d'avoine tartinés de miel. Je les grignotai du bout des dents, l'estomac noué.

Après s'être excusé de son absence, il me plaignit pour mes déboires. Puis il se cala dans son fauteuil et m'examina longuement.

— Ce que je ne m'explique toujours pas, madame, c'est que mon frère vous ait trouvée en chemise. Lorsque les bandits de grand chemin ont l'intention de demander une rançon, ils se gardent bien de détrousser leurs captifs. En outre, bien que j'en aie déjà entendu de belles au sujet du capitaine Randall, je m'étonne de ce qu'un officier de l'armée anglaise se permette de violer des jeunes femmes égarées.

— Ah vraiment ? m'étranglai-je. Eh bien, j'ignore ce qu'on vous a raconté, mais je vous assure que c'était bien là son intention.

Lorsque j'avais mis au point mon histoire, j'avais complètement oublié ma tenue. Je me demandai à quel moment de notre altercation Murtagh nous avait surpris.

— Le fait est, admit-il. C'est possible. Il faut dire que l'homme en question a une triste réputation.

— Possible ? Vous ne me croyez donc pas ?

Le visage du chef des MacKenzie trahissait un léger mais indubitable scepticisme.

— Je n'ai pas dit que je ne vous croyais pas, madame, répondit-il d'un ton neutre. Mais lorsqu'on est comme moi à la tête d'un clan depuis plus de vingt ans, on apprend à ne plus avaler de couleuvres.

— Mais qui croyez-vous que je sois, bon sang ? m'énervai-je.

Il cilla, surpris par mon langage. Puis il retrouva son expression impassible.

— Cela reste à voir, déclara-t-il. En attendant, madame, soyez la bienvenue à Leoch.

D'un petit geste de la main, il m'indiqua que notre entretien était terminé. Le valet qui attendait toujours près de la porte fit un pas en avant, manifestement pour m'escorter jusque dans mes appartements.

Colum n'avait pas exprimé le fond de sa pensée, mais je pouvais le deviner. Ses paroles implicites restaient suspendues comme une épée de Damoclès au-dessus de ma tête. Elles résonnaient encore dans mon esprit tandis que je m'éloignais :

« La bienvenue, jusqu'à ce qu'on découvre qui vous êtes réellement... »

DEUXIÈME PARTIE

Le château de Leoch

6

L'Assemblée de Colum MacKenzie

UN ENFANT – QUE MME FITZGIBBONS avait appelé « le petit Alec » – vint me chercher pour me conduire au dîner qui se tenait dans une grande salle rectangulaire avec deux rangées de tables courant sur toute sa longueur. De chaque côté, en un flot continu des valets entraient et sortaient par deux grandes portes voûtées, les bras chargés de victuailles, de coupes et de brocs. Les hautes fenêtres étroites laissaient filtrer les derniers rayons de soleil de ce début d'été. Partout, de grandes torchères de bronze fichées dans les murs attendaient d'être allumées.

Entre chaque fenêtre étaient suspendus de grands étendards et des tartans, les écussons éclaboussant de couleurs vives les pierres nues noircies par la suie. Les dîneurs, eux, portaient pour la plupart des tenues grises et brunes. Certains hommes avaient gardé leur kilt de chasse aux teintes mornes, marron et vert sombre, destinées à se fondre dans les bruyères.

On me lança quelques regards curieux tandis que je traversais la salle derrière le petit Alec, mais la plupart des personnes présentes gardèrent poliment les yeux baissés vers leur assiette. L'atmosphère était plutôt détendue et les manières peu formelles : chacun se servait à sa guise dans les plats posés sur les tables ou faisait la queue devant l'énorme cheminée où deux jeunes garçons faisaient tourner une carcasse de mouton sur une broche. Il y avait une quarantaine de dîneurs, et une dizaine de valets assurant le service. La salle résonnait du brouhaha des conversations, le plus souvent en gaélique.

Colum était assis en bout de table, ses courtes jambes cachées sous l'épaisse table en chêne. Il me fit un aimable signe de tête et m'indiqua un fauteuil à sa gauche, auprès d'une jolie rousse rondelette qu'il me présenta comme sa femme, Letitia.

— Et voici mon fils, Hamish, ajouta-t-il en laissant tomber une main sur l'épaule d'un bel enfant d'environ sept-huit ans.

Ce dernier leva le nez de son assiette et me lança un bref regard indifférent.

Quant à moi, je l'observai avec intérêt. Il ressemblait à tous les MacKenzie que j'avais rencontrés jusqu'à présent : les mêmes pommettes larges et plates, et les yeux profondément enfoncés dans leurs orbites. Ses joues roses mises à part, on aurait dit une réplique miniature de son oncle Dougal, assis à côté de lui. Plus loin encore se tenaient les deux filles de Dougal, Margaret et Eleanor, deux adolescentes qui pouffèrent de rire et échangèrent des coups de coude quand elles me furent présentées.

Dougal me gratifia d'un sourire amical avant de saisir au vol un plat dans lequel l'une de ses filles allait planter sa cuillère. Il le poussa vers moi.

— Allons, mademoiselle, où sont vos manières ! Les invités d'abord.

Je pris non sans quelques hésitations la grande cuillère en corne qu'on me tendait. Jetant un regard méfiant dans le plat, je constatai avec soulagement qu'il ne s'agissait que des incontournables harengs fumés.

Je n'avais jamais essayé de manger des harengs à la cuillère, mais il n'y avait rien sur la table qui ressemblât de près ou de loin à une fourchette. Je me souvins alors qu'il faudrait attendre encore quelques années avant que celle-ci entre dans l'usage courant.

À en juger par mes compagnons de table, quand la cuillère s'avérait impraticable, on avait recours au poignard pour découper la viande et nettoyer les os. N'en ayant pas, je me résolus à mâcher laborieusement et tendis un bras pour pêcher un hareng avec ma cuillère. Le regard accusateur bleu acier du jeune Hamish m'arrêta en plein élan.

— Vous n'avez pas dit le bénédicité, dit-il sévèrement, sourcils froncés.

Manifestement, il me prenait pour une hérétique dépravée.

— Euh... auriez-vous la bonté de le dire à ma place ? hasardai-je.

Il ouvrit de grands yeux ronds, puis, après avoir réfléchi, il acquiesça et croisa les bras d'un air solennel. Il balaya la table du regard pour s'assurer que l'assemblée avait adopté la mine révérencieuse de circonstance, puis baissa la tête d'un air satisfait et entonna :

> Seigneur, y en a qu'ont du pain mais pas d'dents,
> Y en a qu'ont des dents mais pas de pain.
> Nous, on a le pain et les dents,
> Aussi nous te rendons grâce. Amen.

En redressant la tête, je croisai le regard de Colum et lui adressai un sourire admiratif devant le sens poétique de sa progéniture. Il réprima lui-même un sourire et remercia son fils d'un signe de tête grave.

— Bien dit, mon fils. Maintenant, passe-moi donc la viande.

Après quoi, tout le monde se concentra sur la nourriture et la conversation se limita à des demandes occasionnelles pour tel ou tel plat. Personnellement, je manquais d'appétit, d'une part parce que j'étais encore trop remuée par les événements et de l'autre parce que, décidément, je n'aimais pas le hareng.

Cela dit, le mouton était fort bon et le pain délicieux, frais et croustillant à souhait.

— J'espère que M. MacTavish se sent mieux, dis-je pendant une brève pause entre deux bouchées. Je ne le vois nulle part.

— MacTavish ?

Letitia ouvrit de grands yeux bleus.

Dougal se pencha vers elle, un os de mouton à la main.

— Le jeune Jamie, grogna-t-il avant de mordre à pleines dents dans le gigot.

— Jamie ? Pourquoi, que lui est-il arrivé ? s'inquiéta-t-elle.

— Rien, juste une égratignure, mon ange, la rassura Colum.

Il lança un regard vers son frère.

— Mais c'est vrai, où est-il, Dougal ?

Je crus discerner une lueur soupçonneuse au fond de ses yeux noirs.

Son frère haussa les épaules sans lever le nez.

— Aux écuries. Je l'ai envoyé aider le vieil Alec. J'ai pensé que l'endroit lui conviendrait, vu les circonstances.

Il lança un bref regard vers son frère, avant de demander :

— Pourquoi, tu avais d'autres projets pour lui ?

Colum semblait partagé.

— Les écuries ? Mais euh... tu lui fais donc confiance à ce point ?

Dougal s'essuya la bouche et tendit un bras vers le pain.

— À toi de voir, Colum... si tu n'es pas d'accord avec mes ordres.

Les lèvres de Colum se pincèrent légèrement, mais il se contenta de répondre :

— Non, je suppose qu'il s'en tirera bien.

Il reprit son repas.

J'avais moi aussi quelques doutes quant au choix des écuries pour la convalescence d'un jeune homme à l'épaule transpercée par une balle, mais je jugeai préférable de me taire. Je me promis d'aller à sa recherche dès le lendemain afin de m'assurer qu'il recevait tous les soins dont il avait besoin.

Je refusai le pudding et m'excusai en prétextant la fatigue, ce qui n'était qu'un demi-mensonge. J'étais si épuisée que j'entendis à peine Colum me lancer :

— Bonne nuit, madame Beauchamp. J'enverrai quelqu'un vous chercher demain matin pour vous conduire à l'Assemblée.

Me voyant avancer à tâtons le long d'un couloir sombre, une servante eut pitié de moi et m'accompagna jusqu'à ma chambre en m'éclairant de sa chandelle. Elle alluma une bougie sur ma table de chevet et une lumière dorée vacilla sur les murs en pierre, me donnant la sensation d'être enfermée dans une tombe. Lorsqu'elle fut sortie, j'ouvris l'une des lourdes tentures brodées qui masquaient les fenêtres et un courant d'air frais dissipa aussitôt cette impression désagréable. Assise sur le bord du lit, je tentai de récapituler tout ce qui m'était arrivé au cours des dernières vingt-quatre heures, mais mon esprit épuisé refusait de se concentrer. Je me glissai sous l'épais édredon, soufflai la chandelle et m'endormis en contemplant la lune qui se levait lentement.

Le lendemain matin, je fus de nouveau réveillée par la corpulente Mme FitzGibbons, les bras chargés de tous les artifices dont se devait d'user une Écossaise bien née : des peignes en plomb pour assombrir les sourcils et les cils, des bols de poudre de riz, un bâton de ce que je présumai être du khôl bien que je n'en aie jamais vu auparavant, et un pot de fard français dont le couvercle délicatement ciselé était orné d'une rangée de cygnes.

La matrone avait fait, elle aussi, des efforts de toilette. Elle portait une jupe à rayures vertes, un corselet en soie et des bas en fil d'Écosse, ce qui la changeait considérablement de sa robe de bure. J'ignorais ce que représentait « l'Assemblée », mais visiblement c'était une occasion d'importance. Je fus tentée d'insister pour remettre mes propres vêtements, par pur esprit de contradiction, mais le seul souvenir de la réaction du gros Rupert devant ma « chemise » m'en dissuada.

En outre, Colum m'était plutôt sympathique, en dépit de son intention manifeste de me retenir prisonnière dans son château pendant une durée indéterminée. Sur ce point, je n'avais pas dit mon dernier mot, me rassurai-je en me poudrant les joues… Dougal n'avait-il pas dit que Jamie était aux écuries ? Or, qui dit écuries dit chevaux, et donc possibilité de fuite. Je décidai de me lancer à la recherche de ce jeune MacTavish au plus tôt.

L'Assemblée se tenait dans la grande salle où nous avions dîné la veille, réaménagée pour l'occasion : les tables, les bancs et les tabourets avaient été poussés contre les murs et la table des maîtres au fond de la salle avait cédé la place à un grand fauteuil en bois sculpté recouvert d'un plaid vert sombre et marron à carreaux rouge pâle et blancs. Ce devait être le tartan des MacKenzie. De grands bouquets de houx décoraient les murs et on avait jeté de la paille fraîche sur les dalles de pierre.

Derrière le trône vide, un jeune cornemuseur s'échauffait avec moult soupirs et couinements. Un groupe d'hommes se tenait près de lui, sans doute les proches collaborateurs du laird : un homme au visage étroit, en braies écossaises et chemise brune, patiemment adossé au mur ; un gringalet au front dégarni revêtu d'un manteau en brocart – celui-ci devait être une sorte de scribe car il était assis derrière une table équipée d'un encrier, de plumes et d'une liasse de parchemins ; deux costauds en kilts au garde-à-vous ; et enfin, légèrement à l'écart, l'homme le plus grand que j'aie jamais vu.

Je fixai le géant non sans une certaine appréhension. Son épaisse tignasse noire descendait bas sur son front, touchant presque ses sourcils drus qui se rejoignaient en une barre. Une toison similaire recouvrait ses gigantesques avant-bras mis en évidence par ses manches retroussées. Contrairement à la plupart des hommes que j'avais vus jusqu'alors, tous armés jusqu'aux dents, il ne portait qu'un minuscule poignard attaché par une lanière en haut de son bas. On devinait à peine le petit manche parmi les touffes de poils noirs qui couvraient ses jambes au-dessus de ses chaussettes. Une épaisse ceinture de cuir ceignait ses reins – il faisait bien un mètre de tour de taille. En dépit de son allure de colosse, il arborait un air aimable, et plaisantait avec l'homme au visage étroit qui, à côté de lui, ressemblait à un pantin.

Soudain, le cornemuseur se mit à jouer pour de bon. Après une éructation préliminaire, l'instrument émit un son strident à vous percer les tympans qui se modula pour ressembler vaguement à une mélodie.

La salle comptait une cinquantaine de personnes, plutôt mieux habillées et toilettées que les dîneurs de la veille. Toutes les têtes se tournèrent à l'unisson vers la porte voûtée où, après avoir marqué une pause théâtrale sur le seuil, Colum fit son entrée, suivi à quelques pas par son frère Dougal.

Les deux MacKenzie étaient en tenue d'apparat, avec des kilts sombres et des manteaux bien taillés, vert amande pour Colum et rouille pour Dougal. Tous deux portaient un plaid drapé sur la poitrine et retenu sur l'épaule par une grosse broche en argent ciselé. Colum avait dénoué et huilé ses longs cheveux. Ceux de Dougal étaient toujours noués en une queue de cheval en harmonie avec le roux de son manteau.

Colum traversa lentement la salle d'un pas solennel, distribuant des signes de tête et des sourires à l'assistance. J'avais remarqué une autre porte non loin du trône. Colum aurait fort bien pu entrer par là. De toute évidence, cette longue marche était destinée à produire un effet calculé, tout comme le contraste qu'offraient les deux hommes, l'un petit avançant comme un canard sur ses jambes tordues, l'autre grand, le dos raide, le regard fixé droit devant lui. Enfin, Colum s'assit dans le grand fauteuil, tandis que Dougal venait se placer debout derrière lui.

Le laird resta immobile quelques instants, semblant se recueillir, puis il leva une main. Le vacarme infernal de la cornemuse mourut dans un gémissement pitoyable et l'Assemblée put commencer.

Il m'apparut rapidement qu'il s'agissait là d'une cérémonie coutumière au cours de laquelle le seigneur de Leoch dispensait la justice à ses métayers et selliers, écoutant leurs plaintes et arbitrant les litiges. On avait arrêté un ordre du jour. L'homme dégarni lisait les noms à voix haute et les parties en lice s'avançaient à tour de rôle devant le laird.

Malheureusement pour moi, la plupart des affaires étaient débattues en gaélique. Les plaignants accompagnant tous leurs propos de roulements d'yeux, de piétinements rageurs et de grands moulinets de bras, j'avais du mal à évaluer la gravité des cas en me basant uniquement sur l'attitude des intéressés.

Un moment, je crus comprendre qu'un des plaignants, un individu miteux affublé d'un énorme *sporran* constitué d'un blaireau entier, accusait son voisin de rien de moins que de meurtre, de pyromanie et de rapt d'épouse. Colum haussa les sourcils et prononça une courte phrase en gaélique qui fit se tordre de rire les deux parties concernées. En s'essuyant les yeux, le plaignant hocha la tête et tendit la main à l'accusé pendant que le scribe griffonnait furieusement, les grattements de sa plume résonnant dans la salle comme un trottinement de souris.

Je figurais en cinquième place à l'ordre du jour. Une position soigneusement calculée pour signifier à l'assemblée l'importance de ma présence au château.

Pour mon profit, la présentation de mon cas se fit en anglais.

— Madame Beauchamp, veuillez vous avancer, appela le scribe.

L'énorme patte de Mme FitzGibbons me poussa en avant, et j'avançai en trébuchant devant le fauteuil de Colum. J'esquissai maladroitement une profonde révérence comme j'avais vu d'autres femmes le faire avant moi. Les souliers qu'on m'avait donnés étaient de simples étuis oblongs en cuir rigide, sans pied droit ni pied gauche, ce qui n'aidait pas franchement à l'élégance des gestes. Un murmure d'intérêt s'éleva dans la foule lorsque Colum me fit le grand honneur de se lever et de venir à ma rencontre la main tendue. Je la saisis fermement, de peur de m'étaler de tout mon long.

Je me redressai péniblement, maudissant mentalement les chausseurs écossais, pour me trouver le nez plongé dans la poitrine de Dougal. En tant que responsable de ma présence au château, c'était apparemment à lui qu'incombait de demander formellement mon accueil, ou ma captivité, selon l'interprétation qu'on voudrait bien en faire.

— Votre Seigneurie, commença-t-il en s'inclinant respectueusement devant son frère, nous demandons votre indulgence et votre grâce pour cette dame en difficulté. Dame Claire Beauchamp, originaire d'Oxford, s'étant trouvée attaquée par des bandits, son valet traîtreusement tué, a fui dans les forêts se trouvant sur vos terres où moi-même et mes hommes l'avons trouvée et sauvée. Nous implorons le laird de Leoch de bien vouloir offrir un refuge à madame en attendant...

Il marqua une pause et esquissa une moue cynique.

— ... que ses parents *anglais* soient informés de son sort et que les mesures nécessaires soient prises pour qu'elle puisse voyager sous bonne escorte.

L'accent sur les parents *anglais* ne m'avait pas échappé, pas plus qu'à tous ceux présents. Ainsi, ma présence devait être tolérée, mais étroitement surveillée. S'il avait parlé de parents français, j'aurais été considérée comme une intrusion amicale, au pire neutre. M'enfuir de ce château serait peut-être plus difficile que je me l'étais imaginé.

Colum inclina courtoisement le chef à mon intention puis m'offrit l'hospitalité dans son humble demeure, ou quelque chose du genre. Je fis de nouveau la révérence, avec plus de succès cette fois, et repris ma place dans les rangs, suivie par des regards intrigués mais relativement bienveillants.

Jusque-là, les affaires traitées n'avaient intéressé que les parties directement concernées, les autres papotant tranquillement entre eux en attendant leur tour. Mon propre cas n'avait suscité que quelques chuchotements spéculatifs et, à mon avis, approbateurs.

Mais soudain un grondement d'excitation parcourut la foule. Un grand gaillard d'âge mûr s'avança devant le trône traînant une jeune fille par le poignet. Elle avait seize ans à peine, un joli visage boudeur et de longs cheveux blonds noués dans le dos avec un ruban bleu. Elle resta debout au milieu de la salle tandis que l'homme se tenait derrière elle, protestant en gaélique, agitant les bras et pointant de temps à autre le doigt vers elle d'un air accusateur. L'assistance s'agita, des murmures outrés fusant ici et là.

Mme FitzGibbons était assise sur un tabouret à mes côtés, penchée en avant, l'air captivé. Je lui glissais à l'oreille :

— Qu'a-t-elle fait ?

La matrone me répondit sans quitter la scène des yeux :

— Son père l'accuse de s'être montrée légère avec de jeunes hommes. Il demande aux MacKenzie de la punir pour sa désobéissance.

— De la punir ? De quelle façon ? chuchotai-je.

— Chut ! fit-on autour de nous.

Tous les regards étaient à présent tournés vers Colum qui examinait le père et la fille. Après les avoir longuement dévisagés tour à tour, il prononça sa sentence. Puis, sourcils froncés, il frappa le bras de son fauteuil d'un coup sec et un frisson parcourut l'assemblée.

— Il a tranché, chuchota Mme FitzGibbons.

Je l'avais déjà compris. Je n'eus même pas le temps de demander quel serait le châtiment de la jeune volage : le géant défit sa ceinture de cuir d'un air dégagé, bougeant pour la première fois depuis le début de la cérémonie. Les deux gardes s'emparèrent de la jeune fille en la prenant chacun par un bras et l'obligèrent à tourner le dos à Colum et à son père. Elle se mit à sangloter, mais n'implora pas la grâce de ses juges. La foule suivait la scène avec cette concentration survoltée qu'on observe lors des exécutions publiques et des accidents de la route. Soudain, une voix s'éleva du fond de la salle.

Le brouhaha s'interrompit aussitôt et toutes les têtes se tournèrent vers l'entrée. Mme FitzGibbons se hissa sur la pointe des pieds en tendant le cou. Le nouveau venu avait parlé en gaélique, mais, si je n'avais pas compris ses paroles, j'avais reconnu sa voix, grave et douce, avec une légère accentuation des consonnes finales.

La foule s'écarta et Jamie MacTavish apparut. Il inclina respectueusement du chef devant les frères MacKenzie, puis prononça une brève harangue. Celle-ci suscita la controverse. Colum, Dougal, le scribe et le père outragé semblaient tous d'avis différents.

— Mais que se passe-t-il ? marmonnai-je à Mme Fitz-Gibbons.

Bien qu'encore pâle, mon patient semblait en bien meilleure forme que la veille. Il avait déniché une chemise propre. Sa manche droite vide était pliée et glissée sous la ceinture de son kilt.

Mme FitzGibbons semblait captivée par la scène.

— Le garçon propose de subir le châtiment de la jeune fille à sa place, annonça-t-elle en regardant par-dessus l'épaule d'un spectateur.

— Quoi ? Mais il est blessé ! Ils ne vont tout de même pas laisser faire une chose pareille !

La matrone secoua la tête d'un air dubitatif.

— Je ne sais pas. C'est un problème délicat, il est autorisé à un homme de son propre clan de se substituer à elle, mais le garçon n'est pas un MacKenzie.

— Ah non ? m'étonnai-je, ayant naïvement présumé que tous les hommes du groupe qui m'avait capturée venaient du château de Leoch.

— Bien sûr que non ! s'impatienta Mme FitzGibbons. Vous ne voyez donc pas son tartan ?

Naturellement je le voyais, maintenant qu'elle me l'avait mentionné. Le jeune homme portait lui aussi un kilt de chasse, mais aux teintes neutres légèrement plus soutenues que celles de ses compagnons. Le marron était plus foncé, presque couleur d'écorce, avec une rayure bleu pâle.

Apparemment, l'opinion de Dougal l'emporta. Les pourparlers cessèrent et un silence de plomb s'abattit sur la salle. Les deux gardes libérèrent la jeune fille qui courut se cacher dans la foule tandis que son substitut venait se placer entre eux. Je vis avec horreur les deux hommes s'apprêter à l'empoigner chacun par un bras, mais Jamie s'adressa en gaélique au géant et les gardes reculèrent d'un pas. Un sourire insolent illumina brièvement le visage du jeune homme, auquel le colosse répondit par un autre sourire tout aussi inattendu.

— Qu'est-ce qu'il a dit ? demandai-je à mon interprète.

— Il préfère les poings à la ceinture. Contrairement aux femmes, les hommes ont le droit de choisir.

— Les poings ?

Je n'eus pas le temps de la questionner davantage. Le bourreau brandit un poing gros comme un jambon et l'envoya dans le ventre de Jamie. Celui-ci resta plié en deux, le souffle coupé. Le géant attendit qu'il se redresse, puis lui martela les côtes et les bras de petits coups secs. Le jeune homme n'esquissa pas un geste de défense, se contentant de relever chaque fois la tête pour signifier qu'il était prêt pour la suite.

Le crochet suivant l'atteignit en plein visage. Je grimaçai et fermai involontairement les yeux en voyant la tête de Jamie partir violemment en arrière. Le bourreau marquait une pause entre chaque coup, prenant soin de ne jamais frapper deux fois au même endroit, mesurant soigneusement sa force afin de faire mal sans mutiler ni briser d'os. Sa victime avait un œil gros comme une orange et respirait difficilement, mais, en dehors de ça, elle ne semblait pas trop mal en point.

Je retenais mon souffle, craignant que l'un des coups n'atteigne l'épaule blessée. Le bandage était toujours en place, mais il ne résisterait plus longtemps à un tel traitement. Combien de temps ce massacre allait-il durer ? Dans la salle, personne ne bronchait. On n'entendait que le bruit sourd du poing s'abattant sur la chair, ponctué du râle du supplicié cherchant à reprendre son souffle.

— Angus ne s'arrêtera que lorsque le sang coulera, chuchota Mme FitzGibbons devinant ma question. Généralement, c'est le nez qui casse.

— Mais c'est monstrueux ! sifflai-je, scandalisée.

Plusieurs spectateurs se retournèrent en me fustigeant du regard.

Enfin, le dénommé Angus sembla juger qu'il avait administré la dose prescrite. Il prit son élan et assena un dernier uppercut massif. Jamie chancela et tomba à genoux. Les deux gardes se précipitèrent pour le relever et, quand il redressa la tête, j'aperçus un filet de sang s'écouler de ses lèvres enflées. La foule poussa un soupir de soulagement et le bourreau recula d'un pas, l'air satisfait du devoir accompli.

L'un des gardes soutint le malheureux qui secouait la tête pour se remettre les idées en place. La jeune fille avait disparu. Jamie se redressa et se tourna vers le colosse. Une fois de plus, ses lèvres tuméfiées et ensanglantées esquissèrent un sourire douloureux :

— Merci, articula-t-il péniblement.

Il s'inclina solennellement devant son bourreau avant de se retirer. L'attention de la foule se tourna alors vers Colum MacKenzie et l'affaire suivante fut portée devant lui.

Plus intéressée par le sort de mon patient que par la suite des procédures, je m'excusai rapidement auprès de Mme Fitz-Gibbons et me frayai un chemin vers la porte dans laquelle il venait de s'engouffrer.

Je le retrouvai dans une petite cour, appuyé contre la margelle d'un puits et essuyant sa bouche avec un pan de sa chemise.

— Tenez, utilisez plutôt ceci, lui dis-je en lui tendant un mouchoir.

Il l'accepta avec un grognement que j'interprétai comme un remerciement.

Je l'examinai attentivement à la lueur pâlotte du jour. Ses nouvelles blessures se limitaient apparemment à une lèvre fendue et un œil au beurre noir, plus quelques marques sur les joues et le cou qui ne tarderaient pas à bleuir.

— Vous êtes également blessé à l'intérieur de la bouche ?

— Mmm…

Il se pencha vers moi et je pris délicatement sa lèvre inférieure entre mes doigts, la retournant doucement pour l'examiner à la lumière. Le tissu de la joue était profondément entaillé, la lèvre était coupée en plusieurs endroits. Sa bouche était pleine de salive mêlée à du sang.

— De… l'eau, articula-t-il avec difficulté en essuyant le filet rougeâtre qui lui coulait le long du menton.

— Très juste.

Un seau et une louche en corne reposaient sur la margelle. Il se rinça la bouche et s'aspergea le visage.

— Pourquoi avez-vous fait ça ? demandai-je, intriguée.

— Pardon ?

Il se redressa et s'essuya le menton du revers de la manche. Puis, effleurant du doigt sa lèvre enflée, il grimaça légèrement.

— Pourquoi avoir pris la place de la jeune fille ? C'est une amie à vous ?

C'était une question très indiscrète, mais je mourais d'envie de le savoir.

— Je la connais de vue, répondit-il. Mais je ne lui ai jamais parlé.

— Alors pourquoi ?

Il voulut faire une moue indécise qui se transforma en nouvelle grimace de douleur.

— Si on l'avait battue devant tout le monde, elle ne s'en serait jamais remise. C'était plus facile pour moi.

— Plus facile ? répétai-je, incrédule, devant son visage tuméfié.

Il caressa ses côtes meurtries de sa main valide.

— Oui, elle est très jeune. Elle aurait été humiliée devant les siens et elle aurait porté sa honte pendant des années. Alors que je n'ai reçu que des coups physiques. J'ai mal, mais ce n'est rien de bien méchant. Il n'y paraîtra plus d'ici un jour ou deux.

— Oui, mais pourquoi vous ?

Ma question lui parut saugrenue.

— Pourquoi pas ? fut sa seule réponse.

Je faillis lui répondre : « Parce que vous ne la connaissiez pas, que vous étiez déjà blessé et qu'il faut un certain cran pour se laisser tabasser en public sans broncher, quelles que soient vos motivations. »

— Disons qu'un muscle trapèze transpercé par une balle de mousquet me paraît une raison suffisante.

Il sembla amusé, caressant la région en question.

— Trapèze ? Alors c'est comme ça que ça s'appelle ?

— Ah, te voilà, mon grand ! Je vois que tu es déjà en de bonnes mains. J'arrive sans doute trop tard.

Mme FitzGibbons apparut sur le seuil de la porte, qu'elle dut franchir de biais. Elle avança dans la cour en roulant des hanches, portant un plateau sur lequel il y avait plusieurs brocs, un grand bol et un linge propre.

— Je me suis contentée de lui donner un peu d'eau, expliquai-je. Il n'a pas l'air trop mal en point. Je ne vois pas ce qu'on peut faire pour lui, à part lui laver le visage.

— Bah, il y a toujours quelque chose à faire, lança-t-elle de bonne humeur. Laisse-moi voir ton œil, mon garçon.

Jamie s'assit docilement sur la margelle et tendit le cou vers elle. Les doigts potelés palpèrent doucement la peau enflée et violacée, laissant une marque blanche qui s'effaça rapidement.

— Ça saigne toujours sous la peau. Les sangsues vont t'arranger ça.

Elle souleva le couvercle du bol. Il grouillait de petites limaces noirâtres mesurant un ou deux centimètres de long et nageant dans un liquide visqueux. Elle en pêcha deux qu'elle appliqua à même la peau sur l'arcade sourcilière et sous l'œil.

— Voyez-vous, m'expliqua-t-elle, si on attend que la peau désenfle, les sangsues ne servent plus à grand-chose. Elles ne peuvent sucer le sang que quand il afflue encore.

Je l'observais, mi-fascinée mi-dégoûtée.

— Ça ne fait pas mal ? demandai-je à Jamie.

Il fit non de la tête, faisant ballotter les sangsues de façon obscène.

— Non, c'est un peu froid, c'est tout, répondit-il.

Pendant ce temps, Mme FitzGibbons s'affairait avec ses brocs et ses flacons.

— Les gens utilisent les sangsues à tort et à travers, déclara-t-elle. Elles sont parfois très utiles, mais il faut savoir s'en servir. Si on les applique sur un vieux bleu, elles ne pompent que du sang frais, ce qui n'arrange rien. Et il ne faut pas en mettre trop à la fois. Elles peuvent affaiblir un blessé qui a déjà perdu trop de sang.

J'écoutais respectueusement, enregistrant toutes ces informations en espérant n'avoir jamais à les mettre en pratique.

— Maintenant, mon grand, rince-toi la bouche avec cette infusion d'écorce de saule. Ça nettoie les plaies et atténue la douleur, ajouta-t-elle à mon intention. J'y rajoute toujours une pincée de flambe moulue.

J'acquiesçai. Je me souvenais vaguement d'avoir entendu dans un cours de botanique que l'écorce de saule contenait de l'acide salicylique, le composant actif de l'aspirine.

— L'écorce de saule ne risque-t-elle pas d'accroître le saignement ? demandai-je.

Mme Fitz hocha la tête.

— En effet, ça arrive. C'est pourquoi on la fait suivre d'une bonne poignée de millepertuis macéré dans le vinaigre. Si la plante a été cueillie à la pleine lune puis finement moulue, elle arrête les saignements.

Jamie s'exécuta sans discuter et se gargarisa avec la solution astringente. La piqûre du vinaigre aromatique sur ses plaies lui fit monter les larmes aux yeux.

Entre-temps, les sangsues s'étaient gorgées de sang et avaient quadruplé de volume. Leur peau initialement sombre et fripée était maintenant lisse et luisante. On aurait dit des petits galets polis. L'une d'entre elles se décrocha soudain et tomba à mes pieds. Mme Fitz la ramassa en se pliant en deux avec une souplesse surprenante vu sa corpulence, et la laissa tomber dans le bol. Saisissant délicatement l'autre sangsue, elle tira doucement, faisant s'étirer la tête.

— Il faut éviter de tirer trop fort, commenta-t-elle, elles risquent d'éclater…

Je frissonnai involontairement en imaginant la scène.

— … mais quand elles sont presque pleines, elles s'enlèvent parfois facilement. Sinon, il suffit de les laisser se gorger de sang jusqu'à ce qu'elles tombent d'elles-mêmes.

De fait, la sangsue n'opposa aucune résistance, laissant quelques gouttes de sang au point d'incision. J'épongeai la plaie minuscule avec le coin d'une serviette trempée dans la solution vinaigrée. À ma grande surprise, les sangsues avaient fait leur effet. Le gonflement s'était considérablement réduit et, même si sa paupière était encore légèrement enflée, Jamie pouvait ouvrir l'œil. Mme FitzGibbons l'inspecta d'un air critique, puis décida qu'une troisième sangsue ne serait pas nécessaire.

— Tu ne seras pas beau à voir demain matin, mon garçon, conclut-elle avec un hochement de tête, mais au moins tu y verras clair. Ce qu'il nous faut maintenant, c'est un morceau de viande rouge sur l'œil et une goutte de bouillon à la bière pour te renforcer un peu. Suis-moi aux cuisines, je vais te trouver ça.

Elle ramassa son plateau, puis marqua une brève pause.

— J'apprécie ton geste, mon garçon. Tu savais que Laoghaire était ma petite-fille ? Je te remercie pour elle. J'espère qu'elle viendra te remercier en personne, si elle a quelques manières.

Elle lui donna une petite tape sur la joue et s'éloigna en trottant lourdement.

Je me tournai vers Jamie. Si archaïque soit-il, le remède de la mère Fitz était d'une efficacité surprenante. Le jeune homme avait retrouvé un visage humain.

— Comment vous sentez-vous ? demandai-je.

— Très bien.

Il dut lire mon regard dubitatif, car il se mit à rire en pinçant les lèvres.

— Ce ne sont jamais que quelques bleus, ajouta-t-il. On dirait que je vais devoir vous remercier de nouveau. C'est la troisième fois que vous me soignez en trois jours, vous devez me trouver bien maladroit.

Je touchai une marque violacée sur sa mâchoire.

— Pas maladroit. Un peu casse-cou, peut-être.

Un bruissement de jupons derrière nous me fit me retourner. En m'apercevant, la jeune Laoghaire eut un mouvement de recul.

— J'ai l'impression qu'on veut vous parler seul à seul, chuchotai-je à Jamie. Je vous laisse. Les bandages pourront être retirés demain. Je viendrai vous trouver.

— D'accord. Merci.

Il me serra la main et je m'éloignai, observant avec curiosité la jeune fille quand je la croisai. Elle était encore plus jolie vue de près, avec des yeux bleu pâle et une peau de rose. Elle dévisageait Jamie avec adoration. Je m'éloignai en me demandant si le geste galant de Jamie avait été aussi altruiste que je l'avais d'abord supposé.

Le lendemain matin, réveillée à l'aube par le gazouillis des oiseaux dans la cour et les allées et venues des gens dans le château, je m'habillai et cherchai mon chemin à travers le dédale de couloirs jusqu'au grand hall. Celui-ci avait retrouvé sa fonction première de réfectoire. D'énormes chaudrons de porridge mijotaient dans l'âtre. Sur les tables, on avait posé des plateaux remplis de petits pains cuits au feu de bois et des pots de mélasse. Il régnait dans la salle une odeur de cuisine si forte qu'on aurait pu la couper au couteau. Je me sentais encore désorientée, mais le petit déjeuner chaud et consistant me remit d'aplomb pour explorer ma prison.

Je trouvai Mme FitzGibbons aux cuisines, plongée jusqu'au coude dans la pâte à pain. Lorsque je lui annonçai mon intention de dénicher Jamie pour lui ôter ses bandages et examiner son épaule, elle appela un de ses petits mitrons d'un geste de sa main massive et couverte de farine.

— Jeune Alec, cours trouver Jamie, le nouveau dresseur de chevaux. Dis-lui de venir nous montrer son épaule. Nous serons dans le jardinet.

La matrone fit claquer ses doigts et le garçon fila à toutes jambes à la recherche de mon patient.

— Il leur faudra un bon moment avant de nous rejoindre. Que diriez-vous de visiter notre jardin de simples ? Vous avez l'air de vous y connaître en plantes. Si ça vous chante, vous pourrez nous aider à l'entretenir, ça vous occupera.

Le jardin de simples, réserve précieuse de plantes aromatiques et médicinales, était niché dans une cour intérieure, juste assez large pour laisser entrer les rayons de soleil mais protégée des vents du printemps. Un puits en occupait le centre. Le mur de l'est était bordé de buissons de romarin, celui du sud de camomille, et celui du nord d'amarante. J'identifiai correctement les piques vertes des derniers crocus et les tiges tendres du laurier-rose perçant la belle terre riche et brune. Mme FitzGibbons m'indiqua de la digitale, de la bétoine et d'autres espèces que je ne reconnus pas.

La fin du printemps était le temps des semences. Le panier de Mme FitzGibbons regorgeait de gousses d'ail de l'été précédent. Elle me le tendit, ainsi qu'un bâton pour percer des trous dans la terre. Apparemment, mes jours d'oisiveté au château étaient terminés. En attendant que Colum décide de mon sort, Mme FitzGibbons avait trouvé de quoi m'occuper.

— Tenez, mon enfant. Plantez-les le long du mur du sud, entre le thym et la digitale.

Elle me montra comment séparer les gousses sans abîmer leur enveloppe dure et comment les enfoncer dans la terre, la pointe vers le bas, à environ deux centimètres de profondeur. Puis la matrone se releva, secouant ses volumineux jupons.

— Gardez quelques têtes pour les planter séparément, ici et là, tout autour du jardin. L'ail éloigne les charançons. L'oignon et la mille-feuille ont le même effet. Et pendant que vous y êtes, arrachez donc les soucis fanés. Mais ne les jetez pas ! Ils peuvent servir.

Le jardinet était parsemé de soucis jaunes. Au même instant, le jeune garçon qu'elle avait envoyé chercher Jamie revint au pas de course, à bout de souffle. Il nous annonça que le patient refusait d'abandonner son travail.

— Il dit… haleta-t-il, qu'il n'a pas mal au point… d'avoir besoin de soins… mais qu'il vous remercie… quand même.

Mme FitzGibbons haussa les épaules.

— Bon, eh bien, s'il ne veut pas venir, qu'il reste où il est. Mais vous feriez bien d'aller jeter un œil vers l'enclos autour de midi, ma petite. S'il refuse d'arrêter son travail pour se faire soigner, il fera bien une pause pour déjeuner. Je les connais, moi, ces blancs-becs ! Alec viendra vous chercher pour vous conduire aux écuries.

Me laissant planter le reste des gousses d'ail, la mère Fitz, tel un galion, mit le cap sur les cuisines, le jeune Alec dans son sillage.

Je jardinai tranquillement toute la matinée, plantant l'ail, coupant les soucis fanés, arrachant les mauvaises herbes et reprenant la lutte sempiternelle du jardinier contre les limaces, les escargots et autres phytophages. Ici, toutefois, il s'agissait d'un combat à mains nues, sans pesticides chimiques. J'étais tellement absorbée par ma tâche que le jeune Alec dut toussoter poliment à plusieurs reprises pour attirer mon attention. N'étant pas du genre à perdre son temps en vaines paroles, il attendit à peine que je me redresse et que j'époussette ma jupe pour filer par la porte de la cour.

L'enclos vers lequel il me conduisit était situé dans un pré à quelque distance des écuries. Trois poulains s'y ébrouaient gaiement. Une jeune jument était attachée par un licou à la clôture, une couverture jetée sur sa croupe.

Jamie était en train de se glisser précautionneusement le long du flanc de la jument, qui le surveillait d'un air soupçonneux. Il plaça son bras valide sur son cou, lui parlant doucement, prêt à se retirer si l'animal refusait ses avances. Elle roula des yeux et s'ébroua mais ne bougea pas. Se déplaçant lentement sans cesser de lui parler, il se pencha sur la couverture et reposa progressivement son poids sur le dos du cheval. Celui-ci fit un léger écart et martela la terre de ses sabots, mais Jamie persista, haussant la voix.

Au même moment, la jument tourna la tête et nous vit approcher, Alec et moi. Se sentant menacée, elle rua en hennissant, et pivota pour nous faire face, écrasant par la même occasion Jamie contre les linteaux de bois. Paniquée, elle tirait de toutes ses forces sur le licou. Jamie eut juste le temps de rouler sous la clôture pour éviter un coup de sabot et se releva péniblement, jurant en gaélique. Il se tourna d'un air furieux pour invectiver les intrus.

En nous reconnaissant, son expression furibonde céda aussitôt la place à un accueil courtois, bien que notre arrivée ne soit pas aussi opportune qu'on aurait pu le souhaiter. Toutefois, le panier du déjeuner soigneusement préparé par la mère Fitz, qui, de fait, connaissait bien les blancs-becs, acheva de le rasséréner.

— Bah, énerve-toi si tu veux, sale bête, lança-t-il à la jument qui tirait toujours sur son licou.

Congédiant le jeune Alec d'une gentille tape dans le dos, il récupéra la couverture de la jument tombée à terre, la secoua pour faire tomber la poussière et l'étala galamment sur le sol à mon intention.

Prenant soin d'éviter toute allusion au fâcheux contretemps dans son exercice de dressage, je versai la bière et sortis le pain et le fromage du panier.

Il mangea avec une voracité qui me fit penser à son absence au dîner dans le hall les deux derniers soirs.

— Je dormais, expliqua-t-il. L'autre soir, après vous avoir quittée, je me suis couché immédiatement et je ne me suis réveillé qu'hier matin à l'aube. Hier, je suis venu travailler un peu après l'Assemblée, puis je me suis allongé dans une meule de foin pour faire une petite sieste et c'est un cheval qui m'a réveillé ce matin en me mordillant l'oreille.

Le repos semblait lui avoir fait du bien. Les ecchymoses de la veille étaient encore noires, mais la peau tout autour avait une bonne couleur rosée et saine. En outre, il avait bon appétit.

Je le regardai dévorer le reste du repas, puis picorer les miettes tombées sur sa chemise qu'il ramassait du bout de son doigt humecté.

— Vous étiez affamé ! remarquai-je en riant. Vous mangeriez de l'herbe si vous n'aviez rien d'autre.

— J'en ai déjà mangé, répondit-il sérieusement. Ce n'est pas mauvais, mais guère nourrissant.

Après une seconde d'hésitation, je conclus qu'il plaisantait.

— Quand ? demandai-je.

— Un hiver, pas celui-ci, celui d'avant. Je vivais à la dure… dans les bois, avec les… un groupe de compagnons qui volaient du bétail de l'autre côté de la frontière. Une fois, on est resté sans rien trouver à manger pendant près d'une semaine. De temps à autre, un fermier nous donnait un peu de pain, mais ces gens-là ont déjà du mal à nourrir leur famille ! Quand passe un étranger, ils trouvent toujours quelque chose à lui donner, mais vingt étrangers à la fois, c'est un peu beaucoup, même pour l'hospitalité des Highlanders.

Il sourit.

— Vous connaissez, euh… non, bien sûr ! J'allais demander : Vous connaissez le bénédicité qu'on récite chez les métayers ?

— Non. Que dit-il ?

156

Il écarta les mèches qui lui tombaient dans les yeux et récita :

Courez, courez tous à table,
Fourrez-vous-en plein la panse.
Bouffez du fumier, pooch nane,
Ça vaut mieux que d'crever, Amen.

— « Pooch nane » ? demandai-je, amusée.

Il tapota le *sporran* à sa ceinture.

— « Mettez-le dans votre ventre et pas dans votre sac. »

Il arracha une longue tige d'herbe et la sortit doucement de sa gaine. Il la roula entre ses paumes, faisant suinter une sève poisseuse.

— C'était donc vers la fin de l'hiver. Heureusement, il ne faisait pas trop froid, sans quoi nous n'aurions pas survécu. On se nourrissait des lapins qu'on attrapait au collet, ou, parfois, d'un gibier plus gros. La plupart du temps, on les mangeait crus, car un feu aurait signalé notre présence. Toujours est-il que, pendant la période en question, nous n'avions rien attrapé depuis plusieurs jours.

Ses dents blanches mordirent la tige. J'en cueillis une à mon tour et en mordillai une extrémité. Elle avait un goût sucré et légèrement acide, mais seul un petit segment était assez tendre pour être mangé. En effet, ce n'était pas très nourrissant.

Jetant au loin l'herbe à demi mâchouillée, il reprit :

— Il avait neigé quelques jours plus tôt. Une légère couche de neige recouvrait le pied des arbres et, partout ailleurs, rien que de la boue. Je cherchais des fongus, ces grosses choses orange qui poussent parfois en bas des troncs, quand soudain, en grattant la neige, je découvre de l'herbe verte. Générale-ment, les cerfs dénichent rapidement ces endroits. Ils creusent la neige de leurs pattes et mangent l'herbe jusqu'à la racine. Ils n'avaient pas encore trouvé celui-ci et je me suis dit que, s'ils arrivaient à survivre tout l'hiver grâce à ça, pourquoi pas moi ? J'avais tellement faim que j'aurais fait bouillir mes bottes pour les manger si je n'en avais pas eu besoin. Alors j'ai mangé de l'herbe, jusqu'à la racine, comme les cerfs.

— Depuis combien de temps vous n'aviez rien mangé ? demandai-je, fascinée et horrifiée.

— Trois jours. La semaine précédente, j'avais dû me contenter d'une poignée d'avoine et d'un peu de lait.

Il fixa d'un air songeur les tiges d'herbe dans sa main.

— Oui… reprit-il, l'herbe d'hiver est rêche et amère, pas comme celle-ci, mais c'était mieux que rien.

Il redressa la tête et me sourit.

— Sauf que je n'avais pas pensé qu'un cerf a quatre estomacs, et moi un seul. J'ai eu des crampes terribles et des vents pendant plusieurs jours. Un de mes compagnons m'a expliqué par la suite qu'il fallait faire bouillir l'herbe avant de la manger. Quand bien même… j'avais trop faim pour attendre.

Il se releva et me tendit une main pour m'aider à me relever.

— Il est temps de se remettre au travail. Merci pour le déjeuner.

Il me rendit le panier et s'éloigna vers les écuries. Le soleil faisait luire ses cheveux roux comme une crinière flamboyante.

Je rentrai lentement au château, songeant aux hommes qui vivaient dans la boue glacée et se nourrissaient d'herbe. Ce n'est qu'une fois arrivée dans la cour que je me rendis compte que j'avais complètement oublié son épaule.

7

L'armoire de Davie Beaton

À MA GRANDE SURPRISE, L'UN DES GARDES DE COLUM m'attendait devant la grille. Le laird me serait reconnaissant, m'informa-t-il, de bien vouloir lui rendre visite dans ses appartements.

Dans le sanctuaire de Colum, les croisées étaient grandes ouvertes. Le vent faisait bruisser le feuillage de la volière, donnant l'illusion qu'on se trouvait dans une vraie forêt.

Je trouvai le laird assis derrière son secrétaire, en train d'écrire. Il s'interrompit et se leva pour m'accueillir. Après quelques paroles aimables pour s'enquérir de ma santé et de mon bien-être, il me conduisit devant la cage dont nous admirâmes les petits occupants qui sautillaient de branche en branche en gazouillant, excités par le vent.

— Dougal et Mme FitzGibbons m'informent que vous avez des talents de guérisseuse, observa subitement Colum sur un ton détaché.

Il glissa un doigt entre les fentes du grillage. Un petit bruant gris, apparemment bien habitué à son maître, descendit en piqué et vint s'y percher, ses minuscules serres se refermant sur le doigt charnu, les ailes légèrement écartées pour garder son équilibre. Colum lui caressa doucement la tête de son index calleux. Je remarquai avec surprise la peau épaisse et durcie de son doigt. Je le voyais mal faire un travail manuel.

— Nettoyer et bander une plaie superficielle n'a rien de très difficile, répondis-je en haussant les épaules.

Il sourit.

— Certes, mais il faut quand même une certaine habileté pour le faire dans la nuit noire au bord d'une route. Mme FitzGibbons m'a également raconté comment vous avez soigné le doigt cassé de l'un de ses mitrons et le bras d'une fille de cuisine qui s'est ébouillantée ce matin.

— Rien de bien compliqué là non plus, rétorquai-je en me demandant où il voulait en venir.

Il fit signe à l'un de ses aides qui se précipita vers le secrétaire et sortit un bol de l'un des tiroirs. Ôtant le couvercle, Colum lança une poignée de graines à travers les mailles du grillage. Aussitôt, les petits oiseaux bondirent de leurs branchages comme autant de balles rebondissant au sol. Le bruant gris alla rejoindre ses camarades pour ne rien perdre du festin.

— Vous ne seriez pas apparentée aux Beaton, par hasard ? demanda-t-il.

Je me souvins de ma première rencontre avec la mère Fitz : « Vous êtes sorcière ? Une Beaton ? »

— Pas du tout. Quel rapport entre les Beaton et la médecine ?

Colum me lança un regard surpris.

— Vous n'avez jamais entendu parler d'eux ? Les guérisseurs du clan Beaton sont célèbres dans les Highlands. La plupart voyagent de village en village. Nous en avions un au château pendant un moment.

— « Avions » ? Que lui est-il arrivé ?

— Il est mort, répondit Colum platement. Une mauvaise fièvre l'a emporté en moins d'une semaine. Depuis, notre santé repose entièrement entre les mains de cette chère Mme Fitz-Gibbons.

— Elle m'a l'air très compétente, dis-je en repensant à la manière dont elle avait soigné Jamie.

Ce souvenir me rappela également la cause de ses blessures. Je sentis monter en moi une certaine rancœur, teintée de méfiance. Pour tous ceux qui vivaient sur ses terres, Colum représentait la loi, étant à la fois jury et juge. Il était habitué à ce qu'on lui obéisse aveuglément.

Il hocha la tête, tout en continuant à observer les oiseaux. Il lança une dernière poignée de graines, privilégiant une fauvette gris-bleu qui avait un peu de retard sur ses compagnons.

— En effet. Mme FitzGibbons s'y connaît, mais elle a déjà tant à faire ! Elle dirige tout le château et ceux qui l'habitent, moi y compris.

Son visage s'éclaira soudain d'un sourire charmant.

— Je me demandais, reprit-il en profitant du sourire que je lui retournais, si, puisque vous n'avez pas grand-chose à faire ces temps-ci, vous ne pourriez pas jeter un œil aux affaires que Davie Beaton a laissées derrière lui. Certains de ses remèdes vous seront peut-être familiers.

— Bien... pourquoi pas ?

De fait, j'étais curieuse de voir ce que feu M. Beaton avait utilisé en guise de médicaments.

— Angus ou moi-même pourrions lui montrer le chemin, offrit respectueusement l'un des aides.

— Ce ne sera pas nécessaire, John, répondit Colum, en l'écartant poliment d'un geste de la main. Je conduirai moi-même Mme Beauchamp.

La descente de l'escalier fut laborieuse et manifestement douloureuse. Il faisait de son mieux pour n'en rien laisser paraître et je me gardai de lui proposer mon aide.

L'infirmerie de Davie Beaton était située dans un coin retiré du château, loin des regards, derrière les cuisines, et près du cimetière où l'ancien guérisseur reposait désormais. Ce n'était guère plus qu'une cellule creusée dans l'enceinte extérieure du château. Elle ne disposait que d'une meurtrière percée si haut dans le mur qu'un faisceau de lumière plat la coupait en deux, séparant le haut plafond voûté du reste de la pièce, plongé dans la pénombre.

Regardant par-dessus l'épaule de Colum, j'aperçus une grande armoire tout au fond. Elle était équipée d'une dizaine de petits tiroirs, chacun portant une étiquette rédigée en lettres gothiques. Des jarres, des boîtes et des fioles de toutes formes et tailles étaient soigneusement alignées sur des étagères au-dessus d'un comptoir qui avait dû servir aux préparations de Davie Beaton, à en juger par les taches et les résidus qui souillaient le bois.

Colum me devança. Un nuage de poussière s'éleva en tourbillon sur son passage, se diffusant lentement dans le rayon de lumière au-dessus de nos têtes. J'avais l'impression de pénétrer dans une tombe pharaonique inviolée depuis des millénaires. Mon guide s'arrêta un instant au milieu de la pièce, laissant ses yeux s'accoutumer à la pénombre, puis avança lentement, jetant des regards à droite et à gauche. C'était sans doute la première fois qu'il mettait lui aussi les pieds dans l'antre du guérisseur.

Observant sa démarche saccadée, je me hasardai à lui dire :

— Vous savez, un bon massage pourrait sans doute atténuer vos douleurs.

Une lueur d'espoir traversa son regard, puis il retrouva son expression habituelle d'attention courtoise.

— Il faut masser énergiquement la base de la colonne vertébrale, précisai-je.

— Je sais. Angus Mhor vient me le faire tous les soirs avant de dormir.

Il s'interrompit, approchant une fiole de ses yeux pour l'examiner de plus près.

— Mme FitzGibbons avait donc raison. Vous semblez vous y connaître.

— Un peu.

Je restais sur mes gardes, espérant qu'il ne me mettrait pas à l'épreuve en me demandant à quoi servaient toutes ces préparations. La fiole qu'il tenait indiquait : *Purles ovis*. Dieu seul savait ce que ce pouvait être ! Heureusement, il la reposa sans poser de questions. Il passa doucement un doigt dans la poussière qui recouvrait un coffre poussé contre le mur.

— Voilà bien longtemps que personne n'est entré ici, dit-il. Je demanderai à Mme FitzGibbons d'envoyer une de ses filles de cuisine faire un peu de ménage, qu'en pensez-vous ?

J'ouvris la porte d'un placard, déclenchant une avalanche de poussière qui me fit tousser.

— B… bonne idée, hoquetai-je.

Un épais volume relié en cuir bleu était posé sur l'étagère du bas. Dessous se trouvait un autre livre, plus petit, recouvert d'une toile noire aux bords limés.

Ce dernier s'avéra être le registre de Davie Beaton, dans lequel il inscrivait le nom de ses patients, leurs symptômes et le traitement prescrit. « Un homme méthodique », pensai-je avec approbation. J'ouvris une page au hasard : « 2 février, 1741. Sarah Graham MacKenzie, entaille à un pouce pris dans le rouet. Application de menthe poivrée bouillie, suivie d'un onguent constitué à parts égales de : mille-feuille, herbe de la Saint-Jean, cloportes broyés et oreille de souris, le tout mélangé à une base d'argile finement moulue. » Cloportes ? Oreille de souris ? Sans doute le nom commun de certaines des plantes sur les étagères.

— Le pouce de Sarah MacKenzie a-t-il bien cicatrisé ? demandai-je.

— Sarah ? Euh… fit-il d'un air songeur. Non, je ne pense pas.

— Vraiment ? Que s'est-il passé ? Je pourrais peut-être l'examiner plus tard.

Il secoua la tête et je crus discerner sur ses lèvres un demi-sourire, mi-triste, mi-amusé.

— Pourquoi pas ? insistai-je. Elle a quitté le château ?

— Si l'on veut, répondit-il, cette fois franchement amusé. Elle est morte.

Je le regardai d'un air stupide tandis qu'il se dirigeait vers la porte. Une fois sur le seuil, il se retourna. Le rayon de soleil l'illuminait comme un projecteur sur un plateau de cinéma.

— Il faut espérer que vous serez meilleure guérisseuse que feu Davie Beaton, madame Beauchamp.

Il marqua une pause avant d'ajouter :

— Vous pourriez difficilement faire pire.

J'errai dans la pièce étroite, inspectant les bocaux et les fioles. La plupart ne semblaient contenir que des concoctions sans intérêt, mais certaines étaient peut-être récupérables. J'ouvris un des tiroirs du cabinet d'apothicaire et humai une forte odeur de camphre. Voilà, par contre, qui me serait fort précieux. Je refermai le tiroir et essuyai mes doigts noirs de poussière sur ma jupe. Il était peut-être préférable d'attendre que les petites fées de la mère Fitz aient fait le ménage avant de poursuivre mon inventaire.

Je lançai un regard dans le couloir. Il était désert. Pas un bruit. Mais je n'étais pas naïve au point de me croire seule. Même s'ils savaient se montrer discrets et diplomates, je ne doutais pas d'être constamment surveillée. Lorsque je me rendais au jardin, il se trouvait toujours une bonne âme pour m'accompagner. Le soir, quand je montais me coucher, on me suivait du regard depuis le bas des escaliers pour vérifier si je prenais bien la direction de ma chambre. En outre, lors de notre arrivée au château, j'avais remarqué la présence d'hommes armés montant la garde devant l'entrée, blottis sous les avant-toits pour se protéger de la pluie. Non, je ne devais pas espérer qu'on me laisserait tranquillement partir quand bon me semblerait.

Je poussai un long soupir. Au moins pour le moment étais-je seule dans la pièce. Et j'avais grand besoin d'un peu de solitude.

Depuis Craigh na Dun, les événements s'étaient succédé avec une telle rapidité que je n'avais pas vraiment eu le temps de réfléchir à tout ce qui m'était arrivé. Le château débordait trop d'activité pour me laisser le temps de respirer, encore moins de me concentrer.

C'était donc le moment ou jamais de faire le point. Je m'assis sur le coffre poussiéreux et m'adossai contre le mur froid. Au moins, il était solide et palpable. Je posai les mains à plat derrière moi sur les pierres humides, revoyant en pensée le cromlech sur la colline, et tentant de me remémorer tout dans les moindres détails.

Les hurlements des menhirs étaient la dernière chose dont je me souvenais distinctement. Et encore… je n'étais plus tout à fait sûre de la façon dont cela s'était passé. Les cris semblaient avoir continué tout au long de ma « chute ». Et si le son ne provenait pas des pierres elles-mêmes mais… de quelque chose… dans lequel j'aurais pénétré ? Le cercle de pierres était-il une sorte de porte ? Mais sur quoi s'ouvrait-elle ? Il n'existait aucun mot pour décrire cette expérience. Une fissure dans le temps, sans doute ? Une chose était certaine : j'étais passée d'« après » à « avant » et les menhirs constituaient le seul lien.

Quant au vacarme assourdissant… Sur le moment, il m'avait paru d'une puissance inouïe, mais avec le recul il me rappelait le fracas de la guerre. L'hôpital de campagne où j'avais travaillé sur le front avait essuyé trois raids aériens. Chaque fois, bien que sachant pertinemment que les fines parois de nos locaux provisoires ne pouvaient pas nous protéger, médecins, infir-mières et brancardiers s'étaient précipités à l'intérieur dès la première sirène, se blottissant les uns contre les autres pour se donner du courage. Rien n'est plus angoissant que d'attendre immobile dans le noir pendant que les obus sifflent au-dessus de votre tête et explosent à quelques dizaines de mètres tout autour de vous. La terreur viscérale qui m'avait broyé les tripes pendant ces minutes d'horreur absolue était assez proche de la sensation qui m'avait habitée au cours de mon passage dans la faille du temps.

Peu à peu, certains détails plus précis me revinrent en mémoire : une sensation de lutte physique, comme si j'avais tenté de remonter un violent courant. Oui, je m'étais débattue contre cette force. J'avais « vu » des images. Pas des paysages, plutôt des bribes de pensées visualisées. Certaines de ces pensées m'avaient terrifiée et j'avais lutté pour m'en éloigner pendant que je... comment dire ?... que je « passais ». Avais-je « choisi » de m'arrêter à cette époque précise parce qu'elle m'offrait une sorte d'abri contre le vortex qui m'emportait ? C'était comme si, tombant en chute libre dans une cage d'ascenseur, j'avais pu me rattraper *in extremis* à un palier.

Je secouai la tête. Décidément, plus j'y réfléchissais, plus tout me semblait confus. Une seule chose était claire : il fallait coûte que coûte que je retourne à Craigh na Dun.

— Madame ?

Une voix douce me fit lever la tête. Deux adolescentes, d'environ seize ou dix-sept ans, se tenaient timidement sur le pas de la porte. Elles étaient pauvrement vêtues, chaussées de sabots de bois, les cheveux retenus sous un fichu en toile de jute. Celle qui m'avait parlé portait une brosse et plusieurs chiffons pliés, l'autre un seau d'eau chaude encore fumante. Les filles de cuisine de Mme FitzGibbons sans doute, venues nettoyer l'infirmerie.

— On vous dérange, madame ? s'inquiéta l'une d'elles.

— Non, non, pas du tout, les rassurai-je. J'allais justement partir.

— Vous avez manqué l'heure du déjeuner, m'informa sa compagne. Mais Mme FitzGibbons vous fait dire qu'il y a à manger pour vous dans les cuisines.

Je lançai un regard par la fenêtre de l'autre côté du couloir. Le soleil avait passé son zénith et je me rendis soudain compte que j'étais affamée. J'adressai un sourire aux deux filles.

— Excellente idée, j'y vais de ce pas. Merci.

Une fois de plus, j'apportai son déjeuner à Jamie aux écuries, craignant qu'autrement il ne jeûne jusqu'au dîner. Assise dans l'herbe, je le regardai manger et lui demandai comment il se faisait qu'il ait vécu dans les bois, volant du bétail et commettant de menus larcins de l'autre côté de la frontière. À en juger par l'aspect et le langage de la plupart des habitants du château et du village voisin, Jamie était issu d'une catégorie sociale nettement plus cultivée que la moyenne. D'après sa description de la propriété où il avait grandi, il venait sans doute d'une famille assez riche. Que faisait-il loin de chez lui ?

— Je suis un hors-la-loi, répondit-il, surpris de mon ignorance. Ma tête a été mise à prix par les Anglais, avec une prime de dix livres. C'est moins que pour un bandit de grand chemin, ajouta-t-il amèrement, mais un peu plus que pour un pickpocket.

— Uniquement pour avoir fait de l'« obstruction » ? m'étonnai-je.

Dix livres sterling correspondaient à la moitié des revenus annuels d'une petite ferme. Je ne pouvais imaginer que la Couronne soit prête à débourser une telle somme pour récupérer un simple évadé.

— Non, pour meurtre.

Je m'étranglai sur ma bouchée de pain. Jamie dut me donner quelques tapes vigoureuses dans le dos avant que je puisse parler de nouveau.

Les larmes aux yeux, je demandai :

— Qu... qui avez-vous... t... tué ?

Il haussa les épaules.

— Ben, c'est que... c'est un peu compliqué. Je n'ai pas commis le meurtre qui m'a valu d'être hors la loi. D'un autre côté, j'ai passé tant de dragons par le fil de l'épée que la sentence n'est pas tout à fait injuste.

Il s'interrompit et étira les épaules en arrière, comme s'il se grattait le dos contre un tronc d'arbre imaginaire. Je l'avais déjà vu faire ce geste lorsque je l'avais soigné à notre arrivée au château après avoir aperçu son dos zébré de cicatrices.

— C'était à Fort William. Après ma deuxième flagellation, je suis resté plusieurs jours sans pouvoir bouger, en proie à une forte fièvre. Mais dès que j'ai pu de nouveau tenir debout, certains… amis m'ont aidé à m'enfuir, par des moyens que je préfère taire. Mon évasion a provoqué un sacré remue-ménage et, dans la cohue, un sergent-major anglais a été tué. Par pure coïncidence, c'était l'homme qui m'avait fouetté lors du premier supplice. Je ne l'ai pas tué. D'une part, je n'avais rien de particulier contre lui, et de l'autre j'étais trop faible. Je tenais à peine en selle.

Ses lèvres se plissèrent en un rictus amer.

— Quoique… Si j'étais tombé sur le capitaine Randall, j'aurais peut-être trouvé la force.

Il étira de nouveau ses épaules, écartant sa chemise de lin grège de la peau de son dos, et soupira.

— Voilà toute l'histoire. C'est pour ça que je ne m'éloigne jamais seul du château. Ici, dans ce coin reculé des Highlands, il y a peu de chances de tomber sur une patrouille anglaise, mais les dragons surveillent de près nos frontières. Et puis, il y a la Garde, même si elle ne vient jamais jusqu'au château. Colum n'a pas besoin de ses services, vu qu'il a ses propres hommes d'armes.

Il sourit et passa une main dans ses cheveux courts. Ses mèches restèrent hérissées sur son crâne comme des piquants de porc-épic.

— C'est que je ne passe pas inaperçu, reprit-il. Je doute qu'il y ait des mouchards au château, mais il y en a certainement quelques-uns ici et là dans la campagne qui, s'ils me savaient recherché, seraient ravis d'empocher quelques sous en me dénonçant aux Anglais.

Il me sourit.

— Vous aurez déjà deviné que je ne m'appelle pas vraiment MacTavish.

— Le laird le sait-il ?

— Que je suis hors la loi ? Bien sûr ! Colum est au courant de tout. La plupart des Highlanders le savent sans doute aussi. À l'époque, mon évasion de Fort William a fait beaucoup de bruit, et les nouvelles voyagent vite par ici. Ce qu'ils ignorent, c'est que l'homme qu'on recherche et Jamie MacTavish ne font qu'un. Mon seul risque, c'est d'être reconnu par quelqu'un connaissant mon vrai nom.

Ses cheveux étaient toujours dressés d'une façon absurde. J'eus soudain une envie furieuse de les lui aplatir mais tins bon.

— Pourquoi portez-vous les cheveux courts ? demandai-je soudain.

Ma propre indiscrétion me fit rougir.

— Excusez-moi, me repris-je. Je sais bien que ça ne me regarde pas. Je me demandais simplement... la plupart des hommes ici portent leurs cheveux longs...

Il rabattit aussitôt ses mèches hirsutes, l'air honteux.

— Autrefois, je les avais longs. Ce sont les moines qui m'ont rasé la tête. Cela ne fait que quelques mois et ils n'ont pas encore repoussé.

Il se pencha en avant, me présentant l'arrière de son crâne.

— Vous voyez, là derrière ?

Je palpai son crâne du bout des doigts, puis je la vis en écartant son épaisse tignasse rousse : une entaille fraîchement cicatrisée d'une dizaine de centimètres de long, aux lèvres roses et boursouflées. Je pressai doucement dessus. Elle était nette et saine. Celui qui l'avait recousu avait fait du beau travail. Une plaie de cette taille avait dû saigner abondamment.

— Vous souffrez de migraines ? m'enquis-je en profession-nelle.

Il se redressa, lissant ses cheveux par-dessus la cicatrice, et hocha la tête.

— Parfois, mais elles sont moins fortes qu'avant. Après le coup sur la tête, je suis resté aveugle pendant un mois. Mon crâne me faisait un mal de chien. Les maux de tête ont commencé à s'atténuer quand j'ai recouvré la vue.

Il cligna des yeux plusieurs fois comme pour tester sa vision.

— Parfois, quand je suis très fatigué, je n'y vois plus très clair. Le contour de mon champ de vision se trouble.

— C'est un miracle que vous soyez encore en vie. Vous devez avoir le crâne très solide.

— Pour ça oui. Dur comme pierre, comme disait ma sœur.

Nous nous mîmes à rire.

— Comment est-ce arrivé ? demandai-je.

Il fronça les sourcils et prit un air dubitatif.

— Bonne question, dit-il. Le problème, c'est que je ne me rappelle rien. J'étais près du col de Carryarick avec quelques compagnons du loch Laggan. La dernière chose dont je me souviens, c'est que j'ai rampé dans un taillis. Je me suis piqué sur une branche de houx. J'ai regardé les gouttes de sang qui perlaient sur mon doigt et je me suis dit qu'elles ressemblaient aux baies. Puis je me suis réveillé en France, dans l'abbaye de Sainte-Anne-de-Beaupré, mon crâne battant comme un tambour ; quelqu'un me versait un liquide frais dans le gosier.

Il se frotta l'arrière du crâne comme s'il sentait encore la douleur.

— De temps en temps, certains détails me reviennent : une lampe tempête au-dessus de ma tête, se balançant d'avant en arrière, un goût sucré sur mes lèvres, des voix qui me parlent… mais j'ignore s'il s'agit d'un rêve ou pas. À l'abbaye, les moines m'ont donné de l'opium, je délirais sans cesse.

Il se massa les paupières du bout des doigts.

— Il y avait ce cauchemar qui revenait toujours. Des racines me poussaient dans la tête, de gros tentacules ligneux qui grandissaient à vue d'œil, cherchant à sortir par les yeux, se développant dans ma gorge pour m'étouffer. Ils grandissaient encore et encore, s'immisçant dans tous les recoins de mon corps jusqu'à le faire éclater. Je me réveillais chaque fois en sursaut en entendant craquer les os de mon crâne.

Il fit la grimace.

— Un bruit à la fois mou et sec, comme des coups de feu tirés sous l'eau.

— Beurk !

Soudain, une ombre s'abattit sur nous. Une grosse botte crottée apparut et poussa Jamie dans les côtes.

— Alors, feignant ! lança l'intrus. Tu te goinfres pendant que les chevaux se font la belle ? Et quand est-ce que ma jument sera dressée, hein ?

— Elle ne le sera jamais si je me laisse mourir de faim, rétorqua Jamie. En attendant, assois-toi donc et mange un peu. Il y en a plus qu'il n'en faut.

Il tendit un morceau de fromage vers une main déformée par l'arthrite. Telle une pince, les doigts tordus se refermèrent lentement sur le fromage tandis que leur propriétaire se laissait tomber à terre.

Avec une courtoisie inattendue, Jamie me présenta le nouveau venu : Alec McMahon MacKenzie, maître d'écurie du château de Leoch.

L'homme en question portait des braies de cuir et une épaisse chemise. Son regard autoritaire aurait suffi à mater l'étalon le plus récalcitrant. « Un œil, tel Mars, qui fulmine et ordonne » fut la citation qui me vint spontanément à l'esprit. D'ailleurs, il n'en avait qu'un, l'autre étant couvert par un bandeau de toile noire. Comme pour compenser le manque, d'épais sourcils drus pointaient depuis la racine du nez, parsemés de longs poils gris qui se balançaient au moindre mouvement de tête, telles de sinistres antennes d'insectes.

Après m'avoir vaguement saluée d'un signe de tête, le vieil Alec (on l'appelait sans doute ainsi pour le distinguer du jeune Alec qui m'avait servi de guide) fit comme si je n'existais pas, partageant son attention entre le casse-croûte et trois poulains qui s'ébattaient dans un pré un peu plus loin. Les deux hommes se plongèrent dans une conversation un peu longuette à mon goût dont je perdis rapidement le fil. Il y était question de la lignée de plusieurs pur-sang notoires, de la remise à jour du registre des saillies de l'ensemble des écuries au cours des dix dernières années, et d'un nombre d'observations techniques pour le moins absconses concernant la morphologie équine, incluant « grassets », « ganaches », « fanons » et autres détails anatomiques. Les seules parties du corps d'un cheval que je savais reconnaître étant le nez, la croupe, la queue et les oreilles, ces subtilités m'échappèrent.

Appuyée sur les coudes, je me réchauffais au soleil du printemps. C'était une de ces journées particulièrement paisibles, où rien ne semble pouvoir vous atteindre et où l'on oublie les émois et les troubles inhérents à la nature humaine. C'était une paix comme seul peut procurer le grand air, loin des habitations et du vacarme, à moins que ce ne fussent les effets du jardinage, ce doux plaisir que l'on éprouve à assister à la naissance des plantes, à les aider à grandir. Ou peut-être était-ce simplement le fait d'avoir trouvé une occupation plutôt que d'errer désœuvrée dans le château, aussi dérangeante et déplacée qu'une bavure d'encre sur un parchemin.

Mes voisins s'étaient mis à parler en gaélique, réaction typique de l'Écossais pris par son sujet. Ne comprenant rien à ce qu'ils se disaient, je me laissai bercer par leur conversation, douce comme un bourdonnement d'abeilles butinant la bruyère. Étrangement satisfaite et somnolente, j'oubliai provisoirement les suspicions de Colum, ma situation précaire et autres pensées troublantes. « À chaque jour suffit sa peine », me dis-je en m'endormant.

Peut-être était-ce la fraîcheur due à un nuage isolé qui masquait le soleil, ou un changement de ton dans la conversation qui me réveilla quelques instants plus tard. Les deux hommes parlaient de nouveau en anglais mais, entre-temps, ils avaient abandonné leurs élucubrations de fanatiques du cheval et discutaient d'un air grave.

— Il ne reste plus qu'une semaine avant la cérémonie du Serment, mon garçon, disait Alec. Tu as fait ton choix ?

Jamie poussa un long soupir.

— Non, Alec, toujours pas. Je n'arrive pas à me décider. D'un côté, je me plais bien ici. J'aimerais rester et dresser les chevaux avec toi… Et puis Colum m'a promis que… mais non, tu ne peux pas être au courant. Ils voudraient me faire embrasser le fer pour prendre le nom des MacKenzie. Non, c'est impossible… jamais je ne pourrai renier les miens.

— Aussi têtu que ton père, hein ? Tu as beau être grand et clair de peau comme les gens de ta mère, parfois tu lui ressembles comme deux gouttes d'eau.

— Tu l'as connu ? demanda Jamie d'un ton intéressé.

— Un peu. C'est surtout que j'en ai entendu parler. Je vivais déjà à Leoch avant que tes parents se marient. À entendre Colum et Dougal parler de Black Brian, on aurait cru que c'était le diable en personne, et ta mère la Sainte Vierge, entraînée de force en enfer avec lui.

Jamie se mit à rire.

— Et je suis comme lui ?

— Ah, pour ça oui. Je comprends que tu aies du mal à te soumettre à Colum, mais tu as peut-être quelque chose à y gagner. Imagine qu'il faille se battre pour les Stuarts et que Dougal l'emporte. En étant du côté des vainqueurs, tu récupéreras tes terres et plus encore, que ça plaise à Colum ou non.

— Mmmmphm… fit Jamie, ce que j'interprétai comme l'expression d'un doute quant à l'éventualité d'une telle issue. Et si Dougal est vaincu ? objecta-t-il. Ou si la guerre se retourne contre la maison des Stuarts ?

Ce fut au tour d'Alec d'émettre un son guttural.

— Alors tu resteras ici, mon garçon, et tu deviendras maître d'écurie à ma place. Je ne serai plus là très longtemps, et personne ne sait dresser les chevaux mieux que toi.

Ce compliment fut accueilli par un grognement modeste de la part de Jamie.

— Les MacKenzie t'apprécient, poursuivit le vieillard, et personne ne te demande d'abjurer ton nom. Et puis, il y a d'autres considérations en jeu… une certaine Laoghaire, par exemple.

— Mmmmphm… fit Jamie, exprimant cette fois sa gêne.

— Ne me raconte pas d'histoires, mon garçon. Un gaillard comme toi ne se laisse pas prendre une dérouillée pour une fille qui ne l'intéresse pas. Mais tu sais que son père ne la laissera jamais se marier hors du clan.

— Tu te trompes, Alec. J'ai eu pitié d'elle parce qu'elle était très jeune, se défendit Jamie.

— Peuh… foutaises ! Et même si ce n'est pas Laoghaire – tu pourrais tomber plus mal, crois-moi –, tu ferais un meilleur parti si tu avais un peu d'argent et un avenir, à savoir en étant maître d'écurie. Tu auras l'embarras du choix pour te trouver une gentille épouse, s'il n'y en a pas une qui te met le grappin dessus avant !

Il se mit à rire de sa propre plaisanterie, manquant s'étrangler par la même occasion.

— Elles tournent toutes autour de toi comme des mouches autour d'un pot de miel ! Sans un sou et sans nom, tu les fais déjà toutes se pâmer sur ton passage. Je les ai vues ! Même cette *Sassenach* ! Elle ne peut pas te laisser tranquille cinq minutes, et c'est une jeune veuve !

Préférant tuer dans l'œuf ce qui promettait d'être une série de remarques fort personnelles et de très mauvais goût, je décidai que le moment était venu de faire mon réveil officiel. Je me redressai en m'étirant, puis me frottai les yeux de manière ostentatoire pour ne pas avoir à croiser leurs regards.

— Mmmm, j'ai dû m'endormir, fis-je en papillotant élégamment des cils.

Jamie, le visage cramoisi, se mit à rassembler les restes du repas avec une concentration exagérée. Le vieil Alec me fixa comme s'il m'apercevait pour la première fois.

— Alors, comme ça, vous vous intéressez aux chevaux ?

Vu les circonstances, je pouvais difficilement prétendre le contraire. Convenant avec lui que les chevaux étaient un sujet palpitant, je dus subir l'exégèse détaillée de la pouliche de l'enclos, qui paissait tranquillement non loin de là, chassant les mouches avec de gracieux coups de queue.

— Vous pouvez venir les voir quand ça vous chante, à condition de ne pas vous approcher trop près pour ne pas les distraire. C'est qu'ils ont besoin de travailler...

C'était sans doute sa manière à lui de me congédier, mais je fis mine de ne pas comprendre.

— Je ferai attention la prochaine fois, promis-je. Mais avant de rentrer, il faut que j'examine l'épaule de Jamie et que je lui enlève ses bandages.

Alec approuva d'un hochement de tête, mais Jamie se détourna pour prendre la direction de l'enclos.

— Ça peut attendre, dit-il en évitant mon regard. J'ai trop de travail. Peut-être plus tard, après le dîner, d'accord ?

Je restai quelque peu décontenancée. Quelques minutes plus tôt, il n'avait pas semblé si pressé de retourner à la tâche. Cependant, ne pouvant l'obliger à se soumettre à mes soins contre son gré, je convins de le retrouver après dîner et m'éloignai vers le château.

Tout en marchant, je repensai à la cicatrice sur le crâne de Jamie. Elle ne formait pas une ligne droite, comme aurait pu en faire une épée. La plaie était incurvée, indiquant une lame en croissant. Comme la lame d'une hache Lochaber, par exemple ? Pour autant que je sache, ces haches meurtrières avaient été... non, étaient, une arme propre aux clans des Highlanders.

Ce ne fut qu'en approchant des portes du château qu'il me vint soudain à l'esprit que, pour un jeune homme en fuite, poursuivi par des ennemis sans visage, Jamie s'était montré remarquablement confiant avec une parfaite inconnue.

Laissant le panier de pique-nique aux cuisines, je retournai dans l'antre de feu Davie Beaton, à présent resplendissant après la visite des assistantes énergiques de Mme FitzGibbons. Même les rangées de bocaux alignés sur les étagères de l'armoire brillaient dans le peu de lumière que laissait filtrer la fenêtre.

Justement, l'armoire d'apothicaire me paraissait le meilleur endroit pour commencer mon inventaire, puisque je disposais déjà d'une liste des simples et des remèdes disponibles. La veille au soir, avant de sombrer dans un profond sommeil, j'avais feuilleté le gros livre bleu du guérisseur. C'était une sorte de pharmacopée comprenant une série de recettes pour traiter divers symptômes et maladies, dont, apparemment, tous les ingrédients se trouvaient à présent sous mes yeux.

Le recueil était divisé en plusieurs chapitres : « Centaurées, vomitifs et électuaires » ; « Trochées et lichens » ; « Divers emplâtres et leurs vertus » ; « Décoctions et thériaques », et enfin une dernière partie assez détaillée portant le titre menaçant de « Purges ».

En parcourant rapidement quelques-unes des recettes, la raison des échecs de Davie Beaton auprès de ses patients m'apparut clairement. L'une d'entre elles commençait ainsi : « Pour les maux de tête persistants, faire soigneusement sécher un crottin entier d'hongre bai, moudre finement, disperser délicatement sur un bol d'ale bouillie, remuer. Boire tiède. » Plus loin, je lus avec un frisson : « Pour les convulsions du nourrisson, appliquer cinq sangsues derrière l'oreille... » Plus loin encore : « Pour lutter contre l'ictère, administrer la décoction suivante : racines de chélidoine et turions d'asperges macérés puis bouillis dans le jus de deux cents charançons broyés. » Je refermai le livre. Le plus extraordinaire était que, selon les registres du guérisseur, certains malades avaient non seulement miraculeusement survécu aux traitements, mais en avaient même guéri.

Le premier bocal sur l'étagère contenait un liquide brunâtre où nageaient de petites boulettes qui, après la lecture des recettes de Beaton, me parurent suspectes. Tournant le flacon, je lus l'étiquette : « Crottin d'hongre bai. » Estimant que ce genre de substance ne s'améliorait guère avec le temps, je l'écartai sans même l'ouvrir.

Poussant plus loin mes recherches, j'appris enfin que *Purles ovis* désignait en fait une substance similaire, mais provenant cette fois du mouton. Les « Oreilles de souris » n'avaient rien de végétal mais désignaient bien les appendices de l'animal. J'écartai également la fiole remplie de petites oreilles roses racornies avec un frisson de dégoût.

Au cours de ma lecture, j'avais rencontré à plusieurs reprises le terme *slaters*, parfois orthographié *slatters, sclaters* ou *slatears*. Aussi fus-je ravie d'apercevoir une fiole fermée avec un bouchon de liège dont l'étiquette portait ce mot. Elle était à moitié pleine de ce qui me parut être des petites gélules grises, parfaitement rondes, ne mesurant que quelques millimètres de diamètre. Je m'émerveillais déjà devant la dextérité et la patience de Davie Beaton. Hélas, en approchant la fiole de mon regard, je distinguai de petites stries à la surface des pilules et des pattes microscopiques repliées sous les corps recroquevillés. Je reposai hâtivement la fiole puis essuyai mes mains sur mon tablier. Je notai dans la liste que je rédigeais mentalement : par *slaters*, entendre « cloportes ».

Il restait néanmoins bon nombre de bocaux contenant des substances plus ou moins inoffensives, ainsi que plusieurs contenant des herbes séchées et des racines qui pouvaient m'être utiles. Je découvris, entre autres, un peu d'écorce de saule en poudre et le vinaigre aromatique que Mme Fitz-Gibbons avait utilisé comme rince-bouche pour Jamie. Il y avait également de l'angélique, de l'armoise, du romarin, et un bocal portant l'inscription peu engageante « Arag puant ». Je l'ouvris avec précaution. Il ne s'agissait en fait que des pousses tendres et odorantes du sapin. Je le laissai ouvert sur une table et un agréable parfum de forêt se répandit dans la pièce pendant que je poursuivais mon inventaire.

J'écartai des bocaux de limaces séchées ; d'« Huile lombric », qui s'avéra être précisément cela ; de *Vinum millepetadum*, soit des mille-pattes écrasés macérant dans du vin ; de « Poudre de momie égyptienne », une poussière grisâtre de texture indéterminée qui me semblait plutôt provenir de la vase d'un ruisseau que de la tombe d'un pharaon ; de « Sang de pigeon », d'« Œufs de fourmis », plusieurs crapauds séchés minutieusement enveloppés dans de la mousse et un petit coffret indiquant « Crâne humain réduit en poudre ». Le crâne de qui ? Mystère.

Il me fallut presque tout l'après-midi pour achever mon inventaire de l'armoire et des tiroirs du cabinet. Lorsque j'eus terminé, une immense pile de bouteilles, de boîtes et de flacons à jeter obstruait la porte. Un plus petit nombre de substances utiles avaient retrouvé leur place sur les étagères.

J'hésitai un long moment devant un gros paquet de toiles d'araignée. La pharmacopée de Beaton et mes propres souvenirs de médecine populaire affirmaient que les toiles d'araignée étaient efficaces pour panser les plaies. Bien qu'estimant, à tort ou à raison, que cet usage était antihygiénique à l'extrême, ma récente expérience de bandage de fortune au beau milieu de la nuit sur le bord d'une route m'avait démontré l'intérêt d'avoir toujours sous la main une substance adhésive et absorbante. Finalement, je remis les toiles d'araignée dans l'armoire. Je verrais plus tard s'il n'y avait pas moyen de les stériliser. Pas en les faisant bouillir, naturellement, mais la vapeur d'eau pourrait peut-être les purifier sans leur faire perdre leurs propriétés ?

Je m'essuyai les mains sur mon tablier, faisant le bilan. J'avais pratiquement inventorié tout ce qu'il y avait dans la pièce. Il ne me restait plus que le gros coffre en bois contre le mur. Je m'agenouillai et ouvris grand le couvercle. Une infâme puanteur me sauta à la gorge et manqua de me faire tourner de l'œil.

Le coffre renfermait les instruments de chirurgie de Davie Beaton : scies, haches, couteaux, burins et autres outils, plus adaptés aux travaux de voirie qu'à l'incision des délicats tissus humains. L'odeur infecte venait du fait que Davie Beaton n'avait sans doute jamais cru bon de nettoyer ses instruments entre deux opérations. Je grimaçai de dégoût à la vue des lames encore souillées de taches brun-roux et laissai vite retomber le couvercle.

Je poussai le coffre vers la porte. Il y avait peut-être un charpentier au château qui serait ravi d'hériter de ces outils, une fois soigneusement bouillis.

Un léger grattement derrière moi m'avertit que quelqu'un essayait de se frayer un passage entre les objets. C'étaient deux jeunes hommes, l'un soutenant l'autre qui clopinait sur un pied, son autre pied enveloppé dans des chiffons ensanglantés.

Je jetai un regard dans la pièce, puis leur indiquai le coffre d'un geste de la main.

— Asseyez-vous.

Apparemment, la nouvelle rebouteuse de Leoch venait de prendre ses fonctions.

8

Le récital du barde Gwyllyn

JE M'AFFALAI SUR MON LIT, épuisée mais plus sereine. Cette journée passée à farfouiller dans le capharnaüm de Davie Beaton et à traiter quelques patients avec les maigres ressources du bord m'avait redonné un peu de courage. Occupée à palper la chair, à prendre le pouls, à inspecter langues et yeux – la routine en somme –, j'en avais momentanément oublié ce sentiment de panique sourde qui me tenaillait depuis ma chute dans le temps. En dépit de ma situation invraisemblable, j'avais été rassurée de constater que ces gens n'étaient finalement que des êtres humains comme les autres, faits de chair et de sang, avec des cœurs que je pouvais entendre battre et des poumons dont je percevais le souffle. Certains puaient la crasse et étaient couverts de poux, mais ce n'était rien comparé aux conditions de travail sur le champ de bataille et, jusqu'ici, leurs blessures étaient nettement moins graves. J'éprouvais une immense satisfaction à pouvoir de nouveau soulager la douleur, remettre des articulations en place, panser des plaies. En veillant au bien-être d'autrui, je me sentais moins victime de cet absurde destin qui m'avait précipitée ici et j'étais reconnaissante à Colum de me l'avoir proposé.

Colum MacKenzie. Quel étrange personnage ! Cultivé, courtois, attentionné, avec une réserve qui cachait mal sa poigne de fer. Cette dureté était encore plus visible chez son frère Dougal, un vrai guerrier, celui-ci ! Pourtant, quand on les voyait tous deux côte à côte, on ne pouvait douter lequel était le plus fort. Jambes tordues ou pas, Colum était un chef.

La pycnodysostose, ou syndrome de Toulouse-Lautrec. Je n'avais jamais vu de cas auparavant. Baptisée du nom d'un illustre patient (qui n'était pas encore né), cette affection dégénérative des os et du tissu conjonctif était héréditaire et très rare. Jusqu'à l'adolescence, le malade présentait un aspect parfaitement normal. Puis, sous la tension due au poids du corps, les os longs des jambes commençaient à s'effriter et à ployer.

La peau pâteuse et l'apparition prématurée de rides étaient un autre effet visible de la maladie, tout comme la sécheresse et la callosité des doigts et des orteils que j'avais remarquées plus tôt. À mesure que les jambes se tordaient, la colonne vertébrale était soumise à une tension accrue et se déformait à son tour, entraînant une gêne considérable. Je relus en pensée la description de mon manuel de médecine, tripotant oisivement mes cheveux. La chute du taux de globules blancs augmentait les risques d'infection, favorisant l'apparition précoce d'arthrite. Du fait de la mauvaise circulation sanguine et de la dégénérescence des tissus conjonctifs, les malades étaient invariablement stériles et souvent impuissants.

Je m'arrêtai brusquement, pensant à Hamish. « Mon fils », avait dit fièrement Colum en me présentant le garçonnet. Mmm, peut-être pas si impuissant que ça, après tout ! À moins que… Dame Letitia avait sans doute bien de la chance que la plupart des hommes MacKenzie se ressemblent autant.

Je fus interrompue dans mes passionnantes supputations par un grattement à ma porte. Un jeune garçon se tenait sur le seuil, porteur d'une invitation de la part de Colum en personne. On allait chanter dans le hall et les MacKenzie seraient honorés de ma présence, si je daignais les y rejoindre.

J'étais curieuse de revoir le laird à la lumière de mes récentes découvertes. Aussi, après un rapide regard vers le miroir pour remettre futilement un peu d'ordre dans ma coiffure, je suivis mon escorte dans les longs couloirs venteux.

Après dîner, le grand hall prenait une allure festive. De longues torches en sapin étaient alignées sur les murs, crachant de temps en temps des étincelles de térébenthine. L'immense cheminée, qui pendant la cohue du repas accueillait tout un arsenal de broches et de chaudrons, avait été débarrassée et n'abritait plus qu'un grand feu alimenté par deux gigantesques bûches qui se consumaient lentement.

Les tables et les bancs avaient été repoussés de façon à dégager l'accès au foyer. Apparemment, c'était là que les réjouissances auraient lieu. Le grand fauteuil en bois sculpté de Colum était placé à côté de l'âtre. Le laird y trônait, une épaisse couverture jetée sur ses genoux, une carafe et des coupes posées sur un petit guéridon à portée de sa main.

Me voyant hésiter sur le seuil, il me fit amicalement signe de m'approcher et m'indiqua un banc à ses côtés.

— Je suis ravi que vous soyez descendue, madame Beauchamp. Gwyllyn sera enchanté d'avoir une nouvelle auditrice pour ses chansons, bien que nous ayons tous toujours autant de plaisir à l'écouter.

Il paraissait fatigué. Ses larges épaules étaient légèrement affaissées et son visage ridé profondément marqué.

Je marmonnai une formule de politesse quelconque et regardai autour de moi dans le hall. Les gens commençaient à arriver. Des petits groupes se formaient ici et là, bavardant, prenant progressivement place sur les bancs le long des murs.

— Je vous demande pardon ?

Dans le brouhaha de la salle je n'avais pas entendu ce que Colum venait de me dire. Il me présentait la carafe, un superbe objet en cristal ciselé vert pâle. Je lui tendis ma coupe et il versa un vin d'un beau rose pâle, dégageant un délicieux bouquet. Je le savourai en fermant les yeux, laissant les vapeurs d'alcool titiller mon palais avant de laisser le liquide descendre lentement dans ma gorge.

— Alors, qu'en pensez-vous ?

La voix grave était teintée d'une note amusée et je rouvris les yeux pour découvrir Colum me souriant d'un air approbateur.

Je voulus lui répondre et constatai que l'arôme délicat était trompeur. Le vin était si fort qu'il avait provoqué une légère paralysie de mes cordes vocales.

— Mer... veil... leux, articulai-je avec peine.

Colum hocha la tête.

— Je veux bien vous croire. Je le fais venir des bords du Rhin. Vous ne le connaissiez pas ?

Je fis non de la tête tandis qu'il remplissait de nouveau ma coupe. Puis il leva la sienne en la tenant délicatement par le pied, et la promena sous son nez. La lueur du feu teintait le liquide de reflets vermillon.

— Mais je vois que vous savez apprécier le bon vin, ajouta-t-il entre deux gorgées. C'est tout naturel, je suppose, puisque vous êtes d'origine française, ou plutôt... à moitié française.

Il esquissa un petit sourire.

— Dans quelle partie de France vivent vos parents ?

J'hésitai un instant, puis me rappelai de coller le plus près possible à la réalité.

— C'est une branche lointaine, mais s'ils existent encore, ils vivent dans le Nord, près de Compiègne.

Je me félicitai intérieurement, car, effectivement, j'avais de vagues parents vivant dans la région de Compiègne. Je ne mentais donc pas tant que ça !

— Ah ! fit-il. Vous n'êtes donc jamais allée chez eux ?

J'inclinai mon verre, tout en secouant la tête.

Je fermai les yeux et inspirai profondément, inhalant le bouquet fruité.

— Non, répondis-je, sans rouvrir les yeux. Je ne les ai même jamais rencontrés.

Quand j'ouvris les yeux, je constatai qu'il me dévisageait fixement.

— Mais je vous ai déjà raconté tout ça, ajoutai-je.

Il hocha la tête.

— En effet.

Ses yeux étaient d'un gris superbe, bordés de longs cils noirs. Un très bel homme, ce Colum MacKenzie, du moins de la tête à la taille. Par-dessus son épaule, j'aperçus un groupe assis près du feu. Parmi eux, sa femme Letitia, plongée dans une conversation animée avec plusieurs autres dames, et Dougal MacKenzie. Lui aussi, un très bel homme. Et entier, celui-là !

Je me tournai à nouveau vers Colum. Il contemplait une tapisserie d'un air absent.

— Et comme je vous l'ai également déjà dit, lançai-je en le sortant brusquement de sa rêverie, j'aimerais pouvoir reprendre ma route vers la France au plus tôt.

— Je m'en souviens, en effet, dit-il aimablement.

Il souleva la carafe et me lança un regard interrogateur. Je lui tendis ma coupe, lui faisant signe de ne m'en verser qu'une goutte. Il la remplit de nouveau à ras bord.

— Mais comme *je* vous l'ai déjà dit, madame Beauchamp, je crains que vous ne dussiez vous satisfaire de notre compagnie encore quelque temps… jusqu'à ce que des arrangements adéquats puissent être faits pour votre voyage. Après tout, rien ne presse. Nous ne sommes qu'au printemps et il reste encore de longs mois avant que les orages de l'automne ne rendent la traversée de la Manche hasardeuse.

Il leva les yeux vers moi avec un regard malicieux.

— Mais si vous voulez bien me donner les noms de vos parents en France, je pourrais peut-être les faire informer de votre arrivée prochaine.

Là, un bluff s'imposait. Je marmonnai maladroitement un « Mais certainement, je n'y manquerai pas » et m'excusai hâtivement en prétextant devoir me rendre aux commodités les plus proches avant que le chant ne commence.

Mon prétexte n'était pas entièrement mensonger et j'errai un certain temps dans les couloirs sombres du château avant de trouver ce que je cherchais. Revenant vers le hall à tâtons, mon verre de vin toujours à la main, je débouchai cette fois de l'autre côté de la salle. Vu les circonstances, cela m'arrangeait plutôt et je m'avançai en me faisant la plus discrète possible, me fondant dans les petits groupes tout en m'approchant des rangées de bancs.

À l'autre bout de la salle, près de Colum, un petit homme frêle et pâlot était apparu. À en juger par la lyre qu'il tenait sous le bras, ce devait être le fameux Gwyllyn. Sur un geste du laird, un serviteur approcha en hâte un tabouret sur lequel le barde prit place et commença à accorder son instrument, pinçant légèrement les cordes, l'oreille collée contre la caisse de résonance. Colum remplit une nouvelle coupe et, d'un autre geste, fit signe au serviteur de la porter au musicien.

— « Quand Biron voulut danser, ses souliers fit apporter... », fredonnai-je entre mes dents.

Laoghaire, à quelques mètres de moi, me lança un regard étrange.

Elle était assise sous une tapisserie représentant une scène de chasse où six chiens à la forme allongée et aux yeux bigleux pourchassaient un malheureux lièvre famélique.

— Six contre un, ce n'est pas très fair-play ! commentai-je en montrant la tapisserie et en me laissant tomber sur le banc à côté de la jeune fille.

— Ho ! Euh... répondit-elle prudemment en se poussant.

Je tentai d'entamer une conversation amicale, mais elle ne me répondait que par monosyllabes, rougissant et sursautant chaque fois que j'ouvrais la bouche. Je capitulai rapidement, concentrant mon attention sur ce qui se passait au centre de la salle.

Après avoir accordé sa lyre, Gwyllyn avait sorti de son manteau trois flûtes en bois de tailles différentes qu'il plaça méticuleusement sur une petite table.

Soudain, je remarquai que Laoghaire ne partageait pas mon intérêt pour le barde et ses instruments. Elle s'était légèrement raidie et, cachée derrière moi, elle jetait des coups d'œil furtifs vers l'entrée par-dessus mon épaule.

En suivant son regard, je compris pourquoi : la haute silhouette rousse de Jamie MacTavish venait d'apparaître sur le seuil.

— Ah ah ! fis-je. Notre preux chevalier ! Il est craquant, n'est-ce pas ? Avoue qu'il te plaît ! chuchotai-je à la jeune fille.

Elle me lança un regard affolé et secoua frénétiquement la tête, mais ses joues cramoisies disaient tout le contraire.

— Bien ! Voyons voir ce que nous pouvons faire pour attirer ce charmant jeune homme ! annonçai-je, me sentant d'humeur expansive et magnanime.

Je me levai et agitai le bras en lançant de joyeux « youhou ! » pour capter son attention.

En nous apercevant (le contraire eût été étonnant !), le jeune homme se fraya un chemin dans la foule. J'ignorais ce qui s'était passé entre Laoghaire et lui dans la cour après mon départ, mais il la salua avec un sourire affable, quoiqu'un peu crispé. Avec moi, il se montra plus détendu. Du fait de notre intimité forcée, il pouvait difficilement me traiter comme une inconnue.

Quelques notes hésitantes retentirent à l'autre bout du hall et nous reprîmes précipitamment nos places, Jamie coincé entre Laoghaire et moi.

Gwyllyn était un homme à l'aspect insignifiant, menu et le cheveu rare. Mais sitôt qu'il se mettait à chanter, on ne le voyait plus. Il n'était alors qu'une vague silhouette, un point sur lequel les regards se fixaient tandis que l'on se concentrait sur les plaisirs de l'ouïe. Il commença par une mélodie assez simple en gaélique. Chaque vers était ponctué d'un léger effleurement des cordes de sa lyre, de sorte que les vibrations semblaient prolonger la rime jusqu'au vers suivant. Sa voix était d'une simplicité trompeuse. Tout d'abord, elle paraissait simplement agréable. Puis on s'apercevait peu à peu que son timbre vous pénétrait, énonçant chaque syllabe avec une clarté limpide, résonnant avec un son cuivré dans votre tête.

Son premier chant fut accueilli par une chaleureuse salve d'applaudissements et le barde en entama aussitôt un autre, cette fois dans ce qui me sembla être du gallois. À mes oreilles, cela sonnait comme un mélodieux gargarisme, mais mes voisins semblaient suivre le récit. Ils l'avaient sans doute déjà entendu.

Profitant d'une brève pause de Gwyllyn pour raccorder son instrument, je chuchotai à l'oreille de Jamie :

— Ça fait longtemps que Gwyllyn vit au château ?

Puis me rappelant, je me corrigeai :

— Oh, mais vous ne pouvez pas le savoir ! J'oubliais que vous étiez arrivé en même temps que moi !

— J'y ai déjà vécu autrefois, répondit-il. Quand j'avais seize ans, j'ai passé un an à Leoch. Gwyllyn était déjà là. Colum l'adore. Il le paie très cher pour rester au château. Il faut dire que Gwyllyn est très demandé. Tous les seigneurs se le disputent.

— Je me souviens quand vous étiez là, dit soudain Laoghaire.

Elle était cramoisie mais déterminée à se mêler à la conversation.

Jamie la regarda d'un air surpris.

— Ah oui ? À l'époque, tu ne devais pas avoir plus de sept ou huit ans. Tu dois confondre, je doute que tu te souviennes de moi.

Se tournant poliment vers moi, il demanda :

— Vous comprenez le gallois ?

— Pourtant, je m'en souviens bien, insista Laoghaire. Vous étiez, euh... je veux dire... vous... vous ne vous souvenez pas de moi ?

Ses doigts aux ongles rongés tripotaient nerveusement les plis de sa jupe.

L'attention de Jamie se porta sur un groupe de l'autre côté de la salle, débattant en gaélique.

— Hmm ? Non, je ne crois pas, dit-il vaguement.

Puis, de nouveau attentif, il lui adressa un sourire.

— Mais cela n'a rien d'étonnant. À seize ans, j'étais encore un jeune chien fou, trop occupé à me donner des airs de grande personne pour faire attention aux filles qui ne m'apparaissaient encore que comme un tas de petites pleurnicheuses sans intérêt.

Cette observation quelque peu alambiquée ne se voulait certes pas méchante à l'égard de Laoghaire, mais celle-ci en resta bouche bée et blême. Je décidai qu'une petite diversion s'imposait afin de lui laisser le temps de se recomposer.

— Non, je ne connais pas le gallois, répondis-je avec un peu de retard. Avez-vous une idée de ce que voulait dire la chanson ?

— Oh oui.

Jamie se lança aussitôt dans une traduction condensée du chant. C'était une vieille ballade racontant l'histoire d'un jeune homme qui aimait une jeune fille (original !), mais se sentait indigne d'elle parce qu'il était pauvre. Aussi, il avait pris la mer dans l'espoir de faire fortune. Il avait fait naufrage, affronté des serpents de mer, résisté aux tentations des sirènes, connu d'innombrables péripéties et découvert un trésor pour rentrer enfin chez lui et apprendre qu'entre-temps, sa dulcinée avait épousé son meilleur ami, d'origine aussi modeste que lui mais nettement plus terre à terre.

— Et duquel vous rapprochez-vous ? taquinai-je Jamie. Celui qui refuse de se marier sans argent, ou celui qui prend la fille en disant « on verra plus tard » ?

Cette question intéressait Laoghaire au plus haut point. Elle pencha la tête vers lui, tendant l'oreille, tout en feignant de s'intéresser intensément à l'air de flûte que Gwyllyn venait d'entamer.

— Moi ?

La question sembla amuser Jamie.

— Eh bien… n'ayant pas un sou et peu de chances d'en avoir un jour, je suppose que je devrais m'estimer heureux si une fille voulait bien de moi tel que je suis.

Il secoua la tête en riant.

— J'ai peu d'appétit pour les serpents de mer.

Il allait ajouter quelque chose mais fut arrêté par Laoghaire qui lui posa timidement une main sur le bras et la retira aussitôt comme si elle s'était brûlée au fer rouge.

— Chut… fit-elle. Il va raconter une histoire. Vous ne voulez pas l'écouter ?

— Oh si, dit Jamie en se penchant en avant pour mieux entendre.

S'apercevant qu'il me bouchait la vue, il insista pour que je change de place et me mette entre Laoghaire et lui. La jeune fille n'était pas ravie de ce changement. Je tentai de protester, mais il ne voulut rien entendre.

— Non, non, vous verrez mieux d'ici. Et puis, s'il parle en gaélique, je pourrai vous traduire son chant à l'oreille.

Jusqu'à présent, chaque prestation du barde avait été saluée par de chaleureux applaudissements mais le public n'en avait pas pour autant cessé ses bavardages, formant un bourdonnement sourd un ton plus bas que les accords de lyre. Cette fois, un profond silence s'installa dans le hall. La voix parlée de Gwyllyn était aussi claire que son chant, projetant sans effort chaque parole jusqu'à l'autre bout de la grande salle.

— C'était il y a bien longtemps, il y a près de deux cents ans…

Par chance, il parlait en anglais et je ressentis soudain une forte impression de déjà-vu. Il s'exprimait exactement comme notre guide sur le loch Ness, nous racontant les légendes du Great Glen.

Cette fois, il ne s'agissait plus de fantômes et de valeureux guerriers mais d'un conte sur les esprits des bois.

— Près de la colline de Dundreggan vivait un clan de farfadets. Cette colline doit son nom au dragon qui l'habitait jadis. Il a été tué et enterré sur place par un Fionn. Après la disparition des Fionn et des Feinn, les farfadets qui colonisèrent la colline décidèrent d'enlever de jeunes mères humaines pour en faire les nourrices de leur progéniture surnaturelle, car les hommes possèdent quelque chose que les fées n'ont pas et les farfadets espéraient que les nourrices humaines le transmettraient à leurs nourrissons par leur lait.

» Or, une nuit, Ewan MacDonald était dehors à s'occuper de ses bêtes. C'était la nuit où sa femme venait d'accoucher de leur premier fils. Soudain, il sent autour de lui une rafale de vent nocturne et, dans le vent, il entend sa femme soupirer. C'était un soupir pareil à ceux qu'elle poussait avant de mettre leur enfant au monde. Alors, Ewan MacDonald se retourne et lacère le vent de son coutelas en hurlant le nom de la Sainte Trinité et sa femme retombe, saine et sauve, à ses pieds.

L'assistance accueillit la chute, de Mme MacDonald et du conte, d'un « ah ! » collectif. Un autre conte suivit, puis un autre. Tous illustraient l'intelligence et la ruse des farfadets et autres esprits des bois dans leurs interférences avec le monde des hommes. Certains étaient en gaélique, d'autres en anglais, le choix étant apparemment dicté par la langue qui convenait le mieux au rythme des mots, car toutes ces histoires étaient belles à entendre, qu'on les comprenne ou non. Jamie tint sa promesse et me traduisit le gaélique à voix basse, avec une telle aisance et une telle rapidité que j'en déduisis qu'il connaissait déjà tous ces contes par cœur.

L'un d'entre eux retint particulièrement mon attention. Il s'agissait d'un homme qui se promenait tard la nuit sur une colline habitée par les esprits des bois et entendit la complainte « déchirante » d'une femme invisible. La voix semblait émaner des rochers de la colline :

> *Je suis l'épouse du laird de Balnain*
> *Les esprits nous ont ravis, moi et mon petit.*

L'homme se précipita à la demeure du laird de Balnain et ne trouva personne. Il courut chercher un prêtre et le conduisit

190

sur la colline. Là, le prêtre aspergea les rochers d'eau bénite en récitant une prière. Soudain, la nuit se fit plus noire et le tonnerre gronda. Puis la lune apparut derrière un nuage et ses faisceaux illuminèrent la dame de Balnain, gisant dans l'herbe, son enfant dans les bras. Elle était épuisée, comme après un long voyage, mais ne pouvait dire d'où elle venait ni comment elle était arrivée là.

D'autres personnes dans l'assistance avaient elles aussi une histoire à raconter et Gwyllyn resta assis sur son tabouret à siroter son vin tandis que d'autres conteurs se succédaient devant le feu, racontant des histoires qui tenaient tous ceux présents en haleine.

Je ne les entendis pas toutes. J'étais moi-même fascinée. Mes pensées se précipitaient dans ma tête, sous l'influence de l'alcool, de la musique et des contes de fées.

— C'était il y a bien longtemps, il y a près de deux cents ans…

Je croyais entendre la voix du révérend Wakefield résonner dans ma mémoire : « Dans les Highlands, les histoires commencent toujours par "il y a près de deux cents ans". C'est un peu comme "il était une fois", voyez-vous. »

Toutes ces femmes emprisonnées dans des rochers sur des collines de fées, parcourant de longues distances qui les laissaient épuisées, sans pouvoir dire où elles avaient été ni comment…

J'avais la chair de poule et me frottai énergiquement les bras. Deux cents ans. De 1945 à 1743. Oui, c'était à peu près ça. Des femmes voyageant à travers les rochers… Pourquoi toujours des femmes ?

Cependant, elles revenaient. À grand renfort d'eau bénite, de formules magiques ou de coups de couteau dans le vent, mais *elles revenaient toujours*. Donc, c'était possible ! Je devais absolument retourner à Craigh na Dun. Ce nouvel espoir me plongea dans un état d'énervement à la limite de la nausée. Je tendis la main vers la coupe que j'avais posée négligemment sur le banc à côté de moi.

— Oups ! fit Jamie.

Il rattrapa juste à temps la coupe en cristal que je manquai de renverser. Il l'examina en la tenant par le pied et la remua doucement sous son nez, arquant un sourcil d'un air soupçonneux. Puis il me la rendit, m'interrogeant du regard.

— Du vin du Rhin, expliquai-je.

— Oui, je sais. C'est celui de Colum, n'est-ce pas ?

— Oui, vous voulez goûter ? Il est excellent.

Je lui offris mon verre d'une main peu assurée. Après quelques secondes d'hésitation, il le prit et y humecta prudemment ses lèvres.

— En effet, il est très bon, dit-il en me rendant la coupe, et très fort. Colum en boit la nuit pour oublier la douleur dans ses jambes. Vous en avez bu beaucoup ?

— Deux ou trois verres, pas plus, répondis-je dignement. Insinuii… insinueui… insinueriez-vous que je suis soûle ?

— Non, dit-il, l'air de plus en plus perplexe. C'est justement ce qui me surprend. La plupart des invités de Colum finissent sous la table après le deuxième verre.

Il me reprit la coupe des mains.

— Cela dit, ajouta-t-il, je crois que vous feriez mieux de vous en tenir là ou vous ne retrouverez plus le chemin de votre chambre.

Il vida mon verre d'un trait puis le tendit à Laoghaire.

— Va le rapporter, s'il te plaît, lui dit-il nonchalamment. Il se fait tard, je vais raccompagner Mme Beauchamp.

Me soutenant par le coude, il me guida vers la porte voûtée, laissant là la jeune fille qui nous suivit des yeux avec un regard assassin.

Jamie me suivit jusqu'à la porte de ma chambre et, à ma grande surprise, y pénétra derrière moi. Ma stupeur s'évanouit quand, immédiatement après avoir refermé la porte, il ôta sa chemise. J'avais oublié son bandage que je voulais retirer depuis deux jours.

— J'ai hâte de m'en débarrasser, expliqua-t-il en tirant sur l'écharpe que je lui avais confectionnée. Voilà deux jours que je me gratte comme un fou.

— Je suis surprise que vous ne l'ayez pas enlevé vous-même plus tôt, dis-je en défaisant les nœuds.

— Je n'ai pas osé, après la semonce que j'ai essuyée quand vous m'avez bandé la première fois, rétorqua-t-il avec un sourire insolent. J'ai eu peur de prendre la fessée !

— C'est maintenant que vous allez la prendre si vous ne vous asseyez pas et continuez à gigoter comme ça.

Pressant des deux mains sur sa bonne épaule, je le forçai à s'asseoir sur le tabouret.

Je défis doucement le bandage et palpai son articulation. Elle était encore légèrement enflée et tuméfiée, mais les muscles semblaient indemnes.

— Si vous étiez si pressé de vous en débarrasser, pourquoi ne pas m'avoir laissée vous l'enlever hier après-midi ?

Effectivement, il avait dû être terriblement gêné par les frottements du lin contre sa peau car les bords du bandage avaient laissé deux marques rouge vif sur son épaule. Heureusement, les contours de la plaie n'étaient pas irrités.

Il me lança un regard penaud.

— Euh… c'est que… je ne voulais pas ôter ma chemise devant Alec.

— Ah, pudique avec ça ! raillai-je.

Je lui fis lever le bras pour tester l'extension de l'épaule. Il grimaça légèrement mais ma remarque le fit sourire.

— Si c'était le cas, je ne serais pas dans votre chambre à moitié nu ! Non, c'est à cause des marques dans mon dos.

Devant mon air perplexe, il expliqua :

— Alec sait qui je suis… je veux dire, il sait que j'ai été fouetté, mais il n'a jamais vu les cicatrices. Le savoir, c'est une chose, le voir en est une autre.

Il remua de nouveau le bras d'un geste hésitant, regardant ailleurs.

— Je ne sais pas si vous pouvez comprendre... Ce qui m'est arrivé fait partie de moi au même titre que mes cheveux roux ou ma façon de marcher. Les gens le savent mais n'y pensent pas, cela ne change en rien leur façon de me traiter.

Il leva les yeux vers moi pour s'assurer que je suivais bien.

— Mais s'ils voyaient de leurs propres yeux les séquelles de la flagellation, ce serait...

Il hésita.

— ... plus intimidant, peut-être. Je crois que... si Alec voyait les cicatrices, il ne pourrait plus me voir sans penser à mon dos. Et moi, chaque fois que je croiserais son regard, j'y penserais aussi et...

Il s'interrompit avec un haussement d'épaules.

— Bah ! Je ne suis pas très clair, n'est-ce pas ? En tout cas, je suis très susceptible à ce sujet. Après tout, je n'ai jamais vu mon dos. Ce n'est peut-être pas si horrible que ça.

Je comprenais parfaitement ce qu'il voulait dire. J'avais déjà vu des infirmes marcher dans la rue sur des béquilles tandis que les passants qui les croisaient détournaient les yeux.

— Et moi ? demandai-je. Cela ne vous ennuie pas que je voie votre dos ?

— Non.

Il semblait surpris lui-même et se tut un instant pour réfléchir à la question.

— C'est sans doute que... vous savez vous y prendre pour me montrer que vous êtes désolée de ce qui m'est arrivé sans pour autant éprouver de la pitié à mon égard.

Il resta sagement immobile pendant que je le contournais pour inspecter son dos. J'ignorais quelle idée il s'en faisait exactement, mais ce n'était vraiment pas beau à voir. Même à la lueur de la bougie et l'ayant déjà vu une fois, je frissonnai d'horreur. L'autre nuit, je n'avais vu qu'une épaule. En fait, les cicatrices couvraient la totalité du dos, de la nuque à la taille. La plupart s'étaient estompées pour ne laisser qu'une mince raie blanche, mais les plus profondes formaient des boursouflures claires en travers des muscles. Je songeai avec regret qu'il avait dû avoir un dos superbe. La peau était douce et lisse, les os et les muscles projetaient des ombres gracieuses. Sous les épaules larges et carrées, les omoplates dessinaient un sillon net et vallonné.

Jamie avait raison. En contemplant les zébrures, je ne pouvais m'empêcher d'imaginer la scène au cours de laquelle elles lui avaient été infligées. J'essayai de repousser les images qu'elles évoquaient en moi : les bras puissants levés et attachés au poteau, la corde entaillant la chair des poignets, la tête rousse écrasée contre la potence dans les affres de la douleur. S'était-il débattu ? Avait-il hurlé ? J'avais entendu les horreurs qui se disaient sur l'Allemagne après la guerre, des atrocités bien pires que celles-ci, mais il avait raison. En entendre parler était une chose, le voir de ses propres yeux en était une autre.

Malgré moi, je tendis la main comme si j'espérais effacer les marques en les effleurant du doigt. Il poussa un profond soupir mais ne bougea pas tandis que je caressais une à une les longues cicatrices, comme pour lui montrer l'étendue des dégâts qu'il ne pouvait voir. Enfin, je reposai doucement mes mains sur ses épaules en silence, cherchant vainement mes mots.

Il mit une main sur la mienne et la pressa doucement.

— J'en connais qui ont subi bien pire, murmura-t-il.

Puis il lâcha ma main et le charme fut brisé.

— J'ai l'impression que ça a bien guéri, dit-il en lançant un regard par-dessus son épaule pour tenter d'apercevoir la plaie. Ça ne me fait presque plus mal.

— C'est bon signe, répondis-je en m'éclaircissant la voix. La blessure a bien cicatrisé. Il faudra la garder propre et ne pas forcer sur ce bras pendant encore deux ou trois jours.

Je lui donnai une petite tape sur l'épaule pour lui indiquer que la consultation était terminée. Il enfila seul sa chemise, glissant les longs pans dans son kilt.

Il y eut un moment de gêne quand il s'arrêta devant la porte, cherchant ses mots. Enfin, il m'invita à lui rendre visite le lendemain pour voir un jeune poulain qui venait de naître. Je lui promis de venir. Puis nous nous souhaitâmes bonne nuit en chœur, ce qui nous fit pouffer de rire jusqu'à ce que je referme la porte derrière lui. Je me glissai aussitôt dans mon lit et me laissai emporter par les vapeurs du vin, plongeant dans des rêves troublants dont il ne resterait rien le matin venu.

Le lendemain, après une longue matinée passée à traiter plusieurs patients, à fouiller la distillerie à la recherche de simples qui pourraient m'être utiles et à inscrire – avec application – le détail de mes activités médicales dans le registre de Davie Beaton, je quittai mon antre obscur en quête d'air frais et d'exercice.

Profitant d'un moment de répit où le château semblait désert, j'explorai les étages supérieurs, jetant un œil dans les chambres vides et les innombrables escaliers en colimaçon, dressant grossièrement une carte des lieux dans ma tête. La disposition des pièces était pour le moins fantaisiste. Au fil des générations, des ailes avaient été ajoutées ici et là, au point que l'on pouvait se demander si le château avait jamais eu un plan au départ. Par exemple, dans le couloir où je me trouvais, on avait creusé une alcôve dans le mur sous l'escalier sans aucune raison apparente, si ce n'était pour combler un espace vide trop petit pour accueillir une vraie chambre.

L'alcôve était en partie cachée par un tissu à rayures. Je serais passée devant sans m'arrêter si un mouvement d'étoffe blanche n'avait capté mon attention au passage. Je lançai un bref regard à l'intérieur et aperçus la manche de chemise de Jamie glissant dans le dos d'une jeune fille qu'il attirait à lui pour l'embrasser. Elle était assise sur ses genoux, et sa longue chevelure dorée réfléchissait la lumière d'un rayon de soleil filtrant par une fente du tissu.

Je m'immobilisai, ne sachant que faire. Je ne voulais pas avoir l'air de les espionner, mais craignais que le bruit de mes pas sur les dalles n'attire leur attention. Tandis que j'hésitais, Jamie se détacha de sa conquête et leva les yeux vers moi. Après une seconde de panique, il me reconnut et poussa un soupir soulagé. Esquissant une moue ironique, il cala la fille plus fermement sur ses genoux et se remit à la tâche. Je haussai les épaules et m'éloignai discrètement. Cela ne me regardait pas. Toutefois, j'espérai pour lui que ni Colum ni le père de la jeune fille ne seraient mis au fait de ce qui se tramait dans l'alcôve. S'il ne choisissait pas mieux les lieux de ses rendez-vous galants, Jamie risquait de se prendre une nouvelle raclée, à son compte cette fois.

Le même soir, je m'assis en face de lui et du vieil Alec à la table du dîner. Jamie me salua aimablement mais se tint sur ses gardes. Alec m'adressa un de ses « mmphm ». Les femmes n'y entendant rien en matière de chevaux, m'avait-il déjà informée à l'enclos, toute tentative de conversation avec elles était vaine.

— Comment se passe le dressage ? demandai-je, pour interrompre les bruits de mastication de l'autre côté de la table.

— Bien, répondit Jamie prudemment.

Je lui adressai un sourire angélique au-dessus du plat de navets bouillis.

— Vous avez les lèvres légèrement enflées, Jamie, le taquinai-je. Auriez-vous reçu un coup de sabot ?

— Oui, c'est ça, grommela-t-il en me foudroyant du regard.

Il posa un pied sur le mien sous la table. Il n'appuya pas, mais la menace était claire.

— Faites attention. Ces jeunes pouliches peuvent être dangereuses, dis-je innocemment.

Cette fois, son pied écrasa le mien.

— Une pouliche ? demanda Alec, soudain intéressé. Quelle pouliche ?

Je tentai vainement d'utiliser mon autre pied comme un levier. Je lui assenai alors un coup sec dans le tibia qui le fit tressaillir.

— Qu'est-ce qui te prend ? demanda Alec.

— Euh... rien. Je me suis mordu la langue, marmonna Jamie en mettant une main sur sa bouche.

— Maladroit ! Tu me diras, ça n'a rien d'étonnant, de la part d'un idiot qui ne sait pas encore qu'on ne passe jamais derrière le cul d'un cheval...

Alec se lança dans une tirade de plusieurs minutes au cours desquelles il accusa son dresseur d'être gauche, paresseux, stupide et incompétent. Jamie, sans doute la personne la moins maladroite qu'il m'ait été donné de rencontrer, encaissa sans broncher la longue litanie, tête basse, joues en feu. Pour ma part, je gardai les yeux rivés sur mon assiette jusqu'à la fin du repas.

Refusant une seconde ration de ragoût, Jamie s'excusa et quitta la table, mettant ainsi un terme aux éloges d'Alec. Le vieux maître d'écurie et moi restâmes quelques minutes l'un en face de l'autre en silence. Enfin, il essuya son assiette avec un morceau de pain, l'enfourna et se cala contre le dossier de sa chaise en m'observant. Une lueur sarcastique brillait dans son œil bleu.

— Vous ne devriez pas le taquiner ainsi, dit-il soudain sur un ton détaché. Si Colum ou le père de la fille venaient à l'apprendre, il risque de se retrouver avec plus qu'un œil au beurre noir, cette fois.

— Avec une épouse, par exemple ? répliquai-je en le regardant droit dans l'œil.

Il hocha lentement la tête.

— Peut-être bien, mais ce n'est pas l'épouse qu'il lui faut.

— Ah non ?

J'étais un peu surprise après avoir entendu leur conversation l'autre jour près de l'enclos.

— Non, c'est une femme qu'il lui faut, pas une gamine. Et à cinquante ans, Laoghaire sera encore une gamine.

La vieille bouche ridée se plissa en un semblant de sourire.

— Vous imaginez sans doute que j'ai passé toute ma vie dans des écuries. Mais j'ai été marié autrefois… avec une vraie femme. Je sais reconnaître la différence.

Il se leva, son œil bleu pétillant de malice.

— Et vous aussi, ma fille.

Je tendis une main pour le retenir.

— Comment savez-vous que…

Le vieillard se mit à rire.

— Je suis peut-être borgne, mais pas aveugle.

Il s'éloigna, sans cesser de ricaner. Troublée, je remontai dans ma chambre, me demandant ce qu'il avait voulu dire.

9

Mon amie Geillis

MA NOUVELLE VIE COMMENÇAIT PEU À PEU à prendre forme, et un semblant de routine s'installait déjà. Levée à l'aube avec les autres habitants du château, je prenais mon petit déjeuner dans le grand hall. Ensuite, si la mère Fitz n'avait pas de patients à m'envoyer, j'allais travailler dans les vastes jardins. Nous étions plusieurs femmes à les entretenir régulièrement, aidées par une armée de garçons de tous âges qui allaient et venaient, les bras chargés de déchets, d'outils et de sacs de fumier. J'y passais généralement la journée. De temps à autre, j'aidais en cuisine à mettre en conserve le produit des dernières cueillettes, à moins qu'une urgence ne m'appelle dans la « chambre des horreurs », le surnom que j'avais donné au dispensaire de Davie Beaton.

Parfois, j'acceptais l'invitation du vieil Alec et faisais un tour aux écuries ou à l'enclos. Là, je me prélassais en contemplant les chevaux revigorés par l'herbe tendre, leur épaisse robe d'hiver se détachant par poignées entières.

Certains soirs, je montais me coucher sitôt le dîner terminé, épuisée par une lourde journée de travail. Mais lorsque j'arrivais à garder les yeux ouverts, je me joignais aux autres dans le grand hall pour écouter les contes, les ballades, la lyre ou la cornemuse. Je ne me lassais pas d'entendre Gwyllyn, me laissant bercer par ses paroles que, la plupart du temps, je ne comprenais pas.

À mesure que les habitants du château s'habituaient à ma présence, et moi à la leur, certaines femmes se sentirent plus en confiance et se mirent à m'inclure dans leurs conversations. Je les intriguais mais, ne parvenant pas à m'arracher d'autres détails sur mes origines que ceux que j'avais déjà donnés à Colum, elles finirent par se faire une raison. Toutefois, mes connaissances médicales les fascinaient et elles m'assaillaient de questions sur les maux dont souffraient leurs enfants, leurs maris et leurs bêtes sans marquer une grande différence entre les deux derniers.

Outre les commérages habituels, on parlait beaucoup de la prochaine « cérémonie du Serment » à laquelle Jamie et le vieil Alec avaient déjà fait allusion devant moi. À en juger par l'étendue des préparatifs, il devait s'agir d'une célébration importante. Un flot ininterrompu de provisions était acheminé dans les immenses cuisines. Dans la chambre d'abattage, une vingtaine de carcasses de bœufs écorchés étaient suspendues derrière un écran de fumée odorante qui éloignait les mouches. Des fûts de bière arrivaient par chariots entiers pour être stockés dans les caves du château. Le moulin du village envoyait quotidiennement des montagnes de sacs de farine et les femmes faisaient régulièrement des excursions dans les grands vergers qui bordaient l'enceinte du château pour ramener des paniers regorgeant de cerises et d'abricots destinés à faire des tartes et des confitures. Les rayonnages de l'office croulaient déjà sous les pâtisseries, les liqueurs, les jambons et autres délicatesses.

On m'invita un jour à participer à l'une de ces expéditions de cueillette et j'acceptai avec joie, trop heureuse de me soustraire quelques heures à l'ombre sinistre des épaisses murailles.

C'était une belle matinée fraîche et ensoleillée et je pris grand plaisir à flâner entre les arbres fruitiers, cherchant sous les feuilles alourdies par la rosée les grosses cerises rouges et les abricots dodus, jugeant s'ils étaient mûrs d'une légère pression des doigts. Il y en avait en abondance et nous ne cueillions que les plus beaux et les plus juteux. Mon panier rempli, je continuai à flâner, tout en me gavant des fruits délicieux.

— Combien de gens assistent généralement à la cérémonie du Serment ? demandai-je à Magdalen, une fille charmante qui m'accompagnait.

Elle fronça son petit nez couvert de taches de rousseur.

— Mmm, difficile à dire. La dernière a eu lieu il y a près de vingt ans et il devait y avoir... oh, près de deux cents personnes extérieures au château. C'était juste après la mort du vieux Jacob MacKenzie, quand Colum est devenu laird. Cette année, ils seront sans doute plus nombreux. La saison a été bonne et les paysans auront rempli leurs bas de laine. Beaucoup viendront avec femmes et enfants.

De fait, les premiers invités commençaient à arriver alors que les festivités, à savoir la prestation du serment, une partie de chasse et des compétitions sportives, ne commenceraient pas avant plusieurs jours. Les selliers et les métayers les plus illustres étaient logés au château, tandis que les hommes d'armes et les paysans plus pauvres plantaient leurs tentes dans un pré en jachère de l'autre côté du ruisseau qui alimentait le loch. Des rétameurs itinérants, des bohémiens et des colporteurs avaient monté une sorte de foire improvisée près du pont. Les habitants du château et du village voisin s'y rendaient le soir, après leur journée de travail, pour y acheter des outils et des breloques, regarder les jongleurs et apprendre les derniers ragots.

Je surveillais de près les allées et venues et rendais fréquemment visite aux écuries. Celles-ci étaient pleines car on y hébergeait les montures des invités. Dans la confusion qui ne manquerait pas de régner lors des réjouissances, j'espérais bien trouver une occasion de m'éclipser discrètement.

Ce fut au cours d'une des expéditions aux vergers que je rencontrai Geillis Duncan. Ayant découvert par hasard une petite famille d'*Ascaria* entre les racines d'un aulne, j'avançai à quatre pattes, fouillant la terre en espérant en trouver d'autres. Les petits champignons écarlates poussaient en grappes de quatre ou cinq éparpillées ici et là dans cette partie du verger. Les voix des femmes s'estompèrent progressivement à mesure que je m'éloignais, cueillant délicatement les tiges fragiles.

— Attention, ceux-ci sont vénéneux ! dit soudain quelqu'un derrière moi.

Je me redressai brusquement en me cognant la tête contre une branche basse de sapin.

À demi étourdie, j'aperçus une jeune femme qui riait, gorge déployée, en se tenant les côtes. Elle devait avoir quelques années de plus que moi. Elle était grande, avec un teint de porcelaine, des cheveux blonds et de magnifiques yeux vert émeraude.

— Excuse-moi, hoqueta-t-elle en s'approchant. Je n'ai pas pu m'empêcher de rire.

— En effet, c'est très drôle, répondis-je, un peu piquée. Merci pour le conseil, mais je savais déjà que ces champignons étaient toxiques.

— Ah oui ? Et qui comptes-tu empoisonner, ton mari ? Si ça marche, dis-le-moi. J'essaierai avec le mien !

Son sourire était contagieux et je me mis à rire malgré moi.

Je lui expliquai que, si la tête du champignon était effectivement dangereuse consommée crue, une fois séchée, réduite en poudre et appliquée localement, elle était très efficace pour arrêter les saignements. C'était du moins ce qu'affirmait Mme FitzGibbons, qui me paraissait nettement plus fiable que Davie Beaton et ses recettes.

— Sans blague ! s'exclama-t-elle, sans cesser de sourire. Et savais-tu que ces plantes-là font saigner ?

Elle se pencha et cueillit une poignée de petites fleurs bleues aux pétales en forme de cœur.

— Non, m'étonnai-je. Mais quel intérêt ?

— Mais pour se débarrasser d'un marmot indésirable, pardi ! Elles déclenchent les règles… à condition d'en prendre assez tôt. Autrement, elles peuvent te tuer, toi et ton enfant.

— Je vois que tu as l'habitude ! répliquai-je, vexée de passer pour une gourde.

— Un peu. Les filles du village viennent me trouver de temps en temps, et parfois aussi des femmes mariées. On prétend que je suis sorcière, déclara-t-elle en ouvrant de grands yeux innocents. Mais comme mon mari est le procureur du comté, on ne le dit pas trop haut.

Elle me lança un clin d'œil, avant d'ajouter :

— Ce beau garçon qui est arrivé avec toi, par exemple, en voilà un qui m'a valu pas mal de commandes de philtres d'amour. Il est à toi ?

— À moi ? Qui ça ? Tu veux dire… euh… Jamie ?

La jeune femme eut l'air amusé. Elle s'assit sur un tronc d'arbre, enroulant une de ses longues mèches blondes autour de son index.

— Je connais quelques demoiselles qui ne cracheraient pas sur un jeune homme avec des cheveux et des yeux pareils, même si sa tête est mise à prix et qu'il est sans un sou. Ce n'est pas tout à fait du goût de leur père, naturellement.

» Quant à moi, continua-t-elle en regardant au loin, je suis une fille pratique. J'ai préféré épouser un homme qui a une belle maison, un joli pécule et une bonne situation. Pour ce qui est des cheveux, il n'en a pas, et quant à la couleur de ses yeux, je n'y ai jamais fait attention. Le principal, c'est qu'il me fiche une paix royale.

Elle me tendit son panier pour que je l'inspecte. Quatre tubercules gisaient au fond.

— Des racines de mauves, expliqua-t-elle. Mon cher époux a l'estomac fragile. Il pète comme un bœuf.

Je préférai changer de sujet avant que la conversation ne dégénère. Lui tendant une main pour l'aider à se relever, je me présentai :

— Je m'appelle Claire. Claire Beauchamp.

— Je sais qui tu es. Depuis ton arrivée, on ne parle que de toi au village.

Elle avait les mains fines, avec de longs doigts fuselés tachés du jus des baies.

— Moi, c'est Geillis, Geillis Duncan.

Elle lança un regard vers mon panier.

— Si c'est du *balgan-buachrach* que tu cherches, je sais où en trouver.

J'acceptai son offre et nous nous promenâmes un long moment dans les petites collines boisées qui entouraient le verger, fouillant sous les troncs pourris, nous frayant un passage dans les herbes folles qui bordaient des étangs étincelants où les minuscules champignons poussaient en abondance. Geillis en connaissait long sur les plantes locales et leurs utilisations thérapeutiques, même si quelques-uns des usages qu'elle me suggéra me parurent discutables, pour ne pas dire totalement farfelus. Je doutais fortement que les vesses-de-loup fassent pousser des verrues sur le nez d'une rivale, et encore plus que la bétoine des bois soit capable de métamorphoser les crapauds en pigeons. Elle m'expliquait tout cela avec une lueur espiègle dans le regard qui me fit penser qu'elle mettait mes propres connaissances à l'épreuve, à moins que ce ne soit par dérision face aux rumeurs de sorcellerie dont elle faisait l'objet.

En dépit de ses taquineries, je trouvais sa compagnie très agréable. Elle avait beaucoup d'esprit et une vision gaie, quoique cynique, de la vie. Elle savait tout ce qu'il y avait à savoir sur les habitants du village, de la campagne environnante et du château, et notre promenade fut ponctuée de pauses pendant lesquelles je me tordis de rire en entendant ses lamentations concernant les flatulences de son mari et ses commérages hilarants, à la limite de la médisance.

— On dit que le jeune Hamish MacKenzie n'est pas le fils de son père, annonça-t-elle soudain.

205

Cette information ne me surprit pas outre mesure, m'étant moi-même déjà fait une idée sur le sujet. Ce qui m'étonnait, c'était qu'il n'y eût qu'un seul enfant de lignée douteuse, ce qui signifiait que Letitia avait eu soit de la chance, soit l'intelligence de consulter quelqu'un comme Geillis à temps. Sans réfléchir, je fis part de mes observations à ma nouvelle amie.

Elle renversa sa tête en arrière avec un grand éclat de rire.

— Non, pas moi. La belle Letitia n'a besoin de l'aide de personne pour ces choses-là, crois-moi. Ceux qui cherchent une sorcière dans les parages feraient mieux de regarder du côté du château plutôt qu'au village.

Préférant revenir à un sujet moins dangereux, je sautai sur la première idée qui me vint à l'esprit et demandai :

— Si Hamish n'est pas le fils de Colum, qui est son vrai père ?

— Mais, le jeune homme, bien sûr !

Elle se tourna vers moi avec une moue rieuse.

— Le jeune MacTavish.

Revenant seule au verger, je croisai Magdalen qui me cherchait désespérément.

— Ah, te voilà ! dit-elle avec un soupir de soulagement. On allait rentrer au château quand j'ai remarqué que tu avais disparu.

— C'est gentil de ta part, la remerciai-je en ramassant le panier de cerises que j'avais laissé dans l'herbe. Mais j'aurais facilement retrouvé mon chemin.

Elle secoua la tête.

— Il faut être très prudente, ma chère. Tu ne dois pas t'aventurer seule dans les bois avec tous les bohémiens qui rôdent dans les parages. Colum nous a ordonné...

Elle s'interrompit brusquement, comprenant qu'elle était allée trop loin.

— De me surveiller ? terminai-je à sa place.

Elle hocha lentement la tête, craignant manifestement de m'avoir offensée. Je la rassurai d'un sourire.

— C'est normal, après tout. Colum n'a aucun moyen de vérifier qui je suis. Il est obligé de me croire sur parole.

La curiosité me fit commettre une nouvelle maladresse.

— Mais qui croit-il donc que je suis ?

La jeune fille se contenta de hocher la tête.

— Tu es anglaise, fut sa seule réponse.

Le lendemain, une épidémie d'intoxication alimentaire accapara toute mon attention et m'empêcha de retourner aux vergers. Ayant fait de mon mieux pour soulager les malheureux, je menai mon enquête pour traquer le mal jusqu'à sa source.

L'origine de l'empoisonnement était une carcasse de bœuf avarié dans la chambre d'abattage. Le lendemain matin, je rendis une visite au responsable du fumage des viandes pour lui dire ce que je pensais de ses méthodes de conservation. Je discutais avec lui dans l'atelier de fumaison quand la porte s'ouvrit brutalement derrière nous, nous plongeant dans un épais nuage de fumée de chêne.

Je me retournai, les yeux larmoyants, et aperçus la silhouette de Dougal.

— Alors, le dispensaire ne vous suffit plus, il vous faut aussi contrôler notre alimentation, madame Beauchamp ? plaisanta-t-il. Bientôt, vous dirigerez tout le château et notre bonne mère Fitz pourra aller se chercher du travail ailleurs !

— Je me fiche bien de votre château crasseux ! lâchai-je en m'essuyant les yeux sans m'apercevoir que mon mouchoir était noir de charbon. Je ne demande qu'à le quitter !

Il me fit une révérence, sans cesser de sourire.

— Je serai peut-être en mesure de vous satisfaire, chère madame. Du moins provisoirement.

Je laissai tomber mon mouchoir et le dévisageai, incrédule.

— Comment ça ?

Il toussa et dispersa la fumée qui l'enveloppait à son tour. Puis il m'entraîna hors de la pièce et vers les écuries.

— Vous disiez hier à Colum qu'il vous fallait de la bétoine et autres plantes rares ?

— Oui, j'en ai besoin pour soigner les intoxications. Et alors ? demandai-je, méfiante.

— Il se trouve que j'ai trois chevaux à emmener ferrer au village. L'épouse du procureur s'y connaît en herbes. Elle en possède des stocks entiers. Je suis sûr que vous trouverez chez elle tout ce qu'il vous faut. Si cela vous chante, vous pouvez monter l'une des bêtes avec moi jusqu'au village.

— La femme du procureur ? Mme Duncan ?

Je me sentis aussitôt de meilleure humeur. L'idée de sortir du château, ne serait-ce que pour quelques heures, était irrésistible.

Je m'essuyai rapidement le visage et glissai le chiffon sale sous ma ceinture.

— Je suis prête !

Malgré le ciel gris, la route vers le village de Cranesmuir niché au fond de la vallée était très plaisante. Dougal était d'excellente humeur et plaisanta tout le long du chemin.

Nous nous arrêtâmes d'abord chez le maréchal-ferrant pour lui confier les trois chevaux. Puis je grimpai derrière Dougal pour remonter la grand-rue jusqu'à la maison des Duncan. C'était une imposante bâtisse à colombages de quatre étages. Les deux premiers niveaux avaient d'élégantes croisées dont les carreaux en losange mauves et verts étaient taillés en diamant.

Geillis nous accueillit avec joie, enchantée d'avoir de la compagnie par une journée aussi morne.

— Quelle chance ! s'exclama-t-elle. Je cherchais justement un prétexte pour aller dans la distillerie trier mes réserves. Anne !

Une petite femme d'âge moyen, ronde et ridée comme une vieille pomme, surgit d'une porte dissimulée dans l'angle de la cheminée.

— Conduis Madame à la distillerie, ordonna Geillis, puis tu iras me chercher de l'eau de source. J'ai bien dit « de source », pas celle du puits du village !

Elle se tourna vers Dougal.

— J'ai préparé le tonique que j'avais promis à votre frère. Venez avec moi à la cuisine un instant, vous voulez bien ?

Je suivis la servante dans un long escalier étroit en bois, débouchant dans une longue chambre. Contrairement aux autres pièces, celle-ci avait de grandes fenêtres à rebords, à présent fermées pour la protéger de l'humidité, mais laissant néanmoins filtrer beaucoup plus de lumière que dans le salon du rez-de-chaussée.

De toute évidence, Geillis était une herboriste confirmée. Sa « distillerie » était équipée de longs châssis en bois tendus de gaze pour faire sécher les simples, de crochets au-dessus de la petite cheminée, de grandes armoires percées de trous d'aération. L'air sentait bon le basilic, le romarin et la lavande séchés. Un long comptoir d'une modernité étonnante courait le long d'un des murs, jonché de mortiers, de pilons, de bols et de cuillères d'une propreté irréprochable.

Quelque temps plus tard, Geillis apparut, essoufflée d'avoir grimpé quatre à quatre les escaliers, mais ravie par la perspective de passer tout un après-midi à faire des préparations et à bavarder.

Dehors, il s'était mis à pleuvoir légèrement. Mais le feu qui grésillait dans la petite cheminée nous faisait baigner dans une atmosphère douillette. L'humour décapant de Geillis était rafraîchissant après les conversations aimables mais empruntées des dames du château. Pour une femme ayant grandi dans ce petit village reculé, elle possédait une culture remarquable.

Par ailleurs, elle connaissait tous les scandales des environs s'étant produits au cours des dix dernières années et disposait d'un stock inépuisable d'anecdotes croustillantes. Bizarrement, elle me posa peu de questions personnelles. Ce n'était sans doute pas là sa manière de procéder. Elle obtiendrait toutes les informations qu'elle voudrait en interrogeant les autres à mon sujet.

Depuis quelques minutes, un grondement sourd montait de la rue, bruit que j'attribuais aux villageois qui sortaient de la messe du dimanche. L'église presbytérienne était située à deux pas, de l'autre côté de la place.

En entrant dans le village, je m'étais amusée à comparer les lieux aux os de l'avant-bras et de la main. La rue principale, où se trouvaient les échoppes et les maisons des nantis, formait le radius. L'allée Sainte-Margaret, plus étroite et parallèle à la rue principale, était le cubitus, occupée par le maréchal-ferrant, le tanneur et les artisans moins prestigieux. La place du village, de forme ovale, représentait les carpes et les métacarpes de la main, tandis que les ruelles bordées de maisonnettes qui en partaient en éventail constituaient les phalanges.

La maison des Duncan se dressait sur la place, comme il sied à la demeure d'un procureur. Cette situation répondait également à un besoin pratique : on y réglait les affaires juridiques qui, pour des raisons d'intérêt public ou de nécessité judiciaire, dépassaient la capacité d'accueil du petit bureau du magistrat. En outre, comme me l'avait fait observer Dougal, cela la plaçait à deux pas du pilori, une construction rudimentaire en bois perchée sur un petit socle en pierre, près d'un grand tronc d'arbre faisant office, selon les besoins, de poteau de flagellation, de mât de cocagne, de porte-drapeau ou de support pour attacher la longe des chevaux.

Le bruit dans la rue s'intensifia, devenant trop houleux pour de braves paroissiens rentrant sagement de la messe. Geillis reposa son mortier avec une exclamation agacée et ouvrit grande la fenêtre pour voir ce qui causait ce remue-ménage.

M'approchant à mon tour, j'aperçus une foule endimanchée portant robes, kilts, manteaux et bonnets, suivant à quelque distance la petite silhouette trapue du père Bain, le prêtre qui officiait à la fois au village et au château. Il traînait par le cou un garçon d'une douzaine d'années qui le dépassait d'une tête.

Le père Bain et l'enfant s'engouffrèrent dans la maison. La foule resta au-dehors, gesticulant avec un grondement réprobateur. Les plus hardis grimpèrent sur le rebord des fenêtres pour regarder à l'intérieur.

Geillis referma la fenêtre en la claquant, étouffant le brouhaha de la rue.

— C'est un des apprentis tanneurs. On a dû le surprendre en train de voler, observa-t-elle, laconique. C'est toujours la même histoire !

Elle retourna à sa table de travail.

— Que va-t-il lui arriver ? demandai-je.

Elle haussa les épaules, broyant des feuilles de romarin dans un mortier.

— Tout dépend si Arthur est dyspeptique, ce matin. S'il a bien digéré son petit déjeuner, le gamin s'en tirera avec quelques coups de fouet. Mais s'il est constipé ou s'il a des vents... (elle esquissa une moue dégoûtée) le gosse y laissera une oreille ou une main.

Je fus horrifiée mais hésitai à intervenir directement. J'étais une *Outlander*, et une Anglaise pour ne rien arranger. Si on me traitait avec respect en tant qu'invitée du château, j'avais néanmoins aperçu plusieurs villageois se signant sur mon passage. En intercédant en faveur de cet enfant, je risquais d'aggraver son cas.

— Tu ne peux rien faire ? implorai-je Geillis. Je t'en prie, parle à ton mari. Demande-lui de se montrer... euh... clément.

Geillis leva un regard surpris. De toute évidence, il ne lui était jamais venu à l'esprit de se mêler des affaires de son époux.

— Pourquoi t'intéresses-tu tant au sort de ce garçon ? s'étonna-t-elle.

— Parce qu'on ne peut pas laisser faire une chose pareille ! m'insurgeai-je. Ce n'est qu'un enfant. Quoi qu'il ait fait, il ne mérite pas d'être mutilé pour le restant de ses jours !

Elle semblait perplexe. Manifestement, cet argument n'était guère convaincant. Cependant, elle leva les yeux au ciel et me tendit le pilon.

— C'est bon, soupira-t-elle. Que ne ferais-je pas pour une amie !

Elle fouilla dans ses étagères et en extirpa un flacon rempli de liquide vert sur lequel était écrit : « Extrait de menthe poivrée. »

— Je descends donner son médicament à Arthur et j'en profiterai pour voir ce qu'on peut faire pour le gamin. Mais j'ai bien peur qu'il ne soit trop tard. Maintenant que ce prêtre vérolé s'en est mêlé, il va demander un châtiment exemplaire. Enfin, je vais tout de même essayer. Pendant ce temps, continue d'écraser le romarin. Ça prend un temps fou !

Je m'emparai du pilon et me mis à broyer machinalement. La fenêtre fermée étouffait les bruits de la pluie et de la foule, ne laissant filtrer qu'un murmure inquiétant. Je songeai aux romans de Dickens où il décrivait la justice impitoyable de son temps, appliquée sans distinction à tous les délinquants, indépendamment de leur âge et de leurs motifs. Mais lire, avec un siècle de recul, des récits d'enfants exécutés ou mis au supplice était une chose, écraser tranquillement des herbes dans un mortier pendant que la scène se passait sous votre nez en était une autre.

Et si l'enfant était condamné, oserais-je intercéder en sa faveur ? Je m'approchai de la fenêtre sans lâcher le mortier, et regardai à l'extérieur. La foule avait grossi. Les braves gens du village, attirés par l'attroupement, accouraient de toutes parts pour se renseigner auprès de ceux déjà présents, qui leur exposaient la situation à grand renfort de grimaces et de gesticulations.

Le spectacle de ces gens patientant sous la bruine, le visage tourné vers la maison du procureur dans l'attente d'un verdict, me fit soudain comprendre quelque chose. Comme la plupart de mes contemporains, j'avais été atterrée par les rumeurs qui couraient sur l'Allemagne juste après la guerre, par les récits de déportations et d'holocauste, de camps de concentration et de fours crématoires. Comme les autres, je m'étais demandé : « Comment a-t-on pu laisser de telles horreurs se produire ?

Les gens devaient savoir, ils ont vu les convois, les allées et venues, les barbelés et la fumée… Comment ont-ils pu laisser faire ? » À présent, je savais.

Dans le cas présent, l'enjeu n'était même pas la vie ou la mort. En outre, l'autorité de Colum empêcherait sans doute qu'on s'en prenne à moi. Mais mes genoux se mirent à trembler à l'idée de sortir seule et sans défense pour affronter cette masse de citoyens respectables et vertueux, excités par la perspective d'un châtiment public qui viendrait rompre quelques instants la monotonie de leur vie quotidienne.

L'être humain est grégaire par nécessité. Les hommes des cavernes, nus et faibles, armés de leur seule ruse, n'ont survécu qu'en se rassemblant en communautés, sachant, comme tant d'autres espèces comestibles, que leur nombre les protégerait. Cette conscience, profondément ancrée dans l'âme humaine, est à la base du comportement des masses. Pendant des millénaires, celui qui osait se démarquer du groupe, sans parler de s'y opposer, se condamnait à mort. Faire face seul à une foule demande plus que du courage, car il faut surmonter son instinct de survie. Je craignais de ne pas être à la hauteur et, le craignant, j'en avais honte.

Une éternité sembla s'écouler avant que Geillis ne réapparaisse enfin, aussi calme et imperturbable que jamais, un morceau de charbon de bois à la main.

— Il faut faire bouillir le romarin puis filtrer le jus, observat-elle en reprenant notre conversation interrompue par l'incident. Je crois que le meilleur moyen est de le passer à travers du charbon enveloppé dans la mousseline.

— Geillis ! m'impatientai-je. Ne te moque pas de moi ! Que s'est-il passé avec l'enfant ?

— Ah, ça !

Elle haussa les épaules, mais ne put réprimer un sourire espiègle.

— Tu aurais dû me voir ! dit-elle en pouffant de rire. Ce n'est pas pour me vanter, mais j'ai été merveilleuse ! Un mélange de sollicitude conjugale et de douceur féminine, saupoudré de pitié maternelle. « Oh, mon Arthur ! singea-t-elle. Imagine que notre union ait été bénie par la venue d'un enfant... » Ce qui ne risque pas de se produire, tant que j'aurai mon mot à dire, ajouta-t-elle avec un clin d'œil. « ... Que dirais-tu en voyant notre fils chéri malmené de la sorte ? C'est certainement la faim qui a poussé ce malheureux à commettre un larcin. Oh, mon gros loup, ton cœur serait-il endurci au point de ne plus connaître la clémence, toi, l'âme de la justice ? »

Elle se laissa tomber sur un tabouret en se martelant la cuisse du poing.

— Ah, quel dommage qu'il n'y ait pas une troupe de saltimbanques dans la région !

Dehors, le brouhaha avait changé d'intensité et je m'approchai de la fenêtre pendant que Geillis continuait à se féliciter.

La foule s'écarta pour laisser passer le jeune apprenti tanneur, encadré par le prêtre et le juge. Arthur Duncan, le torse bombé par sa propre mansuétude, saluait sur son passage les membres éminents de l'assemblée. En revanche, le père Bain ressemblait à une vieille pomme de terre, son visage revêche encore rembruni par la déception.

La petite procession se dirigea vers le centre de la place. L'homme à tout faire du village, un certain John MacRae, sortit des rangs et alla à leur rencontre. La sombre élégance de sa tenue était de circonstance : des culottes et un manteau noirs assortis à un chapeau de velours gris. Contrairement à ce que j'avais d'abord pensé, il n'était pas le geôlier de la prison locale, bien qu'au besoin il puisse assumer cette fonction. Il était avant tout agent de police, inspecteur des douanes et, éventuellement, bourreau. Une louche en bois pendait à sa ceinture, symbole de son statut. En effet, la coutume voulait qu'il soit rémunéré par un pourcentage sur chaque sac de blé vendu sur le marché du jeudi.

Je tenais toutes ces informations du principal intéressé lui-même. Il était venu au château quelques jours plus tôt me consulter pour un panaris. J'avais crevé l'abcès avec une aiguille stérilisée puis enduit son pouce d'un onguent à base de bourgeons de peuplier. Il m'avait fait l'impression d'un homme doux et timide au sourire charmant.

À présent, MacRae ne souriait plus. Son visage austère convenait à la situation. En effet, avait-on jamais entendu parler d'un bourreau souriant chaleureusement à sa victime ?

Le mécréant fut conduit au pilori. Il était pâle et roulait des yeux terrorisés. Pourtant, il attendit sagement qu'Arthur Duncan, procureur de la paroisse de Cranesmuir, redresse ses rondeurs dans un semblant de dignité et s'apprête à prononcer la sentence.

— Le gamin avait déjà tout avoué quand je suis arrivée, expliqua Geillis derrière moi.

Elle jeta un regard intéressé par-dessus mon épaule.

— Je n'ai pas pu le faire libérer, mais j'ai obtenu qu'on allège sa peine. Rien qu'une heure sur le pilori avec l'oreille clouée.

— Une oreille clouée ? Mais clouée à quoi ?

— Ben… au pilori, pardi !

Elle me lança un regard curieux avant de se tourner vers la fenêtre pour assister à cette sentence légère obtenue par son intervention bienveillante.

Il y avait à présent tant de monde autour du pilori qu'on apercevait à peine le condamné. Toutefois, les spectateurs s'écartèrent pour laisser passer le bourreau. Le jeune garçon paraissait minuscule devant la structure menaçante. Il gardait les yeux fermés et les mâchoires serrées, tremblant comme une feuille. Lorsque le clou pénétra son oreille, il laissa échapper un petit cri perçant qui me fit tressaillir.

Nous retournâmes à nos occupations, comme la plupart des villageois. Je ne pouvais m'empêcher d'aller jeter un œil par la fenêtre de temps à autre. Quelques badauds s'arrêtaient devant le condamné pour lui lancer des insultes et des poignées de boue. Parfois, un villageois plus civique interrompait ses tâches quotidiennes pour venir sermonner le jeune délinquant et lui prodiguer quelques conseils.

Vers la fin de l'après-midi, nous prenions le thé dans le salon quand on frappa à la porte. La pluie incessante rendait le ciel si sombre qu'il était impossible de deviner si le soleil était déjà couché. Toutefois, la maison des Duncan possédait une belle horloge en noyer avec un cadran en cuivre peint représentant un chérubin dont la flèche pointait vers six heures et demie.

Une des filles de cuisine ouvrit la porte du salon et grogna :

— Par ici.

Jamie MacTavish entra en baissant machinalement la tête pour éviter le haut de la porte. Sa tignasse trempée par la pluie ressemblait à un casque en bronze. Il était enveloppé dans un vieux manteau rapiécé et portait une lourde cape en velours vert pliée sous le bras.

Il me salua d'un hochement de tête tandis que je me levais pour lui présenter Geillis.

— Je vois que vous avez eu du spectacle cet après-midi, dit-il en faisant un signe vers la fenêtre.

— Il est toujours là ? demandai-je en regardant au-dehors.

À travers les croisées teintées, on ne distinguait que la silhouette sombre de l'enfant.

— Il doit être trempé !

— Pour ça, il l'est ! lança Jamie.

Il déplia la cape et me la tendit.

— Et Colum a pensé que vous le seriez aussi. Comme j'avais à faire au village, il m'a demandé de vous apporter ceci. J'ai pour mission de vous raccompagner au château.

— Quelle touchante attention ! répondis-je d'un air absent, l'esprit toujours obnubilé par l'apprenti tanneur. Combien de temps doit-il rester ainsi ? demandai-je à Geillis. Le garçon, au pilori, précisai-je devant son air ahuri.

— Ah, lui ! fit-elle, l'air de se demander pourquoi je l'ennuyais encore avec un sujet aussi trivial. Je te l'ai déjà dit : une heure. M. MacRae aurait déjà dû le prévenir qu'il était libre.

— C'est fait, dit Jamie. Je l'ai croisé en entrant au village. C'est juste que le gamin n'a pas encore trouvé le courage de s'arracher du poteau.

Je restai bouche bée.

— Vous... vous voulez dire qu'on ne viendra pas lui enlever le clou, qu'il doit tirer lui-même sur son oreille pour se libérer ?

— Eh bien oui ! dit Jamie gaiement. Il hésite encore un peu, mais je crois qu'il va bientôt s'y mettre. Il est trempé et la nuit ne va pas tarder à tomber. Nous ferions bien de partir, nous aussi, ou ils ne nous laisseront rien à dîner.

Il inclina la tête devant Geillis et se tourna pour sortir.

— Attendez ! le rattrapa celle-ci.

Se tournant vers moi, elle demanda :

— Puisque tu es si bien accompagnée, j'ai un coffret de salade des marais et d'autres herbes séchées que j'ai promis à Mme FitzGibbons. Monsieur MacTavish, auriez-vous l'obligeance ?

Jamie acquiesça et elle ordonna aussitôt à un valet d'aller lui chercher le coffre dans sa distillerie. Pendant qu'il était parti, elle s'assit devant un petit bureau et griffonna un message. Le coffret en question était une grande boîte en bois avec deux poignées en laiton sur les côtés. Geillis acheva sa lettre, la saupoudra de sable, la roula et la cacheta avec un sceau de cire qu'elle fit fondre au-dessus d'une bougie. Puis elle me la glissa dans les mains.

— Voilà le message qui accompagne le coffret. Tu veux bien le donner à Dougal de ma part ? C'est lui qui s'occupe des paiements, entre autres. Surtout, ne le donne à personne d'autre, ou je ne serai pas payée avant des semaines.

Elle m'embrassa chaleureusement et nous raccompagna à la porte.

Je me tins à l'abri sous le porche de la maison pendant que Jamie attachait le coffret à la selle de son cheval. La pluie avait redoublé d'intensité et l'auvent déversait un rideau d'eau.

J'observai les bras puissants et le dos large de Jamie tandis qu'il soulevait le lourd coffret sans le moindre effort apparent. Puis je lançai un regard vers le pilori où l'apprenti tanneur, malgré les encouragements d'un nouvel attroupement, était toujours cloué à son poteau. Certes, l'enfant n'avait rien d'une jolie jeune fille à la longue chevelure dorée, mais l'attitude de Jamie devant le tribunal de Colum me laissait penser qu'il n'était pas indifférent au sort du jeune garçon.

— Euh... monsieur MacTavish ? hésitai-je.

Il ne répondit pas.

— Jamie ? essayai-je, un peu plus fort.

Cette fois, il tourna immédiatement la tête.

Ainsi, il ne s'appelait vraiment pas MacTavish. Je me demandai quel pouvait bien être son nom.

— Oui ?

— Vous êtes... euh... plutôt costaud, n'est-ce pas ?

Ses lèvres esquissèrent un demi-sourire et il hocha la tête, se demandant manifestement où je voulais en venir.

— Je ne peux pas me plaindre, répondit-il.

Encouragée, je m'approchai de lui afin de ne pas être entendue des badauds sur la place.

— Et vous avez de la puissance dans les doigts ?

Il serra le poing et son sourire s'agrandit encore.

— Oui, assez. Pourquoi, vous voulez que je vous casse des noix ?

Je lançai un bref regard par-dessus son épaule vers l'attroupement sur la place.

— Il s'agirait plutôt de retirer un marron du feu.

Je croisai son regard perplexe.

— Vous croyez pouvoir y arriver ? ajoutai-je.

Il me dévisagea un long moment avant de comprendre puis haussa les épaules :

— Oui, si le clou est assez long pour que je l'attrape. Vous pouvez détourner l'attention des villageois ? N'étant pas d'ici, je ne crois pas que mon intervention serait très appréciée.

N'ayant pas envisagé la possibilité que ma requête pût le mettre en danger, j'hésitai soudain. L'entreprise semblait le tenter, risque ou pas.

— Si nous faisons mine de nous approcher pour le voir de plus près et que, horrifiée par la vue du sang, je m'évanouisse, vous pensez que ça ferait l'affaire ?

— C'est vrai que vous êtes fragile… dit-il d'un air ironique. Ma foi, je crois que ça ira. Si vous pouviez vous arranger pour tomber du pilori, ce serait encore mieux.

Je n'avais pas très envie de voir l'oreille percée de près, mais la plaie n'était pas aussi grave que je le craignais. Le clou était planté près du bord supérieur du pavillon, il n'y avait pratiquement pas de sang et, bien que tremblant de peur, le garçon ne semblait pas trop souffrir. Finalement, Geillis avait peut-être eu raison, il s'agissait d'une peine relativement douce vu les pratiques habituelles de la jurisprudence écossaise. Toutefois, cela ne changea pas mon opinion sur ces coutumes barbares.

Jamie sortit nonchalamment des rangs des spectateurs et s'adressa à l'enfant d'un ton réprobateur.

— Alors, mon garçon. Tu t'es fourré dans un sacré pétrin, hein ?

Il posa une main sur le bord en bois du pilori, faisant mine de regarder l'oreille de plus près.

— Allez, fiston, y a pas de quoi en faire un drame. Un petit coup sec avec la tête et ce sera terminé. Tiens, tu veux que je t'aide ?

Il tendit une main comme pour saisir le garçon par les cheveux et tirer sa tête d'un coup sec. Le gamin poussa un cri de terreur.

Sentant que le moment était venu d'agir, je reculai en prenant soin d'écraser les orteils d'une commère qui se pressait derrière moi. Elle glapit de douleur.

— Oh, je suis confuse ! m'exclamai-je. C'est que… je ne me sens pas très bien ! Je crois que je vais défaill…

Je m'éloignai du pilori en chancelant, vacillant avec art et me raccrochant aux manches de mes voisins. Le bord de la plate-forme n'était qu'à une dizaine de centimètres. Je m'agrippai fermement à une jeune femme menue que j'avais repérée préalablement et me laissai tomber la tête la première en l'entraînant avec moi.

Nous roulâmes dans l'herbe trempée dans un enchevêtrement de jupons, au milieu de petits cris aigus. Lâchant enfin son corsage, je m'étalai de façon dramatique, bras en croix, la pluie se déversant sur mon visage.

J'étais un peu sonnée par ma chute, d'autant plus que la fille m'était tombée sur le ventre. Je repris mon souffle, écoutant les voix inquiètes des badauds qui se rassemblaient autour de moi. Hypothèses, suggestions et exclamations horrifiées s'abattaient sur moi, plus épaisses que les gouttes de pluie. Puis une paire de bras me hissa sur mes pieds et j'ouvris les yeux pour apercevoir un regard familier. Jamie baissa fugitivement les paupières pour me signaler que sa mission était accomplie. D'ailleurs, j'aperçus du coin de l'œil le jeune apprenti tanneur filant à toutes jambes, un mouchoir pressé contre son oreille, passant inaperçu aux yeux de la foule tournée vers ce nouveau centre d'intérêt.

Les villageois, qui peu de temps auparavant réclamaient à cor et à cri la tête d'un enfant, n'étaient plus que sollicitude et compassion. On me porta dans la maison des Duncan où je fus accueillie avec du whisky, du thé et des couvertures chaudes. On ne me laissa repartir que lorsque Jamie haussa le ton, déclarant qu'il était vraiment temps de rentrer. Il me souleva du sofa et se dirigea vers la porte, faisant la sourde oreille aux protestations de mes hôtes.

Partageant une nouvelle fois sa selle, mon cheval traîné derrière nous par sa longe, je le remerciai vivement pour son aide.

— Ce n'est rien.

— Mais vous avez couru un grand risque, insistai-je. Je ne m'en rendais pas compte.

— Ah ! fit-il simplement.

Quelques moments plus tard, il reprit :

— Vous ne voudriez tout de même pas que je sois moins courageux qu'une *Sassenach* ?

Il lança son cheval au petit trot. La nuit était tombée et nous ne dîmes plus rien le reste du chemin. Une fois devant le château, il me déposa avec un simple :

— Bonsoir, madame *Sassenach*.

10

Le Serment

LES DEUX JOURS QUI SUIVIRENT furent marqués par une activité frénétique. Les préparatifs allaient bon train et le château était sens dessus dessous. En revanche, mon dispensaire était pratiquement désert. Les victimes de l'intoxication alimentaire s'étaient remises et les autres n'avaient pas le temps de tomber malades. Mis à part quelques échardes aux doigts des garçons chargés de transporter le bois et les brûlures des filles de cuisine surchargées de travail, il n'y eut pas d'accidents.

Le jour du grand soir, je ne tenais moi-même plus en place. Mme FitzGibbons m'avait expliqué que tous les hommes du clan en état de se battre se réuniraient dans le hall pour prêter serment d'allégeance à Colum. Avec une cérémonie de cette importance à l'intérieur du château, j'étais sûre de ne trouver personne aux écuries.

Pendant mes heures passées à aider aux cuisines et dans le verger, j'avais chapardé suffisamment de provisions pour tenir plusieurs jours. À défaut de gourde, j'avais subtilisé un gros bocal en verre dans le dispensaire. J'étais équipée de bottes et d'une épaisse cape, gracieusement offertes par Colum. Au cours de mes visites aux écuries, j'avais également repéré un bon cheval. J'étais sans argent, mais mes patients m'avaient donné des poignées de colifichets, de rubans et autres babioles que je pensais pouvoir troquer au besoin.

J'avais bien quelques remords d'abuser ainsi de l'hospitalité de Colum et de filer sans un mot de remerciement pour les habitants du château, mais après tout, qu'aurais-je bien pu leur dire ? Ayant envisagé la question sous tous les angles, j'avais finalement opté pour un départ discret. En outre, je n'avais pas de papier pour leur laisser un mot d'explication et ne souhaitais pas prendre le risque de m'introduire dans les appartements de Colum pour lui en dérober.

Dès la nuit tombée, je me glissai discrètement vers les écuries, les nerfs tendus et les sens en alerte. Tout le monde semblait être dans le hall, attendant le début de la cérémonie. La porte résista un peu, puis s'ouvrit sans un bruit.

À l'intérieur, il faisait chaud. On n'entendait que la respiration régulière des chevaux au repos. Il y faisait plus noir que dans le haut-de-forme d'un croque-mort, pour reprendre une expression d'oncle Lamb. La salle n'était ventilée que par de minces fentes dans les murs, trop étroites pour laisser filtrer la moindre lueur. J'avançai lentement vers le milieu de la pièce, les bras tendus en avant, traînant les pieds dans la paille.

Je cherchais à tâtons la paroi d'un box pour me guider. Mes mains ne rencontraient que le vide, mais mes chevilles heurtèrent soudain un obstacle et je tombai tête la première en poussant un cri aigu qui résonna dans la charpente de la vieille bâtisse.

L'obstacle en question roula sur lui-même avec un juron et m'agrippa le bras. Je me retrouvai plaquée contre un poitrail d'homme, son souffle me chatouillant le lobe de l'oreille.

— Qui êtes-vous ? haletai-je en me débattant. Et qu'est-ce que vous faites là ?

Au son de ma voix, mon agresseur se détendit aussitôt.

— Ce serait plutôt à moi de vous poser la question, *Sassenach*.

Je poussai un soupir de soulagement en reconnaissant la voix grave et chaude de Jamie MacTavish. Un bruissement de paille piétinée m'indiqua qu'il se relevait.

— Attendez... laissez-moi deviner, railla-t-il. Jusqu'où comptiez-vous aller par une nuit noire sur un cheval que vous ne connaissez pas, sachant que vous aurez la moitié du clan MacKenzie à vos trousses dès l'aube ?

Son ton goguenard acheva de me froisser.

— D'abord, ils ne seront pas à mes trousses. Ils sont tous réunis dans le hall, et je serais bien surprise s'il y en avait un sur cinq parmi eux capable de tenir debout demain matin, sans parler de monter à cheval !

Il se mit à rire et me tendit la main pour m'aider à me redresser. Puis il épousseta les brins de paille pris dans l'arrière de ma jupe avec plus de vigueur que je n'estimai nécessaire.

— Voilà qui est fort bien raisonné de votre part, *Sassenach*, dit-il comme étonné de constater que je pouvais réfléchir. Ou, du moins, l'idée n'aurait pas été mauvaise si Colum n'avait posté des gardes aux quatre coins du château et dépêché une brigade pour quadriller les bois. Vous ne croyez tout de même pas qu'il laisserait le château sans protection, surtout avec tous ses meilleurs hommes à l'intérieur. Même si la pierre brûle moins bien que le bois...

Je subodorai qu'il faisait allusion au tristement célèbre « massacre de Glencoe », où un certain John Campbell, sur ordre du gouvernement, avait passé trente-huit membres du clan MacDonald par le fil de l'épée avant d'incendier leur château. Je fis un calcul rapide. Les faits avaient dû se produire une cinquantaine d'années plus tôt. Le souvenir était encore suffisamment vif pour justifier les mesures préventives de Colum.

— Vous auriez difficilement pu choisir une pire nuit pour vous enfuir.

Ma tentative d'évasion ne semblait pas le surprendre outre mesure. Seule ma méthode l'intéressait, ce qui me parut étrange.

— Outre les gardes et le fait que les meilleurs cavaliers du comté sont réunis ici, la route du château sera bondée de gens qui viennent de toute la région pour assister au *tynchal* et aux jeux.

— Le *tynchal* ?

— Une chasse. Généralement au cerf, mais peut-être au sanglier cette fois. D'après l'un des palefreniers du vieil Alec, il y en aurait un gigantesque qui rôde dans la forêt.

Il plaqua sa large main dans le creux de mes reins et me poussa vers le faible halo de lumière de la porte restée entrouverte.

— Allez, venez. Je vous raccompagne au château.

Je me dégageai.

— Ce ne sera pas nécessaire, rétorquai-je sèchement. Je suis encore capable de retrouver mon chemin.

Il me saisit fermement par le coude.

— Je n'en doute pas. Mais il vaut mieux que vous ne vous retrouviez pas seule devant les gardes de Colum.

— Et pourquoi ? Je n'ai rien fait de mal. Aucune loi n'interdit de se promener devant le château !

— Effectivement. En théorie, ils ne vous voudront aucun mal, expliqua-t-il en lançant un bref regard vers l'extérieur. Le problème, c'est que les gardes portent toujours sur eux une flasque de whisky pour leur tenir compagnie. Or, si le whisky est un excellent compagnon, il n'est pas bon conseiller en matière de bonnes manières, notamment quand une charmante petite femme passe seule sous leur nez dans le noir.

— Je suis bien passée devant *vous* dans le noir, m'enhardis-je. Et puis, je ne suis ni petite ni charmante.

— Certes, mais je n'étais qu'endormi, pas éméché. Et, si on laisse de côté la question de votre attrait, vous êtes quand même nettement plus petite que les gardes de Colum.

Constatant que cet argument ne nous mènerait à rien, je changeai de tactique.

— Et peut-on savoir ce que vous faisiez à dormir dans les écuries ? Vous n'avez donc pas un lit quelque part ?

Nous étions presque arrivés au jardin de simples et je distinguais ses traits dans la faible lumière. Il était tendu, scrutant les ombres derrière les arches de pierre.

— Si, répondit-il enfin sans s'arrêter ni me lâcher le coude. Après une brève pause, il ajouta :

— J'ai préféré me tenir à l'écart.

— Parce que vous refusez de prêter serment d'allégeance à Colum MacKenzie et vous craignez qu'on ne vous le reproche ?

Il me regarda d'un air amusé.

— Quelque chose comme ça.

Une des portes latérales de la bâtisse avait été laissée ouverte, une lanterne perchée sur le rebord en pierre pour éclairer le chemin. Nous y étions presque quand une main s'abattit sur ma bouche et je fus brusquement tirée en arrière.

Je me débattis et tentai de mordre la main qui me bâillonnait. Mais mon agresseur était ganté et, comme me l'avait annoncé Jamie, nettement plus grand que moi.

Jamie semblait lui aussi en difficulté, à en juger par les grondements étouffés qui me parvenaient. Il y eut alors un choc sourd, puis les grognements cessèrent, quand retentit un juron gaélique plutôt coloré.

Les bruits de lutte cédèrent la place à un rire tonitruant.

— Ça, par exemple ! Mais c'est Joli Cœur, le neveu de Colum ! Tu es un peu en retard pour le serment, non ? Et qui l'accompagne ?

— Une fille, pardi ! répondit une voix derrière moi. Elle est dodue à souhait, la gueuse !

La main quitta ma bouche et pinça fortement une certaine partie de mon anatomie.

Je poussai un cri d'indignation, lançai le bras par-dessus mon épaule et tordis le nez de l'homme, qui me lâcha aussitôt en jurant. Son haleine empestait l'alcool. Je reculai d'un pas, soudain reconnaissante à Jamie de m'avoir accompagnée.

Il n'était sans doute pas du même avis. Il était en train de se démener comme un beau diable pour se débarrasser des deux colosses qui le maîtrisaient. Ces derniers ne paraissaient pas méchants, mais déterminés. Manifestement, il valait mieux ne pas les contrarier. Ils l'entraînèrent vers la porte.

— Attendez ! Laissez-moi aller me changer, protesta-t-il. Je ne peux pas prêter serment dans cette tenue !

Cet accès de coquetterie fut interrompu par l'arrivée fracassante de Rupert qui jaillit hors du château comme un bouchon de champagne. Il était rutilant, son énorme masse drapée dans une chemise à jabot et un manteau lacé d'or.

— T'inquiète pas pour ça, mon grand, dit-il en inspectant Jamie d'un œil brillant. On va te refaire une beauté... Tout le monde à l'intérieur !

Il fit un signe de tête vers la porte et Jamie fut entraîné dans le château. Une poigne musclée me prit le coude et je suivis, bon gré mal gré.

Rupert semblait d'excellente humeur, comme tous ceux que je croisais dans le château. Une soixantaine d'hommes, tous tirés à quatre épingles, bardés de dagues, d'épées, de pistolets et de *sporrans*, s'affairaient dans la cour intérieure près de l'entrée du grand hall. Rupert indiqua du doigt une porte dérobée et les hommes poussèrent Jamie dans une petite pièce. Il s'agissait apparemment d'un entrepôt, car des piles de vêtements et d'objets de toutes sortes jonchaient les tables et les étagères.

Rupert examina Jamie d'un œil critique, s'arrêtant sur les brins de paille dans ses vêtements et sa chemise froissée. Puis il aperçut mes cheveux en désordre et un sourire entendu éclaira son visage.

— Voilà pourquoi tu étais en retard, petit chenapan ! lança-t-il en lui donnant un grand coup de coude dans les côtes. Sacré Jamie ! Willie ! hurla-t-il à l'intention de l'un des hommes dans la cour. Il nous faut des vêtements. Trouve-nous quelque chose de convenable pour le neveu de Colum, dépêche-toi !

Lèvres pincées, Jamie regarda autour de lui. Six hommes, tous hilares à l'idée de la cérémonie qui allait bientôt commencer, nous encadraient, arborant le sourire fier et féroce des MacKenzie. Leur bonne humeur était sans doute entretenue par la cuve pleine de bière que j'avais aperçue dans la cour. Jamie me lança un regard furieux. S'il se retrouvait dans un tel pétrin, c'était à cause de moi.

Certes, il pouvait déclarer qu'il refusait de prêter serment à Colum et retourner tranquillement dormir bien au chaud dans son écurie… pour se faire rosser de coups, sinon égorger, avant l'aube. Il poussa un soupir résigné et se tourna vers Willie qui revenait, les bras chargés d'une pile de linge immaculé et d'une brosse à cheveux. Au sommet de la pile se trouvait un béret de velours bleu orné d'un écu en métal et d'une branche de houx. Je le pris pour l'examiner de plus près pendant que Jamie enfilait tant bien que mal une chemise propre et brossait ses cheveux avec une rage mal contenue.

L'écu était rond et finement ciselé. Au centre, on apercevait cinq volcans crachant des flammes. Tout autour était gravée la devise : *Luceo non Uro*.

— Je brille mais ne brûle point, traduisis-je à voix haute.

— C'est la devise des MacKenzie, commenta fièrement Willie en m'arrachant le bonnet des mains pour le fourrer dans celles de Jamie avant de filer précipitamment chercher d'autres vêtements.

Profitant de son absence, je m'approchai discrètement de Jamie.

— Euh… je suis vraiment désolée, murmurai-je. Je ne voulais pas…

Il examinait le blason avec une mine dépitée. Puis il se tourna vers moi et les coins de sa bouche se détendirent.

— Bah ! Ne vous en faites pas pour moi, *Sassenach*. Ils seraient venus me chercher tôt ou tard.

Il dégrafa l'écu du béret et le contempla avec un sourire sarcastique, le soupesant dans le creux de sa main.

— Vous connaissez ma devise ? Je veux dire, celle de mon clan ?

— Non, que dit-elle ?

Il lança l'écu en l'air d'une chiquenaude, le rattrapa au vol et le laissa tomber dans son *sporran*. Il lança un regard sombre vers la porte voûtée, où les hommes du clan MacKenzie s'amassaient en rangs désordonnés.

— *Je suis prest*[1], répondit-il dans un français irréprochable.

Il se retourna pour apercevoir Rupert et un autre gaillard que je ne connaissais pas, le visage rougi par l'alcool, s'avançant vers lui d'un pas décidé. Rupert tenait un grand morceau de tartan aux couleurs des MacKenzie.

Sans autre forme de préliminaires, l'autre homme saisit la boucle qui retenait le kilt de Jamie.

— Vous feriez mieux de partir, me souffla celui-ci. Ce n'est pas un spectacle pour les jeunes femmes.

— C'est ce que je vois, répondis-je sèchement.

Il esquissa un sourire sournois tandis qu'on lui ceignait les hanches du nouveau kilt et que l'ancien était adroitement tiré d'un coup sec par-dessous, préservant ainsi sa pudeur. Rupert et son compagnon le prirent chacun par une épaule et l'entraînèrent vers la porte.

Sans plus attendre, je tournai les talons et me frayai un passage vers les escaliers qui menaient à la galerie des ménestrels, évitant soigneusement de croiser le regard des hommes que je rencontrais sur mon chemin. Une fois au pied des marches, je me plaquai contre le mur, attendant que le couloir soit désert, puis me glissai derrière la porte de la galerie en la refermant prudemment derrière moi. Une faible lueur venant d'en haut éclairait les escaliers. Je gravis les marches usées par le temps, montant vers le bruit et la lumière, tout en repensant à notre bref dialogue. « *Je suis prêt.* »

J'espérais sincèrement qu'il l'était.

---

1. En français dans le texte. (*N.d.T.*)

La galerie des ménestrels était illuminée par des torches en sapin. Plusieurs visages se tournèrent vers moi en me voyant apparaître sous les tentures au fond du passage étroit. Apparemment, toutes les femmes du château étaient là. Je reconnus Laoghaire, Magdalen et quelques autres que j'avais rencontrées aux cuisines et, naturellement, la silhouette ronde et massive de Mme FitzGibbons, occupant la place d'honneur près de la balustrade.

Elle me fit signe de la rejoindre, et les autres femmes se serrèrent pour me laisser passer. Une fois assise à ses côtés, le hall s'étalait à mes pieds.

Les murs étaient ornés de branches de myrte, de gui et de houx dont le parfum s'élevait jusqu'à nous, se mêlant à la fumée des feux de bois et à l'odeur âcre de la transpiration des hommes. Ils étaient près d'une centaine, allant et venant, bavardant en petits groupes éparpillés dans la salle, arborant tous les couleurs des MacKenzie – parfois seulement un béret, ou un plaid jeté par-dessus une chemise en gros lin et des culottes rapiécées. Les motifs étaient variés mais les couleurs restaient les mêmes : vert sombre et blanc.

Toutefois, la plupart portaient kilt, plaid, bonnet et, généralement, écusson. J'aperçus Jamie dans un coin, l'air toujours aussi maussade. Rupert s'était fondu dans la foule, mais il était flanqué par deux autres énormes MacKenzie qui ne le quittaient pas d'une semelle.

Le chaos dans la salle s'estompait peu à peu à mesure que les habitués des lieux guidaient les nouveaux venus vers leur place attitrée au fond du hall.

Signe qu'il s'agissait d'une occasion extraordinaire, le jeune cornemuseur était assisté de deux comparses, dont un homme à l'allure altière que son instrument aux anches d'ivoire désignait comme un grand maître. Sur un hochement de tête de ce dernier, les deux autres embouchèrent leur instrument et le hall s'emplit aussitôt d'un couinement strident. Nettement plus petites que leurs grandes sœurs réservées aux champs de bataille, ces petites cornemuses étaient néanmoins capables d'émettre un tintamarre épouvantable.

Pour se faire entendre au-dessus du vacarme, les aboyeurs se mirent à beugler des paroles inintelligibles, d'une voix à vous glacer le sang. Un frisson d'excitation parcourut les rangées de femmes autour de moi, me rappelant le refrain d'une rengaine de mon enfance :

> *On m'appelle Ram le brame*
> *et les belles se pâment*
> *Chaque fois que je déclame...*

En l'occurrence, les belles ne se pâmaient pas encore mais elles étaient ravies. Des murmures d'approbation s'élevaient ici et là tandis qu'elles montraient du doigt tel ou tel bellâtre se pavanant dans le hall dans ses beaux atours. L'une d'entre elles repéra Jamie et le désigna à ses compagnes avec un gloussement étouffé. Son apparence suscitait de nombreux chuchotements.

Quelques-unes exprimaient leur admiration sur sa belle contenance, mais la plupart étaient surtout surprises de le voir là. Je remarquai que Laoghaire l'observait, le regard brillant. Les paroles du vieil Alec me revinrent en mémoire : « Son père ne la laissera jamais se marier hors du clan. »

Pourtant, les deux gardes de tout à l'heure l'avaient désigné comme « le neveu de Colum ». Mis à part le fait qu'il était recherché (un menu détail !), il faisait décidément un beau parti.

Les cornemuses se turent brusquement. Dans un silence solennel, Colum MacKenzie apparut sous la voûte de l'entrée et marcha d'un pas mesuré vers une petite estrade érigée à l'autre bout de la salle. Il ne faisait aucun effort pour cacher son infirmité, ni pour l'accentuer d'ailleurs. Il était superbe dans un manteau bleu ciel brodé de fils d'or et orné de boutons d'argent. Ses manchettes en dentelle mauve lui montaient jusqu'au coude. Son kilt lui tombait aux chevilles. Il portait un bonnet bleu, et son écusson était surmonté non pas de houx mais de plumes. L'assistance retint son souffle tandis qu'il prenait place sur l'estrade. Quoi qu'on en dise, Colum MacKenzie avait le sens de la mise en scène.

Il se tourna vers les hommes du clan, leva les bras et les salua d'un puissant :

— *Tulach Ard !*

— *Tulach Ard !* répondirent les hommes en chœur.

À mes côtés, les femmes poussèrent des soupirs émus.

Il y eut un bref discours en gaélique, ponctué de rugissements d'approbation, puis la cérémonie du Serment commença.

Le premier homme à s'avancer vers l'estrade fut Dougal MacKenzie. Grâce à la petite plate-forme, les deux frères se trouvaient à la même hauteur. Dougal était richement paré de velours brun, mais sans fils d'or afin de ne pas supplanter la magnificence de Colum.

Dougal dégaina sa dague dans un geste théâtral. Il mit un genou à terre et la brandit devant lui, la tenant par la lame. Bien que moins puissante que celle de Colum, sa voix était néanmoins suffisamment forte pour que chaque mot résonne dans la grande salle :

— Je jure, sur la croix de Notre-Seigneur Jésus-Christ, et par le fer sacré que je tiens, de t'accorder toute ma fidélité et ma loyauté au nom du clan MacKenzie. Si ma main venait à se dresser contre toi en rébellion, je demande à ce que ce fer sacré me transperce le cœur.

Il abaissa sa dague, en baisa la garde et la rangea dans son fourreau. Toujours agenouillé, il tendit ses deux mains jointes vers Colum, qui les prit dans les siennes et les porta à ses lèvres pour indiquer son acceptation du serment. Puis il releva son frère.

Se tournant, il saisit un calice en argent sur une table recouverte d'un tartan. Il leva la lourde coupe des deux mains, but une longue gorgée, puis la tendit à Dougal. Dougal but à son tour et lui rendit la coupe. Enfin, après un dernier salut de la tête, Dougal s'effaça pour laisser la place au suivant.

La même opération se répéta de nombreuses fois, du serment à la boisson symbolique. Vu le nombre des hommes qui attendaient en file indienne, je fus de nouveau impressionnée par la résistance de Colum. J'essayais d'évaluer le nombre de coupes qu'il allait siffler avant la fin de la soirée, quand Jamie s'avança.

Une fois sa prestation terminée, Dougal était venu se placer derrière son frère. Il vit Jamie avant Colum, occupé avec un autre homme, et ne put réprimer un mouvement de surprise. Il se pencha vers son frère et lui murmura quelque chose à l'oreille. Colum ne quitta pas des yeux l'homme à qui il était en train de parler, mais se raidit légèrement. Il semblait étonné et pas très heureux.

Dans la salle, l'atmosphère, déjà rendue houleuse par la cérémonie, devint franchement électrique. Si Jamie refusait de prêter serment, il risquait de se faire mettre en pièces par les hommes survoltés qui l'entouraient. J'essuyai mes paumes moites sur ma jupe, me sentant affreusement coupable de l'avoir entraîné malgré moi dans une telle situation.

Pour sa part, Jamie semblait parfaitement calme. En dépit de la chaleur étouffante, il ne transpirait pas. Il attendait patiemment son tour, apparemment inconscient du danger que représentaient ses compagnons armés jusqu'aux dents, qui n'apprécieraient guère qu'on insulte sous leurs yeux le clan des MacKenzie. Mais peut-être avait-il décidé de suivre le conseil du vieil Alec ?

Lorsque son tour vint enfin, j'enfonçai mes ongles dans la paume de mes mains.

Il mit gracieusement un genou à terre et s'inclina devant Colum. Mais au lieu de dégainer son arme pour prêter serment, il se redressa et regarda le laird droit dans les yeux. Debout, il dépassait d'une tête presque tous les hommes de l'assemblée et surplombait Colum sur son estrade de plusieurs centimètres. Je lançai un regard de biais vers Laoghaire. Elle avait pâli lorsque Jamie s'était redressé et elle serrait les poings.

Dans le hall, tous les regards étaient rivés sur lui. Mais il s'adressa à Colum comme s'ils se trouvaient en tête à tête, parlant d'une voix claire où chaque mot se détachait nettement.

— Colum MacKenzie, je viens vers toi en parent et en allié. Hélas, je ne peux te prêter serment sans abjurer le nom que je porte.

Un grondement s'éleva dans l'assemblée. Ne se laissant pas démonter, Jamie poursuivit :

— Toutefois, je t'offre de tout cœur ce qui m'appartient, c'est-à-dire mon aide et ma bonne volonté. Uses-en comme bon te semblera. À titre de parent et de laird, tu peux compter sur mon obéissance. Tant que je serai sur les terres des MacKenzie, je serai lié à toi par ma parole.

Il se tut et se tint droit, les bras détendus le long de ses flancs. « Hum, c'est là que ça se gâte », pensai-je. Un mot de Colum, un seul geste, et ils laveraient le sang de Jamie sur les dalles du hall avant l'aube.

Colum resta immobile un moment, puis sourit et tendit la main. Après un instant d'hésitation, Jamie plaça ses deux mains sur celle de son oncle.

— Nous sommes honorés par ton offre d'amitié et de loyauté, déclara Colum. Nous acceptons ton offre et te considérons comme un allié de plein droit du clan des MacKenzie.

La tension dans le hall se relâcha brusquement et un grand soupir de soulagement balaya la galerie tandis que Colum vidait sa coupe, la remplissait et la tendait à Jamie. Le jeune homme l'accepta en souriant. Mais au lieu de se contenter d'une simple gorgée comme ceux qui l'avaient précédé, il inclina la coupe pleine et but goulûment. Un murmure d'admiration et d'amusement s'éleva dans l'assistance. Jamie vida la coupe jusqu'à la dernière goutte puis l'éloigna de ses lèvres en reprenant bruyamment son souffle. Il la rendit à Colum en annonçant d'une voix rauque :

— C'est moi qui suis honoré d'être allié à un clan qui sait si bien choisir son whisky.

Cette boutade déclencha une explosion de rires et Jamie se dirigea vers la sortie en serrant des mains et en recevant des tapes amicales sur l'épaule. Apparemment, Colum MacKenzie n'était pas le seul membre de la famille à avoir le sens du spectacle.

La chaleur dans la salle était étouffante et la fumée qui s'élevait vers la galerie me piquait les yeux. Enfin, la cérémonie se conclut par un bref discours de Colum, imperturbable après avoir éclusé plus d'un litre de whisky. Sa voix puissante résonnait toujours autant contre les pierres de la grande salle. Au moins, ses jambes ne lui feraient pas mal ce soir, en dépit de sa longue station debout.

Une gigantesque clameur retentit soudain, accompagnée d'un crescendo aigu de cornemuse, et la cérémonie solennelle bascula dans la bacchanale. Les hurlements redoublèrent d'intensité quand on installa des fûts de bière et de whisky sur des tréteaux, parmi des plats encore fumants de galettes d'avoine, de *haggis*[1] et de viande. Mme FitzGibbons, qui avait sans doute organisé cette partie des réjouissances, se pencha dangereusement par-dessus la balustrade pour surveiller la bonne tenue de ses mitrons, pour la plupart des adolescents encore trop jeunes pour prêter serment d'allégeance.

— Où sont passés mes faisans ? marmonna-t-elle. Et les anguilles farcies ? Oh, Mungo Grant, gare à toi si tu les as laissés brûler ! Je t'écorcherai vivant !

---

1. Plat national écossais : estomac de mouton farci d'un hachis d'abats et de farine d'avoine, très épicé. (*N.d.T.*)

N'y tenant plus, elle fit volte-face et joua des coudes vers le fond de la galerie, manifestement décidée à ne pas laisser la gestion d'un événement aussi important entre les mains néophytes de Mungo Grant.

Profitant de l'occasion, je me faufilai dans son sillage, bientôt imitée par d'autres.

Arrivée devant la porte, Mme FitzGibbons se retourna vers l'assemblée de femmes et vociféra :

— Vous, les petites, filez dans vos chambres immédiatement ! Les autres, restez sagement ici hors de vue, ou regagnez vos quartiers. Mais que je n'en voie pas une s'attarder dans les couloirs ou se cacher derrière un pilier pour épier ! Dans moins d'une heure, tous les hommes seront ivres et incontrôlables. Ce soir, aucune femme n'est à l'abri.

Écartant la tenture, elle lança un coup d'œil dans le couloir. La voie étant libre, elle fit passer les femmes devant elle, les unes après les autres, les envoyant en hâte dans leurs chambres à l'étage supérieur.

— Vous avez besoin d'aide ? demandai-je en arrivant à sa hauteur. Je veux dire, aux cuisines ?

Elle fit non de la tête en souriant.

— Non, ce ne sera pas la peine, ma fille. Remonte dans ta chambre, tu n'es pas plus en sécurité que les autres.

D'une gentille tape au creux des reins, elle me poussa dans le couloir sombre.

Après ma rencontre avec les gardes devant le château, j'étais toute disposée à suivre son conseil. Dans le hall, les hommes hurlaient, dansaient, buvaient sans retenue. Mme FitzGibbons avait raison, ce n'était pas un endroit pour les femmes.

Cela dit, retrouver mon chemin dans ce dédale de couloirs n'était pas une mince affaire. Je n'étais encore jamais venue dans cette partie du château. Je connaissais un petit passage à l'étage supérieur qui débouchait près de ma chambre, mais ne trouvai d'escalier nulle part.

Au détour d'un couloir, je tombai nez à nez avec un groupe d'hommes du clan. Je ne les avais jamais vus, mais, à en juger par leurs manières, ils devaient venir des terres reculées des MacKenzie. C'est du moins ce que je déduisis lorsque l'un d'eux, ayant apparemment vainement cherché des latrines, décida de se soulager contre une tapisserie.

Je rebroussai aussitôt chemin, mais trop tard. Plusieurs mains m'attrapèrent en même temps et je me retrouvai plaquée contre le mur, entourée de Highlanders barbus, à l'haleine avinée et aux intentions peu recommandables.

Jugeant les préliminaires superflus, l'un d'entre eux m'enlaça la taille et glissa une main dans mon décolleté. Il se pencha vers moi et frotta sa joue rugueuse contre mon oreille.

— Allez, ma colombe, un petit baiser pour un brave du clan MacKenzie ? *Tulach Ard !*

— *Erin go bragh !* rétorquai-je en le repoussant de toutes mes forces.

L'alcool l'ayant rendu peu stable sur ses jambes, il chancela et alla s'affaler contre un de ses compagnons. J'en profitai pour me débarrasser de mes chaussures encombrantes et prendre mes jambes à mon cou.

Une autre silhouette se dressa un peu plus loin sur ma route. J'hésitai. Il y en avait un devant moi, contre dix derrière qui n'allaient pas tarder à me rattraper malgré leur état. Je fonçai droit devant, espérant pouvoir le contourner à la dernière minute. Mais il devina mon geste et fit un pas de côté. J'eus juste le temps de me protéger la tête de mes bras avant de le percuter de plein fouet. C'était Dougal MacKenzie.

— Qu'est-ce que ça signi… commença-t-il.

Il s'interrompit en apercevant les hommes à mes trousses. Il me poussa derrière lui et aboya quelques paroles peu amènes en gaélique. Mes assaillants répliquèrent sur le même ton. Après un bref échange qui ressemblait aux grognements d'intimidation d'une meute de loups, ils se retirèrent en quête d'autres divertissements.

— Merci… balbutiai-je, encore étourdie. Merci. Je… je vais rentrer dans ma chambre. Je ne devrais pas être ici.

Dougal me lança un regard indéchiffrable et me retint par le bras. Il était hirsute et son haleine empestait l'alcool.

— Ma foi, c'est vrai. Tu n'as rien à faire ici, ma belle. Mais puisque tu y es… tu devras payer ton gage.

Ses yeux brillaient dans la pénombre. Brusquement, il m'attira à lui et m'embrassa, écrasant ses lèvres contre les miennes avec violence, me forçant à ouvrir la bouche. Sa langue s'enroula autour de la mienne avec une forte odeur de whisky. Ses mains agrippèrent mes fesses, me pressant contre lui. Malgré mes multiples épaisseurs de jupons, je sentais son membre raide contre mon ventre.

Il me libéra aussi soudainement qu'il m'avait étreinte. Il reprit son souffle et me montra le couloir d'un geste de la main. Une mèche rousse pendait sur son front.

— File, maintenant, me dit-il. Avant que ton gage n'augmente.

Je m'exécutai sans demander mon reste, pieds nus.

Compte tenu des débordements de la veille, je m'attendais que la plupart des fêtards restent au lit le lendemain matin pour n'apparaître, l'œil hagard et les mèches en bataille, qu'une fois le soleil au zénith, dans la mesure où celui-ci voudrait bien se montrer. Mais c'était sous-estimer la santé robuste des Highlanders, car le château grouillait déjà bien avant l'aube. Des voix mâles s'interpellaient dans les couloirs, et les escaliers retentissaient d'un fracas d'armures et de bruits de bottes : les hommes se préparaient pour la chasse.

C'était un matin froid et brumeux, mais Rupert, que je croisai dans la cour en train d'affûter sa lance contre une meule en pierre, m'assura que c'était là le temps idéal pour chasser le sanglier.

— Ces bêtes ont une fourrure épaisse, expliqua-t-il, le froid ne les atteint pas. Elles se croient en sécurité dans le brouillard, parce qu'elles ne voient pas les hommes avancer vers eux.

Je m'abstins d'objecter que, dans ce cas, les chasseurs ne voyaient pas davantage le sanglier tant qu'il n'était pas proche d'eux.

Bientôt, le soleil commença à percer la brume en projetant des rayons de sang et d'or. Les chasseurs se rassemblèrent dans la cour, la barbe humide et les yeux brillants d'excitation. Fort heureusement, les femmes n'étaient pas tenues de participer. Elles se contentaient d'offrir des galettes et des chopes de bière aux héros sur le départ. Vu le nombre impressionnant de chasseurs caparaçonnés, bardés de lances, de haches, d'arcs, de carquois et de dagues, j'eus pitié du pauvre sanglier.

Ma première opinion se mua toutefois en respect teinté d'effroi lorsque, une heure plus tard, on vint me chercher en hâte pour me conduire à la lisière de la forêt soigner un blessé. Le malheureux avait dû tomber nez à nez sur la bête dans le brouillard.

— Nom de Dieu ! jurai-je en examinant la plaie béante qui allait du genou jusqu'à la cheville. C'est un animal qui vous a fait ça ? Mais il a des dents en acier trempé ou quoi ?

— Hein ? fit la victime, hébétée.

Il était trop sonné pour pouvoir me répondre. Son compagnon me lança un regard perplexe.

— Ne faites pas attention, lui dis-je en serrant un bandage autour du mollet déchiqueté. Portez-le au château. Mme Fitz-Gibbons lui donnera du bouillon et des couvertures. Il faut le recoudre et je n'ai pas mes instruments sur moi.

Les cris rythmés des rabatteurs retentissaient au loin. Soudain, un cri strident déchira le brouillard et un faisan surpris jaillit sous mon nez en s'envolant avec des battements d'ailes paniqués.

— Bon Dieu, qu'est-ce qu'il y a encore ? soupirai-je.

Reprenant ma sacoche d'urgence, j'abandonnai mon blessé aux mains de ses compagnons et me précipitai dans la forêt.

Dans le sous-bois, le brouillard était encore plus dense et je ne voyais pas à plus de quelques mètres. J'avançai en me guidant aux cris excités et aux piétinements de branchages.

Il me frôla par-derrière. Concentrée sur les appels des hommes, je ne le vis ni ne l'entendis qu'une fois qu'il fut passé. Je me retournai pour apercevoir une masse noire filant à une vitesse incroyable, ses pieds d'une petitesse ridicule ne faisant presque aucun bruit sur le tapis de feuilles mortes.

J'étais trop interloquée pour avoir peur. Je me contentai de fixer la silhouette luisante. Puis, en rabattant la mèche qui me tombait sur le visage, j'aperçus ma main couverte de sang. Baissant les yeux, je vis la grande tache rouge sur ma jupe. La bête était blessée. Était-ce elle qui avait poussé ce hurlement affreux ?

C'était impossible. Je savais reconnaître le râle d'un homme à l'article de la mort. Je pris une profonde inspiration et me remis en quête de mon blessé.

Je le découvris au pied d'une petite colline, entouré d'hommes en kilt. Ils l'avaient enveloppé dans leurs plaids pour lui tenir chaud, mais l'étoffe qui couvrait ses jambes était imbibée d'un liquide noirâtre qui ne me disait rien de bon. Un grand sillon dans la boue noire marquait l'endroit où il avait dévalé la pente, et un tas de branches cassées et de terre retournée celui où il avait rencontré la bête. Je m'agenouillai près de lui et me mis au travail.

J'avais à peine commencé quand des cris derrière moi me firent me retourner. La même silhouette cauchemardesque réapparut, toujours aussi silencieuse, entre les arbres. Cette fois, je vis distinctement la dague plantée dans son flanc, sans doute celle de l'homme gisant devant moi. J'eus également tout loisir d'observer les défenses jaunâtres acérées comme des poignards et les petits yeux rouges ivres de rage.

Les chasseurs qui m'entouraient semblaient aussi ahuris que moi. Il leur fallut quelques secondes avant de réagir et de dégainer leurs armes. Un grand gaillard fut plus rapide que les autres : il arracha une lance des mains de l'un de ses compagnons figés sur place et s'avança dans la clairière au-devant de la bête.

C'était Dougal MacKenzie. Il marchait calmement, tenant bas la lance, comme s'il s'apprêtait à soulever une pelletée de terre. Son regard était rivé sur le sanglier. Il murmurait des paroles inaudibles en gaélique comme pour l'inciter à sortir du taillis dans lequel il s'était tapi.

La première charge fut aussi soudaine qu'une explosion. La bête fonça droit devant elle, faisant voler au passage les pans du tartan brun. Elle freina brusquement, dérapa dans la boue, fit volte-face et chargea à nouveau. Dougal bondit sur le côté, et, tel un toréador, lui planta la pointe de sa lance dans le flanc. La bête revint à la charge, encore et encore. On aurait dit une danse, les deux adversaires rivalisant en force, mais tous deux si agiles qu'ils semblaient flotter au-dessus du sol.

La scène ne dura qu'une minute tout au plus, même si elle nous parut une éternité. Enfin, Dougal, esquivant de justesse les défenses tranchantes, brandit haut son coutelas et l'enfonça jusqu'à la garde dans l'échine du sanglier. La bête poussa un cri déchirant qui me donna la chair de poule. Les petits yeux porcins roulèrent frénétiquement de droite à gauche, ses pattes s'enfoncèrent dans la boue et elle fit quelques mètres en chancelant. Elle s'arrêta, les flancs palpitants, puis elle s'effondra tout d'une masse. Ses petites pattes battirent l'air, projetant des mottes de terre fraîche alentour.

Les râles cessèrent. Il y eut un long silence, suivi d'un dernier soupir rauque, puis la masse noire s'immobilisa définitivement.

Entre-temps, Dougal avait contourné le corps de sa victime et s'était précipité vers le blessé. Il tomba à genoux et prit la tête du malheureux entre ses mains. Son visage était couvert de sang.

— Ça va aller, Geordie, dit-il doucement. Je l'ai tué, tout va bien.

— Dougal ? C'est toi ?

Le blessé tourna faiblement la tête vers Dougal, luttant pour garder les yeux ouverts.

Je cherchai rapidement le pouls du blessé et vérifiai ses fonctions vitales. J'étais surprise de voir le féroce et indomptable Dougal réconforter le blessé avec de si douces paroles, le serrant tendrement contre lui et lui caressant les cheveux.

Je me redressai sur mes talons et cherchai derrière moi des linges propres. Une longue plaie sanglante partait de l'aine et descendait tout le long de la cuisse. L'artère fémorale ne semblait pas sectionnée, ce qui laissait espérer qu'on pourrait arrêter le saignement.

En revanche, l'autre blessure était nettement plus inquiétante : les défenses avaient perforé l'abdomen, mettant à nu muscles, mésentère et intestin. Là non plus, aucun gros vaisseau n'avait été sectionné, mais l'intestin était déchiré. On apercevait nettement les tripes à travers les lèvres déchiquetées de la plaie. Ce type de blessure abdominale était généralement fatal, même avec un bloc opératoire moderne, des points de suture et des antibiotiques à portée de main. Le contenu des entrailles se déversait hors de la cavité abdominale, contaminant la plaie et rendant l'infection inévitable. Alors que dire de la situation dans laquelle nous nous trouvions, avec, pour tout remède, quelques têtes d'ail et des fleurs d'achillée ?

Je croisai le regard de Dougal. Ses lèvres esquissèrent un : « Vivra-t-il ? »

Je fis non de la tête. Il resta un moment immobile, serrant Geordie contre lui, puis il tendit un bras et dénoua le garrot que j'avais placé autour de la cuisse du blessé. Il releva les yeux vers moi, me défiant du regard, mais je me contentai d'approuver doucement de la tête. Je pouvais arrêter l'hémorragie pour qu'on le transporte au château sur une civière. Mais ensuite, il serait condamné à agoniser dans une douleur croissante, pendant que l'infection abdominale suppurerait et s'étendrait jusqu'à l'achever après des jours et des jours d'atroces souffrances. Dougal lui offrait sans doute une meilleure mort, plus propre, à l'air libre, son sang mêlé à celui de la bête qui l'avait tué. Je me penchai vers Geordie.

— Tout ira mieux bientôt, lui chuchotai-je de ma voix calme de professionnelle. Vous n'aurez bientôt plus mal.

— Ça… va déjà… mieux, suffoqua-t-il. Je ne sens plus ma jambe… ni mes mains… Dougal… tu es là ? Où es-tu ? Dougal !

Ses mains cherchaient à tâtons devant lui. Dougal les serra fermement entre les siennes et se pencha sur son ami, lui parlant dans le creux de l'oreille.

Le dos de Geordie se cambra soudain et ses talons s'enfoncèrent dans la boue, son corps luttant violemment contre ce que son esprit commençait à accepter. De temps à autre, il inspirait profondément, cherchant cet oxygène que son organisme réclamait.

Un calme sinistre semblait avoir envahi la forêt. Les oiseaux s'étaient tus. Autour de nous, les hommes attendaient patiemment dans l'ombre, sans un mot. Dougal et moi tenions tous deux les mains et la tête de l'agonisant qui se débattait encore pour rester en vie, partageant la tâche douloureuse de l'aider à mourir.

Le retour vers le château fut silencieux. Je marchais près du mort, transporté sur une civière de fortune confectionnée à la hâte avec des branches de sapin. Derrière nous, sur une autre civière, venait la dépouille du sanglier. Dougal marchait devant, seul.

Lorsque nous passâmes la porte de la cour principale, j'aperçus la silhouette rondelette du père Bain, le prêtre du village, accourant trop tard pour sauver l'âme de son paroissien.

Dougal s'arrêta et me retint par le poignet au moment où je m'apprêtais à rejoindre le dispensaire. Les hommes qui portaient la dépouille de Geordie passèrent devant nous en direction de la chapelle, nous laissant seuls dans le couloir désert.

Dougal me dévisagea intensément.

— Ce n'est pas la première fois que vous assistez à une mort violente.

C'était plus une accusation qu'une simple affirmation.

— En effet, j'ai l'habitude, rétorquai-je platement.

Me dégageant, je le laissai planté là et retournai m'occuper de mon autre patient encore en vie.

La mort de Geordie, malgré sa brutalité, n'assombrit que momentanément les festivités. L'après-midi même, le défunt eut droit à une grand-messe dans la chapelle. Dès le lendemain matin, les jeux commencèrent.

J'étais trop occupée à panser les participants pour y assister. Une chose était sûre : les tournois des Highlands n'étaient pas pour les mauviettes. Je dus recoudre le pied d'un maladroit qui avait dansé entre des épées, remettre en place et éclisser la jambe d'un malheureux qui s'était trouvé sur la route d'un marteau mal lancé, et administrer des rations d'huile de castor et de sirop de capucine à une ribambelle d'enfants qui avaient abusé de sucreries. Vers la fin de l'après-midi, j'étais morte de fatigue.

Je grimpai sur ma table de travail afin de respirer un peu d'air frais à la petite lucarne. Les cris, les rires et la musique en provenance du grand pré où se tenaient les jeux avaient cessé. Parfait, cela signifiait que je n'aurais plus de patients aujourd'hui. J'essayai de me remémorer le programme des réjouissances du lendemain. Que m'avait donc dit Rupert ? Du tir à l'arc ? Aïe ! Je vérifiai mon stock de bandages puis refermai la porte du dispensaire derrière moi avec une profonde lassitude.

Je sortis du château et pris la direction des écuries. J'avais grand besoin d'une compagnie qui ne soit ni humaine, ni bavarde, ni ensanglantée. J'espérais aussi y retrouver Jamie, quel que soit son vrai nom, afin de m'excuser une nouvelle fois de l'avoir entraîné malgré moi à la cérémonie du Serment. Certes, il s'en était fort bien sorti, mais il aurait certainement préféré éviter d'y être. Quant aux rumeurs que faisait courir Rupert sur notre prétendue liaison, je préférais ne pas y penser.

J'avais aussi décidé de ne plus réfléchir à mon propre sort, mais il me faudrait bien prendre une décision tôt ou tard.

Après mon échec retentissant à l'ouverture des jeux, une autre occasion se présenterait peut-être à leur clôture. La plupart des chevaux repartiraient avec les hôtes de Colum. Mais il restait toujours ceux du château. Avec un peu de chance, le vol de l'un d'eux serait attribué aux nombreux voyous qui rôdaient, attirés par la foire et les jeux. Dans la confusion du départ, on ne s'apercevrait pas tout de suite de ma disparition.

Je m'attardai près de l'enclos, envisageant différentes options. La principale difficulté était que je n'avais pas la moindre idée de la route pour Craigh na Dun. D'un autre côté, maintenant que je connaissais pratiquement tous les MacKenzie vivant entre Leoch et la frontière pour les avoir vus défiler dans mon dispensaire, je pourrais plus facilement demander mon chemin.

Je me demandai soudain si Jamie avait parlé à Colum ou à Dougal de ma tentative d'évasion.

L'enclos était désert. Je poussai la porte des écuries et mon cœur fit un bond en apercevant Dougal et Jamie assis côte à côte sur une meule de foin. Ils parurent aussi surpris que moi, mais se levèrent galamment et m'invitèrent à m'asseoir auprès d'eux.

— Non, ne vous dérangez pas, fis-je en reculant vers la porte. Je ne voulais pas interrompre votre conversation.

— Mais pas du tout, répondit Dougal. Ce que j'ai à dire à Jamie vous concerne aussi.

Je lançai un regard inquiet à Jamie, qui me répondit d'un signe de tête discret. Non, il n'avait pas vendu la mèche.

Je m'assis, me méfiant de Dougal. Je ne me rappelais que trop la petite scène dans le couloir, l'autre nuit...

— Je pars dans deux jours, commença-t-il abruptement. Et je vous emmène tous les deux avec moi.

— Nous emmener où ? demandai-je, interdite.

Mon cœur se mit à battre plus vite.

— Sur les terres des MacKenzie. Colum ne peut pas voyager, alors c'est à moi qu'il revient de rendre visite aux métayers et aux selliers qui ne peuvent venir au château et... de m'occuper de choses et d'autres.

Il fit un geste vague pour indiquer qu'il s'agissait de détails insignifiants.

— Mais pourquoi moi ? Pourquoi nous deux ? demandai-je.

Il réfléchit un long moment.

— Jamie n'a pas son pareil avec les chevaux. Quant à vous, très chère, Colum a décidé de vous faire escorter jusqu'à Fort William. Le commandant du fort pourra peut-être... vous aider à retrouver votre famille en France.

« Dis plutôt vous aider à savoir qui je suis, corrigeai-je mentalement. Qu'avez-vous manigancé au juste ? »

Dougal me fixait, attendant manifestement une réaction de ma part.

— Très bien, lançai-je joyeusement. Voilà qui me paraît être une excellente idée.

Au fond de moi-même, j'exultais. C'était là une occasion inespérée ! Plus besoin de m'évader du château ! Dougal allait m'aider à parcourir la moitié du chemin. À partir de Fort William, je n'aurais aucune difficulté à trouver ma route. Jusqu'à Craigh na Dun... le cercle de menhirs dressés... et, avec un peu de chance, mon cher foyer.

TROISIÈME PARTIE

La traversée des terres MacKenzie

11

Entretiens avec un homme de loi

DEUX JOURS PLUS TARD, NOUS FRANCHISSIONS les portes du château de Leoch juste avant l'aube. En rang par deux, salués par les adieux des amis et les cris des oies sauvages du loch, nos chevaux s'engagèrent prudemment sur le pont de pierre. Je ne pus m'empêcher de lancer sans cesse des regards derrière moi, jusqu'à ce que le château ne forme plus qu'une masse sombre qui disparut finalement derrière un rideau de brume. Contre toute attente, j'avais le cœur serré à l'idée de ne plus jamais revoir la sinistre bâtisse de pierre et ses habitants.

Le brouillard étouffait le claquement des sabots sur la route et modifiait étrangement la portée des bruits. Un appel lancé depuis la queue de la longue procession s'entendait distinctement en tête, alors que les conversations voisines se perdaient dans un murmure confus. J'avais l'impression d'avancer dans un nuage peuplé de fantômes. Des voix désincarnées flottaient dans les airs, semblant venir de très loin et pourtant toutes proches.

Je me trouvais au milieu du convoi, flanquée d'un côté d'un garde armé que je ne connaissais pas, et de l'autre par Ned Gowan, un homme que j'avais déjà vu maintes fois dans le hall, occupé à inscrire sur des liasses de parchemin le détail des entretiens de Colum. Toutefois, il était beaucoup plus qu'un simple scribe, comme je le découvris en discutant avec lui.

Ned Gowan était avocat. Né, élevé et formé à Édimbourg, il avait le physique de l'emploi. Petit, sans âge, avec des manières précises, il portait un manteau en drap fin aux larges manches de laine, une chemise en lin dont le col était orné d'une petite touche de dentelle, et des culottes dont l'étoffe de bonne qualité convenait aussi bien aux rigueurs du voyage qu'au statut de sa fonction. Une paire de demi-lunettes en or, une queue de cheval retenue par un ruban et un bicorne de feutre bleu complétaient le tableau. Il incarnait si bien l'homme de loi que j'avais du mal à le regarder sans sourire.

Il montait une jument apathique dont la selle était encombrée de deux énormes sacoches en cuir fané. Il m'expliqua que l'une d'entre elles contenait ses outils de travail : encriers, plumes et papier.

— Et l'autre ? demandai-je.

Alors que la première était pleine à craquer, elle semblait pratiquement vide.

— Elle est destinée aux fermages de notre laird, répondit-il en tapotant la sacoche.

— Il doit s'attendre à récupérer une jolie somme ! suggérai-je.

M. Gowan haussa les épaules d'un air réjoui.

— Pas tant que ça, ma chère. Mais la plupart sont versés en nature et en menue monnaie, ce qui, hélas, prend plus de place que les écus.

Ses minces lèvres sèches esquissèrent un sourire contrit :

— Une chose est sûre, l'argent est quand même plus pratique que les paiements en nature.

Il se tourna sur sa selle et indiqua les deux grosses carrioles tirées par des mules qui faisaient partie de notre convoi.

— Les sacs de blé et de navets ont du moins l'avantage de ne pas gigoter pendant le voyage. Pour ce qui est des volailles, je n'y vois pas d'inconvénients dans la mesure où elles sont en cage et ligotées. J'accepte aussi les chèvres, ma foi, bien qu'elles aient l'inconvénient d'avaler tout ce qu'elles trouvent. L'année dernière, il y en a une qui m'a mangé un mouchoir. Vous me direz, c'était un peu ma faute, je l'avais laissé pendre de ma poche. Mais cette année, j'ai donné des instructions explicites. Nous n'accepterons les cochons vivants sous aucun prétexte !

La nécessité de protéger les sacoches de M. Gowan et les deux carrioles expliquait sans doute la présence de la vingtaine d'hommes armés qui formaient le reste de l'expédition. Il y avait également un certain nombre de bêtes de somme, transportant nos vivres. Au moment des adieux et des dernières recommandations, la mère Fitz m'avait prévenue qu'au cours du voyage il nous faudrait nous contenter de logements rudimendaires, quand il y en aurait, et qu'il nous faudrait souvent dormir à la belle étoile.

J'étais curieuse de savoir ce qui avait conduit un homme de la compétence de M. Gowan à venir se perdre dans les lointains Highlands, loin des agréments de la vie civilisée auxquels il était sans nul doute accoutumé.

— Lorsque j'étais jeune homme, me répondit-il, j'avais un petit cabinet à Édimbourg. Avec des rideaux en dentelle et une plaque en laiton sur ma porte sur laquelle mon nom était gravé en lettres capitales. Mais je me suis vite lassé des testaments et des actes de cession, et de voir toujours les mêmes visages dans la rue, jour après jour. Aussi, je suis parti.

Il avait acheté un cheval, quelques provisions de bouche et avait pris la route, sans trop savoir où aller ni pour faire quoi.

— Je dois avouer, expliqua-t-il en se tapotant délicatement le nez avec un mouchoir monogrammé, que j'ai toujours eu le goût de… l'aventure. Malheureusement, ni ma faible constitution ni mes antécédents familiaux ne me prédisposaient aux métiers de bandit de grand chemin ou de flibustier, qui m'apparaissaient alors comme le comble d'une existence téméraire. En désespoir de cause, je me suis résolu à partir pour les Highlands, en espérant convaincre un chef de clan que je pouvais... lui être utile d'une manière ou d'une autre.

De fait, ses pérégrinations l'avaient conduit droit dans les bras d'un chef de clan.

— Jacob MacKenzie, ricana-t-il. Ah, le fieffé coquin !

Au souvenir de leur rencontre, un sourire nostalgique éclaira son visage. Il fit un signe vers la tête du convoi où l'on apercevait la tignasse rousse de Jamie MacTavish brillant au soleil.

— Son petit-fils est son portrait tout craché. La première fois que je l'ai vu, il pointait un pistolet sur moi. Il me dévalisait, voyez-vous. Je lui cédai ma monture et mes bagages de bonne grâce... je n'avais guère le choix. Mais il a paru quelque peu décontenancé quand j'ai insisté pour l'accompagner, à pied si nécessaire.

— Jacob MacKenzie... interrompis-je. Le père de Colum et de Dougal ?

Le vieil homme de loi hocha la tête.

— C'est cela. Naturellement, à l'époque, il n'était pas encore laird. Il ne l'est devenu que quelques années plus tard... avec un peu d'aide de ma part, précisa-t-il modestement. En ces temps-là, les choses étaient moins... civilisées, ajouta-t-il avec un brin de nostalgie.

— Ah, vraiment ? dis-je poliment. En somme, Colum vous a... hérité ?

— À peu de chose près, effectivement. Voyez-vous, à la mort de Jacob, il y a eu un peu de confusion. Colum était de droit l'héritier de Leoch, mais...

Il s'interrompit et lança un regard aux alentours pour s'assurer que nous étions hors de portée des oreilles indiscrètes. Notre garde du corps avait pris un peu d'avance pour bavarder avec un compagnon, et une bonne distance nous séparait de la carriole.

— Jusqu'à l'âge de dix-huit ans, Colum était un homme entier, chuchota-t-il. Il promettait de devenir un grand chef. Il a épousé Letitia pour s'allier aux Cameron. J'ai rédigé moi-même leur contrat de mariage. Mais, peu après les noces, il a fait une mauvaise chute. Il s'est brisé l'os de la cuisse et celui-ci ne s'est jamais complètement remis.

Je hochai la tête. Cela n'avait rien d'étonnant.

— Puis, poursuivit-il avec un soupir, il a voulu se relever trop tôt. Il est tombé dans les escaliers et s'est cassé l'autre jambe. Il a dû garder le lit pendant un an. Il est vite devenu évident que les séquelles seraient permanentes. Et c'est à ce moment que Jacob est mort, hélas !

Le petit homme s'interrompit un instant et sembla chercher quelqu'un du regard. Ne trouvant manifestement pas celui qu'il cherchait, il se redressa sur sa monture.

— C'est également à cette époque qu'a éclaté le scandale du mariage de sa sœur... Et Dougal... euh, je crains que Dougal ne se soit montré assez maladroit dans cette affaire. Autrement, il serait peut-être devenu laird à la place de son frère, mais il a été estimé qu'il n'était pas encore assez mûr.

Il secoua la tête.

— Oh, cela a fait toute une histoire ! Il a fallu convoquer tous les cousins, les oncles, les selliers et les métayers pour leur faire désigner le nouveau laird afin de lui prêter serment d'allégeance.

— Mais ils ont fini par choisir Colum, après tout ?

Une fois de plus, j'étais impressionnée par la force de caractère de Colum MacKenzie. Et, lançant un regard de biais vers le petit homme qui chevauchait à mes côtés, j'en conclus que Colum savait bien choisir ses collaborateurs.

— Oui, mais uniquement parce que les deux frères se sont entraidés. Personne ne doutait du courage de Colum, ni de son intelligence, c'était son corps qui inquiétait. Tous les hommes se rendaient compte qu'il ne pourrait plus les conduire au combat. En revanche, Dougal était en parfaite santé, mais trop téméraire et soupe-au-lait. Alors, Dougal est venu se placer de lui-même derrière le fauteuil de son frère. Il a juré de le servir et d'être ses bras et ses jambes sur le champ de bataille. Aussi, il a été proposé que Colum devienne laird, comme prévu, et que Dougal soit son chef de guerre, pour mener le clan au combat en cas de conflit. Cela s'était déjà vu auparavant, ajouta-t-il fièrement.

Son ton faussement modeste ne laissait planer aucun doute sur l'inventeur de cette idée brillante.

— Et vous, qui servez-vous au juste, Colum ou Dougal ? interrogeai-je.

— Je sers les intérêts des MacKenzie, répondit-il prudemment. Mais pour la forme, j'ai prêté serment à Colum.

Pour la forme, mon œil ! J'avais assisté aux serments, bien que je ne me souvienne pas de l'avoir vu parmi la foule. Même le plus froid calculateur ne pouvait participer à cette cérémonie sans être ému. Et à en juger par son témoignage, le petit homme juché sur sa jument baie, si sec et pragmatique fût-il, avait l'âme d'un romantique.

— Il doit vous trouver bien utile, dis-je avec diplomatie.

— Oh, je lui rends service, de temps à autre, ce n'est pas grand-chose. Je ferai de même pour n'importe qui. D'ailleurs, si vous avez besoin de mes conseils, ma chère…

Son visage rayonnait.

— … n'hésitez pas. Vous pouvez compter sur ma plus grande discrétion, je vous l'assure.

Il inclina la tête.

— Votre discrétion sera-t-elle aussi inébranlable que votre loyauté envers les MacKenzie ? demandai-je en lui retournant son sourire.

Ses petits yeux marron pétillaient d'intelligence et d'humour.

— Ah… que voulez-vous ! dit-il en riant. Vous demandez beaucoup !

— Certes, rétorquai-je, plus amusée que fâchée. Mais je vous assure que, pour le moment du moins, je n'ai aucun besoin de votre discrétion. Je ne suis qu'une veuve anglaise. Colum perd son temps, et le vôtre, à vouloir m'arracher des secrets qui n'existent pas.

Ou des secrets irracontables. La discrétion de M. Gowan était peut-être sans limites, mais pas sa crédulité.

Un doute me vint subitement à l'esprit.

— Mais il ne vous a tout de même pas envoyé avec nous uniquement pour me tirer les vers du nez ?

— Oh non ! répondit M. Gowan que cette idée fit sourire. Pas du tout, ma chère. Je suis investi d'une mission de première importance : tenir les registres et les comptes pour Dougal, et régler les petites disputes légales que pourraient avoir les hommes du clan vivant dans les régions les plus lointaines. En outre, en dépit de mon âge avancé, j'ai bien peur d'avoir encore en moi un besoin d'aventure. Aujourd'hui, les routes sont moins mal famées qu'autrefois… (il poussa un petit soupir, comme s'il regrettait les dangers de jadis)… mais il y a toujours la possibilité d'être dévalisé sur la route ou de tomber dans une embuscade près des frontières.

Il tapota la seconde sacoche accrochée à sa selle.

— Ce sac n'est pas complètement vide, voyez-vous.

Il entrouvrit le rabat pour me laisser voir les crosses étincelantes de deux pistolets finement ciselés, à portée de sa main.

Il me balaya du regard, s'arrêtant longuement sur mon costume de voyage.

— Vous ne devriez pas voyager sans armes, ma chère, dit-il d'un ton réprobateur. Je suppose que Dougal n'a pas jugé nécessaire… Je lui en toucherai deux mots à l'occasion.

Nous passâmes le restant de la journée à bavarder agréablement, passant en revue ses réminiscences des jours révolus où les hommes étaient de vrais hommes et où les effets pernicieux de la civilisation n'avaient pas encore altéré les traits sauvages des Highlands.

À la nuit tombée, nous installâmes le camp dans une clairière sur le bord de la route. Une couverture avait été roulée et fixée à ma selle. Après le dîner, je la dénouai et m'éloignai du feu, en quête d'un coin tranquille derrière les arbres où passer ma première nuit de liberté hors du château. Ce faisant, je sentis tous les regards dans mon dos. Même sous le ciel étoilé, la liberté avait ses limites.

Nous atteignîmes notre première étape le lendemain vers midi. Ce n'était guère plus qu'un hameau niché au creux d'une petite vallée, trois ou quatre cabanes bordant la route. On sortit un tabouret de l'une d'entre elles à l'intention de Dougal et trois planches pour faire office d'écritoire pour M. Gowan.

Ce dernier extirpa un immense carré de lin amidonné de la poche arrière de sa redingote et l'étala délicatement sur une souche. Puis il s'assit et disposa devant lui un encrier, plusieurs registres comptables et un livre de reçus, aussi naturellement que s'il se trouvait encore dans son petit cabinet aux rideaux en dentelle à Édimbourg.

Les uns après les autres, les hommes des fermes voisines se présentèrent afin de régler leurs comptes annuels avec le représentant du laird. L'humeur était conviviale et les discussions conduites de manière nettement moins formelle que dans le hall de Leoch. Chaque fermier arrivait directement de son champ ou de son étable, tirait à lui un tabouret et s'asseyait sans façon auprès de Dougal, lui parlant d'égal à égal. Là, il s'expliquait, se plaignait, ou bavardait simplement.

Certains étaient accompagnés d'un fils costaud portant des sacs de blé ou des ballots de laine. À la fin de chaque entretien, l'infatigable Ned Gowan rédigeait un reçu pour le versement du loyer annuel, enregistrait soigneusement la transaction dans son registre et, d'un claquement de doigts, signifiait à l'un des conducteurs de chariot qu'il pouvait charger le versement en nature. Plus rarement, un petit tas de pièces disparaissait dans les profondeurs de sa sacoche de cuir dans un léger cliquetis de métal. Pendant ce temps, les gardes se prélassaient sous les arbres ou disparaissaient dans les collines boisées… pour chasser, sans doute.

Les jours suivants s'écoulèrent de la même façon. Parfois, on m'invitait dans l'une des chaumières pour boire un verre de cidre ou de lait et toutes les femmes s'assemblaient en cercle autour de moi pour faire la conversation. Il arrivait aussi que le hameau soit assez grand pour abriter une taverne, voire une auberge, qui devenait alors le quartier général de Dougal pour la journée.

Parfois, le fermage prenait la forme d'un cheval, d'un mouton ou d'un autre animal. Le plus souvent, ceux-ci étaient immédiatement troqués avec un autre fermier contre une monnaie plus facilement transportable ou, si Jamie décrétait la monture digne d'entrer dans les écuries de Leoch, on l'attachait à la suite de notre convoi.

Je m'interrogeais souvent sur la présence de Jamie parmi nous. Certes il connaissait très bien les chevaux, mais c'était également le cas de la plupart des hommes qui nous accompagnaient, Dougal y compris. Étant donné que les chevaux constituaient une forme de paiement plutôt rare et qu'il s'agissait le plus souvent de vieilles carnes, je me demandais en quoi la présence d'un expert avait été jugée indispensable. Ce ne fut qu'une semaine après notre départ, en arrivant dans un village au nom imprononçable, que je compris enfin la véritable raison de sa venue.

Bien que petit, le village possédait une taverne avec deux ou trois tables et quelques tabourets branlants. Dougal s'y installa pour tenir audience et collecter ses fermages. Après un déjeuner indigeste à base de bœuf salé et de navets, il reçut ses gens, offrant des tournées de bière aux métayers et aux paysans qui s'étaient attardés après leurs transactions, ainsi qu'aux fermiers des alentours venus oublier leur dure journée de labeur au contact des étrangers qui leur apportaient des nouvelles fraîches du reste du comté.

Je me demandais combien de temps il nous faudrait à ce rythme pour atteindre Fort William. Une fois là-bas, comment m'y prendre pour fausser compagnie aux MacKenzie sans retomber entre les griffes des dragons anglais ? Perdue dans mes pensées, je n'avais pas remarqué Dougal lancé dans une sorte de longue diatribe. Tous les présents l'écoutaient attentivement, ponctuant son discours de brèves interjections et d'exclamations outrées. Reprenant peu à peu conscience de ce qui se passait autour de moi, je finis par comprendre que Dougal était habilement en train d'amener son auditoire à un paroxysme d'excitation sur un sujet que j'ignorais encore.

Le gros Rupert et le petit Ned Gowan étaient assis contre le mur derrière Dougal, écoutant attentivement, leur chope de bière oubliée sur le banc à leurs côtés. Jamie buvait la sienne avec une mine renfrognée, les coudes posés sur la table devant lui. Il ne semblait guère apprécier le discours de Dougal.

Soudain, sans prévenir, Dougal saisit la chemise de Jamie par le col et tira d'un coup sec. Le tissu élimé jusqu'à la trame lui resta dans la main. Pris par surprise, le jeune homme en resta abasourdi. Ses yeux se plissèrent et ses mâchoires se contractèrent, mais il ne fit pas un geste pendant que Dougal jetait sa guenille au sol et montrait du doigt son dos zébré.

Il y eut un mouvement de surprise et d'effroi dans la salle, suivi bientôt d'un grondement d'indignation. J'ouvris la bouche pour protester mais, entendant quelqu'un aboyer le mot *Sassenach* sur un ton peu amène, je me ravisai.

Jamie, le visage de marbre, se leva et se fraya un passage dans l'attroupement qui s'était formé autour de lui. D'un geste rageur, il arracha les derniers lambeaux de chemise qui lui restaient encore sur le dos et les roula en boule. Une petite vieille joua des coudes jusqu'à lui et, secouant la tête d'un air navré, effleura ses cicatrices du bout des doigts en prononçant ce que je présumai être des paroles de réconfort en gaélique. En tout cas, elles n'eurent pas l'effet escompté.

Jamie répondit sèchement aux quelques questions des hommes de l'assistance. Deux ou trois jeunes filles qui étaient venues chercher de la bière pour le dîner familial s'étaient rassemblées dans un coin et échangeaient des messes basses entre deux coups d'œil émus vers le jeune homme.

Jamie lança vers Dougal un regard haineux qui aurait pétrifié n'importe quel être humain normalement constitué. Puis il jeta ses guenilles dans un coin de la salle et sortit en trois longues enjambées sans prêter attention aux remarques compatissantes sur son passage.

Le spectacle terminé, l'attention se porta de nouveau vers Dougal. Je ne comprenais pas le quart de ce qui se disait, hormis quelques bribes qui me parurent fortement anti-anglaises. J'étais déchirée entre l'envie de suivre Jamie au-dehors et celle de rester discrètement dans mon coin. Il préférait sans doute qu'on le laisse tranquille, aussi me fis-je aussi petite que possible et gardai le nez plongé dans ma chope de bière.

Un cliquetis de métal me fit redresser la tête. L'un des hommes, un fermier trapu en culottes de cuir, venait de jeter quelques pièces sur la table devant Dougal. Puis il recula d'un pas, glissant ses pouces sous sa ceinture, comme s'il défiait les autres d'en faire autant. Après un moment d'hésitation, deux ou trois audacieux l'imitèrent, bientôt suivis de quelques autres, fouillant leurs besaces et leurs *sporrans* en quête des pièces de cuivre. Dougal les remercia chaleureusement et fit signe au tavernier de servir une nouvelle tournée. Je remarquai Ned Gowan qui rangeait soigneusement les nouvelles contributions dans un petit sac et compris enfin le but du petit numéro de Dougal.

Comme toute opération à long ou moyen terme, la préparation d'un soulèvement populaire requérait un capital. Le financement et l'entretien d'une armée revenaient cher, tout comme le train de vie de ses chefs. Dans mes vagues souvenirs de l'histoire de Charles-Édouard Stuart, le prétendant au trône, je savais qu'il avait été largement soutenu par la France, mais qu'une partie de ses fonds était provenue des maigres économies du petit peuple qu'il se proposait de gouverner. Ainsi, Colum, ou Dougal, ou les deux étaient des jacobites. Ils soutenaient Bonnie Prince Charlie contre l'occupant légitime du trône d'Angleterre, George II.

Enfin, les derniers paysans et métayers se retirèrent pour aller dîner. Dougal se leva et s'étira longuement, l'air moyennement satisfait. Il soupesa le petit sac et le lança à son gardien, Ned Gowan.

— Hum, pas trop mal, commenta-t-il. On ne peut pas s'attendre à tirer beaucoup plus d'un trou pareil. Mais si on continue comme ça, on finira par amasser une somme respectable.

— « Respectable » n'est peut-être pas le mot qui convient, intervins-je.

Dougal se tourna brusquement vers moi, apparemment surpris de me trouver là.

— Ah non ? dit-il d'un air amusé. Et pourquoi pas ? Vous voyez une objection à ce que de loyaux sujets apportent leur obole pour soutenir leur souverain ?

— Aucune, rétorquai-je en soutenant son regard. Et peu importe de quel souverain il s'agit. Ce sont vos méthodes de collecte qui me dérangent.

Dougal me dévisagea longuement, scrutant mes yeux comme s'il s'attendait à y trouver la clef d'un mystère.

— « Peu importe de quel souverain il s'agit » ? répéta-t-il doucement. Je croyais que vous ne compreniez pas le gaélique.

— C'est un fait. Mais je ne suis pas idiote pour autant et j'entends bien. J'ignore comment se dit « Vive le roi George » en gaélique, mais je doute fort que cela ressemble à « *Bragh Stuart* » !

Il bascula la tête en arrière et se mit à rire.

— C'est exact ! Je vous donnerais bien le nom gaélique de votre cher souverain, mais ce n'est pas un terme pour une dame, *Sassenach* ou pas.

Il se baissa, ramassa la chemise de Jamie et l'épousseta.

— Puisque vous n'aimez pas mes méthodes, vous devriez peut-être y remédier, suggéra-t-il en me la fourrant entre les mains. Demandez une aiguille à la maîtresse de maison et recousez-la.

— Recousez-la vous-même ! m'écriai-je en lui lançant la chemise à la figure.

Je tournai les talons et m'apprêtai à sortir.

— Comme vous voudrez, dit-il dans mon dos. Après tout, Jamie peut bien la recoudre lui-même.

Je m'arrêtai et tendis la main à contrecœur.

— C'est bon… commençai-je.

Je fus interrompue par une grande main qui passa par-dessus mon épaule et arracha les guenilles des mains de Dougal. Sans même nous regarder, Jamie coinça les vestiges de sa chemise sous son bras et sortit de la pièce aussi silencieusement qu'il était entré.

On nous logea pour la nuit dans la chaumière d'un sellier. Enfin, je devrais plutôt dire on « me » logea, car les hommes dormaient dehors, dans diverses meules de foin, sous les carrioles ou sur des matelas de fougère. Du fait de mon sexe et de mon statut de semi-captive, j'eus droit à une paillasse près du feu jetée sur le sol en terre battue.

Bien que ma couche me parût infiniment plus confortable que le grand lit où s'entassaient le sellier, sa femme et leurs quatre enfants, j'enviais les hommes de dormir à la belle étoile. Le feu couvait doucement. On y avait juste lancé un peu d'eau pour l'étouffer. Une chaleur suffocante régnait dans la pièce, aggravée encore par l'odeur de graillon et de transpiration. Le silence était régulièrement ponctué de raclements de gorge, de toux, de grognements, de ronflements et de bruits de pets.

Au bout d'un certain temps, comprenant que je ne parviendrais jamais à m'endormir dans cette atmosphère pesante, je me levai discrètement et sortis en emportant ma couverture. Dehors, l'air de la nuit me parut si pur que je m'adossai contre le mur de la bâtisse, inspirant de grandes bouffées d'une délicieuse fraîcheur.

Un homme montait la garde, assis discrètement sous un arbre près du chemin, occupé à tailler un petit morceau de bois. Il ne me jeta qu'un bref regard. Décidant apparemment que je n'irais pas loin vêtue de ma seule chemise, il se replongea dans sa tâche. À la lueur du clair de lune, son petit poignard lançait des reflets argentés.

Je remontai le sentier sur la colline, veillant à ne pas piétiner les silhouettes endormies à même le sol. Enfin, je trouvai un petit espace entre deux rochers et me confectionnai un nid douillet dans l'herbe haute. Confortablement emmitouflée dans ma couverture, je contemplai la lune pleine qui voyageait lentement dans le ciel.

J'avais passé une nuit similaire à regarder la lune lors de ma première soirée à Leoch. Un mois s'était donc écoulé depuis mon passage calamiteux entre les menhirs. Du moins, je commençais à comprendre pourquoi ces pierres avaient été érigées là.

Elles n'avaient sans doute aucune signification en elles-mêmes. Ce n'étaient que des mises en garde, comme des pancartes plantées au bord d'une falaise pour prévenir le promeneur imprudent. Elles signalaient un danger, un lieu où se trouvait… quoi au juste ?… une porte entrebâillée ? Ceux qui avaient bâti le site n'en savaient probablement rien eux-mêmes. Pour eux, c'était un endroit magique où des gens disparaissaient sans laisser de traces… ou apparaissaient, surgissant de nulle part.

Que serait-il arrivé si un paysan était passé par là au moment où j'étais apparue comme par enchantement ? Il se serait sans doute enfui à toutes jambes, en me prenant pour une sorcière ou une fée.

Je sortis un pied de sous ma couverture et agitai mes orteils. Ils n'avaient rien de doigts de fée. Avec mon mètre soixante-huit, j'étais une grande femme pour l'époque, aussi grande que la plupart des hommes, et pouvais difficilement passer pour une farfadette. On m'associerait plus volontiers aux sorcières ou aux esprits malins. Compte tenu du sort réservé aux suppôts de Satan, je ne pouvais que me féliciter d'avoir fait une apparition discrète.

Et dans le cas inverse, que se passerait-il si un Highlander du XVIIIe siècle débarquait brusquement à mon époque ? C'était après tout ce que je me proposais de faire, dans la mesure du possible. Comment réagirait un ou une Écossaise du XXe siècle telle que, disons, Mme Buchanan, la factrice, si quelqu'un comme Murtagh venait soudain à surgir de terre sous ses pieds ?

Sa première réaction serait sans doute de prendre ses jambes à son cou et d'aller prévenir la police. À moins qu'elle ne préfère ne rien faire, si ce n'est raconter à ses amis et voisins la chose extraordinaire qu'elle avait vue.

Et le visiteur ? Avec un peu de prudence et beaucoup de chance, il parviendrait peut-être à s'intégrer dans sa nouvelle époque sans attirer l'attention. Après tout, on me prenait bien pour une femme du XVIIIe siècle, même si mon aspect et mon langage détonnaient quelque peu.

Mais qu'arriverait-il à un tel voyageur du temps s'il se mettait à clamer à cor et à cri ce qui lui était arrivé ? S'il se trouvait catapulté dans une époque trop primitive, il serait sûrement tué sur place sans autre forme de procès. Et à une époque plus éclairée… il passerait sans doute pour un fou et serait enfermé dans un asile d'aliénés, jusqu'à ce qu'il apprenne à se taire.

Ce genre de déplacement dans les siècles devait se produire depuis la nuit des temps. Et même s'il y avait des témoins, cela restait un mystère. Comment savoir ce qui se passait puisque le principal intéressé n'était plus là pour témoigner ? Et, une fois de l'autre côté, il était bien obligé de se taire.

Perdue dans mes pensées, je n'entendis pas les bruits de pas dans les fougères et sursautai en entendant soudain une voix à quelques mètres de moi, venant de derrière un gros rocher.

— Prends garde à toi, Dougal. On est peut-être du même sang, mais je ne te dois rien.

L'homme qui avait parlé chuchotait, mais sa voix tremblait de rage.

— Ah oui ? répondit l'autre sur un ton légèrement amusé. Je crois pourtant me souvenir d'un certain serment. Comment était-ce déjà ? Ah oui : « Tant que je serai sur les terres des MacKenzie… »

Il y eut un bruit sourd, comme un pied martelant lourdement la terre humide.

— … si je ne m'abuse, nous sommes toujours sur les terres des MacKenzie.

— J'ai donné ma parole à Colum, pas à toi.

Ainsi, c'était donc Jamie MacTavish. Pas besoin de réfléchir longuement pour deviner ce qui l'avait mis dans une telle rogne.

— Colum et moi ne formons qu'un seul homme, tu le sais très bien.

J'entendis comme un bruit de gifle.

— Tu as juré obéissance au chef du clan et, hors de Leoch, je ne suis pas seulement les jambes de Colum mais aussi sa tête, ses bras et ses mains.

— Je comprends maintenant le sens de l'expression « Sa main droite ignore ce que fait sa main gauche » ! Que pensera Colum en apprenant que sa main gauche collecte de l'or pour les Stuarts ?

Il y eut une brève pause avant que Dougal ne réponde :

— Désormais, les MacKenzie, les MacBeolain et les Mac-Vinich sont des hommes libres. Personne ne peut les forcer à donner de l'argent contre leur volonté, mais personne ne peut les en empêcher non plus. Et qui sait ? Un jour viendra peut-être où Colum donnera plus pour Charles-Édouard que tous les autres réunis.

— Possible. Il se peut aussi qu'il se mette à pleuvoir des pièces d'or. Je ne vais pas pour autant attendre dehors avec mon seau.

— Non ? Tu as pourtant plus à gagner de la victoire des Stuarts que moi. En revanche, tout ce que les Anglais ont à t'offrir, c'est une corde pour te pendre. Songe à ton avenir, pauvre imbécile !

— Mon avenir ne regarde que moi, interrompit Jamie brutalement. Et mon dos aussi !

— Pas tant que tu es avec moi. Si tu veux entendre ce que Horrocks aura à me dire, fais ce que je te dis. Fais-moi confiance, mon garçon. Tu es peut-être doué avec une aiguille, mais n'oublie pas que tu n'as qu'une seule chemise.

Un bruit de pas m'indiqua que l'un d'entre eux s'était levé et s'éloignait dans l'herbe haute. Je me redressai le plus silencieusement possible et lançai un regard derrière le rocher.

Jamie était toujours là, assis sur une pierre à quelques mètres de moi, les bras autour de ses jambes repliées, le menton posé sur les genoux. Il me tournait presque le dos. J'allais me retirer discrètement pour ne pas violer sa solitude lorsqu'il déclara :

— Je sais que vous êtes là. Vous pouvez sortir si vous voulez.

À son ton, cela lui était parfaitement indifférent. Je me levai et m'apprêtai à le rejoindre, quand je me souvins que j'étais toujours en chemise. Me disant qu'il avait autre chose en tête que ma tenue, je m'enroulai dignement dans ma couverture et sortis de ma cachette.

Je m'assis près de lui et m'adossai contre une pierre, le surveillant du coin de l'œil. Absorbé par de sombres pensées, il ne me prêta pas la moindre attention. Il tambourinait nerveusement le rocher du bout du pied et faisait craquer ses jointures.

Ces craquements me firent soudain penser au capitaine Manson, l'officier d'intendance de l'hôpital de campagne où j'avais travaillé. Le capitaine Manson avait fait des pénuries, des retards de livraison et des inévitables inepties de la bureaucratie militaire son cheval de bataille. En temps normal, c'était un homme doux et agréable, mais, lorsque la frustration devenait trop forte, il s'enfermait un moment dans son bureau et frappait de toutes ses forces contre le mur derrière sa porte. Les visiteurs qui attendaient de l'autre côté, à la réception, écarquillaient les yeux en voyant trembler la paroi. Quelques minutes plus tard, le capitaine réapparaissait, les doigts meurtris mais la mine composée, prêt à affronter une nouvelle crise.

— Vous avez besoin de taper sur quelque chose, conseillai-je à Jamie.

— Hein ?

— Tapez sur quelque chose. Ça vous fera du bien.

Il sembla sur le point de répondre, puis se leva brusquement, se dirigea droit vers un cerisier massif et lui assena un grand coup de poing. Trouvant manifestement que c'était là un bon exutoire, il en décocha plusieurs autres, faisant pleuvoir sur lui un nuage de feuilles.

Il revint s'asseoir quelques instants plus tard en léchant ses articulations écorchées.

— Merci, dit-il avec un sourire désabusé. Je vais peut-être enfin pouvoir dormir.

— Vous vous êtes fait mal ?

Je m'approchai pour l'examiner mais il fit non de la tête, se frottant doucement de son autre main.

— Non, ce n'est rien.

Nous nous tînmes un long moment dans un silence gêné. Je ne voulais pas faire allusion à la scène que j'avais surprise malgré moi, ni aux autres événements survenus plus tôt dans la soirée. Finalement, je n'y tins plus :

— Je n'avais pas remarqué que vous étiez gaucher.

— Gaucher ? Ah oui… Quand j'étais petit, le maître d'école m'attachait la main gauche derrière le dos, pour m'obliger à écrire avec la droite.

— Et vous y arrivez, je veux dire, à écrire avec la main droite ?

Il acquiesça, suçant sa main blessée.

— Oui, mais ça me donne mal à la tête.

266

— Avec quelle main vous battez-vous ? poursuivis-je en cherchant à le distraire.

Il n'avait pas d'arme sur lui, hormis sa dague, mais pendant la journée il portait toujours une épée et deux pistolets, comme la plupart des hommes de notre expédition.

— Tantôt l'une tantôt l'autre. Tout dépend de l'arme. En maniant un couteau de la main gauche, je serais désavantagé, voyez-vous, car je serais obligé de présenter mon flanc gauche à l'ennemi et c'est le côté du cœur...

Trop énervé pour rester en place, il se mit à faire les cent pas dans la clairière, illustrant ses propos de grands moulinets du bras.

— En revanche, avec une épée, cela ne fait pas grande différence...

Il tendit les deux bras devant lui, mains jointes, puis balaya l'espace devant lui d'un arc gracieux.

— ... on utilise la droite et la gauche à la fois. À moins d'être suffisamment près de son adversaire, auquel cas on n'utilise qu'une seule main, peu importe laquelle. Le but est alors de frapper de haut en bas et d'atteindre l'ennemi à l'épaule. On ne vise jamais la tête, car la lame risquerait de glisser. Il faut frapper net à la base du cou...

Il illustra ses propos en tapotant son cou de la tranche de sa main.

— ... et là, votre homme est mort. Même si le coup n'est pas net, vous êtes certain que votre adversaire ne sera plus en état de se battre pour le restant de la journée, voire de ses jours...

Il rabaissa la main et dégaina sa dague.

— Maintenant, il arrive qu'on se batte avec son épée et sa dague en même temps. Si c'est un corps à corps et qu'on n'a rien pour protéger sa main gauche, il vaut mieux tenir la dague de la main droite et frapper du bas vers le haut. En revanche, si la main qui tient la dague est bien protégée, alors on peut aborder son adversaire d'un côté comme de l'autre, en avançant en zigzag, comme ça...

Il esquiva un coup invisible et sautilla sur place.

— Il faut tenir la lame de l'ennemi à distance et n'utiliser la dague que si on perd son épée ou l'usage du bras qui la tient.

Il s'accroupit, brandit haut sa lame, puis fit mine de m'assener un coup rapide et mortel en s'arrêtant net à quelques centimètres de ma poitrine. J'eus un mouvement de recul instinctif et il se redressa aussitôt, rengainant sa dague avec un sourire navré.

— Je suis désolé. Je ne voulais pas vous effrayer.

— Vous êtes très fort, dis-je, impressionnée. Qui vous a appris à vous battre ? Votre maître était sans doute gaucher, lui aussi, pour vous enseigner une telle technique ?

— Oui, il l'était. Le meilleur guerrier que j'aie jamais vu.

Il esquissa un sourire amer.

— Dougal MacKenzie.

Je lui enlevai quelques feuilles de cerisier restées accrochées à ses épaules. Sa chemise avait été recousue. C'était du travail propre, à défaut d'être du grand art. Il avait même reprisé un accroc dans le tissu.

— Il recommencera ? ne pus-je m'empêcher de demander.

Il ne répondit pas tout de suite.

— Oh oui, dit-il enfin, si ça l'aide à obtenir ce qu'il veut.

— Et vous allez le laisser faire ? Le laisser vous exploiter de cette façon ?

Il regarda par-dessus mon épaule, vers la taverne au pied de la colline où une petite lumière brillait encore à travers le feuillage. Son visage était fermé.

— Pour le moment.

Nous poursuivîmes notre chemin, ne parcourant que quelques kilomètres par jour, nous arrêtant fréquemment à un croisement de routes ou devant une chaumière pour que Dougal règle ses affaires. Des groupes de métayers s'assemblaient avec leurs sacs de blé et de petites bourses remplies de pièces durement épargnées, et les transactions étaient rondement menées sous l'œil vigilant de maître Gowan.

Chaque fois que nous faisions halte dans un village digne de ce nom, Dougal faisait son numéro, offrant des tournées, contant des histoires, faisant des discours et, s'il estimait que l'atmosphère s'y prêtait, obligeant Jamie à se lever pour montrer ses cicatrices. Quelques nouvelles pièces venaient alors alourdir la seconde besace, destinée à voguer vers la France et la cour en exil du jeune prétendant.

Lorsque je sentais venir la scène du déshabillage de Jamie, je m'éclipsais discrètement, n'ayant jamais eu un goût prononcé pour les humiliations en public. Si la première réaction de l'assistance devant le dos zébré était toujours une pitié horrifiée, suivie de remarques cinglantes à l'encontre de l'armée anglaise et du roi George, elle cédait souvent le pas à un certain mépris. À une occasion, je surpris un homme confiant doucement à un voisin :

— Pauvre gars ! Nom de Dieu, je préférerais crever que de laisser un morveux de *Sassenach* me faire ça !

Déjà malheureux et de fâcheuse humeur, Jamie devenait plus maussade de jour en jour. Il ôtait sa chemise le plus rapidement possible, évitant les questions et témoignages de compassion, et, trouvant un prétexte pour quitter la salle, il disparaissait ensuite jusqu'au moment de remonter en selle.

L'explosion eut lieu quelques jours plus tard, dans le petit village de Tunnaig. Cette fois, Dougal exhortait la foule tout en retenant Jamie par l'épaule. Un jeune cuistre aux longs cheveux bruns et crasseux lança une remarque à Jamie. Je ne la compris pas, mais l'effet fut instantané. Jamie s'écarta aussitôt de Dougal et envoya un grand coup de poing dans l'estomac du garçon.

Je commençais tout juste à reconnaître quelques mots de gaélique, mais j'étais encore loin de comprendre la langue.

Toutefois, il me suffisait parfois d'observer celui qui parlait pour comprendre le sens de ses phrases.

Dans toutes les cours de récréation, troquets et contre-allées du monde, « Lève-toi et répète si tu l'oses » sonne exactement pareil.

Tout comme : « Ah oui, tu crois que tu me fais peur ? » ou encore : « Allez, les gars, donnons-lui une bonne correction ! »

Jamie disparut sous un tas de vêtements bruns et poussiéreux tandis que la table des comptes s'écrasait sous le poids des combattants. Ceux qui ne participaient pas à la mêlée se plaquèrent contre les murs pour mieux jouir du spectacle. Inquiète, je m'approchai de Ned et de Murtagh, sans quitter des yeux la bagarre au centre de la pièce. De temps à autre, une touffe de tignasse rousse apparaissait dans la masse indistincte de bras et de jambes.

— Vous ne devriez pas aller l'aider ? murmurai-je à Murtagh.

Ce dernier parut surpris.

— Non, pour quoi faire ?

— S'il a besoin d'aide, il nous fera signe, dit tranquillement Ned Gowan.

— Puisque vous le dites, soupirai-je.

Je n'étais pas certaine que Jamie soit en mesure d'appeler à l'aide. À cet instant précis, il était en train d'être étranglé par un jeune costaud vêtu de vert. J'avais le sombre pressentiment que Dougal allait bientôt perdre la preuve vivante qu'il se plaisait tant à exhiber en public, mais il ne semblait pas s'en préoccuper. De fait, personne dans la salle n'avait l'air inquiet. Certains prenaient même des paris. L'atmosphère générale était plutôt à la bonne humeur, tout le monde appréciant apparemment le spectacle.

Je remarquai toutefois avec soulagement que Rupert s'approchait l'air de rien de deux rustres qui semblaient envisager de se joindre à l'action. Au moment où ils avançaient d'un pas vers les bagarreurs, Rupert fit mine de trébucher devant eux et porta machinalement la main à sa dague. Les deux hommes reculèrent, jugeant préférable de rester sagement dans leur coin.

Manifestement, trois contre un semblait être une formule acceptable. Vu que le « un » en question était plutôt costaud, un bagarreur accompli, et visiblement en proie à un accès de folie furieuse, ils n'avaient peut-être pas tout à fait tort.

Le combat sembla toucher à sa fin avec la capitulation du gros garçon en vert, le visage en sang à la suite d'un coup de coude bien placé.

La bagarre dura encore quelques minutes, mais sa conclusion semblait imminente. Un second combattant roula sous une table, gémissant, les deux mains plaquées sur son entrejambe. Jamie et son premier adversaire continuaient de se marteler réciproquement la figure au centre de la pièce, mais ceux qui avaient voté pour le rouquin collectaient déjà leurs gains. Un avant-bras en travers de la gorge, suivi d'un vicieux crochet dans les reins, finit par convaincre le cuistre brun que la prudence était encore la meilleure preuve de bravoure.

J'ajoutai mentalement à mon lexique gaélique l'expression : « C'est bon, j'abandonne. »

Jamie se releva péniblement sous les acclamations de l'assemblée. Remerciant son public d'un hochement de tête, il tituba, le souffle court, vers l'un des rares bancs encore debout et s'y laissa choir, dégoulinant de sueur et de sang. Le tavernier s'empressa de lui apporter une chope de bière qu'il engloutit en un clin d'œil. Puis il la reposa et se pencha en avant, les coudes posés sur les genoux, exposant aux yeux de tous son dos zébré.

Pour une fois, il n'était pas pressé de se rhabiller. Malgré le froid, il resta torse nu dans la taverne, n'enfilant sa chemise qu'au moment de sortir se chercher un abri pour la nuit. Il fut alors salué par un chœur de « bonne nuit » respectueux. En dépit de la douleur des griffures, entailles et autres ecchymoses, son visage était plus détendu qu'il ne l'avait été depuis des jours.

— Un menton écorché, une arcade sourcilière ouverte, une lèvre coupée, un nez en sang, six phalanges à vif, un pouce foulé et deux dents branlantes. Et plus de contusions que je ne saurais compter.

Je terminai mon inventaire avec un soupir.

— Comment vous vous sentez ?

Nous étions seuls, dans une petite remise derrière la taverne où je l'avais entraîné pour lui administrer les premiers soins.

— Fort bien, répondit-il avec un grand sourire.

Il voulut se lever mais s'arrêta à mi-chemin avec une grimace.

— Disons que j'ai mal aux côtes.

— Comme c'est curieux ! Vous êtes couvert de bleus des pieds à la tête. Mais qu'est-ce que vous avez dans la peau ? Vous vous croyez en fonte ?

Il sourit doucement en caressant son nez enflé.

— Non, mais j'aimerais bien.

Je soupirai de nouveau et palpai délicatement ses côtes.

— Apparemment, vous n'avez rien de cassé. Je vais quand même vous bander, juste au cas... Tenez-vous droit, remontez votre chemise et écartez les bras.

Je déchirai quelques bandes dans un vieux châle que j'avais soutiré à la femme du tavernier, tout en maugréant contre l'absence de bandes plâtrées et autres commodités de la vie civilisée. Je bricolai un bandage de maintien, bien serré, et le fixai avec la broche de son tartan.

— Hé ! Je peux à peine respirer ! se plaignit-il.

— Si vous respirez, vous aurez mal. Cessez donc de gigoter. Où avez-vous appris à vous battre comme un chiffonnier ? Encore un enseignement de Dougal ?

— Non, gémit-il en grimaçant tandis que j'appliquais du vinaigre sur son arcade sourcilière. C'est mon père.

— Vraiment ? Mais qui était donc votre père, un champion de boxe ?

— « De boxe » ? Qu'est-ce que c'est ? Non, c'était un fermier. Il élevait aussi des chevaux.

Il inspira profondément pendant que je tamponnais son menton écorché.

— Quand j'avais neuf ou dix ans, reprit-il, il a déclaré que, puisque j'allais sans doute devenir aussi grand que les hommes de la famille de ma mère, il valait mieux que j'apprenne à me battre.

Il respirait plus calmement à présent. Il me tendit sa main pour que je lui passe un onguent au bouton-d'or sur les articulations.

— Il m'a dit : « Si tu deviens grand et costaud, la moitié des hommes que tu croiseras sur ta route aura peur de toi, et l'autre moitié voudra se mesurer à toi. Cognes-en un et les autres te ficheront la paix. Mais apprends à cogner vite et bien, ou tu passeras ta vie entière à te bagarrer. » Alors il m'a entraîné dans la grange et m'a battu jusqu'à ce que j'apprenne à rendre les coups. Aïe, ça pique !

— Les griffures peuvent s'infecter, expliquai-je en lui tamponnant le cou, surtout si le griffeur ne se brosse pas les ongles régulièrement. Je doute que ce grand dadais aux cheveux gras se lave plus d'une fois par an. Je ne sais pas si votre combat de tout à l'heure entre dans la catégorie des « vite et bien », mais c'était impressionnant. Votre père serait fier de vous.

J'avais parlé sur un ton ironique. Je ne m'attendais pas à voir une ombre passer sur son visage.

— Mon père est mort, dit-il platement.

— Je suis navrée, sincèrement.

Je finis de lui appliquer l'onguent, puis ajoutai doucement :

— Mais je ne plaisantais pas. Il serait fier de vous.

Il me répondit par un demi-sourire. Il semblait soudain très jeune et je me demandai pour la première fois quel âge il pouvait avoir. J'allais le lui demander quand on toussota derrière nous.

C'était Murtagh. Il eut un regard amusé vers les côtes bandées de Jamie puis lança une petite bourse que Jamie rattrapa au vol.

— Qu'est-ce que c'est ? demanda-t-il.

Murtagh fronça un sourcil broussailleux.

— Ben... ta part des paris, bien sûr !

Jamie secoua la tête et fit mine de lui renvoyer la bourse.

— Je n'ai rien parié.

Murtagh leva une main pour l'arrêter.

— Tu ne l'as pas volé. Tu as la cote, en ce moment... enfin surtout parmi ceux qui ont misé sur toi.

— Je doute que Dougal partage cet engouement, intervins-je.

Murtagh était de ces hommes qui semblent toujours surpris de découvrir que les femmes ont une voix. Après quelques secondes d'hésitation, il hocha la tête en direction de Jamie.

— C'est vrai, mais je ne crois pas que ça gêne beaucoup notre champion.

Les deux hommes échangèrent un bref regard lourd de sous-entendus, se transmettant un message que je ne pouvais comprendre. Jamie siffla légèrement entre ses dents, l'air songeur.

— Quand ça ? demanda-t-il enfin à Murtagh.

— Dans une semaine, dix jours tout au plus. Près d'un endroit appelé Lag Cruime. Tu sauras le reconnaître ?

Jamie acquiesça, l'air soudain ravi.

— Je le connais.

Mon regard allait de l'un à l'autre, mais leur visage était indéchiffrable. Ainsi, Murtagh avait découvert quelque chose. Cela avait-il un rapport avec le mystérieux « Horrocks » ? En tout cas, il semblait bien que la carrière de Jamie en tant que preuve vivante des atrocités commises par les Anglais touchait à sa fin.

— Pour capter l'attention de son auditoire, Dougal n'aura qu'à danser des claquettes, lançai-je gaiement.

— Hein ?

Leur regard complice se mua en mine perplexe.

— Rien, fis-je. Dormez bien.

Je ramassai ma trousse à pharmacie et me mis en quête d'un endroit pour dormir.

12

Le commandant de la garnison

FORT WILLIAM N'ÉTAIT PLUS QU'À QUELQUES LIEUES et je ne savais toujours pas ce que je ferais une fois sur place. Tout dépendrait probablement du commandant de la garnison. S'il avalait sans sourciller mon histoire de faible dame en détresse, il me ferait peut-être escorter jusqu'à la côte pour embarquer vers la France.

Cependant, il se méfierait sans doute en me voyant arriver accompagnée des MacKenzie. Un coup d'œil suffisait pour comprendre que je n'étais pas écossaise. Et si, à l'instar de Colum et de Dougal, il me prenait pour une espionne, lui aussi ?

De fait, qu'étais-je censée espionner au juste ? Des activités antipatriotiques, sans doute, comme de collecter des fonds pour la campagne de Charles-Édouard Stuart.

Mais alors, pourquoi Dougal m'avait-il laissée assister à ces scènes ? Rien ne l'empêchait de me faire sortir des tavernes avant de se mettre à haranguer la foule. Se sentait-il à l'abri parce que je ne comprenais pas le gaélique ?

Je revis l'étrange lueur dans son regard lorsqu'il m'avait déclaré : « Je croyais que vous ne compreniez pas le gaélique ! » Il avait sans doute voulu me mettre à l'épreuve. En effet, pourquoi les Anglais enverraient-ils dans les Highlands un espion incapable de communiquer avec les habitants ?

Mais non, la conversation que j'avais surprise entre Jamie et Dougal semblait indiquer que ce dernier était jacobite alors que Colum ne l'était pas... encore.

Ces supputations me donnaient la migraine et c'est avec soulagement que j'aperçus au loin la silhouette d'un gros village. Gros village voulait dire bonne auberge et dîner décent.

De fait, l'auberge était très confortable, vu les critères auxquels on m'avait habituée depuis un certain temps. Si le lit infesté de puces semblait avoir été conçu pour des nains, au moins il était placé dans une chambre individuelle. Jusque-là, j'avais dormi la plupart du temps dans des salles communes, bercée par les ronflements tonitruants de mes compagnons gisant à même le sol enroulés dans des plaids.

Généralement, je m'endormais immédiatement, épuisée par une journée en selle et les meetings politiques de Dougal. Toutefois, la première nuit, j'avais passé une bonne demi-heure à répertorier, fascinée, le vaste éventail de bruits que peut émettre l'appareil respiratoire masculin. Un dortoir plein à craquer d'élèves infirmières ne faisait pas un dixième de ce tapage.

Dans les salles communes des hôpitaux, les hommes ronflaient rarement. Certes, ils respiraient bruyamment. Ils sursautaient, gémissaient parfois, sanglotaient ou criaient régulièrement dans leur sommeil. Mais il n'y avait aucune comparaison possible avec la cacophonie assourdissante de ces salles d'auberge. Sans doute les blessés et les malades ne dormaient-ils jamais assez profondément pour se laisser aller à un tel chahut.

J'en conclus que mes compagnons débordaient de vitalité. De fait, ils en avaient l'air, avec leurs membres complètement relâchés, leurs visages détendus et luisants à la lueur du feu de bois. Leur total abandon dans le sommeil reflétait un appétit de vivre aussi robuste que celui qu'ils manifestaient à l'heure du dîner. Étrangement réconfortée par cette explication, j'avais tiré ma cape de voyage sur mes épaules et je m'étais tranquillement endormie.

En revanche, je me sentis soudain très seule dans ma petite chambre sous les toits. J'avais enlevé tous les draps et consciencieusement battu le matelas pour décourager des compagnons de nuit inopportuns. Pourtant, après avoir soufflé la chandelle, je n'arrivais pas à m'endormir dans cette chambre brusquement trop sombre et silencieuse.

Deux étages plus bas, je percevais des bruits de voix venant de la salle commune et quelques allées et venues, mais cela ne fit qu'accentuer mon sentiment d'isolement. Depuis mon arrivée au château, je me retrouvais complètement seule pour la première fois, et je n'étais pas sûre d'en être ravie.

J'allais enfin m'endormir quand le plancher craqua devant ma porte. On marchait dans le couloir d'un pas lent et hésitant. L'intrus ne semblait pas connaître la maison et tâtait du bout du pied la planche la plus sûre. Je me redressai en sursaut et cherchai à tâtons la chandelle.

Ma main heurta par inadvertance la pierre à feu qui s'écrasa au sol dans un bruit sourd. Je me figeai. Le pas dans le couloir cessa aussitôt.

Quelques instants plus tard, j'entendis un frottement contre ma porte, comme si on cherchait le loquet. La porte n'était pas fermée, j'avais vainement cherché le verrou avant de me coucher. Je saisis fermement le bougeoir, enlevai la chandelle et me glissai hors du lit, tenant l'objet en céramique devant moi comme une arme.

La porte couina doucement sur ses gonds. Les volets clos de l'unique fenêtre de ma chambre ne laissaient pas filtrer la moindre lueur, mais je distinguai néanmoins le rectangle noir de la porte s'entrebâillant. À ma grande surprise, elle se referma presque aussitôt. Tout redevint calme.

Je restai plaquée contre le mur pendant ce qui me parut une éternité, retenant mon souffle et essayant d'étouffer les battements de mon cœur pour percevoir un bruit dans le couloir. Enfin, rassemblant tout mon courage, je m'approchai de la porte en rasant le mur, pensant que les lattes du plancher y étaient plus fermes. J'avançais sur la pointe des pieds, marquant une pause à chaque pas. Une fois devant la porte, je m'arrêtai, l'oreille collée contre la mince paroi de bois, les mains plaquées sur les montants, me tenant sur mes gardes au cas où l'on ouvrirait brusquement. Je crus entendre un vague mouvement. Peut-être quelqu'un marchant en bas dans la salle commune. Mais n'était-ce pas plutôt un bruit de respiration de l'autre côté de la porte ?

La montée d'adrénaline me donna la nausée. Lasse de cette situation ridicule, je serrai fermement le bougeoir dans ma main, ouvris la porte d'un coup sec et bondis dans le couloir.

« Bondis » n'est peut-être pas le mot juste. Je trébuchai immédiatement sur une masse compacte à mes pieds, et m'étalai de tout mon long en me cognant la tête contre un objet douloureusement solide.

Je me redressai, me tenant le front des deux mains, oubliant soudain de craindre pour ma vie.

Celui que j'avais piétiné pestait abominablement. D'après sa taille et l'odeur de transpiration, ce ne pouvait être qu'un homme. Encore étourdie, je le sentis se relever et chercher à l'aveuglette les volets de la fenêtre juste au-dessus de nous.

Une soudaine bouffée d'air frais me fit fermer les yeux. Lorsque je les rouvris, le clair de lune éclairait le visage de l'intrus.

— Que faites-vous ici ? m'écriai-je, furieuse.

Au même moment, Jamie me demanda sur un ton tout aussi accusateur :

— Combien pesez-vous, *Sassenach* ?

Encore un peu confuse, je répondis :

— Cinquante-sept kilos… Pourquoi ?

— Vous avez failli m'éclater le foie, grogna-t-il en se massant le ventre. Sans parler du fait que vous m'avez fichu une trouille bleue !

Il tendit une main et m'aida à me relever à mon tour.

— Ça va aller ? demanda-t-il.

— Non, je me suis cogné la tête.

Me frottant le front, je regardai autour de moi ce que j'avais bien pu heurter dans ce couloir totalement vide.

— Sur quoi j'ai atterri ? demandai-je, encore hagarde.

— Sur *ma* tête ! répondit-il sur un ton légèrement agacé.

— C'est bien fait ! rétorquai-je. Que faisiez-vous ici, à vous glisser sournoisement derrière ma porte ?

Il me lança un regard mauvais.

— Je ne me glissais pas « sournoisement », figurez-vous ! Je dormais, ou du moins j'essayais.

— Vous dormiez ? *Ici ?*

Je lançai un regard moqueur dans le long couloir désert avant de prendre un air exagérément surpris.

— Décidément, vous savez choisir les endroits les plus pittoresques pour dormir. D'abord une écurie, puis un couloir !

— Avant de râler, apprenez, *madame*, qu'un parti de dragons anglais est en train d'écluser le stock de whisky du tavernier. Ils sont déjà occupés avec deux dames venues de la ville. Mais comme elles ne sont que deux et eux cinq, il y a fort à parier qu'ils ne tarderont pas à se mettre en quête d'autres… euh… partenaires. J'ai pensé que vous n'apprécieriez sans doute pas leurs attentions…

Il lança son plaid sur l'épaule et tourna les talons, avant d'ajouter :

— Je me trompais sans doute. Soyez assurée que je ne vous importunerai plus. Bonne nuit.

— Un instant !

Il s'arrêta mais ne se retourna pas, m'obligeant à venir le rejoindre. Il daigna baisser les yeux vers moi, l'air courtois mais glacial.

— Merci, dis-je. C'était vraiment très aimable de votre part. Je suis désolée de vous avoir piétiné.

Il sourit, retrouvant sa bonne humeur habituelle.

— Y a pas de mal, *Sassenach*.

Il revint en arrière et ouvrit la porte de ma chambre.

— Vous pouvez dormir sur vos deux oreilles, je ne bougerai pas d'ici.

Je baissai les yeux. Le plancher glacé et nu était souillé de crachats séchés et autres immondices. Une inscription sur le linteau de la porte d'entrée indiquait que l'auberge avait été construite en 1732, sans doute la date à laquelle le sol avait été lavé pour la première et dernière fois.

— Vous ne pouvez pas dormir ici, dis-je. Entrez dans la chambre. Au moins le plancher de l'autre côté du mur est plus propre.

Jamie se raidit, la main sur l'embrasure.

— Vous plaisantez ! Nous ne pouvons pas dormir dans la même chambre. Que diraient les gens ?

Il était sincère. Je me retins de justesse d'éclater de rire en toussotant. Vu les exigences du voyage, les tavernes surpeuplées et l'état rudimentaire des sanitaires – quand il y en avait –, je vivais dans une telle promiscuité avec mes compagnons de route, Jamie y compris, que cette soudaine pruderie me paraissait comique.

— Enfin, Jamie, combien de fois avons-nous déjà dormi dans la même pièce ? objectai-je quand j'eus recouvré mon sérieux. Avec une bonne vingtaine d'autres hommes.

— Ce n'est pas la même chose ! Nous n'étions pas seuls et...

Il marqua une pause comme s'il venait d'avoir une vision horrible.

— Ne croyez surtout pas que j'aie pensé un instant que vous me faisiez une proposition indécente ! s'alarma-t-il. Je vous assure que...

— Mais non, mais non, me hâtai-je de le rassurer.

Voyant que rien ne saurait le convaincre, j'insistai pour qu'il prenne au moins les couvertures de mon lit. Il accepta à contrecœur, et uniquement après que je lui eus juré que je n'en avais aucun besoin car je dormais enroulée dans ma cape de voyage.

Je le remerciai encore et hésitai devant la paillasse de fortune qu'il se confectionnait devant la porte. Il dissipa mon inquiétude d'un geste de la main.

— Ce n'est pas totalement désintéressé de ma part, expliqua-t-il. J'ai de bonnes raisons, moi aussi, de ne pas souhaiter me faire remarquer.

J'avais oublié qu'il était recherché par les Anglais. Toutefois, il aurait été beaucoup plus discret, et mieux installé, en dormant au chaud dans les écuries bien ventilées que devant ma porte.

— Mais s'ils montent jusqu'ici ? protestai-je. Ils vous trouveront !

Il passa un bras par la fenêtre et referma le volet. Le couloir fut plongé dans l'obscurité.

— Ils ne verront pas mon visage, fit-il remarquer. Et vu leur état, mon nom ne leur dira rien, même si je leur donne le bon, ce dont je n'ai pas l'intention.

— Peut-être, admis-je, à moitié convaincue. Mais ils se demanderont ce que vous faites ici, allongé dans le noir.

Je ne distinguais pas ses traits mais, au ton de sa voix, je devinai son sourire.

— Pas du tout, *Sassenach...* Ils penseront simplement que j'attends mon tour.

Je me mis à rire et rentrai dans ma chambre. Je me blottis en chien de fusil sur le lit et m'endormis presque aussitôt, m'émerveillant devant un esprit capable de faire des plaisanteries aussi grivoises et de bondir d'effroi à la seule idée de dormir seul dans une chambre avec moi.

À mon réveil, Jamie avait disparu. En descendant à la salle commune, je croisai Dougal au pied des escaliers.

— Dépêchez-vous de manger, annonça-t-il. Nous partons tous les deux pour Brockton.

Il refusa d'en dire davantage, mais il ne semblait pas tout à fait à son aise. J'avalai rapidement mon petit déjeuner et nous nous retrouvâmes bientôt, chevauchant côte à côte dans la brume matinale. Les oiseaux s'agitaient gaiement dans les haies et une chaude journée d'été s'annonçait.

— Qui allons-nous voir ? demandai-je. Vous pouvez aussi bien me le dire. S'il s'agit d'une personne qui m'est inconnue, son nom ne me dira rien, et dans le cas contraire je saurai faire semblant de ne pas la connaître.

Dougal me lança un regard de biais, réfléchit, puis décida que mon argument était valable.

— Le commandant de la garnison de Fort William.

Je fus prise de court.

— Mais je nous croyais encore loin de Fort William ! m'exclamai-je.

— Mmphm...

Apparemment, ce commandant de garnison ne tenait pas en place. Non content de veiller sur le fort, il effectuait également des rondes d'inspection dans la campagne avec un bataillon de dragons. Les soldats qui avaient passé la nuit à l'auberge faisaient partie de ses troupes et avaient confié à Dougal que leur chef se trouvait actuellement à l'auberge de Brockton.

Je n'avais pas prévu cette éventualité. Je méditai en silence pendant le reste du trajet. J'avais espéré fausser compagnie à Dougal une fois au fort, que j'estimais à un jour de marche de Craigh na Dun. Même sans équipement ni provisions, je pensais pouvoir effectuer ce voyage seule et trouver mon chemin jusqu'au cercle de pierres. Après quoi... il n'y avait aucun moyen de le savoir tant que je n'y serais pas.

Mais mon plan s'écroulait. Si je filais maintenant, ce qui était encore faisable, il me faudrait quatre jours de marche pour atteindre Craigh na Dun. Je ne me fiais pas assez à mon sens de l'orientation, ni à mon endurance, pour marcher quatre jours dans la lande et le long des falaises. Au cours de ces dernières semaines de randonnée forcée, j'avais eu un aperçu des falaises escarpées et des torrents des Highlands, sans parler des bêtes sauvages. Je n'avais aucune envie de me retrouver nez à nez avec un sanglier dans un vallon désert.

Nous arrivâmes à Brockton vers midi. La brume s'était dissipée et le soleil m'avait redonné un peu d'espoir. Après tout, il suffirait peut-être de persuader le commandant de me fournir une petite escorte jusqu'à la fameuse colline.

Il était facile de comprendre pourquoi le commandant avait choisi d'établir ses quartiers généraux provisoires à Brockton. Le village possédait deux auberges, dont l'une était une imposante bâtisse à trois étages avec des écuries adjacentes. Là, nous confiâmes nos montures à un vieux palefrenier qui se déplaçait avec une telle lenteur qu'il semblait momifié. Nous étions déjà attablés dans l'auberge devant nos rafraîchissements qu'il avait à peine atteint la porte des écuries.

J'attendis dans la salle commune, contemplant une assiette de gâteaux d'avoine rances, pendant que Dougal montait à l'étage dans le repaire du commandant. J'eus un sentiment étrange quand il me laissa seule. Trois ou quatre dragons dans la salle m'observaient d'un air douteux, échangeant des commentaires à voix basse. Après un mois passé en compagnie des Écossais du clan MacKenzie, la présence des soldats anglais me rendait nerveuse. J'essayai de me convaincre que j'étais sotte. Après tout, ils étaient mes compatriotes, même si nous n'étions pas de la même époque.

Pourtant, je regrettais déjà l'aimable compagnie de maître Gowan et la camaraderie de Jamie, dont je ne saurais probablement jamais le véritable nom. J'étais tout occupée à mes regrets quand j'entendis la voix de Dougal m'appelant du haut des escaliers.

Il avait l'air encore plus sombre que d'habitude. Il s'effaça pour me laisser passer sans un mot et me fit signe d'entrer dans la pièce. Le commandant de la garnison se tenait devant la fenêtre ouverte, sa silhouette élancée se détachant à contrejour. En m'apercevant, il éclata de rire.

— C'est bien ce que je pensais, d'après la description de MacKenzie, lança-t-il.

La porte se referma derrière moi. Je me trouvais en tête à tête avec le capitaine Jonathan Randall, du 8ᵉ régiment de dragons de Sa Majesté.

Cette fois, il portait un uniforme rouge et fauve, avec un plastron lacé et une perruque gris perle soigneusement poudrée. Mais son visage était le même... le visage de Frank. Ma gorge se noua. Cette fois, je remarquai les petites rides sournoises aux coins des lèvres et sa manière arrogante de redresser les épaules. Il m'invita à m'asseoir le plus aimablement du monde.

La pièce était sobrement meublée d'un bureau, d'un fauteuil, d'une longue table et de quelques tabourets. Le capitaine Randall claqua des doigts et un jeune caporal passa la tête dans l'entrebâillement de la porte. Il disparut presque aussitôt pour revenir au bout de quelques instants avec un pichet de bière et deux chopes. Il en remplit une et la posa devant moi.

Le capitaine fit signe au jeune homme de reculer et se servit lui-même avant de se laisser tomber gracieusement en face de moi de l'autre côté du bureau.

— Bien... commença-t-il. Et si vous me disiez qui vous êtes et comment vous vous trouvez ici ?

Je n'avais guère le choix. Je lui resservis ma version habituelle, en omettant naturellement tout ce qui concernait son comportement peu courtois à mon égard, qu'il connaissait déjà de toute façon. J'ignorais ce que lui avait dit Dougal et ne voulais pas risquer de me contredire.

— Oxfordshire, dites-vous ! À ma connaissance, il n'y a pas de Beauchamp en Oxfordshire.

— Comment le sauriez-vous puisque vous venez du Sussex ! rétorquai-je un peu trop vite.

Il ouvrit de grands yeux ronds. J'aurais pu me gifler.

— Et puis-je savoir d'où vous tenez cette information ?

— Euh… c'est votre voix. Je veux dire… votre accent. Ça ne peut être qu'un accent du Sussex.

Ses fins sourcils s'arquèrent au point de toucher sa perruque.

— Mes précepteurs et mes parents seraient profondément affligés d'apprendre que j'ai conservé l'accent de ma région natale, madame, dit-il sèchement. Eux qui ont dépensé tant d'argent et d'effort pour y remédier. Mais puisque vous semblez si experte…

Il se tourna vers le caporal, avant de poursuivre :

— … vous pourrez sans mal identifier le lieu de naissance de mon caporal. Caporal Hawkins, auriez-vous la bonté de réciter quelque chose ? N'importe quoi fera l'affaire.

Devant la mine effarée du jeune homme, il ajouta :

— Un refrain populaire, peut-être ?

Le caporal, un benêt au visage bovin et aux épaules carrées, lança des regards affolés dans la pièce, en quête d'inspiration, puis il se redressa et entonna :

> *Buxom Meg m'a lavé mes habits,*
> *La garce m'a pris toutes mes guenilles.*
> *J'ai attendu, complètement nu,*
> *Mais m'suis vengé quand elle est revenue.*

— Hum… ce sera tout, merci, interrompit le capitaine.

Le caporal reprit sa place au garde-à-vous, dégoulinant de transpiration.

— Alors ? demanda Randall en se tournant vers moi.

— Euh… Cheshire ? essayai-je.

— Presque, Lancashire.

Il me dévisagea d'un air soupçonneux. Croisant les bras derrière le dos, il s'approcha de la fenêtre et regarda au-dehors. Il vérifiait peut-être que Dougal n'était pas venu accompagné de ses hommes. Soudain, il se tourna vers moi et demanda de but en blanc :

— *Parlez-vous français*[1] ?

— *Très bien*[1], répondis-je promptement. Pourquoi ?

Il me toisa, inclinant la tête de côté.

— Je veux bien être pendu si vous êtes française, dit-il comme s'il se parlait à lui-même. Je n'ai jamais connu un Français capable de distinguer un Cockney d'un Cornouaillais.

Ses doigts manucurés tambourinèrent la surface de la table.

— Quel est votre nom de jeune fille, madame Beauchamp ?

— Écoutez, capitaine, dis-je en esquissant mon sourire le plus charmeur. N'allez surtout pas croire que je suis déjà lassée de jouer aux devinettes avec vous, mais j'aimerais autant que nous en finissions avec ces préliminaires afin de prendre des dispositions pour la poursuite de mon voyage. J'ai déjà un retard considérable et…

— Votre attitude frivole n'arrangera guère votre cas, madame, coupa-t-il en plissant les yeux.

Frank faisait exactement la même grimace quand il était contrarié. J'en eus la chair de poule. Je posai les mains à plat sur mes cuisses pour tenter de me recomposer.

— Je n'ai pas de cas à arranger, comme vous dites. Je ne vous demande rien, ni à vous en particulier, ni à la garnison, ni aux MacKenzie. Tout ce que je veux, c'est pouvoir reprendre mon voyage en paix. Je ne vois pas ce que vous pourriez objecter à…

Il me lança un regard furibond et serra les lèvres.

— Vraiment, vous ne voyez pas ? Considérez donc ma position un instant, madame, et mes objections vous apparaîtront peut-être un peu plus clairement. Il y a un mois, je poursuivais avec mes hommes une bande de bandits écossais non identifiés ayant volé plusieurs têtes de bétail dans une propriété près de la frontière, lorsque…

— Ah, voilà donc ce qu'ils faisaient ! Je me le demandais justement, m'exclamai-je maladroitement.

---

1. En français dans le texte. (*N.d.T.*)

Le capitaine Randall inspira profondément, sembla sur le point de me lancer une remarque fort désobligeante, puis se ravisa et poursuivit son récit :

— Je disais donc, au beau milieu de cette poursuite légitime, je tombe nez à nez avec une femme à demi dévêtue, dans un lieu qui ne sied guère à une dame digne de ce nom, fût-elle accompagnée d'une escorte, et qui, non contente de refuser de répondre à mes questions, agresse ma personne...

— Mais c'est vous qui m'avez agressée ! m'écriai-je, hors de moi.

— ... avant qu'un complice ne m'assomme lâchement et prenne la fuite. Mes hommes et moi-même avons fouillé tout le secteur et je peux vous assurer, madame, que nous n'avons trouvé nulle trace de votre valet soi-disant assassiné, de vos bagages prétendument pillés, de vos habits, ni du moindre indice qui puisse prêter foi à votre histoire !

— Ah oui ? dis-je, faiblement.

— J'en ai peur, madame. En outre, au cours des quatre derniers mois, aucun bandit de grand chemin n'a été signalé dans ce secteur. Et voilà que vous, *madame*, réapparaissez aujourd'hui en compagnie du chef de guerre du clan des Mac-Kenzie, qui me raconte que son frère Colum est convaincu que vous êtes une espionne, travaillant pour mon compte !

— Ah, ça, au moins, vous savez que ce n'est pas vrai, n'est-ce pas ? dis-je, soulagée.

— En effet, répondit-il avec une patience exagérée. En revanche, j'ignore toujours qui vous êtes ! Mais croyez bien que je ne tarderai pas à le savoir, madame. Au titre de commandant de cette garnison, j'ai pour responsabilité d'assurer l'ordre et la sécurité de ce secteur, y compris de débarrasser la région des traîtres, des espions et de tout autre individu dont le comportement me paraîtrait suspect. Et sachez que je ne recule devant aucun moyen pour arriver à mes fins.

— Quel genre de moyens, au juste ? demandai-je innocemment.

J'étais sincèrement curieuse de le savoir mais n'avais pas calculé que mon ton paraîtrait quelque peu provocateur.

Il se leva, me regarda longuement, puis contourna la table, tendit une main et m'invita à me lever à mon tour.

— Caporal Hawkins, ordonna-t-il sans me quitter des yeux. J'aurais besoin de votre assistance.

Le jeune homme près du mur semblait profondément mal à l'aise, mais s'approcha néanmoins.

— Placez-vous derrière madame, je vous prie, dit Randall d'un air blasé. Et tenez-la fermement par les coudes.

J'eus à peine le temps de voir le capitaine prendre son élan qu'il m'assenait un puissant crochet en plein dans le ventre.

Je n'émis aucun bruit, car je n'avais plus d'air. Je tombai assise par terre, pliée en deux, la bouche grande ouverte, cherchant vainement à reprendre mon souffle. Ma stupeur devant le geste de ce mufle dépassait de loin la douleur, qui commençait tout juste à se faire sentir, accompagnée d'un haut-le-cœur. J'en avais pourtant vu de belles au cours de ma vie, mais personne ne m'avait encore prise pour un punching-ball.

Le capitaine s'accroupit en face de moi. Hormis sa perruque légèrement de guingois et une lueur amusée dans ses yeux, il arborait toujours le même flegme aristocratique.

— J'espère que vous n'attendiez pas d'enfant, madame, dit-il sur un ton badin, parce que, dans ce cas, vous ne l'attendrez plus longtemps.

Je laissai échapper un étrange sifflement tandis que les premières bouffées d'oxygène se frayaient difficilement un chemin dans ma gorge. Je me mis à quatre pattes et tentai péniblement de me raccrocher au bord de la table. Le caporal, après un coup d'œil inquiet vers le capitaine, se baissa pour m'aider à me relever.

La pièce semblait plongée dans une pénombre brumeuse. Je me laissai tomber sur le tabouret et fermai les yeux.

— Regardez-moi.

La voix du capitaine était calme et posée. Il aurait pu tout aussi bien être en train de m'offrir une tasse de thé. J'ouvris les yeux et le dévisageai à travers un léger brouillard. Il se tenait debout devant moi, les bras croisés sur son gilet à la coupe impeccable.

— Vous n'avez toujours rien à me dire, madame ?

— Votre perruque est de travers, répondis-je en refermant les yeux.

13

Un mariage est annoncé

J'ÉTAIS ASSISE À UNE TABLE dans la salle commune, le nez plongé dans une tasse de lait, luttant contre les vagues de nausée qui m'envahissaient.

Lorsque j'avais descendu les escaliers, soutenue par le jeune caporal, Dougal avait croisé mon regard, puis il avait grimpé les marches d'un pas décidé et claqué la porte du bureau de Randall. Le plancher et les portes de l'auberge étaient épais, mais pas assez pour étouffer les échanges orageux à l'étage au-dessus.

Je portai la tasse à mes lèvres, mais dus renoncer à boire car mes mains tremblaient trop.

Je me remettais progressivement des effets physiques du coup de poing, mais pas du choc psychologique. Je *savais* que cet homme n'était pas mon mari, mais la ressemblance était si frappante et ma confiance en Frank si naturelle, que je m'étais imaginé qu'il ferait preuve de courtoisie à mon égard, à défaut d'éprouver de la sympathie. D'avoir vu cette attente brutalement démentie par son geste odieux me rendait physiquement malade.

Lorsqu'il s'était accroupi devant moi, j'avais entraperçu une brève lueur étrange dans les profondeurs de son regard. Elle n'avait duré qu'un instant, mais je souhaitais ne plus jamais la revoir.

Je fus tirée de ma rêverie par le claquement de la porte en haut des escaliers. Dougal dévala rapidement les marches, talonné de si près par Randall que celui-ci semblait lui courir après. En me voyant assise à ma table, Dougal s'arrêta net, le capitaine manquant de lui rentrer dedans.

Après avoir lancé un regard furieux par-dessus son épaule, Dougal s'approcha prestement de moi, lança une pièce sur la table, m'attrapa par le bras et me força à me lever. Puis, sans un mot, il m'entraîna vers la porte. Randall nous regarda partir d'un air interloqué.

Nous quittâmes le village au galop. Dougal ne m'avait pas même laissé le temps de coincer ma jupe volumineuse sous mes cuisses et le tissu volait autour de moi comme un parachute. Il semblait avoir communiqué sa fureur à nos chevaux. Lorsque nous rejoignîmes la grand-route, leurs bouches écumaient.

À un carrefour marqué d'une croix picte, Dougal tira abruptement sur les rênes. Sautant à terre, il attacha nos montures à un arbrisseau, m'aida à descendre de selle, puis s'enfonça brusquement dans les buissons en me faisant signe de le suivre.

Je haletai derrière lui jusqu'au sommet d'une colline, esquivant de justesse les branches qui se rabattaient brutalement sur son passage. La butte était couverte de chênes et de sapins. Des mésanges s'affairaient dans les feuillages et deux geais s'interpellaient un peu plus loin. Les jeunes pousses de ce début d'été envahissaient les roches affleurantes et formaient un tapis vert tendre sous les chênes. En revanche, rien ne poussait sous les sapins, où un épais manteau d'aiguilles sèches abritait des nuées de petites bestioles du soleil et des prédateurs.

Les parfums âpres de cette nature sauvage me montèrent à la tête. Certes, ce n'était pas la première fois que je grimpais au sommet d'une colline, mais les odeurs de sapins et d'herbe se diluaient généralement dans les vapeurs d'essence des routes en contrebas et les voix des randonneurs couvraient les chants d'oiseaux. La dernière fois que j'avais emprunté un sentier de ce genre, il était jonché de papiers gras et de mégots de cigarettes. Les papiers gras étaient sans doute le prix à payer pour des bienfaits du progrès tels que les antibiotiques et le téléphone, mais, l'espace d'un instant, je fus prête à céder le tout pour le plaisir d'admirer les violettes qui bordaient notre chemin. J'avais grand besoin d'un peu de paix, et c'était précisément ce que m'inspirait ce paysage.

Dougal bifurqua soudain juste avant d'atteindre le sommet de la colline et disparut dans un épais taillis de genêts. Me frayant non sans mal un passage derrière lui, je le retrouvai bientôt assis sur une pierre plate au bord d'une grande mare. Derrière lui, légèrement de travers, se dressait un grand bloc de pierre dans lequel on avait sculpté une vague forme humaine. Ce devait être un sanctuaire. Ces petits calvaires à la mémoire de divers saints parsemaient les Highlands, le plus souvent dans des endroits retirés comme celui-ci. D'ailleurs, on apercevait des fragments d'étoffe se balançant au bout des branches d'un des sorbiers qui bordaient l'étang, sans doute des *ex-voto* ou des offrandes.

Dougal me salua d'un hochement de tête. Il se signa, baissa la tête et recueillit un peu d'eau dans le creux de sa main. Elle avait une étrange couleur brune et dégageait une odeur de soufre. Il faisait chaud et j'avais soif, aussi l'imitai-je. L'eau était amère, mais potable. Après m'être désaltérée, je m'aspergeai le visage.

Lorsque je redressai la tête, encore dégoulinante, Dougal m'observait d'un air étrange, mi-curieux, mi-calculateur.

— C'est une sacrée grimpette juste pour boire un peu d'eau, lançai-je d'un ton badin.

Nous avions des gourdes d'eau attachées à nos selles. Et je doutais que Dougal soit monté jusqu'à cette source pour demander la protection du saint pour notre voyage de retour. Sa foi me paraissait plus terre à terre.

— Depuis quand connaissez-vous le capitaine ? demandat-il de but en blanc.

— Depuis moins longtemps que vous. Je ne l'avais rencontré qu'une seule fois avant aujourd'hui et encore, par accident. Nous ne nous étions pas très bien entendus.

Son visage s'éclaircit légèrement.

— Je ne peux pas dire que l'homme me soit très sympathique, admit-il.

Il pianota des doigts la pierre sur laquelle il était assis, l'air songeur.

— Certains le tiennent pourtant en haute estime, reprit-il en me regardant. On le dit valeureux soldat et excellent stratège.

Je haussai les épaules.

— N'étant pas général, ces qualités me laissent froides.

Il éclata de rire, montrant des dents d'une blancheur étonnante. Dérangé, un couple de freux s'envola avec des piaillements rauques.

— Espionnez-vous pour les Anglais ou les Français ? demanda-t-il à brûle-pourpoint.

Décidément il avait l'art de sauter du coq à l'âne. Mais, pour une fois, il était direct.

— Ni l'un ni l'autre. Je suis tout bonnement Claire Beauchamp, c'est tout.

Je trempai mon mouchoir dans l'étang et m'épongeai la nuque. Des gouttelettes rafraîchissantes coulèrent sous la serge grise de ma robe. Je pressai le tissu imbibé contre ma gorge. Dougal resta silencieux quelques minutes, observant attentivement mes ablutions improvisées.

— Vous avez vu le dos de Jamie ? demanda-t-il soudain.

— Le contraire eût été difficile, dis-je froidement.

Je cessai de me demander où il voulait en venir avec son interrogatoire sans queue ni tête. Je le saurais bien assez tôt.

— Vous vouliez sans doute savoir si j'étais au courant pour Randall ? demandai-je. Ou peut-être ignoriez-vous qu'il était responsable de la flagellation ?

— Oh, bien sûr que non ! Mais je me demandais si on vous avait déjà raconté comment cela s'était passé.

Je haussai les épaules, lui signifiant que cela ne me regardait pas.

— J'y étais, reprit-il.

— Où donc ?

— À Fort William, au moment où c'est arrivé. Je réglais quelques affaires avec la garnison. Le clerc qui suivait l'affaire savait que Jamie était un parent à moi et m'avait fait informer de son arrestation. Aussi suis-je allé voir si je pouvais faire quelque chose pour lui.

— Apparemment, ce n'était pas le cas.

— Hélas, non. Si l'affaire de Jamie avait été traitée par le sergent habituel, j'aurais peut-être pu lui éviter la seconde dérouillée, mais Randall venait juste d'être muté. Il ne me connaissait pas et n'était pas disposé à m'entendre. À l'époque, je pensais qu'il voulait simplement faire de Jamie un exemple, montrer à tous qu'on ne devait attendre aucune indulgence de sa part. C'est une méthode qui a fait ses preuves, je suppose, pour asseoir son autorité sur tout un comté. Avant tout, il faut se faire respecter de ses hommes. Et si c'est impossible, alors il faut leur inspirer de la crainte.

Je revis en pensée la mine terrifiée du jeune caporal et devinai quelle solution Randall avait adoptée.

Dougal me toisa d'un air soupçonneux.

— Ainsi, vous saviez pour Randall. C'est Jamie lui-même qui vous en a parlé ?

— Un peu, répondis-je prudemment.

— Il doit avoir une sacrée confiance en vous. Il n'en parle jamais à personne.

— On se demande pourquoi !

Chaque fois que nous entrions dans une nouvelle auberge, je retenais mon souffle jusqu'à ce qu'il soit clair que la compagnie se contenterait d'une soirée tranquille à papoter au coin du feu. Dougal esquissa une moue sardonique, lisant dans mes pensées.

— Naturellement, à moi, il n'a pas eu besoin de le raconter, puisque j'étais là ! reprit-il.

Il trempa sa main dans l'étang, laissant se dégager des vapeurs de soufre.

— J'ignore comment les choses se passent en Oxfordshire, mais par ici les dames ne sont généralement pas autorisées à assister à une flagellation. En avez-vous déjà vu une ?

— Non, et je n'y tiens pas particulièrement. J'imagine la violence des coups qui laissent de telles cicatrices.

Dougal secoua la tête, éclaboussant un geai qui s'était aventuré au bord de l'eau.

— Vous m'excuserez, ma chère, mais vous vous méprenez. C'est fort bien d'avoir de l'imagination, mais on ne peut imaginer le spectacle d'un homme dont on écorche le dos. Ce n'est pas beau à voir, croyez-moi. Le but du supplice est de briser le condamné, physiquement et moralement, ce qui se produit la plupart du temps.

— Oui, mais pas avec Jamie.

J'avais parlé plus brutalement que je ne l'avais voulu. Jamie était mon patient et, dans une certaine mesure, mon ami. Je ne tenais pas à discuter de ses problèmes avec Dougal, mais je ressentais malgré moi une certaine curiosité morbide. Je n'avais encore jamais rencontré une personne à la fois aussi franche et secrète que le beau Jamie MacTavish.

Dougal s'esclaffa et essuya sa main trempée dans ses cheveux, rabattant les mèches rendues hirsutes par notre folle chevauchée.

— Jamie est aussi têtu que les autres membres de sa famille, grogna-t-il. Ils ont tous la tête dure comme pierre.

Je notai néanmoins une note de respect dans sa voix.

— Il vous a dit qu'il avait été fouetté pour tentative d'évasion ? me demanda-t-il.

— Oui.

— Il a escaladé le mur du fort à la nuit tombée, le jour même de son arrestation. C'était relativement fréquent à l'époque, parce que les quartiers des prisonniers n'étaient pas aussi bien gardés qu'aujourd'hui. Toutes les nuits, les Anglais devaient effectuer des rondes autour de l'enceinte. Le clerc de la garnison m'a raconté que Jamie s'est défendu comme un chef, mais ils étaient six contre un, et les six en question armés de mousquets. Il ne leur a pas fallu longtemps pour le maîtriser. Jamie a passé la nuit enchaîné et ils l'ont conduit au pilori à la première heure.

Il marqua une pause, sans doute pour voir si j'allais tourner de l'œil ou être malade.

— Les flagellations ont lieu juste après la revue, histoire de commencer la journée dans un bon état d'esprit. Ils étaient trois à être fouettés ce matin-là. Jamie est passé le dernier.

— Vous y étiez réellement ?

— Oh oui ! Et laissez-moi vous dire : regarder un homme se faire fouetter n'a rien de plaisant. J'ai eu la chance de ne jamais y passer, mais je suppose qu'il n'y a rien de plaisant à être fouetté non plus. Mais regarder un homme se faire fouetter en attendant son tour est probablement le pire.

— Je n'en doute pas, murmurai-je.

Dougal hocha la tête.

— Jamie n'avait pas l'air dans son assiette, mais il n'a pas bronché quand les autres se sont mis à hurler. Savez-vous qu'on entend même le bruit de la peau qui se déchire ?

— Brrr… !

— C'est aussi mon avis, reprit Dougal, en grimaçant au simple souvenir de la scène, sans parler du sang et des contusions.

Il cracha, évitant soigneusement l'étang.

— Lorsque le tour de Jamie arrive enfin, il marche droit vers le pilori. Certains hommes doivent y être traînés de force, mais pas lui. Il tend les poignets au caporal pour qu'il lui enlève les menottes. Le caporal va pour le prendre par le bras et le mettre en position, mais Jamie se dégage et recule d'un pas. J'ai cru un instant qu'il allait de nouveau tenter de s'enfuir, mais non. Il enlève sa chemise. Elle est vieille et déchirée par endroits, mais il la roule soigneusement comme si c'était sa meilleure chemise du dimanche et la pose sur le sol. Puis il marche jusqu'au pilori comme un soldat et tend les mains pour qu'on les lui attache au poteau.

Dougal hocha la tête, l'air admiratif. Les rayons de soleil filtrant entre les branches de sorbier jetaient sur lui des ombres dentelées. On aurait dit un portrait de patricien vu à travers un napperon. Cette image me fit sourire et il acquiesça, pensant que je réagissais à son récit.

— Ah, pour ça, oui, on voit rarement un tel courage. Ce n'était pas de l'ignorance de sa part puisqu'il avait vu deux hommes se faire fouetter avant lui. Il savait ce qui l'attendait. Il s'était simplement résolu à subir cette épreuve. Les Écossais sont braves au combat, mais regarder sa peur en face est une autre paire de manches. Il n'avait que dix-neuf ans.

— Ce devait être horrible à voir, dis-je avec ironie. Je m'étonne que vous n'ayez pas tourné de l'œil.

Il encaissa mon sarcasme avec bonne humeur.

— J'ai bien failli. Le sang a coulé dès le premier coup et le dos du pauvre garçon était violet en moins d'une minute. Il n'a pas crié, ni demandé grâce, ni même tenté d'esquiver les coups en se tordant d'un côté ou de l'autre. Il a simplement appuyé son front contre le poteau. Naturellement, il grimaçait à chaque coup, mais rien de plus. Je ne crois pas être capable d'en faire autant, admit-il. Et je n'en connais pas beaucoup qui le pourraient. Vers le milieu de la séance, il s'est évanoui et ils l'ont ranimé avec un seau d'eau pour achever leur travail.

— Pourquoi me racontez-vous ça ? demandai-je.

— Je n'ai pas terminé.

Dougal sortit sa dague de son fourreau et se mit à se curer les ongles.

— Jamie s'est laissé tomber à genoux. Le sang dégoulinait jusque sur son kilt. Il était encore conscient, mais ses genoux avaient lâché et il ne tenait plus debout. Au même moment, le capitaine Randall est entré dans la cour. J'ignore pourquoi il n'avait pas assisté au début du supplice, une affaire l'avait sans doute retenu. En le voyant arriver, Jamie a eu la présence d'esprit de fermer les yeux. Il a gardé la tête penchée, toute molle, comme évanoui.

Dougal fronça les sourcils, se concentrant sur un ongle récalcitrant.

— Le capitaine était furieux qu'on ne l'ait pas attendu. Apparemment, il avait compté se réserver le plaisir de fouetter lui-même Jamie. Toutefois, il n'y pouvait plus grand-chose. C'est alors qu'il a eu l'idée de demander comment Jamie avait réussi à s'évader.

Il tendit la dague devant lui, examinant la lame, puis se mit à l'affûter contre le rocher.

— Il a interrogé ses hommes qui n'en menaient pas large. Le moins qu'on puisse dire, c'est que Randall sait choisir ses mots !

— En effet, on peut le dire, renchéris-je.

— Bref, au cours de son enquête, il apprend qu'au moment de son arrestation Jamie avait sur lui un quignon de pain et un morceau de fromage provenant de la prison. Le capitaine réfléchit, puis sourit d'un sourire que je n'aimerais pas voir sur le visage de ma grand-mère. Il déclare alors que c'est là un délit grave exigeant un châtiment exemplaire, et il condamne aussitôt Jamie à cent autres coups de fouet.

Je tressaillis malgré moi.

— Mais c'était le condamner à mort !

Dougal hocha la tête.

— C'est aussi ce qu'a déclaré le médecin de la garnison. Il a rejeté la sentence en déclarant qu'il fallait attendre une semaine pour que le dos du prisonnier ait le temps de cicatriser.

— Quelle générosité de sa part ! Belle conscience professionnelle ! Et qu'en a pensé le capitaine Randall ?

— Au début, il a fait la grimace, puis il s'est fait une raison. Après quoi le sergent-major a détaché Jamie. Le gamin titubait un peu mais tenait quand même debout. Des gens dans l'assistance l'ont applaudi, ce qui n'était pas pour plaire au capitaine. Il n'a pas été ravi non plus quand le sergent-major a ramassé la chemise de Jamie et la lui a rendue, sous les applaudissements de la foule.

Dougal tourna la lame entre ses doigts, l'inspectant d'un œil critique. Puis il posa la dague sur ses genoux et me regarda droit dans les yeux.

— Vous savez, c'est facile d'être courageux assis dans une taverne devant une chope de bière. Ça l'est déjà moins quand on se retrouve en plein hiver dans un champ avec des balles de mousquet qui sifflent au-dessus de votre tête et des ronces qui vous piquent le cul. Mais tout ça n'est rien à côté du fait de se trouver nez à nez avec son ennemi quand votre propre sang vous dégouline sur le kilt.

— Je m'en doute.

Je plongeai les deux mains dans le liquide jaunâtre, laissant l'eau glacée mordre mes poignets.

— Plus tard dans la semaine, je suis retourné voir Randall, reprit Dougal sur la défensive, comme s'il devait justifier son geste. Nous avons parlé longuement et je lui ai même offert une compensation…

— Oh, je suis très impressionnée ! murmurai-je.

Je regrettai aussitôt mon sarcasme et tentai de me rattraper :

— Non, sincèrement. C'était généreux de votre part. Je suppose que Randall a décliné votre offre.

— Oui. Mais j'ignore encore pourquoi. Généralement, les officiers anglais n'ont pas tant de scrupules à se laisser corrompre. La solde que leur verse la Couronne n'est pas brillante et le capitaine a des goûts de luxe.

— Il a peut-être d'autres sources de revenu ? suggérai-je.

— En effet, confirma-t-il en me lançant un regard surpris. J'y suis encore retourné le jour où Jamie a subi la seconde flagellation. Histoire d'être là, car je ne pouvais pas grand-chose pour lui, pauvre gamin !

La seconde fois, Jamie avait été le seul prisonnier à être flagellé. Les gardes lui avaient enlevé sa chemise avant de le sortir de sa cellule, juste après le lever du soleil, par un froid matin d'octobre.

— Il était mort de peur. Cela se voyait, même s'il marchait la tête haute, refusant de se laisser toucher par les gardes. Il tremblait, tant à cause du froid qu'à cause de ses nerfs. Il avait la chair de poule sur les bras et le torse, mais son visage était en nage.

Quelques minutes plus tard, Randall était sorti, son fléau calé sous le bras, les masses de plomb se balançant doucement au bout des lanières en cliquetant. Il avait toisé Jamie de haut en bas, puis avait ordonné au sergent-major de le retourner pour voir son dos.

Dougal grimaça.

— Ce n'était pas beau à voir. Par endroits, la chair était encore à vif. Les entailles étaient noires et le reste du dos oscillait entre le jaune et le violet. Rien qu'à l'idée des lanières cinglant cette peau tuméfiée, on avait envie de vomir.

Randall s'était alors tourné vers le sergent-major et avait déclaré :

— Beau travail, sergent Wilkes. Je tâcherai de faire aussi bien.

Avec un formalisme exagéré, il avait fait venir le médecin de la garnison pour certifier officiellement que Jamie était en état d'être flagellé.

— Vous avez déjà vu un chat jouer avec une souris ? demanda Dougal. C'était la même chose. Randall se pava-nait devant le gamin, faisant des observations méprisantes et sarcastiques. Jamie, lui, se tenait raide, les yeux fixés sur le poteau, sans broncher. De là où j'étais, je voyais les muscles de ses épaules se contracter pour ne pas trembler, et Randall pouvait le voir aussi.

» Il a sifflé entre ses lèvres : "Mais n'est-ce pas là le jeune homme qui, il y a moins d'une semaine, criait à qui voulait l'entendre qu'il n'avait pas peur de mourir ? Un homme qui ne craint pas la mort n'a tout de même pas peur de quelques coups de fouet ?" Et, avec le manche du fléau, il a donné un petit coup sec dans le ventre de Jamie. Jamie a alors regardé Randall droit dans les yeux et a répondu : "Non, mais je crains de mourir de froid avant que vous ayez fini de dégoiser."

Dougal poussa un long soupir.

— Pour ça, c'était bien envoyé ! Mais ce n'était pas la chose à dire. Une flagellation est déjà une sale affaire, mais il y a des moyens de la rendre plus douloureuse encore, en frappant de biais pour que les lanières pénètrent plus profondément, ou en donnant un coup sec au niveau des reins, par exemple… vraiment très vicieux.

Il secoua la tête et fronça les sourcils, choisissant soigneusement ses mots :

— Le visage de Randall était… concentré et… comme illuminé, comme un homme bavant devant une jolie fille, si vous voyez ce que je veux dire. On aurait dit qu'il s'apprêtait à faire subir à Jamie un supplice pire encore que de l'écorcher vivant. Vers le quinzième coup, le dos du gamin était en sang et les larmes sur son visage se mêlaient à la sueur.

Je devais être livide, car il s'arrêta un moment avant de reprendre :

— Enfin, tout ce que je peux dire, c'est qu'il a survécu. Quand le caporal lui a détaché les mains, il s'est écroulé. Le caporal et le sergent-major l'ont soutenu chacun d'un côté jusqu'à ce qu'il retrouve l'usage de ses jambes. Il tremblait des pieds à la tête, mais gardait la tête haute. J'étais à une trentaine de mètres, mais je pouvais voir ses yeux briller. Il a regardé Randall fixement pendant qu'on l'aidait à descendre du pilori, laissant des empreintes de sang, comme si le fait de défier du regard son ennemi était la seule chose qui le faisait encore tenir debout. Randall était presque aussi blême que Jamie, et ses yeux étaient rivés sur ceux du garçon. On aurait dit que ce regard était devenu leur seule raison de vivre.

Dougal lui-même avait les yeux plongés dans le vide, entièrement absorbé par le souvenir de la scène.

Tout était silencieux dans la petite clairière, à part le doux bruissement du vent dans les branches du sorbier. Je fermai les yeux et me laissai porter par cette musique apaisante.

— Pourquoi ? demandai-je enfin. Pourquoi me racontez-vous tout ça ?

Quand j'ouvris les yeux, Dougal me dévisageait attentivement. Je trempai à nouveau une main dans l'eau glacée et tamponnai mes tempes.

— Disons que j'ai voulu vous dresser, comment dire... le portrait d'une personnalité.

— Celle de Randall ? m'esclaffai-je amèrement. Je n'ai pas besoin d'autres preuves concernant le caractère de ce sinistre individu.

— Celle de Randall, mais aussi celle de Jamie.

Je le regardai, soudain mal à l'aise.

— C'est que j'ai des *ordres*, voyez-vous, dit-il avec sarcasme. Ceux de ce cher capitaine.

— Quel genre d'ordre ?

— De présenter un certain sujet anglais, répondant au nom de Claire Beauchamp, à Fort William le lundi 18 juin, pour « interrogatoire ».

Il sentit sans doute venir mon malaise car il se précipita vers moi.

— Mettez votre tête entre vos genoux, dit-il en m'appuyant sur le dos, respirez calmement.

— Je sais ce que j'ai à faire, merci.

J'obtempérai néanmoins. Fermant les yeux, j'attendis que le flot de sang batte à nouveau dans mes tempes. La sensation de moiteur disparut enfin de mon visage, mais j'avais toujours les mains glacées. Je m'appliquai à respirer correctement ; inspirant lentement et profondément, expirant en me décontractant.

Enfin, je me redressai, me sentant plus ou moins en possession de mes facultés. Dougal s'était rassis sur son rocher, attendant patiemment, veillant à ce que je ne tombe pas à la renverse dans l'étang.

— Il y a un moyen d'y échapper, dit-il abruptement. Du moins, je n'en vois qu'un.

— Je le prends ! dis-je en tentant vainement de sourire.

— Voilà…

Il se pencha en avant pour expliquer :

— Randall a le droit de vous interroger parce que vous êtes anglaise. C'est donc à cela que nous devons remédier.

Je le dévisageai, perplexe.

— Que voulez-vous dire ? Vous êtes bien un sujet de la couronne anglaise, vous aussi. Comment pourriez-vous changer cela ?

— Les lois écossaises et les lois anglaises se ressemblent, mais ce ne sont pas les mêmes. Un officier anglais ne peut contraindre un Écossais à se soumettre à un interrogatoire, à moins de disposer de preuves formelles de sa culpabilité dans un crime, ou de pouvoir fournir des indices solides quant à cette culpabilité. Et même ainsi, il ne pourrait arrêter un sujet écossais sur les terres de son clan sans l'autorisation du laird.

— Je vois que vous avez déjà consulté Ned Gowan.

— En effet, je craignais bien de devoir en arriver là. Il n'a fait que confirmer ce que je pensais déjà : le seul moyen pour moi de refuser en toute légalité de vous livrer à Randall, c'est de faire de vous une Écossaise.

— Une Écossaise ?

Mon léger vertige commençait à céder la place à un affreux soupçon qui se confirma aussitôt.

— Oui. Vous devez épouser un Écossais. Le jeune Jamie.

— Jamais de la vie !

Dougal fronça les sourcils, réfléchissant.

— Ma foi, si vous préférez Rupert... Il est veuf et il est propriétaire d'une petite ferme. Cela dit, il est un peu plus âgé et...

— Mais je ne veux pas épouser Rupert non plus ! C'est... c'est absurde !

Je n'en revenais pas. Hors de moi, je me levai brusquement et fis les cent pas dans la clairière, écrasant rageusement les fruits du sorbier.

— Jamie est un bon garçon, argumenta Dougal. C'est vrai que, pour ce qui est des terres, ce n'est pas vraiment une affaire, mais il a un cœur d'or. Il vous traitera bien. Et c'est un vaillant combattant, avec d'excellentes raisons de haïr Randall. Pensez-y, épousez-le et il se battra jusqu'à son dernier souffle pour vous défendre.

— Mais... je ne peux épouser personne !

Dougal eut soudain l'air méfiant.

— Et pourquoi pas ? Vous n'êtes plus veuve ?

— Mais... si. C'est juste que... c'est ridicule ! On ne se marie pas comme ça !

Rassuré, Dougal lança un regard vers le ciel ensoleillé et se leva.

— On ferait mieux de partir. Nous avons beaucoup de chemin à faire. Il vous faudra une dispense spéciale, mais Ned pourra vous arranger ça.

Il me prit par le bras, en marmonnant quelque chose. Je me dégageai.

— Je n'épouserai personne, dis-je fermement.

Ma détermination ne sembla pas l'émouvoir. Il se contenta de hausser les épaules.

— Vous préférez sans doute que je vous conduise auprès de Randall ?

— Non !

Une idée me traversa soudain l'esprit.

— Au moins, vous me croyez quand je vous dis que je ne suis pas une espionne ?

— Oui, je vous crois maintenant.

— Et pourquoi seulement maintenant ?

Il indiqua la source et la silhouette sculptée dans la pierre. Elle devait être là depuis des siècles, depuis plus longtemps encore que le sorbier géant dont les branches s'étiraient au-dessus de l'étang, parsemant sa surface de petites fleurs blanches.

— La source de saint Ninian. Vous y avez bu avant même que je vous le demande.

Je dus prendre un air franchement ahuri.

— Quel rapport ?

Il sembla surpris, puis esquissa un sourire.

— Vous ne saviez pas ? On l'appelle la source des menteurs. L'odeur qui se dégage de l'eau vient tout droit des enfers. Celui qui en boit et dit ensuite un mensonge meurt aussitôt, le foie ébouillanté.

— Je vois. Figurez-vous que mon foie se porte bien. Alors vous pouvez me croire quand je vous dis que je ne suis pas une espionne, pas plus à la solde des Anglais que des Français ! Et croyez autre chose, MacKenzie : je n'épouserai personne !

Il ne m'entendit pas. Il s'était déjà engouffré dans les taillis qui encerclaient l'étang. Seule une branche tremblante marquait son passage. Fulminant de rage, je lui emboîtai le pas.

Sur le chemin du retour, je ronchonnai encore quelque temps jusqu'à ce que Dougal m'ordonne de la fermer. Après quoi nous chevauchâmes en silence.

Une fois devant l'auberge, je sautai de mon cheval et grimpai quatre à quatre dans ma chambre.

L'idée n'était pas seulement absurde, elle était inconcevable. J'arpentai nerveusement la pièce étroite, me sentant prise au piège. Mais pourquoi n'avais-je pas pris la fuite plus tôt, au mépris du risque ?

Je m'assis sur le lit et tentai de réfléchir calmement. Certes, du point de vue de Dougal, le projet avait un certain mérite. S'il refusait de me livrer à Randall sans aucun prétexte, le capitaine pourrait essayer de me prendre de force. Et qu'il me croie ou non, Dougal n'avait rien à gagner d'un conflit ouvert avec les dragons anglais.

En outre, envisagée avec sang-froid, l'idée pouvait également tourner à mon avantage. Mariée à un Écossais, je ne serais plus surveillée ni gardée. Il me serait alors plus facile de m'évader le moment venu. Et, dans ce cas, il valait mieux que ce soit Jamie… de toute évidence, il m'aimait bien. Il connaissait les Highlands comme sa poche. Il serait sans doute en mesure de me conduire jusqu'à Craigh na Dun, ou du moins de me mettre sur la voie. Oui, le mariage était sans doute le meilleur moyen d'arriver à mes fins.

Mais c'était là envisager le problème de sang-froid. Et mon sang bouillonnait. Je ne tenais pas en place, tournant sur moi-même à la recherche d'une issue, n'importe laquelle. Au bout d'une heure, j'avais le visage en feu, ma tête bourdonnait. Je me levai et ouvris grands les volets.

On frappa à la porte et aussitôt Dougal entra, portant une liasse de papiers, suivi de Rupert et de Ned Gowan qui fermaient la procession comme des écuyers royaux.

— Je vous en prie, entrez donc ! vitupérai-je.

Ignorant ma remarque comme à son habitude, Dougal enleva un pot de chambre de la table de chevet et y étala cérémonieusement les feuillets.

— Voilà, tout est prêt, dit-il avec la fierté d'un business-man venant de clore une transaction délicate. Ned a rédigé les papiers. Rien de tel qu'un avocat, quand il est de votre côté, hein, Ned ?

Les hommes s'esclaffèrent, manifestement d'excellente humeur.

— Oh, répondit Ned modestement, ce n'était rien de bien compliqué. Il ne s'agit que d'un simple contrat.

Il parcourut les feuilles du bout du doigt, admirant son œuvre, puis s'arrêta, pris d'un doute soudain.

— Vous n'avez pas de propriétés en France ?

Je fis non de la tête et il se détendit, remettant de l'ordre dans la liasse et tapotant les angles contre le bord de la table.

— Alors tout est pour le mieux. Il vous suffit de signer ici, au bas. Dougal et Rupert seront vos témoins.

L'avocat sortit un encrier de sa poche ainsi qu'une plume qu'il me tendit d'un air solennel.

— Et peut-on savoir ce dont il s'agit ? demandai-je calmement.

C'était une question de pure forme, naturellement, car, en haut de la première feuille, je pouvais lire distinctement en grosses lettres calligraphiées « CONTRAT DE MARIAGE ». Dougal réprima un soupir d'impatience devant ma mauvaise volonté évidente.

— Ne faites pas l'enfant. À moins d'avoir une meilleure idée pour vous soustraire aux griffes de Randall, vous feriez mieux de signer et d'en finir une fois pour toutes. Le temps presse.

J'étais cruellement en manque de bonnes idées à ce moment précis, malgré l'heure que je venais de passer à examiner la situation sous tous ses aspects. Je commençais à croire que cette idée démentielle était réellement le seul choix qui me restait.

— Mais je ne veux pas me marier ! m'écriai-je en tapant du pied.

Je me rappelai soudain qu'en outre je n'étais pas la seule concernée. Je revis la jeune fille aux cheveux blonds que j'avais surprise amoureusement enlacée dans les bras de Jamie dans une alcôve.

— Et qui vous dit que Jamie est prêt à m'épouser ? renchéris-je. Hein ? Y avez-vous seulement pensé ?

Dougal haussa les épaules comme si c'était bien le dernier de ses soucis.

— Jamie est un soldat. Il fera ce qu'on lui demandera. Et vous de même. À moins, bien sûr, que vous ne préfériez les prisons anglaises ?

Je le foudroyai du regard, respirant avec peine. Depuis que nous avions quitté en hâte le bureau de Randall, je vivais sous tension, et mon agitation atteignait son comble.

— Je veux lui parler, déclarai-je soudain.

Dougal haussa les sourcils.

— À Jamie ? Mais pour quoi faire ?

— Pour quoi faire ? Mais parce que vous voulez l'obliger à m'épouser et, de toute évidence, vous ne l'avez même pas consulté !

Bien qu'il estimât manifestement que c'était là un détail sans importance, Dougal finit par céder et, accompagné de ses lieutenants, alla chercher Jamie dans la salle commune.

Jamie apparut quelque temps plus tard, l'air abasourdi.

— Dougal a l'intention de nous marier ! lui dis-je à brûle-pourpoint.

Son visage se rasséréna.

— Ah, ce n'est que ça ! Oui, je le savais.

— Mais voyons, Jamie, un jeune homme tel que vous a certainement... je veux dire, vous avez bien des vues sur... quelqu'un ?

Il me lança un regard perplexe, puis comprit enfin.

— Ah, vous voulez dire si je suis fiancé ? Oh, vous savez, je ne suis pas un parti très intéressant pour une jeune fille.

Puis, comme s'il craignait de m'avoir insultée, il ajouta hâtivement :

— Je veux dire, je n'ai pour ainsi dire pas de terres, et pas d'autres revenus que ma solde de soldat.

Il se frotta le menton, me regardant d'un air incertain.

— Et puis, il y a une difficulté : ma tête est mise à prix. Aucun père ne voudrait voir sa fille épouser un homme qui risque d'être pendu à tout moment. Y avez-vous pensé ?

Je repoussai cela d'un haussement d'épaules, le fait qu'il soit un hors-la-loi me paraissant mineur à côté de la proposition monstrueuse de nos épousailles. Je fis une dernière tentative.

— Et cela ne vous ennuie pas que je ne sois plus vierge ? demandai-je.

Il hésita un moment avant de répondre :

— Pas tant que vous ne voyez aucun inconvénient à épouser un puceau.

Mon air ahuri le fit sourire, et il recula vers la porte.

— Il faut bien que l'un de nous au moins sache comment on fait, dit-il avant de refermer la porte derrière lui.

Manifestement, il avait terminé sa cour.

Les papiers dûment signés, je descendis d'un pas tremblant les escaliers de l'auberge et allai m'asseoir dans la salle commune.

— Du whisky, lançai-je au vieil aubergiste fripé qui se tenait derrière le comptoir.

Il me lança un regard vitreux, mais un signe de tête de Dougal lui indiqua qu'il pouvait me servir sans crainte. Il déposa une bouteille et un verre devant moi. Le verre était épais et verdâtre, sale et ébréché, mais il pouvait contenir une bonne quantité d'alcool et je n'en demandais pas plus.

Une fois que la première gorgée m'eut brûlé la gorge et l'estomac, je retrouvai un certain calme. Je me sentais plus détachée, remarquant pour la première fois des détails autour de moi avec une singulière intensité : le petit miroir peint au-dessus du comptoir, projetant des ombres colorées sur le visage d'abruti de notre aubergiste ; le galbe de la louche en cuivre suspendue au mur près de moi ; la mouche au ventre mordoré qui s'était empêtré les pattes dans une flaque poisseuse sur ma table. Dans un généreux élan de commisération envers cette compagne d'infortune, je la poussai délicatement hors de danger avec le rebord de mon verre.

Je pouvais entendre des éclats de voix étouffés de l'autre côté de la porte, au fond de la salle. Dougal s'y était engouffré après en avoir terminé avec moi, soi-disant pour peaufiner certains arrangements avec l'autre parti. À en juger par le bruit qu'ils faisaient, je fus ravie de savoir que mon promis faisait valoir quelques objections, en dépit de son affirmation du contraire quelques minutes plus tôt.

— C'est ça, p'tit gars, ne te laisse pas faire ! murmurai-je entre deux gorgées.

Quelque temps plus tard, j'eus vaguement conscience qu'une main tentait d'écarter mes doigts pour me prendre mon verre. Une autre main se glissait sous mon coude.

— Sacrebleu ! Elle est plus grise qu'une vieille pocharde ! dit une voix râpeuse.

Je me mis à glousser.

— La ferme, femme ! aboya la voix.

Le propriétaire de la voix se tourna vers un tiers :

— Non seulement elle est soûle comme un cochon mais elle glousse comme un dindon, c'est du propre !

Une troisième voix interrompit la première, mais je ne compris pas ce qu'elle disait. Elle était néanmoins plus aimable, presque rassurante. Elle s'approcha et je pus discerner quelques mots. Je fis un effort surhumain pour me concentrer, mais en vain.

La mouche était revenue se poser au beau milieu de la flaque et se débattait furieusement, les pattes collées. La lumière du miroir faisait luire son petit corps vert et brun qui semblait palpiter tandis qu'elle tentait désespérément de s'envoler.

— Ma pauvre chérie… te voilà dans de beaux draps ! soupirai-je avant de tourner définitivement de l'œil.

14

Les noces

LORSQUE J'OUVRIS LES YEUX, j'aperçus les poutres apparentes d'un plafond. Un épais édredon était tiré jusque sous mon menton. Je ne portais qu'un jupon. Je voulus chercher mes habits, mais me ravisai dès le premier mouvement. Je me recouchai très lentement et fermai les yeux en me tenant la tête.

Je me réveillai de nouveau un peu plus tard en entendant la porte se refermer. J'entrouvris prudemment un œil et aperçus une femme entre deux âges, portant une aiguière et une cuvette. J'en déduisis que c'était la femme de l'aubergiste. Elle s'affaira gaiement dans la chambre, ouvrant grands les volets qui claquèrent violemment dans mon crâne. Elle avança vers le lit telle une Panzerdivision et arracha l'édredon auquel je tentai mollement de m'accrocher. Le laissant tomber sur le sol, elle me laissa tremblante et recroquevillée dans ma nudité.

— Allons, ma belle, c'est l'heure !

Elle glissa un bras musclé sous mes épaules et me hissa en position assise. Je me tins la tête d'une main et le ventre de l'autre.

— L'heu… l'heure de quoi ? balbutiai-je, la bouche pâteuse.

La femme se mit à me débarbouiller.

— Mais de te préparer, ma fille ! Tu ne vas tout de même pas rester couchée le jour de ton mariage !

— Si… dis-je faiblement.

Faisant la sourde oreille, elle m'ôta sans douceur mon jupon et me traîna au milieu de la pièce pour ma toilette intime.

Quelque temps plus tard, je me retrouvai assise sur le lit, les jambes molles mais les idées plus claires grâce à un verre de porto que m'avait apporté la commère. Je sirotai prudemment un second verre, pendant que la femme me brossait les cheveux.

La porte s'ouvrit de nouveau avec fracas, me faisant sursauter et renverser le porto. Mais qu'avaient-ils tous à être excités comme ça ? Cette fois, Murtagh et Ned Gowan entrèrent dans la chambre en me regardant d'un air réprobateur. Murtagh fit le tour du lit, m'inspectant des pieds à la tête puis revint vers Ned Gowan en lui murmurant quelque chose à l'oreille. Après un dernier regard découragé vers moi, ils sortirent de la pièce.

Bientôt, la femme finit de me coiffer. Elle m'avait noué les cheveux en chignon au sommet du crâne, dégageant savamment quelques mèches qui me chatouillaient la nuque et tombaient en frisottant le long de mes tempes. Ma chevelure était tellement tirée que j'avais l'impression que mon cuir chevelu allait se fendre d'un instant à l'autre, mais quand elle me tendit un miroir je fus bien obligée de reconnaître que l'effet était assez seyant. Je commençai à me sentir plus humaine et trouvai même la force de la remercier. Elle me laissa le miroir et disparut après avoir observé que j'avais vraiment de la chance de me marier en plein été, car je pourrai porter une couronne de fleurs.

— « Ceux qui vont mourir te saluent », déclarai-je à mon reflet en esquissant un salut militaire.

Puis je me laissai retomber sur le lit, me plaquai un linge humide sur le visage et me rendormis.

Je faisais un rêve plutôt charmant, rempli de prés verdoyants et de fleurs des champs, quand je pris conscience que la douce brise qui me caressait les bras était en fait une main qui me secouait sans ménagement.

En rouvrant les yeux, je me crus un instant propulsée dans une rame de métro à l'heure de pointe. Ils étaient tous là, alignés contre le mur, l'air dégagé : Ned Gowan, Murtagh, l'aubergiste, sa femme et un jeune adolescent dégingandé, leur fils sans doute, les bras chargés d'un assortiment de fleurs, d'où les parfums agréables de mon rêve. Il y avait aussi une jeune femme portant un panier d'osier. Elle m'adressa un sourire attendri, dévoilant une bouche édentée.

C'était la couturière du village, dépêchée en hâte pour pourvoir aux lacunes de ma garde-robe en ajustant une robe gracieusement prêtée par une relation de l'aubergiste. Ned portait la robe en question, qui pendait à son bras comme un lapin égorgé. Une fois étalée sur le lit, je constatai qu'il s'agissait d'une robe en satin couleur crème, avec un décolleté plongeant sur lequel s'ajustait un corselet orné d'une multitude de minuscules boutons en tissu. Les manches étaient richement parées de dentelle, tout comme la jupe brodée en velours chocolat. L'aubergiste disparaissait sous une montagne de jupons, ses favoris se devinant à peine sous les couches de mousseline blanche.

Je baissai les yeux vers ma jupe en serge grise tachée de porto et ma vanité l'emporta. Quitte à me marier, je ne tenais pas à passer pour la souillon du village !

L'heure qui suivit fut marquée par une activité frénétique. Je me tenais au milieu de la pièce comme un mannequin de chez Paquin pendant que tous s'affairaient autour de moi, allant et venant au pas de course les bras chargés d'accessoires, tirant ici et là sur ma jupe, nouant mon corset, donnant un avis, se marchant sur les pieds les uns des autres. Enfin, on estima que j'étais fin prête. J'avais des asters blancs et des roses jaunes dans les cheveux, et le cœur qui battait la chamade sous mon corselet trop serré. La coupe de la robe n'était pas parfaite et le tissu était encore imprégné de l'odeur de son ancienne propriétaire, mais à chacun de mes pas le lourd satin bruissait doucement en ballonnant sur mes jupons soyeux et je me sentais belle comme une reine.

— Vous ne pouvez pas m'obliger à me marier, vous savez ! menaçai-je néanmoins Murtagh en le suivant dans les escaliers.

Mais nous savions tous les deux que ce n'étaient que des protestations de pure forme. Mes dernières bribes de courage s'étaient évaporées avec les vapeurs de whisky.

Dougal, Ned et les autres m'attendaient dans la salle commune, buvant et échangeant des plaisanteries avec quelques villageois qui semblaient n'avoir rien de mieux à faire que de traîner à l'auberge.

Quand il m'aperçut, descendant prudemment les dernières marches, Dougal interrompit brusquement sa conversation. Un profond silence s'installa dans la salle et j'avançai en flottant dans un murmure d'admiration auquel je n'étais pas insensible. Le regard perçant de Dougal me parcourut des pieds à la tête d'un air approbateur et je le gratifiai d'une petite révérence.

Il faut dire que, compte tenu de mes récentes vicissitudes, cela faisait un bail qu'un homme ne m'avait regardée de cette manière et je n'étais pas peu flattée.

Bientôt, toute la salle retrouva sa voix et les commentaires admiratifs se mirent à pleuvoir sur moi. Même l'austère Murtagh s'autorisa un léger sourire, apparemment satisfait du fruit de ses efforts. « Et qui l'a nommé directeur artistique, ce rustre ? » maugréai-je en moi-même. Cela dit, c'était à lui que je devais de ne pas me marier en serge grise.

Me marier ? Doux Jésus ! Momentanément emportée par l'enthousiasme des préparatifs, j'avais oublié la signification de la cérémonie qui m'attendait. Je m'agrippai à la rampe d'escalier, prise de vertige.

Mon promis n'était visible nulle part dans l'assistance. J'espérais qu'il ait pu s'enfuir en sautant d'une fenêtre et qu'il se trouvait à présent à des kilomètres de distance. Du coup, j'acceptai un verre de vin de la part de l'aubergiste avant de suivre Dougal au-dehors.

Ned et Rupert allèrent chercher les chevaux. Murtagh avait disparu, sans doute à la recherche de Jamie.

Dougal me tenait par le bras, soi-disant pour me soutenir au cas où je me tordrais les chevilles dans mes souliers en satin, en fait pour s'assurer que je ne prendrais pas la fuite à la dernière minute.

C'était un « chaud » matin écossais, à savoir que la brume n'était pas assez dense pour être qualifiée de « bruine » ; mais elle n'en était pas loin. Soudain, la porte de l'auberge s'ouvrit et le soleil entra dans la pièce, en la personne de Jamie. Si je faisais une belle mariée, mon futur époux était, lui, carrément resplendissant. J'en eus le souffle coupé.

Un Highlander en tenue d'apparat est déjà un beau spectacle en soi, même s'il s'agit d'un vieux pépé ratatiné et boiteux. Un jeune et grand Highlander se tenant bien droit et vu de près est une vision franchement renversante.

Son épaisse tignasse dorée était brossée et tombait en boucles sur le col de sa chemise en batiste. Il portait un plastron, des manches bouffantes, de longs poignets retournés et un jabot en dentelle, rehaussé d'une épingle en rubis.

Son tartan cramoisi et noir éclatait de couleur au côté de ceux, vert et blanc, des MacKenzie. Le tissu flamboyant, fixé à l'épaule par une broche ronde en argent, formait un gracieux drapé retenu par une ceinture aux incrustations d'argent, avant de retomber jusqu'à ses bottes noires à la boucle d'argent. Une épée, une dague et un *sporran* en blaireau complétaient l'attirail.

Avec sa grande taille, ses épaules carrées et son beau visage lisse, il n'avait plus grand-chose à voir avec le cavalier crotté auquel je m'étais habituée, et il en était pleinement conscient. Il plia un genou et me fit une révérence impeccable en déclarant d'un air espiègle :

— À votre service, madame.

Je laissai échapper un petit « Oh ! ».

Jusqu'alors, j'avais rarement vu Dougal rester sans voix. Avec ses sourcils broussailleux en V, il semblait aussi surpris que moi par cette apparition.

— Tu es devenu fou ! s'écria-t-il enfin. Si quelqu'un te voyait ?

Jamie lui adressa un sourire sarcastique.

— Comment, mon oncle ! Des insultes ? Et le jour de mes noces, de surcroît ? Vous auriez préféré que je fasse honte à mon épouse ? En outre, ajouta-t-il d'un air malicieux, je ne peux guère me marier sous un nom d'emprunt. Vous teniez bien à ce que ce mariage soit légal, n'est-ce pas ?

Faisant un effort manifeste pour se maîtriser, Dougal bougonna :

— Si tu as terminé, Jamie, on peut peut-être y aller.

Mais, apparemment, Jamie n'avait pas terminé. Sans prêter attention aux ronchonnements de Dougal, il fouilla dans son *sporran* et en extirpa un rang de perles blanches. Il fit un pas vers moi et me l'accrocha autour du cou. C'était un collier de perles baroques, entrelacées de petites perles d'or finement ciselées auxquelles étaient suspendues d'autres perles plus petites.

— Ce ne sont que des perles d'Écosse, s'excusa-t-il, mais elles vous vont à merveille.

Ses doigts s'attardèrent un instant sur ma nuque.

— Mais c'étaient les perles de ta mère ! s'indigna Dougal.

— Et alors ? rétorqua Jamie. Il est normal qu'elles reviennent à ma femme. On y va ?

Nous formions un cortège nuptial plutôt morose, les futurs mariés étant escortés comme des prisonniers que l'on mène à la potence. Personne ne parla, mis à part Jamie qui justifia son retard en expliquant qu'il avait rencontré quelques difficultés pour trouver une chemise propre et un manteau à sa taille.

— Je crois que celle-ci appartient au fils d'un châtelain des environs, dit-il en promenant une main dans son jabot en dentelle. Un vrai dandy !

317

Nous descendîmes de cheval au pied d'un tertre, près d'un sentier qui grimpait dans la bruyère.

— Tu as fait le nécessaire ? chuchota Dougal à Rupert tandis que celui-ci attachait nos montures.

— Oui, oui. J'ai eu un peu de mal à persuader le *padre*, mais je lui ai montré notre autorisation spéciale.

Il tapota son *sporran*, où un cliquetis métallique me donna une petite idée quant à la nature de l'autorisation en question.

J'aperçus bientôt la petite chapelle qui pointait entre les bruyères sous un rideau de brume. Je manquai de défaillir en reconnaissant le toit arrondi et les fenêtres à croisillons que j'avais déjà vus quelques années plus tôt par un beau matin ensoleillé, lors de mon mariage avec Frank Randall.

— Oh non ! Pas là ! Je ne peux pas ! m'écriai-je.

— Tss tss, allez, courage, ma fille, tout ira bien.

Dougal me tapota l'épaule comme s'il calmait sa jument.

— Elle est un peu nerveuse, c'est tout naturel, lança-t-il à l'entourage.

Une main ferme dans le creux des reins me poussa en avant. J'avançai péniblement, mes souliers s'enfonçant dans la terre humide.

Jamie et Dougal m'encadraient. Leurs plaids qui me frôlaient m'énervaient au plus haut point et je sentais monter en moi une vague d'hystérie. Deux siècles plus tard, à peu de chose près, je m'étais mariée dans cette même chapelle, qui alors m'avait paru d'un charme pittoresque. À présent, elle était flambant neuve et sa charpente n'avait pas encore été patinée par le temps. J'étais sur le point d'épouser un jeune puceau écossais catholique dont la tête était mise à prix et qui...

Prise de panique, je me tournai vers Jamie :

— Je ne peux pas vous épouser ! Je ne connais même pas votre nom de famille !

— C'est vrai ! Je m'appelle Fraser. James Alexander Malcolm MacKenzie Fraser.

Il prononça chaque syllabe lentement et distinctement.

Ne sachant quoi répondre, je lui tendis une main et annonçai bêtement :

— Claire Élisabeth Beauchamp.

Prenant mon geste pour une demande d'aide, il prit ma main et la cala fermement sur son bras. Définitivement coincée, je chancelai pathétiquement jusqu'à la chapelle.

Rupert et Murtagh nous y attendaient, montant la garde devant un jeune prêtre captif, manifestement terrorisé. Rupert taillait nonchalamment une baguette à l'aide de son grand couteau. Comme l'exigeait la coutume, il avait déposé ses pistolets à crosse en os avant d'entrer dans la chapelle, mais ils restaient à portée de main sur le rebord du bénitier.

Les autres hommes se débarrassèrent de leurs armes à leur tour, et bientôt tout un arsenal encombrait l'entrée de la chapelle. Seul Jamie garda sa dague et son épée, qui faisaient partie intégrante de sa tenue d'apparat.

Nous nous agenouillâmes devant l'autel en bois. Murtagh et Dougal prirent leur place de témoins et la cérémonie commença.

La messe de mariage catholique n'avait guère changé en quelques siècles et les paroles qui m'unissaient au jeune homme roux à mes côtés étaient sensiblement les mêmes que celles qui avaient consacré mon mariage avec Frank. Chaque mot du jeune curé résonnait dans mon crâne vide.

Quand fut venu le moment de prononcer nos vœux, je me levai machinalement, regardant comme dans un mauvais rêve mes doigts glacés disparaître dans la poigne ferme de mon futur époux. Ses mains étaient aussi froides que les miennes et je réalisai soudain qu'en dépit de son air assuré, il était sans doute aussi nerveux que moi.

J'avais jusqu'alors soigneusement évité de croiser son regard. Quand je levai les yeux vers lui, il me dévisageait fixement. Il était blême et sans la moindre expression. J'esquissai un sourire, mais les commissures de mes lèvres se mirent à trembler.

Il serra plus fort mes doigts entre les siens. J'avais l'impression que nous nous soutenions mutuellement et que, si l'un de nous lâchait prise, l'autre s'effondrerait. Étrangement, ce fut une sensation rassurante. Au moins, nous étions deux dans la même galère.

— Je jure de te prendre, toi, Claire, pour épouse…

Sa voix ne tremblait pas, mais sa main si. Je la serrai un peu plus fort. Nos doigts étaient soudés ensemble.

— … je jure de t'aimer, de te protéger et de te respecter, pour le meilleur et pour le pire.

Lorsque ce fut mon tour, je serrai les dents de peur de m'évanouir, rassemblai mes forces et prononçai à mon tour :

— J'accepte de te prendre, toi, James, pour époux… à compter de ce jour… et jusqu'à ce que la mort nous sépare.

Les mots résonnèrent dans la chapelle comme une sentence. Puis il y eut un silence de plomb… et le curé demanda à voir l'alliance.

Un vent de panique balaya l'assistance. Murtagh ouvrit grande la bouche. On avait manifestement oublié ce détail. Jamie y pourvut aussitôt en lâchant ma main quelques secondes, le temps de retirer une de ses bagues.

Je portais toujours l'alliance de Frank à la main gauche. Dans la lumière bleutée de la chapelle, la main droite que je tendis semblait givrée. La bague que Jamie me passa à l'annulaire était trop grande et il dut replier mes doigts pour éviter qu'elle ne glisse, prenant soin d'enserrer de nouveau ma main dans la sienne.

Puis Jamie se pencha vers moi pour m'embrasser. Il avait manifestement compté m'effleurer chastement les lèvres dans un baiser formel, mais sa bouche était chaude et douce et je me serrai instinctivement contre lui. J'eus vaguement conscience d'exclamations enthousiastes et viriles autour de nous, m'abandonnant totalement à la chaleur réconfortante de notre étreinte.

Nous nous séparâmes et échangeâmes un sourire emprunté. Je vis Dougal s'emparer de la dague de Jamie mais n'eus pas le temps de me demander pourquoi. Sans me quitter des yeux, Jamie tendit la main droite, paume ouverte, et Dougal lui entailla le poignet, faisant surgir une coulée nette de sang épais. Avant même que je puisse réagir, on m'attrapa le bras et je subis le même sort. Je sentis la brûlure de la lame qui pénétrait ma chair. Dougal pressa ensuite mon poignet contre celui de Jamie et noua les deux avec un morceau de lin.

Je dus chanceler car Jamie me rattrapa par le coude en murmurant :

— Courage, il n'y en a plus pour longtemps. Répète après moi…

Il prononça alors deux ou trois phrases en gaélique. Je n'y comprenais rien mais obéis néanmoins, trébuchant sur les voyelles traînantes. On dénoua le linge et les traces de sang furent essuyées. Nous étions mariés.

Sur le chemin du retour, l'ambiance était nettement plus joyeuse. La liesse aurait été complète si notre assemblée n'avait été composée exclusivement d'hommes.

Nous étions presque parvenus au pied de la colline quand l'absence de nourriture, ma gueule de bois et le stress eurent raison de moi. Je revins à moi couchée dans les feuilles la tête sur les genoux de mon nouvel époux. Il reposa le linge humide avec lequel il avait essuyé mon visage.

— Alors, c'est tout l'effet que je te fais ? demanda-t-il en souriant.

Son regard attendri et inquiet m'émut et je lui souris à mon tour.

— Non, ce n'est pas toi, le rassurai-je. C'est juste que… je n'ai rien avalé depuis hier matin et… j'ai beaucoup bu, je le crains.

Il fit la grimace.

— C'est ce qu'on m'a dit. Je n'ai peut-être pas grand-chose à offrir à une épouse, mais je peux te jurer que tu seras toujours convenablement nourrie.

Il écarta timidement du bout du doigt une mèche qui me tombait dans les yeux.

Je voulus me redresser et grimaçai en sentant une douleur cuisante dans mon poignet. J'avais oublié ce petit détail de la cérémonie. La plaie s'était rouverte avec ma chute. Je pris le linge des mains de Jamie et l'enveloppai maladroitement autour de mon bras.

— J'ai cru que c'était le sang qui t'avait fait tourner de l'œil, dit-il en me regardant faire. J'aurais dû te prévenir. Ce n'est qu'en voyant ton expression ahurie que j'ai compris que tu ne connaissais pas cet usage.

— Qu'est-ce que c'était, au juste ? demandai-je en achevant mon bandage de fortune.

— C'est une coutume un peu barbare, mais on y tient dans la région. On échange toujours un vœu de sang après la messe traditionnelle. Certains prêtres ne veulent pas en entendre parler, mais je suppose que le nôtre n'était pas en position d'objecter quoi que ce soit. Il avait l'air encore plus terrifié que moi.

— Que signifiaient les paroles que tu m'as fait répéter ?

Jamie saisit ma main droite et noua délicatement les deux bouts de mon bandage.

Tu es le sang de mon sang, la chair de ma chair.
Je te donne mon corps, pour que nous ne fassions qu'un.
Je te donne mon âme, jusqu'à la fin des jours.

Il haussa les épaules.

— C'est plus ou moins comme le serment habituel, un brin plus… euh… primitif.

Je baissai les yeux vers mon poignet bandé.

— Oui, tu peux le dire.

Je regardai autour de nous. Nous étions seuls au bord du chemin, sous un aulne dont les feuilles rondes gisaient autour de nous, luisantes comme des pièces d'argent. Tout était calme et tranquille.

— Où sont passés les autres ? Ils sont rentrés à l'auberge ?

Jamie grimaça.

— Non, je leur ai dit d'avancer. Je voulais rester seul quelques instants avec toi. Ils nous attendent un peu plus loin. Ils ne nous laisseront pas en paix tant que notre mariage n'est pas officialisé.

— Mais, et la cérémonie, ça ne leur suffit pas ?

Il semblait gêné, évitant mon regard et enlevant consciencieusement les feuilles mortes de sur son kilt.

— Euh… c'est que… nous sommes mariés, en effet. Mais nous ne sommes pas légalement liés l'un à l'autre tant que… nous n'avons pas consommé…

Il était cramoisi.

— Ah ! fis-je. Euh… si nous allions déjeuner ?

15

Révélations dans la chambre nuptiale

U<small>N MODESTE BANQUET DE NOCES</small> nous attendait à l'auberge, comprenant du vin, du pain et de la viande rôtie.

Au moment où je montais dans ma chambre pour me rafraîchir un peu, Dougal me retint par le bras.

— Je tiens à ce que ce mariage soit consommé, sans qu'il puisse subsister l'ombre d'un doute, me chuchota-t-il d'un ton ferme. Personne ne doit pouvoir mettre en cause la légalité de votre union dans le but de la faire annuler. Nous risquons tous notre tête.

— Si vous voulez mon avis, rétorquai-je, il est un peu tard pour vous en préoccuper. Et puis, c'est surtout *ma* tête qui est en jeu !

Dougal me gratifia d'une tape sur les fesses.

— Ne vous faites pas de souci pour ça, ma belle ! Faites votre devoir.

Il parut soudain inquiet, comme s'il doutait de ma capacité à m'acquitter de ma tâche.

— J'ai bien connu Brian Fraser. Si le fils tient de son père, vous n'aurez pas à vous plaindre !

Au même instant, Jamie rentra de l'écurie où il avait conduit nos chevaux.

— Ah, Jamie ! tonna Dougal en allant vers lui.

Il se mit à lui parler à voix basse. Apparemment, mon jeune époux recevait lui aussi ses instructions.

Mais comment m'étais-je fourrée dans un tel pétrin ? Six semaines plus tôt, j'étais innocemment en train de cueillir quelques fleurs sauvages pour mon cher mari. Et voilà que je me retrouvais enfermée dans une chambre d'auberge, attendant un autre mari que je connaissais à peine, avec ordre de consommer une union forcée au péril de ma vie et de ma liberté.

Assise sur le bord du lit, raide et terrifiée dans ma robe d'emprunt, j'entendis la lourde porte s'ouvrir puis se refermer doucement.

Jamie resta adossé contre la porte, m'observant. Notre gêne mutuelle s'intensifia, jusqu'à ce qu'il trouve le courage de rompre le silence.

— Tu n'as pas à avoir peur de moi. Je ne vais pas me jeter sur toi.

Je me mis à rire malgré moi.

— Je n'y avais pas pensé, répondis-je.

De fait, je savais qu'il ne me toucherait pas sans y être invité. Ce qui ne changeait rien au fait que j'allais devoir l'inviter à faire bien plus que cela, et bientôt.

Je lui lançai un regard incertain. La tâche aurait sans doute été encore plus difficile si je l'avais trouvé laid, ce qui était loin d'être le cas. Le problème n'était pas là. Je n'avais pas fait l'amour avec un autre homme que mon mari depuis plus de huit ans. En outre, Jamie avait avoué de lui-même n'avoir aucune expérience en la matière. Je n'avais jamais initié quelqu'un de ma vie. Même en faisant abstraction de la situation qui nous avait tous les deux réunis dans cette chambre et en envisageant la chose sous un angle purement pratique, par où devions-nous commencer ? À ce rythme, nous serions encore là, à nous regarder en chiens de faïence, quatre jours plus tard.

Je m'éclaircis la gorge et tapotai le lit à côté de moi.

— Viens donc t'asseoir !

— D'accord.

Il traversa la chambre d'un pas de félin. Mais au lieu de s'asseoir sur le lit à mes côtés, il tira un tabouret et s'installa devant moi. Non sans quelques hésitations, il prit mes mains entre les siennes. Elles étaient grandes et très chaudes, leur dos couvert d'un duvet roux. Leur contact me fit légèrement frissonner et me rappela un passage de l'Ancien Testament : « Car la peau de Jacob était lisse, et celle de son frère Ésau, velue. » Frank avait de longues mains fines et distinguées, pratiquement glabres. J'aimais les regarder s'agiter pendant qu'il me donnait des conférences.

— Parle-moi de ton mari, demanda Jamie comme s'il avait lu dans mes pensées.

Je faillis retirer précipitamment mes mains.

— Comment ? dis-je, interloquée.

— Écoute, Claire. Nous allons devoir passer trois ou quatre jours dans cette chambre. Je ne prétends pas tout savoir, mais j'ai quand même vécu dans une ferme assez longtemps pour savoir que, à moins que les humains ne soient très différents des animaux, ce que nous avons à y faire ne nous prendra pas tout ce temps. On peut donc discuter un peu, nous habituer l'un à l'autre.

— Je te fais peur ?

Il n'en avait pas l'air, mais il était nerveux. Même s'il n'était pas un timide adolescent, c'était néanmoins, pour lui, la première fois. Il me regarda dans les yeux et sourit.

— Oui. J'ai plus peur que toi, sans doute. C'est pour ça que je te tiens les mains, pour éviter que les miennes ne tremblent.

Je n'en croyais pas un mot, mais serrai les siennes pour lui montrer que je lui en savais gré.

— Bonne idée. C'est plus facile de se parler en se touchant. Mais pourquoi me parles-tu de mon mari ?

Je me demandai soudain s'il ne voulait pas que je lui raconte mes ébats avec Frank afin de savoir ce que j'attendais de lui.

— Eh bien… c'est que j'imagine que tu dois penser à lui en ce moment. C'est normal, vu les circonstances. J'aimerais que tu te sentes libre d'en parler. Même si ton mari, à présent, c'est moi… Je ne suis pas encore habitué à l'idée, ça me fait tout drôle de dire ça… mais tu ne dois pas pour autant l'éliminer de tes pensées. Si tu l'aimais, c'était certainement un homme bien.

— Oui, il… l'était, balbutiai-je d'une voix tremblante.

Jamie me caressait le dos de la main.

— Alors, je ferai de mon mieux pour honorer sa mémoire en servant sa femme.

Il leva ma main et y déposa un baiser.

— C'est très galant de ta part, Jamie.

Il sourit.

— Oui, l'idée m'en est venue pendant que Dougal portait des toasts en bas dans la salle.

Je pris une profonde inspiration.

— Il y a certaines choses que j'ai besoin de savoir… commençai-je.

Il baissa les yeux en cachant son sourire.

— Oui, j'imagine… Tu dois te poser des questions à mon sujet. Qu'est-ce que tu veux savoir ?

Il me regarda, ses yeux bleus luisant de malice.

— Tu te demandes pourquoi je suis encore vierge ?

— Euh… pas vraiment. À vrai dire, ça ne concerne que toi.

Il faisait soudain très chaud dans la chambre. Je libérai une main pour chercher mon mouchoir. Ce faisant, je sentis un objet dur dans le fond de ma poche.

— Oh, j'oubliais, j'ai encore ta bague.

Je la sortis et la lui rendis. C'était un cabochon de rubis monté sur un lourd anneau d'or. Au lieu de la repasser à son doigt, il la laissa tomber dans son *sporran*.

— C'était la bague de mariage de mon père, expliqua-t-il. D'ordinaire, je ne la porte jamais, mais j'ai voulu te faire honneur aujourd'hui en me faisant beau.

Cet aveu le fit rougir légèrement.

— Tu m'as fait un grand honneur, dis-je en souriant malgré moi.

Ajouter un rubis à la splendeur de son costume n'était qu'une goutte d'eau dans l'océan, mais je fus touchée par cette attention.

— Je t'en trouverai une à ta taille, promit-il.

— Cela n'a pas d'importance, répondis-je, mal à l'aise.

Après tout, je ne comptais pas m'éterniser ici.

— Euh, j'ai une question, repris-je. Tu n'es pas obligé de répondre, mais pourquoi as-tu accepté de m'épouser ?

— Ah…

Il lâcha mes mains et se cala contre le dossier de sa chaise. Il ne répondit pas tout de suite, lissant le kilt sur ses cuisses. On devinait les longs muscles tendus sous l'étoffe.

— Eh bien… d'une part, nos petites conversations au clair de lune m'auraient manqué… dit-il en souriant.

— Non, sérieusement, insistai-je. Pourquoi ?

— Avant que je te le dise, Claire, j'ai une chose à te demander.

— Quoi ?

— La sincérité.

Je dus me mettre à m'agiter nerveusement, car il se pencha vers moi, les mains sur les genoux.

— Je sais qu'il y a des choses dont tu ne veux pas parler. Peut-être des choses dont tu ne *peux* pas parler.

« Si tu savais à quel point tu as raison », pensai-je en moi-même.

— Je ne veux pas te pousser à me confier des secrets qui ne me regardent pas. J'ai moi aussi des choses que je ne peux pas te dire, du moins pour le moment. Je ne peux donc attendre de ta part ce que moi-même je ne suis pas en mesure de donner. En revanche, si tu dois me parler, alors dis-moi la vérité. Et je te promets de faire de même. Notre seul bien pour l'instant, c'est le respect l'un de l'autre. Or, le respect n'est pas incompatible avec les secrets, mais il l'est avec le mensonge. Tu es d'accord avec moi ?

Il me tendit ses mains, paumes ouvertes. Il portait encore sur le poignet les traces noirâtres de nos vœux de sang. Je plaçai mes mains dans les siennes.

— Oui, je suis d'accord. Je serai toujours sincère avec toi.

— Et moi de même.

Ses doigts se refermèrent autour des miens. Il me sourit.

— Tu voulais savoir pourquoi je t'ai épousée ? J'avais en fait plusieurs raisons. Il y en a une, ou peut-être deux, que je ne peux pas encore te dévoiler. Mais la raison principale est la même que la tienne. Pour que tu ne tombes pas entre les pattes maudites de Jack Randall.

Je frissonnai à la pensée du sinistre capitaine et les mains de Jamie serrèrent les miennes.

— Tu n'as plus rien à craindre à présent. Tu portes mon nom. Tu as droit à la protection de ma famille, de mon clan, et de mon corps si nécessaire. Cet homme ne pourra rien contre toi, tant que je serai en vie.

— Merci.

Je contemplai son beau visage déterminé, ses pommettes saillantes et sa mâchoire solide. Pour la première fois, il me sembla que le plan éhonté de Dougal était sans doute la solution la plus raisonnable.

La protection de mon corps. L'expression était particulièrement adéquate. Je regardai ses épaules larges et carrées et me souvins de sa force gracieuse lors de sa « démonstration » de combat l'autre nuit. Il avait beau être jeune, ce n'étaient pas de vaines paroles et son corps couturé de cicatrices le prouvait. Il n'était guère plus âgé que la plupart des pilotes et des fantassins que j'avais soignés pendant la guerre et il connaissait aussi bien qu'eux la valeur d'un engagement. Il n'était pas en train de me faire un serment romantique, mais promettait de veiller sur ma sécurité au prix de la sienne. J'espérais pouvoir lui offrir quelque chose en retour.

— Je suis profondément touchée, répétai-je, sincèrement émue. Mais étais-tu pour cela obligé de m'épouser ?

— Oui. Je connais bien cette ordure de Randall, comme tu le sais. Je ne voudrais pas voir un chien confié à sa charge, sans parler d'une femme sans défense.

— Très flatteur ! répondis-je, vexée.

Il éclata de rire. Se levant, il s'approcha de la table près de la fenêtre. Quelqu'un, peut-être la femme de l'aubergiste, y avait posé un bouquet de fleurs des champs dans une chope à whisky. Derrière se trouvaient deux verres et une bouteille de vin.

Jamie remplit les verres et m'en tendit un en se rasseyant.

— Ça ne vaut pas le cru privé de Colum, mais il n'est pas mauvais.

Il leva son verre.

— À Mme Fraser !

Je levai le mien.

— À la sincérité ! Bien… repris-je quelques instants plus tard. Tu m'as donné une des raisons, y en a-t-il d'autres d'avouables ?

Il étudia le fond de son verre.

— Peut-être que c'est juste que je voulais coucher avec toi. Tu y as pensé ?

S'il cherchait à me déconcerter, c'était réussi. Mais je résolus de n'en rien laisser paraître.

— Et c'est le cas ? demandai-je.

— Pour être sincère, oui, j'en ai envie.

Ses yeux bleus ne quittèrent pas le rebord de son verre.

— Tu n'avais pas nécessairement besoin de m'épouser pour ça !

Il eut l'air scandalisé.

— Tu ne crois tout de même pas que je te prendrais sans te demander en mariage !

— Beaucoup d'hommes l'auraient fait.

Il balbutia quelques mots, pris de court. Puis, se reprenant, il déclara avec une dignité formelle :

— C'est peut-être prétentieux de ma part, mais je ne me considère pas comme n'importe qui et je ne calque pas forcément mon comportement sur le plus bas dénominateur commun.

Je le rassurai aussitôt en l'assurant que son attitude avait été jusque-là à la fois galante et courtoise, et m'excusai d'avoir semblé mettre en doute la noblesse de ses motifs.

Sur cette petite note diplomatique, nous marquâmes une brève pause, le temps de remplir nos verres.

Nous bûmes en silence un long moment, intimidés par la franchise de notre dernier échange. Ainsi, il y avait donc quelque chose que je pouvais lui offrir. Certes, je mentirais en prétendant que l'idée ne m'en avait jamais traversé l'esprit avant ce jour, et même avant que les événements n'aboutissent à ce dénouement absurde. Il était très séduisant. Je me souvenais également du soir où, peu après notre arrivée au château, je m'étais retrouvée sur ses genoux et où...

Je vidai mon verre puis tapotai de nouveau le lit à côté de moi.

— Viens t'asseoir près de moi, lui dis-je doucement, et parle-moi de ta famille. Où as-tu grandi ?

Il me semblait avoir trouvé là un sujet de conversation neutre qui nous permettrait de surmonter notre malaise.

Le lit s'affaissa sous son poids et je dus résister pour ne pas rouler sur lui. Il s'assit suffisamment près pour que sa manche effleure mon bras et me prit spontanément la main. Nous nous adossâmes contre le mur, sans oser nous regarder, mais aussi conscients du lien qui nous unissait que si nous étions soudés l'un à l'autre.

— Eh bien... euh... par où commencer ?

Il croisa ses grands pieds sur le tabouret. Non sans un certain amusement, je reconnus la manière qu'ont les Highlanders de s'installer confortablement avant d'évoquer en détail les inextricables enchevêtrements généalogiques qui forment la base de tout événement d'importance en Écosse. Un soir, Frank et moi avions passé des heures dans le pub du village, littéralement hypnotisés par une conversation entre deux grands-pères, qui faisaient remonter l'origine de la destruction récente d'une grange à une querelle de famille ayant éclaté vers 1790. Avec un frisson, je réalisai que la querelle en question, qui à l'époque m'avait semblé perdue dans la nuit des temps, ne s'était pas encore produite. Étouffant le tumulte des pensées que cette constatation faisait naître en moi, je concentrai toute mon attention sur l'histoire de Jamie.

— Mon père était un Fraser, naturellement. C'était le jeune demi-frère du seigneur actuel de Lovat. Ma mère était une MacKenzie. Tu savais que Colum et Dougal étaient mes oncles, n'est-ce pas ?

J'acquiesçai. De toute façon, on ne pouvait douter de leur lien de parenté en dépit de la différence dans la couleur de leurs cheveux. Ses pommettes saillantes, son long nez fin et droit étaient clairement un héritage des MacKenzie.

— Ils avaient trois sœurs, dont ma mère. Ma tante Janet est morte, comme ma mère, mais tante Jocasta a épousé un cousin de Rupert et vit au bord du loch Eilean. Tante Janet a eu six enfants, quatre garçons et deux filles. Tante Jocasta en a eu trois, rien que des fils. Dougal a quatre filles, Colum le petit Hamish que tu connais, et mes parents m'ont eu moi et ma sœur, qui s'appelle Janet comme notre tante mais qu'on surnomme Jenny.

— Alors, Rupert est lui aussi un MacKenzie ?

— Oui. C'est le cousin germain de Dougal, de Colum et de Jocasta, ce qui en fait mon cousin au second degré. Le père de Rupert et mon grand-père Jacob étaient frères, comme…

— Stop ! Ce n'est pas la peine de remonter plus loin que nécessaire ou je ne m'y retrouverai jamais. Nous ne sommes pas encore arrivés aux Fraser et j'ai déjà perdu le compte de tes cousins.

Il se frotta le menton, réfléchissant.

— Hum, voyons voir. Du côté des Fraser, c'est un peu plus compliqué, parce que mon grand-père Simon s'est marié trois fois et mon père avait deux séries de demi-frères et de demi-sœurs. Pour simplifier les choses, disons que j'ai six oncles et six tantes Fraser encore en vie. On laissera les cousins de côté pour le moment.

— Excellente idée.

Je me penchai en avant et nous servis un autre verre de vin.

Les territoires des clans MacKenzie et Fraser possédaient une frontière commune allant de la côte à la partie basse du loch Ness. Naturellement, comme la plupart des frontières entre clans, celle-ci ne figurait sur aucune carte et changeait de forme au gré des alliances et des habitudes. C'est le long de cette frontière, à l'extrême sud du territoire du clan Fraser, que se trouvaient les terres de Broch Tuarach, propriété de Brian Fraser, père de Jamie.

— Le sol y est assez riche. La pêche y est abondante et il y a une belle parcelle de forêt pour la chasse. Les terres comptent environ six fermes et un petit village, Broch Mordha. Et puis il y a le manoir, bien sûr. Il est moderne, précisa Jamie avec fierté. L'ancienne chaumière de la famille nous sert désormais d'étable et de grange.

» Dougal et Colum ne voulaient pas que leur sœur épouse un Fraser et ils ont tenu à ce qu'elle conserve des terres à son nom. C'est pour ça que la terre de Lallybroch a été cédée à mon père, mais une clause du contrat de mariage stipulait que ma mère en restait la propriétaire légale. Si elle était morte sans enfants, la terre serait retournée à lord Lovat à la mort de mon père, qu'il ait eu des enfants d'un autre lit ou pas.

Mais il ne s'est jamais remarié et je suis leur fils unique. Voilà pourquoi Lallybroch me revient, pour ce qu'elle vaut.

— Mais, hier, j'avais cru comprendre que tu n'avais aucun bien, objectai-je entre deux gorgées de vin.

Plus j'en buvais, plus il me semblait délicieux. J'allais bientôt devoir m'arrêter.

— C'est que… les terres m'appartiennent, mais je ne peux pas en faire grand-chose, vu que je ne peux pas y aller.

Il prit un air désolé.

— Il y a toujours ce détail mineur de ma tête mise à prix.

Après son départ de Fort William, Jamie avait été conduit dans la demeure de Dougal, Beannachd (qui, m'apprit-il, signifiait « bénie »), où il s'était remis de ses blessures et de sa fièvre. De là, il avait embarqué pour la France, où il avait servi deux ans dans l'armée française, combattant près de la frontière espagnole.

— Attends, interrompis-je, incrédule. Tu veux dire que tu as passé tout ce temps dans l'armée sans jamais… faire l'amour à une fille ?

J'avais rencontré bon nombre de soldats français dans mon service, et je doutais que le comportement gaulois vis-à-vis des femmes ait beaucoup changé en deux siècles.

Jamie esquissa une grimace de dégoût et me lança un regard de biais.

— Tu dis ça parce que tu n'imagines pas les catins crasseuses qu'on nous servait dans l'armée, *Sassenach*. Après avoir vu ça, c'est un miracle qu'un homme ait encore envie de toucher une femme.

Je manquai de m'étrangler et il dut me taper dans le dos jusqu'à ce que je retrouve mon souffle. Une fois remise, je lui enjoignis de poursuivre son récit.

Il était rentré en Écosse environ un an avant notre rencontre et avait vécu six mois tantôt seul, tantôt avec une bande d'« hommes brisés », à savoir des hommes sans clan, vivant au jour le jour, volant du bétail sur les terres de l'autre côté de la frontière anglaise.

— Et puis, un jour, j'ai reçu un coup sur la tête avec une hache ou quelque chose de ce genre. Je ne me souviens pas de ce qui s'est passé pendant les deux mois qui ont suivi. Sur ce point, je suis obligé de croire Dougal sur parole.

Dougal s'était trouvé dans une propriété voisine au moment des faits. Prévenu par les amis de Jamie, il avait fait transporter son neveu en France.

— Pourquoi en France ? Un si long voyage pouvait être fatal dans ton état !

— Ça l'était encore plus de me laisser où j'étais. Les Anglais quadrillaient la région. Nous n'étions pas vraiment passés inaperçus dans le coin, moi et mes camarades. Dougal ne tenait pas à ce qu'ils me trouvent inconscient dans une hutte de paysans.

— Ni chez lui, je suppose.

— Il m'y aurait emmené s'il n'avait eu un visiteur anglais à demeure à la même époque. En outre, il était sûr que je ne survivrais pas, alors il a préféré m'envoyer dans une abbaye.

L'abbaye de Sainte-Anne-de-Beaupré, lieu sacré d'étude et de prière sur la côte française, était alors dirigée par l'abbé Alexander Fraser, oncle de Jamie.

— Dougal et lui ne s'entendaient pas, expliqua Jamie, mais Dougal pensait que, s'il y avait encore une chance de me sauver, Alexander était le mieux placé pour y pourvoir.

Et il avait vu juste. Aidé par les connaissances des moines et sa propre robustesse, Jamie avait survécu et s'était progressivement remis, grâce aux bons soins des braves bénédictins.

— Une fois de nouveau sur pied, je suis rentré au pays. Dougal et ses hommes sont venus me chercher sur la côte et nous revenions vers les terres des MacKenzie quand nous t'avons… euh… rencontrée.

— Le capitaine Randall a affirmé que tu volais du bétail.

Il sourit, pas gêné le moins du monde par cette accusation.

— C'est que… Dougal n'est pas homme à refuser à l'occasion de faire un petit profit. On est tombés par hasard sur un beau troupeau paissant dans un pré. Il n'y avait personne pour les surveiller, alors…

Il haussa les épaules d'un air fataliste.

Apparemment, j'avais atterri à la fin de la confrontation entre les hommes de Dougal et les dragons de Randall. Sentant que les Anglais allaient leur tomber dessus, Dougal avait envoyé la moitié de ses hommes au-devant, conduisant les bêtes, tandis que l'autre moitié s'était tapie dans le sous-bois pour prendre les dragons par surprise.

— Son plan a fonctionné, confirma Jamie. On leur a tendu une embuscade, puis on a foncé droit sur eux, fendant leur groupe en deux. Ils nous ont pris en chasse, naturellement, et on les a conduits à travers la lande vers les falaises, pendant que les autres traversaient tranquillement la frontière avec les bêtes. On a fini par les semer, puis tout le monde s'est retrouvé dans le cottage où je t'ai vue la première fois. On attendait que la nuit tombe pour reprendre la route.

— Je vois. Mais pourquoi être revenu en Écosse ? Tu étais plus en sécurité en France.

Il ouvrit la bouche pour répondre, puis se ravisa et préféra boire son vin. De toute évidence, j'empiétais là sur un terrain interdit.

— C'est une longue histoire, *Sassenach*, dit-il en évitant le sujet. Je te la raconterai plus tard. Mais passons à toi, veux-tu ? Parle-moi de ta propre famille. Si tu le veux bien, naturellement, ajouta-t-il en hâte.

Je réfléchis un moment, mais ne vis rien de risqué à lui parler de mes parents et d'oncle Lamb. De fait, la profession d'oncle Lamb présentait un avantage certain : il y avait autant d'érudits férus d'Antiquité au XXᵉ qu'au XVIIIᵉ siècle.

Aussi je lui racontai ma vie, omettant des détails mineurs tels que les automobiles et les avions, bien sûr. Il m'écouta attentivement, posant des questions ici et là, exprimant sa compassion pour la perte de mes parents et son intérêt pour oncle Lamb et ses découvertes.

— Et puis j'ai rencontré Frank... conclus-je.

Je marquai une pause, hésitant sur ce que je pouvais ajouter sans risquer de me compromettre. Heureusement, Jamie vint à mon secours.

— Il vaut peut-être mieux éviter de parler de lui en ce moment, dit-il, compréhensif.

Je hochai la tête, les larmes aux yeux. Jamie lâcha ma main et, passant un bras autour de mon épaule, il m'attira doucement à lui.

— Ne pleure pas. Tu es fatiguée ? Tu veux que je te laisse te reposer un peu ?

L'espace d'un instant, je fus tentée de dire oui, mais cela aurait été injuste et lâche de ma part. Je m'éclaircis la gorge.

— Non, répondis-je en prenant une profonde respiration.

Il sentait le savon et le vin.

— Tout va bien, repris-je. Maintenant... parle-moi de ton enfance. À quels jeux jouais-tu quand tu étais petit ?

Dans la chambre se trouvait une chandelle de douze heures, des anneaux de cire rouge marquant le passage du temps. Nous parlâmes trois anneaux d'affilée, ne nous lâchant la main que pour nous resservir du vin, nous lever, ou rendre visite à la chaise percée derrière un paravent dans un coin. En revenant de l'une de ces visites, Jamie s'étira et bâilla.

— Il est tard, dis-je en me levant à mon tour. Nous devrions peut-être nous coucher.

— D'accord, répondit-il en se grattant la nuque. Nous coucher pour dormir ?

Il me lança un regard interrogateur avec un sourire en coin.

En vérité, je me sentais tellement à l'aise avec lui que j'en avais presque oublié le principal. Je ressentis de nouveau la panique m'envahir.

— Euh... fis-je.

— De toute manière, tu ne vas tout de même pas dormir tout habillée, non ?

— Eh bien, tu as sans doute raison.

À dire vrai, dans la hâte des préparatifs, je n'avais pas prévu de vêtement pour dormir, que je n'avais pas de toute façon. Jusqu'alors j'avais toujours dormi en chemise ou sans rien, en fonction du temps.

Jamie n'avait lui aussi que les vêtements qu'il portait. Il allait donc dormir dans sa chemise à jabot, ou nu, ce qui ne manquerait pas de précipiter les choses.

— Viens, dit-il, je vais t'aider à enlever la robe.

Il commença à dénouer les nombreux lacets de mon corsage avec des doigts tremblants. Il perdit un peu patience en se débattant avec les minuscules crochets de mon corset.

— Ah-ha ! lança-t-il enfin avec triomphe quand il eut dénoué le dernier.

Nous éclatâmes de rire.

— À moi, maintenant, dis-je, décidant qu'il était inutile de reculer plus longtemps.

Je déboutonnai sa chemise, glissant mes mains sous le tissu et sur ses épaules. Je ramenai lentement mes mains vers son torse, caressant les petits poils rêches et la douce protubérance des tétons. Il s'était raidi, respirant à peine. Je m'agenouillai devant lui pour défaire sa ceinture.

« Quand faut y aller, faut y aller », pensai-je. Je traînai délibérément mes mains le long de ses cuisses et remontai sous son kilt. Bien que, depuis le temps, je sache ce que la plupart des Écossais portaient sous leur kilt, à savoir rien, j'eus un petit choc lorsque ma main rencontra directement son sexe.

Il m'aida à me relever et se pencha vers moi, m'embrassant longuement, tandis que ses mains s'affairaient autour du nœud qui retenait mon dernier jupon. Celui-ci s'affaissa enfin sur le sol dans un bruissement d'étoffe, me laissant en chemise.

— Où as-tu appris à embrasser comme ça ? demandai-je, hors d'haleine.

Il sourit et me serra contre lui.

— J'ai dit que j'étais puceau, pas moine. Si j'ai besoin que tu me guides, je te le dirai.

Il m'écrasa contre lui et je pus vérifier qu'il était plus que prêt à passer à la vitesse supérieure. Avec une certaine surprise, je constatai que j'étais prête, moi aussi, sans pouvoir dire si c'était le résultat du vin, de sa beauté ou de l'abstinence de ces dernières semaines. J'avais très envie de lui.

Je libérai les pans de sa chemise, pris sous son kilt, et caressai son torse, massant le bout de ses seins avec mes pouces. Ils durcirent sur l'instant et il me pressa contre lui.

— Oumph ! fis-je.

Il me relâcha aussitôt en s'excusant.

— Non, ne t'inquiète pas, embrasse-moi encore.

Il reprit ma bouche tout en faisant glisser ma chemise sur mes épaules, s'écarta légèrement et posa ses mains sur mes seins, les massant comme je le lui avais fait plus tôt. Je cherchai la boucle de la ceinture. Ses doigts vinrent à mon aide.

Soudain, il me souleva et me posa sur le lit, me tenant blottie contre lui. Il parlait d'une voix un peu rauque.

— Si je suis trop brutal, dis-le-moi, je m'arrêterai. Mais n'attends pas que je sois en toi, après, il sera trop tard.

Pour toute réponse, je passai mes bras autour de son cou et l'attirai sur moi, le guidant vers la fente moite entre mes cuisses.

— Ô mon Dieu ! gémit James Fraser, qui n'invoquait jamais en vain le nom du Seigneur.

— Surtout ne t'arrête pas maintenant, le suppliai-je.

Plus tard, allongés l'un contre l'autre, je posai ma tête sur son ventre. Il me berçait doucement. Dans l'excitation du moment et la découverte de nos corps respectifs, toute gêne entre nous s'était effacée.

— C'était comme tu l'imaginais ? demandai-je.

Il se mit à rire, faisant rebondir ma tête.

— Presque. Je croyais... non, rien.

— Mais si, dis-moi. Qu'est-ce que tu croyais ?

— Non, je ne te le dirai pas, tu vas rire.

— Je te promets de ne pas rire. Dis-moi.

Il me caressa les cheveux, lissant les mèches derrière mes oreilles.

— Bon, d'accord. Je ne pensais pas qu'on faisait ça face à face. Je croyais que ça se passait par-derrière. Comme les chevaux...

Je dus lutter pour tenir ma promesse et ne pas pouffer de rire.

— Je sais que c'est idiot, se défendit-il. C'est juste que... tu sais comme on se fait des idées quand on est petit, et après, on ne peut plus se les ôter de la tête...

— Tu n'as jamais vu des gens faire l'amour ?

J'étais surprise, ayant pu constater la promiscuité qui régnait dans les chaumières, où toute la famille dormait ensemble. Certes, les parents de Jamie n'étaient pas des paysans, mais il devait être un des rares enfants écossais à n'avoir jamais surpris les ébats de ses aînés.

— Bien sûr que si ! Mais généralement, ils étaient sous les draps. Tout ce que je pouvais voir, c'est que l'homme était dessus.

— Ah oui, ça, j'avais remarqué !

— Je t'ai écrasée ?

— Pas vraiment. Alors, c'est ça que tu imaginais ?

Je ne ris pas, mais mon sourire devait m'arriver jusqu'aux oreilles. Il devint rouge.

— Ah si ! Une fois, j'ai vu un homme prendre une femme, comme ça, en plein jour et dans la nature. Mais c'était plutôt... un viol et il l'a prise par-derrière. Ça m'a impressionné et, depuis, cette image m'est restée.

Il me tenait toujours dans ses bras, me caressant comme une pouliche. Ses gestes se firent peu à peu plus aventureux, explorant mon intimité.

— Il faut que je sache quelque chose, dit-il en promenant sa main le long de mon dos.

— Quoi donc ?

— Ça t'a plu ? demanda-t-il timidement.

— Oui, répondis-je avec sincérité.

— C'est bien ce qui m'a semblé, mais Murtagh m'avait dit que, généralement, les femmes ne prennent pas de plaisir et qu'elles aimeraient autant en finir au plus vite.

— Qu'est-ce qu'il en sait, cet idiot de Murtagh ? m'indignai-je. Bien au contraire, plus ça dure, mieux c'est !

— Je suppose que tu es mieux placée pour le savoir. Hier soir, Murtagh, Rupert et Ned m'ont assailli de conseils. La plupart m'ont paru très farfelus, et j'ai préféré me fier à mon intuition.

— Jusque-là, elle ne t'a pas failli, dis-je en enroulant quelques poils de son torse autour de mon doigt. Quels autres bons conseils t'ont-ils donnés ?

À la lueur de la chandelle, sa peau était d'un bel or cuivré.

— Je ne peux pas les répéter. En plus, c'étaient probablement des âneries. J'ai vu beaucoup de saillies dans les fermes. Les animaux se débrouillent très bien tout seuls, sans conseils. Je ne vois pas pourquoi il en serait autrement entre les hommes et les femmes.

Je trouvais très amusante l'idée d'un enfant faisant son éducation sexuelle dans la forêt et les basses-cours plutôt que dans les vestiaires et les revues porno.

— J'ai vu toutes sortes d'animaux copuler, poursuivit-il. Notre ferme était en lisière de forêt, et j'y passais le plus clair de mon temps à chasser ou à chercher les vaches égarées. J'ai vu des chevaux, des vaches, des cochons, des poulets, des colombes, des chats, des cerfs, des écureuils, des lapins, des sangliers, et oh… une fois, j'ai même vu des serpents.

— Des serpents ?

— Oui. Tu savais que les serpents avaient deux sexes ? Les mâles, je veux dire.

— Non. Tu en es sûr ?

— Oui, deux sexes fourchus.

Il tendit la main en pointant l'index et le majeur écartés en guise d'illustration.

— Ce doit être très inconfortable pour la femelle.

— Elle n'avait pas l'air de s'en plaindre, si tant est qu'on puisse déchiffrer une expression sur le visage d'un serpent.

J'enfouis mon visage dans sa poitrine, riant de plaisir. Sa peau dégageait une agréable odeur musquée qui se mêlait au parfum âpre des draps de lin.

— Enlève ta chemise, dis-je soudain en tirant sur sa manche.

— Pourquoi ? demanda-t-il tout en s'exécutant.

— Je veux te regarder.

Il avait un corps magnifique, avec des membres puissants et élancés, des muscles qui modelaient son torse et des épaules en courbes douces. Il leva les yeux vers moi.

— Donnant donnant. À toi, maintenant.

Il m'aida à ôter ma chemise froissée. Puis il me tint par la taille, m'étudiant avec un intérêt appliqué. Son examen prolongé finit par m'embarrasser.

— Tu n'avais jamais vu une femme nue ?

— Si, mais jamais d'aussi près… et pas la mienne.

Il me donna une tape sur les hanches.

— Tu as le bassin large, tu feras une bonne pondeuse.

— Comment ! ?

Je me libérai, outrée. Il me rattrapa par le bras et m'attira à lui. Nous roulâmes sur le lit et il se coucha sur moi. Il me tint les bras jusqu'à ce que je cesse de me débattre, puis il m'embrassa.

— Je sais qu'il suffisait d'une fois pour rendre notre union légale, mais…

— Tu veux remettre ça ?

— Ça t'ennuierait beaucoup ?

— Non, pas vraiment.

— Tu n'as pas faim ? demandai-je doucement quelque temps plus tard.

— Je suis affamé.

Il pencha la tête pour me mordiller le sein, puis roula vers le bord du lit.

— Il doit y avoir du bœuf froid et du pain à la cuisine, annonça-t-il. Et sans doute du vin aussi. Je vais y aller.

— Non, laisse, j'y vais.

Je me précipitai hors du lit et me dirigeai vers la porte, ne prenant que le temps d'enfiler ma chemise sur laquelle je jetai un châle.

— Attends, Claire. Tu ferais mieux de me...

Mais j'avais déjà ouvert la porte.

Mon apparition sur la loggia fut saluée par une ovation rauque émise par une quinzaine d'hommes attablés dans la salle commune, buvant, mangeant et jouant aux dés. Je restai pétrifiée tandis que quinze visages hilares se tournaient vers moi.

— Hé, ma belle, cria Rupert. Tu peux encore marcher ? Jamie ne s'est donc pas montré à la hauteur ?

Cette observation fut saluée par des rires gras et des remarques plus crues encore concernant les prouesses de Jamie.

— Si t'as déjà usé Jamie, je veux bien prendre sa place ! offrit un petit brun.

— Non, non, il vaut pas un clou, prends-moi, plutôt ! beugla un autre.

— Elle n'a rien à faire de bougres comme vous, hurla Murtagh, complètement ivre. Après Jamie, il lui faudrait quelque chose comme ça pour la satisfaire !

Il brandit une énorme cuisse de mouton au-dessus de sa tête.

Cramoisie, je fis volte-face, me précipitai dans la chambre et claquai la porte derrière moi.

Jamie, allongé nu sur lit, se tordait de rire.

— J'ai essayé de te prévenir !

— Je peux savoir ce que signifie ce cirque, en bas ? sifflai-je.

Jamie sauta gracieusement au pied de notre lit nuptial et fouilla à quatre pattes dans la pile de vêtements jetés au sol.

— Ce sont nos témoins, expliqua-t-il. Dougal veut être sûr que notre mariage ne sera pas annulé.

Il enroula son kilt autour de sa taille et se dirigea, torse nu, vers la porte.

— J'ai peur que ta réputation ne soit définitivement compromise, continua-t-il en riant.

— Ne sors pas !

— Ne t'inquiète pas, je ne vais pas nous laisser mourir de faim pendant les trois jours à venir à cause de quelques taquineries.

Il sortit de la chambre sous une ovation trépidante et laissa la porte entrouverte. Je pouvais suivre son trajet vers la cuisine ponctué de félicitations, de questions grivoises et de conseils.

— Comment s'est passée ta première fois, Jamie ? T'as saigné ? cria la voix graveleuse, facilement reconnaissable, de Rupert.

— Non, mais si tu ne la fermes pas, c'est toi qui vas saigner, rétorqua Jamie.

Des rugissements saluèrent cette aimable repartie. Les railleries poursuivirent Jamie jusque dans la cuisine, puis lorsqu'il remonta les escaliers.

Il y avait en lui une telle urgence que j'étais portée à l'encourager en dépit de sa maladresse. Ne voulant ni lui donner de leçon ni, pour le moment, mettre en avant ma propre expérience, je le laissai faire, n'offrant qu'occasionnellement quelques suggestions, telles que porter son poids sur ses coudes plutôt que sur mes côtes.

Bien qu'il fût encore trop affamé et gauche pour faire preuve de tendresse, il faisait l'amour avec une sorte de jubilation qui me fit penser que la virginité masculine était une qualité injustement sous-estimée. Il s'inquiétait sans cesse de mon bien-être, ce que je trouvais à la fois attendrissant et agaçant.

Au cours de son troisième assaut, je cambrai fortement les reins et laissai échapper un cri perçant. Il se retira précipitamment, se confondant en excuses.

— Je suis désolé, je ne voulais pas te faire mal.

— Mais tu ne m'as pas fait mal, répondis-je en m'étirant langoureusement, ravie.

— Vraiment ?

Pour s'en assurer, il m'inspecta, cherchant des dégâts.

Je compris alors que Murtagh et Rupert, lors de sa formation accélérée, avaient négligé quelques détails essentiels.

— Et ça t'arrive à chaque fois ? demanda-t-il, fasciné, lorsque je lui eus expliqué.

J'avais l'impression d'être une geisha. Je n'avais jamais pensé que je deviendrais un jour une maîtresse en l'art de l'amour, mais je devais reconnaître que ce nouveau rôle ne me déplaisait pas.

— Non, ce n'est pas systématique. Tout dépend des qualités d'amant du partenaire...

— Ah !

Ses oreilles rosirent.

— Et qu'est-ce que je dois faire maintenant ?

— Mais rien de spécial. Continue doucement et concentre-toi. Pourquoi attendre ? Tu es encore prêt ?

— Tout de suite ? Tu n'as pas besoin d'attendre ? Moi, je ne pourrais pas, il me faut un peu de temps pour...

— Chez les femmes, c'est différent.

— Je vois...

Il prit mon poignet entre son pouce et son index.

— C'est que tu es si menue, j'ai peur de te faire mal.

— Mais non, m'impatientai-je. Et même si c'était le cas, ça ne me déplairait pas.

Devant son air interdit, je décidai de lui faire une petite démonstration et m'abaissai vers son bas-ventre. Au bout d'un moment, je me mis à utiliser les dents, serrant de plus en plus fort jusqu'à ce qu'il émette un petit gémissement.

— Je t'ai fait mal ?

— Oui, un peu.

— Tu veux que j'arrête ?

— Non, je t'en prie, continue !

Ce que je fis, sans le ménager. Bientôt, son corps se convulsa et il laissa échapper un grognement sourd comme si je lui avais arraché le cœur. Tous ses muscles étaient bandés et il était hors d'haleine. Il marmonna quelque chose en gaélique, les yeux fermés.

— Qu'est-ce que tu dis ?

— J'ai dit, répondit-il en ouvrant les yeux, que j'ai cru que mon cœur allait éclater.

Je souris, plutôt satisfaite de moi.

— Je parie que Murtagh avait oublié de te parler de ça.

— Si, mais ça faisait partie de ces choses que je n'ai pas voulu croire.

J'ouvris les yeux quelques heures avant l'aube, en proie à une terreur sourde. Je ne me souvenais pas du cauchemar qui m'avait éveillée en sursaut, mais ce retour brutal à la réalité était terriblement angoissant. L'esprit tout entier à notre quête du plaisir, j'avais momentanément oublié ma situation. À présent, je me retrouvais seule, aux côtés d'un inconnu endormi avec lequel ma vie serait désormais inextricablement mêlée, précipitée dans un monde empli de menaces invisibles.

J'avais dû crier en me réveillant car la masse de draps à mes côtés se souleva brusquement et l'inconnu bondit hors du lit comme un cerf aux abois. Il s'accroupit dans l'obscurité, près de la porte. À l'angle que dessinait son bras, je devinai qu'il tenait une arme. Il fit silencieusement le tour de la pièce, s'assurant que tout était en ordre, puis vint s'asseoir à mes côtés et rangea son couteau dans sa cachette, derrière la tête de lit.

— Ça va ? me demanda-t-il en effleurant des doigts ma joue moite.

— Excuse-moi de t'avoir réveillé. J'ai fait un mauvais rêve. Mais qu'est-ce que tu étais en train…

Une large main se posa sur mon bras, m'interrompant.

— Tu es gelée, tu trembles comme une feuille.

Il me poussa sous l'édredon, dans le creux du lit encore chaud qu'il venait de quitter.

— C'est ma faute, murmura-t-il. J'ai pris toutes les couvertures. C'est que je n'ai pas encore l'habitude de partager mon lit.

Il rabattit douillettement les draps sur nous et se blottit contre moi pour me réchauffer. Quelques instants plus tard, sa main vint de nouveau me caresser le visage.

— C'est moi ? chuchota-t-il. Tu ne me supportes pas ?

J'émis un petit hoquet, à mi-chemin entre le sanglot et le rire.

— Mais non, ce n'est pas toi.

Je serrai sa main pour le rassurer. Nous restâmes allongés côte à côte, fixant les poutres du plafond.

— Et si je t'avais dit que je ne te supportais pas, demandai-je abruptement. Qu'aurais-tu fait ?

Il haussa les épaules.

— J'aurais demandé à Dougal de faire annuler le mariage pour cause de non-consommation.

Cette fois, j'éclatai franchement de rire.

— Non-consommation ? Avec tous ces témoins ?

Le jour naissant baignait la pièce d'une pénombre tout juste suffisante pour que je voie le sourire se dessiner sur ses lèvres.

— Témoins ou pas, il n'y a que toi et moi qui pouvons le certifier, non ? Et je ne supporterais pas d'être marié à une femme qui me déteste.

Je me tournai vers lui.

— Je ne te déteste pas.

— Moi non plus, répondit-il. Je connais bon nombre de mariages qui ont commencé avec moins que ça.

Il se tourna et se glissa en chien de fusil contre moi, passant son bras autour de ma taille, sa main reposant sur mon sein, non comme une invitation, mais parce que cela semblait un endroit naturel où la poser.

— N'aie pas peur, me murmura-t-il dans l'oreille. Nous sommes deux, à présent.

Pour la première fois depuis des semaines, je me sentis au chaud, apaisée et en sécurité. Ce n'est qu'au moment de m'endormir que je repensai au couteau caché derrière la tête de lit, me demandant quel type de menace pouvait peser sur un homme au point qu'il ne dorme que d'un œil, et armé, même pendant sa nuit de noces.

16

Un si beau jour...

L'INTIMITÉ CHÈREMENT GAGNÉE DE LA NUIT sembla s'évaporer avec la rosée du matin et une pénible gêne se dressa entre nous. Après un petit déjeuner silencieux pris dans notre chambre, nous grimpâmes sur la petite colline derrière l'auberge, n'échangeant que quelques politesses empruntées.

Une fois au sommet, je m'assis sur une souche et Jamie sur le sol, adossé à un arbre, à quelques mètres de distance. Un oiseau s'affairait dans un buisson derrière moi, un rouge-gorge, ou peut-être une grive. J'écoutai son gazouillis énergique, contemplai les rares nuages qui traversaient le ciel et me demandai ce qu'il convenait de faire à présent.

Le silence commençait à devenir insupportable quand Jamie commença soudain :

— J'espère...

Il s'arrêta et rougit.

Soulagée que l'un d'entre nous se soit enfin décidé, je l'encourageai :

— Quoi ?

— Non, ce n'est rien.

— Mais vas-y, qu'allais-tu dire ?

Tendant la jambe, je le poussai doucement du pied.

— J'allais dire : « J'espère que l'homme qui a partagé ton lit le premier s'est montré aussi généreux que tu l'as été avec moi. » En fait, ce que je voulais vraiment dire, c'est : merci.

— La générosité n'a rien à voir là-dedans ! répliquai-je.

— Alors, l'indulgence ?

Il me regardait droit dans les yeux.

— Eh bien… me défendis-je, la première fois peut-être, mais pas ensuite.

Il se redressa et vint s'asseoir à mes côtés sur la souche.

— Apparemment, on n'arrive à parler que quand on se touche, dit-il en me prenant la main.

Je caressai sa joue couverte de chaume roux.

— Désolé, je n'ai pas fait ma barbe ce matin. Dougal m'avait passé un coupe-chou avant le mariage mais il me l'a repris. Il avait sans doute peur que je ne me tranche la gorge après notre nuit de noces.

Cette allusion à Dougal me rappela notre conversation de la veille.

— Dis-moi, Jamie. La nuit dernière, tu m'as dit que Dougal et ses hommes étaient venus te chercher sur la côte à ton retour de France. Pourquoi es-tu parti avec lui plutôt que de rentrer directement chez toi, sur les terres des Fraser ? Vu la façon dont Dougal te traite…

J'hésitais à aborder ce sujet délicat.

— Ah ! fit-il. Bah, autant que tu le saches. Après que j'ai quitté Fort William… plus rien n'avait d'importance à mes yeux. Mon père est mort à peu près à la même époque, et ma sœur…

Il s'interrompit, manifestement assailli de sombres pensées.

— Dougal m'a annoncé…, reprit-il, que ma sœur avait eu un enfant… de Randall.

— Seigneur !

— Je… je n'ai pas eu le courage de rentrer. Je ne pouvais pas la voir, après ce qui s'était passé. Et puis… Dougal m'a aussi raconté qu'après la naissance de l'enfant, elle… comment aurait-elle pu faire autrement ? Elle était seule. *Je* l'ai laissée seule… Elle s'est mise avec un autre soldat anglais, un homme de la garnison. J'ignore son nom.

Il déglutit péniblement, avant de poursuivre :

— J'ai envoyé tout l'argent que je pouvais, bien sûr, mais… je n'ai même pas pu lui écrire. Pour lui dire quoi ? Enfin, au bout d'un certain temps, j'en ai eu assez de faire le soldat en France. Mon oncle Alex a entendu parler d'un déserteur anglais, un certain Horrocks. Après avoir fui l'armée, il est entré au service de Francis MacLean, de Dunweary. Un soir qu'il était soûl, il a raconté qu'il se trouvait à Fort William quand je me suis évadé. Il aurait vu l'homme qui a abattu le sergent-major, ce soir-là.

— Alors, il pourrait t'innocenter !

Jamie hocha la tête.

— Sans doute. Hélas, la parole d'un déserteur ne vaut pas grand-chose. Mais c'est mieux que rien. Au moins, je pourrais peut-être savoir qui est le coupable. Même si je ne vois pas comment je pourrais revenir vivre à Lallybroch, ce serait bien de pouvoir me déplacer en Écosse sans risquer d'être pendu !

— En effet. Mais je ne vois toujours pas le rapport avec les MacKenzie.

Suivit alors une analyse plutôt complexe des liens de parenté et des alliances entre clans qui m'échappa quelque peu, mais je finis néanmoins par comprendre que Francis MacLean était apparenté aux MacKenzie. Il avait informé Colum du récit de Horrocks, et celui-ci avait dépêché son frère pour prendre contact avec Jamie.

— C'est pour ça que Dougal était dans les parages quand j'ai reçu mon coup sur la tête, expliqua Jamie. Il me cherchait. D'ailleurs, je me suis longtemps demandé si ce n'était pas lui.

— Comment ça ? Ton oncle t'aurait assommé avec une hache ? Mais pourquoi diable…

— J'ignore ce que tu sais des MacKenzie. Mais, après avoir chevauché plusieurs semaines aux côtés de Ned, tu t'es sans doute fait une idée. Il est intarissable sur le sujet.

Il constata à mon sourire que le petit homme de loi m'avait effectivement mise au parfum.

— Tu as vu Colum, reprit-il. Pas besoin d'être devin pour comprendre qu'il ne fera pas de vieux os. Le petit Hamish n'a que huit ans, il ne pourra pas diriger le clan avant dix autres années au moins. À ton avis, que se passera-t-il si Colum meurt ?

— Eh bien, Dougal le remplacera en attendant que Hamish prenne la relève.

— Exactement. Mais Dougal n'est pas Colum, et il y a pas mal d'hommes dans le clan qui préféreraient une autre solution.

— Je vois, et cette solution, c'est toi.

Il hocha la tête. En effet, c'était une possibilité à envisager. Jamie était le petit-fils du patriarche, Jacob. Le sang des Mac-Kenzie coulait dans ses veines, même s'il ne venait que de sa mère. Il était fort, intelligent, aimé, et avait hérité du talent familial pour diriger les autres. Il s'était battu en France et avait démontré sa capacité à mener les hommes au combat, détail non négligeable. Même le prix sur sa tête n'était pas un obstacle insurmontable, s'il devenait laird.

Les Anglais avaient déjà suffisamment de fil à retordre dans les Highlands, entre les incessantes petites rébellions, les raids sur la frontière et les guerres entre clans, sans risquer de provoquer un soulèvement en accusant le chef d'un des principaux clans de meurtre – meurtre qui, en outre, ne passerait pas pour tel aux yeux des Écossais.

Pendre un membre sans importance du clan Fraser était une chose, donner l'assaut au château de Leoch pour traîner le laird des MacKenzie devant les tribunaux anglais en était une autre.

— Tu souhaites devenir laird, si Colum mourait ?

Après tout, c'était une solution à tous ses problèmes, même si cela impliquait de surmonter de nombreux obstacles. L'idée le fit sourire.

— Non. Quand bien même je m'en sentirais le droit, ce qui n'est pas le cas, cela créerait une scission dans le clan :

les hommes de Dougal contre ceux qui accepteraient de me suivre. Je n'ai pas le goût du pouvoir au point de sacrifier des vies humaines. Mais Dougal et Colum ne peuvent en être sûrs. Aussi pourraient-ils juger plus prudent de me faire assassiner.

— Mais il te suffirait de jurer à Dougal et à Colum que tu n'as pas l'int…

Soudain je compris et levai les yeux vers lui avec un infini respect.

— J'oubliais le serment.

J'avais admiré la manière dont il s'était tiré d'une situation si délicate. Je n'avais pas réalisé alors à quel point elle avait été dangereuse pour lui. Les hommes du clan tenaient à ce qu'il prête serment, alors que Colum le redoutait. En se déclarant membre du clan MacKenzie, il se présentait également comme candidat potentiel au titre de laird. En refusant, il risquait de se faire lyncher par les hommes. En acceptant, il s'exposait à un meurtre en coulisse.

Sentant le danger, il s'était prudemment tenu à l'écart, jusqu'à ce que ma tentative d'évasion avortée le ramène au bord du gouffre. Il n'avait alors eu d'autre possibilité que de s'engager sur la corde raide, et ne devait qu'à sa finesse d'esprit d'arriver de l'autre côté sans encombre. *Je suis prest.*

Lisant dans mes pensées, il précisa :

— Oui, si j'avais prêté serment cette nuit-là, je n'aurais probablement jamais vu l'aube se lever.

Je me sentais encore plus sotte de lui avoir fait courir un tel risque. Le couteau derrière la tête de lit prenait soudain tout son sens et m'apparut comme une précaution des plus sensées. Combien de nuits avait-il passées ainsi dans l'attente de la mort ?

— Je dors toujours armé, *Sassenach*, répondit-il sans me laisser le temps de lui poser la question. Sauf au monastère. La nuit dernière, c'était la première fois depuis des mois que je ne dormais pas la dague au poing. Et pour cause, ajouta-t-il en riant, je tenais autre chose…

— Mais comment fais-tu pour toujours deviner mes pensées ? m'énervai-je.

— Tu ferais une piètre espionne, *Sassenach*. Tout ce que tu penses se lit sur ton visage. Tu as lancé un regard vers ma dague et tu as rougi.

Il pencha la tête sur le côté, me dévisageant d'un air goguenard.

— Hier, je t'ai demandé la sincérité, mais ce n'était pas nécessaire. Tu ne sais pas mentir.

— J'en déduis que toi, au moins, tu ne m'as jamais prise pour une espionne ! lâchai-je, piquée.

Il ne répondit pas. Il regardait fixement par-dessus mon épaule vers l'auberge, le corps tendu comme un arc. Je restai interdite quelques secondes avant d'entendre à mon tour le bruit qui avait capté son attention. Des claquements de sabots et des cliquetis de harnais : un groupe de cavaliers approchait.

Jamie se leva silencieusement et alla s'accroupir derrière un buisson. Ce dernier faisait écran depuis la route. Je relevai mes jupes et me faufilai derrière lui le plus discrètement possible.

En contrebas, la route dessinait une vaste courbe avant de descendre vers l'auberge. La brise du matin portait les bruits, de sorte que plusieurs minutes s'écoulèrent avant que le premier cheval apparaisse.

Ils étaient une bonne trentaine, la plupart portant des braies de cuir et des tartans de diverses couleurs. Tous étaient armés jusqu'aux dents. Des mousquets étaient attachés sous leur selle, ainsi que tout un arsenal de pistolets, de dagues et d'épées, sans parler des armes qui devaient être cachées dans les volumineuses sacoches des quatre chevaux de charge.

En dépit de leur accoutrement guerrier, les hommes paraissaient détendus. Ils bavardaient et plaisantaient tout en chevauchant, alertés toutefois au moindre bruit, balayant la forêt d'un regard attentif. L'un d'entre eux se mit à regarder fixement dans notre direction. J'avais une envie furieuse de me plaquer au sol, ce qui n'aurait pas manqué d'attirer l'attention.

Il me paraissait impossible qu'il ne repère pas l'éclat doré des cheveux de Jamie.

Lançant un regard de côté, je constatai que Jamie avait eu la même crainte, car il avait rabattu son plaid sur sa tête, de sorte que le motif de son tartan se confondait parfaitement avec notre buisson. Lorsque les hommes nous tournèrent le dos pour entrer dans la cour de l'auberge, Jamie baissa son plaid et me fit signe de reculer vers le chemin qui grimpait sur la colline.

— Qui sont ces hommes ? dis-je, haletante, en m'efforçant de le suivre dans la bruyère.

— C'est la Garde, répondit-il en tendant une main pour m'aider. On peut s'arrêter ici, ils ne nous verront pas.

J'avais déjà entendu parler de la fameuse Garde noire, une troupe de vigiles chargée d'assurer le respect de l'ordre dans les Highlands. Il y en avait en fait plusieurs, chacune patrouillant une région déterminée, « collectant » des fonds pour assurer la sécurité du bétail et des terres. Les malheureux qui refusaient de payer risquaient de se réveiller un matin pour découvrir tout leur cheptel évanoui sans que personne sache ce qu'il en était advenu, et certainement pas les membres de la Garde.

— Ils sont venus te chercher ?

Jamie tressaillit et se retourna brusquement, comme s'il s'attendait à voir des hommes escalader la colline à sa poursuite. Ne voyant personne, il m'adressa un sourire soulagé et me passa un bras autour de la taille.

— Non, je ne crois pas. On ne déplacerait pas une telle meute pour une prime aussi dérisoire, dix livres sterling ! Et s'ils avaient su que j'étais à l'auberge, ils n'auraient pas fait une entrée en fanfare. Ils auraient posté des hommes devant la porte de service et les fenêtres avant de s'annoncer. Ils se sont sans doute arrêtés pour boire un verre.

Nous continuâmes à grimper jusqu'au sommet de la colline. Devant nous s'étendait un paysage d'une beauté à couper le souffle, un océan de plateaux verdoyants et de falaises vertigineuses. Soudain, caressée par les vents, baignée par le soleil, je me sentis libérée de l'emprise de Dougal et de la compagnie étouffante de ses hommes. Je fus tentée de supplier Jamie de nous enfuir, mais le bon sens reprit le dessus. Nous n'avions ni argent, ni nourriture, ni chevaux. Si nous n'étions pas rentrés avant le coucher du soleil, on enverrait certainement des hommes à nos trousses. Jamie, lui, pouvait escalader des rochers comme un chevreau sans jamais s'épuiser, mais cette simple grimpette m'avait déjà laissée hors d'haleine. Remarquant mon visage rougi par l'effort, Jamie me conduisit vers un rocher et m'invita à m'asseoir. Nous restâmes un bon moment à contempler les collines qui se succédaient à perte de vue, tandis que je reprenais lentement mon souffle.

Repensant à la Garde, je posai soudain une main sur le bras de Jamie.

— Je suis vraiment heureuse que ta tête ne vaille pas grand-chose.

Il me dévisagea, se frottant le bout du nez qui commençait à rosir.

— Je ne sais pas très bien comment je dois le prendre, répondit-il, mais vu les circonstances, merci.

— C'est à moi de te remercier... de m'avoir épousée. Sans toi, je serais sans doute à Fort William à l'heure actuelle.

— Puisque nous en sommes aux remerciements, laisse-moi te remercier à mon tour d'avoir bien voulu m'épouser.

— Euh, de rien... dis-je en rougissant, moi aussi.

— Je ne parle pas uniquement de ça, dit-il en souriant. D'une certaine manière, toi aussi tu m'as sauvé la vie, du moins en ce qui concerne les MacKenzie.

— Comment ça ?

— Être apparenté aux MacKenzie est une chose, expliqua-t-il. Mais être à moitié MacKenzie et avoir une femme anglaise en est une autre. Il y a fort peu de chances qu'une *Sassenach* devienne un jour la maîtresse de Leoch. C'est pour ça que Dougal m'a choisi pour devenir ton mari.

Il me lança un regard taquin.

— Tu aurais peut-être préféré Rupert ?

— Certainement pas ! répondis-je en riant.

Il rit à son tour et se leva, secouant son kilt pour en faire tomber les aiguilles de pin.

— Quand j'avais seize ans, la mère Fitz m'a taquiné en me disant qu'une jeune fille aurait raison de moi. Je lui ai répondu que c'était à l'homme de choisir.

— Et qu'a-t-elle répondu à ça ?

— Elle a levé les yeux au ciel et dit : « Tu verras, jeune coq, tu verras… » Et j'ai vu.

Nous ne rentrâmes à l'auberge qu'au coucher du soleil, non sans avoir préalablement vérifié que les chevaux des hommes de la Garde avaient disparu.

De loin, l'auberge semblait accueillante. La lumière des lampes à huile filtrait déjà par les petites fenêtres. Les derniers rayons de soleil la nimbaient de rouge et d'or. La brise s'était levée avec la fraîcheur du soir et les feuilles frémissantes projetaient des ombres dansantes sur l'herbe. Je pouvais aisément imaginer des fées peuplant un tel décor, se faufilant entre les troncs d'arbres en se fondant dans la pénombre des bois.

— Dougal n'est toujours pas là, observai-je en descendant la colline.

Sa grande jument noire n'était pas dans l'enclos. D'autres montures étaient également absentes, dont celle de Ned Gowan.

— Il ne rentrera pas avant un ou deux jours, répondit Jamie.

— Mais où est-il passé ?

J'avais été trop occupée ces derniers temps pour m'interroger au sujet de cette absence, ni même la remarquer.

— Il est parti finir de régler ses affaires avec les fermiers des environs. Il lui reste encore quelques jours avant la date de ta convocation au fort. Randall sera furieux en apprenant qu'il a perdu ses droits sur toi, et Dougal ne souhaite pas s'attarder dans la région après le lui avoir annoncé.

— Cela se comprend. En tout cas, c'est gentil de sa part de nous avoir laissés tranquilles quelques jours, le temps… de mieux faire connaissance.

Jamie se mit à ricaner.

— Ce n'est pas de la gentillesse. Cela faisait partie de mes conditions. J'ai dit : « Je me marierai puisqu'il le faut, mais pas question de consommer mon mariage sous un buisson avec vingt hommes du clan autour de nous à nous prodiguer leurs conseils. »

Je m'arrêtai abruptement. Alors, c'était là l'origine des cris que j'avais entendus.

— *L'une* des conditions ? articulai-je lentement. Quelles étaient les autres ?

Il faisait trop sombre pour distinguer ses traits, mais il me parut embarrassé.

— Il n'y en avait que deux autres.

— À savoir ?

— Eh bien… je lui ai dit que je voulais un mariage en bonne et due forme, devant un prêtre, et pas seulement un contrat. Et puis… que tu devais avoir une robe convenable pour la cérémonie.

Il évita mon regard. Il parlait si bas que je l'entendais à peine.

— Je savais que… tu ne voulais pas de ce mariage. Aussi, j'ai pensé qu'il devait être le plus agréable possible… pour que tu te sentes moins… enfin, je voulais que tu aies une robe décente, voilà tout !

J'ouvris la bouche pour répondre, mais il se détourna et hâta le pas vers l'auberge.

— Allez, *Sassenach*, viens, j'ai faim.

Dès que la porte de l'auberge s'ouvrit, nous fûmes accueillis par une clameur joyeuse. Tout le monde était déjà attablé et on nous pressa de venir prendre place devant un bon repas.

Cette fois, je m'étais préparée aux plaisanteries graveleuses. Je me contentai de me faire la plus petite possible et laissai Jamie gérer les taquineries les plus crues et les spéculations lubriques sur nos activités de la journée.

— J'ai dormi, répondit-il à une des questions de cet acabit. J'avais du sommeil à rattraper.

Sa réponse fut accueillie par des ricanements qui redoublèrent quand il ajouta avec un clin d'œil :

— C'est qu'elle ronfle, vous savez !

Il m'attira alors à lui et m'embrassa bruyamment sous les applaudissements.

Après le dîner, l'aubergiste sortit son violon et on poussa les tables pour danser. Je quittai mes sabots, relevai mes jupes et me lançai dans une succession de gigues, de rondes et de *strathspeys*. L'épouse de l'aubergiste et moi-même étant les seules femmes, on ne nous laissait guère de répit et je m'amusai follement, jusqu'à ce que, épuisée, à bout de souffle, je me laisse tomber sur un banc.

Les hommes étaient infatigables, tournoyant en faisant virevolter leurs kilts, seuls ou à deux. Enfin, ils s'écartèrent en claquant des mains tandis que Jamie venait me chercher et m'entraînait dans une danse frénétique appelée « Le coq du Nord ».

Nous nous arrêtâmes, pantelants, au pied des escaliers. Là, Jamie prononça un bref discours en gaélique puis en anglais qui fut accueilli par de nouveaux applaudissements. Il sortit ensuite un petit tas de pièces de son *sporran* et les lança à l'aubergiste, lui demandant de servir une tournée générale de whisky. Je reconnus là sa part des paris sur le combat de Tunnaig. C'était probablement toute sa fortune. Je ne pouvais imaginer un meilleur moyen de la dilapider.

Nous saluâmes une dernière fois nos convives depuis la loggia, sous une pluie de recommandations indélicates, lorsqu'une voix plus grave que les autres s'éleva dans la salle.

J'aperçus alors Rupert, le visage plus rouge qu'à l'accoutumée, s'essuyant le front du revers de sa manche. Il nous lança une petite bourse que Jamie attrapa au vol.

— Avec tous les vœux de bonheur des hommes de la Garde de Shimi Bogil ! s'écria-t-il en riant.

— Quoi ? fit Jamie.

— Tout le monde n'a pas passé sa journée à faire des cabrioles dans les prés, fiston. C'est de l'argent durement gagné !

— Aux dés ou aux cartes ?

— Les deux. On les a plumés jusqu'à l'os, mon garçon, jusqu'à l'os !

Jamie ouvrit la bouche mais Rupert ne lui laissa pas le temps de parler.

— Non, pas besoin de nous remercier. Vous penserez à nous en prenant du bon temps !

Je lui envoyai une bise du bout des doigts. Il fit mine de la recevoir en se donnant une forte claque sur la joue et en chancelant comme s'il était ivre.

Après l'atmosphère de liesse de la salle commune, la chambre me parut un havre de paix et de sérénité.

Jamie s'affala de tout son long sur le lit en se tenant les côtes.

Je desserrai mon corselet et m'assis pour démêler mes cheveux.

— Tu as de si beaux cheveux, murmura Jamie.

— Tu plaisantes ? dis-je en soulevant une mèche compacte qui, comme d'habitude, rebiquait en refusant de se laisser lisser. Ils sont si... bouclés !

— Eh bien oui, et alors ? Au château, j'ai entendu une des filles de Dougal se plaindre à une amie qu'il lui faudrait friser les siens aux fers pendant au moins trois heures pour les avoir comme les tiens. Elle disait qu'elle t'aurait volontiers arraché les yeux pour te punir d'être aussi jolie sans avoir rien à faire.

Il s'approcha et tira doucement sur une de mes boucles.

— Ma sœur Jenny a les cheveux bouclés, elle aussi, mais pas autant que les tiens.

— Elle est aussi rousse que toi ?

Il fit non de la tête.

— Elle a les cheveux noirs. Moi, je tiens de ma mère, et Jenny de mon père. On l'appelait Brian Dhu, « Brian le Noir », à cause de ses cheveux et sa barbe.

— Je croyais ce surnom réservé au capitaine Randall, « Black Jack » ou « Jack le Noir ».

Jamie émit un ricanement amer.

— Oui, mais c'est à cause de son âme, pas de ses cheveux.

Il me dévisagea, l'air préoccupé.

— Tu es encore inquiète à son sujet ? Tu n'as pas à t'en faire, je te le jure. Je te protégerai, de lui et des autres. Jusqu'à mon dernier souffle, *mo duinne*.

— *Mo duinne ?* interrogeai-je, légèrement décontenancée par son ton soudain véhément.

Je ne tenais pas à le voir rendre son dernier souffle pour moi.

— Ça veut dire « ma brune ».

Il porta la boucle qu'il tenait jusqu'à ses lèvres et y déposa un baiser en me fixant d'un regard qui fit s'accélérer mon pouls.

— Ma brune, répéta-t-il doucement. Voilà longtemps, longtemps, que j'avais envie de t'appeler ainsi.

— C'est une couleur banale, minaudai-je en cherchant à gagner du temps.

Les émotions affluaient en moi beaucoup trop rapidement à mon goût.

— Ce n'est pas mon avis, *Sassenach*.

Il passa les deux mains dans ma chevelure.

— On dirait l'eau d'un ruisseau quand elle bouillonne contre les rochers. Sombre dans les endroits profonds, avec des reflets d'argent là où l'effleurent les rayons de soleil.

Le cœur battant, je m'écartai pour ramasser le peigne que j'avais laissé tomber. En me redressant je croisai son regard.

— J'ai juré de ne pas te poser de questions auxquelles tu ne voudrais pas répondre, dit-il. Et je m'y tiendrai. Mais je ne peux m'empêcher de m'interroger… Colum pense que tu étais une espionne travaillant pour les Anglais, mais dans ce cas ils auraient envoyé quelqu'un comprenant le gaélique. Dougal, lui, pencherait plutôt pour une espionne française, mais il ne s'explique pas pourquoi tu étais seule quand on t'a trouvée.

— Et toi ? Qu'en penses-tu ?

— À première vue, tu pourrais être française. Tu as cette ossature fine des femmes angevines. Mais les Françaises ont un teint plus olivâtre et tu as une peau d'opaline.

Il glissa lentement un doigt le long de mon cou.

Le doigt remonta jusqu'à mon visage, me caressant la joue. Je restai immobile sous son inspection. Sa main passa dans ma nuque, son pouce effleurant le lobe de mon oreille.

— Tu as les yeux dorés. J'ai déjà vu des yeux pareils. C'étaient ceux d'un léopard.

Il secoua la tête.

— Non, tu pourrais être française, mais tu ne l'es pas.

— Qu'en sais-tu ?

— J'ai longuement parlé avec toi et je t'ai bien écoutée. Dougal te croit française parce qu'il t'a entendue parler français. Et tu le parles très bien.

— Merci, rétorquai-je avec sarcasme. Et le fait que je parle très bien français prouve que je ne suis pas française ?

Il esquissa un sourire et sa main se resserra sur ma nuque.

— *Vous parlez fort bien, madame*[1], mais pas aussi bien que moi.

Il me lâcha brusquement.

— N'oublie pas que j'ai passé un an en France, après avoir quitté le château, puis deux autres au service de l'armée. Le français n'est pas ta langue maternelle, j'en mettrais ma main au feu.

1. En français dans le texte. (*N.d.T.*)

Il prit un air songeur.

— Espagnole, peut-être ? Mais pourquoi ? Les Highlands ne présentent aucun intérêt pour l'Espagne. Allemande ? Certainement pas.

Il haussa les épaules avant de reprendre :

— Qui que tu sois, les Anglais donneraient cher pour le savoir. Ils ne peuvent se permettre d'avoir des individus suspects en liberté dans les parages, avec les clans toujours sur le pied de guerre et Charles-Édouard en train de rassembler une armée sur les côtes françaises. Leur façon d'interroger les suspects n'est pas plaisante. Je suis bien placé pour le savoir.

— Et comment peux-tu être si sûr que je ne suis pas une espionne anglaise ? Dougal l'a bien cru, lui !

— C'est possible, même si ton anglais est lui aussi un peu étrange. Mais, si tu l'étais réellement, pourquoi aurais-tu accepté de m'épouser plutôt que de retourner auprès des tiens ? C'est une autre des raisons pour lesquelles Dougal t'a forcée à m'épouser, il voulait te mettre à l'épreuve.

— J'ai passé l'épreuve. Qu'est-ce que ça prouve ?

Il éclata de rire et se laissa tomber à la renverse sur le lit en se couvrant la tête des bras.

— Je n'en sais rien, *Sassenach*. Je n'en sais foutrement rien ! Je ne trouve aucune explication rationnelle à ta présence parmi nous. Tu pourrais même appartenir au peuple des fées et des lutins, pour autant que je sache !

Il me lança un regard espiègle.

— Non... je ne crois... tu es trop grande.

— Puisque tu ne sais pas qui je suis, tu n'as pas peur que je t'assassine pendant ton sommeil ?

Il ne répondit pas, mais un sourire radieux illumina son visage. Il devait tenir ses yeux des Fraser, pensai-je, car je n'avais rien vu de pareil chez les MacKenzie. Ils étaient profondément enfoncés dans leurs orbites et légèrement obliques, au point que, au-dessus des pommettes saillantes, ils semblaient presque bridés.

Il déboutonna sa chemise, découvrant son torse, et sortit sa dague de sous sa ceinture. Il me la lança et elle tomba lourdement à mes pieds.

Puis il remit un bras sur ses yeux, pencha la tête en arrière, me présentant sa pomme d'Adam.

— Un coup net, juste là, sous la gorge. Il faut frapper rapidement et profondément, ça demande un peu de force. Si tu préfères, tu peux me trancher la gorge, mais tu risques de salir les draps.

Je me penchai pour ramasser l'arme.

— Tu aurais l'air malin si je le faisais, pauvre cloche ! lâchai-je.

Je vis qu'il souriait sous son bras.

— *Sassenach* ?

— Quoi ?

— Je mourrais heureux.

17

Le mendiant

NOUS NOUS RÉVEILLÂMES TARD LE LENDEMAIN MATIN. Le soleil était déjà haut quand nous quittâmes l'auberge, prenant la direction du sud cette fois. L'enclos était pratiquement vide et les hommes de notre groupe n'étaient visibles nulle part. Je demandai à Jamie où ils étaient passés.

— Je ne sais pas, mais je peux le deviner. Hier, la Garde est partie vers l'ouest. Je parierais que Rupert et ses hommes ont pris la direction de l'est.

Comme je ne comprenais toujours pas, il expliqua :

— Les propriétaires terriens et les fermiers paient les hommes de la Garde pour ouvrir l'œil et récupérer leurs bestiaux volés. Donc, si la Garde a pris la direction de Lag Cruime, à l'ouest, cela signifie que les troupeaux paissant à l'est ne sont plus protégés, du moins pendant un certain temps. Par là s'étendent les terres des Grant, et Rupert est l'un des meilleurs voleurs de bétail que je connaisse. Les bêtes le suivent sans broncher. Comme les hommes devaient commencer à s'ennuyer, je suis sûr qu'ils sont partis s'amuser un peu.

Jamie lui-même semblait avoir des fourmis dans les jambes. Il marchait d'un pas leste, se faufilant dans un sentier envahi de hautes herbes. Comme ça ne grimpait pas trop, je le suivais sans mal. Bientôt, nous rejoignîmes la lande et nous pûmes marcher côte à côte.

— Et Horrocks ? demandai-je soudain.

Ayant entendu Jamie parler de Lag Cruime, je m'étais souvenue du déserteur anglais et de ses informations éventuelles.

— Tu n'étais pas censé le retrouver à Lag Cruime ?

— Si, mais je ne peux pas y aller maintenant. Avec Randall et la Garde sur la route, ce serait trop dangereux.

— Et si quelqu'un y allait à ta place ? Quelqu'un de confiance ?

Il esquissa un sourire.

— Comme toi ? Puisque tu ne m'as pas tué la nuit dernière, je suppose que je peux te faire confiance. Mais tu ne pourrais pas te rendre seule à Lag Cruime. Non, au besoin, Murtagh ira pour moi. Mais il y a peut-être une autre solution, on verra.

— Tu as confiance en Murtagh ? m'étonnai-je.

Personnellement, je n'avais pas beaucoup de sympathie pour ce rustre, dans la mesure où il était plus ou moins responsable de ma situation. D'un autre côté, Jamie et lui étaient manifestement de bons amis.

— Bien sûr ! répondit Jamie, l'air surpris. On se connaît depuis toujours. Murtagh est un cousin éloigné de mon père, je crois. Son père était…

— Tu veux dire que c'est un Fraser, interrompis-je hâtivement. Je croyais qu'il appartenait au clan MacKenzie. Il était avec Dougal quand je t'ai rencontré.

Jamie acquiesça.

— Oui, quand j'ai décidé de rentrer de France, je lui ai fait parvenir un message, lui demandant de venir me chercher sur la côte.

Il esquissa un sourire amer.

— J'ignorais toujours si l'attentat dont j'avais été victime n'avait pas été commandité par Dougal, et je n'aimais pas l'idée de me retrouver seul face à ses hommes… pour qu'on me retrouve noyé sur une plage de l'île de Skye.

— Je vois. Dougal n'est donc pas le seul à croire en l'utilité des témoins.

— Mouais, c'est très utile d'avoir des témoins.

De l'autre côté de la lande se dressaient des amas de rochers. Leurs crevasses étaient remplies d'eau de pluie, formant des mares au bord desquelles s'épanouissaient chardons et tanaisies, leurs fleurs se reflétant dans l'eau.

Nous nous assîmes près de l'une d'elles pour manger notre repas du matin : du pain et du fromage.

Si la mare n'était pas poissonneuse, elle était fréquentée par de nombreux oiseaux. Les hirondelles frôlaient sa surface en rase-mottes pour s'y désaltérer. Des pluviers et des courlis plongeaient leur long bec dans la vase, en quête d'insectes.

Je jetai quelques miettes aux oiseaux. Un courlis les inspecta d'un œil soupçonneux mais, au moment où il se décidait enfin, une hirondelle lui fila sous le bec et emporta le butin. Dépité, le courlis lissa dignement ses plumes et reprit ses recherches.

Jamie attira mon attention sur un pluvier qui piaillait en traînant derrière lui une brindille.

— C'est une femelle. Elle doit nicher quelque part, suggérai-je.

— Là-bas, indiqua-t-il en me montrant un petit creux dans la roche.

De fait, il y avait un nid où on distinguait à peine quatre petits œufs mouchetés qui se fondaient dans la terre brunâtre.

Ramassant un bâton, Jamie toucha doucement le nid, déplaçant l'un des œufs. La mère pluvier accourut aussitôt en poussant des cris stridents. Jamie s'accroupit et cessa de bouger, laissant l'oiseau aller et venir devant lui en criant d'un air menaçant. Puis, en une fraction de seconde, il tendit la main et l'attrapa.

Il lui murmura doucement des paroles en gaélique tout en lui caressant la tête du bout du doigt. Le pluvier se blottit dans le creux de sa main, soudain immobile, ouvrant de grands yeux ronds.

Il le reposa délicatement sur le sol, mais l'oiseau ne s'envola pas tout de suite. Jamie lui parla encore en agitant la main. Le pluvier sursauta et fila entre les herbes hautes. Jamie le suivit du regard, puis esquissa un petit signe de croix.

— Pourquoi as-tu fait ça ? demandai-je, intriguée.

— Quoi donc ?

Il semblait ailleurs et je me rendis compte qu'il avait momentanément oublié ma présence.

— Tu t'es signé quand l'oiseau s'est envolé.

Il haussa les épaules, légèrement embarrassé.

— Ah, ça ? C'est à cause d'une vieille légende. On dit que les femelles pluviers poussent des cris déchirants et tournent sans cesse autour de leur nid parce qu'elles ont l'âme des jeunes mères mortes en couches.

Il pointa le doigt vers un pluvier qui faisait précisément cela.

— Elles ne peuvent croire que leur couvée est saine et sauve. Elles se lamentent toujours pour celui qu'elles ont perdu ou qui s'est égaré hors du nid.

Du bout de son bâton, il remit en place l'œuf qu'il avait délogé. Puis, toujours accroupi, il se balança légèrement d'avant en arrière, le regard perdu dans la mare. Il resta un long moment silencieux, avant de reprendre :

— Ce n'est qu'une habitude, je suppose. Je me suis signé une fois quand j'étais petit, peu après qu'on m'a raconté cette histoire. Ce n'est pas que je croie réellement qu'elles aient une âme, bien sûr... juste comme ça, par respect...

Il se tourna soudain vers moi et sourit.

— Depuis, je le fais si souvent que je ne m'en rends même plus compte. Ce ne sont pas les pluviers qui manquent, en Écosse.

Il se redressa et lança son bâton au loin.

— Allons-y, proposa-t-il. Il y a un endroit que je veux te montrer, au sommet de cette colline, là-bas.

Il me soutint par le coude pour m'aider à me relever et nous reprîmes notre route le long du sentier.

J'avais compris les paroles qu'il avait dites au pluvier. Bien qu'elles aient été en gaélique, c'était une expression très courante dans la région : « Que Dieu t'accompagne, petite mère ! »

Je lui pris le bras et demandai de but en blanc :

— Quel âge avais-tu quand elle est morte ?

— Huit ans.

Il ne dit plus rien et se contenta de me guider à travers la bruyère vers le sommet de la colline. Un peu plus loin, le paysage changeait brusquement, avec de grands massifs granitiques jaillissant de terre, entourés de taillis de sycomores et de mélèzes. Nous avançâmes sur la crête de la colline, laissant derrière nous les cris déchirants des pluviers.

Il commençait à faire chaud. Après m'être traînée pendant une heure entre les denses buissons derrière Jamie, je criai grâce et réclamai une pause.

Nous dénichâmes un coin ombragé au pied de l'un des massifs de granit. L'endroit me rappelait vaguement le lieu de ma première rencontre avec Murtagh, peu avant de fausser compagnie au capitaine Randall. Sauf que celui-ci était désert. Jamie m'expliqua que, pour s'en assurer, il suffisait d'écouter les oiseaux autour de nous. Si quelqu'un approchait, la plupart cesseraient de chanter, à l'exception des geais et des choucas qui se mettraient à crier pour donner l'alerte.

Nous restâmes assis en silence très près l'un de l'autre, mais sans nous toucher, respirant à peine. Bientôt, le geai perché au-dessus de nous sur une branche se lassa de prévenir la forêt de notre présence et s'envola.

Jamie évitait mon regard. Je le sentis frissonner à mes côtés, comme s'il avait froid.

Les chapeaux grisaillants des charbonniers pointaient timidement dans la mousse sous les fougères. Jamie en cueillit un et en fendit la tige en deux du bout de l'ongle, l'air concentré. Puis il prit enfin la parole.

— Je ne voudrais pas… euh… je veux simplement dire…

Il leva les yeux vers moi et m'adressa un sourire impuissant.

— Je ne veux pas paraître insultant en insinuant que tu as une grande expérience des hommes, mais ce serait idiot de prétendre que tu n'en sais pas plus que moi sur le sujet. Ce que je voulais savoir, c'est... est-ce que c'est toujours comme ça ? Ce qui se passe entre nous, quand tu es couchée près de moi, quand on se touche ? C'est toujours ainsi entre un homme et une femme ?

Il n'était pas très clair, mais j'avais parfaitement compris. Son regard était franc, soutenant le mien dans l'attente d'une réponse.

— C'est souvent le cas, commençai-je d'une voix rauque. Mais... non. Non, ce n'est pas toujours comme ça. Ne me demande pas pourquoi, mais c'est chaque fois... différent.

Il se détendit un peu, comme si je venais de confirmer ses doutes. Il tendit la main et effleura mes lèvres du bout des doigts.

— Ça commence toujours pareil. Quand je te touche, j'ai l'impression que mon bras tout entier prend feu. Je ne pense plus qu'à une chose : te serrer contre moi et me consumer.

Rien qu'à l'idée de lui répondre que je ressentais la même chose, mon sang se mit à bouillir et j'eus l'impression que mes tempes s'embrasaient. Je fermai les yeux et sentis ses doigts brûlants caresser ma joue, mon oreille, puis mon cou. Je tressaillis lorsque ses mains descendirent autour de ma taille et m'attirèrent à lui.

Jamie marchait de nouveau devant moi, l'air de savoir où il allait. Enfin, nous parvînmes au pied d'un énorme rocher d'au moins huit mètres de haut, parcouru de brèches et de saillies. Des ronces et des églantiers avaient pris racine dans les crevasses, leurs fleurs frémissant sous la brise. Jamie prit ma main et me fit palper la surface rocheuse.

— Tu sens les prises, *Sassenach* ? Tu crois que tu y arriveras ?

En effet, je sentais de légères protubérances dans la pierre, certaines à peine perceptibles, d'autres plus prononcées. Je ne pouvais dire si elles étaient naturelles ou façonnées par la main de l'homme, mais, en rassemblant mes jupes et malgré mon corselet serré, je pensais pouvoir y arriver.

Après moult glissements et frayeurs, et avec l'aide de Jamie me poussant les fesses, j'atteignis le sommet. Reprenant mon souffle, je regardai autour de moi. La vue était spectaculaire. La silhouette sombre d'une montagne se dressait à l'est, tandis que, vers le sud, de douces collines s'étendaient à perte de vue.

Le sommet du rocher formait une sorte de cratère avec, en son centre, les vestiges calcinés d'un feu de bois. Nous n'étions pas les premiers à avoir grimpé jusqu'ici.

— Tu es souvent venu ici ? demandai-je à Jamie.

Il se tenait légèrement à l'écart, observant avec une certaine délectation mon émerveillement devant le somptueux paysage.

— Oh oui ! Je connais cette région des Highlands comme ma poche. Viens par ici, il y a un endroit où on peut s'asseoir. D'ici, tu peux voir la route qui contourne la colline. On aperçoit même l'auberge.

En effet, on aurait dit une maison de poupée. Quelques chevaux étaient attachés sous un chêne près de la route, comme autant de petits points noirs et bruns.

Aucun arbre ne poussait sur le rocher et la pierre était brûlante. Nous nous assîmes côte à côte, les pieds dans le vide, et partageâmes une bouteille de bière que Jamie avait pris soin de sortir du puits de l'auberge avant de partir.

Quelques petites plantes jaillissaient ici et là dans les crevasses, tournant courageusement leur tête vers le soleil torride. Une touffe de marguerites poussait près de moi et je tendis la main pour en cueillir une.

Un sifflement traversa l'air et la marguerite décapitée atterrit sur mes genoux. Je restai interdite, fixant la petite fleur d'un air ébahi. Jamie, nettement plus rapide que moi, s'était projeté à plat ventre.

— Baisse-toi ! s'écria-t-il.

Sa grande main m'attrapa par le coude et me plaqua au sol à ses côtés. Ce n'est qu'en m'aplatissant dans la mousse que je vis la hampe de la flèche, fichée dans une fente de la roche, encore tremblante, à quelques centimètres de mon visage.

Mon sang se glaça. N'osant même pas bouger la tête pour regarder autour de moi, je tentai de me fondre dans la pierre. Jamie, lui, était si parfaitement immobile qu'il se confondait avec le rocher. Même les oiseaux et les insectes semblaient avoir suspendu leurs chants et leurs activités, retenant leur souffle. Puis Jamie éclata de rire.

Il se redressa et, saisissant la flèche par la hampe, l'extirpa délicatement de la crevasse. Elle se terminait par trois pennes de pivert nouées avec du fil bleu. Posant la flèche à côté de lui, Jamie mit les mains en coupe devant sa bouche et se lança dans une imitation étonnante du cri du pivert. Puis il attendit. Quelques instants plus tard, un cri identique lui répondit. Il venait d'un bosquet au pied du rocher. Un large sourire illumina le visage de Jamie.

— Un ami à toi ? demandai-je.

Il hocha la tête, le regard fixé sur le rebord de pierre.

— Hugh Munro, répondit-il, à moins qu'un autre ne se soit mis à fabriquer les mêmes flèches que lui.

Nous attendîmes quelques minutes, mais personne n'apparaissait.

— Ah, le coquin ! fit doucement Jamie avant de faire volte-face juste à temps pour se retrouver nez à nez avec une tête qui émergeait de l'autre côté du rocher.

La tête se fendit en une large bouche édentée. Deux yeux malicieux, d'un bleu intense, se plissèrent du plaisir de nous avoir surpris. On aurait dit une citrouille, impression accentuée par la teinte orangée du crâne glabre et doré par le soleil. La tête en question se terminait par une barbe luxuriante. Deux énormes paluches aux ongles crasseux suivirent, hissant le reste du corps sur notre promontoire.

Notre visiteur aurait pu être un des gnomes qui hantaient la lande. Il avait de larges épaules carrées, mais voûtées, l'une nettement plus haute que l'autre. Un pied-bot donnait à notre homme une démarche clopinante.

Munro, si c'était bien là l'ami de Jamie, était vêtu de plusieurs couches de haillons, des fragments de tissus aux couleurs fanées apparaissant sous les accrocs de ce qui avait dû être autrefois une robe de femme.

Il ne portait pas de *sporran* à sa ceinture, en l'occurrence une simple corde nouée autour de la taille à laquelle pendaient deux dépouilles de lapins. En revanche, il avait une sacoche de cuir accrochée autour du cou, dans un excellent état par rapport au reste de son accoutrement. À la lanière était suspendue une collection de médailles, de décorations militaires, de vieux boutons d'uniformes, de pièces de monnaie limées par le temps et de plusieurs petites plaques de métal rectangulaires incisées d'inscriptions mystérieuses.

Jamie se leva pour accueillir l'étrange créature qui vint vers nous en sautillant et les deux hommes s'étreignirent chaleureusement en se tapant le dos.

— Alors, comment va la maison Munro ? s'exclama Jamie en reculant d'un pas pour admirer son ami.

Munro inclina la tête et émit un étrange gargouillis. Puis, écarquillant les yeux, il me montra du doigt et haussa les épaules d'un air interrogateur.

— Ma femme, dit Jamie avec un mélange de timidité et de fierté. Nous sommes mariés depuis deux jours.

Le visage de Munro s'illumina et il exécuta une révérence complexe et gracieuse au cours de laquelle il se toucha le front, le cœur et les lèvres avant de finir en position pratiquement horizontale à mes pieds. Après cette série de mouvements gymniques d'une virtuosité étonnante, il bondit de nouveau sur pied avec la grâce d'un acrobate et gratifia Jamie d'une claque sonore sur l'épaule, de cette manière étrange que les hommes ont pour témoigner de leur affection.

Puis il se lança dans un étourdissant ballet de mains, agitant les doigts dans tous les sens, montrant la forêt, moi, puis son propre torse, avec un tel éventail de gestes et de grimaces que j'en eus presque le tournis. J'avais déjà vu des sourds-muets s'exprimer, mais jamais avec une telle prolixité.

Jamie, lui, semblait suivre attentivement le discours.

— Non ! fit-il, incrédule, enfin avant d'envoyer à son tour un grand coup de poing dans l'épaule de son ami.

Il se tourna alors vers moi et expliqua :

— Il s'est marié, lui aussi. Il y a six mois, avec une veuve...

Devant les gestes emphatiques de Munro, il précisa :

— ... une *grosse* veuve, avec six enfants, là-bas, au village de Dubhlairn.

— Mes félicitations ! dis-je poliment. Apparemment, votre grande famille ne mourra pas de faim !

J'indiquai les lapins accrochés à sa ceinture.

Munro en détacha aussitôt un et me le tendit avec une telle expression de plaisir que je n'osai refuser. Je lui souris tout en espérant que la dépouille n'était pas infestée de puces.

— Un cadeau de mariage, traduisit Jamie. Merci infiniment, Munro, nous devons nous aussi t'offrir un cadeau.

Il lui tendit une de nos bouteilles de bière.

Après cet échange d'amabilités, nous nous assîmes tous les trois dans la mousse et partageâmes la dernière bouteille. Jamie et Munro se plongèrent dans une longue conversation ponctuée de grognements, de grimaces et de moulinets des bras.

Je n'y participais guère, étant incapable de déchiffrer ce que Munro racontait, bien que Jamie fît de son mieux pour m'éclairer.

À un moment, Jamie toucha du doigt l'une des plaquettes de métal que Munro portait à la lanière de sa sacoche.

— Ça y est, c'est officiel ? Ou est-ce juste qu'il n'y a plus de gibier ?

Munro hocha énergiquement la tête.

— Qu'est-ce que c'est ? demandai-je.

— Des *gaberlunzies*.

— Mais encore ?

— Des permis pour mendier. Ils sont valables sur le territoire de la paroisse et uniquement un jour par semaine. Chaque paroisse délivre son propre permis, pour que le mendiant de l'une ne prenne pas l'argent de ceux des autres.

— Un système plutôt élastique ! constatai-je avec un regard vers les quatre plaquettes de Munro.

— Ah oui ! Mais Munro est un cas à part. Il a été capturé par les Turcs en haute mer. Il a passé un bon nombre d'années à ramer dans des galères, et quelques autres comme esclave à Alger. C'est là qu'il a perdu la langue.

— On... lui a coupé ? demandai-je, horrifiée.

— Oui, et ils lui ont cassé une jambe. Le dos aussi, pas vrai, Munro ?

Munro esquissa de grands gestes et Jamie rectifia.

— Pardon, le dos, c'était un accident. Ça lui est arrivé en sautant d'un mur à Alexandrie. Le pied, en revanche, est bien un souvenir des Turcs.

Je ne tenais pas vraiment à en savoir plus, mais Jamie et Munro mouraient d'envie de me raconter l'histoire.

— D'accord, soupirai-je en me préparant au pire. Comment est-ce arrivé ?

Non sans une certaine fierté, Munro déroula les chiffons crasseux qui lui bandaient la jambe et exhiba un pied à la peau durcie et noirâtre, mouchetée de taches rosées.

— De l'huile bouillante, expliqua Jamie. C'est ainsi qu'ils forcent les captifs chrétiens à se convertir à l'islam.

— C'est certainement une méthode des plus convaincantes, répondis-je, dégoûtée. Alors, c'est pour cela que plusieurs paroisses l'autorisent à mendier ? Pour compenser les épreuves qu'il a subies au nom de la chrétienté ?

— Exactement.

Jamie était manifestement satisfait de mon analyse de la situation. Munro exprima lui aussi son admiration avec d'autres salamalecs, suivis d'une séquence de mouvements particulièrement expressifs quant à son appréciation de mon anatomie.

— Merci, mon ami, lança Jamie. Maintenant, dis-moi, qu'est-ce qui se passe dans les villages ?

Les deux hommes reprirent leur conversation elliptique avec une intensité accrue. Jamie était trop plongé dans le débat pour me le traduire et j'étais cette fois totalement perdue. Je me concentrai sur l'examen des espèces végétales qui poussaient ici et là sur le rocher.

Lorsqu'ils eurent fini de gesticuler et de grogner et que Munro se leva pour partir, j'avais déjà cueilli une poignée d'euphraise et de fraxinelle. Après une dernière révérence à mon intention et une bonne claque sur l'épaule de Jamie, il disparut aussi soudainement qu'il était arrivé.

— Tu as vraiment des amis extraordinaires ! m'exclamai-je.

— Ah, c'est un brave homme, ce Hugh ! J'ai chassé avec lui et quelques autres l'année dernière. Maintenant qu'il est officiellement mendiant, il fait bande à part. Son travail l'oblige à aller de village en village. Il sait tout ce qui se passe d'Ardagh à Chesthill.

— Sait-il où trouver Horrocks ?

Jamie acquiesça.

— Oui. Il va lui transmettre un message de ma part, afin de changer de lieu de rendez-vous.

— Voilà qui va berner Dougal... au cas où il aurait voulu t'empêcher de le rencontrer.

Jamie esquissa un léger sourire.

— Oui, j'avoue que l'idée me plaît assez.

Une fois de plus, nous rentrâmes à l'auberge à l'heure du dîner. Cette fois, la grande jument noire de Dougal et les montures de ses cinq compagnons se tenaient dans la cour, mâchonnant tranquillement leur foin.

Dougal nous attendait à l'intérieur, couvert de poussière et éclusant une grande chope de bière. Il me gratifia d'un signe de tête et se tourna vers son neveu. Il l'examina longuement sans rien dire, la tête inclinée sur le côté.

— Ça y est, dit-il enfin. Je sais à quoi tu me fais penser.

Se tournant vers moi, il expliqua :

— Vous avez déjà vu un cerf à la saison du rut ? La malheureuse bête ne mange ni ne dort pendant plusieurs semaines. Elle n'en a pas le temps. Elle doit combattre les autres mâles et saillir les biches. À la fin de la saison, elle n'a plus que la peau sur les os. Elle a le regard creux et la seule partie de son anatomie qui remue encore, c'est son...

La fin de sa phrase se perdit dans l'éclat de rire général. Jamie m'entraîna vers l'escalier et nous nous réfugiâmes dans notre chambre. Nous ne redescendîmes pas pour dîner.

18

Les cavaliers de la lande

— Qu'a dit le capitaine Randall ?

Avec Dougal d'un côté et Jamie de l'autre, nos trois chevaux occupaient tout le sentier. De temps en temps, l'un ou l'autre de mes compagnons devait s'arrêter et laisser passer les deux autres pour éviter les énormes buissons de ronces qui envahissaient le chemin.

Dougal me lança un regard de biais, un sourire narquois sur les lèvres.

— Le capitaine était de fort méchante humeur, dit-il prudemment. Mais je me garderai bien de répéter ses mots exacts. Bien qu'aguerries, vos oreilles chastes ne le supporteraient pas, madame Fraser.

Je ne prêtai pas attention à son utilisation sarcastique de mon nouveau titre, ni à l'insulte cachée que je pouvais aisément deviner. Mais je sentis Jamie se raidir sur sa selle.

— Vous... ne pensez pas qu'il risque de prendre... euh... des mesures de rétorsion ?

En dépit des assurances de Jamie, j'avais des visions de dragons rouges surgissant des buissons, égorgeant mes compagnons et m'emportant dans le repaire de Randall pour y subir mon interrogatoire. Je ne doutais pas qu'il saurait faire preuve de créativité dans ses tortures.

— C'est peu probable, me tranquillisa Dougal. Il a d'autres chats à fouetter que de s'occuper d'une *Sassenach* égarée, si jolie soit-elle.

Il accompagna son compliment d'une inclination de la tête, comme pour s'en excuser.

— Je doute également qu'il ose s'en prendre à la nièce de Colum, reprit-il.

Sa nièce. Je sentis un petit frisson parcourir mon épine dorsale. La nièce du chef du clan des MacKenzie. D'un autre côté, j'étais désormais apparentée à lord Lovat, chef du clan des Fraser, ainsi qu'au responsable d'une puissante abbaye française, et de qui sait combien d'autres Fraser. Non, il était peu vraisemblable que Jonathan Randall ose encore s'en prendre à moi. Après tout, c'était bien là le but de notre arrangement.

Je contemplai le dos de Jamie, qui nous avait devancés. Il se tenait droit comme un piquet et sa tignasse rousse luisait au soleil comme un casque de cuivre.

Dougal suivit mon regard.

— Vous auriez pu trouver pire, non ? railla-t-il.

Deux nuits plus tard, nous campâmes à la belle étoile sur une petite étendue de lande, au pied d'une falaise de granit. Nous avions chevauché toute la journée, mangeant sur le pouce sans même descendre de cheval. Nous étions tous heureux de nous arrêter pour un vrai dîner. Les premiers jours de notre périple, je m'étais proposée pour aider à la préparation des repas et avais essuyé une rebuffade du cuistot peu amène qui nous accompagnait.

Ce matin même, un des hommes avait chassé une biche. Il la fit mijoter avec des navets, des oignons et tout ce qui lui tombait sous la main, ce qui donna un délicieux ragoût. Repus et contents, nous nous allongeâmes autour du feu, écoutant des contes et des chansons. À ma grande surprise, le petit Murtagh, d'ordinaire peu prolixe, avait une très belle voix de ténor. Après de longues tergiversations, il accepta de chanter pour notre plus grand plaisir.

Je me blottis contre Jamie, essayant de trouver une position confortable sur la pierre froide et dure. La falaise de granit rouge qui se dressait derrière nous nous abritait du vent et retenait la chaleur du feu. Nos montures étaient attachées un peu plus loin, au milieu de quelques rochers formant un enclos naturel. Lorsque je demandai pourquoi nous ne campions pas dans un endroit plus découvert où la mousse aurait formé un tapis moelleux, Ned Gowan, perché sur un gros rocher pour admirer le coucher du soleil, m'expliqua que nous nous trouvions à présent près de la frontière du territoire des MacKenzie, et donc aux confins des terres des Grant et des Chisholms.

— Les éclaireurs de Dougal n'ont vu personne, mais on ne peut jamais être sûrs. Mieux vaut prévenir que guérir.

Lorsque Murtagh se trouva à court d'inspiration, Rupert prit la relève en nous racontant des histoires. S'il lui manquait l'éloquence de Gwyllyn, il disposait d'un fonds inépuisable de contes et de légendes peuplés de fées, de fantômes, de mauvais esprits ou *tannasg* et autres habitants surnaturels des Highlands comme les chevaux des eaux. Ces derniers – crus-je comprendre – habitaient tous les cours d'eau, mais plus particulièrement les fjords et les profondeurs des lochs.

— Vous connaissez peut-être cet endroit à l'extrême est du loch Garve qui ne gèle jamais ? demanda-t-il en roulant des yeux. L'eau y est toujours noire, même quand le reste du loch est couvert d'une épaisse couche de glace. C'est par là que se trouve la cheminée du cheval des eaux.

Comme bon nombre de ses semblables, le cheval des eaux du loch Garve avait enlevé une jeune fille venue remplir ses cruches et l'avait emportée dans les profondeurs pour en faire sa femme. Malheur à toute jeune damoiselle ou damoiseau qui, voyant un beau cheval, montait dessus, car, une fois en croupe, il lui était impossible d'en descendre ! La monture surnaturelle sautait dans l'eau, se transformait en poisson et entraînait les malheureux jusqu'à sa demeure.

— Une fois sous l'eau, la peau de ces créatures se couvre d'écailles et elles perdent leurs dents, expliqua Rupert en ondulant la main pour imiter un poisson. Elles se nourrissent d'escargots, d'algues et de toutes sortes de choses froides et gluantes. Leur sang est aussi glacé que l'eau des fjords et elles n'ont pas besoin de faire du feu. Mais une femme humaine, elle, a besoin de chaleur.

Il fit un clin d'œil à l'assistance, qui éclata de rire.

— Aussi, la femme du cheval des eaux était triste. Elle avait froid et faim dans sa nouvelle maison au fond du loch, car elle n'aimait pas beaucoup les escargots, les algues et tout ce qu'on lui servait aux repas. Alors, le cheval, qui n'était pas un mauvais bougre, est remonté à la surface et s'est promené sur la berge devant la maison d'un maçon. Lorsque celui-ci a vu un superbe étalon à la robe dorée et tout harnaché d'argent, il n'a pas résisté à la tentation et il a grimpé sur son dos.

» Aussitôt, le cheval a plongé dans l'eau et l'a emporté jusqu'à sa demeure triste et glacée. Là, il lui a déclaré qu'il ne retrouverait la liberté qu'à condition de construire une grande cheminée pour que sa femme puisse se réchauffer les mains et cuire son poisson.

Je me laissais bercer par la voix de Rupert, la tête nichée dans le creux de l'épaule de Jamie. Soudain, je sentis son corps se raidir. Sa main se referma sur ma nuque et il m'ordonna de ne plus bouger. Je regardai autour de moi mais ne remarquai rien d'anormal, si ce n'était l'atmosphère soudain tendue, comme si un courant électrique passait d'homme en homme.

Rupert hocha discrètement la tête en direction de Dougal, tout en poursuivant imperturbablement son récit :

— Alors, n'ayant guère le choix, le maçon fit ce qu'on lui demandait, puis il fut libre de retourner chez lui sur la berge.

La femme du cheval des eaux avait enfin chaud et était heureuse. Elle cuisinait du poisson tous les soirs. Et voilà pourquoi l'eau dans ce coin du loch ne gèle jamais : c'est par là que remonte la chaleur dégagée par leur cheminée.

Rupert était assis sur un rocher, son flanc droit tourné vers moi. Tout en parlant, il se pencha comme pour se gratter le mollet. Sans que son visage ni sa voix ne trahissent la moindre nervosité, il ramassa au passage son poignard sur le sol et le déposa sur ses genoux dans les plis de son kilt.

Je me serrai contre Jamie et m'approchai de son oreille, comme pour lui murmurer des mots doux.

— Que se passe-t-il ?

Il mordilla mon lobe et chuchota :

— Les chevaux sont énervés. On a de la visite.

Un des hommes se leva et s'approcha d'un rocher pour se soulager. Lorsqu'il revint, il se rassit près d'un des conducteurs de chariots. Un autre se leva à son tour et alla soulever le couvercle de la marmite pour y pêcher un morceau de viande. Tout autour de nous se déroulait un étrange ballet tandis que Rupert continuait de parler.

Je compris soudain que chaque homme s'approchait un peu plus de ses armes. Ils dormaient tous avec leur poignard, mais entassaient généralement leurs épées, pistolets et boucliers de cuir en vrac dans un coin du campement. Celles de Jamie étaient posées sur le sol, à quelques mètres de nous. Je pouvais voir le reflet des flammes danser sur la lame damasquinée de son épée. Si ses pistolets n'étaient que les modèles habituels à crosse en os comme en portaient tous les hommes du clan, son épée et son glaive étaient particuliers. Il me les avait montrés avec fierté au cours de l'une de nos haltes, tournant affectueusement la lame entre ses mains.

Son glaive était enveloppé dans une couverture. Je pouvais voir son énorme garde cruciforme, soigneusement sablée pour assurer une bonne prise. J'avais vainement tenté de le soulever, il pesait près de trente kilos.

Si le glaive était sombre et sinistre, en revanche l'épée était superbe. Beaucoup moins lourde, elle était tout aussi mortelle. Des arabesques ornaient le métal bleu de la lame. Sa garde finement ciselée était incrustée de pierres rouges et bleues. J'avais vu Jamie s'entraîner au combat, d'abord de la main droite avec l'un des hommes de Dougal, puis de la main gauche avec Dougal lui-même. Il était magnifique à voir, rapide, agile et sûr de lui, avec une grâce que sa grande taille rendait plus impressionnante encore. À présent, mon estomac se nouait à l'idée de le voir bientôt en user pour de bon.

Il se pencha sur moi, déposa un baiser sur ma joue et profita de l'occasion pour me faire légèrement pivoter de sorte que je me retrouve face aux rochers.

— Prépare-toi, dit-il doucement. Tu vois la petite ouverture entre les rochers ?

De fait, plusieurs blocs de pierre tombés les uns sur les autres laissaient un mince espace qui ne mesurait pas plus d'un mètre de haut.

— Quand je te dirai « vas-y », tu te précipiteras dans ce trou et tu y resteras, d'accord ? Tu as toujours la dague sur toi ?

Il avait insisté pour que je garde la petite dague qu'il m'avait lancée un soir à l'auberge, bien que je lui aie répété cent fois que je n'en voyais pas l'utilité, ne sachant ni ne voulant m'en servir. Mais, pour ce qui était d'insister, Dougal avait raison, Jamie savait être têtu.

La dague se trouvait donc dans une de mes poches où je l'avais oubliée depuis. Jamie glissa une main le long de ma cuisse pour s'assurer qu'elle était bien là, sous mes jupons.

Il releva la tête, comme un chat humant la brise. Je le vis lancer un regard vers Murtagh, puis de nouveau vers moi. Le petit homme ne lui fit aucun signe, mais se leva et s'étira longuement. Puis il se rassit, cette fois à quelques mètres de moi seulement.

Un cheval hennit nerveusement dans l'obscurité. Comme si cela avait été un signal, ils surgirent du haut des rochers.

Ce n'étaient pas des Anglais, comme je l'avais craint, ni des bandits. Ce devait être des Grant ou des Campbell.

Je filai à quatre pattes vers ma cachette. Me cognant la tête et m'écorchant les genoux, je parvins à me glisser dans l'étroite crevasse. Le cœur battant, je sortis la dague de ma poche, manquant de m'entailler la main dans ma précipitation.

La bataille était si confuse que, tout d'abord, je n'y compris rien. La petite clairière était remplie de silhouettes vociférantes qui couraient dans tous les sens, brandissant des armes, se percutant les unes contre les autres, roulant au sol. Près de l'entrée de ma cachette, j'aperçus une ombre s'accroupir, à peine perceptible dans le noir. Je serrai fermement ma dague, puis reconnus Murtagh.

C'était donc là le signe que Jamie lui avait lancé. Murtagh était chargé de me protéger. Je ne voyais Jamie nulle part. Le gros du combat se déroulait entre les rochers et dans l'ombre, près des chariots.

Bien sûr ! Ce devait être le but de cet assaut : les chariots et les chevaux. Nos assaillants étaient un groupe organisé, bien armé et bien nourri, d'après ce que je distinguais à la lueur du feu. Ce devait être des Grant, venus récupérer leur bétail ou se venger du vol commis par Rupert et ses amis quelques jours plus tôt. En apprenant le raid, Dougal s'était montré agacé, non pas à cause du vol lui-même, mais parce que le bétail risquait de nous retarder. Il s'était arrangé pour le revendre aussitôt dans l'un des villages.

Nos agresseurs ne semblaient pas animés du désir de nous massacrer, mais cherchaient apparemment à s'emparer des chevaux et des chariots. Un ou deux d'entre eux au moins y parvinrent. Je vis un cheval bondir au-dessus du feu et disparaître dans la nuit, un homme accroché à sa crinière.

Deux ou trois hommes prirent la fuite à pied, emportant des sacs de grain, poursuivis par les imprécations en gaélique des MacKenzie. Le vacarme s'atténua et je crus un instant que la bataille touchait à sa fin. Mais un nouveau groupe d'hommes bondit au milieu de la clairière et le combat reprit de plus belle.

Jamie et Dougal étaient au centre de la mêlée, combattant dos à dos, chacun tenant le glaive dans la main gauche et l'épée dans la droite.

Ils étaient encerclés par quatre hommes… ou cinq, je distinguais mal. Leurs adversaires brandissaient de courtes épées. L'un d'eux tenait un glaive et tous portaient des pistolets à leur ceinture.

Ils voulaient sans doute Dougal ou Jamie. Vivant, de préférence. Probablement pour demander une rançon, ce qui expliquait qu'ils n'utilisaient que des armes blanches quand un simple coup de feu aurait suffi pour abattre leur opposant.

Dougal et Jamie, eux, n'avaient pas tant de scrupules et luttaient comme des forcenés. Ils formaient une fine équipe, chacun protégeant le flanc vulnérable de l'autre.

La mêlée hurlante s'approcha de moi. Horrifiée, sans pouvoir détacher mon regard de Jamie, je perçus un mouvement sur ma gauche. Murtagh s'était décidé à intervenir. Il dégaina son pistolet, l'essuya consciencieusement sur sa manche, l'arma, le cala calmement sur son avant-bras et attendit.

Jamie frappait ses assaillants avec sauvagerie, balayant l'air devant lui de sa lame. Mais pourquoi Murtagh ne tirait-il pas ? Soudain, je compris. Dougal et Jamie étaient tous deux dans la ligne de mire. Ces anciennes armes à feu n'étaient pas toujours très précises.

L'un des agresseurs de Dougal plongea en avant et lui enfonça sa lame dans le poignet. Dougal mit un genou à terre. Voulant protéger son oncle qui tentait péniblement de se relever, Jamie recula d'un pas et se retrouva acculé à la falaise.

C'est le moment que choisit Murtagh pour presser la détente. La détonation prit tous les hommes de court, notamment celui que la balle avait touché. Il chancela quelques instants, secoua la tête d'un air incrédule, puis tomba assis en plein milieu des braises incandescentes.

Profitant de l'occasion, Jamie bondit sur le côté pour se dégager. L'un des hommes abandonna la mêlée, se précipita pour tirer son camarade hors du feu et s'enfuit en le traînant derrière lui. Il restait trois attaquants et Dougal était blessé.

Ils étaient à présent si proches que je distinguais les traits de Jamie, concentrés, calmes, absorbés par la fièvre du combat. Dougal lui cria quelque chose et Jamie eut juste le temps de faire volte-face pour esquiver un coup qui aurait pu être fatal. Se redressant, il lança son épée vers l'un des agresseurs. La lame pénétra la cuisse et y resta plantée. L'homme baissa les yeux vers elle, stupéfait, puis la saisit par la garde et la retira aussi facilement qu'elle était entrée, ce qui me laissa penser que la plaie ne devait pas être trop profonde. L'homme n'en paraissait pas moins scandalisé et leva les yeux vers Jamie comme pour lui demander quelle mouche l'avait piqué.

Alors il poussa un cri, laissa tomber l'épée, et s'enfuit en boitant. Surpris par le bruit, les deux autres échangèrent un regard, puis tournèrent les talons et filèrent ventre à terre à leur tour, poursuivis par Jamie qui faisait tournoyer son lourd glaive au-dessus de sa tête. Murtagh lui emboîta le pas, hurlant des insultes en gaélique, tenant son épée d'une main et de l'autre son pistolet réarmé.

Enfin, le calme revint dans la clairière. Un quart d'heure plus tard, nous étions tous réunis autour des dernières braises, dressant l'inventaire des dégâts.

Il n'y en avait pas beaucoup. Deux chevaux avaient disparu, ainsi que trois sacs de blé, mais les conducteurs de chariots qui dormaient avec leur précieux butin avaient évité le pire. Toutefois, un MacKenzie avait été capturé par l'ennemi.

— Vacherie ! pesta Dougal. Ça va me coûter un mois de fermage pour le récupérer.

— Ç'aurait pu être pire, le consola Jamie. Imagine la tête de Colum s'ils t'avaient enlevé !

— J'aurais préféré qu'ils te prennent toi, grogna Dougal. Je n'aurais jamais payé ta rançon ! Tu n'aurais plus eu qu'à changer ton nom pour celui de Grant.

J'allai chercher la petite boîte à pharmacie que j'avais soigneusement empaquetée et fis s'aligner les blessés par ordre d'urgence. Rien de bien méchant. La blessure la plus grave était celle de Dougal.

Ned Gowan pétillait de vitalité. Ses petits yeux brillaient de l'ivresse du combat, au point qu'il n'avait même pas remarqué avoir perdu une dent en recevant un coup de crosse à la bouche. Il avait toutefois eu le réflexe de la garder sous la langue.

— On ne sait jamais, dit-il en recrachant la dent dans la paume de sa main.

La racine n'était pas cassée et l'alvéole saignait encore. À tout hasard, je la remis en place en appuyant fermement quelques minutes sur la couronne. Le petit notaire blêmit, mais ne broncha pas. Il se rinça la bouche avec une rasade de whisky qu'il avala ensuite.

J'avais immédiatement bandé la plaie de Dougal. En dénouant ses bandages, je constatai avec soulagement que le saignement s'était déjà interrompu. La plaie était nette, mais profonde. Fort heureusement, aucun vaisseau n'avait été sectionné, mais il allait falloir recoudre.

La seule aiguille que je trouvai était une fine alène qu'utilisaient les conducteurs de chariots pour réparer les harnais. J'hésitai quelque peu, mais Dougal se contenta de regarder ailleurs.

— Je n'ai rien contre le sang en général, expliqua-t-il, mais je n'aime pas voir le mien.

Assis sur une pierre, il serra les dents tandis que je me mettais à l'ouvrage. La nuit était fraîche, mais la sueur perlait sur son front. À un moment, il me demanda courtoisement de m'arrêter quelques instants, se détourna, vomit derrière le rocher, puis reprit la pose, le bras posé sur le genou.

Grâce à Dieu, l'aubergiste avait choisi de payer son loyer en barriques de whisky. Une partie servit à désinfecter les plaies et le reste fut rapidement éclusé par les hommes en guise de remède préventif. Une fois ma tâche achevée, j'en acceptai moi-même un bol avant de me laisser tomber sur ma couverture. La lune se couchait et il faisait frisquet. Je me blottis douillettement contre le corps chaud de Jamie.

— Tu crois qu'ils vont revenir ? lui demandai-je.

— Non, c'était Malcolm Grant et ses deux fils. Celui que j'ai blessé à la jambe est l'aîné. À l'heure qu'il est, ils doivent tous être tranquillement au fond de leur lit.

Il me caressa le bras et murmura :

— Tu as fait du beau travail ce soir, je suis fier de toi.

Je me tournai contre lui et l'enlaçai.

— Mais pas tant que moi. Tu étais magnifique, Jamie. Je n'avais jamais rien vu de pareil.

— Bah, ce n'était qu'une petite attaque surprise, *Sassenach*. Je connais ça depuis que j'ai quatorze ans. C'était une bagatelle. C'est très différent quand les attaquants en veulent réellement à ta peau.

— Une bagatelle !

Ses bras se refermèrent sur moi et l'une de ses mains descendit dangereusement bas, cherchant à s'immiscer sous mes jupes. De toute évidence, la fièvre du combat était en train de se transformer en un tout autre genre d'excitation.

— Jamie ! Pas ici ! fis-je en lui tapant sur le dos de la main.

— Quoi, tu es fatiguée ? s'inquiéta-t-il. N'aie pas peur, ça ne me prendra pas longtemps.

À présent, ses deux mains s'étaient mises au travail, retroussant carrément le devant de ma jupe.

— Non ! fis-je en tentant de me dégager.

— Seigneur ! murmura-t-il. Tu es plus moite qu'une algue !

— Jamie ! Je t'en prie. Il y a vingt hommes couchés à quelques mètres de nous.

— Tu vas les réveiller à force de te débattre comme ça.

Il roula sur moi. Son genou remonta entre mes cuisses et entama un va-et-vient insistant. Malgré moi, mes jambes commençaient à s'écarter. Mes vingt-sept ans de bienséance ne faisaient pas le poids face à un instinct millénaire. Si mon esprit se refusait à forniquer sur un rocher devant un groupe de soldats endormis, mon corps n'y voyait apparemment pas d'objections. À la guerre comme à la guerre ! Jamie m'embrassa longuement, sa langue humide fouillant frénétiquement l'intérieur de ma bouche.

— Jamie ! suppliai-je, pantelante.

Il écarta les pans de son kilt et écrasa ma main contre l'objet qui exprimait le mieux son désir impérieux.

— Doux Jésus ! m'exclamai-je, impressionnée malgré moi.

Mon sens de la bienséance faiblit encore un peu plus.

— Le combat me fout la trique ! expliqua-t-il succinctement. Tu me veux, oui ou non ?

— Euh... oui... mais... fus-je forcée de reconnaître.

Il me saisit fermement par les épaules.

— Alors, tais-toi un peu, *Sassenach*, ordonna-t-il. Il n'y en a pas pour longtemps.

Le fait est. Dès le premier coup de reins, je fus envahie de puissants spasmes. Je plantai mes ongles dans son cou et m'accrochai à lui, mordant le col de sa chemise pour étouffer mes gémissements. Quelques minutes plus tard, je sentis ses bourses se contracter contre ma peau et sa sève chaude se répandre en moi. Il roula sur le côté, haletant.

Le sang me battait dans les tempes, se faisant l'écho des pulsations entre mes cuisses. La main de Jamie reposait sur mon sein, lourde et molle. Tournant la tête, j'aperçus la silhouette sombre de la sentinelle, adossée contre un rocher de l'autre côté du feu. Avec tact, il nous tournait le dos. Je me choquai moi-même en m'apercevant que je n'étais nullement gênée. Je me demandais simplement s'il en irait de même le lendemain matin.

Le lendemain matin, tout le monde se comporta comme à l'accoutumée, si ce n'est que la plupart des hommes étaient un peu raides des suites du combat et d'une nuit passée sur la pierre dure. Tous étaient d'excellente humeur, y compris les blessés.

L'atmosphère se détendit encore lorsque Dougal annonça que nous ne voyagerions que jusqu'à la forêt qui se dessinait au loin. Là, nous pourrions baigner les chevaux et prendre un peu de repos. Je me demandai si ce changement de programme n'allait pas remettre en question le rendez-vous avec le mystérieux Horrocks, mais Jamie ne sembla pas perturbé par cette annonce.

Le ciel était chargé, mais il faisait chaud et il ne pleuvait pas. Une fois le campement monté, les chevaux soignés et relâchés et les blessés vérifiés, nous eûmes quartier libre. Certains choisirent de faire la sieste dans l'herbe, d'autres d'aller chasser, pêcher ou simplement de se dégourdir les jambes après plusieurs jours en selle.

J'étais assise sous un arbre à bavarder avec Jamie et Ned Gowan lorsque l'un des soldats de Dougal s'approcha et laissa tomber un objet sur les genoux de Jamie. C'était la dague au manche en pierre de lune.

— C'est à toi, mon garçon ? Je l'ai trouvée sur les rochers ce matin.

— J'ai dû la perdre hier soir dans l'excitation générale, dis-je. C'est aussi bien comme ça. Je n'aurais pas su quoi en faire, j'aurais fini par me blesser.

Ned lança un regard étonné à Jamie.

— Tu lui as donné une arme sans lui apprendre à s'en servir ?

— On n'a pas eu le temps, vu les circonstances, se défendit Jamie. Mais Ned a raison, *Sassenach*. Tu dois apprendre à te défendre. On ne sait jamais ce qui peut arriver sur la route, comme tu as pu le constater toi-même hier soir.

Aussitôt dit, aussitôt fait, on me conduisit au centre de la clairière pour ma première leçon. En nous voyant, plusieurs soldats s'approchèrent pour donner quelques conseils. Bientôt, j'avais une dizaine d'instructeurs se chamaillant sur des détails techniques. Après de longues négociations houleuses, il fut convenu que Rupert était le meilleur dans le maniement du couteau. Les autres s'écartèrent et il prit mon entraînement en main.

Il tint son coutelas posé en équilibre sur l'index, un centimètre sous la garde.

— Le point d'équilibre, ma fille, c'est là que tu dois le tenir pour l'avoir confortablement en main.

Je l'imitai avec ma dague, et refermai ma main sur le manche.

Il entreprit alors de me montrer la différence entre un coup planté du haut vers le bas, et un coup porté du bas vers le haut.

— Généralement, il vaut mieux frapper vers le haut. Pour planter son couteau de haut en bas, il faut une force considérable.

Il m'inspecta des pieds à la tête, avant de conclure :

— Non, t'as beau être grande pour une femme, même si tu peux atteindre le cou, il te faudra encore la force de pénétrer la chair. Vaut mieux t'en tenir aux coups venant du bas.

Il ouvrit sa chemise, révélant une panse velue perlée de sueur.

— Si tu attaques de front avec l'intention de tuer, tu dois viser là, indiqua-t-il en me montrant un point juste sous le sternum. Plante la lame bien droit et enfonce-la jusqu'au bout. Comme ça, tu atteindras le cœur et ton adversaire mourra dans la minute. Le hic, c'est qu'il faut éviter l'os, il descend plus bas que tu ne le penses, et si ta lame se cogne au petit bout d'os mou, ton homme sera encore assez vif pour ne pas te rater, lui ! Murtagh, toi qui n'as que la peau sur les os, viens par ici.

Faisant pivoter le malheureux Murtagh de force, il lui arracha sa chemise, dévoilant un dos squelettique qui aurait fait un parfait spécimen d'anatomie.

Rupert piqua du doigt sous la dernière côte, faisant tressaillir Murtagh.

— C'est par là qu'il faut rentrer, tu vois ? Le problème, quand on attaque par-derrière, ce sont les côtes. Elles protègent les organes vitaux. Si tu arrives à glisser ta lame entre deux côtes, c'est bien, mais c'est plus vite dit que fait. En revanche, là, sous la dernière côte, tu pénétreras directement dans le rein et ton adversaire tombera comme une pierre.

Rupert m'enseigna ensuite diverses positions et postures. Les hommes se succédèrent dans le rôle de la victime. Ils se couchaient dans l'herbe ou me tournaient le dos afin que je les prenne par surprise. Ou encore ils surgissaient derrière moi, imitant une embuscade, ou faisaient mine de m'étrangler pour que je puisse les poignarder dans le ventre.

Les spectateurs m'encourageaient en criant et en frappant dans les mains tandis que Rupert me recommandait de ne pas flancher à la dernière minute.

— Quand vient le moment de frapper, n'hésite pas. Et si ces lascars ne sont pas parvenus à esquiver le coup, alors c'est qu'ils méritent ce qui leur arrive.

Les premiers temps, j'étais timide et très maladroite ; mais Rupert était bon professeur et prenait sa tâche à cœur. D'une patience infinie, il trouvait toujours un bon exemple pour illustrer ses leçons.

Dougal était assis sous un arbre, berçant son bras bandé et lançant des remarques sarcastiques sur mon aptitude au combat. Ce fut lui qui eut l'idée du mannequin.

— Donnez-lui quelque chose dans lequel elle puisse planter son arme, conseilla-t-il une fois que j'eus maîtrisé les techniques du plongeon en avant et de l'insertion de la lame. La première fois, ça fait toujours une drôle d'impression.

— C'est vrai, convint Jamie. Repose-toi un peu, *Sassenach*, pendant que je te confectionne une victime.

Je le vis partir vers les chariots, accompagné de deux soldats, puis gesticuler et se débattre avec divers objets extirpés de nos affaires. Épuisée, je me laissai tomber sous l'arbre près de Dougal. Celui-ci me regarda avec un sourire narquois. Comme la plupart des hommes, il n'avait pas pris la peine de se raser depuis notre départ du château et portait à présent une barbe brune qui accentuait sa lippe.

— Alors, tout se passe bien ? demanda-t-il, en ne faisant manifestement pas allusion à mon entraînement.

— Plutôt bien, répondis-je.

Le regard de Dougal se dirigea vers Jamie, toujours occupé près des chariots.

— Le mariage lui réussit, observa-t-il.

— Oui, il a la santé, c'est le moins qu'on puisse dire, répondis-je froidement.

— Et à vous aussi, ma belle. Finalement, tout le monde y trouve son compte.

— Particulièrement vous et votre frère. Justement, en parlant de votre frère, à votre avis comment prendra-t-il la nouvelle ?

Son sourire s'élargit.

— Colum ? Il sera ravi de vous avoir comme nièce.

Quand le mannequin fut prêt, je repris mon entraînement. C'était un gros sac de blé, haut environ comme un buste, enveloppé dans une peau de taureau attachée par une corde. Je devais le poignarder, d'abord suspendu à un arbre à hauteur d'homme, puis pendant que les hommes le lançaient ou le roulaient devant moi.

Ce que Jamie s'était gardé de préciser, c'était qu'il avait glissé plusieurs lattes de bois dans le sac pour simuler les côtes.

Mes premières tentatives furent infructueuses car ma lame ripa plusieurs fois sur l'épaisse couche de cuir. Elle était plus résistante que je me l'étais imaginé. Il en allait de même pour le ventre d'un homme, m'indiqua-t-on. La fois suivante, j'atteignis enfin ma cible en plein centre, et rencontrai l'une des lattes de bois.

Je crus d'abord que j'avais perdu mon bras. L'impact se répercuta jusqu'à l'épaule et je lâchai mon arme. Je ne sentais plus rien à partir du coude, mis à part un léger picotement qui m'indiqua que la douleur n'allait pas tarder à suivre.

— Salope de Roosevelt de mes deux ! m'écriai-je sous une pluie de ricanements.

Jamie vint me masser le bras, prenant mon poignet entre ses deux pouces et lui restituant une partie de sa sensibilité.

— Très drôle, sifflai-je entre mes dents. Existe-t-il une manœuvre particulière à faire quand on a heurté un os et perdu son arme ?

— Tu dégaines ton pistolet et tu abats le salaud en face de toi ! lança Rupert dans l'hilarité générale.

— Soit, fis-je, stoïque.

J'indiquai le long pistolet que Jamie portait à sa ceinture.

— Alors montrez-moi comment le charger et tirer.

— Certainement pas ! lâcha Jamie, soudain sérieux.

— Pourquoi pas ?

— Parce que tu es une femme, *Sassenach*.

J'en eus le souffle coupé.

— Et alors ? rétorquai-je, caustique. Tu penses que les femmes sont trop sottes pour comprendre le fonctionnement d'une arme à feu ?

Il soutint mon regard furibond, pinçant les lèvres tandis qu'il envisageait plusieurs réponses.

— J'ai bien envie de te laisser essayer. Ça te donnera une bonne leçon.

Finalement ce fut Rupert qui intervint, agacé par notre querelle naissante.

— Ne sois pas stupide, Jamie. Quant à toi, ma fille, ce n'est pas que les femmes soient sottes, mais simplement qu'elles sont trop petites.

— Hein ? dis-je en le fixant d'un air idiot.

Jamie émit un petit gloussement, et sortit son pistolet de son fourreau. Vu de près, il était énorme. Il faisait bien quarante centimètres de la crosse à la gueule du canon.

— Prends-le, dit-il en le mettant sous mon nez. Tu le tiens comme ça et tu poses le canon sur ton avant-bras. Quand tu appuies sur la détente, il part en arrière. Je te dépasse d'une tête et je dois bien peser vingt-cinq kilos de plus que toi. La première fois que j'ai tiré, j'ai eu un méchant bleu pendant plus d'une semaine. Toi, il t'enverra rouler par terre, si tu ne le prends pas en pleine figure.

Il tourna l'arme dans ses mains et me la présenta par la crosse.

— Je veux bien te laisser essayer, mais je te préfère avec toutes tes dents. Tu as un beau sourire, *Sassenach*, même si tu as une tête de mule.

Légèrement refroidie par cette explication, j'acceptai sans autre discussion l'avis général selon lequel même une petite épée serait trop lourde pour que je puisse la manier avec efficacité. Seul le *sgian dhu*, le petit poignard écossais, fut estimé à ma portée. On m'en fournit un, avec une petite lame à l'air menaçant et un manche court. Je poursuivis donc mon entraînement en m'exerçant à extirper mon arme le plus rapidement possible de sous mes jupes et à me mettre en position de frappe, de sorte à pouvoir trancher la gorge de mon adversaire d'un seul mouvement.

Bientôt la leçon s'acheva et on m'autorisa enfin à m'asseoir pour dîner sous les félicitations de tous, sauf de Murtagh. Celui-ci secoua la tête d'un air renfrogné et bougonna dans son coin :

— On dira ce qu'on voudra. Pour moi, la seule arme valable pour une femme, c'est le poison.

— Peut-être, admit Dougal, mais ce n'est pas ce qu'il y a de plus pratique dans un corps à corps.

19

Le cheval des eaux

L A NUIT SUIVANTE, NOUS CAMPÂMES sur le flanc de la vallée du loch Ness. Revoir ce paysage me fit une impression étrange. Rien ou presque n'avait changé... « n'allait » changer, devrais-je dire. Les mélèzes et les aulnes étaient d'un vert plus sombre, car nous étions en été et je les avais d'abord vus au printemps. Les fleurs de mai, roses et blanches, avaient cédé la place au jaune des genêts et des ajoncs. Le ciel était, lui aussi, d'un bleu plus soutenu, mais la surface du loch était la même : une vaste étendue bleu-noir où se reflétait la végétation des berges, leurs couleurs étouffées comme derrière une vitre fumée.

Au loin sur le loch, on apercevait quelques voiles. Lorsque l'une d'entre elles s'approcha, je constatai qu'il s'agissait d'un canot en osier gainé de cuir.

Le loch dégageait le même parfum âcre, mélange de végétation en décomposition, de poissons crevés, d'eau claire et de vase. Mais, surtout, je reconnus l'atmosphère étrange qui émanait du lieu, comme une tension dans l'air. Les hommes et les chevaux semblaient la sentir aussi et il régnait dans notre campement un calme électrique.

Après avoir trouvé un coin tranquille où établir ma couche et celle de Jamie, je descendis au bord de l'eau pour me laver le visage et les mains avant le dîner. Depuis mon mariage précipité avec Jamie, je n'étais plus constamment surveillée, ce qui était une nette amélioration.

La rive formait une dénivellation escarpée qui finissait en une série de larges dalles de pierre formant une jetée irrégulière. Je m'y trouvais si bien, à l'abri des regards et des bruits du camp, que je m'y assis pour profiter du calme et me laissai bercer par le clapotis des vagues.

Tandis que j'étais plongée dans la contemplation du paysage, je remarquai un léger frémissement à la surface de l'eau.

Soudain, à quelques mètres de moi, surgit une grosse tête aplatie. Je pouvais voir l'eau dégouliner des écailles cornues qui couraient le long de son cou sinueux. Tout autour, l'eau était agitée par un corps qui semblait d'une taille considérable et on apercevait ici et là les reflets oscillants d'une masse sombre immergée bien que la tête elle-même restât relativement immobile.

Je restai moi-même sans bouger. Bizarrement, je n'avais pas peur. Je sentis une étrange affinité avec cette créature, elle aussi égarée hors de son temps, aux yeux aussi plats que ses anciennes mers éocènes, devenus opaques dans les profondeurs boueuses de son refuge. Il se créa entre nous une étrange familiarité teintée de surnaturel. Sa peau écailleuse était d'un bleu profond, avec une tache vert vif aux nuances irisées sous la mâchoire. Ses étranges yeux sans pupilles étaient couleur de l'ambre. Si beaux…

Et si différents de ceux de la reconstitution miniature, couleur de boue, que j'avais vue exposée dans un diorama du British Museum. Toutefois, la forme était identique. Les êtres vivants perdent rapidement leurs couleurs après leur dernier souffle. La peau et les tissus souples pourrissent en quelques semaines, mais les os, eux, restent intacts, donnant une idée précise de la morphologie de la créature, pâles témoins de sa splendeur passée.

Ses narines s'ouvrirent en sifflant. Il y eut un moment suspendu, puis l'animal replongea, ne laissant que des remous à la surface de l'eau comme seules traces de son passage.

À l'apparition de la créature, je m'étais levée. Inconsciemment, je m'étais approchée pour la voir de plus près. Je me retrouvai soudain sur la dernière pierre qui s'avançait au milieu des vagues mourantes. Je restai là un long moment, sondant des yeux les profondeurs du loch.

— Adieu ! lançai-je à mon visiteur disparu.

Me tournant pour rejoindre la rive, je vis un homme au sommet de la berge. C'était Peter, l'un de nos conducteurs de chariot. Il avait dû venir chercher de l'eau, car il tenait un seau. J'allais lui demander s'il avait vu la bête, lui aussi, mais son expression tandis que je m'approchais me fournit la réponse. Il était livide. Des gouttelettes de transpiration lui coulaient sur le visage. Ses yeux étaient écarquillés comme ceux d'un cheval pris de panique et sa main tremblait tant que le seau battait contre sa jambe.

— Ce n'est rien, dis-je en m'approchant, il est parti.

Au lieu de le rassurer, cette affirmation sembla le paniquer davantage. Il lâcha son seau et tomba à genoux en se signant.

— Je... vous en supplie, ma... madame. Ayez pitié.

À mon grand embarras, il se mit à baiser l'ourlet de ma jupe.

— Ne soyez pas ridicule, m'exclamai-je. Relevez-vous.

Je le poussai gentiment du pied mais il s'aplatit comme une crêpe sur le sol en tremblant.

— Levez-vous, ordonnai-je. Ne soyez pas stupide, ce n'est qu'un...

Je m'arrêtai. Lui donner le nom latin de cette espèce pratiquement éteinte ne servirait à rien.

— Ce n'est jamais qu'un gros poisson, repris-je.

Le prenant par la main, je le forçai à se relever. Je dus remplir son seau moi-même, car il refusa de s'approcher du bord. Il me suivit ensuite jusqu'au camp, maintenant une distance raisonnable entre nous, et disparut dès que nous atteignîmes les premiers chariots, non sans m'avoir lancé des regards apeurés par-dessus son épaule.

Comme il semblait peu disposé à parler de la créature à ses compagnons, je jugeai préférable de n'en rien faire. Si Dougal, Jamie et Ned étaient des hommes cultivés, les autres étaient pour la plupart des Highlanders analphabètes venant des coins les plus reculés des terres MacKenzie. C'étaient de braves soldats et d'intrépides guerriers, mais ils étaient aussi superstitieux que les hommes primitifs des tribus d'Afrique ou d'Amazonie.

Aussi, je dînai tranquillement puis allai me coucher, hantée cependant par le regard méfiant de Peter.

20

Les clairières désertes

Deux jours après l'embuscade, nous bifurquâmes de nouveau vers le nord. Nous approchions du lieu de rendez-vous avec Horrocks. Jamie était souvent perdu dans ses pensées, songeant sans doute à l'importance des révélations que le déserteur anglais pourrait lui faire.

Je n'avais pas revu Hugh Munro mais, la veille, je m'étais réveillée au beau milieu de la nuit : la couche de Jamie était vide. J'essayai de garder les yeux ouverts jusqu'à son retour, mais le sommeil s'empara de moi avant l'aube.

Le matin, il était profondément endormi à mes côtés. Un petit paquet avait été déposé sur ma couverture, enveloppé dans une fine feuille de papier et orné d'une plume de pivert. En l'ouvrant, je découvris un beau morceau d'ambre brut. Une des faces avait été dépolie et, à la lumière, on apercevait la silhouette délicate d'une libellule, figée à jamais dans un vol suspendu.

Je lissai le papier. Un message y était écrit, avec une calligraphie d'une élégance inattendue.

— Qu'est-ce que ça veut dire ? demandai-je à Jamie. Je crois que c'est du gaélique.

Il se redressa sur un coude et lut le papier.

— Non, c'est du latin. Munro était maître d'école autrefois, avant d'être prisonnier des Turcs. C'est un extrait de Catulle :

... da mi basia mille, diende centum,
dein mille altera, dein secunda centum...

Il rosit légèrement en traduisant :

Laissons parler les baisers langoureux
Qui s'attardent sur nos lèvres
Mille et cent fois repris,
Cent et mille fois encore.

— C'est tout de même plus sophistiqué que les vieux dictons de nos papillotes ! dis-je, attendrie.

— Quoi ?

— Rien, laisse tomber. Munro a-t-il retrouvé Horrocks ?

— Oui. Tout est arrangé. Je le rencontrerai dans un endroit que je connais dans les collines, à deux ou trois kilomètres de Lag Cruime, d'ici quatre jours si tout va bien.

L'idée que tout pourrait ne pas bien se passer m'inquiéta.

— Tu es sûr que c'est sans danger ? Tu as vraiment confiance en ce Horrocks ?

Il frotta ses yeux encore endormis.

— Avoir confiance en un déserteur anglais ? Certainement pas ! S'il n'était pas recherché lui aussi par les Anglais, il m'aurait déjà dénoncé pour toucher la prime. Les déserteurs sont passibles de pendaison. Non, je n'ai pas du tout confiance en lui. C'est pourquoi j'ai accepté d'accompagner Dougal pour ce voyage, au lieu de partir seul à la recherche de Horrocks. Si cet homme mijote un mauvais coup, Dougal et ses hommes m'aideront.

— Ah !

Je ne voyais pas en quoi la présence de Dougal était si rassurante, vu les relations étranges qu'entretenait Jamie avec ses deux charmants oncles.

— Au moins, dis-je, dubitative, je suppose que Dougal n'en profitera pas pour te tirer dessus.

— Il l'a déjà fait, dit joyeusement Jamie en reboutonnant sa chemise. C'est même toi qui m'as soigné.

Je laissai tomber mon peigne.

— Dougal ? Mais je croyais que c'étaient les Anglais !

— Disons que les Anglais m'ont mis en joue, corrigea-t-il. Pour être exact, ce n'est pas vraiment Dougal qui m'a tiré dessus mais un de ses hommes, Rupert probablement, car c'est le meilleur tireur des MacKenzie. Pendant qu'on se cachait des Anglais, je me suis aperçu qu'on était tout près des terres des Fraser et j'ai décidé de tenter ma chance. J'ai éperonné mon cheval et essayé de fausser compagnie à Dougal et à ses hommes. Les coups de feu fusaient dans tous les sens, mais la balle qui m'a atteint venait de derrière. Or, les Anglais étaient devant moi, alors que Dougal, Rupert et Murtagh me suivaient. À vrai dire, quand je suis tombé de cheval, j'ai pratiquement atterri à leurs pieds.

Il se pencha au-dessus du seau d'eau que je lui avais apporté et s'aspergea d'eau glacée, les gouttelettes argentées s'accrochant dans ses longs cils et ses sourcils drus.

— Après quoi, Dougal s'est démené comme un beau diable pour me ramener avec lui. J'étais couché sur le sol, incapable de me relever. D'une main, il m'a agrippé par la ceinture, de l'autre il maniait son épée, repoussant un dragon qui tentait de me transpercer avec la sienne. Dougal l'a tué et m'a remis sur mon cheval. Ensuite, tout est confus. Je ne pensais plus qu'à une chose, rester en selle, priant le ciel d'arriver jusqu'à la chaumière.

— Mais… dans ce cas, pourquoi Dougal n'en a-t-il pas profité pour te tuer ?

Jamie haussa les épaules, sortant le coupe-chou de son oncle. Il se plaça au-dessus du seau pour voir son reflet dans l'eau, puis il se pinça le nez en faisant des grimaces comme en font tous les hommes quand ils se rasent.

— Non, pas devant ses hommes. En plus, Dougal et Colum ne tenaient pas particulièrement à ce que je meure, surtout pas Dougal.

— Mais...

Décidément je n'y comprenais rien, comme toujours dès qu'il s'agissait des subtilités de la vie de famille écossaise.

— C'est à cause de Lallybroch, poursuivit Jamie en se caressant le menton. Non seulement le manoir a des terres très fertiles, mais il est situé au sommet d'un col stratégique. C'est le seul passage vers les Highlands à des kilomètres à la ronde. En cas de nouveau soulèvement, Lallybroch deviendrait un enjeu important. Or, si je venais à mourir célibataire, les terres reviendraient probablement aux Fraser.

Il sourit en se massant le cou.

— Eh oui, je pose un sacré problème aux frères Mac-Kenzie. D'un côté, ils voudraient bien me voir disparaître car je représente une menace pour l'avenir du jeune Hamish. De l'autre, ils veulent me garder vivant, pour pouvoir éventuellement contrôler mes terres en cas de guerre. Voilà pourquoi ils acceptent de m'aider à retrouver Horrocks. Je ne peux pas faire grand-chose de Lallybroch tant que je suis hors-la-loi, même si les terres m'appartiennent de plein droit.

Je roulai nos couvertures, encore étourdie par les complexités et les circonstances périlleuses au milieu desquelles Jamie évoluait avec nonchalance. Il m'apparut soudain qu'il n'était plus le seul à être impliqué dans ce méli-mélo.

— Tu as dit que, si tu mourais célibataire, les terres reviendraient aux Fraser. Mais tu es marié à présent. Alors qui...

— C'est juste, dit-il avec un sourire enjôleur. Si je suis tué maintenant, *Sassenach*, Lallybroch sera à toi.

C'était une matinée superbe. Une fois la brume dissipée, le soleil resplendit. Les oiseaux s'affairaient dans les bruyères. Pour une fois, la route était large et légèrement poudreuse sous les sabots de nos chevaux.

Jamie s'approcha de moi tandis que nous parvenions au sommet d'une colline. Il me montra du doigt un endroit sur notre droite.

— Tu vois cette petite clairière au loin ?

En effet, légèrement à l'écart de la route, dans une mosaïque de pins, de chênes et de trembles, on distinguait un petit espace dégagé.

— Il y a là-bas une jolie source et un petit étang, sous les arbres. C'est un bel endroit.

Je lui lançai un regard interrogateur.

— C'est un peu tôt pour la pause déjeuner, non ?

— Ce n'est pas à ça que je pensais.

J'avais découvert, quelques jours plus tôt, que Jamie n'était jamais parvenu à maîtriser l'art du clin d'œil. Il fermait les deux yeux en même temps, comme une chouette.

— Et tu pensais à quoi, au juste ?

Il me dévisagea avec une candeur exagérée.

— Je me demandais à quoi tu ressemblerais… étendue dans l'herbe… sous un arbre… avec tes jupes relevées jusqu'aux oreilles.

— C'est bien ce que je craignais ! ris-je.

— Je vais prévenir Dougal qu'on va chercher de l'eau.

Il éperonna sa monture et fila au-devant, revenant quelques instants plus tard avec deux bouteilles vides. J'entendis Rupert nous lancer quelque insanité en gaélique tandis que nous dévalions le versant de la colline.

J'atteignis la clairière la première, m'étendis dans l'herbe et fermai les yeux pour les protéger de l'éclat aveuglant du soleil. Jamie arriva quelques instants plus tard, sauta à terre et donna une claque sur la croupe de son cheval, qui alla rejoindre le mien en train de paître un peu plus loin. Puis il se laissa tomber à genoux devant moi. Je lui passai les bras autour du cou et l'attirai à moi.

Il sentait bon l'herbe fraîchement coupée.

— Il faut faire vite, dis-je. Sinon, ils vont se demander pourquoi on met tant de temps à chercher de l'eau.

— Ils ne se poseront pas la question, répondit-il en dénouant adroitement les lacets de mon corselet. Tout le monde sait ce qu'on va faire.

— Que veux-tu dire ?

— Tu n'as pas entendu Rupert tout à l'heure ?

— Si, mais il parlait en gaélique. Je n'ai pas compris.

— Tant mieux. Ce n'était pas pour tes chastes oreilles.

Ayant libéré mes seins, il y enfouit son visage, les mordillant légèrement jusqu'à ce que je n'en puisse plus et que j'écarte mes jupons pour lui ouvrir la voie. Après nos ébats fougueux et primaires sur le rocher, j'avais été prise de pudeur à l'idée de faire l'amour si près des autres, et les bois étaient trop denses pour pouvoir s'éloigner du campement. Nous ressentions tous deux la tension légère et agréable de l'abstinence et, à présent, à l'abri des regards et des oreilles, nos deux corps se retrouvaient dans un élan passionné qui me laissait pantelante de plaisir.

Nous approchions du paroxysme quand Jamie s'interrompit brusquement. Rouvrant les yeux, je vis son visage sombre se dessinant à contre-jour, arborant une expression parfaitement indescriptible. Un objet noir était pressé contre sa tempe. Lorsque mes yeux s'accoutumèrent enfin à la lumière, je distinguai clairement le canon d'un mousquet.

— Relève-toi, sale chien en rut !

Le canon le heurta violemment. Très lentement, Jamie se retira de moi et se releva. Une goutte de sang lui coulait sur la pommette.

Ils étaient deux. Des déserteurs anglais, à en juger par leur veste rouge en lambeaux. Ils étaient armés de mousquets et de pistolets, et semblaient fort amusés par le spectacle grivois que la fortune avait placé sur leur route. Jamie leva les mains en l'air, le canon du mousquet appuyé contre sa poitrine. Son visage ne trahissait pas la moindre émotion.

— Tu aurais pu le laisser finir, 'Arry, dit l'un.

Il sourit en dévoilant des dents pourries.

— S'arrêter en plein milieu, comme ça, c'est pas bon pour la santé.

L'autre poussa Jamie du bout de son mousquet.

— M'en fous de sa santé ! Et il s'en foutra bientôt, lui aussi, crois-moi.

Il fit un signe de tête dans ma direction.

— Et puis j'aime pas passer derrière un autre, surtout derrière un fils de putain d'Écossais.

L'homme aux dents pourries se mit à rire.

— Moi, je suis pas du genre à faire tant d'histoires. Tue-le, qu'on en finisse.

Harry, un petit trapu bourré de tics, m'examina d'un air incertain. J'étais toujours assise par terre, mes jupes rabattues sur mes mollets. J'étais parvenue à relacer tant bien que mal mon corselet, mais une bonne partie de mon anatomie était encore exposée aux regards. Enfin, le petit trapu se mit à rire à son tour et donna du coude à son compagnon.

— Non, qu'il regarde. Mets-toi là, Arnold, et tiens-le en joue.

Arnold obéit, sans quitter son sourire niais. Harry déposa son mousquet sur le sol et dégrafa sa ceinture.

Tenant fermement mes jupes, je sentis un objet dur dans ma poche droite. La dague que Jamie m'avait donnée ! Serais-je capable de m'en servir ? Après un regard vers le visage gras et boutonneux de Harry, je n'en doutai plus.

Toutefois, il me fallait attendre le moment opportun et je n'étais pas certaine que Jamie serait capable de se maîtriser beaucoup plus longtemps. Je pouvais voir l'envie de tuer durcir ses traits. Bientôt, il ne serait plus en mesure de calculer les conséquences de ses actes.

Je fixai ses yeux, le suppliant mentalement de ne pas intervenir. Les veines de son cou saillaient et son visage était cramoisi, mais une lueur infinitésimale dans son regard me confirma qu'il avait reçu mon message.

Je me débattis pendant que Harry m'écrasait contre le sol et tentait de relever mes jupons. Je gigotai pour saisir le manche de la dague. Il me gifla et m'ordonna de ne plus bouger. Ma joue me cuisait et les larmes me montèrent aux yeux, mais je tenais la dague, cachée dans les plis de ma jupe.

Je me détendis, respirant fortement. Je me concentrai sur mon objectif, tentant d'effacer toute autre pensée de mon esprit. Il faudrait frapper dans le dos, il était trop près de moi pour viser la gorge.

Ses doigts poisseux se frayèrent un chemin entre mes cuisses, les écartant de force. Je revis le doigt de Rupert piquant les côtes de Murtagh et j'entendis sa voix : « C'est là qu'il faut viser, ma fille, sous les dernières côtes. Frappe dur, vers le haut, pour atteindre les reins. Ton adversaire tombera comme une pierre. »

Le moment approchait. L'haleine fétide de Harry me balayait le visage.

— Regarde bien comment on fait, toi, l'étalon, haleta-t-il en tournant la tête vers Jamie. Je vais faire gémir ta garce en moins de...

Je lui passai un bras autour du cou, le plaquai contre moi, je levai haut l'autre main et frappai de toutes mes forces. Le choc de l'impact se répercuta dans mon bras et je manquai de lâcher le manche de ma dague. Harry beugla et se mit à frétiller comme une anguille, essayant de se dégager. J'avais visé trop haut et la lame avait ripé contre un os.

Il était trop tard pour faire marche arrière. Heureusement, mes jambes n'étaient plus entravées par mes jupons. Je les enroulai étroitement autour des hanches de Harry, l'immobilisant les quelques secondes nécessaires pour tenter ma seconde et dernière chance. Je frappai de nouveau, avec une force désespérée et, cette fois, je visai juste.

Rupert avait dit vrai. Harry rua comme dans une grotesque parodie de copulation, puis s'effondra de tout son poids sur moi, des giclées de sang jaillissant de son dos.

L'attention d'Arnold avait été retenue quelques secondes par le spectacle à ses pieds. Quelques secondes amplement suffisantes pour l'Écossais rendu fou furieux qu'il tenait en respect. Le temps que je reprenne mes esprits et que je tente de me dépêtrer du corps de feu Harry, Arnold avait rejoint son camarade sur le sol, la gorge tranchée par le petit *sgian dhu* que Jamie portait dans sa chausse.

Jamie s'agenouilla près de moi et m'aida à repousser le corps sanglant. Nous tremblions tous les deux comme des feuilles et nous serrâmes l'un contre l'autre. Sans un mot, il me souleva et m'emporta loin des deux cadavres, derrière un écran de trembles.

Il me posa à terre et s'affaissa brusquement comme si ses genoux venaient de lâcher sous lui. Je m'assis près de lui. Il leva la tête qu'il avait posée sur ses genoux, l'air hagard, semblant à peine me reconnaître. Lorsque je posai une main sur son épaule, il me pressa contre lui en émettant un son à mi-chemin entre un gémissement et un sanglot.

Nous fîmes l'amour dans un élan sauvage et urgent, nous accouplant férocement et jouissant en quelques minutes, poussés par une force qui nous dépassait mais à laquelle il nous fallait coûte que coûte obéir, au risque de nous perdre à jamais. Ce n'était pas un acte d'amour, mais une nécessité, comme si nous sentions inconsciemment que ni l'un ni l'autre ne survivrait sans cela. Notre seule force résidait dans cette fusion de nos corps, noyant ce souvenir de mort et de violence dans un abrutissement de nos sens.

Nous restâmes ensuite enlacés, échevelés, couverts de sang et frissonnant sous le soleil. Jamie marmonna quelque chose, d'une voix si basse que je ne compris que « ... désolé ».

— Tu n'y es pour rien, répondis-je en lui caressant les cheveux. C'est fini, nous nous en sommes sortis.

Je me sentais comme dans un rêve, comme si rien autour de moi n'était réel. Je reconnus là les symptômes du choc à retardement.

— Ce n'est pas ça... marmonna-t-il. Ce n'est pas ça. C'était ma faute... c'était idiot de ma part de t'entraîner ici sans faire attention... et de t'exposer à... Ce n'est pas ce que je voulais dire. Je regrette de t'avoir traitée ainsi. Te prendre comme ça, tout de suite après que… comme des animaux. Je suis désolé, Claire… je ne sais pas ce qui… je n'ai pas pu m'en empêcher, mais… Mon Dieu, tu as si froid, *mo duinne*! Tes mains sont glacées. Viens que je te réchauffe.

Il était lui aussi en état de choc. Certains se mettent à parler, sans plus pouvoir s'arrêter. D'autres, comme moi, ne peuvent plus s'arrêter de trembler. Je pressai sa bouche contre mon épaule pour le faire taire.

— C'est fini, répétai-je. Tout va bien, c'est fini.

Soudain, une ombre s'avança sur nos jambes, nous faisant sursauter. Dougal se tenait devant nous, bras croisés, l'air courroucé. Il détourna courtoisement le regard tandis que je me relaçais, fronçant les sourcils en fixant Jamie.

— Dis donc, mon garçon, que tu prennes du bon temps avec ta jeune épouse, je veux bien, mais ce n'est pas une raison pour nous faire poireauter plus d'une heure sur le bord de la route. En outre, vous étiez si bien occupés l'un avec l'autre que vous ne m'avez même pas entendu approcher. Ce genre de distraction risque de te coûter cher, un jour. N'importe qui pourrait vous surprendre par-derrière et vous mettre un pistolet contre la tempe et…

Incrédule, il interrompit son sermon en me regardant rouler dans l'herbe en proie à un fou rire hystérique. Jamie, rouge comme une pivoine, l'entraîna à l'écart derrière le rideau de trembles pour lui expliquer à mi-voix ce qui nous était arrivé. Je continuai à me tordre de rire sans pouvoir me contrôler, finissant par me mettre un mouchoir dans la bouche pour étouffer mes gloussements. Les paroles de Dougal, associées au relâchement soudain des émotions, avaient évoqué en moi une vision de Jamie en pleine besogne. Dans mon état de nerfs, je la trouvais hilarante. Je ris tellement que mes côtes étaient endolories. Enfin, je parvins à me calmer et essuyai mes yeux larmoyants pour découvrir Jamie et Dougal m'examinant d'un air réprobateur. Jamie m'aida à me relever et m'entraîna, toujours secouée de hoquets nerveux, vers la route où nous attendaient nos compagnons.

Mis à part une certaine propension persistante à ricaner de manière hystérique pour un rien, notre rencontre avec les déserteurs ne me laissa pas d'effets secondaires, si ce n'est une nette réticence à m'éloigner du campement. Dougal m'assura que les bandits étaient rares dans les Highlands, ne serait-ce que par manque de voyageurs dignes d'être détroussés. Toutefois, le moindre bruit dans la forêt me faisait sursauter et, lorsque je devais chercher du petit bois ou de l'eau, je ne m'attardais pas. La nuit, je trouvais soudain réconfortants les ronflements des MacKenzie et perdis mes derniers vestiges de pudeur quant aux ébats discrets qui agitaient nos couvertures.

Je craignais encore de rester seule quand, quelques jours plus tard, Jamie m'annonça que le moment du rendez-vous avec Horrocks était venu.

— Comment ça, je ne pars pas avec toi ? m'écriai-je, incrédule. Non ! Je t'accompagne.

— Impossible, expliqua Jamie calmement. Ned conduira le gros de la troupe jusqu'à Lag Cruime pour y collecter les fermages, comme convenu. Dougal et quelques autres viendront avec moi au rendez-vous, au cas où Horrocks mijoterait un sale coup. Toutefois, tu ne peux pas aller non plus à Lag Cruime. La ville est sans doute pleine d'hommes de Randall et il est inutile de les narguer en te montrant au grand jour. Quant à notre rencontre avec Horrocks, on ne sait jamais ce qui pourrait arriver. Non, il y a un petit bois après le tournant. Il y a de l'herbe fraîche et un ruisseau, tu y seras très bien. Je reviendrai te chercher.

— Non ! m'entêtai-je. Je viens avec toi.

Mon orgueil m'empêchait d'avouer que j'avais peur d'être séparée de lui. Aussi préférai-je laisser entendre que je m'inquiétais pour sa vie.

— Tu viens d'affirmer toi-même ne pas savoir comment finirait ton entrevue avec Horrocks. Je ne veux pas attendre ici à me demander ce qui t'est arrivé. Je t'en prie, laisse-moi venir avec toi. Je te promets d'être discrète.

Il poussa un soupir impatient mais n'insista pas. Nous repartîmes mais, arrivés au niveau du petit bois, il saisit la bride de mon cheval et m'entraîna hors de la route. Il sauta à terre et attacha mes rênes dans un buisson. Faisant la sourde oreille à mes vociférations, il s'enfonça dans le sous-bois. Je refusai obstinément de descendre de cheval. Il ne pouvait tout de même pas me *forcer* à rester là !

Pendant ce temps, les autres poursuivaient leur route. Au vu de nos dernières expériences dans les petits coins déserts, Jamie fouilla les environs de fond en comble, battant méthodiquement les fourrés avec un bâton. Quand il réapparut enfin, il détacha les chevaux et regrimpa en selle.

— C'est bon, il n'y a personne. Enfonce-toi bien dans le bois, Claire. Cache-toi et veille à ce que le cheval ne soit pas visible depuis la route. Je reviendrai le plus vite possible. J'ignore dans combien de temps, mais certainement avant le coucher du soleil.

— Non ! Je viens avec toi !

Je ne pouvais supporter l'idée de rester à attendre dans la forêt sans savoir ce qui se passait. Je préférais encore être au cœur du danger, plutôt que de patienter de longues heures à ronger mon frein, seule.

Jamie se pencha vers moi.

— Tu as bien promis de m'obéir, n'est-ce pas ?

— Oui, mais…

Uniquement parce qu'on m'y avait forcée, aurais-je voulu rétorquer, mais il tournait déjà la tête de mon cheval vers le bois.

— Ce que je vais faire est très dangereux et je ne veux pas que tu y sois mêlée. Je vais être très occupé et je ne peux pas me battre d'une main et te protéger de l'autre.

Voyant ma mine obstinée, il se mit à fouiller dans la sacoche accrochée à sa selle.

— Que cherches-tu ?

— Une corde. Je vais t'attacher à un arbre pour être sûr que tu attendras mon retour.

— Tu ne peux pas faire ça !

— Ah non ?

Manifestement, il allait le faire. Fulminante, je repris les rênes de mon cheval. Jamie se pencha vers moi et déposa un baiser sur ma joue.

— Fais attention, *Sassenach*. Tu as ta dague ? Bien. Je serai bientôt de retour. Oh, encore une chose…

— Quoi donc ?

— Si tu quittes ce bois avant mon retour, je te rosserai le cul à coups de ceinture. Tu sais que je tiens toujours mes promesses.

Je m'acheminai lentement vers le bois. En me retournant, je le vis partir au grand galop vers la route, son plaid claquant au vent derrière lui.

Il faisait frais sous les arbres. C'était une de ces rares journées écossaises de canicule, quand le soleil darde dans un ciel vaporeux et que la brume matinale s'évapore dès les premières lueurs de l'aube. Le sous-bois était plein d'oiseaux. Des mésanges s'affairaient bruyamment dans un grand chêne et je crus reconnaître le cri d'une grive au loin.

Cette constatation me rasséréna quelque peu. Puisque j'étais échouée ici, condamnée à attendre que mon crétin et tyran de mari ait fini de risquer son cou stupidement, autant m'adonner à mon ancienne passion, l'ornithologie.

Je libérai mon cheval et le laissai paître l'herbe luxuriante en lisière du bois, sachant qu'il n'irait pas bien loin. L'herbe s'arrêtait à quelques mètres des arbres, étouffée par la bruyère.

C'était un bois de conifères et de jeunes chênes, idéal pour épier les oiseaux. Je m'y promenai lentement, pestant toujours contre Jamie, mais puisant un certain réconfort dans l'écoute du *tsee* distinctif d'un gobe-mouches.

Le bois s'arrêtait abruptement au bord d'un petit précipice. Je me frayai un chemin entre les jeunes pousses en suivant le gargouillis d'un cours d'eau et me retrouvai sur la berge d'un torrent qui se déversait en cascade dans une suite d'étangs aux reflets argentés. Je m'assis sur la berge et laissai le soleil réchauffer mon visage.

Un corbeau passa en croassant au-dessus de ma tête, poursuivi de près par deux rouges-queues. L'oiseau noir zigzaguait dans les airs, tentant d'esquiver les deux bombardiers miniatures. Je souris, observant la chasse frénétique des deux parents poursuivant le voleur de nid. Les corbeaux, en temps normal, volaient-ils en ligne droite ? Je suivis sa course des yeux...

Comment pouvais-je être aussi bête !

J'avais été si occupée à maugréer contre Jamie que je n'avais pas réalisé que les conditions que j'attendais depuis deux mois étaient enfin réunies. J'étais seule. Je savais où j'étais.

De l'autre côté du torrent, le soleil matinal s'élevait entre le feuillage rouge des trembles. C'était donc l'est. Mon cœur se mit à battre plus vite. Lag Cruime était directement dans mon dos. Or, Lag Cruime se trouvait à six kilomètres au nord de Fort William, et Fort William n'était pas à plus de cinq kilomètres à l'est de la colline de Craigh na Dun.

Ainsi, pour la première fois depuis ma rencontre avec Murtagh, je savais approximativement où je me trouvais, à savoir à une dizaine de kilomètres de ce satané cercle de pierres. À une dizaine de kilomètres de chez moi. De Frank.

Je revins en hâte vers le bois, puis me ravisai. Je ne pouvais pas suivre la route. À cette distance de Fort William et des villages qui l'entouraient, je risquais de rencontrer quelqu'un. D'un autre côté, je ne pouvais descendre le torrent à cheval. Même à pied, l'entreprise était périlleuse. Les berges, quand il y en avait, étaient étroites et son cours n'était qu'une succession de plongées abruptes donnant sur des mares bouillonnantes aux profondeurs incertaines.

Mais c'était encore le chemin le plus court et le plus sûr vers Craigh na Dun. Je n'osais pas couper à travers le sous-bois, je risquais de me perdre ou de me trouver nez à nez avec Dougal ou Jamie quand ils reviendraient.

Mon cœur fit un bond. J'allais devoir quitter Jamie. Sans même une explication ni un mot d'excuse ? Disparaître sans laisser de trace, après tout ce qu'il avait fait pour moi ?

Je me résolus à laisser le cheval. Au moins, il penserait que je n'étais pas partie de mon plein gré, que j'avais été tuée par une bête sauvage ou enlevée par des bandits. Il finirait par m'oublier, et se remarier. Peut-être à la jolie Laoghaire, au château de Leoch.

L'idée de Jamie partageant la couche de Laoghaire me dérangea plus que je n'osais l'admettre. Je maudis ma sensiblerie, mais ne pus m'empêcher d'imaginer son joli minois rond cramoisi de désir tandis que les grandes mains de Jamie caressaient sa longue chevelure soyeuse...

J'essuyai quelques larmes et serrai les dents. Ce n'était pas le moment de gaspiller mon énergie en réflexions idiotes. Je devais partir, maintenant, pendant qu'il était encore temps. C'était peut-être ma dernière chance. J'espérais sincèrement que Jamie m'oublierait, mais pour le moment je devais le chasser de mon esprit et me concentrer sur le périple qui m'attendait.

Je me mis donc en marche, suivant prudemment la berge. Le chemin était très étroit, mais suffisant pour me laisser passer. Mes souliers s'enfonçaient dans la terre boueuse. Je manquai plusieurs fois de glisser, me rattrapant de justesse. Un peu plus loin, je fus obligée d'avancer dans l'eau, sautillant de pierre en pierre, jusqu'à ce que la berge me permette de nouveau de marcher sur le bas-côté.

Jamie avait dit qu'il serait de retour avant le coucher du soleil. Il avait cinq ou six kilomètres à parcourir jusqu'à Lag

Cruime, mais j'ignorais l'état de la route et combien de temps allait durer son entrevue avec Horrocks... si Horrocks était bien au rendez-vous. Il devait l'être, puisque Hugh Munro l'avait dit. Et Jamie avait une foi aveugle en son étrange ami.

Mon pied dérapa sur une pierre glissante et je me retrouvai dans l'eau glacée jusqu'aux genoux. Je me traînai jusqu'à la berge, remontai mes jupes en les coinçant sous ma ceinture, puis ôtai mes souliers et mes bas que je glissai dans mes poches.

En m'agrippant avec les orteils, je parvenais à maintenir une position plus stable sur les pierres, mais, à cause de la masse bouffante de mes jupes, je ne voyais pas très bien où je mettais le pied. À plusieurs reprises, je ratai mon saut et glissai dans le torrent. Mes pieds glacés ne sentaient presque plus rien.

Fort heureusement, la berge réapparut et je repris pied, soulagée, sur le bord vaseux et tiède. Sur plusieurs centaines de mètres, je passai ainsi de la rive boueuse et glissante aux rochers formant gué au milieu du torrent, sautillant de l'un à l'autre en un équilibre précaire. Le seul avantage était que j'étais trop occupée pour penser à Jamie.

Au bout d'un moment je pris le coup de main, ou plutôt le coup de pied. Un bond, une pause, puis la recherche, autour de moi, de la prochaine pierre, et de nouveau un bond, une pause. Je dus prendre trop confiance en moi, ou peut-être me fatiguai-je, car mon attention se relâcha. Mon pied glissa sur une pierre couverte de mousse, je battis désespérément des bras pour reprendre mon équilibre. Peine perdue : je tombai à la renverse dans l'eau.

Je coulai à pic. Si le torrent lui-même n'était pas très profond, les mares qui se succédaient, elles, l'étaient.

J'étais trop étourdie par le choc de l'eau glacée pénétrant mes narines et ma bouche pour crier. Des bulles argentées s'échappaient tout autour de moi, remontant vers la surface de plus en plus lointaine.

Je me débattis furieusement, mais le poids de mes vêtements m'entraînait irrémédiablement par le fond. Je tentai frénétiquement de défaire les lacets de mon corselet, mais j'aurais eu mille fois le temps de me noyer avant d'en venir à bout. Je pestai mentalement contre l'absence de sens pratique d'un tel costume tout en battant frénétiquement des jambes.

L'eau était cristalline. Mes doigts ripèrent contre une surface rocheuse couverte d'algues et de mousse.

Bizarrement, cette sensation tactile dissipa ma première panique. Je compris soudain que je gaspillais mon énergie à m'agiter ainsi furieusement. Il valait mieux me laisser calmement couler jusqu'au fond, puis me propulser vers le haut. La mare ne pouvait faire plus de deux à trois mètres de profondeur. Avec un peu de chance, je parviendrais à prendre un peu d'air, même si je devais couler à nouveau. Je pourrais rebondir ainsi plusieurs fois de suite en essayant de me rapprocher du bord ou de m'accrocher à une pierre.

La descente sembla durer une éternité. Mes jupes flottaient devant moi comme un parachute. Je les repoussai pour y voir plus clair. Mes poumons semblaient sur le point d'exploser et des points noirs dansaient devant mes yeux quand mes pieds touchèrent enfin une surface solide. Je pliai les genoux, rabattis mes jupes sur mes jambes, et m'élançai de toutes mes forces.

Ma tête creva la surface et j'eus juste le temps d'aspirer une bouffée d'air avant de repiquer à nouveau. Mais c'était suffisant. Cette fois, je me tins droite et raide pour descendre plus vite, pliai les genoux et me propulsai de nouveau. En remontant, je distinguai une ombre rouge au-dessus de l'eau. Ce devait être une branche de tremble, s'avançant au-dessus de la mare. Si je parvenais à l'attraper…

Je visai droit dessus, les bras tendus devant moi. Au moment où je crevais la surface, quelque chose attrapa ma main. Une chose chaude et dure, d'une solidité rassurante. Une autre main.

Toussant et crachant, je m'accrochai désespérément à la main, trop soulagée d'être sauvée pour regretter ce contre-temps dans ma fuite. Soulagée, du moins, jusqu'à ce que j'aie pu écarter les mèches qui me tombaient devant les yeux, et que je reconnaisse le visage bovin du jeune caporal Hawkins.

21

De mal en pis

J'ÔTAI DÉLICATEMENT UNE ALGUE encore humide de ma manche et la déposai sur le papier buvard. Puis, voyant l'encrier ouvert à côté de moi, je la trempai dedans et me mis à barbouiller des motifs variés sur la feuille. Me prenant au jeu, je signai mon chef-d'œuvre d'une grossièreté, le saupoudrai de sable, le tamponnai avec le buvard puis l'adossai contre la bibliothèque.

Je reculai d'un pas pour admirer le tout, puis cherchai autour de moi d'autres diversions qui pourraient m'empêcher de penser à l'arrivée imminente du capitaine Randall.

La décoration était plutôt luxueuse pour le bureau d'un simple capitaine de dragons. J'inspectai les tableaux accrochés au mur, les incrustations d'argent du secrétaire, le tapis persan. Je revins me placer sur le tapis afin d'y dégouliner un peu plus. Sur la route de Fort William, ma jupe et mon corsage avaient eu le temps de sécher, mais mes jupons étaient encore trempés.

J'ouvris l'armoire et découvris la perruque de rechange du capitaine, soigneusement posée sur un pied en bronze ciselé, ainsi qu'un ensemble en argent comprenant une psyché, des brosses et un peigne en écaille disposés en rangs ordonnés. Transportant la perruque sur le bureau, j'y déversai le reste du sable avant de la remettre à sa place.

J'étais assise derrière le bureau, le peigne à la main, étudiant mon reflet dans le miroir, quand le capitaine entra. D'un seul regard, il embrassa ma tignasse hirsute, son armoire ouverte et son buvard souillé.

Sans sourciller, il tira une chaise et s'assit en face de moi, croisant les jambes. Il balançait oisivement une cravache au bout de ses longs doigts aristocratiques. Je ne pouvais détacher mon regard de la tige tressée, noir et rouge, qui allait et venait lentement au-dessus du tapis comme un pendule.

— J'avoue que l'idée a un certain charme, dit-il enfin en suivant mon regard. Mais je suis sûr de pouvoir trouver mieux, une fois que j'aurai repris mes esprits.

— Je n'en doute pas, répondis-je en écartant une mèche poisseuse de mes yeux. Ne me dites pas que vous avez le droit de fouetter les femmes !

— Uniquement dans certaines circonstances, dit-il poliment. Mais votre situation présente n'entre pas dans ce cadre… pour le moment. Toutefois, j'avais en tête quelque chose de plus… intime, pour commencer.

Il fit pivoter sa chaise et saisit une carafe derrière lui.

Nous bûmes le clairet en silence, sans nous quitter des yeux.

— Au fait, je ne vous ai même pas félicitée pour votre mariage ! Pardonnez ce manque d'éducation.

— Je vous en prie, ce n'est rien, dis-je gracieusement. Je suis sûre que la famille de mon époux vous sera infiniment reconnaissante de m'avoir offert l'hospitalité.

— Oh, j'en doute, répondit-il avec un grand sourire. C'est que, voyez-vous, je n'ai nullement l'intention de les informer de votre présence parmi nous.

— Vous croyez vraiment pouvoir la leur cacher ?

Malgré ma détermination à lui tenir tête, je n'étais pas très à mon aise. Je lançai un bref regard vers la fenêtre, mais elle donnait à l'est et on ne voyait pas le soleil. La lumière était jeune. Ce devait être le milieu de l'après-midi. Combien de temps avant que Jamie ne découvre mon cheval abandonné ?

Et combien encore avant qu'il ne suive mes empreintes jusqu'à la rivière… pour les perdre bientôt ? Tout compte fait, disparaître sans laisser de traces avait ses inconvénients. À moins que Randall ne décide d'avertir Dougal de ma présence chez lui, les MacKenzie n'avaient aucun moyen de me retrouver.

— S'ils l'apprenaient, dit le capitaine en haussant élégamment un sourcil, ils rappliqueraient ici en un clin d'œil. Compte tenu des noms d'oiseaux dont Dougal MacKenzie m'a gratifié lors de notre dernière entrevue, je doute qu'il me considère comme un chaperon convenable pour sa nouvelle nièce. Vous devez être très chère au cœur des MacKenzie pour qu'ils préfèrent vous adopter plutôt que de vous voir tomber entre mes mains. Je les imagine mal vous laissant languir ici.

Il m'examina longuement, contemplant d'un air dégoûté mes vêtements trempés et mes cheveux hirsutes.

— Je me demande bien ce qu'ils vous veulent, reprit-il. Ou, s'ils tiennent tant à vous, pourquoi vous laissent-ils errer seule dans la nature ? J'aurais pensé que même des barbares prendraient meilleur soin de leurs femmes.

Une lueur s'alluma subitement dans son regard.

— À moins que vous ne leur ayez faussé compagnie ?

Il se cala dans son fauteuil, intrigué par cette éventualité.

— Votre nuit de noces aurait-elle été plus éprouvante que prévu ? Je dois avouer que j'ai été un peu vexé d'apprendre que vous aviez préféré partager la couche d'un de ces mal-lavés, velus et à demi nus, plutôt que de poursuivre nos charmantes conversations. Votre sens du sacrifice est remarquable, madame, et je félicite ceux qui vous emploient pour avoir su vous l'inculquer, mais…

Il posa son verre de clairet en équilibre sur son genou.

— … je crains de devoir vous demander à nouveau le nom de votre ou de vos employeurs. Si vraiment vous avez fui les MacKenzie, c'est sans doute que vous travaillez pour des Français ? Mais qui en particulier ?

Il me fixait comme un serpent tentant d'hypnotiser sa proie. Entre-temps, le clairet m'avait redonné assez de courage pour soutenir son regard.

— Oh ? fis-je, avec une courtoisie exagérée. Vous me parliez ? Je croyais que vous récitiez un monologue. Je vous en prie, ne vous interrompez pas pour moi.

Ses lèvres minces se tendirent légèrement mais il ne répondit pas. Posant son verre de côté, il se leva, ôta sa perruque et se dirigea vers l'armoire où il la plaça sur un pied vide. Il marqua une brève pause en remarquant les grains de sable sombres dans son autre perruque, mais ne broncha pas.

Tête nue, la ressemblance avec Frank était encore plus frappante. Ses longs cheveux bruns, lisses et brillants, étaient noués en arrière par un ruban de soie bleue. Il le dénoua, s'empara du peigne sur le bureau et redonna du volume à sa coiffure aplatie par la perruque. Puis il renoua lentement le ruban bleu. Je lui tendis aimablement le miroir pour qu'il puisse s'admirer. Il me le prit des mains avec délicatesse et le rangea à sa place, refermant les portes de l'armoire presque en les claquant.

J'ignorais si ce petit manège était destiné à éprouver mes nerfs, mais si tel était le cas c'était efficace. Mais peut-être cherchait-il simplement à gagner du temps en attendant une meilleure idée.

La tension fut momentanément soulagée par l'apparition d'une ordonnance apportant le thé. Toujours sans piper mot, Randall servit le thé et me tendit une tasse. Nous bûmes en silence.

— Laissez-moi deviner, dis-je enfin. C'est une nouvelle forme de persuasion que vous venez d'inventer, la torture de la vessie. Vous allez me faire boire jusqu'à ce que je promette de tout vous révéler en échange d'un pot de chambre.

Il fut si surpris qu'il éclata de rire. Cela transforma radicalement son visage et je compris pourquoi il y avait tant d'enveloppes portant une écriture féminine dans le fond de son tiroir. Quand il eut fini de rire, il me dévisagea de nouveau, un sourire aux coins des lèvres.

— J'ignore qui vous êtes, madame, mais au moins vous n'êtes pas banale.

Il tira sur un cordon près de la porte. L'ordonnance réapparut et il lui ordonna de m'accompagner aux cabinets d'aisances.

— Veillez à ne pas la perdre en route, Thompson, ajouta-t-il en nous ouvrant la porte avec une petite révérence moqueuse.

Une fois seule dans les latrines, je m'adossai à la porte. Être soustraite à sa présence était un soulagement, même si le répit devait être de courte durée. J'avais eu amplement le temps de juger la véritable personnalité de Randall, à la fois par les histoires qu'on m'avait racontées et mon expérience personnelle. Mais des visions de Frank ne cessaient de venir s'interposer entre moi et ce monstre de froideur. Je n'aurais jamais dû le faire rire.

Je m'assis, ignorant la puanteur, réfléchissant à mon problème. Une tentative de fuite était peu envisageable. Outre Thompson qui m'attendait de l'autre côté de la porte, le bâtiment où se trouvait le bureau de Randall était situé au cœur de la garnison. Si l'enceinte du fort n'était qu'un mur en pierre, il n'en faisait pas moins trois mètres de haut et le double portail était bien gardé.

Et si je feignais d'être malade et refusais de quitter les latrines ? Non, et puis les lieux étaient trop sordides. En vérité, il était inutile de retarder l'échéance plus longtemps, vu que je n'avais rien à attendre. Personne ne savait où j'étais, et Randall n'avait pas l'intention d'en informer quiconque. Il pouvait me garder à sa merci aussi longtemps qu'il lui plairait. Une fois de plus, je regrettai de l'avoir fait rire. Rien n'est plus dangereux qu'un sadique avec le sens de l'humour.

Cherchant frénétiquement quelque chose qui pourrait me servir contre le capitaine, un nom me revint soudain en mémoire. Je ne l'avais que vaguement entendu et m'en souvenais à peine. Pourvu que je ne l'écorche pas ! C'était une piètre carte à jouer, mais c'était ma seule chance. Je pris une profonde inspiration et sortis de mon sanctuaire.

De retour dans le bureau, je laissai tomber un morceau de sucre dans mon thé et le touillai méticuleusement. Puis j'ajoutai de la crème. Enfin, ne trouvant plus rien d'autre à faire pour m'occuper, je levai les yeux vers Randall. Il était toujours assis dans sa pose favorite, sa tasse élégamment suspendue dans les airs, me regardant d'un air narquois.

— Eh bien ? demandai-je. Que comptez-vous faire de moi ?

Il sourit et but une longue gorgée de thé brûlant avant de répondre.

— Mais rien.

— Vraiment ? Seriez-vous à court d'imagination ?

— Je ne pense pas, répondit-il poliment.

Ses yeux se promenèrent encore sur moi, nettement moins poliment cette fois.

— Non, reprit-il en fixant mon décolleté, même si l'envie me démange de vous apprendre les bonnes manières, je crains de devoir repousser ce plaisir à plus tard. Vous partez pour Édimbourg avec le prochain courrier. Hélas, je ne peux pas me permettre de vous envoyer en mauvais état, mes supérieurs pourraient me le reprocher.

— Édimbourg ? glapis-je, incapable de contenir ma surprise.

— C'est bien ce que j'ai dit. Vous avez entendu parler de Tolbooth, je présume ?

En effet. Le tristement célèbre Tolbooth était la prison la plus sinistre de l'époque, réputée pour sa crasse, sa violence, ses maladies et ses cachots glauques. Bon nombre des prisonniers y mouraient avant d'avoir été jugés. Je déglutis avec peine.

Randall termina sa tasse, content de lui.

— Vous vous y plairez, j'en suis sûr, m'assura-t-il. Après tout, vous semblez aimer les atmosphères moites et sordides, ajouta-t-il en lançant un regard réprobateur vers ma jupe crottée et mon ourlet déchiré. Après le château de Leoch, vous vous y sentirez comme chez vous.

La cuisine de Tolbooth ne valait certainement pas celle de Colum. Mais, les questions triviales de confort mises à part, je ne pouvais pas le laisser m'envoyer à Édimbourg. Une fois emmurée dans la prison, je ne pourrais jamais retourner à Craigh na Dun.

Le moment était venu de jouer le tout pour le tout. Je levai ma tasse et, le plus nonchalamment du monde, je lâchai :

— Comme vous voudrez. Mais le duc de Sandringham sera-t-il d'accord ?

Il renversa sa tasse sur ses culottes en daim et lâcha une série d'interjections des plus expressives.

— Tss tss ! fis-je en singeant son air réprobateur.

Il se redressa, me foudroyant du regard. La tasse gisait renversée sur le tapis, le liquide brunâtre s'étalant sur le fond vert amande. Il ne fit pas un geste vers le cordon. Un muscle de son cou tressaillait spasmodiquement.

J'avais déjà découvert les petits mouchoirs amidonnés dans un des tiroirs du secrétaire, aux côtés d'une boîte à priser émaillée. J'en sortis un et le lui tendis.

— J'espère que ça ne tache pas, dis-je aimablement.

— Non, dit-il sans un regard vers le mouchoir. Non, ce n'est pas possible. On m'aurait informé. Si vous travailliez réellement pour Sandringham, pourquoi adopteriez-vous un comportement aussi absurde ?

— Le duc cherche peut-être à éprouver votre loyauté, essayai-je à tout hasard.

Cette suggestion le fit ricaner. Je me tenais prête à bondir sur le côté pour esquiver le coup. Il serrait les poings et la cravache était dangereusement proche, posée sur le bureau à quelques centimètres de sa main.

— Ne serait-ce pas vous, madame, qui cherchez à éprouver ma crédulité et ma patience ? Sachez que je n'ai pas beaucoup ni de l'une ni de l'autre.

Ses yeux se plissèrent et je me préparai au pire.

Il plongea et je me plaquai juste à temps contre la bibliothèque. Saisissant la théière, je la lui lançai à la figure. Il l'évita de justesse et elle se fracassa contre la porte. L'ordonnance, qui devait attendre dehors, passa une tête alarmée dans l'entrebâillement.

Reprenant son souffle, le capitaine lui fit signe d'entrer.

— Tenez-la, ordonna-t-il en passant derrière le bureau.

Je me mis à respirer fortement, tentant de me calmer.

Au lieu de me frapper, comme je m'y attendais, il ouvrit l'un des tiroirs que je n'avais pas eu le temps d'inspecter et en sortit une longue corde.

— Quelle sorte de gentleman conserve des cordes dans son bureau ? m'indignai-je.

— Un homme prévoyant, madame, murmura-t-il en nouant mes poignets derrière le dos. Sortez, ordonna-t-il à l'ordonnance, et ne revenez pas sans que je vous l'aie demandé, sous aucun prétexte.

Ce n'était guère encourageant. Mes pressentiments les plus sombres devinrent abondamment justifiés quand il ouvrit à nouveau le même tiroir.

La vue d'un couteau ne laisse personne indifférent. Même les soldats les plus braves pâlissent devant une lame nue. Quant à moi, je devais être blême. Je reculai contre la bibliothèque. La pointe acérée et étincelante se posa entre mes seins.

— Et maintenant, annonça-t-il sur un ton badin, vous allez me dire tout ce que vous savez au sujet du duc de Sandringham.

Il appuya légèrement sur la lame, déchirant le tissu de ma robe.

— Prenez tout votre temps, ma chère. Je ne suis pas pressé.

Il y eut un petit « pop ! » et la pointe s'enfonça un peu plus dans le tissu. Je pouvais sentir la pointe, glaciale, juste sur mon cœur.

Randall décrivit lentement un demi-cercle avec le couteau sur mon sein gauche et le lin s'affaissa dans un bruissement d'étoffe, dévoilant mon sein. Randall soupira longuement, me regardant droit dans les yeux.

Je m'écartai un peu et butai contre le bureau. S'il s'approchait encore, je pourrais peut-être basculer en arrière, m'agripper au rebord de la table et faire voler son couteau dans la pièce d'un coup de pied. Il n'avait sans doute pas l'intention de me tuer, du moins pas avant de savoir exactement quelles étaient mes relations avec le duc de Sandringham. Toutefois, cette supputation ne m'était pas d'un grand réconfort.

Il esquissa encore ce sourire qui le faisait tant ressembler à Frank, ce sourire séducteur qui charmait les étudiants et faisait fondre même les recteurs les plus revêches. En d'autres circonstances, j'aurais peut-être été charmée, moi aussi, mais là…

Il se déplaça avec une vitesse foudroyante. Il glissa un genou entre mes jambes et poussa mes épaules en arrière. Perdant l'équilibre, je tombai à la renverse sur le bureau, atterrissant sur mes poignets liés. Je poussai un cri de douleur. D'une main, il retroussa ma jupe, de l'autre il malaxa mon sein nu. Je ruai frénétiquement. Il m'attrapa un pied et sa main remonta le long de ma cuisse. Il écarta mes jupons humides, ma jupe, les pans de ma chemise et rabattit le tout sur mon ventre. Il commença à se déboutonner.

« Voilà qui me rappelle quelqu'un, pensai-je. Harry le déserteur. » Décidément, l'armée anglaise était une déception ! Les glorieuses traditions, tu parles !

Perdue comme je l'étais au milieu de la garnison anglaise, mes cris ne risquaient guère d'attirer l'attention. J'essayai néanmoins, plus pour la forme qu'autre chose. Je m'attendais qu'il me gifle pour me faire taire, mais il sembla trouver mes piaillements d'orfraie à son goût.

— C'est cela, crie, ma belle, murmura-t-il tout en tripotant les boutons de sa braguette, ça m'excite encore plus.

— Allez vous faire foutre ! lui hurlai-je au visage.

Une mèche brune se libéra et vint pendouiller sur son front. Il ressemblait tant à son six fois arrière-petit-fils que je fus prise d'une impulsion horrible d'écarter les cuisses et de le laisser faire. Il me tordit sauvagement le sein et cet élan disparut aussitôt.

J'étais folle de rage, dégoûtée, humiliée, révoltée, mais bizarrement je n'avais pas peur. Je sentis un objet mou contre ma cuisse et compris soudain pourquoi. Il ne pouvait conserver une érection à moins que je ne me remette à hurler, et même ainsi c'était loin d'être gagné.

— Ah, c'est comme ça, hein ? raillai-je.

Je reçus aussitôt une gifle retentissante. Je serrai les dents et détournai la tête avant d'être tentée de sortir d'autres remarques peu judicieuses. Viol ou pas, son tempérament ombrageux représentait déjà un risque considérable. Au passage, je crus percevoir un mouvement devant la fenêtre.

— Je vous saurais gré d'ôter vos mains de ma femme !

Randall resta figé sur place, n'en croyant pas ses oreilles. Il tourna lentement la tête vers la fenêtre tandis que sa main, hors du champ de vision de Jamie, quittait mon sein pour s'approcher du couteau posé sur le bureau.

— Qu'avez-vous dit ? demanda-t-il, incrédule.

Lorsque sa main se fut refermée sur le manche, il acheva sa rotation pour faire face à son interlocuteur. Il eut un nouveau sursaut, puis éclata de rire.

— Que Dieu nous garde, c'est notre petit chaton sauvage ! Je croyais t'avoir réglé ton compte une fois pour toutes ! Ton dos est-il guéri ? Et tu dis que c'est ta femme ! Joli brin de fille, ma foi, elle me rappelle ta sœur.

Toujours caché par son corps à moitié tourné, la lame du couteau était à présent dirigée vers ma gorge. J'apercevais Jamie par-dessus l'épaule de Randall. Il était perché sur le rebord de la fenêtre, comme une panthère prête à bondir. Son visage était impassible et le canon du revolver ne trem-

427

blait pas. Seule la rougeur qui montait de son col de chemise trahissait ses émotions.

Très tranquillement, Randall souleva le couteau pour qu'il le voie, sa pointe effleurant ma gorge.

— Si j'étais toi, je jetterais mon arme sur le sol... à moins que tu ne sois déjà lassé de la vie conjugale. Si tu préfères être veuf, alors là, bien sûr...

Les deux hommes ne se quittaient pas du regard. Ils restèrent parfaitement immobiles un long moment. Enfin, le corps de Jamie se détendit et il lança le pistolet dans la pièce. Celui-ci atterrit avec un bruit sourd, manquant de peu le pied de Randall.

Ce dernier se pencha et ramassa l'arme en une fraction de seconde. Dès que la pointe du couteau quitta ma gorge, je tentai de me redresser, mais il me repoussa contre le bureau. D'une main, il me maintenait couchée, de l'autre il tenait Jamie en joue. Le couteau devait être quelque part sur le tapis, et malheureusement je n'avais pas des orteils préhensiles. La dague était toujours au fond de ma poche, hors de ma portée.

Le sourire n'avait pas quitté le visage de Randall depuis que Jamie était apparu. Il s'élargit encore pour montrer des canines pointues.

— Voilà qui est mieux.

La main qui m'avait plaquée contre la table me lâcha pour reprendre son déboutonnage de braguette.

— Vous arrivez comme un cheveu sur la soupe, mon cher ami, vous m'excuserez si je termine ce que j'avais commencé avant de m'occuper de vous.

Cette fois, Jamie était franchement cramoisi. Il attendit que Randall eût fini de s'affairer sur son pantalon, et s'élança dans la pièce, plongeant droit vers la gueule du canon braquée vers lui. Je voulus crier mais ma voix s'étrangla dans ma gorge. Les doigts de Randall se refermèrent sur la détente.

Le barillet vide émit un « clic ! » sonore et le poing de Jamie percuta de plein fouet l'estomac de Randall. Un autre poing s'abattit sur son nez avec un craquement sec et une giclée de sang éclaboussa ma jupe. Les yeux de Randall roulèrent dans leurs orbites et il s'effondra tout d'une masse.

Jamie se précipita vers moi pour dénouer mes poignets.

— Tu es venu jusqu'ici avec un pistolet vide ? beuglai-je comme une hystérique.

— S'il était chargé, tu crois que j'aurais attendu pour tirer ? siffla-t-il en retour.

Un bruit de course retentit dans le couloir. Le nœud lâcha et Jamie me poussa vers la fenêtre. Elle était à plus de deux mètres de hauteur. Les pas approchaient. Nous sautâmes en même temps.

J'atterris dans un craquement d'os et roulai sur moi-même, m'empêtrant dans mes jupons. Jamie me releva et me plaqua contre le mur. On entendait des hommes approcher au pas de course. Six soldats apparurent au coin du bâtiment, mais aucun ne tourna la tête dans notre direction.

Dès qu'ils furent passés, Jamie me prit par la main et nous longeâmes le bâtiment, nous arrêtant au coin. De là, je pus me repérer. À une trentaine de mètres, une échelle menait à une passerelle qui bordait la partie intérieure du mur d'enceinte. D'un signe de la tête, Jamie m'indiqua que c'était là notre objectif.

Il se pencha et chuchota :

— Dès que tu entendras une détonation, file à toutes jambes et grimpe cette échelle. Je serai derrière toi.

J'acquiesçai. Mon cœur battait si fort qu'il semblait sur le point de lâcher. Baissant les yeux, je réalisai que j'avais toujours un sein à l'air, mais je n'y pouvais pas grand-chose pour le moment. Je remontai mes jupes, prête à courir.

Un fracas épouvantable retentit de l'autre côté du bâtiment, comme une explosion. Jamie me poussa dans le dos et je filai ventre à terre. J'atteignis l'échelle en quelques secondes et escaladai les barreaux, Jamie derrière moi. Une fois sur la passerelle, j'embrassai d'un seul regard l'ensemble du fort. Une fumée noire s'élevait d'une remise près du mur au sud. Tout autour, des hommes couraient dans tous les sens.

Jamie surgit à mes côtés.

— Par ici.

Il courut plié en deux le long de la passerelle, et je lui emboîtai le pas. Nous nous arrêtâmes près d'un mât. À son sommet, une bannière claquait au vent, la drisse cliquetant avec un bruit de timbale. Jamie regardait la ligne d'horizon, cherchant quelque chose des yeux.

Je lançai un regard derrière nous. Les hommes s'agglutinaient autour du petit bâtiment, gesticulant et criant. Dans un coin, je remarquai un petit pilori en croix, une corde pendant à chaque extrémité.

Soudain, Jamie émit un bref sifflement et je vis Rupert apparaître sur son cheval, tirant celui de Jamie par la bride. Il vint se placer à nos pieds.

Jamie coupa la corde du mât. La lourde bannière rouge et bleu s'effondra. Nouant rapidement une corde à l'une des drisses, il la balança par-dessus l'enceinte.

— Vas-y, ordonna-t-il. Tiens-toi bien avec les mains et prends appui contre le mur avec tes pieds. Allez !

Je m'exécutai, me brûlant les paumes à la corde. J'atterris près des chevaux et grimpai en selle précipitamment. Jamie sauta derrière moi quelques secondes plus tard, et nous partîmes au grand galop.

Nous ne ralentîmes qu'après avoir parcouru plusieurs kilomètres, lorsqu'il n'y eut plus de doutes que nous n'étions pas suivis. Après quelques conciliabules, Dougal décida que nous devions prendre la direction des terres des Mackintosh, le clan ami le plus proche.

— Nous pouvons être à Doonesbury avant la nuit. Dès demain, la nouvelle de l'évasion se répandra, mais nous serons alors en lieu sûr de l'autre côté de la frontière.

Ce devait être le milieu de l'après-midi. Nous repartîmes au trot, notre monture légèrement à la traîne du fait de sa double charge. Mon propre cheval, pensai-je, devait encore être en train de paître tranquillement, attendant que le premier chanceux passant par là l'emmène.

— Comment m'as-tu retrouvée ? demandai-je.

Je commençais tout juste à réagir à tout ce qui venait de se passer et je tremblais comme une feuille. Mes vêtements étaient cette fois complètement secs, mais j'étais glacée jusqu'aux os.

— J'ai regretté de t'avoir laissée seule et j'ai envoyé un homme pour te tenir compagnie. Il ne t'a pas trouvée, mais il a vu les soldats anglais traversant le fjord et tu étais avec eux.

Il parlait d'une voix froide. Je ne pouvais guère lui reprocher de m'en vouloir. Mes dents claquaient.

— Je m'étonne que tu n'en aies pas déduit que j'étais une espionne anglaise et que tu ne m'aies pas laissée partir avec eux.

— C'était ce que voulait Dougal. Mais l'homme qui t'a vue a dit que tu te débattais. Il fallait bien que j'aille vérifier, c'était la moindre des choses.

Il me lança un regard glacial avant d'ajouter :

— Tu as de la chance que j'aie vu ce que j'ai vu, *Sassenach*. Ça prouve au moins à Dougal que tu n'es pas de mèche avec eux.

— D-D-Dougal, hein ? Et toi ? Qu'en penses-tu ? glapis-je.

Il ne répondit pas. Il eut néanmoins suffisamment pitié de moi pour rabattre un pan de son plaid sur mes épaules, sans toutefois me toucher plus que nécessaire. Il tenait les rênes avec une raideur qui contrastait avec son aisance habituelle.

J'étais déjà assez énervée comme ça pour devoir supporter les humeurs de Monsieur.

— Alors ? Dis-le ! Qu'est-ce que tu as ? m'impatientai-je. Je t'en prie, arrête de bouder, c'est grotesque !

J'avais dû aller un peu trop loin. Il tira soudain sur les rênes et fit s'arrêter le cheval sur le bord de la route. Avant que je comprenne ce qui se passait, il avait sauté à terre et m'avait fait dégringoler de selle.

Dougal et les autres s'arrêtèrent un peu plus loin. Jamie leur fit signe de continuer et Dougal hocha la tête.

— Ne tarde pas trop ! cria-t-il en repartant.

Jamie attendit qu'ils aient disparu. Puis, m'attrapant par le bras, il me força à lui faire face. Je sentais la moutarde me monter au nez. De quel droit me traitait-il ainsi ?

— Bouder ! s'écria-t-il. Tu oses me parler de bouder ! Je fais de mon mieux pour me contrôler, alors que j'ai envie de te secouer comme un prunier, et tout ce que tu trouves à dire, c'est « arrête de bouder » ?

— Mais qu'est-ce qui te prend, bon sang ! m'écriai-je à mon tour.

J'essayai de lui faire lâcher mon bras mais ses doigts étaient enfoncés dans ma chair comme les dents d'un piège à renard.

— Qu'est-ce qui me prend ? répéta-t-il. Je vais te dire ce qui me prend ! J'en ai marre de devoir prouver encore et encore que tu n'es pas une espionne anglaise. J'en ai marre de devoir te surveiller sans cesse de peur que tu n'inventes une nouvelle ânerie. Et j'en ai vraiment, vraiment marre que des gens m'obligent à regarder pendant qu'ils te violent ! Tu crois que ça me plaît ?

— Ah, parce que moi, ça m'amuse, peut-être ! hurlai-je. Si je comprends bien, tout est ma faute ?

— Parfaitement ! Si tu étais restée là où je te l'avais demandé, rien ne serait arrivé ! Mais non, ce serait trop simple ! Pourquoi m'écouter ? Après tout, je ne suis que ton mari, quelle importance ? Madame ne fait que ce qui lui chante. Il suffit que je tourne le dos pour te retrouver allongée, les jupes retroussées, sous la pire des racailles que cette terre ait jamais portée, sur le point de te culbuter sous mes yeux !

Son accent écossais, déjà prononcé, épaississait de seconde en seconde, signe qu'il était vraiment énervé, au cas où je ne l'aurais pas encore compris.

432

— Tu ne peux t'en prendre qu'à toi-même, rétorquai-je. Tu ne cherches jamais à comprendre, toujours à me soupçonner ! Je t'ai dit la vérité à mon sujet ! Et je t'avais prévenu de ne pas me laisser seule ! Et m'as-tu seulement écoutée ? Bien sûr que non ! Je ne suis qu'une femme, après tout ! Qui écouterait les « âneries » d'une femme ? Les femmes ne savent qu'obéir aux ordres et rester assises sagement dans un coin, les mains croisées sur les genoux, attendant que leurs *hommes* rentrent à la maison pour leur dire ce qu'elles doivent faire !

Il me secoua encore, incapable de se contrôler.

— Si tu avais obéi, nous ne serions pas en train de fuir avec une centaine d'Anglais à nos trousses ! Bon sang, je ne sais pas si je dois t'étrangler ou te rosser, mais tu mérites vraiment une bonne correction.

Cette fois, c'était lui qui allait trop loin. Mon sang ne fit qu'un tour. Je lui décochai un coup de genou en direction des parties. Il l'esquiva de justesse, plaçant sa jambe entre mes cuisses pour parer toute nouvelle tentative de coup bas.

— Fais ça encore une fois et je te donne une raclée ! rugit-il.

— Tu n'es qu'une brute et un imbécile, suffoquai-je en tentant de me libérer. Tu crois que j'ai fait exprès de me faire capturer par les Anglais ?

— Oui, tu l'as fait exprès, pour te venger de ce qui s'est passé l'autre jour dans la clairière !

J'en restai bouche bée.

— Dans la clairière ? Tu veux dire avec les deux déserteurs ?

— Parfaitement ! Tu m'en veux de ne pas t'avoir protégée et tu as raison. Mais tu sais très bien que je ne pouvais rien faire. Et maintenant, tu veux me faire payer en te mettant délibérément, toi, *ma femme*, entre les griffes de mon ennemi juré !

— *Ta* femme ! *Ta* femme ! Je crois rêver ! Tu ne penses qu'à toi ! Et moi ? Je ne suis qu'un meuble, peut-être ? Tu t'imagines que je t'appartiens corps et âme ? Tu ne supportes pas qu'on touche à tes petites affaires, c'est ça ?

— Oui, tu m'appartiens, vociféra-t-il. Tu es *ma* femme, que ça te plaise ou non !

— Eh bien, figure-toi que ça ne me plaît pas, mais alors pas du tout ! Mais quelle importance, après tout ! Tant que je suis là pour chauffer ton lit, tu te fiches de savoir ce que je pense et ce que je ressens ! C'est ça, une femme, pour toi ! Un trou où foutre ta queue quand ça te démange !

Son visage blêmit. Il se mit à me secouer si fort que je me mordis la langue.

— Lâche-moi ! hurlai-je. Lâche-moi, espèce de… chien en rut !

Il me lâcha aussitôt et recula d'un pas comme si je l'avais mordu. Ses yeux fulminaient.

— Tu n'es qu'une garce ordurière ! Je t'interdis de me parler sur ce ton !

— Je parlerai comme ça me chante ! Ce n'est pas toi qui vas dicter ma conduite !

— Peuh ! Tu te fiches bien de blesser les autres, du moment que tu peux faire tous tes caprices. Tu n'es qu'une petite égoïste, une…

— C'est ton orgueil qui est blessé ! Je nous ai sauvé la vie dans la clairière et tu ne peux pas le supporter, c'est ça, hein ! Tu es resté planté là sans rien faire. Si je n'avais pas eu un couteau, nous serions tous les deux morts, à présent !

Jusqu'à ce qu'il le dise lui-même, je ne m'étais pas rendu compte que je lui en voulais de ne pas m'avoir protégée dans la clairière. C'était totalement irrationnel. Il n'y était pour rien et ce n'était qu'un coup de chance si j'avais eu la dague dans ma poche. Mais, juste ou pas, c'était vrai que, inconsciemment, je lui reprochais de ne pas avoir assuré ma protection. Sans doute parce que lui le voyait ainsi.

Nous restâmes là, à court d'arguments, pantelants. Lorsqu'il reprit la parole, sa voix était basse et tremblante d'émotion.

— Tu as vu ce pilori dans la cour de la garnison ?

Je hochai brièvement la tête.

— C'est là qu'ils m'ont attaché, comme un animal, et fouetté jusqu'au sang. J'en porterai les traces jusqu'à ma mort. Ce n'est pourtant rien à côté de ce qui nous serait arrivé, cet après-midi, si je n'avais pas eu une chance de cocu. Ils m'auraient sans doute fouetté de nouveau avant de me pendre.

Il déglutit avant de poursuivre.

— Je le savais et pourtant je n'ai pas hésité une seconde à m'introduire dans la garnison, tout en me demandant si Dougal n'avait pas raison ! Tu sais où j'ai trouvé le pistolet que j'ai utilisé ?

Je fis non de la tête. Ma colère commençait à faiblir.

— J'ai tué un garde près du mur d'enceinte. Il m'a tiré dessus, voilà pourquoi il était vide. Je l'ai tué avec mon poignard que j'ai laissé planté dans sa poitrine quand je t'ai entendue crier. J'en aurais tué une dizaine d'autres pour te retrouver, Claire.

Sa voix se brisa.

— Et quand tu as crié, j'ai foncé vers toi, sans autre arme qu'un pistolet vide et mes deux mains.

Il parlait doucement maintenant, mais ses yeux étaient encore pleins de rage et de douleur. Je me taisais. Sous le coup de ma peur lors de la scène avec Randall, je n'avais pas un instant pensé au courage inhumain qu'il lui avait fallu pour revenir au fort me chercher.

Il se détourna et ses épaules s'affaissèrent.

— Tu as raison, dit-il. Tu as parfaitement raison. Mon orgueil a été blessé. Mais mon orgueil est tout ce qui me reste.

Il s'appuya contre un tronc d'arbre et laissa retomber sa tête, épuisé. J'entendais à peine sa voix.

— Tu me détruis, Claire.

Je ressentais une impression plus ou moins similaire. Hésitante, je m'approchai de lui. Comme il ne bougeait pas, je glissai mes bras autour de sa taille et posai ma tête contre son dos. Sa chemise était moite et il tremblait.

— Je suis désolée, dis-je simplement. Pardonne-moi.

Il se tourna et me serra contre lui.

— Tu es pardonnée, murmura-t-il dans mes cheveux.

Me relâchant, il baissa les yeux vers moi.

— Moi aussi, je suis désolé. Excuse-moi pour tout ce que j'ai dit. J'étais furieux, mes paroles ont dépassé ma pensée. Tu veux bien me pardonner ?

Je ne voyais pas ce que j'avais à lui pardonner, mais acquies-çai néanmoins et serrai ses mains.

— Pardonné, dis-je à mon tour.

Dans un silence moins pesant, nous remontâmes en selle. La route était droite et je voyais au loin le petit nuage de poussière soulevé par les chevaux de Dougal et de ses hommes.

Jamie me tenait par la taille et je me sentais en sécurité. Mais nos orgueils blessés se dressaient néanmoins entre nous. Le malaise n'était pas dissipé. Nous nous étions mutuellement pardonné, certes, mais nos paroles restaient en suspens dans nos mémoires, loin d'être oubliées.

22

Règlements de comptes

NOUS ATTEIGNÎMES DOONESBURY avant la tombée de la nuit. C'était un relais assez grand, avec une auberge. Dougal tiqua douloureusement en payant l'aubergiste. Encore un dont il faudrait acheter le silence quant à notre présence chez lui.

Cependant, l'argent nous permit également de nous régaler d'un bon dîner, et de boire de la bière à volonté. Toutefois, en dépit de l'excellente nourriture, l'ambiance était morose. Nous mangeâmes en silence. Assise à l'écart dans ma robe déchirée, pudiquement cachée par la chemise de rechange de Jamie, j'étais manifestement en disgrâce. Les hommes faisaient comme si je n'étais pas là. Même Jamie se contentait de pousser les plats vers moi de temps à autre. Une fois le dîner terminé, je montai avec soulagement dans notre chambre, si petite et puante soit-elle.

Je m'affalai sur le lit avec un soupir, indifférente à l'état de propreté des draps.

— Ouf ! quelle journée ! m'exclamai-je.

— Mmm, tu peux le dire.

Jamie déboutonna son col et défit sa ceinture, mais ne fit pas mine de se déshabiller. Il doubla la lanière de cuir comme pour tester sa souplesse, l'air songeur.

— Tu ne viens pas te coucher, Jamie ?

Il s'approcha du lit, balançant lentement sa ceinture.

— C'est que... nous avons encore quelque chose à régler avant de dormir.

Une vague d'appréhension s'empara soudain de moi.

— De quoi veux-tu parler ?

Il ne répondit pas tout de suite. Il tira un tabouret à lui et s'assit devant le lit.

— Te rends-tu compte, Claire, qu'on a tous failli y laisser notre peau, cet après-midi ?

Je baissai les yeux, honteuse.

— Oui, je sais. C'était ma faute, je suis désolée.

— Et te rends-tu compte que, si l'un des hommes parmi nous avait mis le groupe en danger, il aurait été battu, fouetté, voire même tué ?

Je commençai à blêmir.

— Non, je l'ignorais, répondis-je d'une voix blanche.

— Je sais que tu n'es pas habituée à nos usages, ce qui te disculpe en partie. Mais je t'avais pourtant demandé de rester cachée. Si tu avais obéi, rien de tout cela ne serait arrivé. À présent, les Anglais vont quadriller la campagne pour nous chercher. Nous allons devoir rester cachés pendant la journée et voyager de nuit.

Il marqua une pause avant de reprendre d'un ton hésitant :

— Quant au capitaine Randall... c'est une autre histoire.

— Maintenant qu'il sait que tu es de retour, il va tout faire pour te retrouver, c'est ça ?

— Oui, c'est... euh... une histoire personnelle entre nous.

— Je suis tellement navrée, Jamie.

— Si j'avais été le seul à être mêlé à cette histoire, je serais prêt à laisser passer. Encore que...

Il me lança un regard torve.

— ... j'aie bien cru mourir en voyant cet animal poser ses mains sur toi.

Il se tourna vers l'âtre, le visage sombre, comme s'il revivait en pensée les événements de l'après-midi.

Je songeai un instant à lui parler des petits problèmes sexuels de Randall, puis me ravisai en me disant que cela ne ferait sans doute qu'aggraver mon cas. J'avais une folle envie de serrer Jamie contre moi, de le supplier de me pardonner, mais je n'osais l'approcher. Après un long silence, il soupira et fit claquer sa ceinture contre sa cuisse.

— Bien… dit-il. Finissons-en. Tu as commis une grave faute en outrepassant mes ordres et je dois te punir, Claire. Tu te souviens de ce que je t'ai dit dans le petit bois, ce matin ?

Je m'en souvenais parfaitement et reculai précipitamment contre le mur.

— Que… veux-tu dire ?

— Tu sais très bien de quoi je parle, répondit-il fermement. Penche-toi sur le lit et remonte tes jupes.

— Non, mais je rêve ! Il n'en est pas question ! criai-je en m'accrochant au montant du lit.

Jamie m'observa un moment, se demandant comment il allait s'y prendre. Je réalisai soudain que rien ne l'empêche-rait de faire de moi ce qu'il voudrait. Il était nettement plus fort et personne ne viendrait à mon secours. Finalement, il sembla opter pour la discussion, posa sa ceinture et grimpa sur le lit à mes côtés.

— Écoute, Claire… commença-t-il.

— J'ai déjà dit que j'étais désolée ! explosai-je. Et je le pense sincèrement. Je ne le ferai plus jamais.

— Justement, tu es bien capable de recommencer. Tu n'as pas conscience de la gravité de la situation. Je crois que, là d'où tu viens, la vie est plus facile. Pour toi, obéir ou désobéir à un ordre n'est pas une affaire de vie ou de mort. Au pire, cela peut provoquer des désagréments pour ton entourage, mais sans plus.

Il tripota la couverture, tentant d'organiser ses pensées.

— Ici, le moindre faux pas peut avoir des conséquences tragiques, surtout pour un homme comme moi.

Il me caressa l'épaule, voyant que j'étais au bord des larmes.

— Je sais que tu ne mettrais jamais délibérément la vie d'un autre en danger. Mais tu peux le faire sans le vouloir, comme aujourd'hui, simplement parce que tu ne me prends pas au sérieux quand je te mets en garde. Tu es habituée à penser par toi seule, et je sais que tu n'as pas l'habitude de laisser un homme te dicter ta conduite. Mais il faut que tu apprennes, pour notre salut à tous.

— Je comprends, répondis-je lentement. Tu as parfaitement raison. Dorénavant, je ferai ce que tu me dis, même si je ne suis pas d'accord.

— À la bonne heure !

Il se leva et reprit sa ceinture.

— Alors, viens, qu'on en finisse une fois pour toutes.

Les bras m'en tombèrent.

— Quoi ? Mais puisque je viens de dire que je t'obéirai !

Il poussa un soupir exaspéré et se rassit sur son tabouret.

— Écoute. Tu viens de dire que tu comprenais et je te crois sur parole. Mais il y a une différence entre comprendre quelque chose par la pensée et le savoir vraiment, au fond de soi.

J'acquiesçai, à contrecœur.

— Je dois te punir, reprit-il, pour deux raisons : d'une part pour que tu *saches*...

Il esquissa un sourire.

— Et je suis bien placé pour te dire qu'une bonne raclée, ça ne s'oublie pas...

Je m'accrochai un peu plus fort au montant du lit.

— ... et d'autre part, à cause des hommes. Tu as vu leur tête, ce soir, pendant le dîner ? Ce n'est que justice, Claire : tu leur as fait du tort à tous, et maintenant, tu dois en payer le prix.

Il prit une profonde inspiration.

— En tant que ton époux, mon devoir est de te corriger. Et j'ai bien l'intention de le faire.

J'avais de fortes objections à opposer à ce raisonnement. Le fait était que les torts étaient en partie de mon côté, mais, justice ou pas, mon amour-propre ne pouvait tolérer que je sois battue, par qui que ce soit et pour quelque raison que ce soit.

Je me sentais profondément trahie par cet homme que j'avais considéré comme un ami, un protecteur et un amant. En outre, mon instinct de survie était terrifié à l'idée d'être livrée à la merci d'un homme qui maniait un glaive de trente kilos aussi aisément qu'un chasse-mouches.

— Je ne te permettrai pas de me frapper, dis-je fermement, sans lâcher le montant du lit.

— Ah non ? Mais je ne demande pas ta permission. Tu es ma femme, que ça te plaise ou non. Si je décidais de te casser un bras, de te mettre au pain sec et à l'eau, ou de t'enfermer pendant des jours dans une armoire – ce qui n'est peut-être pas une mauvaise idée –, rien ni personne ne pourrait m'en empêcher.

— Je vais hurler et ameuter toute l'auberge !

— Je n'en doute pas. Si tu ne cries pas avant, tu crieras pendant. On t'entendra sûrement jusque dans la ferme voisine, tu as du coffre.

Il esquissa un sourire odieux et s'approcha.

Il parvint non sans mal à détacher mes doigts agrippés au montant du lit, puis me traîna de force par une jambe. Je lui envoyai des coups de pied dans le tibia, mais, comme j'étais pieds nus, il ne sentit probablement pas grand-chose. Il me plaqua sur les draps, me tordant un bras derrière le dos pour m'immobiliser.

— Cesse de bouger, Claire ! Si tu coopères, on s'en tiendra à douze coups.

— Et sinon ?

Il prit sa ceinture et la fit claquer contre sa jambe avec un bruit sinistre.

441

— Alors je te mettrai un genou dans les reins et je te battrai jusqu'à ce que ça me fasse mal au bras. Et je te préviens, je ne me fatigue pas facilement.

Je me débattis de plus belle en rebondissant sur le lit et me retournai :

— Tu n'es qu'un barbare ! lui lançai-je au visage. Un... un sadique ! Avoue que ça te fait plaisir ! Je ne te le pardonnerai jamais !

Jamie marqua un temps d'arrêt, tordant la ceinture entre ses doigts.

— J'ignore ce qu'est un « sadique », répondit-il enfin, mais si je t'ai pardonné pour cet après-midi, tu me pardonneras bien à ton tour, dès que tu seras en état de t'asseoir. Quant à mon plaisir...

Il esquissa une moue dégoûtée.

— J'ai dit que je *devais* te punir, je n'ai jamais dit que j'en avais envie.

Il plia un doigt, me faisant signe d'approcher.

— Viens par ici.

Le lendemain matin, j'hésitai à sortir de la chambre. Je traînai, nouant puis dénouant les rubans de ma robe, brossant mes cheveux. Je n'avais pas adressé la parole à Jamie depuis la veille, mais il remarqua mon manège et insista pour que je descende avec lui pour le petit déjeuner.

— Tu n'as pas besoin d'avoir honte devant les autres. Ils vont sans doute te chahuter un peu, rien de bien méchant. Allez, courage !

Il voulut me caresser le menton et je lui mordis la main.

— Aïe ! fit-il en soufflant sur ses doigts. Attention, petite, on ne t'a jamais dit qu'il ne fallait pas mettre n'importe quoi dans la bouche ?

Il pouvait être d'humeur rieuse, l'ordure ! Il ne perdait rien pour attendre.

La nuit avait été très déplaisante. Ma soumission résignée n'avait duré que jusqu'au premier claquement du cuir sur ma peau. Une lutte acharnée avait suivi, laissant Jamie avec un nez en sang, trois longues éraflures sur sa joue et un poignet mordu jusqu'à l'os. Quant à moi, comme promis, je m'étais retrouvée le nez dans la couverture, un genou dans les reins, recevant la raclée de ma vie.

Jamie, cet abject homme des cavernes écossaises, avait vu juste. Dans la salle à manger, les hommes se montrèrent légèrement distants, mais amicaux. L'hostilité et le mépris de la veille avaient disparu.

Tandis que je me servais des œufs sur la console, Dougal s'approcha et glissa un bras paternel sur mon épaule. Sa barbe me chatouilla l'oreille tandis qu'il déclarait à voix basse :

— J'espère que Jamie n'y a pas été trop fort, la nuit dernière. On aurait dit qu'il était en train de vous égorger.

Je détournai la tête pour ne pas montrer mon teint cramoisi. Lorsque j'avais vu que je ne pourrais y échapper, j'avais décidé de rester stoïque et de ne pas broncher pendant l'épreuve, mais le sphinx lui-même n'aurait pu garder la bouche fermée si Jamie Fraser s'en était pris à lui.

Dougal se tourna et appela Jamie, assis en train de manger du pain et du fromage.

— Hé, Jamie, tu n'avais pas besoin de manquer tuer ta pauvre femme, une gentille petite fessée aurait suffi.

Il me donna une petite tape sur les fesses qui me fit grimacer de douleur. Je le foudroyai du regard.

— Bah, un arrière-train endolori, ça ne dure jamais longtemps, déclara Murtagh.

— C'est vrai, intervint Ned en souriant, venez donc vous asseoir, Claire.

— Merci, répondis-je dignement. Je préfère rester debout.

Tous les hommes rugirent de rire. Jamie évitait soigneusement mon regard, étalant le fromage sur sa tartine avec application.

Les taquineries se poursuivirent tout au long de la journée, et chaque homme trouva une excuse pour venir me gratifier d'une tape sur les fesses. Toutefois, ce fut supportable et je reconnus rageusement que Jamie avait eu raison, même si j'avais toujours envie de l'étrangler.

M'asseoir étant hors de question, je m'occupai toute la matinée à raccommoder des vêtements et à coudre des boutons devant la fenêtre, avec l'excuse que j'avais besoin de lumière. Après le déjeuner, que je pris debout, chacun rentra dans sa chambre pour la sieste. Dougal avait décidé que nous attendrions la nuit noire pour prendre la route de Bargrennan, notre prochaine étape. Jamie me suivit dans l'escalier, mais je lui claquai la porte au nez et il dut se résoudre à dormir une nouvelle fois sur le plancher.

La nuit dernière, il s'était montré relativement diplomate. Après avoir bouclé sa ceinture, il avait quitté la chambre sans un mot immédiatement après son méfait. Il était revenu une heure après que j'eus mouché la chandelle, mais avait eu suffisamment de bon sens pour ne pas venir se coucher à côté de moi. Après être resté un instant immobile dans le noir, il avait poussé un long soupir et s'était enroulé dans une couverture près de la porte.

Trop furieuse, bouleversée et endolorie pour dormir, je n'avais pratiquement pas fermé l'œil de la nuit, ressassant ce que Jamie m'avait dit et maîtrisant difficilement une envie cyclique d'aller lui envoyer un coup de pied dans les bourses.

En raisonnant de manière objective, ce dont j'étais bien incapable, j'aurais pu admettre qu'effectivement je ne prenais pas les choses assez au sérieux. En revanche, il avait tort en pensant que, là d'où je venais, la vie était moins dangereuse. En fait, c'était plutôt le contraire.

À de nombreux égards, cette époque était irréelle pour moi, comme tirée d'une pièce de théâtre ou d'un bal masqué. Comparées aux effets de la guerre mécanisée et des armes de destruction massive que je venais de connaître, les escarmouches auxquelles j'avais assisté entre de petits groupes d'hommes armés d'épées et de mousquets me paraissaient plus pittoresques que menaçantes.

Mais tout était une question d'échelle. Après tout, un mort est un mort, qu'il ait été tué par une balle de mousquet ou un tir au mortier. La seule différence, c'était que le mortier tuait à l'aveuglette, fauchant des dizaines de vies à la fois, alors que la balle de mousquet était tirée par un homme qui regardait sa victime dans les yeux. Pour moi, il s'agissait d'un assassinat, pas de la guerre. Combien fallait-il d'assassins pour faire un conflit mondial ? Assez, sans doute, pour qu'ils n'aient jamais à se regarder dans les yeux. Pourtant, pour Dougal, Jamie, Rupert, Ned et les autres, c'était bien d'une guerre qu'il s'agissait, ou du moins d'une cause grave. Même Murtagh, le freluquet à la face de fouine, était prêt à se livrer à des violences auxquelles ne le portaient point ses inclinations naturelles.

Mais quelle cause ? Un roi plutôt qu'un autre ? Les Hanovre contre les Stuarts ? Pour moi, ce n'étaient que des noms sur un tableau généalogique dans une salle de classe. Que représentaient-ils à côté des desseins inimaginables du III⁰ Reich de Hitler ? Toutefois, même si elles me semblaient triviales, les différences entre tel et tel souverain avaient leur importance pour ceux qui vivaient sous leur règne. En outre, le droit de vivre à sa guise n'avait rien de trivial. La lutte pour choisir son propre destin était-elle moins importante que la nécessité d'arrêter un grand fléau de l'humanité ? Je me retournais nerveusement dans mon lit, massant mes fesses douloureuses, lançant des regards noirs vers Jamie, roulé en boule près de la porte. Il respirait régulièrement, mais légèrement. J'espérais bien que lui non plus n'arrivait pas à trouver le sommeil.

Dès le début, j'avais pris cette aventure comme un mélodrame : tout ceci n'arrivait pas dans la vraie vie. J'avais reçu beaucoup de chocs depuis mon passage à travers le menhir, mais ce n'était rien à côté de ce que j'avais vécu cet après-midi.

Jack Randall, si semblable à Frank et si terriblement différent... Le contact de sa main sur mon sein nu avait soudain créé un lien entre mon ancienne vie et la nouvelle, faisant se percuter de plein fouet deux réalités incompatibles. Et puis il y avait Jamie : son visage blême dans l'encadrement de la fenêtre, déformé par la colère sur le bord de la route, fermé de douleur sous ma pluie d'insultes.

Jamie. Jamie était on ne peut plus réel, plus réel encore que tout ce que j'avais jamais connu, même Frank et ma vie en 1945. Jamie, tendre amant, époux perfide.

C'était peut-être là le problème. Jamie accaparait tant mes sens que tout le reste me paraissait insignifiant. Mais je ne pouvais plus me le permettre. Mon étourderie avait failli lui coûter la vie et, à l'idée de le perdre, mon estomac se retourna. Je me redressai soudain dans l'intention d'aller le chercher et de le ramener dans le lit. Mais au premier mouvement je me rappelai aussitôt le fruit de son travail et me laissai retomber rageusement sur le ventre.

Une nuit passée ainsi à philosopher entre deux crises de colère me laissa éreintée au matin. Aussi dormis-je comme un loir tout l'après-midi et ne redescendis, l'œil vague, que lorsque Rupert vint me secouer pour aller dîner.

Dougal, non sans avoir ronchonné devant la dépense, m'avait procuré une nouvelle monture. C'était un gros cheval qui, à défaut d'élégance, avait un regard doux. Je le baptisai aussitôt Chardon.

Je n'avais pas songé aux effets d'une longue chevauchée après une sévère fessée. Je lançai un regard inquiet à la selle de Chardon, comprenant soudain ce qui m'attendait. Une épaisse couverture vint s'abattre sur la selle et j'aperçus Murtagh me faisant un clin d'œil complice de l'autre côté du cheval. Quitte à endurer le martyre, je décidai de souffrir dignement et serrai les dents en grimpant sur ma monture.

Dans un élan de galanterie inattendu, les hommes semblèrent s'être donné le mot pour réclamer à tour de rôle des arrêts pipi qui me permettaient chaque fois de descendre de selle et de frotter discrètement mon arrière-train malmené. De temps à autre, l'un d'eux demandait à boire, ce qui requérait de nouveau un arrêt de ma part puisque Chardon portait également les bonbonnes d'eau.

Nous progressâmes quelques heures de cette façon, puis la douleur devint insupportable. Je ne savais plus comment me tenir en selle. Enfin, je décidai que j'avais été suffisamment digne et descendis de cheval. Je fis mine d'examiner la patte avant de Chardon pendant que les autres s'attroupaient autour de moi.

— Une pierre s'est glissée dans son sabot, mentis-je. Je l'ai enlevée. Il serait préférable que je le fasse marcher un peu. Autrement, il risque de boiter.

— En effet, ce serait fâcheux, convint Dougal. D'accord, faites-le marcher, mais quelqu'un doit rester avec vous, on ne sait jamais qui peut passer par là.

Jamie sauta aussitôt à terre.

— Je resterai avec elle, dit-il calmement.

— Bien. Ne tardez pas trop. Nous devons être à Bargrennan avant l'aube. On se retrouve à l'auberge du Sanglier rouge. Le propriétaire est un ami.

D'un geste, il rassembla les autres et ils s'éloignèrent au petit trot dans un nuage de poussière.

Plusieurs heures de torture sur la selle n'avaient pas arrangé mon humeur. « Qu'il marche avec moi, s'il n'a rien de mieux à faire, pensai-je. Mais si cette brute s'imagine que je vais lui adresser la parole… »

Il n'avait pas l'air particulièrement brutal sous le clair de lune, mais je ne me laissai pas attendrir et marchai devant lui, clopin-clopant, en évitant soigneusement de le regarder.

— Ça ira nettement mieux demain, tu verras, observa-t-il nonchalamment. Mais il faudra attendre plusieurs jours avant de pouvoir t'asseoir normalement.

— Qu'en sais-tu ? Tu as l'habitude de battre des femmes ?

— Non, répondit-il, imperturbable. C'était la première fois. Mais j'ai reçu assez de raclées pour le savoir.

— Toi ?

J'avais du mal à l'imaginer se laissant donner une fessée. Mon expression le fit rire.

— Quand j'étais petit, *Sassenach*, entre huit et treize ans, j'ai eu la peau des fesses tannée plus d'une fois. Après quoi je suis devenu plus grand que mon père, et ce n'était plus très commode pour lui.

— Ton père te battait ?

— Oui, et le maître d'école aussi, et de temps en temps Dougal ou un autre de mes oncles, selon là où j'étais et ce que j'avais fait.

Cela commençait à m'intéresser, malgré ma détermination de faire comme s'il n'existait pas.

— Et que faisais-tu au juste ?

Il repartit d'un rire contagieux qui s'éleva dans la nuit.

— Je ne me souviens pas de tout, mais généralement je crois que je l'avais mérité. Je ne pense pas que mon père m'ait battu injustement.

Il continua à marcher en silence quelques minutes avant de reprendre :

— Attends voir. Une fois, c'était pour avoir tué des poulets avec ma fronde, et une autre, pour être grimpé sur les vaches et avoir fait tourner leur lait. Il m'est aussi arrivé de manger toute la garniture d'un gâteau avant de le remettre dans le garde-manger. Ah oui, et puis tous les chevaux se sont enfuis un jour parce que je n'avais pas fermé la porte des écuries. J'ai mis le feu au chaume du pigeonnier, mais je ne l'avais pas fait exprès, et j'ai perdu tous mes livres d'école, ça, je l'avais fait exprès. Bref, j'ai fait toutes les bêtises que font les enfants d'ordinaire. Mais le plus souvent, j'étais puni pour avoir ouvert la bouche au lieu de me taire. Une fois, ma sœur Jenny a cassé une cruche. Je la taquinais et elle s'est énervée, elle m'a lancé la cruche à la tête. Quand mon père est entré et a demandé ce qui s'était passé, elle a eu peur et n'a pas osé parler. Elle me regardait en ouvrant des yeux terrifiés. Elle a les yeux bleus, comme moi, mais plus beaux, bordés de cils noirs. Alors j'ai menti à mon père en prétendant que c'était moi qui l'avais cassée.

— Quelle grandeur d'âme ! raillai-je. Ta sœur a dû t'en être reconnaissante.

— Malheureusement, mon père avait tout entendu derrière la porte. Elle a été battue pour avoir cassé la cruche, et moi, pour l'avoir taquinée et avoir menti.

— Mais ce n'était pas juste ! m'indignai-je.

— Mon père n'était pas un homme doux, mais il était juste. Pour lui, il n'y avait qu'une seule vérité, et les gens devaient assumer la responsabilité de leurs actes, ce qui me paraît normal.

Il me lança un regard de biais.

— Quoi qu'il en soit, il a reconnu que c'était généreux de ma part d'avoir voulu épargner la punition à ma sœur. Aussi, il m'a laissé le choix entre le martinet ou aller me coucher sans dîner.

Il éclata de rire.

— Mon père me connaissait bien. J'ai opté pour le martinet sans hésiter.

— Ton ventre te perdra.

— C'est vrai, convint-il. Toi aussi, glouton ! lança-t-il à son cheval en tirant sur les rênes pour l'empêcher de paître sur le bord de la route. Tu devras attendre la prochaine halte. Oui, reprit-il, mon père était un homme juste mais, à l'époque, je ne m'en rendais pas forcément compte. Il ne me faisait jamais attendre avant de me punir. Si je faisais une bêtise, je recevais ma raclée sur-le-champ ou dès qu'il l'apprenait. Il veillait aussi à ce que je sache toujours pourquoi j'étais puni, et si je voulais faire entendre ma version des choses, il m'écoutait toujours.

Ainsi, voilà où il voulait en venir ! Sale calculateur ! S'il comptait me faire passer mon envie de l'éventrer, il pouvait toujours courir, mais je ne perdais rien à le laisser essayer.

— As-tu jamais réussi à le dissuader de te battre ? demandai-je.

— Non. Généralement, ma culpabilité était tellement flagrante que ça ne valait même pas la peine d'essayer. Mais, parfois, j'arrivais à atténuer légèrement la sentence.

Il se gratta le nez.

— Un jour, je lui ai dit que battre un enfant était un geste primitif qui ne servait à rien. Il m'a répondu que j'avais à peu près autant de bon sens que le poteau auquel je m'accrochais désespérément. Il a dit que le respect des aînés était l'un des piliers de la civilisation et que, tant que je ne l'avais pas compris, je devais me faire à l'idée de regarder mes orteils pendant que l'un de mes barbares d'aînés me tannait le cuir.

Cette fois, je ne pus m'empêcher de rire. Autour de nous, la campagne était paisible. Il régnait un calme comme on n'en trouve que lorsqu'il n'y a pas âme qui vive à des kilomètres à la ronde. Un calme pratiquement inconcevable à mon époque, où les machines avaient étendu le pouvoir de l'homme au point qu'une seule personne pouvait faire autant de bruit qu'une foule en colère. Ici, on n'entendait que le bruissement des feuilles, le cri occasionnel d'un oiseau de nuit et le pas sourd de nos chevaux.

Soudain, Jamie saisit les rênes de mon cheval et le fit s'arrêter. Chardon rechigna et s'ébroua.

— Tout doux, tout doux ! murmura Jamie. *Stad, mo dhu !*
Son propre cheval secoua nerveusement la tête.

— Que se passe-t-il ? murmurai-je à mon tour.

Je ne voyais rien d'anormal. Le clair de lune nimbait la campagne et la route de taches de lumière argentée. Devant nous se dressait une forêt de pins dans laquelle les chevaux semblaient avoir peur de pénétrer.

— Je ne sais pas. Reste ici et ne fais pas de bruit. Remonte sur ton cheval et tiens la bride du mien. Si je t'appelle, avancez lentement, sans faire de bruit.

Sa voix calme me rassura. Je le regardai se faufiler dans les bruyères et disparaître dans l'obscurité. La forêt était noire, mais bruissante de vie. Les troncs de sapins gémissaient doucement, éparpillant des millions d'aiguilles dans la brise. C'était l'endroit rêvé pour les fantômes et les esprits malins.

Le moment était mal choisi pour me faire peur toute seule. Mais où était donc passé Jamie ?

Une main m'attrapa par la cuisse et je poussai un cri étranglé. Par réflexe, je donnai un grand coup de poing rageur dans le poitrail de Jamie.

— Ne me fais plus jamais ça !

— Chut, répondit-il. Viens avec moi.

Me faisant descendre de monture sans ménagement, il attacha les deux chevaux à un buisson et me tira par la main.

— Mais qu'est-ce qui se passe ? répétai-je en trébuchant contre des racines.

— Tais-toi. Regarde où tu marches et arrête-toi quand je te le dirai.

Nous avançâmes plus ou moins silencieusement vers la lisière du bois. Il y faisait noir, seules quelques taches de lumière blafarde traversaient ici et là l'épais feuillage. Malgré tous ses efforts, Jamie lui-même n'arrivait pas à marcher sans faire craquer les branches et les aiguilles sèches qui jonchaient le sol.

Le terrain se mit à monter abruptement. Jamie me fit passer devant lui et guida mes mains et mes pieds tandis que nous grimpions sur un rocher de granit. Son sommet était juste assez grand pour nous accueillir, couchés côte à côte. Jamie colla sa bouche contre mon oreille et murmura, à peine perceptible :

— À une cinquantaine de mètres devant nous, dans la clairière sur la droite. Tu les vois ?

Dès que je les eus repérés, je les entendis : une petite meute d'une dizaine de loups. Ils ne hurlaient pas à la lune. Leur proie gisait dans l'ombre, une masse sombre avec une patte dressée en l'air, oscillant sous les coups de dents qui fouillaient la carcasse. On entendait à peine un grognement de temps à autre, tandis qu'un louveteau était chassé par un aîné pour avoir tenté de lui chaparder son morceau, et le craquement des os sous les crocs.

Ma vue s'accoutuma à la scène baignée par le clair de lune. Je distinguai plusieurs silhouettes étendues sous les arbres, repues et paisibles. Des reflets de fourrures argentées luisaient ici et là, tandis que ceux qui étaient toujours autour de la carcasse cherchaient avidement quelques restes oubliés par les autres.

Une grosse tête aux yeux jaunes apparut soudain dans un rayon de lumière, les oreilles dressées. Le loup émit un cri pressant, entre le gémissement et le grondement, et ses compagnons s'immobilisèrent.

Les yeux safran paraissaient fixés sur les miens. L'animal ne semblait pas avoir peur, ni même être intrigué, il reconnaissait simplement ma présence. La main de Jamie dans mon dos m'enjoignit de ne pas bouger. Mais je n'avais aucun désir de m'enfuir. J'aurais pu rester là des heures entières. Elle – car j'étais sûre que c'était une femelle – agita ses oreilles, comme pour indiquer que je ne présentais aucun danger et se recoucha tranquillement.

Nous restâmes à les observer encore quelques minutes. Puis Jamie me fit signe qu'il était temps de partir.

Il me tint la main pour me guider pendant le retour vers la route. C'était la première fois que je le laissais me toucher depuis qu'il m'avait battue. Encore sous le charme du spectacle des loups, nous restâmes silencieux. Nous commencions de nouveau à nous sentir bien l'un avec l'autre.

Tout en marchant, je ne pus m'empêcher d'admirer la manière dont il s'y était pris. Sans explication directe, sans excuse, il m'avait transmis son message qui était : « Je t'ai montré la justice et tu l'as apprise. Et je t'ai montré la grâce, dans la mesure de mes moyens. Si je n'ai pu t'épargner la douleur et l'humiliation, je t'ai offert ma propre peine et ma propre humiliation pour alléger ton fardeau. »

— Tu en as beaucoup souffert ? demandai-je brusquement.

— De quoi ?

— De tes raclées ?

Il exerça une légère pression sur ma main avant de la lâcher.

— Généralement, j'oubliais dès que c'était fini. Sauf la dernière fois. Là, ça m'a pris un certain temps.

— Pourquoi ?

— D'une part, j'avais seize ans et j'étais déjà un homme. Du moins je le pensais. De l'autre, ça m'a fait un mal de chien.

— Tu n'es pas obligé de me raconter si ça t'ennuie, dis-je, sentant que j'avais touché un point sensible. C'est une histoire douloureuse ?

— Moins douloureuse que la raclée elle-même, dit-il en riant. Non, ça ne m'ennuie pas de te le raconter, mais c'est une longue histoire.

— Bah, la route est longue jusqu'à Bargrennan.

— C'est vrai. Tu te souviens que j'ai passé un an à Leoch quand j'avais seize ans ? C'était un accord entre Colum et mon père, pour que je me familiarise avec les hommes du clan de ma mère. J'ai d'abord passé deux ans chez Dougal, puis un an au château, pour apprendre les bonnes manières, le latin, etc.

— Je me demandais bien ce que tu étais venu faire là.

— J'étais grand pour mon âge. Je savais très bien manier l'épée et j'étais le meilleur cavalier de tous.

— Mmm, modeste avec ça !

— Pas trop. J'étais très sûr de moi et j'avais la langue bien pendue ; plus qu'aujourd'hui encore.

— Qu'est-ce que ce devait être !

— Oui, *Sassenach*. J'avais découvert que je pouvais faire rire les autres avec mes remarques et je n'en ratais pas une, sans trop faire attention à ce que je disais, ni à qui je le disais. J'étais parfois cruel, sans le vouloir. Mais si j'avais quelque chose de drôle à dire, je ne pouvais m'en empêcher.

Il leva les yeux vers le ciel pour évaluer l'heure. La lune était pratiquement couchée. Je reconnus Orion au-dessus de la ligne d'horizon et me sentis réconfortée par la vue de cette constellation familière.

— Un jour, reprit-il, j'ai dépassé les bornes. J'étais avec plusieurs amis, remontant un couloir, quand on a croisé Mme FitzGibbons. Elle portait un panier presque aussi gros qu'elle et elle avançait sans voir où elle mettait les pieds, se cognant aux murs. À l'époque elle était presque aussi imposante qu'aujourd'hui.

Il se frotta le nez d'un air gêné.

— J'ai fait quelques remarques peu galantes concernant son allure. Drôles, mais très irrévérencieuses. Mes amis ont éclaté de rire, mais je ne pensais pas que Mme FitzGibbons m'avait entendu.

Je revis en pensée la matrone de Leoch. Avec moi, elle s'était toujours montrée gentille et patiente, mais elle ne semblait pas du genre à se laisser insulter par des morveux impertinents.

— Qu'a-t-elle fait ?

— Rien, sur le moment. Elle a poursuivi sa route comme si de rien n'était. Mais le lendemain, à l'Assemblée, elle s'est levée et a tout raconté à Colum.

— Aïe !

Je savais l'affection que Colum portait à Mme FitzGibbons et il n'avait pas dû apprécier qu'on lui manque de respect.

— Il s'est passé la même chose qu'avec Laoghaire, ou presque. J'ai rassemblé tout mon courage et, avant même qu'on me demande quoi que ce soit, j'ai annoncé que je préférais être puni à coups de poing. J'essayais de paraître très calme et adulte, mais mon cœur battait à toute allure.

454

J'ai frémi en regardant les mains d'Angus. On aurait dit deux rochers. Plusieurs personnes dans la salle se sont mises à rire. Je n'étais pas aussi grand qu'aujourd'hui et je pesais deux fois moins. Angus aurait pu m'arracher la tête d'un seul coup de poing.

» Colum et Dougal m'ont lancé un regard noir, même si je sentais qu'ils étaient fiers de mon toupet. Puis Colum a dit que, puisque je m'étais comporté comme un enfant, je devais être puni comme tel. Avant même que j'aie pu ouvrir la bouche, Angus m'avait saisi et retourné comme une crêpe sur ses genoux. Il a rabattu mon kilt et m'a donné quinze coups de martinet sur les fesses, devant tout le monde !

— Oh, la vache ! fis-je en grimaçant.

— Mmmmphm. Tu as sans doute remarqué qu'Angus prend son travail à cœur ! À ce jour, je me rappelle encore exactement où chaque coup est tombé. J'ai porté les marques pendant des semaines.

Il attrapa au passage une poignée d'aiguilles de pin sur le bord de la route et les écrasa entre ses doigts. Une odeur de térébenthine se répandit autour de nous.

— Mais ce n'était pas fini. Je tentais de m'éclipser discrètement, la queue entre les jambes, quand Dougal m'a rattrapé par le col et m'a traîné jusqu'au fond de la salle. Puis il m'a obligé à traverser la salle à genoux pour aller supplier la mère Fitz et Colum de me pardonner. Ensuite, je me suis excusé auprès de tous ceux présents pour ma grossièreté. Enfin, j'ai dû remercier Angus de m'avoir battu. Là, j'ai bien failli m'étrangler, mais il a été gentil. Il m'a tendu la main pour m'aider à me relever. Après quoi, on m'a fait asseoir sur un tabouret à côté de Colum, où j'ai dû rester jusqu'à la fin de l'Assemblée. Ça a été l'heure la pire de ma vie. J'avais le visage et le derrière en feu, les genoux à vif, et je n'avais pas le droit de relever la tête. Mais le pire, c'était que j'avais une envie de pisser à me faire éclater la vessie. J'ai cru mourir. J'aurais préféré ça plutôt que de faire sur moi devant tout le monde. Il s'en est fallu de peu.

Je réprimai mon envie de rire.

— Tu ne pouvais pas demander à Colum la permission d'aller au petit coin ?

— Il savait très bien ce qui se passait, comme tout le monde dans la salle. Il suffisait de me voir gigoter comme un asticot sur mon tabouret. Certains prenaient déjà des paris pour savoir combien de temps je tiendrais. Colum m'aurait laissé sortir, mais je me suis entêté. Une fois l'Assemblée terminée, j'ai couru hors de la salle, mais je n'ai pas pu aller plus loin que la première porte. J'ai pissé derrière, des litres.

Il sourit d'un air penaud et laissa tomber sa poignée d'aiguilles de pin.

— Voilà, maintenant tu connais la pire des choses qui me soit jamais arrivée.

Cette fois, ce fut plus fort que moi, je me tordis de rire au point de devoir m'arrêter sur le bord de la route pour reprendre mon souffle.

— Qu'est-ce qu'il y a de si drôle ? s'étonna-t-il en riant à son tour.

— C'est que je t'imagine, assis sur ton tabouret, avec ton air têtu et la vapeur qui te sort des oreilles !

— Ah, ce n'est pas facile d'avoir seize ans ! lança-t-il, soudain nostalgique.

— Alors c'est pour ça que tu es venu au secours de Laoghaire, l'autre jour ? Tu savais ce qui l'attendait.

Il parut surpris.

— C'est plus facile de recevoir un coup de poing au visage quand on a vingt-trois ans que d'être fessé en public quand on en a seize. Rien ne fait plus mal qu'un orgueil froissé, et à cet âge-là, il se froisse facilement.

— Je me demande. Je n'avais jamais vu quelqu'un attendre un coup de poing avec le sourire.

— Il valait mieux sourire avant parce que après, je n'étais pas beau à voir.

— Oui, admis-je, l'air songeur. J'avais cru…

Je ne terminai pas ma phrase, soudain gênée.

— Qu'avais-tu cru ? Au sujet de Laoghaire et moi, tu veux dire ? Tout le monde a pensé la même chose, toi, Alec et tous les autres, Laoghaire comprise. Mais j'aurais fait pareil si elle avait été laide.

Il me donna un coup de coude.

— Même si tu ne me crois pas.

— Pourtant, je vous ai bien vus tous les deux dans l'alcôve, me défendis-je, et tu as bien appris à embrasser quelque part !

Jamie traîna les pieds dans la poussière, embarrassé. Il baissa timidement la tête.

— C'est que… *Sassenach*, je ne suis pas plus vertueux qu'un autre. J'ai essayé, mais parfois la tentation était trop forte. Tu connais les mots de saint Paul : « Mieux vaut se marier que se consumer. » Eh bien, je me consumais à petit feu.

Je ris de nouveau, me sentant le cœur aussi léger qu'une gamine de seize ans.

— C'est pour ça que tu m'as épousée ? le taquinai-je. Pour éviter de pécher ?

— Oui. C'est à ça que sert le mariage, non ? Ça rend sacrés des actes qu'autrement je serais obligé de confesser.

Cette fois, mon cœur fondit.

— Oh, Jamie ! C'est fou ce que tu me plais !

Ce fut son tour de rire à gorge déployée. Il était plié en deux et dut s'asseoir sur le bas-côté. Il se renversa en arrière et se roula dans l'herbe, manquant de s'étouffer.

— Mais qu'est-ce qui te prend ? demandai-je, vexée.

Il se redressa et essuya ses yeux.

— Murtagh avait raison au sujet des femmes. J'ai risqué ma vie pour toi, j'ai volé, incendié, agressé, et assassiné pour toi. Tout ce que j'ai récolté, ce sont des insultes, des coups de pied et des griffures au visage. Puis je te bats et je te raconte la chose la plus humiliante qui me soit arrivée, et tu déclares que je te plais !

Il repartit de plus belle à rire. Enfin, il se releva et me tendit la main.

— Tu es vraiment incompréhensible, *Sassenach*, mais tu me plais aussi. Allons-y.

Il se faisait tard... ou tôt, selon le point de vue, et il fallut remonter à cheval pour arriver à Bargrennan avant l'aube. Entre-temps, je m'étais suffisamment remise pour supporter la selle, bien que les effets se fassent toujours sentir.

Nous chevauchâmes en silence un long moment. Plongée dans mes pensées, je méditais pour la première fois sur ce qui se passerait si je parvenais à retrouver mon chemin jusqu'au cercle de menhirs. Bien que je n'aie épousé Jamie que par obligation et que je dépende de lui par nécessité, il était indéniable que j'étais de plus en plus attachée à lui.

Plus importants encore, sans doute, étaient ses sentiments à mon égard. D'abord lié à moi par les circonstances, ensuite par l'amitié puis finalement par une profonde passion sexuelle, il n'avait jamais fait la moindre allusion à ses sentiments. Et pourtant...

Il avait risqué sa vie pour moi. Cela entrait d'ailleurs dans le cadre de son serment de mariage. Il avait déclaré qu'il verserait son sang pour moi. Je le croyais sur parole.

J'avais été particulièrement émue en l'entendant me confier des fragments intimes de son passé. S'il ressentait pour moi ce que je pressentais, comment réagirait-il à ma disparition soudaine ? Les vestiges de ma douleur physique s'atténuèrent encore tandis que je me débattais avec ces pensées troublantes.

Nous étions à quelques kilomètres de Bargrennan quand Jamie reprit soudain la parole.

— Je t'ai déjà raconté comment mon père était mort ?

— Dougal m'a dit qu'il avait succombé à une attaque... je veux dire une apoplexie, répondis-je, un peu surprise.

Notre conversation sur la fessée avait dû lui rappeler son père.

— C'est vrai. Mais… euh… il…

Il s'interrompit, cherchant ses mots. Puis il haussa les épaules, prit une profonde inspiration, et vida son cœur :

— Ça s'est passé au fort, là où nous étions hier, après ma capture à Lallybroch par Randall et ses hommes. Deux jours après ma première flagellation, Randall m'a convoqué dans son bureau. Deux hommes sont venus me chercher pour m'y conduire. C'est comme ça que j'ai su où te trouver. En sortant du cachot, j'ai aperçu mon père dans la cour. Il avait découvert où ils m'avaient emmené et était venu essayer de me faire libérer, ou du moins voir si j'étais en bonne santé.

Jamie donna un coup de talon dans les flancs de son cheval, pour le faire accélérer. L'aube ne s'était pas encore levée, mais le ciel s'éclaircissait. Il ferait jour dans moins d'une heure.

— Jusqu'à ce que je l'aperçoive, je ne m'étais pas rendu compte à quel point j'étais seul et terrifié. Les gardes ne nous ont pas laissés parler longtemps, mais au moins il a pu m'embrasser. Je lui ai dit que j'étais désolé… pour Jenny et tout ce qui était arrivé. Il m'a dit de me taire et m'a serré contre lui. Il m'a demandé comment j'allais – il était au courant pour la flagellation – et je lui ai répondu que ça irait. Les soldats ont alors voulu m'entraîner et il m'a serré une dernière fois contre lui et m'a recommandé de ne pas oublier de prier, quoi qu'il arrive, et de toujours garder la tête haute. Puis il m'a embrassé et les gardes m'ont emmené. Je ne l'ai plus jamais revu.

Sa voix était calme mais un peu rauque. Moi-même, j'avais la gorge nouée.

— Quand je suis entré dans le bureau, reprit-il, Randall a demandé à ses hommes de nous laisser et nous sommes restés seuls. Il m'a offert un tabouret. Il m'a annoncé que mon père s'était porté caution pour obtenir ma libération, mais que les charges qui pesaient sur moi étaient trop lourdes. Il fallait un accord signé par le duc d'Argyll, puisque nous étions sur son

459

territoire. J'ai compris alors que mon père était sans doute déjà en route pour aller le trouver. Entre-temps, m'annonça Randall, il fallait encore régler la question de ma deuxième flagellation.

Jamie s'arrêta de nouveau, comme s'il ne savait pas comment présenter la suite.

— Il... il était bizarre dans ses manières. Très cordial, mais avec quelque chose que je ne comprenais pas. Il ne me quittait pas des yeux, comme s'il s'attendait que je fasse quelque chose. Il s'est à moitié excusé, déclarant qu'il était navré que nos relations soient si difficiles pour le moment et qu'il aurait préféré que les circonstances soient différentes, etc. Je ne voyais vraiment pas où il voulait en venir : deux jours plus tôt, il voulait ma peau. Mais quand il a enfin annoncé ce qu'il cherchait, il n'y est pas allé par quatre chemins.

— Mais que voulait-il donc ? demandai-je.

Jamie me lança un regard de côté, puis détourna rapidement la tête, l'air embarrassé.

— Moi.

Je sursautai si violemment que mon cheval fit une embardée.

— Il a été très clair sur le sujet, continua Jamie. Si je... le laissais faire, il annulerait la seconde flagellation. Et si je refusais, il me ferait regretter d'être jamais venu au monde.

J'étais abasourdie.

— Je le regrettais déjà. J'avais l'impression d'avoir avalé du verre brisé. Mes genoux s'entrechoquaient.

— Mais... qu'est-ce que tu as fait ?

Il soupira.

— Pour tout te dire, j'ai réfléchi à la question. J'avais encore tellement mal au dos que je supportais difficilement une chemise, et chaque fois que je me levais, j'avais la tête qui tournait. L'idée de subir cette torture à nouveau... attaché, sans pouvoir me défendre, attendant le prochain coup de fouet...

Il frissonna.

— Je ne savais pas l'impression que ça me ferait, mais se faire prendre par-derrière était certainement moins douloureux. Des hommes sont morts des suites d'une flagellation, tu sais, et, connaissant Randall, je savais qu'il ferait tout pour avoir ma peau si je refusais. Mais je sentais encore le baiser de mon père sur ma joue. J'ai songé à ce qu'il m'avait dit et... je n'ai pas pu. Je me suis dit : « Cette ordure a déjà violé ma sœur, je préfère crever plutôt que de me laisser violer à mon tour. »

Je ne trouvais pas ça drôle. Je revis en pensée le visage de Randall, sous un nouveau jour cette fois. Jamie se frotta la nuque, puis laissa retomber sa main sur le pommeau de la selle.

— J'ai rassemblé le peu de courage qui me restait et j'ai dit non. Je l'ai dit haut et fort, et j'y ai ajouté toutes les insultes qui me passaient par la tête, pour être sûr de ne pas pouvoir faire marche arrière. Ça n'a pas vraiment arrangé mon cas, mais je suppose qu'il n'existe aucun autre moyen de refuser une telle offre.

— Non, convins-je, la gorge sèche. Je ne sais pas ce que tu lui as dit exactement, mais il n'a pas dû apprécier.

— Tu peux le dire. Il m'a giflé pour me faire taire et je suis tombé de mon tabouret. Je suis resté allongé au sol et j'ai attendu, pendant qu'il me toisait, jusqu'à ce qu'il rappelle ses hommes pour qu'ils me reconduisent dans ma cellule. Il n'a pas changé d'expression. Simplement, au moment de sortir, il a lancé : « À vendredi ! », comme si on avait un rendez-vous galant.

Les gardes n'avaient pas reconduit Jamie dans la cellule qu'il partageait avec trois autres prisonniers mais dans un cachot isolé, où il attendit dans le noir avec, pour seule distraction, la visite quotidienne du médecin qui venait panser son dos.

— Ce n'était pas un docteur très efficace, mais il était bon. Un jour, avec la graisse d'oie et le charbon, il m'a apporté une petite bible qu'avait laissée un prisonnier mort depuis. Il m'a dit qu'il savait que j'étais papiste et que, si les paroles du Seigneur ne me réconfortaient pas, au moins je pourrais comparer mes problèmes avec ceux de Job.

Il se mit à rire.

— Bizarrement, ça m'a réconforté. Le Christ lui aussi a subi le fléau et, au moins, je savais qu'on n'allait pas me crucifier. D'un autre côté, ajouta-t-il d'un air narquois, Ponce Pilate ne lui a pas fait de propositions indécentes.

Jamie avait conservé la petite bible. Il fouilla dans son *sporran* et me la tendit. C'était un volume élimé, imprimé sur un papier si fin que les lettres apparaissaient à travers la page. La page de garde portait un nom : ALEXANDER WILLIAM RODERICK MACGREGOR, 1733. L'encre était passée et floue, et la tranche du livre semblait avoir été mouillée à plusieurs occasions.

Je retournai la bible entre mes mains, intriguée. Même si elle était toute petite, Jamie avait dû avoir du mal à la conserver pendant toutes les péripéties des quatre dernières années.

— Je ne t'ai jamais vu la lire, dis-je en la lui rendant.

— Ce n'est pas pour la lire que je la garde.

Il la remit à sa place en caressant sa reliure du pouce. Puis il tapota son *sporran* d'un air satisfait.

— Quelqu'un a une dette envers Alex MacGregor, j'ai bien l'intention de la lui réclamer un de ces jours. Enfin, dit-il, reprenant le fil de son histoire. Le vendredi est arrivé, et je ne savais plus si je devais trembler ou me féliciter d'en avoir presque terminé. L'attente et la peur étaient presque pires que la douleur qui m'attendait. Mais le moment venu…

Il haussa les épaules et me montra son dos.

— Tu as vu le résultat. Tu peux imaginer ce que ce fut.

— Uniquement parce que Dougal m'a raconté. Il y était.

Jamie hocha la tête.

— Oui, et mon père aussi, mais je l'ignorais à l'époque. J'étais trop préoccupé par mes petits problèmes pour faire attention aux autres.

— Et c'est là que…

— Mmmmphm. Plusieurs personnes m'ont raconté que, vers le milieu du supplice, on me croyait déjà mort. Mon père a dû le croire aussi.

Il hésita et sa voix trembla.

— D'après Dougal, quand je suis tombé, mon père a gémi et a porté une main à sa tête. Puis il s'est effondré tout d'une masse. Il ne s'est jamais relevé.

Des oiseaux s'agitaient dans la bruyère, se répondant parmi les feuilles encore sombres des arbres. Jamie avait la tête baissée et je ne pouvais voir son visage.

— Je ne savais pas qu'il était mort. On ne me l'a dit qu'un mois plus tard, quand on a pensé que j'étais assez fort pour le supporter. Je ne l'ai pas enterré, comme un fils doit enterrer son père. Et je n'ai jamais vu sa tombe, parce que j'ai peur de rentrer chez moi.

— Jamie... oh, mon cher Jamie...

Après un long silence, je lui dis doucement :

— Tu ne dois pas... tu ne peux pas te sentir responsable, Jamie. Tu n'aurais rien pu faire.

— Ah non ? Tu as peut-être raison, mais serait-ce arrivé si j'avais accepté l'offre de Randall ? Cette question me hante et ne soulage en rien ce que je ressens. C'est comme si j'avais tué mon père de mes propres mains.

— Jamie... répétai-je.

Mais je ne trouvai rien à dire.

Nous restâmes silencieux un moment, puis il releva la tête et redressa ses épaules.

— Je ne l'ai dit à personne, mais il m'a semblé que tu devais le savoir... au sujet de Randall. Tu as le droit de savoir ce qu'il y a entre lui et moi.

Pour la première fois, j'entrevis ce qu'il avait pu ressentir en bondissant sur la fenêtre de l'Anglais, un pistolet non chargé à la main. Je commençais à lui pardonner le traitement qu'il m'avait infligé.

Comme s'il lisait dans mes pensées, il reprit, sans me regarder :

— Tu comprends peut-être maintenant pourquoi il m'a semblé nécessaire de te battre ?

Je ne répondis pas tout de suite. Cela ne suffisait pas.

— Je comprends, répondis-je enfin. Et je te pardonne. Ce que je ne peux te pardonner, ajoutai-je en haussant la voix malgré moi, c'est que tu y as pris du plaisir !

Il se pencha sur le garrot de sa monture, riant à gorge déployée.

L'aube commençait à poindre et je pouvais distinguer ses traits, tirés par la fatigue, la tension et l'hilarité. Les griffures sur ses joues paraissaient noires dans la pénombre.

— Si j'y ai pris du plaisir, *Sassenach* ? Et comment ! Tu ne peux imaginer à quel point ça m'a plu. Tu étais si… jolie. J'étais hors de moi et tu te débattais comme une tigresse. Je ne voulais pas te faire de mal, mais je ne pouvais pas m'en empêcher non plus. Bon sang ! soupira-t-il en se mouchant. Oui, oui, j'y ai pris du plaisir. Tu devrais me remercier de m'être retenu.

Il commençait à m'énerver à nouveau.

— Retenu ? Tu appelles ça te retenir ! Il m'a plutôt semblé que tu t'en donnais à cœur joie. Tu as failli me rendre infirme, espèce d'arrogant bâtard d'Écossais !

— Si j'avais voulu te rendre infirme, tu t'en serais aperçue. Après tout, j'ai fini la nuit couché par terre.

Je le foudroyai du regard.

— Ah, c'est ça, ta retenue ?

— Oui. J'ai pensé qu'il ne serait pas juste de te prendre de force même si j'en mourais d'envie, ajouta-t-il en riant. Ça m'a demandé un effort considérable.

— Me prendre de force ? glapis-je.

— Ben oui, vu les circonstances, on peut difficilement dire « faire l'amour ».

— Appelle-le comme tu voudras, tu as bien fait de te « retenir » car, dans le cas contraire, tu serais en ce moment même en train de pleurer la perte d'une certaine partie de ton anatomie.

— C'est bien ce que j'ai pensé.

— Et tu t'imagines que je vais applaudir ta noblesse d'âme, parce que tu ne m'as pas violée après m'avoir rouée de coups ?

Il attendit quelques instants avant de soupirer et de dire :

— Je vois que j'ai eu tort d'aborder le sujet. Tout ce que je voulais, c'était te demander si tu voulais bien me laisser à nouveau partager ton lit, une fois à Bargrennan.

Il ajouta timidement :

— Il fait froid par terre.

Nous parcourûmes bien sept kilomètres avant que je trouve quoi lui répondre. Quand j'eus enfin trouvé, je le dépassai et mis mon cheval en travers du chemin, l'obligeant à s'arrêter. Les toits de Bargrennan étaient visibles au loin.

Je m'approchai de lui et le regardai droit dans les yeux.

— Me ferez-vous l'honneur de partager ma couche, ô mon seigneur et maître ?

Il hésita, soupçonnant une entourloupette, puis acquiesça.

— Oui, je veux bien. Merci.

Il allait repartir quand je l'arrêtai.

— Encore une chose, maître.

— Quoi donc ?

J'extirpai ma dague de ma poche et la pointai vers sa poitrine.

— Si jamais tu lèves encore une fois la main sur moi, sifflai-je, je t'arrache le cœur et je le bouffe au petit déjeuner !

Il y eut un long silence, uniquement perturbé par le cliquètement de nos harnais. Puis il tendit la main, paume ouverte, vers moi.

— Donne-la-moi !

Comme j'hésitai, il répéta :

— Donne-la-moi !

Il prit la dague par la lame et la tendit devant lui comme un crucifix. Le soleil levant faisait briller la pierre de lune. Puis il récita quelque chose en gaélique. Je reconnus les paroles du serment que j'avais déjà entendu dans la grande salle du château de Leoch, mais il me les traduisit néanmoins :

— Je jure sur la croix de Notre-Seigneur Jésus-Christ, et par le fer sacré que je tiens, que je t'accorde toute ma fidélité et ma loyauté. Si ma main venait à se dresser contre toi en rébellion ou colère, je demande à ce que ce fer sacré me transperce le cœur.

Il baisa la garde et me rendit la dague.

— Je ne lance jamais des menaces en l'air, *Sassenach*, dit-il en arquant un sourcil, et je tiens toujours mes promesses. Alors, on peut aller se coucher, maintenant ?

23

Retour à Leoch

D OUGAL FAISAIT LES CENT PAS en nous attendant sous l'enseigne du Sanglier rouge.

— Ah, enfin ! s'exclama-t-il joyeusement. Une chambre vous attend, vous l'avez bien méritée. Montez vous coucher, j'aiderai Jamie à rentrer les chevaux à l'écurie.

Je ne me le fis pas dire deux fois. Je m'effondrai sur le lit et dormais presque avant que ma tête ne touche l'oreiller.

Je n'entendis pas Jamie venir se coucher mais me réveillai en sursaut vers la fin de l'après-midi, convaincue d'avoir oublié un détail essentiel.

— Horrocks ! m'écriai-je en me redressant brusquement.

À mes côtés Jamie fit un bond et dégringola du lit, la main sur le poignard qu'il avait laissé sur sa pile de vêtements.

— Hein ? Quoi ? bégaya-t-il en lançant des regards affolés dans la pièce.

Je réprimai un fou rire en le voyant accroupi nu sur le plancher, sa tignasse rousse dressée en épi sur son crâne.

— On dirait un hérisson en boule ! pouffai-je.

Il me lança un regard mauvais, reposa son poignard et se glissa à nouveau entre les draps.

— Tu avais besoin de me réveiller pour me dire ça, grogna-t-il.

— Je viens de penser à Horrocks, expliquai-je. J'ai complètement oublié de te demander comment s'était passée votre entrevue. Tu l'as trouvé, au moins ?

Il se frotta vigoureusement le visage comme pour rétablir une mauvaise circulation.

— Mouais, maugréa-t-il entre ses doigts.

Au ton de sa voix, je devinai que les informations du déserteur n'étaient pas bonnes.

— Il ne t'a rien dit ? demandai-je.

C'était une possibilité, bien que Jamie soit parti avec les quelques sous qui lui restaient, accompagnés d'une somme rondelette fournie par Dougal et Colum, ainsi que de la bague de son père.

Il se laissa retomber dans les draps et fixa le plafond.

— Non, il m'a parlé, et pour un prix raisonnable.

Je roulai sur le coude.

— Alors ? Qui a tiré sur le sergent-major ?

— Randall, dit-il en fermant les yeux.

— Randall ? Mais pourquoi aurait-il fait ça ?

— Je n'en sais rien, mais ça n'a pas grande importance. Il me sera impossible de le prouver.

Le fait était.

— Mais que peux-tu faire, alors ? Retourner en France ?

J'eus soudain une idée de génie.

— Et pourquoi pas en Amérique ? Tu te plairais dans le Nouveau Monde.

— De l'autre côté de l'océan ?

Il frissonna.

— Non, non, jamais.

— Alors, que vas-tu faire ?

— Eh bien, j'avais pensé dormir encore une heure, mais apparemment ce ne sera pas possible.

Résigné, il s'assit dans le lit et s'adossa au mur. Au moment de me coucher, j'avais été trop épuisée pour enlever les draps et le couvre-lit comme je le faisais d'habitude. À présent, j'observais une petite tache suspecte près de son genou tout en l'écoutant.

— Tu as raison, soupira-t-il. On pourrait aller en France.

Je sursautai, ayant momentanément oublié que, quels que soient ses projets, j'en faisais désormais partie.

— D'un autre côté, enchaîna-t-il, je ne vois pas trop ce que je pourrais y faire, à part m'enrôler dans l'armée. Et ce ne serait pas une vie pour toi. On pourrait aussi rejoindre la cour du roi James à Rome. J'ai des oncles et des cousins qui ont un pied dans ce camp, ils nous aideraient. Je n'ai pas de penchant pour la politique, et encore moins pour les princes, mais c'est une possibilité. Mais j'aimerais d'abord tenter de me disculper ici, en Écosse. Si j'y parviens, au pire je finirai fermier quelque part sur les terres des Fraser, au mieux je pourrai rentrer à Lallybroch.

Son visage se rembrunit et je devinai qu'il pensait à sa sœur.

— Si cela ne tenait qu'à moi, murmura-t-il, songeur, je resterais ici, mais je ne suis plus tout seul.

Il se tourna vers moi et me sourit. Il me caressa doucement les cheveux.

— J'oublie parfois que, maintenant, nous sommes deux, *Sassenach*.

Je me sentis extraordinairement mal à l'aise. Je n'étais qu'une traîtresse. Il était en train de faire des projets qui allaient modifier l'ensemble de son existence, ne songeant qu'à mon confort et à ma sécurité, pendant que je m'efforçais de l'abandonner, mettant sa vie en péril par la même occasion. Alors qu'il envisageait notre avenir, je me demandais comment m'y prendre pour le dissuader d'aller en France, car cela m'éloignerait de Craigh na Dun.

— Il n'existe aucun moyen de rester en Écosse ? demandai-je en détournant le regard.

Il me sembla que la tache suspecte venait de bouger.

— Si, répondit Jamie d'un air pensif. Il y en a peut-être un. C'est pour ça que Dougal m'attendait ce matin. Il avait des nouvelles à m'annoncer.

— Vraiment ? Quelles nouvelles ?

— Un messager de Colum est arrivé. Il n'espérait pas nous trouver ici. Il a croisé Dougal sur la route par hasard. Nous devons immédiatement rentrer à Leoch. Ned poursuivra la collecte des fermages avec quelques hommes.

— Rentrer à Leoch ?

Ce n'était pas la France, mais guère mieux !

— Ils attendent un visiteur, un noble anglais qui a déjà traité avec Colum auparavant. C'est un homme puissant. Il acceptera peut-être de faire quelque chose pour moi. Je n'ai été ni jugé ni condamné pour meurtre, et il pourrait éventuellement faire annuler les chefs d'accusation qui pèsent sur moi, ou me faire gracier.

Il esquissa un sourire amer.

— C'est étrange de se faire pardonner pour un crime qu'on n'a pas commis, mais c'est quand même mieux que d'être pendu.

— En effet.

La tache bougeait, indiscutablement. Je plissai les yeux, me concentrant sur elle.

— Comment s'appelle ce noble ? demandai-je.

— Le duc de Sandringham.

Je bondis du lit en poussant un cri.

— Qu'est-ce qui se passe ? demanda Jamie, interloqué.

Je pointai un doigt tremblant vers la tache noire qui remontait maintenant le long de sa jambe d'un pas lent mais déterminé.

— Là, là ! m'écriai-je.

Il baissa les yeux et fit nonchalamment voler la bestiole à travers la pièce d'une chiquenaude.

— Ce n'est qu'une punaise, *Sassenach*, il n'y a pas de quoi...

Au seul mot de punaise, je m'étais plaquée contre le mur, le plus loin possible du nid grouillant de vermines que j'imaginais aller et venir impunément sous l'édredon.

Jamie me regarda avec une moue moqueuse.

— On dirait un hérisson en boule !

Il roula sur le lit en me tendant une main.

— Viens par ici, mon petit hérisson. On ne repartira pas avant le coucher du soleil. Puisque tu refuses de nous laisser dormir…

Nous finîmes par nous endormir, un peu plus tard, paisiblement enlacés sur le plancher, sur une paillasse dure mais sans punaises, constituée de ma cape et du kilt de Jamie.

La nuit tombée, nous reprîmes la route. Dougal tenait à être à Leoch avant le duc de Sandringham et ne nous laissa pas souffler. Sans les chariots, nous progressions beaucoup plus vite, en dépit des routes cahoteuses, ne nous arrêtant que brièvement.

Lorsque nous franchîmes les portes du château, nous étions aussi échevelés que lors de ma première arrivée, et certainement aussi éreintés.

Je me laissai tomber aux pieds de mon cheval dans la cour. Jamie me rattrapa de justesse et, constatant que je tenais à peine debout, laissa les garçons d'écurie s'occuper de nos montures et me porta dans ses bras comme une jeune mariée.

— Tu as faim, *Sassenach* ? me demanda-t-il en s'arrêtant dans le couloir.

La cuisine était sur la gauche, l'escalier montant aux chambres sur la droite. Je grognai, luttant pour garder les yeux ouverts. J'avais effectivement faim, mais je savais que je piquerais du nez dans ma soupe si j'essayais de manger avant de dormir.

J'entendis un bruissement d'étoffe derrière nous et rouvris les yeux pour apercevoir la masse de Mme FitzGibbons arrivant à grands pas.

— Que se passe-t-il, la pauvre chérie, elle a eu un accident ?

— Non, répondit Jamie, si ce n'est qu'elle m'a épousé.

Il s'écarta pour laisser passer une armée de filles de cuisine, de commis, de jardiniers, de gardes et autres habitants du châ-

teau, tous attirés par les exclamations sonores de Mme Fitz-
Gibbons.

Ayant fait son choix, Jamie bifurqua vers la droite et l'escalier, répondant tant bien que mal aux questions qui fusaient
de toutes parts. Quant à moi, ballottée comme un paquet
de linge sale, je souriais à la foule de visages intrigués et
amicaux.

Au pied de l'escalier, j'aperçus un visage encore plus amical
que les autres. C'était Laoghaire qui accourait, rayonnante,
ayant entendu la voix de Jamie. Elle écarquilla des yeux ronds
et resta la bouche grande ouverte en voyant ce qu'il portait
dans les bras.

Elle n'eut pas le temps de poser de questions car, au même
instant, toutes les voix se turent en même temps. Jamie s'arrêta également. Levant les yeux, je vis Colum, dont la mine
stupéfaite arrivait tout juste à ma hauteur.

— Que signi… commença-t-il.

— Ils se sont mariés, interrompit Mme FitzGibbons, joyeusement. Comme c'est charmant ! Vous pouvez leur donner
votre bénédiction, laird, pendant que je leur fais préparer une
chambre.

Elle tourna les talons et partit vers l'escalier, creusant un
sillage dans la foule des curieux, au milieu de laquelle j'aperçus
le visage blême de Laoghaire.

Colum et Jamie se lancèrent dans une conversation animée
en gaélique, où les questions et les réponses se percutaient en
plein vol. Je commençais à me réveiller, sans toutefois émerger
du brouillard dans lequel je me trouvais.

— Humm, dit enfin Colum, l'air contrarié. Si vous êtes
mariés, vous êtes mariés. Il faudra que j'en parle à Dougal et
à Ned Gowan. Il va falloir régler certains détails juridiques.
Le fait que tu sois marié te donne certains… droits, conformément au contrat de mariage de ta mère.

Je sentis Jamie se raidir légèrement.

— Puisque tu en parles, mon oncle, dit-il d'un ton neutre, je me souviens en effet d'avoir droit à une fraction des fermages des terres MacKenzie. Dougal a rapporté avec lui une partie de la collecte. N'oublie pas de lui rappeler de mettre ma part de côté quand il fera les comptes. À présent, si tu veux bien nous excuser, mon oncle, ma femme est épuisée…

Me calant dans une position plus stable, il se tourna vers les marches.

Je m'effondrai lourdement sur l'énorme lit à baldaquin auquel, apparemment, notre nouveau statut de couple marié nous donnait droit. Il était moelleux et, grâce à la vigilance de Mme FitzGibbons, propre.

J'étais en train de me demander si cela valait vraiment la peine de me relever pour me débarbouiller quand je constatai que Jamie, ayant déjà fait ses ablutions et lissé ses cheveux en arrière, s'apprêtait à ressortir.

— Tu ne viens pas te coucher ? demandai-je, surprise.

— Pas encore, *Sassenach*. J'ai une petite course à faire avant.

Il sortit en me laissant plantée sur le lit, fixant bêtement la porte en chêne massif, avec une sensation désagréable au creux du ventre. Je revis le visage joyeux et plein d'espoir de Laoghaire quand elle était apparue, attirée comme un aimant par la voix de Jamie, puis son expression choquée et horrifiée lorsqu'elle m'avait vue blottie dans ses bras. J'avais également senti une soudaine crispation des membres de Jamie lorsqu'il l'avait lui aussi aperçue et regrettais amèrement de ne pas avoir regardé son visage à ce moment. C'était probablement vers elle qu'il était parti à présent, lavé et peigné, pour lui expliquer la situation. Si seulement j'avais vu ses traits tout à l'heure… j'aurais au moins eu une petite idée de ce qu'il comptait lui dire.

Absorbée par les événements du dernier mois, j'avais pratiquement oublié l'existence de cette jeune fille – ce qu'elle représentait pour Jamie et lui pour elle. Lorsque au moment de notre mariage précipité j'en avais parlé à Jamie, celui-ci m'avait fait comprendre qu'elle ne constituait en rien un obstacle à notre union.

Naturellement, le père de Laoghaire ne l'aurait jamais laissée épouser un hors-la-loi et Jamie avait besoin d'une femme pour récupérer sa part des fermages des MacKenzie… Dans ce cas, une femme en valait une autre, et il avait pris la première qui lui était tombée sous la main… Je connaissais suffisamment Jamie pour savoir que c'était un homme pratique. Il ne laisserait pas les sentiments ou le charme des joues de rose et des cheveux d'or le détourner de ses objectifs. Toutefois, cela ne signifiait pas nécessairement qu'il ne ressentait rien à l'égard de la belle en question. Après tout, j'avais bel et bien surpris la petite scène dans l'alcôve : Jamie serrant Laoghaire dans ses bras et l'embrassant fougueusement.

Je m'aperçus que j'étais en train d'écraser l'édredon contre moi. Je le lâchai et essuyai mes paumes moites sur le lit, les trouvant soudain très sales.

J'oubliai ma fatigue et allai me laver les mains. Le souvenir de Jamie embrassant Laoghaire m'était profondément désagréable. Je me débarbouillai, essayant de me débarrasser de ce nœud dans l'estomac qui n'était pas dû à la faim. Je n'avais aucun droit sur les sentiments de Jamie. Je l'avais épousé par intérêt. Et lui m'avait épousée pour des raisons qui ne regardaient que lui, l'une d'entre elles étant le désir ouvertement exprimé de perdre son pucelage.

Une autre des raisons était apparemment qu'il lui fallait être marié pour récupérer son dû et qu'il ne pouvait convaincre une fille de son rang de l'épouser. C'était nettement moins flatteur.

Bien éveillée, cette fois, je me changeai et enfilai une longue chemise de nuit propre qui avait été déposée à mon intention par Mme FitzGibbons, tout comme la cuvette et l'aiguière. J'ignorais comment cette fée du logis était parvenue à aménager une chambre de jeunes mariées en quelques minutes, mais, à une autre époque, elle aurait fait des merveilles dans un palace comme le Ritz ou le Waldorf Astoria.

Ces pensées me ramenèrent brusquement à ma propre époque et me plongèrent dans une solitude que je n'avais pas connue depuis plusieurs semaines. Que fais-je ici ? me demandai-je pour la millième fois. Seule à des années-lumière de tout ce qui m'était familier, de Frank, de mes amis, perdue parmi ces brutes ? Ces dernières semaines, en compagnie de Jamie, j'avais tout juste commencé à me sentir plus heureuse et en sécurité. Mais je comprenais soudain que ce bonheur n'était qu'une illusion.

Je ne doutais pas que Jamie tiendrait ses engagements concernant ma sécurité. Mais, maintenant que nous étions rentrés de notre petite escapade dans les collines sauvages et sur les routes poudreuses, dans les tavernes crasseuses et les meules de foin odorantes, il devait lui aussi ressentir le poids de son ancienne vie. Depuis un mois, nous étions devenus très proches, mais les événements des derniers jours avaient mis à mal les liens qui nous unissaient et je sentais ceux-ci voués à une inexorable usure que les détails pratiques de la vie quotidienne à Leoch ne manqueraient pas d'accélérer.

Je posai mon front sur la croisée qui donnait dans la cour. Alec McMahon et deux de ses palefreniers brossaient nos chevaux. Les bêtes, repues et lavées pour la première fois depuis plusieurs jours, piaffaient de plaisir. Un valet d'écurie entraîna mon bon gros Chardon, qui le suivit, l'air content, vers un repos bien mérité.

Avec lui s'évanouissaient mes rêves d'évasion imminente et de retour à mon époque. « Oh, Frank ! » soupirai-je. Je fermai les yeux et sentis une larme couler sur ma joue, tentant désespérément de me remémorer les traits de Frank. L'espace d'un instant, ce n'était pas mon tendre mari que j'avais vu mais son ignoble ancêtre, ses lèvres pleines esquissant une moue moqueuse. Fuyant cette image sinistre, mon esprit avait immédiatement substitué au visage de Randall celui de Jamie, les traits déformés par la peur et la rage, tel que je l'avais aperçu dans le bureau de l'Anglais. Malgré tous mes efforts, je ne pus invoquer une image nette de Frank.

Je me sentis soudain prise de panique. Et si je parvenais à m'échapper et à retrouver le chemin de mon époque ? Que se passerait-il ? Jamie finirait par se consoler, dans les bras de Laoghaire sans doute. Jusqu'à présent, je m'étais surtout inquiétée de sa réaction à mon brusque départ, mais je n'avais pas pensé à ce que je ressentirais en le quittant pour toujours.

Je tripotai machinalement le ruban de ma chemise de nuit. Si je devais partir, il ne fallait pas laisser les liens entre nous se solidifier plus qu'ils ne l'étaient. Je ne devais pas le laisser m'aimer.

Toutefois, s'il ne m'avait épousée que par intérêt comme tout portait à le croire, il souffrirait certainement moins que moi de notre séparation.

Tiraillée entre la fatigue, la faim, la déception et l'incertitude, j'étais parvenue à me plonger dans un tel état de déprime que je ne pouvais ni dormir ni rester en place. J'errais dans la chambre comme une âme en peine, prenant des objets sur les meubles et les reposant ailleurs au hasard.

Le courant d'air créé par la porte de la chambre en s'ouvrant fit tomber le peigne que je tenais en équilibre sur le doigt. Jamie apparut sur le pas de la porte, les joues rouges et le souffle court.

— Tu ne dors pas encore ? s'étonna-t-il.

— Non, répondis-je sèchement. Tu espérais me trouver endormie pour retourner auprès d'elle ?

Il me lança un air perplexe.

— Qui ça ? Laoghaire ?

— Ah ! Alors, j'avais raison, tu étais avec elle !

Il parut surpris, las et légèrement agacé.

— Oui. Je l'ai rencontrée au pied des escaliers en descendant. Tu te sens bien, *Sassenach* ? Tu as l'air bizarre.

Je lançai un regard vers le miroir. J'avais les cheveux dressés sur le crâne et de lourds cernes bleus sous les yeux. On aurait dit une sorcière.

— Non, je vais parfaitement bien, dis-je en m'efforçant de me maîtriser. Et comment va Laoghaire ? demandai-je d'un ton neutre.

— Très bien.

Il s'adossa à la porte en croisant les bras, me fixant d'un air intrigué.

— Elle était un peu surprise de nous trouver mariés, ajouta-t-il.

— Très bien ! le singeai-je.

Il sourit.

— Tu n'as pas à t'inquiéter au sujet de Laoghaire, *Sassenach*. Elle n'est rien pour toi, ni… pour moi.

— Ah non ? Elle ne voulait pas ou ne pouvait pas t'épouser. Il te fallait quelqu'un, alors tu as saisi la première occasion qui s'offrait à toi. Je ne peux pas te le reprocher, moi-même j'ai…

Il traversa la chambre en deux enjambées et me prit le menton entre ses doigts, me forçant à le regarder dans les yeux.

— Claire. Je te dirai en temps voulu pourquoi je t'ai épousée, si cela m'est possible. Je t'ai demandé d'être sincère et je crois l'avoir été avec toi. Écoute-moi bien. Laoghaire n'a aucun droit, si ce n'est celui d'être traitée courtoisement.

Il me pressa doucement le menton.

— Et j'ai bien l'intention d'honorer ce droit. Tu m'entends ?

Il me relâcha.

— Oh, j'entends parfaitement ! sifflai-je en me frottant le menton. Et je ne doute pas un instant que tu sauras te montrer des plus courtois avec elle. Mais la prochaine fois, tire les rideaux de l'alcôve, je ne veux pas vous voir.

Son visage se ferma et ses joues s'empourprèrent.

— Tu suggères que je t'ai été infidèle ? dit-il, incrédule. On est rentrés au château il y a moins d'une heure. Je suis couvert de poussière et de sueur après deux jours en selle. Je suis si épuisé que mes genoux en tremblent et, malgré tout, je me serais précipité pour séduire une gamine de seize ans ?

Il secoua la tête, l'air abasourdi.

— Je ne sais pas si c'est un compliment à ma virilité ou une insulte à ma morale, mais, dans un cas comme dans l'autre, *Sassenach*, je crois que tu perds la tête. Murtagh m'avait prévenu que les femmes étaient incompréhensibles, mais là, vraiment !

— Je n'ai jamais dit que tu avais tenté de la séduire, me défendis-je, mais...

Je me souvins que Frank avait abordé la question avec infiniment plus de tact que moi et pourtant je l'avais mal pris. Il n'y avait sans doute aucune bonne méthode pour discuter de ce sujet délicat avec son partenaire.

— Mais... je voulais simplement dire... je sais que tu m'as épousée pour des raisons qui ne concernent que toi, ajoutai-je hâtivement, et que je n'ai rien à dire. Tu as parfaitement le droit de faire ce qui te plaît. Si... tu te sens attiré ailleurs... eh bien... je ne te mettrai pas de bâtons dans les roues.

J'avais les joues en feu et mes oreilles bourdonnaient. En levant la tête, je constatai que Jamie bouillonnait, lui aussi. Ses yeux injectés de sang par le manque de sommeil semblaient lancer des flammes.

— Je peux faire ce qui me plaît ? s'écria-t-il. Et notre serment de mariage ? Ce ne sont pour toi que des paroles dans une église ?

Il se frappa la poitrine du poing.

— Rien à dire, hein ? Tu ne me mettras pas de bâtons dans les roues ?

Il s'assit sur le lit pour ôter ses bottes, puis les lança violemment contre le mur, causant un vacarme qui me fit tressaillir.

— Euh... oui, hésitai-je en reculant. C'est ce que j'ai voulu dire.

Il me saisit le bras. Sa main calleuse était brûlante. Je tentai de me libérer.

— Eh bien, si tu n'as rien à dire, *Sassenach*, moi si !

Il prit mon visage entre ses mains et plaqua ses lèvres sur les miennes. Il n'y avait rien de tendre dans ce baiser et je me débattis furieusement. Il passa un bras sous mes genoux et me souleva de terre comme une plume.

— Lâche-moi ! hurlai-je. Qu'est-ce que tu fais ?

— Je croyais que c'était plutôt évident, *Sassenach*, je te mets au lit. Et tu vas y rester jusqu'à ce que tu n'aies plus aucun doute quant à mes droits sur toi !

— Je refuse de dormir avec toi !

— Qui parle de dormir ?

Il me laissa tomber lourdement sur l'édredon.

— Tu sais pertinemment ce que j'ai voulu dire ! Je ne veux pas faire l'amour avec toi.

Je roulai sur le côté mais il me retint par l'épaule et m'immobilisa, le visage à quelques centimètres du sien.

— Je ne t'ai pas demandé ton avis, *Sassenach*. Tu es ma femme, comme je te l'ai déjà répété de nombreuses fois. Tu l'as peut-être oublié, mais dans notre serment il y avait le verbe « obéir ». Tu es ma femme et, si je te veux, je te prendrai, de force s'il le faut.

Je me dégageai et me redressai sur les genoux. L'angoisse accumulée au cours de la dernière heure s'exprima soudain en moi par une incontrôlable explosion de violence.

— Plutôt crever ! hurlai-je. Tu n'es qu'un sale porc ! Tu crois pouvoir me sauter comme une vulgaire pute quand bon te semble ! Tu te goures, espèce d'enfoiré ! Tu ne vaux pas mieux que ton cher capitaine Randall !

Il me foudroya du regard quelques secondes, puis s'écarta brusquement.

— Si c'est ce que tu penses de moi, tu peux partir ! fit-il en faisant un signe vers la porte. Va-t'en, je ne te retiens pas.

J'hésitai un instant. Sa mâchoire était crispée et il me surplombait tel le colosse de Rhodes. Il faisait des efforts démesurés pour se contrôler, mais il était sincère. Si je voulais partir, il ne ferait rien pour m'arrêter.

Je relevai le menton et serrai les dents.

— Non ! répondis-je. Je ne suis pas du genre à prendre la fuite. Et tu ne me fais pas peur.

— Je vois.

Les muscles de son visage se détendirent légèrement. Il s'assit sur le bord du lit, gardant une bonne distance entre nous, et je me rassis à mon tour, épuisée. Il respira profondément avant de reprendre la parole.

— Moi non plus, je ne fuis pas, *Sassenach*, grogna-t-il enfin. Je pourrais savoir ce que signifie « enfoiré » ?

Je le dévisageai, interdite.

— Si tu dois me traiter de tous les noms, reprit-il, avec irritation, j'aimerais autant comprendre tes insultes pour pouvoir y répondre.

Prise de court, je ne pus retenir un petit rire nerveux.

— Ça veut dire… un homme qui malmène sa femme.

Il arqua un sourcil, l'air amusé.

— Ah, un butor ? Merci, c'est fort aimable. Et j'attends toujours l'explication de « sadiste » !

— Un sadique, corrigeai-je. C'est… euh… quelqu'un qui éprouve un plaisir sexuel en faisant du mal aux autres.

J'étais cramoisie et j'avais un mal fou à réprimer un sourire.

— Très flatteur, grogna Jamie.

Il respira profondément et posa les mains sur ses genoux, me regardant.

— Je peux savoir ce que signifie toute cette scène ? C'est vraiment à cause de la fille ? Je t'ai dit toute la vérité. Mais ce n'est pas une question de preuve. Ou tu me crois, ou tu ne me crois pas. Tu me crois ?

— Oui, je te crois, admis-je à contrecœur. Mais ce n'est pas ce que tu penses, enfin pas tout à fait. C'est plutôt… c'est d'avoir découvert que tu t'es marié avec moi pour une question d'argent.

Je baissai les yeux, suivant les roses brodées sur l'édredon du bout du doigt.

— Je sais bien que je n'ai pas à me plaindre, repris-je. Moi aussi, je t'ai épousé pour des raisons égoïstes, mais...

Je me mordis la lèvre et déglutis.

— ... mais j'ai ma fierté, tout de même.

Je lui lançai un bref regard. Il me dévisageait d'un air abasourdi.

— Une question d'argent ? répéta-t-il.

— Oui, parfaitement, de l'argent ! aboyai-je, agacée par son air innocent. On était à peine rentrés que tu réclamais déjà ta part des fermages des MacKenzie !

Il me regarda encore quelques instants la bouche grande ouverte, puis il renversa sa tête en arrière et éclata de rire. Il roula sur le lit, plié en deux, rugissant sans pouvoir se retenir. Je me laissai retomber sur le lit, vexée. Je ne voyais pas ce qu'il y avait de si drôle.

Quand il eut retrouvé son calme, il se leva et défit la boucle de sa ceinture. Il surprit mon mouvement de recul. Le visage encore rouge d'un mélange de colère et d'hilarité, il me lança un regard exaspéré.

— Non, n'aie pas peur ! Je t'ai donné ma parole que je ne te battrais plus, mais je ne pensais pas le regretter aussi vite.

Il posa sa ceinture sur la table.

— Ma part des fermages des MacKenzie s'élève à vingt livres par trimestre, *Sassenach*, expliqua-t-il en fouillant dans son *sporran*. Et je te parle de livres écossaises, pas sterling. Soit à peu près la moitié du prix d'une vache.

— Pas... pas plus ? balbutiai-je.

— Pas plus, confirma-t-il. Et c'est tout ce que j'obtiendrai jamais des MacKenzie. Tu as sans doute remarqué que Dougal est un homme économe, c'est le moins qu'on puisse dire ! Colum est encore plus pingre que lui. Je ne connais pas grand monde qui accepterait de se marier pour la modique somme de vingt livres, ajouta-t-il sur un ton sarcastique. Si j'en ai parlé tout de suite à Colum, c'est parce que j'avais une dépense urgente à faire. J'ai rencontré Laoghaire en chemin, par accident.

— Et que devais-tu acheter de si pressé ? demandai-je, soupçonneuse.

Il soupira, hésita un instant, puis me lança un petit paquet sur le lit devant moi.

— Une alliance, *Sassenach*. Je l'ai achetée à Ewen, l'armurier. Il fait aussi ce genre de chose.

— Oh ! fis-je d'une voix faible.

— Vas-y, ouvre-le, c'est pour toi.

Ma vue se brouilla tandis que j'examinais le petit paquet. Je reniflai, sans oser l'ouvrir.

— Je suis désolée, balbutiai-je.

— Pas autant que moi, *Sassenach*, rétorqua-t-il.

Toutefois, sa voix n'était plus blanche de colère. Il reprit le paquet sur mes genoux et l'ouvrit. Il contenait un large anneau d'argent, ciselé de l'entrelacs typique des Highlands, avec un délicat chardon jacobite gravé à l'intérieur de chaque boucle.

Cette fois, je sanglotai pour de bon. Jamie me mit un mouchoir dans la main et je fis de mon mieux pour éponger les flots de larmes qui coulaient sur mes joues.

— Elle est… très belle, hoquetai-je.

— Tu veux bien la passer à ton doigt, Claire ?

Il avait prononcé mon nom d'une voix si tendre et douce que mes sanglots reprirent de plus belle.

— Tu n'es pas obligée, précisa-t-il. Notre contrat de mariage suffit. Tu es protégée de tout, sauf d'un mandat d'arrêt. Mais ici à Leoch, tu n'as rien à craindre. Si tu le souhaites, nous pouvons vivre séparément… si c'est ce que tu cherchais à me dire avec tes âneries à propos de Laoghaire. Tu n'auras plus rien à faire avec moi, si c'est là ton désir.

Il se tut, restant assis sans bouger dans l'attente d'une réponse, tenant l'anneau d'argent entre ses doigts.

Ainsi, il m'offrait le choix que j'avais voulu lui donner quelques minutes plus tôt. Poussé dans mes bras par les circonstances, il était prêt à s'éclipser si je décidais de le rejeter. Mais il y avait aussi l'autre possibilité : accepter l'anneau et tout ce qui venait avec.

Le soleil se couchait. Les derniers rayons de lumière filtraient à travers le verre bleuté de la carafe posée sur la table, projetant une ombre lapis-lazuli sur le mur. Je me sentais aussi fragile et transparente que cette carafe, comme si, au moindre heurt, je risquais de me briser en mille morceaux. J'avais voulu nous éviter des sentiments trop forts, mais il semblait qu'il était déjà beaucoup trop tard.

Je ne pouvais parler, mais je lui tendis ma main droite, les doigts tremblants. L'anneau glissa, froid et brillant, sur ma peau glacée et vint se loger à sa place. Il était à ma taille. Jamie me tint la main, regarda la bague, puis pressa mes doigts contre ses lèvres. Quand il leva les yeux vers moi, je lus dans son regard une fièvre brûlante. Il me serra fort contre lui. Je sentais son cœur battre aussi vite que le mien. Il s'écarta légèrement et murmura :

— Je te veux, Claire. Je te veux tellement que je peux à peine respirer.

Il déglutit avant de poursuivre :

— Et toi, tu veux bien de moi ?

— Oui, répondis-je dans un souffle.

J'avais à peine parlé qu'il me renversait sur le lit et m'écrasait de tout son poids. Il ne se déshabilla même pas. Je sentais la poussière de la route dans sa chemise et goûtais le soleil et la sueur sur sa peau. Il me tint par les poignets, les bras écartelés. Mes doigts effleurèrent le mur et ma nouvelle alliance cliqueta contre le crépi. Une alliance à chaque main, l'une en or, l'autre en argent. Le fin métal me parut soudain peser de tout le poids des liens sacrés du mariage, comme une minuscule chaîne qui m'attachait au lit, écartelée à jamais. Tel Prométhée sur son rocher solitaire, j'avais le cœur déchiqueté par le vautour de l'amour.

Il écarta mes cuisses de son genou et se glissa en moi d'un seul coup de reins. Il émit un son qui était presque un râle et m'agrippa encore un peu plus fort.

— Tu es à moi, *mo duinne*, dit-il doucement. À moi seul, aujourd'hui et pour toujours. À moi, et tu n'y peux plus rien.

Je tentai de m'écarter pour reprendre mon souffle, mais il pénétra encore plus profondément en moi.

— Je veux te posséder, *Sassenach*, murmura-t-il, corps et âme.

Il me martelait les reins en un va-et-vient inexorable dont chaque assaut me déchirait les entrailles.

— Tu m'appelleras « maître », *Sassenach*.

Sa voix douce était chargée d'une menace de vengeance pour ce que je venais de lui faire subir.

Je gémis, ma chair se tordant en spasmes sous sa présence envahissante. Le mouvement s'accentua, me rapprochant toujours plus près de la frontière entre le plaisir et la douleur. Je me sentais dissoute, ne reprenant vie qu'à chaque fois qu'il revenait en moi, acculée à la limite de l'abandon total.

— Non ! haletai-je. Arrête ! Je t'en prie, tu me fais mal !

Des gouttelettes de sueur perlaient sur son visage et venaient s'écraser sur l'oreiller et sur mes seins. Nos chairs se heurtaient en adhérant l'une à l'autre. Mes cuisses semblaient mises à vif par les chocs répétés, et mes poignets sur le point de se briser.

— Supplie-moi d'avoir pitié de toi ! chuchota-t-il d'une voix rauque. Non, pas encore !

Son souffle était brûlant, mais il semblait infatigable. Mon corps tout entier se convulsa. Mes jambes enlacèrent ses hanches pour contenir la puissance de ses assauts.

Je sentais ses coups de reins au plus profond de mon ventre. Mes hanches se soulevèrent traîtreusement pour lui faciliter la tâche. Il perçut ma réponse et redoubla d'ardeur, appuyant sur mes épaules pour me clouer sous lui.

Il n'y eut plus qu'un frisson continu qui augmentait sans cesse. Le martèlement était une question, répétée inlassablement dans ma chair, exigeant une réponse. Il m'emportait au-delà de la douleur, dans un univers de pures sensations.

— Oui ! m'écriai-je. Ô mon Dieu, Jamie, oui !

Il m'agrippa les cheveux et me força à le regarder, triomphal.

— Oui, *Sassenach*, grogna-t-il, répondant à mes mouvements plutôt qu'à mes paroles. Vois comme je te chevauche !

Ses mains tombèrent sur mes seins et les pétrirent sans douceur. Tout son poids reposait sur mes hanches tandis qu'il cambrait les reins pour me pénétrer plus encore. Je poussai un cri qu'il étouffa en écrasant ses lèvres sur les miennes. Ce n'était pas un baiser mais une autre forme d'assaut, me forçant à ouvrir la bouche, tordant mes lèvres, raclant ma peau avec les poils drus de sa barbe. Il rua plus fort et plus vite, comme s'il voulait pénétrer mon âme aussi bien que mon corps. *Corps et âme.* Il atteignit son but et une passion furieuse surgit des cendres de la reddition. Je me hissai soudain et mordis ses lèvres, goûtant son sang.

Je sentis ses dents dans mon cou et enfonçai mes ongles dans son dos. Je le lacérai de la nuque aux fesses, l'éperonnant pour qu'il rue et hurle à son tour. Nous nous déchirâmes, pris d'un désir désespéré, nous mordant, nous griffant, chacun tentant d'attirer l'autre en soi, consumés par le désir de ne faire plus qu'un. Mon cri se mêla au sien et nous nous perdîmes enfin l'un dans l'autre.

Je revins lentement à moi, à demi couchée sur la poitrine de Jamie, nos corps trempés collés l'un à l'autre. Il respirait profondément, les yeux fermés. J'entendais son cœur battre contre mon oreille, de ce rythme calme et puissant qui suit l'orgasme.

Me sentant éveillée, il m'attira contre lui, comme pour prolonger encore cette union enfin atteinte au cours des dernières secondes de notre accouplement périlleux. Je me blottis contre lui, l'enlaçant.

Il ouvrit les yeux et soupira, ses lèvres esquissant un léger sourire lorsque nos yeux se rencontrèrent. Je lui adressai un regard interrogateur.

— Oh oui, *Sassenach*, répondit-il d'un ton narquois. Je suis ton maître… et ton esclave. Il semble que je ne puisse posséder ton âme sans perdre la mienne.

Il me tourna sur le côté et se colla contre moi. La fraîcheur du soir pénétrait dans la chambre par la fenêtre ouverte et il rabattit l'édredon sur nous. « Décidément il apprend vite, pensais-je en moi-même. Il a trouvé en un rien de temps ce que Frank a toujours cherché en vain. » Je m'endormis, serrée fortement contre lui, son souffle chaud caressant mon oreille.

En me réveillant le lendemain matin, j'étais rompue. Il n'y avait pas un muscle de mon corps qui ne soit douloureux. Je me traînai au petit coin, puis vers la cuvette. Mes entrailles me faisaient l'effet d'être de la crème fouettée. J'avais l'impression d'avoir été battue avec un objet contondant, pensai-je, avant de réaliser que c'était à peu près ce qui m'était arrivé. L'objet en question était visible lorsque je revins vers le lit, l'air relativement inoffensif à présent. Son propriétaire se réveilla quand je m'assis sur le lit. Il m'examina d'un œil goguenard.

— On dirait que tu as fait une belle chevauchée, la nuit dernière, *Sassenach*, dit-il en effleurant du doigt un énorme bleu sur ma cuisse. Tu as le mal de la selle ?

Je plissai les yeux et lui montrai l'empreinte de mes dents sur son épaule.

— Tu es dans un bel état, toi aussi.

— Ah, que veux-tu, comme on dit chez nous, « quand on couche avec les louves, il faut s'attendre à être mordu ».

Il s'approcha et m'attrapa par le cou.

— Viens par ici, louve. Mords-moi encore.

— Oh non ! m'écriai-je en reculant. On ne va pas remettre ça ! J'ai mal partout.

James Fraser n'était pas homme à se laisser dire non.

— Je serai doux comme un agneau, promit-il.

Il m'entraîna inexorablement vers le lit. De fait, il fut on ne peut plus doux, me dorlotant comme un œuf de caille, s'attardant sur les préliminaires avec une patience infinie et une douce insistance qui n'étaient que la continuation de la leçon apprise si brutalement la veille. Il savait se montrer doux, mais on ne devait pas se refuser à lui.

Il jouit en tremblant dans mes bras, se retenant pour ne pas me faire mal.

Plus tard, toujours unis, il caressa les ecchymoses que ses doigts avaient laissées sur mes épaules deux jours plus tôt lors de notre dispute sur le bord de la route.

— Je suis navré pour ces bleus, *mo duinne*, dit-il en déposant un baiser sur chacun d'eux. J'étais hors de moi, mais ce n'est pas une excuse. En colère ou pas, c'est honteux de faire du mal à une femme. Je ne le referai plus.

Je me mis à rire, ironique.

— Tu t'excuses pour ceux-là ? Et les autres ? Je ne suis qu'une plaie des pieds à la tête !

— Ah oui ? Pour ceux-là, je me suis déjà excusé. Quant à ceux-ci, dit-il en me donnant une claque sur les fesses, ils étaient mérités et je mentirais en prétendant être désolé de te les avoir faits. Quant à ces derniers, ajouta-t-il en caressant l'intérieur de mes cuisses, je ne m'excuserai pas non plus. Tu t'es déjà suffisamment vengée.

Il se frotta l'épaule en grimaçant.

— Tu m'as mordu jusqu'au sang à deux endroits, *Sassenach*, et j'ai le dos en feu.

— Quand on couche avec des louves… répondis-je. Si tu t'imagines que je vais m'excuser !

Il éclata de rire et m'attira à lui.

— Qui a dit que je voulais des excuses ? Si je me souviens bien, tout ce que j'ai dit, c'est « mords-moi encore ».

Une odeur de soufre

24

Mon petit doigt me dit...

L E REMUE-MÉNAGE PROVOQUÉ PAR NOTRE RETOUR PRÉCIPITÉ et la nouvelle de notre mariage fut rapidement éclipsé par un événement de plus grande importance.

Le lendemain de notre arrivée, nous dînâmes dans le grand hall, acceptant les congratulations et les vœux de bonheur des habitants du château.

— *Buidheachas, mo caraid !* lança Jamie en levant sa coupe de bière sous les applaudissements.

Il se laissa tomber lourdement sur le banc qui s'ébranla sous son poids.

— Tu es sûr de pouvoir tenir le coup ? lui chuchotai-je.

Chaque fois qu'on nous portait un toast, il sifflait son verre cul sec, alors que je m'en tenais à quelques gorgées, saluant d'un sourire les félicitations en gaélique.

— Tu crois que je suis déjà soûl ? Penses-tu ! Je pourrais boire de la bière toute la nuit.

— C'est ce que tu as fait, répondis-je en regardant les bouteilles de vin et les pichets de bière vides qui jonchaient notre table. Il est déjà tard.

Les chandelles sur la table de Colum étaient pratiquement consumées et projetaient des reflets dorés sur les visages des deux frères MacKenzie, penchés l'un vers l'autre, échangeant des messes basses. Ils semblaient avoir surgi de la frise de faciès gnomiques qui ornait le manteau de la grande cheminée. Je me demandai d'ailleurs si les portraits grotesques n'étaient pas inspirés des anciens lairds des lieux, réalisés par un sculpteur doté d'un certain sens de l'humour.

Jamie s'étira sur le banc.

— Je crois que ma vessie va éclater d'un instant à l'autre, bâilla-t-il. Je reviens tout de suite.

Il sauta lestement par-dessus la table et disparut sous l'arche de l'entrée.

Je me tournai vers ma voisine, Geillis Duncan, en train de siroter sagement sa coupe de bière. Son époux, Arthur, était assis à la table de Colum, comme il seyait à un procureur, mais Geillis avait insisté pour s'asseoir à mes côtés, prétextant qu'elle ne supporterait pas d'entendre les hommes parler affaires pendant tout le dîner.

Les yeux profondément creusés d'Arthur étaient mi-clos, cernés de bleu, et rougis par la fatigue et le vin. Il était penché en avant, les coudes sur la table, l'air absent, ne prêtant aucune attention à la conversation des MacKenzie à côté de lui. Si la lumière faisait ressortir les traits ciselés des deux frères, elle donnait à Arthur un air lourd et maladif.

— Ton mari n'a pas l'air en forme, glissai-je à Geillis. Toujours ses maux d'estomac ?

Les symptômes étaient déconcertants. Ce n'était ni un ulcère ni un cancer, il était encore trop gras. Peut-être n'était-ce qu'une gastrite chronique, comme l'affirmait Geillis.

Celle-ci lança un bref regard vers son mari et haussa les épaules.

— Bah, il ne va pas si mal que ça ! Je l'ai déjà vu dans un pire état. Mais parle-moi plutôt de *ton* petit mari ?

— Euh... que veux-tu savoir ? répondis-je prudemment.

Elle me donna un coup de coude accompagné d'un clin d'œil grivois et je m'aperçus qu'il y avait un bon nombre de cadavres de bouteilles de son côté aussi.

— Allez, ne me fais pas languir. De quoi a-t-il l'air sans son kilt ?

— Euh...

Je cherchai une réponse et elle me lança un regard entendu.

— Et dire que madame prétendait ne pas s'intéresser à lui ! Tu n'es qu'une coquine. La moitié des filles du château aimeraient bien t'arracher les yeux. Si j'étais toi, je ferais attention à ce qu'on met dans mon assiette.

— Dans mon assiette ? répétai-je, l'air ahuri.

— Gare au poison ! siffla-t-elle d'un air conspirateur dans mon oreille.

Son haleine empestait l'alcool.

— Tu plaisantes ! rétorquai-je froidement en m'écartant d'elle. On n'empoisonne pas les gens simplement parce qu'ils...

Je ne trouvais pas mes mots, sans doute avais-je moi aussi un peu trop bu.

— Je t'assure, Geillis. Ce mariage n'était pas prévu. On ne m'a même pas laissé le choix ! (Ce qui n'était pas tout à fait faux.) C'est une sorte... d'arrangement pratique, un marché conclu précipitamment.

J'espérais que la lueur des chandelles dissimulerait mes joues cramoisies.

— Mon œil ! rit-elle cyniquement. Je sais reconnaître une fille comblée au lit.

Elle lança un regard vers l'entrée où Jamie s'était engouffré.

— Je veux bien être pendue si les marques qu'il a dans le cou sont des morsures de mite. En tout cas, si c'est un marché, je suis sûre que tu en as eu pour ton argent !

Elle se pencha vers moi.

— C'est vrai, ce qu'on dit à propos des pouces ? murmura-t-elle.

— Des pouces ? Mais de quoi tu veux parler ?

Elle tourna ses beaux yeux gris vers moi, son joli minois plissé par la concentration. Elle avait apparemment du mal à focaliser son regard. Elle était à deux doigts de rouler sous la table.

— Ne fais pas l'innocente ! Tout le monde sait ça ! On dit que les pouces d'un homme sont proportionnels à la taille de son sexe. Les gros orteils aussi, mais c'est plus difficile à vérifier, vu que les hommes ne se promènent généralement pas pieds nus. Or, ton joli petit coq, poursuivit-elle, me montrant Jamie qui venait de réapparaître à l'autre bout de la salle, pourrait tenir une citrouille dans une seule main... ou un derrière bien dodu, ajouta-t-elle en me donnant un nouveau coup de coude.

— Geillis Duncan... tu vas te taire ! sifflai-je, de plus en plus embarrassée. On va t'entendre !

— Bah, qui veux-tu qui...

Elle s'interrompit en voyant Jamie passer devant nous, le regard fixé droit devant lui. Son visage était pâle et ses lèvres pincées, comme s'il s'apprêtait à accomplir une mission délicate.

— Quelle mouche le pique ? demanda Geillis. On dirait Arthur quand il a eu des navets au déjeuner.

— Je ne sais pas.

J'hésitai. Il se dirigeait droit vers la table de Colum. Devais-je le suivre ? De toute évidence, il s'était passé quelque chose de grave.

Geillis tira soudain sur ma manche et pointa un doigt vers l'entrée à l'autre bout de la salle où Jamie était apparu quelques instants plus tôt.

Un homme se tenait sous l'arche, l'air mal à l'aise. Ses vêtements étaient couverts de boue et de poussière. Ce devait être un messager. Quelles que soient les nouvelles qu'il apportait, il les avait transmises à Jamie. Celui-ci se pencha entre Colum et Dougal et leur murmura quelque chose.

L'espace d'un instant, la lumière des chandelles éclaira la tignasse rousse inclinée vers les deux têtes brunes, formant un portrait de famille où les trois beaux visages baignaient dans une atmosphère presque irréelle. En les regardant plus attentivement, je m'aperçus que la ressemblance qui les unissait tous les trois tenait moins à la morphologie des visages qu'à l'expression de grand chagrin qui s'inscrivait dans leur regard.

La main de Geillis me pinça le gras du bras.

— Aïe ! dit-elle. Mauvaises nouvelles.

— Vingt-quatre ans de mariage ! soupirai-je. C'est beaucoup !

— Oui, répondit Jamie, songeur. Il y a vingt-quatre ans, je n'étais même pas né !

Un vent chaud agita les branches au-dessus de nos têtes. Il était adossé contre la barrière de l'enclos. J'avais oublié à quel point il était jeune. Il était toujours si sûr de lui et si efficace !

— Cependant, ajouta-t-il en jouant avec un brin de paille, je ne crois pas que Dougal ait vécu avec elle plus de trois ans. Il était toujours fourré ici, au château, ou sur les routes, à s'occuper des affaires de Colum.

Maura, la femme de Dougal, venait de mourir des suites d'une mauvaise fièvre dans le domaine de Beannachd. Dougal était parti à l'aube, accompagné de Ned Gowan et du messager arrivé la veille au soir, afin de procéder à ses funérailles et de disposer de ses biens.

— Ils n'étaient pas très proches, alors ? demandai-je.

Jamie haussa les épaules.

— Comme la plupart des couples, je suppose. Elle s'occupait des enfants et dirigeait le manoir. Je ne pense pas que l'absence de son mari lui pesait beaucoup. Pourtant, elle semblait toujours heureuse de le voir quand il venait.

— C'est vrai, j'avais oublié que tu avais vécu chez eux un certain temps.

Je restai songeuse. Était-ce là l'idée qu'il se faisait du mariage : deux vies séparées, les époux se retrouvant de temps à autre pour faire des enfants ? Pourtant, d'après ce qu'il m'en avait dit, ses propres parents avaient formé un couple uni et heureux. Comme d'habitude, il lut dans mes pensées.

— Chez nous c'était différent. Dougal et Colum ont fait des mariages d'intérêt, il s'agissait plutôt d'agrandir leurs terres et de contracter des alliances entre clans. Mais mes parents se sont mariés par amour, contre l'avis de leurs familles respectives. C'est pour ça qu'on a toujours vécu un peu à l'écart, à Lallybroch. Mon père et ma mère quittaient rarement le domaine et sont donc restés plus proches l'un de l'autre que la plupart des couples.

Il posa une main sur mon épaule et m'attira à lui. Il se pencha vers moi et murmura à mon oreille :

— Je sais bien que le nôtre aussi est un mariage d'intérêt, mais j'espère qu'avec le temps…

Ne souhaitant pas l'encourager dans cette voie, je lui adressai un sourire neutre et me tournai vers l'enclos. Que je le veuille ou non, j'étais liée à un autre homme par mes vœux, ma loyauté et la loi. Je ne pouvais décrire à Jamie tout ce que je ressentais pour lui, même si cela me déchirait le cœur. Lui avouer mon amour pour le quitter ensuite serait le comble de la cruauté. Mais il m'était si difficile de lui mentir !

Fort heureusement, nous fûmes interrompus par un « Humm » rauque. Le vieil Alec se tenait devant la porte de l'enclos dans ses braies crasseuses, nous dévisageant de son œil unique et goguenard. Il tenait à la main une grande paire de tenailles à hongrer.

— J'allais les utiliser sur Mahomet, mais je me demande si je ne devrais pas m'occuper de toi d'abord, déclara-t-il à Jamie. J'aurais peut-être enfin un assistant capable de se concentrer.

— Tu as besoin de moi ? répondit Jamie sans prêter attention à ses menaces.

— Qu'est-ce que tu crois ! Que je vais castrer un jeune poulain de deux ans à moi tout seul ?

Il pointa ses tenailles vers le château et lança à mon intention :

— Allez, oust, ma belle ! Vous le récupérerez pour le dîner, s'il est encore en état de servir d'ici là.

— À tout à l'heure, *Sassenach*, me dit Jamie. Je te retrouverai dès que j'en aurai fini avec ce vieux bougre.

Il se pencha pour m'embrasser et chuchota à mon oreille :

— Retrouve-moi aux écuries, quand le soleil sera à son zénith.

Les écuries de Leoch étaient plus spacieuses et plus confortables que la plupart des auberges où nous avions dormi avec Dougal. Les deux portes de chaque côté de la bâtisse laissaient entrer une belle lumière chaude qui faisait luire les dalles en pierre rouge. L'épais toit de chaume accueillait toute une communauté de chouettes qui veillaient à ce que les souris n'envahissent pas le foin.

Dans le fenil, sous le toit, la lumière était encore plus douce. Couchée près de Jamie, je me laissais bercer par un courant d'air chaud qui fleurait bon la giroflée et l'œillet.

Jamie se redressa soudain, tendant l'oreille.

— Que se passe-t-il ? demandai-je à moitié endormie.

— Le petit Hamish, chuchota-t-il en se penchant au-dessus du vide. Il vient sans doute chercher son poney.

Je roulai sur le ventre près de lui, rabattant pudiquement ma jupe retroussée jusqu'à la taille – par principe, car personne ne pouvait nous voir.

Le fils de Colum avançait d'un pas hésitant entre les stalles. Il cherchait manifestement quelque chose, mais ce n'était pas son gros poney brun, qui mâchouillait paisiblement son foin dans un box près de l'entrée.

— Bon sang ! jura Jamie. Il se dirige vers Donas !

Il saisit son kilt et le noua hâtivement autour de sa taille avant de basculer la moitié du corps dans le vide. Négligeant l'échelle de bois, il resta suspendu au rebord du fenil quelques secondes avant de se laisser tomber sur les dalles en pierre. En l'entendant atterrir, Hamish fit un bond.

Son petit visage se détendit en reconnaissant Jamie, mais il resta sur le qui-vive.

— Je peux t'aider, cousin ? demanda gentiment Jamie.

Hamish hésita, puis releva le menton.

— Je veux monter Donas, déclara-t-il d'un ton déterminé.

Donas signifiait « démon » en gaélique et le cheval en question méritait bien son nom. Il avait un box tout au fond de l'écurie, légèrement à l'écart des autres. C'était un immense étalon alezan au tempérament indomptable. Personne ne l'avait jamais monté et seuls le vieil Alec et Jamie osaient l'approcher. Un hennissement irrité retentit dans la bâtisse et une énorme tête rouge cuivre surgit du box, ses grandes dents jaunes claquant avec un bruit sec tandis qu'elles tentaient de se refermer sur l'épaule de Jamie.

Se sachant hors d'atteinte, celui-ci ne bougea pas d'un pouce, mais Hamish fit un bond en arrière en poussant un petit cri, fixant d'un air terrifié les grands yeux injectés de sang et les naseaux palpitants.

— Je ne crois pas que ce soit une très bonne idée, suggéra diplomatiquement Jamie.

Il prit son petit cousin par l'épaule, l'éloignant de la bête infernale. En guise de protestation, Donas rua dans son box en ébranlant les parois de ses coups de sabot mortels.

Jamie s'accroupit devant l'enfant.

— Dis-moi la vérité. Pourquoi veux-tu monter Donas ?

Hamish serra les mâchoires d'un air entêté, mais Jamie lui adressa un sourire encourageant et donna une petite tape sur son épaule, obtenant un demi-sourire en réponse.

— Allez, *duine*, dit doucement Jamie. Tu sais que je ne le répéterai à personne. Tu n'aurais pas fait un pari idiot, par hasard ?

Les joues du garçon s'empourprèrent.

— Non. Enfin... pas vraiment... enfin, si... c'était peut-être un peu idiot.

Après d'autres encouragements, il finit par avouer. La veille, il était parti en promenade sur son poney avec plusieurs camarades. Certains des plus âgés s'étaient mesurés en sautant des haies et des murets. Hamish les avait d'abord admirés jalousement, puis, se laissant emporter, il avait tenté de faire sauter son poney par-dessus une clôture. Par manque d'agilité et d'intérêt, la monture avait pilé devant l'obstacle, envoyant son petit cavalier plonger la tête la première dans un nid d'orties. Piqué par les plantes et les railleries de ses amis, Hamish s'était juré de revenir aujourd'hui sur un « cheval convenable ».

— Ils riraient moins s'ils me voyaient sur Donas !

— En effet, rétorqua Jamie. Ils seraient trop occupés à ramasser les morceaux.

Il secoua lentement la tête en dévisageant son cousin.

— Il faut du courage et du bon sens pour devenir un bon cavalier. Tu ne manques pas de courage, mais pour ce qui est du bon sens...

Il passa un bras consolateur autour de l'épaule de l'enfant, l'entraînant à l'autre bout de la salle.

— Aide-moi plutôt à étaler le foin. Tu as raison, Hamish, il te faudra bientôt une meilleure monture, mais ce n'est pas une raison pour te briser le cou.

Levant brièvement les yeux vers le fenil, il esquissa un geste d'impuissance. Je souris et lui fis signe de ne pas s'inquiéter. Je le vis prendre une fourche et puiser une pomme dans un sac suspendu près de l'entrée, puis il conduisit Hamish près d'un box au centre de la grande salle.

Il siffla doucement et une tête baie apparut, soufflant par les naseaux. Elle avait de grands yeux noirs et ses oreilles pointées vers l'avant lui donnaient un air alerte et amical.

— Tout doux, Cobhar, *ciamar a tha thu* ? lança Jamie en tapotant le long cou lustré. Viens te placer à côté de moi, recommanda-t-il au garçon. Il faut qu'il sente ton odeur. Les chevaux aiment te renifler.

— Je sais, rétorqua Hamish, vexé.

499

Sur la pointe des pieds, il atteignait à peine les naseaux du cheval. Il tendit la main et les caressa. Il ne sourcilla pas quand la grosse tête se baissa et vint le renifler derrière l'oreille d'un air intéressé, faisant se soulever ses cheveux.

Jamie lui donna alors la pomme et l'enfant la tendit dans sa paume. Elle disparut aussitôt entre les grosses molaires de Cobhar qui rentra la tête dans son box.

— Vous allez bien vous entendre, tous les deux, conclut Jamie. Tu n'as qu'à rester auprès de lui pendant que je finis mon travail. Après quoi, tu pourras le monter.

— Tout seul ? s'exclama Hamish, interloqué.

Cobhar, dont le nom signifiait « écume » en gaélique, était doux et docile, mais c'était néanmoins un vrai cheval, sans rapport aucun avec le petit poney brun.

— Tu pourras faire deux fois le tour de l'enclos en ma présence, précisa Jamie. Et si tu ne tombes pas et que tu ne lui tires pas trop sur le mors, je te laisserai le sortir seul. Mais pas question de sauter tant que je ne t'aurai pas donné l'autorisation.

Sur ce, Jamie se mit au travail, étalant le foin sur les dalles avec sa fourche. Lorsqu'il eut terminé, le garçon vint s'asseoir dans la paille près de lui, mâchant une pomme.

— On m'a dit que mon père était bon cavalier, commença Hamish après un silence embarrassé, à l'époque où il pouvait encore monter.

Jamie lui lança un regard surpris et hésita avant de répondre :

— Je ne l'ai jamais vu à cheval, mais je peux te dire une chose : j'aimerais avoir autant de courage que lui.

Après un autre silence, l'enfant enchaîna, sautant du coq à l'âne :

— Rupert m'a dit qu'on t'avait obligé à te marier.

— C'est moi qui ai voulu me marier, rectifia Jamie en raccrochant sa fourche.

— Ah... bon.

Il semblait déconcerté par cette idée saugrenue.

— Je me demandais simplement… ça t'ennuie ?

Sentant que la conversation risquait d'être longue, Jamie vint s'asseoir à côté de lui.

— Qu'est-ce qui m'ennuie ?

— D'être marié. Je veux dire… de dormir tous les soirs avec une dame.

— Non. À vrai dire… c'est même très agréable.

Hamish ne semblait pas convaincu.

— Moi, je ne crois pas que ça me plairait. Toutes les filles de mon âge sont maigres comme des clous et puent le sirop d'orgeat. Mme Claire… ta femme, ajouta-t-il hâtivement comme pour éviter toute confusion, elle est… euh… elle a l'air plus confortable. Je veux dire… elle est douce.

Jamie acquiesça.

— C'est vrai. Et en plus elle sent bon.

Même dans la pénombre, je pouvais voir ses efforts pour ne pas rire. Il évitait soigneusement de regarder dans ma direction.

Il y eut un long silence.

— Comment tu as su ? reprit Hamish.

— Su quoi ?

— Quelle femme il fallait choisir ? s'impatienta le garçon.

— Oh… répondit Jamie en se calant contre une poutre, les bras croisés derrière la tête. J'ai demandé conseil à mon père il y a longtemps. Il m'a répondu qu'au fond de son cœur on sentait si c'était la bonne ou pas.

— Mmmmphm, fit Hamish, peu satisfait.

Il s'adossa à son tour, imitant la position de Jamie.

— John dit que… reprit-il après une pause méditative.

— John le palefrenier, John le commis de cuisine ou John Cameron ?

— John le palefrenier. Il dit que… euh… quand on se marie…

— Mmm ?

Hamish prit une profonde inspiration, détourna les yeux, puis se lança, débitant sa phrase à toute allure comme si elle lui brûlait les lèvres :

— Il-dit-qu'on-doit-saillir-sa-femme-comme-l'étalon-sa-jument-je-ne-l'ai-pas-cru-mais-est-ce-que-c'est-vrai ?

Je me mordis le doigt pour ne pas pouffer de rire. Jamie, qui n'avait pas la chance d'être suffisamment loin, enfonça ses ongles dans la cuisse, devenant aussi rouge que Hamish.

— Euh… eh bien, d'une certaine manière… hésita-t-il.

Puis, se reprenant, il ajouta d'un ton résolu :

— Oui, c'est vrai, c'est comme ça que ça se passe.

Hamish lança un regard horrifié vers le box voisin où piaffait l'étalon bai, sa verge de près d'un demi-mètre de long pendant hors de son fourreau. Il baissa ensuite des yeux dubitatifs vers son entrejambe.

— Il y a toutefois quelques différences, précisa Jamie. D'une part, c'est plus doux.

— Tu ne la mords pas dans le cou pour qu'elle reste tranquille, alors ?

— Eh bien… ça peut arriver… mais pas systématiquement.

Faisant preuve d'une maîtrise de soi peu ordinaire, Jamie affronta avec courage son devoir pédagogique.

— Il y a une autre différence. Ça ne se fait pas forcément par-derrière, on peut aussi le faire de face, ça dépend du goût de la dame.

— Du goût de la dame ? s'exclama l'enfant, perplexe. Personnellement, je crois que je préférerais par-derrière. Je n'aimerais pas qu'on me regarde dans les yeux pendant que j'agite les fesses. Et ce n'est pas trop difficile…

Il hésita.

— Ce n'est pas trop difficile de se retenir de rire ?

Ce même soir, je pensais encore avec amusement à Hamish en me glissant dans mon lit. Une brise glaciale s'engouffrait par la fenêtre et j'avais hâte de me blottir douillettement contre

Jamie. Insensible au froid, il semblait équipé d'un thermostat organique. Sa peau était toujours chaude, parfois même brûlante.

Au château, j'étais toujours une *Outlander*, mais je n'étais plus considérée comme une invitée. Si les femmes mariées se montraient plus amicales maintenant que j'étais l'une d'elles, les plus jeunes ne cachaient pas leur rancœur de m'avoir vue leur dérober un jeune célibataire à marier. De fait, vu le nombre de regards torves et de remarques caustiques que je surprenais dans mon dos, je me demandais combien de ces jeunes donzelles avaient trouvé le chemin de l'alcôve avec Jamie MacTavish.

Naturellement, plus personne ne l'appelait MacTavish. La plupart des habitants du château avaient toujours su qui il était et, espionne anglaise ou non, je faisais désormais partie des meubles. Aussi était-il redevenu publiquement Jamie Fraser. C'était sous le nom de Mme Fraser qu'on me saluait quand j'entrais dans la petite salle au-dessus des cuisines où les femmes mariées faisaient leur couture ou berçaient leurs marmots, parlant layette et lançant des regards interrogateurs vers mon ventre plat.

Étant donné mes efforts vains pour avoir un enfant avec Frank, je n'avais pris aucune précaution contraceptive depuis mon mariage avec Jamie, et c'est avec une certaine angoisse que j'attendis mes premières menstruations. Lorsqu'elles vinrent en temps et en heure, je fus – pour une fois – soulagée. Ma vie était suffisamment compliquée pour le moment sans y ajouter un bébé. Je craignais que Jamie ne soit un peu déçu, en dépit de ses affirmations du contraire. La paternité était un luxe qu'un homme dans sa situation ne pouvait guère se permettre.

La porte s'ouvrit et il entra, s'essuyant les cheveux avec une serviette en lin. Sa chemise était trempée.

— Mais d'où sors-tu ? m'exclamai-je.

— Du loch, grogna-t-il en suspendant la serviette devant la fenêtre. *Quelqu'un* a laissé la porte du box de Cobhar ouverte, ainsi que celle des écuries. Monsieur est allé tranquillement prendre un bain de minuit.

— Voilà pourquoi tu n'étais pas au dîner ! Mais je croyais que les chevaux n'aimaient pas nager !

— En général, c'est vrai, mais ils sont comme nous, chacun ses goûts. Cobhar adore les fleurs qui poussent sur la berge. Une meute de chiens a surgi d'on ne sait où et il s'est réfugié dans le loch. J'ai dû les chasser et le ramener à la nage. Attends un peu que je mette la main sur Hamish. Je vais lui apprendre, moi, à laisser les portes ouvertes.

— Tu vas le dénoncer à Colum ?

Il fit non de la tête. Fouillant dans son *sporran*, il en sortit un petit pain rond et un morceau de fromage qu'il avait dû chaparder dans les cuisines avant de monter dans la chambre.

— Colum est très sévère avec lui, expliqua-t-il. S'il apprend qu'il a fait une bêtise, il lui interdira de monter à cheval pendant un mois. De toute façon, le gamin prendrait une telle raclée qu'il aurait du mal à tenir en selle. Seigneur, j'ai une faim de loup !

Il mordit voracement dans son pain, éparpillant des miettes tout autour de lui.

— Tu ne comptes pas manger au lit ! m'indignai-je en tirant l'édredon sous mon menton.

Il avala le reste de pain et sourit.

— Ne t'inquiète pas. Demain soir, je vais le balancer dans le loch juste avant qu'on se mette à table. Le temps qu'il regagne la berge et qu'il sèche, le dîner sera terminé. Il verra ce que c'est que d'aller se coucher trempé jusqu'aux os ! conclut-il d'un air menaçant.

Il fouilla dans le tiroir de la commode où je gardais généralement une pomme ou d'autres petits coupe-faim. Ce soir, il était vide. Il le referma avec un soupir.

— Je suppose que je survivrai jusqu'à demain matin, dit-il avec philosophie.

Il se déshabilla et se glissa auprès de moi en grelottant.

— Mmm, tu sens bon, murmura-t-il. Tu as travaillé dans le jardin, cet après-midi ?

— Non, répondis-je, surprise. Je croyais que c'était toi qui sentais l'herbe.

Une odeur d'herbe séchée flottait effectivement dans la chambre. Elle n'était pas désagréable mais je ne la reconnaissais pas.

— Moi ? Je pue le poisson et la vase, grimaça Jamie en reniflant le dos de sa main. Si ce n'est pas toi, ça vient de quelque part... tout près.

Il glissa hors du lit et retourna l'édredon et les draps, cherchant la source de l'odeur. Il la découvrit sous mon oreiller.

— Mais qu'est-ce que... Aïe, ça pique !

C'était un petit bouquet de plantes arrachées avec leurs racines et nouées avec un morceau de fil noir. Elles étaient fanées mais dégageaient encore un parfum âcre. Au centre du bouquet se trouvait une primerose à moitié écrasée dont les épines m'avaient piquée.

Je suçai mon doigt, retournant prudemment le bouquet du bout des doigts. Jamie resta immobile, le contemplant un long moment, puis, brusquement, il le saisit et le jeta par la fenêtre. Avant de se glisser de nouveau dans le lit, il balaya énergiquement les résidus de terre entre les draps, puis épousseta ses mains.

— Voilà, envolé ! conclut-il.

— Qu'est-ce que c'était ?

— Une plaisanterie. De très mauvais goût, mais une plaisanterie tout de même. Viens contre moi, *mo duinne*, j'ai froid.

En dépit du charme maléfique, je dormis comme une souche et me levai tard. Lorsque je descendis dans le hall, la plupart des habitants du château étaient déjà partis au travail. Les rares personnes encore attablées me saluèrent cordialement. Je ne remarquai aucun regard en coin, aucune expression d'hostilité voilée. Personne ne semblait vérifier si son mauvais sort avait eu de l'effet. Je restai toutefois sur mes gardes.

Je passai la matinée seule dans le jardin de simples et les prés des environs, armée d'un panier et de mon bâton, à la recherche des plantes qui commençaient à manquer. D'ordinaire, les gens du village faisaient soigner leurs petits maux par Geillis Duncan, mais, ces derniers temps, je voyais le nombre de mes patients s'agrandir et mon stock de remèdes s'épuisait rapidement. La maladie de son mari l'accaparait probablement trop pour qu'elle puisse faire face à la demande.

L'après-midi fut calme. J'eus à traiter un cas d'eczéma persistant, un pouce luxé et une jambe ébouillantée. Après avoir administré un onguent à base de mille-feuille et d'iris faux acore puis éclissé le pouce, je m'attelai à moudre une racine nommée — à juste titre — « pierreuse ».

C'était un travail pénible et monotone, mais convenant parfaitement à cet après-midi d'été. Il faisait bon et, en grimpant sur ma table, je pouvais apercevoir un superbe coin de ciel bleu.

À l'intérieur, mes flacons luisaient en rangs ordonnés, aux côtés de mes rouleaux de bandages propres et de mes piles de compresses. Le cabinet d'apothicaire avait été soigneusement désinfecté et contenait à présent des rangées de petits sachets en gaze de coton remplis de feuilles séchées, de racines et de champignons. J'inspirai profondément le parfum entêtant et épicé de mon refuge et laissai échapper un soupir de contentement.

Soudain, je laissai retomber mon pilon dans le mortier. J'étais contente ! Cette constatation m'ébranla comme une gifle. Malgré les innombrables incertitudes de cette vie, la menace larvée du maléfice, la douleur lointaine mais permanente d'être séparée de Frank, je n'étais pas malheureuse. Bien au contraire.

Je fus aussitôt envahie de honte devant mon manque de loyauté. Comment pouvais-je être heureuse en sachant que Frank devait être fou d'inquiétude ? En supposant que le temps ait continué sa course sans moi – et je ne voyais pas pourquoi il en aurait été autrement –, j'avais disparu depuis près de quatre mois. Je l'imaginais battant la campagne écossaise, harcelant la police, cherchant désespérément un signe, un message de ma part. Sans doute même avait-il déjà perdu espoir et attendait-il qu'on lui apprenne d'un jour à l'autre que mon corps avait été retrouvé.

Prise d'un accès de tristesse et de remords, je me mis à arpenter la longue pièce, frottant compulsivement les mains sur mon tablier. J'aurais dû me débrouiller pour retourner immédiatement d'où je venais. Pourtant, j'avais essayé, avec des résultats désastreux pour moi et les autres. Tout ça pour en arriver où ? Pour me retrouver mariée à un hors-la-loi, poursuivie par un officier sadique, vivant parmi des brutes qui n'hésiteraient pas à nous tuer pour préserver leur précieuse succession dans le clan. Et le pire, dans tout ça, c'était que j'étais heureuse.

Je m'assis, fixant les rangées de flacons et de bouteilles. Depuis notre retour à Leoch, j'avais vécu au jour le jour, écartant délibérément de mon esprit tout souvenir de mon autre vie. Au fond de moi, je savais que tôt ou tard il me faudrait prendre une décision. Mais j'avais reporté l'échéance, de jour en jour, d'heure en heure, étouffant mes incertitudes dans les plaisirs que m'offrait la compagnie de Jamie.

On tambourina soudain à la porte et Jamie fit irruption dans la pièce, soutenu par le vieil Alec McMahon d'un côté et par l'un des garçons d'écurie de l'autre. Il se laissa tomber sur un tabouret, une jambe tendue devant lui, en grimaçant douloureusement. Il avait l'air trop agacé pour souffrir sérieusement. Je me penchai donc vers le membre accidenté sans grande inquiétude.

— Une légère foulure, conclus-je après une brève inspection. Que t'est-il arrivé ?

— Tombé… résuma Jamie.

— Tombé de la clôture ? le taquinai-je.

Il me lança un regard mauvais.

— Non, de Donas.

— Tu as monté Donas ! m'exclamai-je. Estime-toi heureux de t'en tirer à si bon compte !

J'allai chercher un bandage et commençai à lui envelopper le genou.

— Bah, il ne se débrouillait pas si mal ! intervint le vieil Alec. D'ailleurs, il était à deux doigts de le mater.

— J'y étais presque, grogna Jamie. C'est une abeille qui l'a piqué.

Le vieillard haussa ses sourcils broussailleux.

— Ah, c'était donc ça ! Donas s'est soudain emporté comme si on lui avait décoché une flèche dans la croupe, m'expliqua-t-il. Il a littéralement décollé du sol, puis il est devenu comme fou, comme une mouche prise au piège dans un bocal. Votre jeune coq ici présent est resté en selle un bon moment, jusqu'à ce que cette sale bête saute par-dessus la clôture.

— Par-dessus la clôture ? Et où est-il maintenant ? demandai-je en me redressant.

— En route vers l'enfer, j'espère, rétorqua Jamie.

Il posa son pied à terre et fléchit le genou, ajoutant :

— Et j'espère qu'il y restera !

— Le diable n'a que faire d'un étalon à demi sauvage, observa Alec. S'il le veut, il peut se métamorphoser lui-même en cheval.

— Donas était peut-être son incarnation, plaisantai-je.

— Ça ne m'étonnerait pas, rétorqua Jamie de meilleure humeur. On dit bien que le diable se présente souvent sous l'aspect d'un étalon noir, non ?

— En effet, dit Alec, un grand et splendide étalon noir qui voyage aussi vite que la pensée entre un homme et une femme.

Il adressa un sourire entendu à Jamie et se leva pour partir.

— À propos, ajouta-t-il avec un clin d'œil dans ma direction, ce n'est pas la peine de venir aux écuries demain. Reste au lit, fiston et… euh… repose-toi.

Sitôt Alec sorti, je me tournai vers Jamie.

— Comment se fait-il que tout le monde ici s'imagine que nous ne pensons qu'à nous envoyer en l'air toutes les cinq minutes ?

— D'une part, répondit Jamie, nous ne sommes mariés que depuis un mois, et de l'autre…

Il leva les yeux vers moi et se mit à rire.

— … comme je te l'ai déjà dit, *Sassenach*, on lit tes moindres pensées sur ton visage.

Le lendemain matin, après un bref passage au dispensaire pour voir s'il y avait des urgences, je décidai de consacrer ma matinée à mon unique et exigeant patient.

Naturellement, il lui était impossible de rester sagement au lit. En dépit de la bruine et après avoir abondamment pesté contre mon manque de compassion pour un grave blessé, je le vis s'habiller et s'armer d'un bâton, bien décidé à aller prendre l'air.

— Allons sur le toit, suggéra-t-il.

— Sur le toit ? Avec ton genou bandé, tu ne trouves rien de mieux que de grimper six étages ?

— Cinq, rectifia-t-il. Et puis, j'ai une canne, précisa-t-il en brandissant son bâton.

Après une escalade laborieuse, nous émergeâmes sur une petite corniche nichée sous les avant-toits. Un parapet nous protégeait contre une chute éventuelle de plusieurs dizaines de mètres. Entre-temps, la bruine s'était convertie en véritable averse, mais la vue était splendide. Le ruban argenté du loch serpentait au loin. Les falaises de granit qui le bordaient jaillissaient vers le ciel tels des poings noirs défiant l'épais manteau de nuages.

Du bout de sa canne, Jamie m'indiqua un point de l'autre côté du loch.

— Tu vois cette faille là-bas, entre les deux rochers ? C'est la route qui mène à Lallybroch. Quand j'ai le mal du pays, je grimpe parfois jusqu'ici. J'imagine que je suis un corbeau et que je survole ce col. De l'autre côté des montagnes s'étendent de vastes prés et plus loin, perchée sur une colline au fond de la vallée, ma maison.

Je lui caressai le bras.

— Elle te manque donc tant ?

Il hésita.

— Il faudra bien que j'y retourne un jour. Je ne sais pas si j'en ai vraiment envie, car j'ignore ce qu'on y trouvera, mais... maintenant que nous sommes mariés, tu es la dame de Broch Tuarach. Et puis... hors-la-loi ou pas, je dois y retourner, ne serait-ce que pour mettre mes affaires en ordre.

À l'idée de quitter Leoch et ses intrigues, je frissonnai à la fois de soulagement et d'appréhension.

— Quand partirons-nous ?

Il fronça les sourcils, pianotant du bout des doigts le rebord du parapet.

— Il vaut mieux attendre l'arrivée du duc. Il acceptera peut-être de s'occuper de mon cas pour rendre service à Colum. À défaut de me disculper, il pourrait tenter d'obtenir ma grâce. Mon retour à Lallybroch serait alors nettement facilité.

— Oui, mais...

— Qu'y a-t-il, *Sassenach* ?

Je pris une profonde inspiration.

— Jamie... si je te confie un secret, tu promets de ne pas me demander d'où je le tiens ?

Il me dévisagea longuement. Des gouttelettes de pluie coulaient sur ses tempes.

— Je t'ai juré de ne jamais te poser de questions auxquelles tu ne voudrais pas répondre. Oui, je te le promets.

— Asseyons-nous.

Nous nous installâmes confortablement sur un banc de pierre à l'abri de la pluie, le dos contre le mur.

— D'accord, *Sassenach*, qu'y a-t-il ?

— Le duc de Sandringham... méfie-toi de lui, Jamie. Je ne sais pratiquement rien de lui sinon... qu'il y a quelque chose de louche à son sujet... de très louche.

— Ah, tu es au courant ?

Ce fut mon tour de tomber des nues.

— Comment ça, tu le savais déjà ? Tu le connais ?

J'étais soulagée. Les liens mystérieux entre Sandringham et les jacobites étaient peut-être moins secrets que Frank et le vicaire ne l'avaient cru.

— Bien sûr, répondit Jamie. À l'époque où je vivais à Leoch, il est venu au château pour un bref séjour. Juste avant que je ne... parte.

— Au fait, pourquoi es-tu parti ?

J'étais intriguée. Je me souvins soudain de la rumeur dont m'avait fait part Geillis concernant le vrai père du jeune Hamish. Je savais désormais que ce n'était pas Jamie, mais j'étais sans doute la seule au château à en être certaine. C'était peut-être en raison de cette rumeur que Dougal avait tenté de l'assassiner à Carryarick... s'il avait bel et bien tenté de l'assassiner.

— Ce n'était pas à cause de... Letitia, par hasard ? demandai-je prudemment.

— Letitia ?

Il ne comprenait visiblement pas ce que la femme de Colum venait faire dans cette histoire et, malgré moi, je me sentis soulagée. Non que j'aie prêté foi aux insinuations de Geillis, mais...

— Pourquoi Letitia ? répéta-t-il. J'ai vécu au château pendant un an, au cours duquel elle ne m'a adressé la parole qu'une seule fois. Et encore ! Elle m'a fait venir dans sa chambre et m'a chapitré pendant une heure pour avoir organisé une partie de hockey dans sa roseraie.

Je lui répétai ce que Geillis m'avait dit et il éclata de rire.

— Seigneur ! soupira-t-il. Jamais je n'aurais eu un tel culot !

— Tu ne crois pas que Colum ait pu te soupçonner ?

Il fit non de la tête.

— Certainement pas, *Sassenach*, sinon je n'aurais jamais fêté mes dix-sept ans.

Connaissant un peu le laird de Leoch, j'étais plutôt d'accord avec lui.

— Toutefois, reprit Jamie d'un air songeur, je me demande s'il a jamais su pourquoi j'étais parti si brusquement. Je ferais peut-être bien de le lui dire, surtout si cette maudite Geillis Duncan répand de tels ragots sur mon compte. Cette femme est dangereuse, Claire. C'est une commère et une mégère, peut-être même une sorcière comme le prétendent les gens d'ici.

Levant le nez vers l'épais rideau de pluie, il ajouta subitement :

— On ferait mieux de rentrer, *Sassenach*. Il commence à faire humide.

Nous redescendîmes par un autre chemin, longeant les toits jusqu'à un escalier en colimaçon qui débouchait sur le jardin derrière les cuisines. J'en profitai pour arracher quelques pieds de bourrache.

— Que vas-tu en faire ? demanda Jamie.

— Il faut d'abord les laisser sécher, puis...

Je fus interrompue par un vacarme d'aboiements et de cris venant de l'autre côté du mur. Je me précipitai vers la grille du jardinet, suivie de Jamie qui sautillait sur une jambe.

Le curé du village, le père Bain, arrivait au pas de course le long du sentier, poursuivi par une meute de chiens. Se prenant les pieds dans sa soutane volumineuse, il trébucha et s'affala de tout son long dans la gadoue, projetant des gerbes boueuses autour de lui. Aussitôt, les chiens se jetèrent sur lui, les crocs dehors.

En un quart de seconde, Jamie avait sauté au milieu de la mêlée, hurlant des menaces en gaélique et assenant ici et là des coups de bâton. Si ses imprécations et ses jurons restaient vains, sa canne s'avéra efficace. La meute battit en retraite et repartit ventre à terre vers le village en glapissant.

— Pire que des loups, haleta Jamie. J'ai déjà mis Colum en garde contre ces chiens. Ce sont eux qui ont chassé Cobhar jusque dans le loch, l'autre soir. Il vaudrait mieux les abattre avant qu'ils tuent quelqu'un.

Je m'agenouillai près du prêtre, inspectant ses blessures.

— Ce n'est rien de grave, le rassurai-je, juste quelques morsures superficielles.

La soutane du père Bain était déchirée sur le côté, dévoilant une cuisse dodue et glabre où une vilaine entaille et plusieurs empreintes de crocs laissaient suinter de minces filets de sang. Le curé, livide, se releva péniblement.

— Suivez-moi à l'infirmerie, mon père, je vais nettoyer vos plaies, offris-je, réprimant un sourire en voyant le petit homme rondelet lancer des regards affolés autour de lui.

Quand il était de bonne humeur, le père Bain ressemblait déjà à un poing fermé. Là, encore sous le choc de l'agression et vexé d'avoir été surpris en position de faiblesse, on aurait dit un vieux bout de chiffon froissé. Il roula des yeux scandalisés comme si je lui avais fait une proposition indécente.

— Comment, madame ? s'exclama-t-il, indigné. Un serviteur de Dieu se déculottant devant une femme ? Vous n'y songez pas ! Ce genre de pratiques obscènes vous est familier dans les cercles où vous évoluez, mais sachez qu'elles ne sont pas tolérées dans ma paroisse !

Sur ce, il tourna les talons et repartit en boitant vers la porte du jardinet, rabattant devant lui les pans de sa soutane déchirée pour cacher ses jambes nues.

— Comme vous voudrez ! lui criai-je. Mais si ces plaies ne sont pas nettoyées, elles vont s'infecter !

Il haussa les épaules et poursuivit son chemin sans se retourner, se balançant comme un pingouin sur la banquise.

— C'est une impression ou cet homme a une dent contre les femmes ? demandai-je à Jamie.

— Vu sa profession, c'est aussi bien comme ça, répondit-il. Viens, allons manger.

Après le déjeuner, je remis mon patient au lit, seul cette fois en dépit de ses protestations, puis je retournai travailler au dispensaire. Devant la pluie battante, la plupart des habitants du château étaient sagement rentrés à l'abri plutôt que de risquer de se couper un pied avec leur charrue ou de tomber d'un toit glissant.

Je tuai le temps en mettant à jour les registres de Davie Beaton. J'avais pratiquement terminé quand un visiteur projeta son ombre sur le seuil de ma porte.

Il était si grand et carré que la pièce fut presque plongée dans le noir. Plissant des yeux, je reconnus la silhouette massive d'Alec McMahon, enveloppé dans une masse impressionnante de manteaux, de châles et de plaids.

Il avançait avec une lenteur qui me rappela la première visite de Colum à l'infirmerie et me donna une petite idée de la nature de ses maux.

— Rhumatismes ? demandai-je avec compassion.

Il se laissa tomber sur mon unique chaise avec un gémissement.

— Mmmmphm... l'humidité pénètre jusque dans mes os, grogna-t-il. Vous pouvez faire quelque chose pour moi ?

Il posa ses énormes paluches aux doigts noueux sur la table. Ses mains s'ouvrirent lentement, dévoilant des paumes calleuses. J'en saisis une et la tournai délicatement, étirant les doigts et pétrissant la chair. Son vieux visage ridé se détendit légèrement.

— Elles sont dures comme pierre, commentai-je. Pour vous soulager, je ne vois qu'une bonne rasade de whisky et un massage. Les infusions de tanaisie ne serviront pas à grand-chose.

Il se mit à rire.

— Du whisky, hein ? J'avais quelques doutes sur vos compétences, mais je vois que vous connaissez parfaitement votre métier.

Je gardais toujours une bouteille venant de la distillerie du château dans le placard. Je la plaçai devant lui avec une coupe en corne.

— Buvez, ordonnai-je. Puis ôtez vos vêtements jusqu'à la limite de ce que vous considérez comme tolérable et allongez-vous sur la table.

Il saisit la bouteille et me la tendit.

— Vous feriez bien d'en boire une gorgée, vous aussi, dit-il. Vous allez en avoir besoin.

Lorsqu'il fut couché à plat ventre sur la table, je lui massai l'épaule, pressant d'abord de tout mon poids, puis la faisant rouler en arrière.

Il émit un grognement à mi-chemin entre la douleur et le contentement.

— Autrefois, ma femme me repassait les reins pour soulager le lumbago. Mais ce que vous me faites est encore mieux. Vous avez des mains fortes, vous auriez fait un bon valet d'écurie.

— Je dois le prendre comme un compliment, je suppose ! dis-je en riant.

Je versai un peu d'une mixture à base d'huile et de suif préalablement chauffée dans le creux de ma main et me mis à pétrir son dos. Il avait une peau d'albâtre qui contrastait fortement avec ses bras fripés et hâlés qu'il gardait toujours nus, les manches relevées.

— Autrefois, vous deviez être un charmant jeune homme au teint délicat, plaisantai-je. Vous avez la peau encore plus blanche que la mienne.

Son rire fit tressaillir la peau sous mes doigts.

— On ne dirait pas, hein ? Un jour Ellen MacKenzie m'a vu torse nu dans le pré, en train d'accoucher une jument. Elle a déclaré que le Seigneur s'était trompé en créant ma tête. Il aurait dû me donner un visage de chérubin au lieu d'un des faciès de l'autel.

Il faisait sans doute allusion au retable de la chapelle du château. On y voyait une armée de démons grimaçants torturant les âmes damnées.

— Ellen MacKenzie semble avoir été une femme de caractère, observai-je.

J'étais plus que curieuse au sujet de la mère de Jamie. Les souvenirs qu'il me racontait de temps à autre m'avaient permis de me forger une image assez précise de son père, Brian. Mais il ne faisait jamais allusion à sa mère et tout ce que je savais d'elle, c'était qu'elle était morte en couches alors qu'elle était encore jeune.

— Ah, pour ça ! Elle n'avait pas la langue dans sa poche. Elle avait un sacré tempérament, mais elle était si bonne que personne ne le lui aurait reproché, mis à part ses frères. Mais elle se fichait bien de leur opinion !

— C'est ce que j'ai entendu dire. Elle s'est enfuie, n'est-ce pas ?

Je descendis ses chaussettes et m'attaquai à ses mollets. Il laissa échapper un râle qui aurait été un petit cri chez quelqu'un de moins digne.

— Oui. Elle était l'aînée des six enfants MacKenzie, précédant Colum d'un ou deux ans. Le vieux Jacob l'adorait, elle était la prunelle de ses yeux. C'est pour ça qu'elle a tant tardé à se marier. Elle ne voulait pas de John Cameron ni de Malcolm Grant. Elle rejetait tous les bons partis qui se présentaient et son père refusait de la forcer.

Cependant, après la mort de Jacob MacKenzie, Colum se montra nettement moins patient avec sa sœur. Tentant désespérément de consolider son autorité branlante sur les différentes familles du clan, il cherchait à s'allier avec les Munro au nord et les Grant au sud. Les deux clans étaient dirigés par de jeunes lairds qui auraient fait des beaux-frères fort précieux. La jeune Jocasta, alors âgée de seize ans, avait accepté sans rechigner la demande en mariage de John Cameron et était partie vivre au nord. Ellen, quasiment une vieille fille à vingt-deux ans, s'était montrée nettement moins coopérative.

— Je suppose qu'elle a refusé catégoriquement d'épouser Malcolm Grant, à en juger par le comportement de celui-ci il y a deux semaines.

Le vieil Alec se mit à rire.

— Oui, je n'ai jamais su ce qu'elle lui avait dit exactement, mais je doute qu'elle ait pris des gants. J'étais au château le jour où on les a présentés l'un à l'autre. C'était pendant une grande Assemblée. L'après-midi, ils sont sortis dans la roseraie et tout le monde a attendu, le cœur battant, de savoir si elle allait dire oui ou pas. Le soir est venu, ils n'étaient toujours pas rentrés. Puis la nuit est tombée, toujours rien.

— Seigneur, vous parlez d'une conversation !

— C'est ce qu'on se disait. Mais le temps passait et ils ne revenaient toujours pas. Colum a commencé à craindre que Grant n'ait enlevé sa sœur. Finalement, il est allé à la roseraie pour voir où ils en étaient. Plus personne ! Colum a aussitôt envoyé quelqu'un aux écuries où on lui a annoncé que Grant et ses hommes étaient venus chercher leurs chevaux et qu'ils avaient filé comme des voleurs sans dire adieu.

Furieux, le jeune Dougal, qui n'avait alors que dix-huit ans, s'était aussitôt lancé à leurs trousses, sans attendre ses compagnons ni consulter Colum.

— Quand Colum a appris que Dougal poursuivait Grant, il nous a envoyés le rattraper, moi et quelques hommes. Connaissant son frère, il ne voulait pas retrouver son futur beau-frère égorgé sur le bord de la route avant même la publication des bans. Il pensait que Grant, n'ayant su convaincre Ellen de l'épouser, avait décidé de l'emmener de force, de la violer et de rendre ainsi le mariage inévitable.

Alec marqua une pause méditative.

— Dougal ne voyait que l'insulte faite à sa famille, mais, à mon avis, Colum n'était pas fâché. Insulte ou pas, son problème allait être réglé. C'était même mieux ainsi : Grant serait obligé de renoncer à la dot d'Ellen et de verser des dommages aux MacKenzie par-dessus le marché.

Alec émit un gloussement cynique.

— Colum n'est pas homme à laisser passer une bonne occasion. Il est vif et sans scrupules. Vous feriez bien de ne jamais l'oublier, ma petite.

— Je ne risque pas, l'assurai-je.

Je repensais à la punition qu'il avait infligée à Jamie adolescent. Peut-être était-ce sa façon de se venger de la rébellion de sa sœur ?

Quoi qu'il en soit, les projets de Colum avaient échoué. À l'aube, Dougal avait découvert Malcolm Grant et ses hommes campant paisiblement dans une clairière, profondément endormis sous les arbres.

Lorsque Alec et les autres étaient arrivés, un peu plus tard, ils avaient trouvé Dougal MacKenzie et Malcolm Grant, engagés dans un combat à mains nues, torse nu, chancelant sur le bord de la route, à bout de forces.

— Ils soufflaient tous les deux comme des bœufs, se souvint Alec. Le nez de Grant pissait le sang et avait doublé de volume. Dougal pouvait à peine ouvrir les yeux.

Pendant ce temps, les hommes de Grant, tranquillement assis autour de la clairière, admiraient les deux pugilistes. En voyant arriver Alec et autres MacKenzie au grand galop, ils avaient bondi sur leurs épées et il se serait certainement ensuivi un combat sanglant si un jeune MacKenzie, plus éveillé et observateur que les autres, n'avait soudain remarqué qu'Ellen n'était visible nulle part.

— Après avoir ranimé Grant d'un seau d'eau sur la tête, on a appris de sa bouche ce que Dougal n'avait pas pris la peine de demander : Ellen n'était restée qu'un quart d'heure avec lui dans la roseraie. Il a refusé de dire en détail ce qui s'était passé, mais il s'est senti tellement humilié qu'il est parti sans demander son reste, trop vexé pour prendre congé de ses hôtes. Il ne désirait qu'une chose, qu'on ne prononce plus jamais le nom d'Ellen MacKenzie en sa présence. Autant vous dire que, depuis ce jour, il ne porte pas les MacKenzie dans son cœur.

J'écoutais, captivée.

— Mais alors, où était Ellen pendant tout ce temps ?

— Loin, de l'autre côté des collines. Mais il nous a fallu un certain temps pour le comprendre. Quand on est rentrés à Leoch, Colum nous attendait dans la cour, le visage blême, s'appuyant sur Angus Mhor.

Les MacKenzie n'étaient pas au bout de leurs peines. Le château fut fouillé de fond en comble, en vain. Ils en déduisirent qu'Ellen avait été enlevée par un autre invité. Compte tenu du grand nombre de personnes extérieures au château venues assister à la grande Assemblée, il pouvait bien s'agir de n'importe qui. Autant chercher une aiguille dans une meule de foin ! Néanmoins, Colum interrogea un à un les servantes, les valets, les commis de cuisine, les jardiniers, les palefreniers. Il parcourut avec eux la liste des invités, essayant de reconstituer l'emploi du temps de chacun. Enfin, une fille de cuisine se souvint d'avoir vu un homme traîner près des communs juste avant le dîner.

Elle l'avait remarqué parce qu'il était très beau. Grand, musclé, avec des cheveux noirs comme un soyeux et des yeux de chat. Elle l'avait épié un moment en l'admirant, puis elle l'avait vu aller au-devant d'une femme vêtue de noir des pieds à la tête, le visage caché sous une grande capuche.

— Qu'est-ce qu'un soyeux ? demandai-je.

— Un phoque, me répondit Alec d'un air mystérieux. Longtemps après l'événement, même après que tout le monde a su ce qui s'était passé, les gens du village racontaient qu'Ellen MacKenzie vivait désormais au grand large, parmi les phoques. Vous saviez que les phoques se débarrassent de leur fourrure

519

quand ils viennent à terre et se mettent à marcher comme des êtres humains ? Si vous trouvez sa peau sur le rivage et que vous l'enfilez, le soyeux ne peut plus jamais retourner dans la mer. Il est condamné à rester sur la terre ferme sous forme d'homme ou de femme. Beaucoup d'hommes pensent qu'il est bon d'épouser une soyeuse. Elles n'ont pas leur pareil pour mitonner de bons petits plats et font de bonnes mères.

Mais Colum n'était pas guère disposé à croire que sa sœur s'était enfuie avec un phoque. Il convoqua tous les invités un par un, et leur demanda s'ils connaissaient un homme correspondant à la description de la fille de cuisine. Il finit par découvrir qu'il s'appelait Brian, mais personne ne connaissait son nom de famille ni ne savait à quel clan il appartenait. On l'avait déjà vu aux Jeux d'Écosse, mais il ne s'y était présenté que sous le nom de Brian Dhu.

En l'absence d'une piste plus précise, les recherches se tassèrent un moment. Toutefois, même les plus braves doivent s'arrêter un jour ou l'autre sur leur route pour demander un peu de sel, du pain ou du lait. En outre, Ellen MacKenzie n'était pas du genre à passer inaperçue.

— Ses cheveux étaient comme des flammes, dit Alec, songeur. Elle avait les yeux de Colum, gris, bordés de longs cils noirs, si beaux et si pénétrants. Elle était grande, plus grande que vous, même. Et si belle qu'elle vous brûlait les yeux.

» J'ai su plus tard qu'ils s'étaient rencontrés pendant l'Assemblée. Un seul regard leur avait suffi pour savoir qu'ils étaient faits l'un pour l'autre. Il ne leur a fallu que quelques heures pour se mettre d'accord et prendre la poudre d'escampette, au nez et à la barbe de Colum MacKenzie et de trois cents invités.

Il se mit à rire.

— Dougal a fini par les retrouver. Ils vivaient dans la ferme d'un métayer, près des terres des Fraser. Ils avaient décidé de rester cachés jusqu'à la naissance de leur premier enfant. Lorsque celui-ci serait assez grand pour que sa paternité ne soit pas contestée, Colum serait bien obligé de bénir leur union, que ça lui plaise ou non. Et ça ne lui a pas plu du tout. Pendant que vous étiez sur les routes, vous n'avez pas vu la cicatrice de Dougal sur la poitrine ?

Je l'avais vue, en effet, une longue ligne blanche qui traversait le cœur en allant de l'épaule aux dernières côtes.

— C'est l'œuvre de Brian ?

— Non, celle d'Ellen. Elle a défendu Brian que Dougal s'apprêtait à égorger. Je n'en parlerais pas à Dougal, si j'étais vous.

— Je m'en garderai bien !

Cependant, leur plan avait fonctionné. Quand Dougal les avait retrouvés, Ellen était enceinte de plus de cinq mois.

— Ça a déclenché un véritable scandale et une pluie de lettres d'insultes entre Leoch et Beauly, mais ils ont fini par trouver un terrain d'entente. Ellen et Brian se sont installés à Lallybroch une semaine avant la naissance de leur premier enfant. On les a mariés sur le pas de la porte, afin qu'Ellen entre dans sa nouvelle demeure en épouse légitime. Brian a déclaré plus tard qu'il avait failli attraper une hernie en la portant.

— Vous semblez l'avoir bien connu, dis-je.

Je venais d'achever mon massage et essuyais mes mains grasses sur mon tablier.

— Oh, un peu, dit Alec.

Il était dans un état de semi-somnolence. Ses paupières se fermaient malgré lui et je voyais pour la première fois son visage parfaitement détendu, dépourvu de la tension qui lui donnait généralement un air si féroce.

— Je connaissais surtout Ellen, bien sûr. Je n'ai rencontré Brian que des années plus tard, quand il est venu nous amener son fiston. On s'est tout de suite entendus. Il savait manier les chevaux.

Sa voix s'éteignit et il ferma les yeux.

Je tirai doucement une couverture sur le vieil homme et m'éloignai sur la pointe des pieds, le laissant rêver devant le feu.

Je laissai Alec endormi, pour trouver Jamie dans le même état. Un château écossais au milieu du XVIIIe siècle offrait peu de distractions par un jour sombre et pluvieux. N'ayant aucune envie de rejoindre Jamie dans sa sieste, il ne me restait guère que la lecture et le point de croix. N'ayant jamais été portée sur les ouvrages de dames, je décidai d'emprunter un livre dans la bibliothèque de Colum.

Conforme aux normes architecturales singulières qui avaient présidé à la construction du château de Leoch – reposant sur une aversion pathologique des lignes droites –, l'escalier qui menait aux appartements de Colum possédait deux courbes en angle droit, chacune marquée par un petit palier. D'ordinaire, un valet était en faction sur le second palier, prêt à accourir au moindre appel du laird. Ce jour-là, il n'y était pas. Des bruits de voix me parvenaient de l'étage au-dessus. Sans doute était-il avec Colum. Je m'apprêtais à frapper à la porte quand des éclats de voix m'arrêtèrent net.

— J'ai toujours su que tu n'étais qu'un imbécile, Dougal, mais à ce point !

La voix de Colum était blanche de rage.

— Encore, si tu avais vingt ans, bougre de crétin, je pourrais comprendre ! Mais, bon sang, tu en as quarante-cinq !

— Peuh ! rétorqua la voix railleuse de Dougal. Qu'est-ce que tu sais du désir pour les femmes, toi !

— En effet, aboya Colum. Le Seigneur ne m'a pas gâté de ce côté-là. Mais je me demande finalement si je ne suis pas mieux loti que toi. J'ai souvent entendu dire que le cerveau d'un homme s'arrêtait de fonctionner dès que sa queue se dressait. Tu en es l'illustration même.

Il y eut un crissement de chaises traînées sur des dalles de pierre.

— Si les frères MacKenzie n'ont qu'un sexe et un cerveau pour deux, alors je ne suis pas fâché de la part qui m'est revenue !

Il me parut que l'arrivée d'un tiers dans cette charmante discussion de famille serait des plus mal venues. Je reculai sur la pointe des pieds, décidant que, somme toute, il était temps d'apprendre le point de croix.

Un bruissement d'étoffe m'arrêta. On montait les escaliers. Je ne souhaitais pas être surprise en train d'écouter aux portes du laird. Le palier était large et une tapisserie en couvrait l'un des murs. Si je me glissais derrière, mes souliers resteraient visibles, mais je n'avais guère le choix.

En s'approchant, les pas ralentirent. Le visiteur avait dû lui aussi entendre la dispute.

— Non ! disait Colum, plus calme. Bien sûr que non. Cette femme est une sorcière !

— Oui, mais…

Colum ne laissa pas finir son frère.

— Puisque je te dis que je m'en occuperai personnellement. Ne t'inquiète plus pour ça, petit frère. Je veillerai à ce qu'on s'occupe d'elle.

Une note d'affection s'était glissée dans sa voix.

— J'ai écrit au duc, reprit-il. Je lui ai annoncé qu'il pourrait chasser sur les terres près d'Erlick. Il sera ravi d'abattre quelques cerfs. Je compte envoyer Jamie avec lui. Il a peut-être conservé de l'affection pour le garçon…

Dougal lança une remarque en gaélique, de toute évidence une plaisanterie salée car Colum se mit à rire.

— Non, Jamie est capable de se défendre tout seul. Si le duc accepte d'intercéder en sa faveur auprès de Sa Majesté, il a une chance d'être gracié, sa dernière. Si tu es d'accord, je t'enverrai avec eux. Tu pourras éventuellement aider Jamie et, ainsi, tu ne seras pas dans mes pattes pendant que je te sors du pétrin où tu t'es fourré.

Il y eut un bruit sourd sur le palier et je ne pus résister à l'envie de regarder discrètement derrière la tapisserie. C'était Laoghaire, pâle comme le mur en plâtre derrière elle. Elle tenait un plateau sur lequel se trouvait une carafe. À ses pieds gisait une tasse renversée.

— Qu'est-ce que c'est ? demanda Colum.

Prise de panique, Laoghaire posa précipitamment le plateau sur une console et s'enfuit.

J'entendis Dougal s'approcher de la porte. Il était trop tard pour m'enfuir. J'eus juste le temps de ramasser la tasse et de la reposer sur le plateau avant que la porte s'ouvre.

— Ah, c'est vous ! s'étonna Dougal. C'est la tisane qu'envoie la mère Fitz pour la gorge de mon frère ?

— Euh… oui, improvisai-je. Elle espère qu'il se sentira bientôt mieux.

— Qui est-ce ?

Colum apparut derrière son frère et me sourit.

— Remerciez Mme FitzGibbons de ma part. Et merci à vous aussi, ma chère. Vous voulez bien me tenir compagnie un instant pendant que je la bois ?

La conversation que je venais de surprendre m'avait fait oublier mon but initial mais, une fois dans le bureau, il me revint en tête. Dougal s'excusa et je suivis Colum dans sa bibliothèque.

Il avait encore le teint rouge des suites de sa dispute ; mais il répondit à mes questions avec son calme et sa courtoisie habituels. Seuls ses yeux brillants et une certaine raideur dans ses mouvements trahissaient son humeur.

Je trouvai deux herbiers intéressants et les mis de côté pendant que je cherchais un roman.

Des cris au-dehors attirèrent mon attention. La fenêtre donnait sur les prés derrière le château et la vue s'étendait jusqu'au loch. Un petit groupe de cavaliers galopait sous la pluie battante, poussant des exclamations enjouées.

Quand ils s'approchèrent, je réalisai avec stupeur qu'il s'agissait de jeunes adolescents, suivis tant bien que mal par quelques enfants plus jeunes juchés sur des poneys. Au centre du groupe, perché sur le dos de Cobhar, le jeune Hamish criait à tue-tête, ses cheveux blonds au vent.

La bande fonçait au pas de charge vers l'un des innombrables murets de pierre qui séparaient les champs. L'un après l'autre, les jeunes hommes sautèrent l'obstacle avec l'aisance de cavaliers expérimentés.

Cobhar suivit. Il ralentit, prit son élan et bondit.

Il semblait avoir fait exactement ce que les autres avaient fait avant lui, et pourtant quelque chose clochait. Peut-être fut-ce une hésitation de son cavalier, le fait d'avoir un peu trop tiré sur les rênes, ou de ne pas avoir serré les cuisses assez fermement, mais les sabots avant du cheval heurtèrent le muret. La monture et l'enfant firent un vol plané suivi d'une culbute parmi les plus spectaculaires que j'aie jamais vues.

Je poussai un cri et Colum s'approcha derrière moi juste à temps pour voir Cobhar couché sur le flanc, la petite silhouette de Hamish gigotant sous lui. Malgré son infirmité, il fut à mes côtés en un éclair. Il se pencha à la fenêtre, l'air anxieux, la pluie ruisselant sur son manteau de velours.

Les adolescents se bousculèrent pour venir en aide à leur camarade. Lorsqu'ils s'écartèrent enfin, nous aperçûmes Hamish se relevant péniblement en se tenant le ventre. Il chancela jusqu'au muret et vomit. Puis il se laissa glisser dans l'herbe et resta assis, jambes écartées devant lui, fixant le ciel pluvieux. Lorsque je le vis tirer la langue pour attraper les gouttes, je posai une main sur l'épaule de Colum.

— Il va bien, le rassurai-je. Il a seulement eu le souffle coupé par le choc.

Colum ferma les yeux et poussa un long soupir. Son corps s'affaissa avec le relâchement de la tension. Je l'observai avec compassion.

— Vous l'aimez comme s'il était votre propre fils, n'est-ce pas ? demandai-je.

Une lueur alarmée traversa ses yeux. Il me fixa d'un regard d'une intensité presque insoutenable. On n'entendit plus que le tic-tac de la pendule résonnant dans la pièce. Puis une goutte de pluie coula le long de son nez et s'arrêta à son extrémité. Je l'essuyai machinalement avec mon mouchoir et son visage se détendit brusquement.

— Oui, répondit-il simplement.

Finalement, je ne parlai à Jamie que du projet de Colum de l'envoyer chasser avec le duc. J'étais convaincue cette fois que ses sentiments à l'égard de Laoghaire ne dépassaient pas la galanterie chevaleresque, mais j'ignorais comment il réagirait en apprenant que la jeune fille avait été séduite et mise enceinte par son oncle. Apparemment, Colum ne comptait pas faire appel aux services de Geillis, la faiseuse d'anges locale. Peut-être envisageait-il de marier Laoghaire à Dougal ou de lui trouver un autre époux avant que sa grossesse ne devienne trop visible. Quoi qu'il en soit, Dougal et Jamie allaient se trouver enfermés tous deux dans un relais de chasse pendant plusieurs jours et je jugeai préférable que l'ombre encombrante de Laoghaire ne soit pas de la partie.

— Humm, fit-il, songeur. Ce n'est pas une mauvaise idée. Rien de tel que la chasse pour consolider une amitié. Le duc et moi serons ensemble toute la journée, et le soir nous boirons du whisky au coin du feu.

Il acheva de lacer ma robe et déposa un baiser sur mon épaule.

— Je suis navré de te laisser seule, *Sassenach*, mais c'est pour une bonne cause.

— Ne t'inquiète pas pour moi, le rassurai-je.

De fait, je n'avais pas encore pris conscience qu'après son départ j'allais me trouver seule au château, ce qui n'était pas très rassurant.

— Tu es prêt pour aller dîner ? demandai-je.

Ses mains s'attardèrent sur mes hanches et il m'attira à lui.

— Mmm, je me passerais bien de dîner, susurra-t-il.

— Pas moi, rétorquai-je. Tu devras attendre.

Ce soir-là, à table, je suivais d'une oreille distraite le brouhaha des conversations quand un nom familier attira mon attention. C'était Murtagh, non loin de moi, qui parlait du duc de Sandringham.

— Sandringham ? Ah, l'enculeur de mignons ! dit Ned Gowan d'un air songeur.

— Quoi ! manqua de s'étrangler un jeune soldat.

— Je crois savoir que notre cher duc est un amateur de jolis garçons, expliqua Ned.

— Mmm, renchérit Rupert, la bouche pleine comme d'habitude. Il s'intéressait de près au petit Jamie, lors de sa dernière visite. C'était quand, Dougal ? En 38 ? 39 ?

— En 37, répondit Dougal de l'autre bout de la table. Il faut dire que notre cher Jamie était mignon à croquer, n'est-ce pas, mon neveu ?

Jamie hocha la tête.

— Mouais, heureusement que je courais vite, par-dessus le marché, répondit-il en déclenchant des rugissements de rire.

— Je ne savais pas que tu faisais partie de ses conquêtes, le taquina Dougal. J'en connais qui ont troqué un derrière en feu contre un domaine ou un titre.

— Tu auras remarqué que je n'ai ni l'un ni l'autre, rétorqua Jamie du tac au tac.

— Ne me dis pas qu'il ne t'a pas approché !

— Si, justement, d'un peu trop près à mon goût.

— C'est pour ça que tu nous as quittés si brusquement et que tu es rentré chez ton papa ? demanda Rupert.

— Oui.

— Comment ça ! Mais tu aurais dû venir m'en parler, cher neveu, lança Dougal d'un air moqueur.

— Vieille ordure, répliqua Jamie, si je t'en avais parlé, tu aurais glissé du sirop de pavot dans ma bière et tu m'aurais livré pieds et poings liés dans le lit du duc en guise de cadeau de bienvenue !

La tablée rit de plus belle et Jamie esquiva de justesse un oignon cru que Dougal lui lança depuis l'autre bout de la table.

— Pourtant, intervint Rupert, je crois me souvenir de t'avoir vu te glisser dans la chambre du duc, une nuit. Tu es sûr de ne rien nous cacher ?

Ce fut au tour de Jamie de lancer un oignon à la figure de Rupert.

— Non, dit-il en riant. Je suis encore vierge, de ce côté-là du moins. Mais si ça vous intéresse autant, je peux vous raconter comment ça s'est passé.

— Oui, oui ! entonnèrent les dîneurs à l'unisson.

Jamie se versa une nouvelle chope de bière et se cala sur son banc dans la posture classique du conteur. Je remarquai que Colum, de l'autre côté de la table, tendait l'oreille, aussi attentif que les chahuteurs assis à nos côtés.

— Eh bien… commença-t-il, à l'époque j'étais encore très naïf, je n'avais que seize ans à peine (l'assemblée se mit à le huer)… Enfin, naïf sur ce sujet précis. Mais je trouvais quand même étranges certaines allusions du duc. Il était sans cesse à me caresser comme si j'étais son chien et voulait toujours voir ce que j'avais dans mon *sporran*. Un jour, il m'a surpris en train de me laver dans la rivière et a insisté pour me frotter le dos. Quand il a eu fini avec le dos, il a tenu à me frotter le reste et j'ai commencé à me sentir très mal à l'aise, puis il a glissé une main sous mon kilt et là, j'ai finalement compris. J'étais peut-être naïf, mais pas complètement idiot.

» Je m'en suis sorti en plongeant dans l'eau et en traversant le loch à la nage. Son Altesse n'allait pas risquer d'abîmer ses beaux habits dans la vase. Après cet épisode, j'ai veillé à ne jamais me retrouver seul avec lui. Il m'a surpris une ou deux fois dans le jardin ou la cour, mais j'ai toujours eu le temps de m'enfuir, en m'en tirant avec quelques baisers sur l'oreille. La seule fois où j'ai vraiment cru que mon compte était bon, ce fut quand il m'a coincé dans les écuries.

— Dans *mes* écuries ? rugit le vieil Alec.

Il se leva et interpella Colum à l'autre bout de la table.

— Tu veilleras à ce que cet homme reste en dehors de mon territoire. Je ne veux pas qu'il aille effrayer les chevaux, duc ou pas !… Ni qu'il trouble mes garçons ! ajouta-t-il après un instant de réflexion.

Jamie reprit le fil de son histoire, imperturbable. Les deux filles de Dougal buvaient ses paroles, la bouche entrouverte.

— Un jour, donc, je travaillais dans un box, penché au-dessus de la mangeoire (autres remarques grivoises), quand j'entends un bruit derrière moi. Avant même que j'aie pu me retourner, j'ai senti qu'on rabattait mon kilt sur ma taille et que quelque chose de dur s'écrasait contre mon derrière.

Il agita une main pour faire taire le tumulte naissant.

— Je ne tenais pas particulièrement à me faire sodomiser dans un box, mais je ne voyais pas d'issue. J'ai serré les dents en espérant que ça ne ferait pas trop mal quand le cheval – c'était un grand hongre noir, celui qu'on nous avait donné à Brocklebury, Ned, et que Colum a revendu par la suite à Breadalbin. Enfin, bref, le cheval n'a pas aimé les sons que faisait le duc. Il ne supportait pas les bruits aigus au point que je ne pouvais pas le sortir quand il y avait des enfants qui jouaient dans le pré, parce que leurs cris l'effrayaient.

» Or, comme vous le savez, Son Altesse a une voix criarde. Elle était encore plus haut perchée qu'à l'ordinaire du fait de l'excitation. Le cheval s'est mis à piaffer et à ruer dans son box. Il a écrasé le duc contre le mur avec sa croupe. Dès que j'ai pu m'échapper, j'ai sauté dans la mangeoire, contourné le cheval et j'ai planté là le duc.

Jamie s'arrêta pour reprendre son souffle et siffler une gorgée de bière.

— Toutefois, le duc ne s'en est pas tenu là. Il était passé si près du but qu'il était plus que jamais déterminé à m'avoir, quel qu'en soit le prix. Aussi, le lendemain, il a annoncé aux Mac-Kenzie que son valet était gravement malade et leur a demandé s'il pouvait emprunter mes services pour l'aider à sa toilette.

Colum se couvrit le visage des deux mains, feignant la honte, pour le plus grand amusement de l'assemblée. Jamie se tourna vers Rupert.

— C'est pourquoi tu m'as vu entrer chez le duc un soir. Contraint et forcé, si l'on peut dire.

— Tu aurais dû m'en parler, intervint Colum sur un ton de reproche. Je ne t'aurais pas obligé à y aller.

Jamie haussa les épaules.

— Ma modestie naturelle m'en a empêché, mon oncle. En outre, vous étiez en pleines négociations avec le duc. Je ne voulais pas risquer de les compromettre en vous obligeant à lui demander de me laisser en paix.

— Que c'est généreux de ta part ! railla Colum. Tu t'es donc sacrifié pour mes intérêts ?

— Vous savez fort bien que vos intérêts sont ce que j'ai de plus cher au monde, mon oncle, répliqua Jamie.

Sa réplique fit mouche, et je sentis le laird tiquer.

— Non, en fait, reprit Jamie, je ne me suis rendu dans la chambre du duc que parce que je n'ai pas osé désobéir, loyauté familiale mise à part.

— Et tu es ressorti le trou du cul en chou-fleur ! s'époumona Rupert.

— Exactement, répondit Jamie, mais pas pour les raisons que tu crois. Avant de monter, je suis allé trouver Mme Fitz-Gibbons et je l'ai suppliée de me donner du sirop de figue en prétextant être constipé. J'ai vu où elle rangeait son flacon. Je suis revenu un peu plus tard et je l'ai vidé entièrement.

La salle hurla de rire, y compris la mère Fitz qui devint si rouge que je craignis une apoplexie. Elle se leva cérémonieusement et tira l'oreille de Jamie.

— Alors voilà où était passé mon sirop, petit chenapan ! Le meilleur laxatif que j'aie jamais réussi !

— Ah, pour ça, il était radical ! l'assura Jamie, hilare.

— Je pense bien ! Je n'en avais jamais fait d'aussi puissant ! J'imagine l'état de tes intestins après l'avoir sifflé d'un trait !

— Je n'étais pas beau à voir, mais au moins je n'étais plus consommable par le duc. Il a paru soulagé quand je l'ai supplié de me laisser me retirer. Toutefois, je ne pouvais pas lui faire le coup deux fois de suite. Aussi, dès que les crampes se sont calmées, j'ai volé un cheval dans les écuries et j'ai filé. Il m'a fallu une journée entière pour arriver jusque chez moi, car je devais m'arrêter sur le bord de la route toutes les dix minutes.

Dougal fit signe qu'on lui apporte une nouvelle carafe de bière qu'il fit passer à Jamie.

— Je m'en souviens, dit-il en souriant. Ton père m'a adressé une lettre disant que tu en avais assez appris pour le moment. À l'époque, le ton de sa lettre m'a paru bizarre, mais je ne savais pas pourquoi.

— Vous feriez bien de préparer des stocks de sirop de figue, madame FitzGibbons, déclara Rupert. Notre ami Jamie va en avoir besoin. À moins que tu ne comptes sur ta nouvelle épouse pour te protéger ?

Il me lança un regard entendu avant d'ajouter :

— D'après ce qu'on dit, c'est elle qui aura besoin d'être protégée. Il paraît que le valet du duc ne partage pas les goûts de son maître, mais qu'il est tout aussi entreprenant.

Jamie se leva de table et me tendit la main pour m'aider à me lever à mon tour.

— Dans ce cas, répondit-il, nous devrons rester dos à dos pour protéger nos arrières !

Rupert roula des yeux horrifiés.

— Vos arrières ! Il me semblait bien qu'on avait oublié un détail en te préparant pour tes noces. Pas étonnant que tu ne lui aies pas encore fait un enfant !

La main de Jamie se referma sur mon épaule et il m'entraîna vers la porte. Nous prîmes la fuite sous un déluge de rires et de commentaires lubriques.

Une fois dans le couloir sombre, nous nous arrêtâmes pour reprendre notre souffle. Jamie s'adossa au mur, plié en deux. Je me laissai glisser à terre, secouée par le fou rire.

Quand nous eûmes repris nos esprits, il me hissa debout et me plaqua contre lui.

— Alors, c'est vrai qu'on ne fait pas des enfants dos à dos ? ricana-t-il.

Il prit mon visage entre ses mains et colla son front contre le mien. Nous nous regardâmes longuement dans les yeux, si près l'un de l'autre que je ne voyais plus qu'un écran bleu et son souffle chaud se confondait avec le mien.

— Face à face, c'est ça ?

L'exaltation du rire cédait peu à peu la place dans mon sang à une autre sensation tout aussi puissante. J'effleurai ses lèvres du bout de ma langue, tandis que mes mains s'affairaient plus bas.

— La face n'est pas la partie la plus importante. Mais tu commences à apprendre, lui répondis-je.

Le lendemain, j'étais au dispensaire, écoutant patiemment une vieille femme du village – une parente de l'une des cuisinières – qui débattait à n'en plus finir sur la relation entre les maux de gorge de sa belle-fille et sa propre crise d'amygdalite purulente (je ne voyais pas le rapport !) quand Jamie fit irruption dans la pièce, suivi de près par Alec, tous deux manifestement surexcités et préoccupés.

Jamie écarta le tire-langue que je venais d'introduire dans la gorge de la vieille en espérant la faire taire et me saisit les deux mains.

— Mais que se…

Je fus interrompue par Alec, se hissant par-dessus l'épaule de Jamie pour regarder mes paumes tendues.

— Mouais, à la rigueur... mais son bras ?

— Regarde par toi-même, répondit Jamie en étirant mon bras parallèlement au sien.

— Mmmmphm... ça pourrait marcher.

— Ça vous ennuierait de me dire de quoi il s'agit ? m'énervai-je.

Avant de finir ma phrase, j'étais entraînée malgré moi dans les escaliers, encadrée par les deux hommes, abandonnant ma patiente la bouche grande ouverte, l'air ahuri.

Quelques minutes plus tard, je fixais d'un œil dubitatif la croupe luisante et brune d'une jument. Le problème avait fini par m'être exposé en chemin, Jamie se chargeant des explications techniques qu'Alec ponctuait de remarques, d'interjections et d'imprécations.

Losgann, une des plus belles juments des écuries de Colum, n'arrivait pas à mettre bas. Elle était couchée sur le flanc, visiblement souffrante, son ventre volumineux se soulevant périodiquement. À quatre pattes dans le foin, le nez collé à l'arrière-train de la pauvre bête, je pouvais voir les lèvres de son vagin s'écarter légèrement à chaque contraction, mais rien de plus. Manifestement, le poulain se présentait par le flanc ou le bassin. Alec penchait pour la première hypothèse, Jamie pour la seconde, et ils en débattirent longuement jusqu'à ce que je m'impatiente et les interrompe pour leur demander ce qu'ils attendaient de moi, dans un cas comme dans l'autre.

Jamie me regarda comme si j'étais simplette.

— Mais que tu le retournes, bien sûr ! Il faut remettre ses pattes avant dans le bon sens pour qu'il puisse sortir.

— Rien que ça !

Je regardai Losgann, dont l'élégant nom signifiait en fait « grenouille ». La jument avait une ossature fine, mais chevaline tout de même.

— Euh... vous voulez dire que je dois mettre ma main à l'intérieur de son vagin ?

Je baissai les yeux vers mon bras. Il passerait sûrement, mais après ?

Les deux hommes avaient de trop grosses mains. Roderick, le garçon d'écurie généralement appelé à la rescousse dans ces situations délicates, venait de se casser le bras. Je lui avais posé une éclisse moi-même deux jours plus tôt. Willie, l'autre garçon d'écurie, venait justement de partir à sa recherche pour qu'il me conseille et me soutienne moralement. Il arriva bientôt, vêtu uniquement de ses culottes en lambeaux, son torse nu et maigrelet luisant dans la pénombre du box.

— Ce sera pas de la tarte, commenta-t-il après avoir été mis au fait de la situation. C'est un coup de main à prendre, mais il faut aussi de la force.

— Ne t'inquiète pas, intervint Jamie. Claire est nettement plus costaude que toi. Si tu lui dis ce qu'il faut faire, elle te le retournera en un rien de temps.

Flattée par une telle confiance mais néanmoins anxieuse, je me rassurai en me répétant que ce ne serait pas plus dur que d'assister un chirurgien opérant un abdomen. J'enfilai un tablier et des culottes dans un box voisin et m'enduisis le bras de graisse de suif jusqu'à l'épaule.

Puis je pris une profonde inspiration et introduisis ma main dans le vagin de la jument.

Au début, je ne sentis pas grand-chose, si ce n'est des creux, des bosses et des surfaces lisses et chaudes. Je fermai les yeux pour mieux me concentrer. Les parties lisses devaient être les flancs du poulain, les creux et les bosses, ses pattes ou la tête. Il me fallait trouver les pattes avant. Petit à petit, je m'habituai aux sensations sous mes doigts. À chaque contraction, je devais rester parfaitement immobile. Les muscles extraordinairement puissants de l'utérus se refermaient sur mon bras comme un étau et m'auraient brisé les os comme des allumettes.

Enfin, mes doigts rencontrèrent une forme que je reconnus.

— Je touche ses naseaux ! triomphai-je. J'ai trouvé la tête !

— Parfait ! Surtout ne lâche pas prise.

Alec s'accroupit anxieusement à mes côtés, caressant le flanc de la jument pour la rassurer. Je serrai les dents et reposai mon front contre la croupe tandis qu'une nouvelle contraction me broyait le poignet. Enfin, je trouvai la courbe d'une orbite et la petite saillie d'une oreille repliée. J'attendis que passe une autre contraction, puis je suivis la ligne du cou jusqu'à l'épaule.

— Il a la tête renversée sur l'épaule, rapportai-je. Au moins, la tête est orientée dans la bonne direction.

— Bon, dit Jamie. Normalement, les pattes devraient être pliées sous le poitrail. Essaie de trouver le genou.

Je poursuivis mon inspection à tâtons, le bras enfoncé jusqu'à l'épaule dans la tiédeur moite de la jument, progressant à l'aveuglette pour atteindre mon but. J'avais l'impression d'accoucher moi-même et ce n'était pas une mince affaire.

Enfin, ma main rencontra un sabot. Je sentis la surface arrondie et le bord tranchant de la corne encore intacte. Suivant les instructions angoissées, parfois contradictoires, de mes guides, je tirai et poussai, aidant la lourde masse à pivoter sur elle-même, tirant à moi une patte, repoussant l'autre, suant et gémissant à l'unisson avec la jument.

Puis, soudain, tout s'enclencha. Une contraction se relâcha et le poulain glissa d'une masse dans la bonne position. J'attendis sans bouger la contraction suivante, puis un petit museau rose et humide apparut brusquement, poussant ma main hors de sa route. Les petits naseaux se dilatèrent brièvement, comme s'ils testaient cette nouvelle sensation, puis le museau disparut.

— La prochaine sera la bonne ! exulta Alec en sautillant sur place, son arthrite soudain évanouie. Allez, Losgann, allez, ma belle, ma douce grenouillette !

La jument lui répondit par un grognement compulsif. Ses pattes arrière se détendirent brusquement et le poulain glissa doucement dans la paille fraîche.

Je me laissai tomber en arrière, gloussant comme une dinde. J'étais couverte de graisse, de placenta visqueux et de sang. Je dégageais une odeur pestilentielle. Mais j'étais euphorique.

Je regardai Willie et Roderick s'occuper du nouveau-né, le frottant énergiquement avec de la paille. Lorsque Losgann se tourna et se mit à lécher son petit, nous poussâmes tous des cris de joie, la contemplant, les larmes aux yeux, qui le poussait doucement du bout du museau pour l'inciter à se dresser sur ses pattes branlantes.

— Du sacré bon travail ! Du sacré bon travail ! répétait Alec, exubérant, manquant de m'étouffer en me serrant dans ses bras.

Jamie dut m'aider à me changer et à enfiler ma robe. Mes doigts étaient trop raides pour la boutonner toute seule. Je savais que mon bras serait couvert de bleus le lendemain matin, mais je me sentais en pleine forme, sereine et heureuse.

Une pluie diluvienne s'était abattue sans interruption pendant plusieurs jours. Aussi, quand je me réveillai un beau matin pour découvrir un ciel parfaitement bleu, je me sentis comme une marmotte sortant de son trou au printemps. Ce jour-là, Geillis choisit de me rendre visite. Elle glissa dans le dispensaire en flottant comme si elle était montée sur roulettes.

— Geillis ! Que fais-tu là ? m'exclamai-je.

— Je suis venue apporter du safran d'Espagne à Mme Fitz-Gibbons. Elle en a besoin pour l'arrivée du duc.

— Encore des épices ! Si cet homme avale la moitié des plats qu'elle lui prépare, il faudra le faire rouler pour le ramener chez lui.

— Il n'a pas besoin de ça ! Il paraît qu'il est déjà gras comme un cochon. Mais assez parlé du duc. Tout le monde n'a que son nom à la bouche depuis des semaines. Tu n'aurais pas envie de m'accompagner pour une promenade ? J'ai besoin de ramasser un peu de mousse. Bouillie dans le lait avec un peu de laine de mouton, elle fait une merveilleuse lotion pour les mains.

Pour achever de me convaincre, elle agita sous mon nez ses belles mains aux longs doigts effilés.

Je levai les yeux vers la meurtrière. Des particules de poussière dansaient gaiement dans un rayon de soleil doré. Un parfum de fruits mûrs et d'herbe fraîchement coupée flottait dans la pièce.

— Pourquoi pas ?

Pendant que je prenais des paniers et des bocaux vides, Geillis se promenait dans le dispensaire, saisissant ici et là des objets qu'elle reposait après les avoir inspectés. Elle s'arrêta devant une petite table.

— Qu'est-ce que c'est que ça ?

Elle tenait un petit bouquet d'herbes séchées noué avec des fils tressés : noirs, blancs et rouges.

— D'après Jamie, c'est un charme maléfique.

— Il a raison. Où l'as-tu trouvé ?

— Sous mon oreiller.

Je lui racontai comment nous l'avions découvert et la réaction de Jamie.

— Le lendemain matin, je suis allée le récupérer sous la fenêtre. Je comptais justement te l'amener, au cas où tu saurais m'en dire plus sur ce sujet, puis j'ai oublié.

Elle le retourna dans ses mains, l'examinant attentivement.

— Non, aucune idée. Mais on peut peut-être savoir qui te l'a adressé.

— Vraiment ?

— Viens chez moi demain matin, je t'expliquerai comment faire.

Refusant d'en dire davantage, elle fila vers la porte dans un frou-frou de jupons, l'air de dire « qui m'aime me suive ».

Elle me conduisit dans les collines, tantôt en suivant un sentier, tantôt à travers champs. À une heure de marche du village, elle s'arrêta au bord d'un petit ruisseau bordé de saules. Là, nous cueillîmes les dernières fleurs de l'été, les baies mûres du début de l'automne et les gros champignons jaunes qui poussaient au pied des arbres.

La silhouette de Geillis disparut dans les fougères tandis que je m'arrêtais pour gratter un peu d'écorce de tremble dans mon panier. Les particules de sève qui suintaient sur l'écorce ridée ressemblaient à des gouttes de sang givrées, leur surface pourpre luisant au soleil.

Un bruit me tira de ma rêverie et je tournai la tête dans sa direction.

Je l'entendis à nouveau. Cela ressemblait à un vagissement aigu. Il provenait du sommet de la colline, où un gros rocher était en équilibre sur la crête. Je posai mon panier et me mis à grimper.

— Geillis ! hurlai-je. Viens ! Quelqu'un a abandonné un bébé.

Un bruit de glissade et de jurons étouffés précéda l'apparition de Geillis, tirant frénétiquement sur sa jupe prise dans les ronces. Son visage était rougi par l'effort et des brindilles étaient prises dans ses cheveux.

— Mais qu'est-ce qui se passe…

En m'apercevant, elle bondit vers moi.

— Par tous les saints ! Claire, repose-le, vite !

Elle m'arracha le bébé des bras et le reposa où je l'avais trouvé, dans un petit creux du rocher. Une écuelle en bois remplie à moitié de lait frais avait été posée à côté de son panier, et, à ses pieds, un bouquet de fleurs des champs noué avec du fil rouge.

— Mais il est souffrant ! protestai-je, voulant lui reprendre l'enfant. Qui a pu laisser un bébé malade seul ici ?

De fait, le nourrisson était visiblement mal en point. Son petit visage fripé était verdâtre et des cernes bleus marquaient ses yeux. Il agitait faiblement ses menus poignets sous la couverture. Lorsque je l'avais soulevé, il avait laissé retomber les bras en arrière et je me demandai où il trouvait encore la force de crier.

— Ses parents, rétorqua Geillis, me prenant par le bras. Laisse-le. Filons d'ici.

— Ses parents ? m'indignai-je. Mais...

— C'est un enfant substitué, s'impatienta-t-elle. Laisse-le et viens. Tout de suite !

Elle m'entraîna de force et nous dégringolâmes le versant de la colline. Une fois au pied, pantelante, je la forçai à s'arrêter.

— Vas-tu me dire ce que ça signifie ? On ne peut pas abandonner un enfant malade dans la nature. Et que veux-tu dire par un « enfant substitué » ?

— Ne me dis pas que tu ignores ce que ça veut dire ! dit-elle en levant les yeux au ciel. Parfois, les fées volent un enfant humain et le remplacent par un des leurs. On les reconnaît facilement : ils pleurent et s'agitent sans arrêt et ils ne grandissent pas.

— Enfin, Geillis, tu ne crois pas ces bêtises ?

Elle me dévisagea d'un air soupçonneux, s'interrogeant manifestement sur ma santé mentale. Puis elle retrouva son expression habituelle de cynisme amusé.

— Bien sûr que non, répondit-elle enfin. Mais les gens du village, eux, y croient.

Elle lança un regard inquiet vers la colline, mais aucun son ne parvenait plus du rocher.

— On ne peut pas rester ici, sa famille doit être tapie dans les parages.

La mort dans l'âme, je me laissai entraîner vers le village.

— Mais pourquoi l'ont-ils abandonné sur ce rocher ? demandai-je un peu plus tard, assise sur une pierre pour enlever mes bas avant de traverser un ruisseau. Ils espèrent que les fées viendront le soigner ?

Je ne pouvais m'ôter le nourrisson de l'esprit. J'ignorais de quoi il souffrait, mais je pouvais peut-être le sauver. Je tentai de me convaincre qu'après avoir laissé Geillis au village, je pourrais revenir le chercher. Il ne faudrait pas trop tarder. À l'est, des nuages gris pâle assombrissaient rapidement le ciel. Une lueur rosée pointait encore à l'ouest. La nuit tomberait dans moins d'une demi-heure.

Geillis remonta ses jupes et avança dans l'eau glacée.

— Non... ou plutôt oui. C'est l'une des collines aux fées, un endroit où il ne fait pas bon s'attarder après la nuit tombée. Si on y laisse un enfant substitué toute une nuit, les esprits des bois viennent le reprendre et remettent à sa place le petit humain qu'ils ont enlevé.

— Oui, sauf que ce bébé n'est pas un esprit, objectai-je, mais un enfant malade. Il ne résistera sans doute pas à une nuit à la belle étoile !

— Précisément, répondit Geillis platement. Demain matin, il sera mort. Et je prie le Seigneur que personne ne nous ait vues nous en approcher !

— Mort ? Mais c'est trop affreux, Geillis. Je ne peux pas le laisser. Il faut absolument que je retourne le chercher.

Je tournai les talons et retraversai le cours d'eau.

Elle bondit sur moi comme une lionne et je me retrouvai plaquée la tête la première dans le ruisseau. Je me débattis pour reprendre mon souffle, crachant, toussant et projetant de grandes gerbes autour de moi. Enfin, je parvins tant bien que mal à me retourner et restai assise, les fesses dans l'eau glacée, abasourdie.

Geillis se tenait devant moi, les mains sur les hanches.

— Tu es vraiment folle, ma pauvre ! hurla-t-elle. Il n'y a rien à faire ! Tu m'entends ? Rien ! C'est comme si cet enfant était déjà mort ! Si tu crois que je vais te laisser risquer ta vie et la mienne pour une de tes idées saugrenues ! Ah, tu es bien une Anglaise !

Me prenant sous les aisselles, elle me hissa debout.

— Claire, écoute-moi bien. Si tu retournes auprès de cet enfant et qu'il meurt, ce qui est certain, crois-moi, la famille te tiendra pour responsable. Tu ne vois donc pas le danger ? Tu ne sais donc pas ce qu'on dit de toi au village ?

Je restai pétrifiée, grelottante, déchirée entre son souci évident pour ma sécurité et la vision du nourrisson mourant lentement de froid seul dans la nuit.

— Non, dis-je enfin. Geillis, je ne peux pas. Je te promets d'être prudente, mais je dois y aller.

Je me libérai de son étreinte et escaladai la berge, dérapant dans la vase.

J'entendis un cri étouffé d'exaspération derrière moi, suivi d'un bruit d'éclaboussures puis de branchages foulés dans l'autre direction. Au moins, elle ne se mettrait plus en travers de ma route.

La nuit tombait rapidement et je hâtai le pas. Il me fallait absolument retrouver la bonne colline avant qu'il fasse noir. Il y en avait plusieurs, toutes approximativement de la même hauteur. Je ne savais pas trop comment j'allais pouvoir me glisser discrètement dans le château avec un nouveau-né braillant dans mes bras, mais il serait bien temps d'y songer plus tard.

Je finis par retrouver la colline grâce à un bosquet de jeunes mélèzes qui poussaient à ses pieds. Entre-temps, la nuit était tombée. La forêt était étrangement silencieuse. On n'entendait que les grincements des troncs et le soupir des branchages bercés par la brise. On s'attendait presque à voir surgir un fantôme derrière chaque arbre.

« Ce foutu endroit est vraiment hanté ! » grognai-je en escaladant la pente, glissant et trébuchant à chaque pas. Je ne croyais pas si bien dire. Mon cœur faillit lâcher quand une silhouette sombre se glissa devant moi et qu'une main m'attrapa le bras. Je poussai un hurlement et frappai violemment l'intrus.

— Comment, mais c'est toi ? m'écriai-je en reconnaissant Jamie. Qu'est-ce que tu fais là ?

Je me laissai aller contre lui, le cœur battant tandis qu'il m'entraînait vers le bas de la colline.

— Quand j'ai vu qu'il se faisait tard, je suis venu à ta rencontre. J'ai croisé Geillis Duncan près du ruisseau et elle m'a dit où tu étais.

— Mais l'enfant… commençai-je en voulant repartir dans l'autre sens.

— Il est mort, dit-il brièvement. J'en viens.

Je le suivis sans plus discuter. Oppressée par l'obscurité et les bruits sinistres de la forêt, je ne dis plus un mot jusqu'à ce que nous ayons atteint les premiers champs.

— As-tu une idée du danger que tu cours à te promener seule la nuit dans la forêt ? demanda soudain Jamie.

Il ne semblait pas fâché, tout juste surpris.

— Non… enfin, si. Je suis désolée de t'avoir inquiété. Mais je ne pouvais pas abandonner cet enfant. Non, vraiment pas.

— Oui, je sais.

Il me serra contre lui.

— Tu as bon cœur, *Sassenach*. Mais tu ne sais pas à qui tu as affaire.

— À des fées, c'est ça ? Les superstitions ne me font pas peur. Tu y crois, toi, aux fées ?

Il hésita un long moment.

— Non. Mais pour rien au monde je ne passerais une nuit sur une colline aux fées. La différence, tu vois, c'est que j'ai reçu une instruction, *Sassenach*. Chez Dougal, j'ai eu un bon précepteur allemand qui m'a appris le latin et le grec. Plus tard, à dix-huit ans, j'ai étudié l'histoire et la philosophie en France. J'ai eu tout loisir de m'apercevoir que le monde ne s'arrêtait pas aux collines et à la lande des Highlands, aux chevaux des eaux et aux lutins de la forêt. En revanche, la plupart des gens d'ici ne se sont jamais éloignés de chez eux de plus d'une journée de marche, généralement pour se rendre au Serment de leur clan, ce qui peut arriver deux fois au cours d'une existence. Leur univers se limite aux lochs et aux falaises. Tout ce qu'ils connaissent du monde, c'est ce que leur en dit le père Bain dans ses sermons à la messe du dimanche. Ça et les contes…

Il retint une branche d'aulne pour me laisser passer. Nous étions de nouveau sur le sentier que Geillis et moi avions suivi l'après-midi. Une fois de plus, je m'émerveillai devant son aptitude à retrouver son chemin dans l'obscurité la plus totale.

— Lorsque nous sommes dans le grand hall, ces contes ne sont que des divertissements, mis en scène par Gwyllyn et arrosés de vin et de bière. Mais, dans la région et même au village, les histoires de fées et de sorcières régissent la vie de tous les jours. Je suppose que, derrière chaque légende, se cache une part de vérité...

Je revis en pensée les yeux d'ambre du cheval des eaux.

— Les parents de ce nouveau-né préfèrent sans doute croire que c'est l'enfant des fées qui est mort, tandis que le leur vit pour l'éternité, heureux et en bonne santé, parmi les esprits des bois. Cela soulage leur douleur.

Bientôt, nous arrivâmes en vue de Leoch. Je n'avais jamais imaginé que les lumières de ce château austère m'apparaîtraient un jour comme le phare de la civilisation dans un océan d'obscurantisme.

Toutefois, en approchant, je constatai que les lumières en question ne venaient pas des étroites meurtrières mais de dizaines de guirlandes de lampions suspendues au parapet.

— Il s'est passé quelque chose ! m'alarmai-je en me tournant vers Jamie.

En le voyant à la lumière, je m'aperçus soudain qu'il portait une chemise en lin immaculée et son plus beau – et unique – manteau de velours.

— Oui, acquiesça-t-il. C'est la raison pour laquelle je suis venu te chercher. Le duc est enfin arrivé.

Le duc ne ressemblait en rien à l'idée que je m'en étais faite. Je ne savais pas au juste à quoi m'attendre, mais certes pas à ce bel homme grand et athlétique, au teint hâlé et aux yeux bleu pâle toujours légèrement plissés comme s'il suivait un vol de faisan à contre-jour.

Je me demandais si les histoires qu'on m'avait racontées à son sujet n'étaient pas finalement des racontars exagérés lorsque je remarquai que tous les garçons de moins de dix-huit ans présents dans le hall se tenaient légèrement en retrait, les yeux pudiquement baissés. De toute évidence, ils avaient été mis en garde.

Cependant, lorsqu'on me présenta au duc, j'eus un mal fou à garder mon sérieux. Il se pencha pour me baiser la main et déclara d'une voix de souris étranglée :

— Mais quel plaisir de rencontrer une compatriote dans ces contrées reculées, madame !

Épuisé par le voyage, le duc se retira de bonne heure avec sa suite. Mais le lendemain soir, un grand dîner fut donné en son honneur. Après le festin et le concert, Jamie et moi rejoignîmes la table de Colum où se trouvaient déjà Dougal et le duc. Sandringham, volubile, loua le vin de Colum et le paysage des Highlands puis, de sa voix de fausset, nous raconta avec un luxe de détails les horreurs de son voyage. Nous écoutions poliment.

— À la sortie de Stirling, un essieu s'est brisé qui nous immobilisa trois jours durant... sous une pluie diluvienne, naturellement !... le temps que mon valet de pied trouve un ferronnier. À peine un jour et demi plus tard, nous rebondîmes sur l'ornière la plus abyssale de tout le comté et l'essieu s'est de nouveau brisé ! Ensuite ce fut l'un de nos chevaux qui se déferra. Nous dûmes délester la berline et marcher derrière, dans la boue, messieurs, dans la boue !...

À mesure qu'il nous contait ses mésaventures, je noyais mon hilarité dans le vin, une grave erreur de jugement sans doute.

— Mais le gibier, MacKenzie, le gibier ! s'exclama à un moment le duc, extatique. Je ne m'étonne pas de l'excellence de votre table. Que ne donnerais-je pour abattre un cerf comme celui que nous avons vu il y a deux jours ! Une bête superbe, absolument superbe. Il a filé sous le nez de nos chevaux et nous avons bien failli casser à nouveau un essieu.

Colum leva la carafe de vin et lança un regard interrogateur à la ronde. Tout en remplissant les verres tendus, il déclara calmement :

— Nous pourrions peut-être vous organiser une petite partie de chasse, Votre Grâce ? Mon neveu est un excellent chasseur.

Il lança un regard à Jamie, qui acquiesça sans lever les yeux.

Colum reposa sa carafe et poursuivit :

— Oui, je suis sûr que nous pourrons arranger cela. Disons au début de la semaine prochaine ? Il est encore trop tôt pour les faisans, mais les cerfs foisonnent.

Se tournant vers Dougal, assis à mes côtés, il suggéra :

— Mon frère pourra peut-être vous accompagner ? Si vous prenez la direction du nord, il vous montrera les terres dont nous parlions plus tôt.

— Excellent, excellent ! jubila le duc.

Il tapota la cuisse de Jamie avec un air satisfait. Ce dernier se raidit, mais se contenta de sourire aimablement, et la main du duc s'attarda quelques instants. Puis il croisa mon regard. Ôtant alors sa main, il m'adressa un large sourire et me glissa :

— Qui ne tente rien n'a rien !

Je ne pus m'empêcher de sourire à mon tour. Décidément, ce duc m'était finalement bien sympathique.

Dans l'excitation de l'arrivée de notre hôte illustre, j'avais oublié la proposition de Geillis de m'aider à découvrir l'expéditeur de notre charme maléfique. Toutefois, après l'épisode déplaisant de la colline aux fées, je n'étais pas certaine de vouloir me prêter à ses expériences.

Cependant ma curiosité l'emporta et deux jours plus tard, lorsque Colum demanda à Jamie d'aller chercher les Duncan et de les escorter jusqu'au château pour le banquet du duc, je décidai de l'accompagner.

Ce jeudi après-midi, Jamie et moi nous retrouvâmes donc dans le salon des Duncan, engagés dans une conversation amicale bien qu'un peu empruntée avec le procureur, tandis que sa femme finissait de s'habiller à l'étage. Arthur venait de se remettre de sa dernière attaque de gastrite, mais n'avait toujours pas l'air très en forme. Comme tous les obèses qui ont maigri trop vite, la graisse n'avait pas fondu de façon proportionnée. Sa bedaine étirait toujours la soie verte de son gilet, tandis que ses joues creusées par le jeûne pendouillaient mollement en formant des plis de chair.

— Je pourrais peut-être aller aider Geillis à sa coiffure ? suggérai-je. Je lui ai apporté de nouveaux rubans.

Ne leur laissant pas le temps de protester, je grimpai quatre à quatre les escaliers qui montaient aux appartements de Geillis.

Elle m'y attendait.

— Grimpons dans mon grenier, proposa-t-elle. Il faut faire vite mais ça ne prendra pas longtemps.

Je la suivis dans l'étroit escalier en colimaçon. La porte du grenier était verrouillée. Elle sortit de sa poche une clef ouvragée d'une longueur impressionnante, et la lourde porte s'ouvrit en glissant sans bruit sur ses gonds bien huilés.

Le sanctuaire de Geillis était une petite pièce mansardée. Tous les murs étaient couverts de rayonnages ployant sous les bocaux, les fioles et les boîtes. Des sacs d'herbes sèches soigneusement fermés avec des rubans de couleurs différentes étaient suspendus aux poutres. Toutefois, cela n'avait rien à voir avec l'atmosphère aérée et claire de la distillerie un étage plus bas.

Sur l'une des étagères étaient alignés de vieux livres ne portant aucune inscription. Je caressai du bout du doigt les reliures anciennes. La plupart étaient en agneau, mais certaines avaient une texture singulière, molle et grasse au toucher. L'une en particulier semblait être en peau de poisson. Je sortis un volume et l'ouvris précautionneusement. Il était rédigé à la main dans un mélange de vieux français et de latin. Sur la page de garde, le titre était encore lisible : *L'Grimoire d'le Comte St. Germain.*

Je remis le livre à sa place, légèrement inquiète. Un livre de magie ! Je sentis le regard de Geillis dans mon dos. Elle m'observait avec un air espiègle et curieux. Qu'allais-je faire, maintenant que je savais ?

— Alors, comme ça, ce n'est pas qu'une rumeur ? dis-je en souriant. Tu es vraiment une sorcière.

Je me demandais jusqu'où ses activités la menaient. Y croyait-elle vraiment elle-même ou n'était-ce qu'un expédient pour tromper l'ennui de son mariage avec Arthur ? Quel genre de magie pratiquait-elle au juste ?

— Oh, rassure-toi, ce n'est que de la magie blanche ! annonça-t-elle en lisant dans mes pensées.

— Tant mieux. Je me vois mal dansant autour d'un feu de bois au clair de lune, chevauchant des balais et baisant le cul du diable !

Geillis éclata de rire.

— On ne baise pas grand-chose par ici. Quoique, si j'avais un petit démon comme ton mari dans mon lit, je m'y mettrais peut-être.

— Au fait… commençai-je.

Elle s'était déjà retournée, toute à ses préparatifs.

Après avoir vérifié que la porte était bien verrouillée, elle fouilla dans un cabinet en chêne encastré sous la fenêtre. Elle en sortit une grande bassine en terre cuite et un long cierge dans un bougeoir en céramique. D'un autre placard, elle extirpa une vieille couverture qu'elle étala sur le sol.

— Que comptes-tu faire exactement ? m'inquiétai-je.

Jusque-là rien de bien satanique, mais après tout, qu'en savais-je ? Je n'étais qu'une apprentie sorcière.

— Invoquer… répondit-elle mystérieusement en rabattant les bords de la couverture parallèlement aux lattes du plancher.

— Invoquer qui ?

Elle se redressa et lissa ses cheveux en arrière.

— Oh, n'importe qui ou quoi… fantômes, esprits, visions… tout ce qui pourrait nous être utile. On commence toujours de la même façon, mais les herbes et les incantations changent selon les besoins. Ce qu'il nous faudrait, c'est une vision…

pour voir qui t'a envoyé ce mauvais sort. Ainsi on pourra le faire se retourner contre lui ou elle.

— Euh… c'est que…

Je ne souhaitais pas me venger, j'étais juste curieuse, non seulement de savoir qui m'en voulait mais aussi de voir à quoi ressemblait une incantation.

Déposant la bassine au milieu de la couverture, elle y versa de l'eau en expliquant :

— On peut utiliser n'importe quel récipient suffisamment grand pour qu'on puisse y voir son reflet, quoique le grimoire préconise un bassin en argent. Même une mare ou une flaque d'eau peuvent convenir pour des incantations à l'extérieur, à condition qu'elles soient dans un endroit calme et désert.

Elle tira rapidement les lourds rideaux devant les fenêtres, nous plongeant dans le noir. Je distinguai à peine sa silhouette gracile se déplaçant dans l'obscurité jusqu'à ce qu'elle allume le cierge.

Elle le déposa près de la bassine puis rajouta de l'eau dans celle-ci jusqu'à la remplir à ras bord. En me penchant au-dessus, je vérifiai qu'effectivement mon visage s'y reflétait mieux que dans n'importe quel miroir du château. Me voyant faire, Geillis expliqua qu'outre sa fonction dans les incantations, ce système était parfait pour se coiffer.

— Ne le bouscule pas, prévint-elle, ou tu vas mettre de l'eau partout.

Quelque chose dans l'aspect pratique de sa remarque, si prosaïque au milieu de ces préparatifs occultes, me rappela quelqu'un. Observant sa silhouette svelte et élégante penchée sur le récipient, je fouillai ma mémoire. Puis cela me revint. Bien sûr, même si elle ne ressemblait en rien à la vieille dame penchée au-dessus de son service à thé dans le bureau du révérend Wakefield, ce ton de voix était exactement le même que celui de Mme Graham.

Sans doute était-ce une attitude qu'elles partageaient, un pragmatisme qui concevait l'occultisme comme une simple série de phénomènes aussi communs que la météorologie. C'était une science qui requérait une certaine prudence, comme quand on fait la cuisine avec des instruments tranchants, mais rien qui justifiât qu'on en ait peur.

Geillis choisit trois bocaux sur ses étagères, et versa une petite quantité de chacun dans le récipient d'un minuscule brasero. Elle alluma le charbon sous le récipient à la flamme de sa chandelle et souffla sur le feu pour l'attiser. Bientôt, une volute de fumée parfumée s'éleva dans la pièce. Satisfaite, Geillis s'assit sur le sol, les genoux élégamment repliés sous elle.

— Parfait !

— Qu'est-ce qu'on fait, maintenant ? demandai-je en prenant place en face d'elle.

La flamme de la chandelle se reflétait dans l'eau qui semblait luminescente.

Ses grands yeux gris brillaient d'excitation. Elle agita les mains à la surface de l'eau, puis les glissa entre ses cuisses.

— Ne dis rien, ordonna-t-elle. Détends-toi. Écoute les battements de ton cœur. Tu les entends ? Respire profondément et calmement.

Malgré son regard alerte, elle parlait lentement et doucement, d'une voix profonde qui n'avait plus rien à voir avec son ton enjoué habituel.

Je suivis ses instructions, écoutant les battements de mon cœur à mesure que ma respiration prenait un rythme régulier. Je crus reconnaître une odeur de romarin dans la fumée, mais la nature des deux autres herbes m'échappait : de la digitale, peut-être, ou de la potentille ? Les fleurs violettes que j'avais entr'aperçues ressemblaient à de la belladone, mais c'était impossible… Quelles qu'elles soient, le ralentissement de mon rythme cardiaque ne pouvait être uniquement dû à la force de suggestion de Geillis. Je sentais un poids sur ma poitrine, ralentissant ma respiration sans que j'aie à faire le moindre effort.

Geillis était assise parfaitement immobile, me dévisageant fixement. Elle esquissa un petit signe de tête et je me penchai docilement au-dessus de l'eau.

Elle se mit alors à parler, sur un ton régulier et détaché qui me fit de nouveau penser à Mme Graham appelant le soleil au centre du cromlech.

Elle s'exprimait dans une langue qui m'était inconnue et pourtant étrangement familière, comme si elle parlait un ton trop bas pour que je puisse en détacher les mots. Je sentis mes mains devenir insensibles et voulus changer de position, mais j'en étais incapable. La voix continuait, douce et persuasive. Cette fois, je compris ce qu'elle disait, mais j'étais incapable de fixer ses paroles dans mon esprit.

Une chose était sûre, soit j'étais en train d'être hypnotisée, soit j'étais sous l'emprise d'une drogue. Mon esprit se raccrocha de toutes ses forces à la conscience, résistant à l'attraction de la fumée parfumée. Je voyais mon reflet dans l'eau lumineuse, mes pupilles rétrécies comme deux têtes d'épingle, mes yeux écarquillés comme ceux d'une chouette. Le mot « opium » flotta dans mes pensées embuées.

— Qui es-tu ?

Je n'aurais pu dire laquelle de nous deux avait posé la question, mais je sentis mes lèvres frémir et articuler :

— Claire.

— Qui t'a envoyée ?

— Je suis venue.

— Pourquoi es-tu venue ?

— Je ne peux pas le dire.

— Pourquoi pas ?

— Personne ne me croirait.

— Moi, je te crois, Claire, dis-le-moi.

Soudain un vacarme retentissant rompit le charme. Geillis sursauta, heurtant la bassine du genou et troublant le reflet.

— Geillis ? Mon trésor ? appela une voix aimable mais impérieuse. Nous devons y aller, mon cœur. Les chevaux sont prêts et tu n'es toujours pas habillée.

Geillis jura entre ses dents et se précipita pour ouvrir grandes les fenêtres. L'air frais me fouetta le visage, me faisant cligner des yeux et dissipant immédiatement le brouillard dans ma tête.

Elle m'aida à me relever.

— Tu ne te sens pas un peu bizarre ? me demanda-t-elle en me dévisageant d'un air curieux. Il y a des gens à qui ça fait cet effet. Tu ferais mieux de t'allonger sur mon lit pendant que je finis de m'habiller.

Je me laissai tomber sur l'édredon dans la chambre à l'étage au-dessous, écoutant les bruissements d'étoffe de Geillis enfermée dans son cabinet de toilette, me demandant ce qui venait de m'arriver. Manifestement, elle ne s'intéressait pas le moins du monde à mon charme ni à son expéditeur, mais uniquement à mon identité. À mesure que je reprenais mes esprits, je me demandai si après tout Geillis n'espionnait pas pour le compte de Colum. En tant qu'épouse du procureur et guérisseuse, elle était au fait de tout ce qui se passait dans le comté. Et qui d'autre que Colum pouvait autant s'intéresser à mes origines ?

Que se serait-il passé si Arthur ne nous avait pas interrompues ? Aurais-je entendu l'incontournable : « En vous réveillant, vous ne vous souviendrez de rien » ? Mais voilà : je me souvenais très bien de tout et je me posais des questions.

Je n'eus pas le temps d'interroger Geillis à ce sujet. La porte de la chambre s'ouvrit violemment et Arthur fit irruption dans la pièce. Il alla droit au cabinet de toilette de Geillis, frappa une fois et entra.

J'entendis un petit cri de surprise, puis plus rien.

Arthur Duncan réapparut, livide, les yeux écarquillés, le regard fixé droit devant lui. Il prit appui sur la poignée de la porte comme s'il allait tomber. Croyant qu'il venait de subir une nouvelle attaque, je me précipitai vers lui, mais il se redressa et traversa la pièce en chancelant légèrement sans me voir.

Je frappai à mon tour à la porte du cabinet.

— Geillis ? Tu vas bien ?

Il y eut un silence puis, d'une voix parfaitement composée, elle répondit :

— Mais bien sûr. Je n'en ai plus que pour une minute.

Lorsque nous descendîmes enfin les escaliers, nous trouvâmes Arthur, apparemment remis, trinquant avec Jamie. Il semblait légèrement ailleurs, mais complimenta néanmoins sa femme sur sa tenue et envoya le valet chercher les chevaux.

Quand nous arrivâmes au château, le banquet venait de commencer. Le procureur et son épouse furent conduits à la table d'honneur, tandis que Jamie et moi, d'un rang inférieur, nous asseyions auprès de Rupert et de Ned Gowan.

Mme FitzGibbons s'était surpassée. Le visage radieux, elle accueillait d'un sourire les compliments qui pleuvaient sur son passage tandis que des montagnes de nourriture et de boisson s'entassaient sur les tables.

Le dîner était délicieux. Je n'avais encore jamais mangé de faisan farci aux noix et au miel et en étais à ma troisième assiette quand Ned Gowan, m'observant d'un air amusé, me demanda si j'avais goûté au cochon de lait.

Ma réponse fut interrompue par un brouhaha de l'autre côté de la salle. Colum se leva de table et se dirigea vers moi, le vieil Alec McMahon sur ses talons.

— Décidément, vos talents sont sans limites, madame Fraser ! Non contente de bander nos plaies et de soigner nos malades, j'apprends que vous aidez nos bêtes à mettre bas. Bientôt, nous ferons appel à vous pour ressusciter nos morts.

Tout le monde se mit à rire, sauf un ou deux attablés qui lancèrent des regards inquiets vers le père Bain. Fort heureusement, celui-ci était trop occupé à se bâfrer de rôti d'agneau.

— Permettez-moi de vous offrir ceci en signe de ma gratitude, reprit Colum.

Il me tendit un petit coffret en bois gravé aux armes des MacKenzie. Jusqu'alors, je n'avais pas réalisé tout le prix qu'on attachait à Losgann et remerciai mentalement le ciel que sa mise bas se soit bien passée.

— Je vous remercie, mais je ne peux pas l'accepter, me défendis-je. Je n'ai rien fait de bien extraordinaire. J'ai simplement la chance d'avoir les mains si petites.

— Dans ce cas, insista Colum, considérez-le comme un cadeau de mariage. Je serais très honoré que vous l'acceptiez.

Sur un signe de tête de Jamie, j'acceptai le coffret et l'ouvris. Il contenait un magnifique rosaire en perles de jais finement ciselées, avec un crucifix incrusté d'argent.

— C'est superbe ! m'émerveillai-je.

Cela dit, je me demandais bien ce que je pourrais en faire. Si j'étais théoriquement catholique, j'avais été élevée par oncle Lamb, un agnostique impénitent, et n'avais qu'une vague notion de la signification d'un rosaire. Je remerciai néanmoins Colum chaleureusement et confiai le rosaire à Jamie qui le rangea dans son *sporran*.

Au même moment, un bruit de chute retentit derrière moi. En me tournant, je ne vis d'abord que des dos et des nuques de gens agglutinés. Colum se fraya un passage dans la mêlée. Tandis que les gens s'écartaient respectueusement pour le laisser passer, j'aperçus la forme rebondie d'Arthur Duncan allongée sur le sol, secouée de spasmes. Il battait convulsivement des mains devant lui, roulant des yeux affolés, repoussant ceux qui s'approchaient pour lui prêter secours. Sa femme se jeta à ses côtés et tenta vainement de lui mettre la tête sur ses genoux. Le procureur planta ses talons dans le sol et cambra les reins, émettant des bruits d'étouffement.

Geillis lança un regard paniqué autour d'elle. Comprenant qu'elle me cherchait, je pris le chemin le plus court et le moins encombré, à savoir je rampai à quatre pattes sous la table.

Rejoignant Geillis, je pris le visage d'Arthur entre mes mains et tentai d'écarter ses mâchoires. Aux bruits qu'il faisait, je crus qu'un morceau de viande s'était logé dans sa trachée.

Cependant, il avait les mâchoires crispées et un filet de bave s'écoulait de ses lèvres bleuies, ce qui semblait contredire cette première hypothèse.

— Vite, tournez-le sur le côté, ordonnai-je.

Aussitôt, plusieurs mains firent rouler le corps massif sur le flanc. Je pressai de toutes mes forces entre ses deux omoplates, puis lui assenai plusieurs coups secs. Le dos tressaillit légèrement, mais je n'observai pas le sursaut qu'aurait dû produire le délogement de l'obstruction.

Je saisis une des épaules charnues et roulai à nouveau le corps sur le dos. Geillis se pencha au-dessus du visage contorsionné, appelant son nom, massant sa gorge violacée. Les yeux d'Arthur se révulsèrent et il se mit à trembler de tous ses membres. Ses mains, tordues par l'agonie, se projetèrent brusquement en avant, frappant l'un des invités au visage.

Il cessa bientôt de haleter et son corps se relâcha. Il resta étendu immobile sur le sol comme un gros sac d'orge. Je cherchai hâtivement son pouls et remarquai du coin de l'œil que Geillis en faisait autant, enfonçant deux doigts de chaque côté de sa gorge à la recherche de la carotide.

Il était trop tard. Le cœur d'Arthur Duncan, surmené pour avoir pompé du sang dans cette charpente massive depuis des années, avait cessé de lutter.

Je tentai toutes les techniques de réanimation que je connaissais : battements de bras, massage cardiaque, bouche-à-bouche, rien n'y fit. Arthur Duncan était bel et bien mort.

Je me redressai avec lassitude tandis que le père Bain, après m'avoir lancé un regard noir, s'agenouillait auprès de la dépouille du procureur pour lui administrer les derniers sacrements. Mes bras et mes mains étaient endoloris et je ressentais d'étranges picotements dans le visage. Le brouhaha autour de moi me paraissait lointain, comme si un épais rideau me séparait de la foule. Je fermai les yeux et me frottai vigoureusement les lèvres, essayant d'effacer ce goût de mort.

Malgré la mort du procureur, la chasse au cerf du duc ne fut reportée que d'une semaine.

Le départ imminent de Jamie acheva de me déprimer. Je commençais juste à m'apercevoir à quel point le retrouver au dîner après une longue journée de travail m'emplissait de joie, tout comme le simple fait de l'entrevoir par hasard pendant la journée. Avec le temps, je dépendais de plus en plus de sa compagnie, solide et rassurante au sein des complexités politiques de la vie au château. En outre, pour être parfaitement honnête, je n'aspirais qu'à retrouver ses étreintes douces et chaudes dans notre lit, et à être réveillée par ses baisers joyeux le matin. Autant dire que j'appréhendais son départ.

Il me serra contre lui et j'enfouis ma tête sous son menton.

— Tu vas me manquer, Jamie.

Il me serra plus fort.

— Toi aussi, *Sassenach*. Je n'aurais jamais pensé avoir autant de mal à te quitter.

Il me caressa doucement le dos, traçant lentement le contour de mes vertèbres.

— Jamie… tu feras attention ?

— À qui, au duc ou au cheval ? plaisanta-t-il.

Il avait décidé de monter Donas pendant la chasse, ce qui m'angoissait au plus haut point. J'avais des visions de l'énorme bête s'élançant d'une falaise ou piétinant Jamie sous ses sabots furieux.

— Aux deux, répondis-je. Si tu te casses une jambe en tombant de cheval, tu seras à la merci du duc !

— C'est vrai, mais Dougal sera là pour me protéger.

— Tu parles ! Il te cassera l'autre jambe !

Il rit et se pencha pour m'embrasser.

— Je serai très prudent, *mo duinne*. Tu me promets d'en faire autant ?

— Oui. Tu veux parler de celui ou celle qui a caché le charme dans notre lit ?

Il redevint grave.

— Peut-être. Je ne pense pas que tu sois réellement en danger, sinon je ne te laisserais pas seule. Mais... on ne sait jamais. Oh ! et évite cette Geillis Duncan.

— Pourquoi ?

— On raconte partout que cette femme est une sorcière... et de nombreuses histoires circulent à son sujet depuis la mort de son mari. Je ne veux pas que tu t'approches d'elle, *Sassenach*.

— Tu crois vraiment que c'est une sorcière ?

Ses mains m'attirèrent à lui. Je l'enlaçai, me pressant contre son torse.

— Non, dit-il après une brève pause. Mais ce que je pense n'a pas d'importance. C'est ce que les autres croient dont tu dois te méfier. Alors, tu me le promets ?

Compte tenu de la scène qui s'était produite chez Geillis, je n'eus aucune réticence à lui jurer de ne pas la revoir en son absence. Je pressai mes lèvres contre le téton de Jamie et le titillai du bout de la langue. Il poussa un petit grognement de plaisir.

— Écarte les cuisses, me chuchota-t-il. Je veux être sûr que tu te souviendras de moi pendant mon absence.

Quelque temps plus tard, je me réveillai en sursaut, grelottant de froid. Cherchant à tâtons à mes côtés, je ne trouvai pas Jamie. Je me redressai sur un coude et le découvris assis sur un tabouret à mon chevet, l'édredon jeté sur ses épaules.

— Excuse-moi, chuchota-t-il. Je ne voulais pas te réveiller.

— Que se passe-t-il ? Que fais-tu debout ?

Il faisait encore noir, mais je pouvais distinguer son air penaud.

— Ce n'est rien... J'ai rêvé que tu t'étais perdue et que je n'arrivais pas à te retrouver. Ça m'a réveillé et... j'ai eu envie de te regarder, de fixer ton image dans ma mémoire... pour m'en souvenir quand je serai au loin. J'ai enlevé l'édredon. Excuse-moi, je ne voulais pas que tu aies froid.

— Ce n'est pas grave. Viens te coucher, tu dois être glacé.

La nuit était fraîche et silencieuse. On se serait crus seuls au monde.

Il se glissa à mes côtés et se blottit contre moi. Ses mains caressèrent ma nuque et mon dos.

— *Mo duinne*, je devrais plutôt dire *mo airgeadach*, mon argentée. La nuit, tes cheveux ont des reflets d'argent et ta peau est comme du velours blanc. *Calman geal*, ma colombe blanche.

Je me pressai contre lui, massant son sexe de ma cuisse. Je poussai un soupir de contentement en le sentant me pénétrer, dur et solide. Je cambrai les reins, il remua doucement, profondément. Je gémis et il ralentit.

— Je suis désolé, murmura-t-il. Je ne voulais pas te faire mal. Mais je veux être en toi et rester en toi, au plus profond. Je veux laisser en toi mon empreinte. Je veux rester en toi jusqu'à l'aube et partir en te laissant endormie.

Je m'écrasai contre lui.

— Tu ne me feras pas mal, l'assurai-je.

Après le départ de Jamie, je broyai du noir. Je soignais mes patients au dispensaire, travaillais dans les jardins et m'occupais l'esprit en furetant dans la bibliothèque de Colum, mais les journées me paraissaient interminables.

Il était parti depuis près de deux semaines quand je croisai Laoghaire dans le couloir qui menait aux cuisines. Depuis le jour où je l'avais aperçue sur le palier devant le bureau de Colum, je l'observais de temps à autre du coin de l'œil. Elle était rayonnante, mais on devinait chez elle une nette tension intérieure. Elle était distraite et lunatique, ce qui n'avait rien d'étonnant vu les circonstances.

Ce jour-là, elle semblait particulièrement énervée.

— Madame Fraser ! s'écria-t-elle. J'ai un message pour vous.

La veuve Duncan était souffrante et faisait demander si je pouvais venir la soigner.

J'hésitai, me rappelant les injonctions de Jamie, mais les forces conjuguées de la compassion et de l'ennui me firent prendre la route du village dans l'heure, ma sacoche de remèdes attachée à ma selle.

En arrivant, je trouvai la maison Duncan dans un état d'abandon. Le désordre régnait partout. Personne n'ayant répondu à mes coups sur la porte, j'entrai dans le vestibule désert puis dans le salon dont le sol était jonché de livres et de verres sales. Les coussins du sofa étaient sens dessus dessous et une épaisse couche de poussière recouvrait les meubles. Aucun serviteur ne répondit à mes appels et, lorsque j'entrai dans la cuisine, je la trouvai aussi déserte et sale que le reste de la maison.

De plus en plus inquiète, je montai au premier. Il n'y avait personne dans la chambre des maîtres, mais j'entendis un grattement dans la distillerie à l'étage au-dessus.

Poussant la porte, je découvris Geillis assise dans un fauteuil, les pieds sur le comptoir. Elle avait bu. Il y avait un verre et une carafe posés à côté d'elle et une forte odeur de whisky flottait dans la pièce.

Elle parut stupéfaite de me voir, mais parvint à se lever en souriant. Ses yeux avaient du mal à se fixer sur un point en particulier, mais elle m'avait l'air en parfaite santé.

— Que se passe-t-il ? demandai-je. Tu n'es pas malade ?

Elle eut un hoquet de surprise.

— Malade, moi, mais pas du tout ! Les domestiques sont tous partis et il n'y a rien à manger dans la maison. Mais il y a à boire. Je te sers un verre ?

Elle se dirigea en titubant vers le comptoir. Je la rattrapai par la manche.

— Mais… tu ne m'as pas fait demander ?

Elle ouvrit de grands yeux ronds.

— Moi ? Mais non.

— Alors pourquoi…

Un bruit au-dehors m'interrompit. C'était un grondement sourd et lointain. J'avais déjà entendu un brouhaha similaire, un jour où je me tenais dans cette même pièce. Mes paumes devinrent moites à l'idée de devoir faire face à la foule qui le générait.

J'essuyai mes mains sur ma jupe. Le grondement se rapprochait. Il n'était plus temps de poser des questions.

25

Au bûcher, les sorcières !

DEVANT MOI, LES ÉPAULES COUVERTES de toile grise s'écartèrent et laissèrent place à un gouffre noir. On me poussa brutalement dans le dos et je me sentis glisser dans le vide la tête la première. J'atterris au fond d'une sorte de fosse plongée dans l'obscurité et emplie de frémissements et de mouvements. Je poussai un cri et agitai les bras devant moi pour écarter les innombrables petites choses qui couraient sur mon corps avant de me cogner contre une masse plus grande. Celle-ci poussa un cri à son tour et répondit à mon coup par un autre coup.

Je parvins à rouler de côté mais un mètre plus loin je heurtai un mur, déclenchant une avalanche de poussière. Je me recroquevillai dans mon coin, tentant de reprendre mon souffle et mon calme, tendant l'oreille. Il y avait quelque chose de vivant dans ce noir, avec un souffle rauque.

— Qui est là ? demanda soudain une voix effrayée mais néanmoins forte. Claire, c'est toi ?

— Geillis ! m'écriai-je.

Je tendis les bras devant moi et rencontrai ses mains pareillement tendues. Nous nous serrâmes l'une contre l'autre, nous balançant légèrement dans le noir.

— Il y a quelqu'un d'autre ici à part nous ? demandai-je.

Loin au-dessus de nos têtes, on distinguait de faibles lueurs qui ne parvenaient pas jusqu'à nous. Lorsque mes yeux s'accoutumèrent à l'obscurité, je pus tout juste deviner le visage qui se dressait à ma hauteur.

Elle émit un petit rire nerveux.

— Quelques rats et autres vermines. Pouah ! Il y a une puanteur à vomir.

— Mais où nous sommes ?

— Dans le puits aux voleurs.

Il y eut un bruit de chaînes au-dessus de nos têtes, et nous fûmes soudain aveuglées par un rayon de lumière. Je me plaquai contre la paroi, juste à temps pour éviter une pluie de boue et de détritus qui tombait du toit de notre prison. Un petit bruit sourd suivit le déluge. Geillis se pencha et ramassa un objet au sol. La trappe au-dessus de nous resta ouverte et je vis qu'elle tenait une miche de pain dur, pleine de boue. Elle l'essuya vigoureusement sur sa jupe.

— C'est le dîner, annonça-t-elle. Tu as faim ?

La trappe était toujours ouverte mais on ne voyait rien venir, à part de temps à autre un projectile lancé par un badaud. Il se mit à pleuvoir. Il faisait froid et humide. C'étaient sans doute les conditions idéales pour les mécréants à qui ce cachot était destiné : voleurs, blasphémateurs, adultères et... sorcières.

Geillis et moi nous blottîmes l'une contre l'autre pour nous tenir chaud. Nous ne parlions pas beaucoup. Nous n'avions pas grand-chose à dire, et encore moins à faire, si ce n'était prendre notre mal en patience.

Au-dessus de nous, le trou s'assombrit peu à peu à mesure que la nuit tombait. Puis ce fut de nouveau le noir complet.

— À ton avis, combien de temps ils vont nous garder ici ? Geillis étira ses jambes.

— Pas trop longtemps. Ils doivent attendre les juges ecclé-siastiques. Arthur a reçu des lettres le mois dernier annonçant leur visite pour la seconde semaine d'octobre. Ils ne devraient plus tarder.

— Parle-moi de ces examinateurs. Que va-t-il se passer ?

— Je n'en sais trop rien. Je n'ai jamais assisté à un procès de sorcières, mais j'en ai entendu parler, naturellement.

Elle marqua une pause avant de reprendre :

— Ils ne s'attendent pas à devoir tenir un procès. Ils vien-nent pour régler une affaire de terrains. Au moins, ils n'ap-porteront pas avec eux leurs piques à sorcières !

— Des piques à sorcières ?

— Les sorcières ne sentent pas la douleur, paraît-il, expliqua Geillis. Et elles ne saignent pas non plus.

Le piqueur de sorcière, équipé d'un arsenal d'aiguilles, de scal-pels et autres outils tranchants, était chargé de tester cette résis-tance à la douleur. Je me souvenais vaguement d'avoir lu quelque chose à ce sujet dans un des livres de Frank. Mais je pensais que cette pratique s'était éteinte au XVIIe siècle. D'un autre côté, Cranesmuir n'était pas franchement à l'avant-garde du progrès.

— Dans ce cas, je regrette qu'ils n'en aient pas, soupirai-je. Nous serions vite disculpées. Enfin, je parle pour moi. Je suppose que, s'ils te transpercent le corps de part en part, il en sortira de l'eau glacée !

— Ne compte pas trop dessus ! J'ai entendu parler de piqueurs armés d'aiguilles spéciales qui se rétractent quand on les presse contre la peau.

— Mais pourquoi ? Pourquoi voudrait-on nous accuser de sorcellerie coûte que coûte ?

— Tu ne comprends donc toujours pas ? Ils veulent notre mort. Peu importent les chefs d'accusation ou les preuves. Quoi qu'il arrive, nous finirons sur le bûcher.

La nuit précédente, j'avais été trop impressionnée par la hargne de la foule et la misère de notre geôle pour me poser trop de questions. Je commençais tout juste à réagir.

— Mais pourquoi, Geillis ? Qu'est-ce qu'on leur a fait ?

Je devinai son haussement d'épaules.

— Si ça peut te consoler, tu n'étais sans doute pas prévue au programme. C'est une histoire entre Colum et moi. Tu as eu la malchance d'être là au mauvais moment. Si tu étais restée au château, il ne te serait sans doute rien arrivé, *Sassenach* ou pas.

Le terme de *Sassenach*, utilisé dans son sens le plus péjoratif, me fit soudain penser à l'homme qui m'appelait ainsi avec affection. J'enveloppai mes genoux de mes bras pour contenir le sentiment de panique et de solitude qui m'envahissait.

— Au fait, pourquoi es-tu venue chez moi ? demanda Geillis.

— Je croyais que tu m'avais demandé de venir. Une des filles au château m'a transmis un message en m'affirmant qu'il venait de toi.

— Ah, je vois… Laoghaire, n'est-ce pas ?

Je reposai ma tête contre la paroi suintante et puante. Geillis se rapprocha de moi. Amies ou ennemies, nous n'avions que nos deux corps comme unique source de chaleur dans ce puits humide.

— Comment as-tu deviné que c'était Laoghaire ?

— C'est elle qui a glissé le charme sous ton oreiller. Je t'avais prévenue qu'un bon nombre de ces jeunes oies blanches te détestaient pour leur avoir enlevé le jeune rouquin sous le nez. Elle a sans doute pensé qu'une fois que tu serais éliminée, elle pourrait avoir une nouvelle chance avec lui.

J'en restai abasourdie.

— Mais… c'est une idée absurde !

Le rire de Geillis était éraillé par le froid et la soif.

— Il suffit de voir comment Jamie te regarde pour le deviner. Mais elle ne connaît pas encore la vie. À cet âge-là, on croit tout savoir ! Attends qu'elle ait connu quelques hommes et elle deviendra plus maligne.

— Ce n'est pas ce que je voulais dire ! Ce n'est pas Jamie qui l'intéresse. Elle attend un enfant de Dougal MacKenzie !

— Quoi ?

L'espace d'un instant, Geillis parut sincèrement choquée. Ses doigts s'enfoncèrent dans la chair de mon bras.

— Qu'est-ce qui te fait dire ça ? demanda-t-elle.

Je lui racontai avoir surpris Laoghaire sur le palier de Colum et lui rapportai mes conclusions.

Geillis se mit à rire.

— Ah, ce n'est que ça ! Elle aura entendu les frères Mac-Kenzie parler de moi et elle a cru que Colum était au courant au sujet du charme. Elle risque de prendre une sérieuse raclée, car il a formellement interdit qu'on se livre à la sorcellerie au château.

— C'est *toi* qui lui as donné le charme ? demandai-je, interloquée.

Geillis se raidit.

— Je ne le lui ai pas donné, je lui ai vendu.

— Ça ne revient pas au même ?

— Bien sûr que non ! s'impatienta-t-elle. Il s'agit de commerce, rien d'autre. Je ne trahis jamais les secrets d'un client. Et puis, elle ne m'a pas dit à qui elle le destinait. N'oublie pas que je t'avais mise en garde !

— Tu es trop bonne, répondis-je amèrement. Si elle a placé le mauvais sort sous mon oreiller, c'est qu'elle voulait vraiment récupérer Jamie. Ce qui explique qu'elle m'ait envoyée chez toi sous un faux prétexte. Mais alors, que vient faire Dougal dans cette histoire ?

Geillis hésita avant d'avouer :

— Cette fille n'est pas plus enceinte de Dougal que toi.

— Comment peux-tu en être si sûre ?

Elle chercha ma main dans le noir puis la posa sur son ventre.

— Parce que celle qu'il a engrossée, c'est moi, dit-elle simplement.

— Qu'a dit Colum au juste ? demanda plus tard Geillis. « Je veillerai à ce qu'on s'occupe d'elle. » Hum, je suppose que c'est sa façon de régler le problème.

Je restai silencieuse un long moment, passant en revue les événements des derniers jours.

— Dis-moi, Geillis, dis-je enfin, les maux d'estomac de ton mari...

— De l'arsenic blanc, soupira-t-elle. J'ai cru que ça l'achèverait avant que l'enfant ne devienne trop visible, mais il a tenu plus longtemps que je ne le pensais.

Je revis l'expression horrifiée d'Arthur Duncan lorsqu'il était ressorti du cabinet de toilette de sa femme, le jour de sa mort.

— Je vois. Il s'est aperçu que tu étais enceinte le jour du banquet du duc, quand il t'a vue à moitié dévêtue. Et... je suppose qu'il avait de bonnes raisons de savoir que l'enfant n'était pas de lui.

Un petit rire retentit dans le noir.

— Le salpêtre me coûtait la peau des fesses, mais ça en valait le coup.

Je frissonnai légèrement.

— C'est pour ça que tu as couru de risque de l'assassiner en public, pendant le banquet ? Autrement, il t'aurait dénoncée comme adultère... ou empoisonneuse. Tu crois qu'il avait compris au sujet de l'arsenic ?

— Oh oui, il savait. Il ne voulait pas le reconnaître, bien entendu, mais il savait. Je nous revois encore, assis l'un en face de l'autre à table le soir. « Encore un peu de liqueur, mon trésor ? » ou : « Je te ressers de la soupe d'orge, que j'ai faite moi-même ? » Il me regardait de ses yeux de merlan frit et il répondait non, prétextant qu'il n'avait pas d'appétit. Et plus tard, dans la nuit, je l'entendais redescendre à la cuisine pour se goinfrer à l'office, se croyant en sécurité parce qu'il ne mangeait pas des plats que je lui tendais.

Elle parlait d'une voix claire et amusée, comme si elle me rapportait les derniers potins locaux.

— Il n'a jamais deviné que c'était le tonique qu'il buvait. Il ne prenait aucun des remèdes que je lui préparais et faisait venir un tonique breveté de Londres. Ça lui coûtait une fortune ! Or, la préparation contenait déjà de l'arsenic, il n'a même pas remarqué la différence de goût après que j'en ai rajouté un peu.

J'avais entendu dire que la vanité était la plus grande faiblesse des assassins. Ce devait être vrai, car elle poursuivit, me racontant fièrement ce qu'elle avait accompli :

— C'était un peu risqué de le tuer devant tout le monde, mais il me fallait faire vite.

Je repensai aux lèvres bleues du procureur et à la légère paralysie des miennes après lui avoir fait du bouche-à-bouche. Pour tuer aussi vite, elle avait dû utiliser un poison bien plus fulgurant que l'arsenic.

Et moi qui avais cru que Dougal avait une liaison avec Laoghaire ! Mais dans ce cas, même si Colum désapprouvait la conduite de son frère, rien n'aurait empêché Dougal d'épouser la jeune fille. Il était veuf et donc libre.

Mais une liaison adultérine avec la femme du procureur ! C'était une autre paire de manches. Les peines pour adultère étaient très sévères. Colum pouvait difficilement étouffer une affaire de cette gravité. D'un autre côté, je le voyais mal condamner son frère à une flagellation publique ou au bannissement. Quant à Geillis, elle considérait sans doute que commettre un meurtre valait mieux que d'avoir le visage marqué au fer rouge ou de moisir en prison à broyer du chanvre douze heures par jour.

Aussi, à l'instar de Colum, elle avait pris des mesures préventives. Et moi, je me retrouvais coincée entre les deux.

— Mais l'enfant ? commençai-je. Tu as sûrement…

— Que veux-tu, les accidents arrivent, ma chère ! Au début, j'ai voulu m'en débarrasser, puis j'ai pensé que c'était peut-être le meilleur moyen de le forcer à m'épouser, une fois qu'Arthur serait mort.

Un terrible soupçon m'envahit.

— Mais la femme de Dougal était encore en vie, à l'époque. Ne me dis pas que c'est toi qui l'as...

— J'y ai pensé, mais Dieu m'a épargné cette peine. J'ai pensé que c'était un signe. Tout aurait fonctionné parfaitement, sans Colum MacKenzie.

— C'est Dougal que tu voulais, ou simplement sa position et son argent ?

— Oh, pour ce qui est de l'argent, je ne manque de rien, dit-elle avec une certaine satisfaction. Je savais où Arthur gardait les clefs du coffre dans lequel il rangeait tous ses papiers et ses billets. En contrefaisant sa signature, j'ai détourné près de dix mille livres au cours des deux dernières années.

— Mais pourquoi ?

— Pour la gloire de l'Écosse.

— Quoi ?

L'espace d'un instant, je crus avoir mal entendu. Puis je décidai que l'une d'entre nous ne tournait décidément pas rond. Vu les circonstances, tout portait à croire que c'était elle.

— Que veux-tu dire par la gloire de l'Écosse ?

Je m'écartai légèrement. Sa grossesse lui était peut-être montée à la tête.

— Tu n'as pas besoin d'avoir peur de moi, je ne suis pas folle.

Son ton cynique me fit rougir.

— Ah non ? Tu viens toi-même de t'accuser de contrefaçon, de vol et de meurtre. Il vaut peut-être mieux que tu sois folle, autrement...

— Je ne suis ni folle ni dépravée. Je suis simplement une patriote.

Je compris soudain.

— Une jacobite !

Le mystère s'éclaircissait. Je comprenais mieux pourquoi Dougal, en apparence le loyal porte-parole de son frère, prenait sur lui de collecter des fonds au profit de la maison des

Stuarts. Et pourquoi Geillis Duncan, une femme qui aurait pu mener n'importe quel homme devant l'autel, avait jeté son dévolu sur deux spécimens aussi dissemblables qu'Arthur Duncan et Dougal MacKenzie. L'un pour son argent et sa position, l'autre pour son pouvoir de persuasion sur le petit peuple.

— Colum aurait été l'homme idéal, soupira-t-elle. Quel dommage ! Son malheur a fait le mien. C'est lui qu'il m'aurait fallu. Ensemble nous aurions pu... bah, tant pis. C'était le seul homme que je voulais vraiment, et le seul que mes armes ne pouvaient atteindre.

— Alors tu t'es contentée de Dougal.

— Oui. Un homme fort et puissant, avec quelques biens et l'estime du peuple. Mais, en fait, il n'est jamais que les jambes et le sexe de Colum.

Elle gloussa légèrement.

— C'est Colum qui a la force. Presque autant que moi.

Son orgueil commençait à m'agacer.

— Tu oublies que Colum possède aussi quelque chose que tu n'as pas, tel que le sens de la compassion.

— Ah oui. Toute la pitié et la compassion du monde, c'est ça ? Qu'il se les garde ! Il lui reste deux ans à vivre, tout au plus.

— Et toi, combien de temps te reste-t-il à vivre ? demandai-je.

— Un peu moins, je suppose, répondit-elle sans faiblir. Peu importe. J'ai réalisé beaucoup de choses dans le temps qui m'était imparti. Dix mille livres ont été détournées vers la France. Toute la région est prête à accueillir le prince. À l'heure du soulèvement, si je suis encore de ce monde, je saurai que j'y ai contribué un peu.

Elle était assise juste sous la trappe de notre geôle. Mes yeux étaient assez accoutumés à l'obscurité pour discerner ses traits pâles. Elle se tourna brusquement vers moi.

— Quoi qu'il arrive désormais, Claire, je ne regrette rien.

— « Je ne regrette que d'avoir une seule vie à donner à ma patrie » ? citai-je avec ironie.

— Si tu veux.

Nous restâmes silencieuses un long moment. L'obscurité de notre cachot était presque palpable, pesant lourdement sur ma poitrine, imprégnant mes poumons de l'odeur de la mort. Je me recroquevillai, posant la tête sur mes genoux, et me laissai aller à une torpeur inconfortable, à mi-chemin entre le froid et la terreur sourde.

— Tu l'aimes vraiment, ton mari ? demanda soudain Geillis.

Je relevai la tête. J'ignorais l'heure qu'il était. Une étoile brillait faiblement dans la nuit, pas assez pour éclairer notre puits.

— Qui ça, Jamie ?

— Tu en as beaucoup d'autres ? En tout cas, c'est le nom que tu appelais dans ton sommeil.

— Je ne savais pas.

— Alors, tu l'aimes ?

Je serrai mes genoux contre moi, me balançant doucement d'avant en arrière. Les juges arriveraient sans doute d'ici un jour ou deux. Il était un peu tard pour tergiverser. Si j'avais encore du mal à admettre que j'étais en danger de mort, je commençais à comprendre l'instinct qui poussait les condamnés à vouloir se confesser la veille de leur exécution.

— Je veux dire l'aimer vraiment, insista Geillis. Je sais bien que tu as envie de lui et qu'il te le rend bien. Les hommes, ça ne pense qu'à ça. Mais l'aimes-tu sincèrement ?

— Oui, répondis-je avant de reposer ma tête sur mes genoux.

Je me tus, me laissant de nouveau envahir par la torpeur, puis je l'entendis marmonner comme en elle-même :

— Alors, c'est possible.

Les juges arrivèrent le lendemain. Depuis le fond de notre cachot, nous perçûmes l'excitation suscitée par leur entrée dans le village. Les villageois les acclamèrent sur leur passage, puis le martèlement des sabots s'estompa sur les pavés de la grand-rue tandis qu'ils s'éloignaient vers la place.

— Ils sont là, murmura Geillis.

Nous nous prîmes les mains pour nous redonner du courage, nos divergences soudain dissipées par la peur.

— Eh bien, dis-je en tentant de me montrer plus courageuse que je ne l'étais, mieux vaut sans doute brûler vive que mourir de froid.

En attendant, nous continuâmes à grelotter. Il fallut attendre le lendemain midi pour que la trappe de notre prison soit brutalement ouverte et qu'on nous hisse hors de notre puits.

Sans doute pour pouvoir accueillir la foule, le procès se tenait sur la place du village devant la maison Duncan. Je vis Geillis lancer un bref regard indifférent vers les croisées vertes de son salon, puis se détourner sans trahir la moindre émotion.

Les deux juges étaient assis sur des tabourets matelassés derrière une table installée sur la place. L'un d'eux était grand et maigre, l'autre petit et obèse. Ils me rappelaient les personnages d'une bande dessinée américaine. Ignorant leurs noms, je les baptisai mentalement Mutt et Jeff.

La plupart des villageois étaient là. En regardant autour de moi, j'aperçus bon nombre de mes anciens patients. En revanche, aucun des habitants du château n'était présent.

Ce fut John MacRae, l'homme à tout faire du village, qui lut d'une voix ferme les chefs d'accusation pesant sur les personnes de Geillis Duncan et de Claire Fraser :

— « Seront présentées devant la cour les preuves que lesdites accusées se sont rendues coupables du crime de meurtre par sorcellerie du sieur Arthur Duncan et de l'enfant de Janet Robinson ; du sabotage de la barque de Thomas MacKenzie ; de la propagation d'une maladie des entrailles au sein de la communauté de Cranesmuir...

La liste était longue. Colum n'y était pas allé de main morte.

Après cette lecture édifiante, on fit s'avancer les témoins. La plupart étaient des villageois que je ne connaissais pas. Je fus soulagée de constater qu'aucun de mes ex-patients n'en faisait partie.

Les témoignages étaient pour la plupart absurdes. Bon nombre de témoins avaient manifestement été soudoyés pour venir raconter des inepties devant la cour. Toutefois, certaines des dépositions présentaient d'indubitables accents de vérité. La jeune Janet Robinson, par exemple, fut traînée devant les juges par son père, pâle et tremblante, un gros bleu sur la joue, pour avouer qu'elle avait été fécondée par un homme marié et avait cherché à se débarrasser de l'enfant par l'intermédiaire de Geillis Duncan.

— Elle m'a donné un philtre à boire et une formule magique à répéter trois fois au lever de la lune, sanglota-t-elle.

Son regard terrifié allait sans cesse de son père à Geillis. Elle se demandait manifestement lequel des deux était le plus dangereux.

— Elle m'a dit que ça ferait revenir mon sang.

— Et ? demanda Jeff, intéressé.

— La première fois, ça n'a pas marché, Votre Honneur. Mais j'ai recommencé au coucher de la lune, et là, mon sang est revenu.

— Revenu ! s'exclama une vieille qui devait être sa mère. Votre Honneur, la pauvre enfant s'est presque vidée de tout son sang ! Ce n'est que parce qu'elle s'est crue à l'article de la mort qu'elle nous a tout avoué !

Mme Robinson se lança alors dans une longue explication où aucun détail, même les plus scabreux, ne nous fut épargné. Les juges eurent toutes les peines du monde à la faire taire pour laisser place au témoin suivant.

Jusque-là, personne ne semblait avoir rien de particulier à me reprocher. Seul le fait que j'aie assisté à l'agonie d'Arthur et posé les mains sur lui me désignait comme en partie responsable de sa mort. Je commençais à penser que Geillis avait raison. Je n'étais pas la cible de Colum. Cela signifiait peut-être que je pourrais m'en sortir. C'est du moins ce que j'espérais, jusqu'à ce qu'apparaisse la femme de la colline.

— Avez-vous une accusation à porter à l'encontre de l'une des femmes ici présentes ? demanda le grand juge.

La petite femme voûtée, enveloppée dans un châle jaune, roulait des yeux apeurés. Elle n'osait pas regarder les juges et se tortillait sur ses jambes au milieu de la place. Elle hocha la tête brièvement et la foule se tut pour l'écouter.

Elle parla d'une voix si basse que Mutt dut lui demander de répéter.

Quelques mois plus tôt, elle avait accouché d'un bel enfant mâle en bonne santé. Toutefois, celui-ci était rapidement devenu chétif et jaunâtre. Déduisant qu'il s'agissait non de son propre enfant, mais d'un substitut déposé par les fées, son mari et elle l'avaient conduit au sommet de la colline de Croich Gorm. Puis, tapis dans le sous-bois, ils avaient attendu que les esprits viennent rechercher le petit et leur rendre le leur. C'est là qu'ils avaient vu les deux dames ici présentes prendre l'enfant dans leurs bras et réciter d'étranges incantations.

La pauvre femme se tordait les mains sous son tablier.

— Nous avons attendu longtemps, messieurs les juges. Puis, à la nuit tombée, est arrivé un grand démon, une gigantesque ombre noire surgie des ténèbres sans le moindre bruit. Il s'est penché au-dessus de l'endroit où on avait déposé l'enfant.

Un murmure épouvanté parcourut l'assemblée. Je sentis les cheveux se hérisser sur ma nuque, même si je savais que le « grand démon » en question n'était autre que Jamie venu vérifier si l'enfant était encore en vie. Je serrai les dents, me demandant ce qui allait suivre.

— Enfin, au lever du soleil, mon homme et moi, on est allés voir. Et là, on a trouvé l'enfant des fées mort, mais pas une trace de notre petit.

Elle s'effondra en sanglots en se cachant le visage dans son tablier.

Comme si le témoignage de la mère avait été une sorte de signal, la foule s'écarta pour laisser passer Peter, le conducteur de chariot. Lors du témoignage de la malheureuse, j'avais nettement senti l'hostilité de l'assemblée à mon égard. Il ne me manquait plus que ce grand imbécile vienne raconter à la cour la scène au bord du loch !

Appréciant son heure de gloire, le conducteur se redressa fièrement et, d'un geste théâtral, pointa le doigt vers moi.

— Ô combien vous avez raison de l'appeler sorcière, seigneurs ! J'ai vu, de mes propres yeux, cette ensorceleuse invoquer un cheval des eaux hors du loch maudit pour lui donner ses ordres ! Une créature monstrueuse, grande comme un sapin, avec un cou de serpent bleu, des yeux gros comme des pommes, et un regard de voleur d'âmes !

Les juges semblèrent impressionnés et échangèrent des conciliabules pendant quelques minutes tandis que Peter me toisait d'un air triomphant.

Enfin, le gros juge fit un signe impérieux à John MacRae, qui attendait, légèrement en retrait.

— Emmenez cet homme et attachez-le au pilori pour état d'ébriété sur la voie publique. Ceci est une cour de justice. Nous n'avons pas de temps à perdre avec des ivrognes en proie aux hallucinations. Un cheval des eaux ! Peuh ! Pour qui nous prend-on ?

Peter en resta tellement abasourdi qu'il se laissa emmener par John MacRae sans protester. La bouche grande ouverte, il me lançait des regards incrédules. Je ne pus m'empêcher de lui adresser un petit salut d'adieu.

Malheureusement, après ce bref entracte, la séance reprit de plus belle et les choses se gâtèrent sérieusement. Il y eut une procession de jeunes filles et de femmes venues jurer s'être procuré des charmes et des philtres auprès de Geillis Duncan dans le but avoué de provoquer la maladie, de se débarrasser d'un enfant indésirable et d'ensorceler un homme. Toutes sans exception affirmèrent que les sorts avaient marché, une belle publicité pour la praticienne, pensai-je avec cynisme. Bien que personne ne puisse raconter la même chose sur moi, des témoins déclarèrent m'avoir vue à plusieurs reprises dans la distillerie de Mme Duncan, à préparer des remèdes et à broyer des plantes, ce qui était vrai.

Jusque-là, rien qui pût m'être fatal. Il y eut également un certain nombre de gens pour dire que je les avais guéris de leurs maux en n'utilisant rien d'autre que des remèdes traditionnels et sans sortilèges ou autres formules magiques. Vu le pouvoir de l'opinion publique, il fallait un certain courage pour s'avancer seul et témoigner à ma décharge.

J'étais restée debout si longtemps que j'en avais mal aux pieds. Si les juges avaient droit à un relatif confort, les accusées, elles, devaient rester plantées devant tout le monde. Toutefois, lorsque le témoin suivant apparut, j'en oubliai mes pieds.

Avec un sens inné de la scène qui rivalisait avec celui de Colum, le père Bain fit irruption hors de son église en laissant les portes grandes ouvertes. Il s'avança sur la place, boitant fortement, se soutenant sur une béquille en bois. Une fois au cœur de la place, il s'inclina devant les juges, puis se tourna vers le public, balayant la foule de son regard d'acier jusqu'à ce qu'il ait obtenu le silence complet. Satisfait, il s'écria d'une voix cinglante :

— C'est vous-mêmes qui êtes jugés, gens de Cranesmuir ! « Et devant lui marchait la pestilence, et des charbons ardents se consumaient sous ses pieds ! » Oui ! Vous vous êtes détournés du chemin de la vérité ! Vous avez semé le vent, et vous voilà pris dans la tornade !

J'ignorais qu'il avait de tels dons d'orateur. Ou peut-être n'était-il capable de ces envolées lyriques que sous l'effet de ses crises de goutte. Sa voix tonna de nouveau :

— La pestilence sera bientôt sur vous et vous succomberez sous le poids de vos péchés, à moins de purifier vos âmes !

Vous avez accueilli la grande putain de Babylone en votre sein. (Je supposais qu'il faisait allusion à moi, car il me lança un regard noir au même moment.) Vous avez vendu vos âmes à l'ennemi et serré dans vos bras la vipère anglaise. À présent, préparez-vous à essuyer la vengeance du Seigneur! Délivrez-vous de l'étrangère, et même de l'étranger qui la flatte par de douces paroles. Car sa demeure est l'enfer et ses chemins conduisent à la mort. Repentez-vous, gens de Cranesmuir, avant qu'il ne soit trop tard! Tombez à genoux et priez qu'Il vous pardonne! Débarrassez-vous de la catin anglaise et renoncez à votre infâme commerce avec les suppôts de Satan!

Il arracha le rosaire pendu à sa ceinture et brandit le crucifix devant moi.

Tout cela était fort amusant, mais je voyais Mutt commencer à s'agiter sur son tabouret. Ce devait être la jalousie professionnelle.

— Euh, révérend, appela-t-il. Avez-vous des preuves de la culpabilité de ces deux femmes?

— Oui, Votre Honneur.

Une fois sa première explosion oratoire éteinte, il redevint plus calme. Il pointa un doigt menaçant dans ma direction et je dus me retenir de ne pas faire un pas en arrière.

— À midi, un mardi, il y a deux semaines, j'ai rencontré cette femme dans les jardins de Leoch. En usant de pouvoirs surnaturels, elle a fait surgir une meute de chiens enragés tout droit de l'enfer. Elle leur a ordonné de me poursuivre, si bien que je suis tombé à terre devant eux, en péril de mort. Bien que grièvement blessé à la jambe, j'ai voulu fuir sa présence. Cette abjecte succube a alors tenté de m'attirer dans son antre de pécheresse afin de souiller mon corps de ses attouchements obscènes. Lorsque j'ai résisté, elle m'a jeté un mauvais sort!

— C'est ridicule! m'indignai-je. Vous déformez mes propos.

— Démens-tu, pécheresse, avoir prononcé les paroles suivantes : « Venez avec moi, mon père, ou vos plaies vont s'infecter et devenir putrides » ?

— En effet, j'ai dû dire quelque chose comme ça, convins-je.

— Ah !

Le prêtre écarta les pans de sa soutane. Un chiffon souillé de sang et imbibé de pus jaunâtre ceignait sa cuisse. Au-dessus et au-dessous, la chair pâle était gonflée, avec des raies rougeâtres qui irradiaient de sous le tissu.

— Bon sang ! m'exclamai-je. Je vous l'avais bien dit : la plaie s'est infectée. Vous êtes content, maintenant ? Si vous ne la traitez pas au plus tôt, vous allez en mourir !

Un murmure choqué se répandit dans la foule. Même Mutt et Jeff semblaient surpris.

Le père Bain secoua lentement la tête.

— Vous l'avez entendue ? L'audace de cette femme ne connaît pas de bornes. Elle me jette un sort de mort, à moi, un homme de Dieu, devant un tribunal de l'Église !

Le grondement de la foule s'intensifia. Le père Bain dut hausser la voix pour se faire entendre :

— Je vous laisse, messieurs, devant vos responsabilités, mais n'oubliez pas l'injonction de Notre-Seigneur : « Qui vend son âme au diable doit être purifié par le feu ! »

La prestation spectaculaire du père Bain clôtura les témoignages. Manifestement, personne ne pouvait rivaliser avec lui. Les juges annoncèrent une courte pause et se firent servir des rafraîchissements dans l'auberge. Pendant ce temps, nous attendîmes sur la place.

J'en profitai pour tester les liens qui attachaient mes poignets. Le cuir des lanières crissa légèrement, mais tint bon. C'est sans doute le moment où arrive le jeune héros, pensai-je en tentant de me calmer, fendant la foule sur son destrier blanc, saisissant au vol l'héroïne en pâmoison et l'emportant, assise devant lui sur sa selle.

Hélas, mon jeune héros était en ce moment même perdu dans les bois, repoussant les avances d'un noble hors d'âge et massacrant des cerfs innocents. Jamie ne serait probablement même pas de retour à temps pour recueillir mes cendres et les disperser au vent.

Trop absorbée par mes sombres pensées, je n'entendis pas tout de suite les claquements de sabots sur le pavé. Ce furent les murmures de la foule et les têtes qui se tournaient vers l'entrée du village qui attirèrent enfin mon attention.

Les exclamations de surprise s'intensifièrent et la foule s'écarta pour laisser passer le cavalier, que je ne voyais toujours pas. L'espace d'un instant, je me repris à espérer follement. Et si Jamie était quand même revenu ? Les avances du duc s'étaient peut-être faites trop pressantes, ou le cerf trop rare. Je me hissai sur la pointe des pieds pour tenter d'apercevoir le visage du nouveau venu.

Les derniers villageois s'effacèrent en maugréant. Le cheval, un grand bai, glissa ses naseaux entre deux paires d'épaules. Sous le regard ébahi de tous, y compris le mien, Ned Gowan sauta prestement à terre.

Jeff écarquilla des yeux ronds devant le petit homme frêle.

— Et qui êtes-vous, monsieur ? demanda-t-il en se trémoussant sur son tabouret, impressionné par les souliers à boucles d'argent et le manteau de velours de l'intrus.

Être au service du clan MacKenzie avait certainement quelques avantages.

— Je me nomme Ned Gowan, Vos Seigneuries, répondit-il. Défenseur de la loi.

Mutt rentra les épaules, son grand corps mal à l'aise sur le petit tabouret branlant. Je le fixai durement, lui souhaitant une hernie discale. Si je devais être brûlée vive pour avoir le mauvais œil, autant que je meure pour quelque chose.

— Défenseur de la loi ? grogna-t-il. Et que nous vaut l'honneur...

La perruque grise de Ned Gowan s'inclina gracieusement.

— Je suis venu offrir mes humbles services à Mme Fraser, Vos Seigneuries. Une dame dont je peux attester l'intégrité. Qui est aussi généreuse et bénéfique dans l'administration de ses soins qu'elle est cultivée dans l'art de la santé.

Bravo ! pensai-je. Un bon point pour la défense. Je vis Geillis esquisser un demi-sourire, mi-admiratif, mi-ironique. Si Ned Gowan ne correspondait pas tout à fait à l'image qu'on se faisait du Prince Charmant, je n'allais pas me montrer tatillonne en la matière. Je prendrais mes défenseurs comme ils se présenteraient.

Après une autre révérence vers les juges et une troisième, non moins formelle, vers moi, maître Gowan se redressa, coinça ses pouces sous sa ceinture et, son cœur romantique et galant prêt à livrer une dure bataille, il se lança dans la mêlée en usant de la meilleure arme de la loi, à savoir l'ennui mortel.

Et pour être ennuyeux, il l'était. Avec l'impitoyable précision d'une broyeuse mécanique, il reprit un à un les chefs d'accusation et les passa à la moulinette du statut et de la cause du précédent.

Ce fut une noble prestation. Il parla, parla et parla encore, ne s'interrompant que pour laisser respectueusement les juges respirer avant de replonger aussitôt dans un nouvel assaut de logorrhée.

Étant donné que ma vie était en jeu et que mon avenir dépendait entièrement de l'éloquence de ce petit homme chétif, j'aurais dû littéralement boire ses paroles. Pourtant, je ne pus réprimer un bâillement. Je me balançais d'un pied sur l'autre pour soulager mes jambes douloureuses, en venant presque à souhaiter qu'on me brûle tout de suite pour mettre un terme à cette torture.

La foule semblait être du même avis et l'excitation survoltée du matin avait cédé la place à la lassitude. La petite voix aigrelette de maître Gowan résonnait sur la place en un refrain lancinant, et les badauds commençaient un à un à rentrer chez eux, se rappelant soudain qu'ils avaient des bêtes à traire ou des parquets à cirer, sûrs que rien d'intéressant ne pourrait survenir tant que la voix mortelle poursuivrait sa litanie.

Lorsque Ned Gowan eut terminé sa première présentation, le soir était tombé et le petit juge gras annonça que la séance était levée jusqu'au lendemain matin.

Après un bref conciliabule entre Ned Gowan, Jeff et John MacRae, on me conduisit vers l'auberge, encadrée par deux grands villageois. Jetant un regard par-dessus mon épaule, j'aperçus Geillis entraînée dans la direction opposée, le dos droit, refusant de se laisser presser.

Dans l'arrière-salle de l'auberge, on dénoua enfin mes poignets et on apporta une chandelle. Ned Gowan apparut quelques minutes plus tard, portant un verre de bière et un plateau de viande avec du pain.

— Je n'ai pu leur arracher que quelques minutes avec vous, ma chère, alors écoutez-moi attentivement.

Il se pencha vers moi d'un air de conspirateur. Ses yeux brillaient et, hormis le fait que sa perruque était légèrement de guingois, il ne semblait pas fatigué le moins du monde.

— Oh, monsieur Gowan, que je suis contente de vous voir ! m'exclamai-je.

— Oui, oui, ma chère, mais nous verrons cela plus tard.

Il me tapota gentiment la main.

— J'ai réussi à les convaincre d'examiner votre cas indépendamment de celui de Mme Duncan, ce qui est un point positif. Il semblerait qu'initialement, il n'était pas prévu de vous juger, mais que vous avez été arrêtée du fait de vos liens avec cette s... avec Mme Duncan. Toutefois, reprit-il, je ne vous cacherai pas que vous n'êtes pas sortie d'affaire. L'opinion du village vous est franchement hostile. Mais pourquoi diable avez-vous touché à cet enfant ? s'échauffa-t-il soudain.

J'ouvris la bouche pour répondre, mais il me fit taire d'un geste de la main.

— Bon, peu importe à présent. Il nous faut jouer sur le fait que vous êtes anglaise, d'où votre ignorance des us et coutumes de la région… sans pour autant insister sur votre étrangeté. Il faut faire traîner les choses le plus longtemps possible. Le temps est de notre côté. Ces procès tournent facilement à la boucherie quand ils sont jugés dans le feu de l'action, car il faut satisfaire la soif de sang de ces gens.

La soif de sang. C'était exactement le sentiment que m'avaient inspiré les visages de la foule. Ici et là, j'avais bien vu des expressions de doute ou de sympathie, mais il fallait un caractère bien trempé pour oser se démarquer de la masse et Cranesmuir m'en paraissait dépourvu. À une exception près… ce petit avocat d'Édimbourg, sec comme une branche de bois mort mais aussi tenace que sa vieille sacoche de cuir à laquelle il ressemblait tant.

— Plus nous ferons durer les choses, moins ils seront enclins à prendre des mesures expéditives, aussi vous devez vous contenter de rester silencieuse. Je m'occupe de leur parler. Et priez le ciel que je sois entendu.

— Vous avez toute ma confiance, dis-je en tentant un sourire.

Un bruit à la porte me fit sursauter. J'entendis des voix de l'autre côté. Suivant mon regard, M. Gowan hocha la tête.

— Je vais devoir vous quitter momentanément. Je me suis arrangé pour que vous puissiez passer la nuit ici.

Il regarda autour de lui. Nous étions dans une petite remise attenante à l'auberge où on rangeait des provisions et du matériel divers. Il y faisait froid et noir mais c'était une nette amélioration par rapport au puits aux voleurs.

La porte s'ouvrit et l'aubergiste apparut, une chandelle à la main. Ned Gowan se leva pour partir, mais je le retins par la manche. Il y avait une chose que je devais savoir.

— Maître… c'est Colum qui vous a envoyé ?

— Non.

Son visage ridé semblait gêné.

— Je suis venu… de mon propre chef.

Il remit son chapeau et se tourna vers la porte après m'avoir saluée brièvement.

Ma nouvelle geôle était sommaire, mais il y avait néanmoins une petite carafe de vin et une miche de pain, propre cette fois, posées sur un fût. Une vieille couverture était roulée sur le sol.

Je m'enveloppai dans la couverture et m'assis sur un petit tonneau pour dîner de mon repas frugal.

Ainsi, ce n'était pas Colum qui avait envoyé le petit avocat. Savait-il seulement que Ned Gowan était venu à mon secours ? Il avait sans doute interdit aux habitants du château de descendre au village, craignant qu'ils ne soient happés par la chasse aux sorcières. Le vent de peur et d'hystérie qui soufflait sur Cranesmuir était palpable, je le sentais presque battre contre les cloisons de mon piteux abri.

Un éclat de voix dans la pièce d'à côté attira mon attention. Le compte à rebours avant mon exécution avait peut-être déjà commencé. Mais même quelques heures avant la mort, un peu de sommeil serait le bienvenu. Je me blottis sous ma couverture pour étouffer les bruits du dehors et essayai fortement de n'éprouver rien d'autre que de la gratitude.

Après une nuit passablement agitée, on me réveilla peu après l'aube pour me traîner à nouveau sur la place, où il fallut attendre une bonne heure avant que les juges daignent se montrer.

Frais et dispos après un bon petit déjeuner, ils se mirent immédiatement au travail. Jeff se tourna vers John MacRae qui avait repris son poste derrière les accusés.

— Faute de preuves tangibles, nous sommes dans l'impossibilité de trancher, annonça-t-il.

La foule émit un grondement scandalisé. Jeff se haussa sur son tabouret et balaya l'assistance d'un regard autoritaire.

— Conduisez les accusées au bord du loch ! tonna-t-il.

Quelques interjections fusant ici et là éveillèrent mes pires soupçons. John MacRae saisit Geillis et moi, chacune par un bras, et nous poussa devant lui. Les villageois s'en mêlèrent. Des mains rageuses arrachaient des fragments de ma jupe, me pinçant et me poussant. Un sombre crétin caché quelque part avait sorti un tambour et battait un roulement désordonné. La foule entonna un chant dont je ne saisis pas les paroles au milieu des cris. C'était sans doute mieux ainsi.

La procession traversa le pré jusqu'à la rive du loch où un ponton avançait sur l'eau. On nous poussa jusqu'au bout de ce dernier et nos juges prirent place avec leurs tabourets sur la berge tandis que John MacRae faisait reculer la foule.

— Apportez des cordes ! cria-t-il.

Quelqu'un se précipita avec une corde. MacRae s'en empara et s'approcha de moi d'un pas hésitant. Il lança un regard incertain vers les juges dont la mine sévère sembla le rassurer.

— Ayez l'amabilité d'ôter vos souliers et vos vêtements, madame, ordonna-t-il.

— Et peut-on savoir pour quoi faire ? rétorquai-je, croisant les bras.

Il sursauta, ne s'étant manifestement pas attendu à la moindre résistance de ma part.

— C'est la procédure d'usage pour l'épreuve de l'eau. Les suspects doivent avoir le pouce droit attaché au gros orteil gauche avec une corde de chanvre. De même, le pouce gauche sera attaché au gros orteil droit. Puis…

Il lança un regard éloquent vers les eaux noires du loch. Deux pêcheurs se tenaient pieds nus dans la vase, les pantalons retroussés jusqu'aux mollets. Avec un grand sourire, l'un d'eux saisit une pierre et la lança au loin sur la surface argentée. Elle fit ricochet puis coula à pic.

— Plongée dans l'eau, expliqua le petit juge, une sorcière remonte à la surface, car la pureté du loch rejette son âme souillée. Une femme innocente, elle, reste au fond.

— Si j'ai bien compris, j'ai le choix entre me laisser brûler vive comme sorcière ou prouver mon innocence en me noyant, c'est bien ça ? m'énervai-je. Eh bien, n'y comptez pas !

Je claquai mon talon sur le ponton.

Le petit juge se redressa comme un crapaud menacé.

— Vous n'avez pas le droit de vous adresser à cette cour sans autorisation, femme ! Vous osez entraver l'exercice de la loi de l'Église ?

— Vous voulez dire que je refuse de me laisser noyer ? Un peu, oui !

Je surpris trop tard les grimaces de Geillis qui agitait frénétiquement la tête.

Le juge se tourna vers MacRae.

— Déshabillez-la et ligotez-la.

J'entendis un soupir collectif sur la rive, l'expression non pas d'une perplexité outrée mais d'une joie non dissimulée. Je compris alors ce que signifiait la haine, pas la leur, la mienne.

N'ayant plus grand-chose à perdre, je décidai au moins de ne pas leur faciliter la tâche. Des mains rugueuses s'abattirent sur moi, tirant sur mon justaucorps.

— Lâche-moi, sale pouilleux ! m'écriai-je en envoyant un grand coup de pied dans l'entrejambe de l'un des hommes qui tentaient d'arracher mes vêtements.

La douleur le plia en deux mais son corps disparut aussitôt sous une avalanche de visages grimaçants, hurlants et vociférants. D'autres mains me saisirent et me poussèrent violemment en avant, me soulevant à demi au-dessus de la mêlée des corps qui se bousculaient pour ne rien perdre de la curée.

Quelqu'un me frappa au ventre et j'en perdis le souffle. Mon corselet était virtuellement en lambeaux et le reste fut arraché sans grande difficulté. Je n'ai jamais été d'une pruderie excessive, mais me retrouver à moitié nue devant une foule me criant des insultes, avec des mains moites m'écrasant les seins, me remplit d'une humiliation et d'une haine que je n'aurais pu imaginer auparavant.

John MacRae me noua les poignets, laissant une longueur de plusieurs mètres. Il eut la décence de paraître gêné et évitait de croiser mon regard, mais il était clair que je ne devais attendre aucune indulgence de sa part : il était autant à la merci de la foule que moi.

Geillis n'était pas loin, subissant sans doute le même sort. J'aperçus sa chevelure dorée. MacRae lança la corde par-dessus une branche et je me sentis tirée vers le haut, les bras tendus au-dessus de la tête. Je serrai les dents et me raccrochai à ma fureur, la seule chose qui me permettait encore de maîtriser ma peur. Derrière moi, j'entendais les clameurs de la foule :

— Allez, John ! Tire sur la corde et fais-lui sentir le cuir de ton fouet !

Sensible à la théâtralité de sa profession, John MacRae marqua une pause et s'inclina devant le public. Puis il s'approcha de moi pour ajuster ma position de sorte que je sois face au tronc d'arbre, mon visage frôlant l'écorce. Puis il recula de deux pas, brandit son fouet et l'abattit sur moi.

Le choc surpassa la douleur. Ce n'est qu'après plusieurs coups que je me rendis compte que MacRae faisait de son mieux pour m'éviter le pire. Toutefois, un ou deux coups avaient suffi à fendre la peau.

Je fermai les yeux, la joue écrasée contre l'écorce, essayant de toutes mes forces de me convaincre que j'étais ailleurs. Soudain, une voix me rappela immédiatement à la douloureuse réalité.

— Claire !

La corde se détendit légèrement, juste assez pour me permettre de me retourner. MacRae eut un mouvement de surprise, recula d'un pas, trébucha contre une racine, et tomba à la renverse, atterrissant sur les fesses, le bras toujours levé. La foule exulta, se mettant aussitôt à le huer et à lui lancer des mottes de terre.

Mes cheveux me tombaient devant les yeux, me collant au visage avec la transpiration, les larmes et la crasse accumulée au cours de ma captivité. Secouant la tête, je parvins à entrevoir entre deux mèches celui que mes oreilles avaient déjà reconnu.

Jamie se frayait un passage dans la foule, le visage décomposé par la fureur, poussant sans ménagement ceux qui se trouvaient sur son chemin.

Je me sentis comme le général MacAuliffe à Bastogne, apercevant au loin la IIIᵉ armée de Patton. En dépit de la terrible menace qui pesait sur nous, jamais l'apparition inopinée de quelqu'un ne m'avait rendue aussi heureuse.

— L'homme de la sorcière ! C'est son mari ! Saleté de Fraser ! Vendu ! s'écriait-on ici et là. Saisissez-le ! Brûlez-le ! Brûlez-les tous !

L'hystérie de la foule, momentanément suspendue par l'accident du bourreau, redoubla d'ardeur.

Les deux assistants de MacRae bondirent sur Jamie et l'immobilisèrent. Un homme pendu à chaque bras, il parvint à diriger sa main vers sa ceinture. Croyant qu'il allait dégainer sa dague, l'un des hommes lui assena un grand coup de poing dans le ventre.

Jamie encaissa le coup, puis se redressa et écrasa le nez de celui qui l'avait frappé d'un coup de coude. Un bras ainsi libéré, il plongea la main dans son *sporran*, leva le bras et approcha tant bien que mal de moi :

— Claire ! Ne bouge pas !

J'aurais difficilement pu bouger de toute façon. Je sentis quelque chose me glisser sur les joues et aperçus les perles noires du rosaire de jais tombant sur mes épaules, le crucifix se balançant entre mes seins nus.

Les visages des premières rangées me regardèrent avec une expression de stupeur horrifiée. Leur silence soudain se propagea à ceux qui se tenaient derrière, et les rugissements de la foule s'éteignirent progressivement. La voix de Jamie retentit :

— Détachez-la !

Personne ne bougea.

— J'ai dit : détachez-la !

MacRae, extirpé de sa transe par la vision apocalyptique du diable roux qui se tenait devant lui, se secoua et trancha la corde d'un coup de couteau. La tension dans mes bras se relâcha brusquement. Je chancelai et serais certainement tombée si une main puissante et familière ne m'avait rattrapée de justesse par le coude et remise d'aplomb. Je me retrouvai le nez contre la poitrine de Jamie, et j'oubliai provisoirement mon angoisse pour me repaître de cette sensation de bonheur.

Je dus sans doute perdre connaissance quelques instants, ou peut-être fut-ce l'effet de l'immense soulagement qui m'avait envahie. Quand je revins à moi, le bras de Jamie ceignait ma taille et son plaid avait été jeté sur mes épaules, cachant ma nudité aux yeux des villageois. Un brouhaha s'élevait autour de nous, mais ce n'étaient plus les cris hystériques de la foule réclamant le sang.

La voix de Jeff – ou était-ce Mutt ? – retentit au-dessus de la confusion.

— Qui êtes-vous ? De quel droit osez-vous vous interposer dans l'exercice de la justice ?

Je sentais plus que je ne voyais la foule se presser vers nous. Jamie était fort, mais il était seul contre la multitude. Je me blottis contre lui. Son bras gauche se resserra sur moi tandis que sa main droite se posait sur la garde de son épée. La lame jaillit hors de son fourreau avec un chuintement métallique qui arrêta net tous ceux qui s'approchaient de trop près.

Toutefois, cela ne suffit pas à impressionner les juges. Entre les plis de mon plaid, je pouvais voir Jeff fusiller Jamie du regard. Mutt semblait plus perplexe qu'agacé par cette soudaine intrusion.

— Vous osez brandir une arme contre des représentants de la justice divine ? vociféra le petit juge gras.

— Je la brandis pour défendre cette femme et la vérité. Que ceux qui s'y opposent avancent et ils en découdront avant d'aller en répondre devant Dieu.

Le juge était scandalisé.

— Vous n'avez rien à faire devant cette cour, monsieur ! J'exige que vous vous rendiez immédiatement. Vous serez jugé en temps et heure !

Jamie avait beau paraître sûr de lui, je sentais son cœur battre à toute allure.

— J'ai juré devant Dieu de protéger cette femme. Vous considérez sans doute votre autorité supérieure à celle de Notre-Seigneur ?

Le silence qui suivit fut entrecoupé par quelques ricanements nerveux ici et là. D'une main sur mon épaule, Jamie me fit tourner face à la foule. Je ne pouvais supporter de regarder dans les yeux tous ces gens qui, quelques minutes auparavant, réclamaient ma mort à cor et à cri, mais je savais qu'il le fallait. Je redressai le menton et fixai mon regard sur un point derrière les visages, une petite embarcation au milieu du loch.

Jamie ôta doucement le plaid, l'abaissant jusqu'à dévoiler mes épaules. Il prit le rosaire entre ses doigts.

— Le jais n'est-il pas supposé brûler la peau des sorcières ? demanda-t-il aux juges. Et que dire de la croix de Notre-Seigneur Jésus-Christ ? Regardez donc !

Il souleva les perles. Ma peau était blanche, intacte. Un murmure estomaqué parcourut la foule.

Colum MacKenzie avait bien raison de craindre Jamie. Outre son courage et sa présence d'esprit, il avait hérité de son sens de la mise en scène. Craignant que je ne dévoile qu'il n'était pas le véritable père de Hamish, Colum avait espéré se débarrasser de moi. C'était compréhensible, mais pas pardonnable.

La foule hésitait. L'hystérie s'était dissipée, mais pouvait encore resurgir comme un ressac pour nous engloutir. Jeff et Mutt échangèrent un regard incertain. Pris de court par ce nouveau rebondissement, ils avaient clairement perdu le contrôle de la situation.

Soudain, Geillis avança d'un pas ferme sur le ponton. Elle agita sa chevelure blonde avec un geste de défi et lança :

— Cette femme n'est pas une sorcière. Mais moi, j'en suis une !

La prestation de Jamie, si brillante soit-elle, fut aussitôt éclipsée. Le rugissement de la foule noya complètement les cris et les appels au calme des juges.

Il m'était impossible de deviner ce qu'elle ressentait. Son regard était clair et droit, avec cette lueur amusée qui lui était habituelle. Elle se tenait droite dans ses vêtements en lambeaux et toisait ses accusateurs. Lorsque le tumulte se fut un peu apaisé, elle se remit à parler, sans prendre la peine de hausser la voix, forçant la foule à se taire pour l'entendre.

— Moi, Geillis Duncan, j'affirme être une sorcière et la maîtresse de Lucifer.

Il y eut un autre rugissement du public en délire, et elle attendit patiemment qu'il s'estompe pour reprendre :

— J'avoue avoir assassiné mon mari, Arthur Duncan, en usant de sorcellerie, conformément aux ordres de mon maître. Par pure malice, j'ai jeté un sort à l'enfant substitué, afin qu'il meure et que l'enfant humain reste auprès des fées.

Elle fit un geste dans ma direction.

— J'ai profité de l'ignorance de Claire Fraser pour la manipuler et servir mes desseins. Elle n'a jamais été au fait de mes intentions et ne sert pas mon maître.

La foule grondait. Les gens se poussaient pour mieux voir. Elle tendit les deux mains devant elle.

— N'avancez pas ! s'écria-t-elle. Écoutez le vent qui se lève ! Prenez garde, gens de Cranesmuir, ignorez-vous que mon maître se déplace en chevauchant le vent ?

Elle baissa la tête et poussa un cri de triomphe, un cri aigu et inhumain. Ses grands yeux verts fixaient le vide. Elle semblait plongée dans une transe.

De fait, le vent se levait vraiment. Je pouvais voir les nuages orageux s'amonceler loin au-dessus du loch. Les villageois lancèrent des regards inquiets autour d'eux. Certains se mirent à reculer.

Geillis se mit alors à tourner sur elle-même, la tête renversée en arrière, ses mains gracieusement tendues au-dessus d'elle comme une ballerine de boîte à musique. Je n'en croyais pas mes yeux.

Pendant qu'elle tournait, sa longue chevelure lui cachait le visage. Brusquement, elle s'interrompit et écarta ses mèches. J'aperçus alors clairement ses yeux qui me regardaient. Le masque de transe avait disparu et ses lèvres articulèrent un mot. Puis, aussi soudainement, elle reprit sa danse folle et se remit à hurler.

Le mot que j'avais lu sur ses lèvres était : « Fuyez ! »

S'interrompant à nouveau, elle prit un air d'exultation démente, saisit le vestige de corselet qui lui restait sur le corps et l'arracha, montrant à la foule ce que je savais déjà, le secret qu'Arthur avait appris quelques heures avant sa mort : un ventre plein d'une grossesse de six mois.

Je me tenais près d'elle, pétrifiée. Jamie, lui, n'eut pas tant d'hésitation. Me prenant par la main, brandissant son épée de l'autre, il se jeta dans la foule, bousculant les villageois médusés. Il émit un sifflement strident entre ses dents.

Concentrés sur le spectacle qui se tenait sur le ponton, peu de gens nous prêtèrent attention. Et lorsque certains d'entre eux se mirent à crier et à tenter de nous retenir, j'entendis un bruit de sabots martelant la terre du chemin.

Donas n'était pas grégaire et le montrait bien. Il mordit la première main qui tenta de saisir ses rênes. Puis il rua en balayant l'air à grands coups de sabot, envoyant rouler à terre quelques intrépides qui prirent aussitôt la fuite.

Jamie me jeta en travers de la selle comme un sac de pommes de terre et grimpa dans le même mouvement. Nous ouvrant la voie à grands coups d'épée, il fit franchir à Donas les dernières rangées de villageois. Lorsque le chemin fut dégagé devant nous, il éperonna notre monture et nous filâmes au grand galop, laissant derrière nous le loch, le village et le château de Leoch.

J'étais à plat ventre sur la selle, et les secousses me permettaient à peine de respirer. Je me débattis pour tenter de parler à Jamie, de lui hurler quelque chose.

Car ce n'était pas la vision de la grossesse de Geillis qui m'avait glacé le sang. En la regardant tourner sur elle-même, les bras en l'air, j'avais aperçu ce qu'elle-même avait dû voir quand on m'avait arraché mes vêtements. Une marque identique à la mienne. Ici, en ce temps, la marque de Satan ou celle d'un grand sorcier. Mais, pour ceux de mon époque, la simple et banale petite cicatrice ronde du vaccin du BCG.

L'eau soulagea mon visage tuméfié et atténua la brûlure de la corde autour de mes poignets. Je plongeai mes mains en coupe dans le ruisseau et bus lentement, laissant avec gratitude le liquide frais s'écouler dans ma gorge.

Jamie disparut quelques minutes puis revint avec une poignée de feuilles vert sombre, mâchant quelque chose. Il recracha une substance verdâtre dans sa paume et commença à me l'appliquer doucement sur le dos. La sensation de brûlure s'atténua aussitôt considérablement.

— Qu'est-ce… qu'est-ce que c'est ? balbutiai-je entre deux sanglots.

— Du cresson. Tu n'es pas la seule à t'y connaître en plantes, *Sassenach*.

— Ça… ça a quel goût ?

— Affreux, répondit-il, laconique.

Il acheva son application et remonta délicatement le plaid sur mes épaules.

— Les entailles ne sont pas très profondes. Je ne crois pas que tu seras… marquée.

Il parlait d'un ton bourru, mais ses doigts sur ma peau étaient très doux, ce qui me fit de nouveau fondre en larmes.

— Excuse-moi, marmonnai-je. Je… je ne sais pas ce que j'ai. Je ne peux plus m'arrêter de pleurer.

— C'est normal. C'est le choc... et la douleur. Pour moi, c'était la même chose. Après la flagellation, j'ai vomi, puis je me suis mis à pleurer pendant qu'on nettoyait mes plaies. Ensuite, j'ai commencé à trembler.

Il essuya soigneusement mon visage avec un coin du plaid, puis plaça une main sous mon menton et me força à le regarder dans les yeux.

— Et quand j'ai enfin cessé de trembler, *Sassenach*, j'ai remercié le ciel pour la douleur que je ressentais, car elle signifiait que j'étais encore en vie.

Il me lâcha en hochant la tête.

— Quand tu en seras à ce stade, préviens-moi, j'aurai un ou deux autres conseils à te donner.

Il se leva et alla s'accroupir au bord du ruisseau pour laver le mouchoir ensanglanté dans l'eau claire.

— Pourquoi es-tu revenu ? demandai-je quand il revint vers moi.

J'avais cessé de pleurer, mais je tremblais toujours comme une feuille et me blottis sous mon plaid.

— C'est Alec McMahon, répondit-il en souriant. Je lui avais demandé de veiller sur toi pendant mon absence. Quand les villageois t'ont emmenée, toi et Mme Duncan, il a chevauché toute la nuit et tout le jour pour me retrouver. Et j'ai galopé comme un diable pour venir te chercher. Bon sang, c'est un sacré cheval !

Il lança un regard admiratif vers Donas, attaché à un arbre près de la berge, sa robe moite luisant comme du cuivre.

— Il va falloir que je le cache, dit-il d'un air songeur. Je doute qu'on nous ait suivis, mais nous ne sommes pas encore assez loin de Cranesmuir. Tu peux marcher ?

Je grimpai derrière lui le versant abrupt d'une colline, provoquant des éboulis sur mon passage. Les ronces retenaient ma jupe. En haut du talus, quelques jeunes aulnes aux troncs entrelacés formaient un toit de verdure au-dessus des fougères. Jamie dégagea un espace assez grand pour que je puisse y ramper, puis referma l'entrée avec des branches cassées. Il recula d'un pas pour évaluer l'efficacité de ma cachette et hocha la tête d'un air satisfait.

— Personne ne te trouvera là-dessous. Essaie de dormir et ne t'inquiète pas si je ne reviens pas tout de suite. Je vais chasser quelque chose sur le chemin du retour. Nous n'avons rien à manger et je ne veux pas attirer l'attention en m'arrêtant dans une ferme. Rabats le tartan sur ta tête et veille à ce qu'il couvre bien ta chemise. Le blanc se voit de loin.

Épuisée par la peur, la douleur et la pure fatigue, je m'endormis presque aussitôt, l'odeur âcre des fougères s'élevant autour de moi comme de l'encens.

Je me réveillai en sursaut en sentant quelque chose me tirer le pied. Je me redressai brusquement, me heurtant le crâne aux branches au-dessus de moi. Prise de panique, je me débattis violemment en faisant s'écrouler ma cabane de branches et de fougères. Je parvins à me dégager tant bien que mal pour apercevoir Jamie, accroupi non loin de là devant deux lapins embrochés sur une branche au-dessus d'un feu de bois, m'observant sortir de ma tanière effondrée. La nuit était presque tombée.

Jamie me tendit une main pour m'aider. Mes nausées avaient disparu et j'étais affamée.

— Nous nous enfoncerons dans la forêt après dîner, *Sassenach*, indiqua Jamie en arrachant une cuisse de lapin. Je ne tiens pas à dormir près du ruisseau. Si quelqu'un approchait, je ne l'entendrais pas à cause du bruit de l'eau.

Nous dînâmes en silence. Les horreurs vécues pendant la matinée et tout ce que nous avions laissé derrière nous nous oppressaient tous les deux. En outre, j'avais le cœur serré par un profond sentiment de deuil. J'avais perdu une amie. Ma seule amie. Je m'étais souvent interrogée sur les motivations de Geillis, mais je ne pouvais douter qu'elle m'avait sauvé la vie. Se sachant condamnée, elle avait fait de son mieux pour que je puisse m'enfuir. Le feu, presque invisible pendant la journée, devint plus lumineux à mesure que la lumière disparaissait. Je fixais les flammes, la peau croustillante des lapins qui brunissait à vue d'œil. Une goutte de sang suinta d'un os brisé et tomba dans le feu en grésillant. Soudain, ma bouchée se coinça dans ma gorge. Je reposai ma cuisse en hâte et détournai le regard.

Toujours en silence nous nous éloignâmes du ruisseau et découvrîmes un petit coin confortable au bord d'une clairière. Autour de nous, les collines ondulaient. Jamie choisit un emplacement surélevé d'où l'on pouvait voir la route qui menait au village. Le crépuscule accentuait provisoirement toutes les couleurs du paysage, parsemant la nature de joyaux : une émeraude resplendissante dans le creux d'un rocher, une améthyste aux reflets changeants dans les buissons de bruyère, des rubis incandescents dans les baies qui couronnaient les collines. Au loin, on devinait la silhouette du château de Leoch au pied du mont Ben Aden. Elle disparut bientôt avec la tombée de la nuit.

Jamie dressa un petit feu dans un coin abrité et s'assit près de lui. Il regarda les flammes un long moment sans mot dire. Enfin, il leva les yeux vers moi, les mains nouées autour de ses genoux.

— Je t'ai déjà promis de ne jamais te poser de questions auxquelles tu ne voudrais pas répondre, Claire. Mais il y a une chose que je dois savoir, pour ta sécurité et pour la mienne.

Il hésita.

— Je dois savoir la vérité, Claire. Tu es une sorcière ?

Je le regardai bouche bée.

— Une sorcière ? C'est... vraiment ce que tu es en train de me demander ?

Je crus un instant qu'il voulait plaisanter, mais son visage était grave.

Il me saisit par les épaules et plongea son regard dans le mien comme s'il cherchait à lire dans mes pensées.

— Il faut que je sache, Claire ! Je t'en prie, tu dois me le dire !

— Et si j'en étais une ? Si tu avais sincèrement cru que j'étais une sorcière, tu serais quand même venu à mon secours ?

— Je t'aurais suivie jusque sur le bûcher ! s'écria-t-il. Et jusqu'en enfer, si nécessaire. Mais je prie que le Seigneur ait pitié de mon âme, et de la tienne. Dis-moi la vérité !

Je me dégageai violemment. La tension était trop forte. Je laissai tomber la tête en arrière et partis d'un éclat de rire hystérique. Livide, Jamie me dévisageait d'un air désespéré. Me rendant compte que mon comportement allait finir par le rendre fou d'angoisse, je parvins à me maîtriser et le regardai en haletant.

— Oui, dis-je. Oui, je suis une sorcière ! Pour toi, je ne peux que l'être. Je n'ai jamais eu la variole, mais je peux traverser une pièce pleine de malades agonisants sans jamais l'attraper. Je peux soigner les malades, respirer le même air qu'eux, toucher leur corps et la maladie ne m'atteindra jamais. Je ne peux attraper ni le choléra ni le tétanos. Pour toi, ce ne peut être que de la magie, parce que tu n'as jamais entendu parler de vaccin.

Je dus attendre de reprendre mon souffle avant de poursuivre :

— Si je sais des choses sur Jonathan Randall... c'est parce qu'on m'avait déjà parlé de lui. Je sais quand il est né et quand il mourra. Je sais ce qu'il a fait et ce qu'il fera. Je suis au courant au sujet de Sandringham parce que... Frank me l'a dit. Il connaissait Randall parce que c'est son... ô Seigneur !

Je fermai les yeux en espérant que ma tête allait s'arrêter de tourner.

— Et Colum... croit que je suis une sorcière parce que je sais que Hamish n'est pas son fils. Je sais... qu'il ne peut pas avoir d'enfants. Mais il a cru que je savais qui était le vrai père... J'ai d'abord pensé que c'était toi, puis je me suis rendu compte que ce n'était pas possible et...

Je parlais à toute vitesse, essayant de maîtriser le vertige qui s'était emparé de moi.

— Tout ce que je t'ai dit sur moi est vrai. Tout. Je n'ai pas de famille, je n'ai pas d'histoire, parce que je ne suis pas encore née. Tu sais quand je suis née ? repris-je avec véhémence. Le 20 octobre 1918. Tu m'entends ?

Il ne bougeait pas, comme si aucun de mes mots ne parvenait jusqu'à lui.

— En 1918 ! répétai-je. C'est dans près de deux cents ans, tu m'entends ?

— Oui, je t'entends, répondit-il doucement.

— Tu crois que je suis complètement folle, n'est-ce pas ? m'écriai-je. Avoue-le ! Tu me prends pour une folle ? C'est normal, c'est la seule explication. Tu ne *peux* pas me croire, Jamie. C'est une histoire trop invraisemblable.

J'étais de nouveau sur le point de fondre en larmes. Après tout ce temps passé à cacher la vérité, je constatais que Jamie, celui que j'aimais, celui en lequel j'avais le plus confiance, ne pouvait pas me croire.

— C'est à cause des menhirs... sur une colline aux fées. Les pierres dressées. Les pierres de Merlin. C'est par là que je suis arrivée.

Sanglotant à moitié, j'étais de moins en moins cohérente.

— C'était il y a deux cents ans, comme dans les histoires... sauf que dans les histoires, les gens reviennent toujours, moi, je n'ai pas pu...

Je me détournai, pleurant à chaudes larmes, enfouissant mon visage dans mes mains. Un long silence s'abattit sur la forêt. Quand je relevai enfin la tête, je pensais qu'il était parti. Mais il était toujours là, assis les mains sur ses genoux, perdu dans ses pensées. Les poils sur ses avant-bras étaient dressés et je compris qu'il avait peur de moi.

— Jamie... commençai-je, le cœur écrasé par une solitude insoutenable. Oh, Jamie...

Je voulus m'approcher de lui, mais mes jambes me lâchèrent et je tombai à genoux, privée de force. Il vint vers moi et posa ses mains sur mes épaules. Il avait son visage des jours de combat, à mi-chemin entre l'effort extrême et une certitude tranquille.

— Je te crois, dit-il fermement. Je n'ai pas tout saisi, mais je te crois, Claire. Écoute-moi. Nous sommes liés par la vérité, tous les deux. Et je croirai toujours ce que tu me dis. Maintenant, repose-toi. Tu me raconteras la suite plus tard. Et je te croirai.

Il me serra contre lui jusqu'à ce que je cesse de trembler.

— Mais tu ne peux pas me croire, gémis-je.

— Ce n'est pas à toi de me dire ce que je suis capable de faire ou pas, *mo duinne*, répondit-il avec un sourire. Au fait, quel âge as-tu ? Je n'ai jamais pensé à te le demander.

La question me prit tellement de court qu'il me fallut quelques instants avant de répondre :

— Vingt-sept ans, ou peut-être vingt-huit à présent.

Il parut perplexe. À vingt-huit ans, les femmes de cette époque étaient déjà vieilles.

— Oh, fit-il. J'ai toujours cru que tu avais à peu près mon âge... ou moins.

Il resta immobile un instant, puis déposa un baiser sur mon front.

— Joyeux anniversaire, *Sassenach*, chuchota-t-il.

— Quoi ?

— J'ai dit « Joyeux anniversaire ». Nous sommes le 20 octobre.

— Ah bon ? J'ai perdu le fil du temps.

Nous restâmes un long moment blottis l'un contre l'autre, nous balançant légèrement. Puis il me souleva et me porta près du feu où il avait posé la selle de Donas. Là, nous nous assîmes de nouveau, ma tête dans le creux de son épaule.

— Bon, raconte-moi tout, dit-il enfin.

Je lui racontai toute mon histoire sur un ton hésitant, mais cohérent cette fois. Je me sentais insensibilisée par la fatigue, mais soulagée, comme un lièvre qui vient de semer un renard et qui attend, tapi sous la racine d'un arbre. Ce n'était pas un refuge, mais un répit. Je lui parlai également de Frank.

— Frank, soupira-t-il. Alors, il n'est pas mort.

— Il n'est pas encore né, précisai-je. Et moi non plus.

Il me caressa doucement les cheveux en silence.

— Mais alors, quand je t'ai retrouvée à Fort William, tu essayais de rentrer chez toi, vers les pierres et... vers Frank. Voilà pourquoi tu m'avais désobéi.

— Oui.

— Et je t'ai battue pour ça, soupira-t-il.

— Tu ne pouvais pas savoir et je ne pouvais rien te dire.

— Non, tu as sans doute raison. Dors, maintenant, *mo duinne*, personne ne te fera de mal tant que je serai là.

Mes yeux se fermaient déjà, je fis un dernier effort pour lui demander :

— Tu me crois vraiment, Jamie ?

Il soupira et esquissa un sourire ironique.

— Oui, je te crois, *Sassenach*. Mais tout aurait été beaucoup plus facile si tu t'étais contentée d'être une simple sorcière.

Je dormis comme une souche, me réveillant avec un terrible mal au crâne et le corps rompu de courbatures. Jamie avait déniché une poignée de flocons d'avoine et m'obligea à les manger mélangés avec un peu d'eau.

Il était lent et doux avec moi, mais parlait peu. Après ce petit déjeuner plutôt indigeste, il ramassa nos affaires et sella Donas.

Grimpée derrière lui, je ne lui demandai même pas où nous allions. Je me contentai d'appuyer ma joue contre son dos et de me laisser bercer par les mouvements du cheval.

Nous longeâmes la rive du loch Madoch, parmi des paysages mornes sous un ciel grisâtre que traversaient des vols de canards et d'oies sauvages.

Le deuxième jour, la brume se dissipa vers midi et un soleil pâle se diffusa dans les prés remplis d'ajoncs et de genêts.

Quelques kilomètres après nous être écartés du loch, nous débouchâmes sur un sentier étroit et prîmes la direction du nord-ouest. Le chemin serpentait entre des collines basses qui devinrent bientôt des massifs de granit. Nous rencontrions peu de voyageurs sur notre route, mais nous nous enfoncions prudemment dans les sous-bois chaque fois que nous entendions au loin des claquements de sabots.

Bientôt, la végétation devint plus dense et nous entrâmes dans une forêt de pins. Ce soir-là, nous dormîmes près d'une clairière. Jamie me réveilla au beau milieu de la nuit et me fit l'amour, doucement, tendrement et sans un mot. Je contemplai les étoiles à travers notre toit de verdure et me rendormis avec la chaleur rassurante de son corps sur le mien.

Le lendemain matin, Jamie parut de meilleure humeur, du moins plus tranquille, comme quelqu'un qui est enfin parvenu à prendre une décision difficile. Il me promit du thé chaud pour le dîner, ce qui serait un réconfort non négligeable vu la fraîcheur des nuits. Nous reprîmes la route, nous frayant un passage entre les gros rochers.

Je ne prêtais pas beaucoup attention au paysage, préférant rêvasser en appréciant la chaleur du soleil, mais j'aperçus soudain une formation rocheuse familière qui me rappela brusquement à la réalité. Je venais de comprendre où nous allions et pourquoi.

— Jamie !

Il se retourna sur la selle.

— Tu ne l'avais pas encore compris ?

— Que nous venions ici ? Non, bien sûr que non !

Mon estomac se noua. La colline de Craigh na Dun n'était plus qu'à un kilomètre. J'apercevais déjà sa masse ronde se détachant dans la brume matinale.

Cela faisait six mois que je tentais de revenir à cet endroit. À présent que j'y étais enfin, j'aurais voulu être ailleurs. De là où nous étions, les menhirs étaient invisibles, mais il semblait émaner de l'endroit une terreur sourde qui glaçait le sang.

Le sentier qui grimpait sur la colline était trop abrupt pour Donas. Nous dûmes l'attacher à un arbre et continuer à pied.

Lorsque nous arrivâmes au sommet, j'étais à bout de souffle. Jamie, lui, ne semblait pas fatigué le moins du monde. Il me prit par la main et m'attira à lui, me regardant fixement comme s'il voulait enregistrer mes traits dans sa mémoire.

— C'est bien ici que ça s'est passé, non ? demanda-t-il.

— Oui, répondis-je dans un souffle, hypnotisée par le cercle de menhirs. C'est exactement comme je l'ai vu la dernière fois.

Jamie me suivit à l'intérieur du cercle, puis, identifiant le menhir fendu, il m'y entraîna fermement.

— C'est celui-ci ? demanda-t-il.

— Oui. Attention ! m'écriai-je en tentant de le retenir. Ne t'approche pas trop !

Son regard hésitait entre moi et le menhir, l'air sceptique. Il avait sans doute raison de l'être. Je me mis soudain à douter de ma propre histoire.

— Je... je... ne sais pas du tout comment ça marche. Peut-être que la porte s'est refermée derrière moi, ou peut-être qu'elle ne s'ouvre qu'à un certain moment de l'année. Quand je suis venue, c'était aux environs de Beltane.

Jamie lança un regard vers le ciel.

— Nous sommes presque à la Toussaint. Ce devrait être l'époque idéale, non ? Quand tu... es passée, qu'est-ce que tu as fait ?

Je tentai de me rappeler. Mes mains étaient glacées et je les glissai sous mes aisselles pour les réchauffer.

— J'ai fait le tour du cercle, comme ça, pour regarder. Je n'ai pas suivi de parcours particulier. Puis je suis arrivée devant la pierre fendue et j'ai entendu un bourdonnement, comme une ruche...

De fait il y avait effectivement comme un bourdonnement d'abeille. Je reculai précipitamment d'un pas.

— Il est encore là, le bruit ! m'écriai-je en me jetant dans les bras de Jamie.

Il s'écarta, le visage blême, et me tourna de nouveau vers le menhir.

— Et ensuite ?

Le vent sifflait dans mes oreilles, mais sa voix retentissait clairement.

— J'ai posé la main sur la roche.

— Fais-le.

Il me poussa en avant et, voyant que je ne réagissais pas, il me saisit le poignet et appliqua fermement ma paume sur la surface froide.

Le chaos bondit et me happa.

Le soleil cessa de tournoyer derrière mes yeux et le hurlement s'estompa pour céder la place à un autre cri persistant, celui de Jamie appelant mon nom.

Je me sentais trop secouée pour ouvrir les yeux, mais je battis faiblement l'air de ma main pour lui montrer que j'étais encore en vie.

— Ça va, ça va, fis-je.

— Ô mon Dieu, Claire !

Il m'écrasa contre son torse.

— Seigneur, Claire, j'ai cru que tu étais morte. Tu... as commencé à... partir. Tu avais cette horrible expression sur le visage, comme si tu étais absolument terrifiée. Je... je t'ai tirée en arrière, pour t'éloigner de la pierre. Je n'aurais pas dû... pardonne-moi.

Entrouvrant les yeux, je vis son visage choqué et apeuré.

— Ce n'est rien.

J'esquissai un sourire.

— Au moins, haletai-je, nous savons que ça marche encore !

— Ô mon Dieu, oui, ça marche.

Il me laissa quelques instants, le temps d'aller tremper son mouchoir dans une flaque d'eau de pluie au creux d'un rocher, et revint le passer sur mon visage, murmurant des paroles de réconfort, se confondant en excuses. Enfin, je me sentis en état de me relever.

— Ainsi, tu ne m'avais pas vraiment crue ? lançai-je, vindicative. Tu es enfin convaincu, cette fois ?

— Oui.

Soudain, il se redressa, marcha vers le menhir fendu et le frappa du plat de la main.

Il ne se passa rien. Et il revint s'asseoir près de moi, les épaules affaissées.

— Ça marche peut-être uniquement avec les femmes, suggérai-je. Ce sont toujours des femmes dans les légendes. Ou peut-être que ce n'est que moi.

— En tout cas, ce n'est pas moi. Je vais essayer à nouveau.

— Jamie, je t'en supplie, fais attention ! m'écriai-je en le voyant courir vers le menhir, le frapper, se jeter contre lui, traverser la fente en long et en large.

Il ne se passait toujours rien. Quant à moi, je tremblais rien qu'à l'idée d'approcher à nouveau de cette porte démente.

Et pourtant... Pourtant, quand j'avais commencé à être aspirée par le chaos, Frank m'était venu en tête. Je l'avais *senti*. J'en étais sûre. Quelque part dans ce vide, il y avait eu une minuscule lueur, et il était dedans. Je le savais. Tout comme je savais qu'il y avait eu un autre point de lumière, où se tenait celui qui était à présent assis à côté de moi, fixant la pierre, les joues couvertes de transpiration en dépit de l'air frais.

Enfin, Jamie se tourna vers moi et me saisit les deux mains. Il les porta à ses lèvres et les embrassa.

— Claire... il ne sert à rien d'attendre davantage. Nous devons nous séparer.

Mes lèvres étaient trop crispées pour pouvoir parler, mais, comme d'habitude, il lui suffit de lire mes pensées sur mon visage.

— Claire, répéta-t-il. Ta vie est de l'autre côté de... cette chose. Tu as une maison, là-bas, un foyer, tout ce à quoi tu es habituée... Et il y a... Frank.

— Oui. Il y a Frank.

Il me prit les épaules, m'aida à me lever et me secoua doucement.

— Il n'y a rien pour toi, ici. Rien que la violence et le danger. Pars !

Il me poussa en avant, me faisant pivoter vers le cercle de pierres. Je fis volte-face et lui repris les mains.

— Tu es sûr qu'il n'y a vraiment rien pour moi ici ?

Je soutins son regard. Il était plein de douleur et de désir. L'angoisse qui me tenaillait devait être manifeste, car il hésita puis se tourna vers l'est et me montra la pente.

— Tu vois ce groupe de chênes, là-bas ? À mi-chemin ?

Je suivis son regard et aperçus effectivement une chaumière en ruine, abandonnée sur une colline désolée.

— Je vais m'y installer jusqu'à la tombée de la nuit... pour être sûr que tout s'est bien passé.

Il fermait les yeux, comme s'il ne supportait plus de me voir.

— Adieu.

Il tourna les talons et s'éloigna.

— Jamie ! appelai-je.

Il s'arrêta et resta immobile quelques instants, luttant pour contenir son émotion.

— Oui ?

— Il y a quelque chose... que je voudrais te dire avant de partir.

— Ce n'est pas la peine. Non, pars, *Sassenach*. Je t'en prie. Tu ne dois pas tarder.

Il allait s'éloigner mais je le retins par la manche.

— Jamie, écoute-moi. Il le faut ! C'est au sujet du soulèvement... du prince Charlie et de son armée. Écoute-moi ! Colum a raison ! Tu m'entends ? C'est Colum qui a raison, pas Dougal !

— Qu'est-ce que tu veux dire ?

— Il y aura bien un soulèvement, mais il échouera. L'armée du prince Charlie remportera quelques victoires, mais tout finira dans un bain de sang, à Culloden. Alors les clans, les Highlanders, tous ceux qui ont suivi le Prétendant seront massacrés. Des milliers de Highlanders périront pendant la bataille de Culloden. Les survivants seront pourchassés et tués. Les clans seront écrasés et ne se redresseront jamais. Pas de ton vivant, ni du mien.

Il me dévisageait, le regard vide.

— Jamie, reste en dehors de ça ! le suppliai-je. Essaie de convaincre les tiens de ne pas s'en mêler non plus. Mais surtout, pour l'amour de Dieu, si tu...

J'allais dire « si tu m'aimes », mais les mots s'étranglèrent dans ma gorge. J'allais le perdre pour toujours, et si je n'avais pas pu lui avouer mon amour avant, ce n'était plus le moment de le faire.

— Ne va pas en France, dis-je doucement. Pars plutôt pour l'Amérique, l'Espagne ou l'Italie. Mais, au nom de tous ceux qui t'aiment, Jamie, ne mets jamais le pied sur le champ de bataille de Culloden.

Il continuait à me dévisager sans rien dire. Je me demandai s'il m'avait seulement entendue.

Après quelques instants, il hocha la tête.

— Oui, j'ai compris.

Il laissa retomber ma main.

— Que Dieu te garde... *mo duinne.*

Il dévala le sentier de la colline, glissant dans la boue, se rattrapant au passage aux branches de sapin, sans se retourner. Je le regardai disparaître, avançant tel un homme blessé qui sait qu'il doit poursuivre sa route coûte que coûte, mais sent sa vie s'écouler lentement entre les doigts qu'il a posés sur sa plaie.

Mes genoux tremblaient. Je m'assis doucement sur un rocher et croisai les jambes, observant des moineaux qui s'affairaient autour de moi. Plus loin, j'apercevais le toit de la chaumière qui abritait mon passé. Derrière moi, la pierre fendue. Et mon avenir.

Je restai là tout l'après-midi, essayant de bannir toutes les émotions hors de mon esprit et de me concentrer sur la raison. Jamie était logique en affirmant que je devais retourner chez moi et retrouver ma maison, la sécurité, Frank, et même les petits conforts de la vie moderne qui me manquaient cruellement de temps à autre : les bains chauds et l'eau courante, sans parler de considérations moins futiles telles que des soins médicaux dignes de ce nom et des moyens de transport confortables.

Pourtant, malgré les inconvénients et les dangers de cet endroit, je devais reconnaître que certains aspects m'avaient plu. Si les routes n'étaient pas très sûres, au moins le paysage n'était pas tapissé de béton, ni pollué par le bruit et la puanteur des automobiles et autres moyens de transport dangereux. La vie ici était beaucoup plus simple, et les gens aussi. Pas moins intelligents, mais plus directs, avec quelques exceptions notables telles que Colum MacKenzie.

Du fait de la profession d'oncle Lamb, j'avais vécu dans des lieux plus rustiques et sauvages que celui-ci. Je m'adaptais facilement à la vie à la dure sans que la « civilisation » me manque outre mesure.

Le raisonnement rationnel ne m'était pas d'un grand recours. Je me tournai alors vers les émotions et reconstruisis les détails de mes deux vies conjugales, ce qui acheva de me déprimer, si bien que, au bout de quelques minutes à peine, je me remis à sangloter.

Si on laissait de côté les émotions, qu'en était-il du devoir ? J'avais donné ma main à Frank de tout cœur. Je l'avais aussi donnée à Jamie, avec l'intention de la reprendre au premier tournant. Lequel allais-je encore trahir, cette fois ?

Le soir commençait à tomber et j'en étais toujours au même point. Je me levai et avançai vers le menhir, un pas après l'autre, lentement. Je fis une pause et répétai l'opération dans le sens inverse. Un pas, puis un autre, puis un autre encore. Avant même de comprendre que ma décision était prise, je dévalais la pente de la colline, me laissant gifler par les branches, glissant et dégringolant dans la gadoue.

Lorsque j'arrivai près de la chaumière, haletante et terrifiée à l'idée qu'il ait pu partir déjà, je fus rassurée d'apercevoir Donas paissant dans le pré.

Je poussai doucement la porte. Il était dans la première pièce, allongé sur un banc de chêne. Il dormait couché sur le dos, les mains croisées sur le ventre, la bouche entrouverte. Les derniers rayons de lumière faisaient luire son visage comme un masque de métal.

Je le regardai un long moment sans bouger, le cœur empli d'une tendresse infinie. M'approchant tout doucement, je me glissai à ses côtés et passai son bras sur mon épaule. À demi conscient, il écarta une de mes mèches qui lui chatouillait le nez. Puis il réalisa soudain que j'étais là, sursauta et nous fit tomber tous deux sur le sol.

— Pousse-toi, tu m'étouffes, haletai-je.

Au lieu de me laisser respirer, il me couvrit de baisers.

Nous restâmes enlacés sur le sol un long moment. Puis il murmura dans mon oreille :

— Pourquoi ?

— Parce que c'est comme ça. J'étais à deux doigts de partir, les bains chauds ont bien failli l'emporter.

Ayant dit cette ânerie, je m'effondrai de nouveau en larmes, pleurant à la fois de joie pour l'homme que je tenais dans mes bras et de tristesse pour celui que je ne verrais plus jamais.

Ce ne fut qu'une fois la nuit tombée que Jamie se redressa et me porta jusqu'au banc. Là, il m'assit sur ses genoux. La porte de la chaumière était restée grande ouverte, et nous pouvions voir les étoiles illuminer la vallée.

— Sais-tu qu'il faut des milliers et des milliers d'années pour que la lumière de ces étoiles parvienne jusqu'à nous ?

D'ailleurs, certaines sont déjà peut-être mortes, mais on ne le sait pas car on aperçoit encore leur lumière.

— Ah oui ? Non, je l'ignorais.

Je dus m'endormir la tête sur son épaule car je me réveillai quelque temps plus tard sur un matelas de fortune fait avec le tapis de selle roulé. Il était couché à côté de moi.

— Rendors-toi, *mo duinne*. Demain matin, je t'emmène chez nous.

Nous nous levâmes juste avant l'aube et prîmes la direction du sud, soulagés de quitter Craigh na Dun.

— Où va-t-on, Jamie ?

J'étais soudain joyeuse de pouvoir, pour la première fois, envisager un avenir avec lui, même si je laissais derrière moi ma dernière chance de retrouver l'homme qui m'avait... m'aurait aimée un jour ?

Il arrêta le cheval et se tourna vers la colline que nous venions de quitter. Le cercle de menhirs était invisible mais la silhouette menaçante du massif rocheux se dressait sur la ligne d'horizon.

— J'aurais aimé le combattre pour toi ! dit-il soudainement.

Ses yeux bleus étaient sombres et songeurs.

— Ce n'était pas ton combat, Jamie, mais le mien. Et puis, tu l'as emporté de toute façon.

— Ce n'est pas ce que je voulais dire. Si je l'avais combattu d'homme à homme et que j'avais gagné, tu n'aurais pas de regrets. Si jamais...

— Il n'y a plus de « si », je les ai tous passés en revue hier et je suis toujours ici.

— Dieu merci, sourit-il. Et que Dieu te vienne en aide. Quoique je ne comprenne jamais pourquoi.

Je passai mes bras autour de sa taille.

— Parce que je ne peux pas vivre sans toi, Jamie Fraser, et c'est tout. Alors, où va-t-on ?

— Pendant qu'on grimpait sur cette colline, hier, j'ai prié de toutes mes forces. Pas pour que tu restes, ça ne me semblait pas juste. J'ai prié d'avoir la force de te laisser partir. J'ai dit : « Seigneur, si j'ai jamais fait preuve de courage dans ma vie, c'est aujourd'hui qu'il m'en faut. Aidez-moi. Rendez-moi assez fort pour ne pas tomber à ses genoux et la supplier de rester. »

Il me regarda en souriant.

— C'est l'épreuve la plus dure que j'aie jamais traversée, *Sassenach*.

Il éperonna le cheval et nous repartîmes au petit trot.

— À présent, reprit-il, je me sens prêt à affronter la seconde épreuve la plus difficile de ma vie. Nous rentrons à la maison, *Sassenach*, à Lallybroch !

CINQUIÈME PARTIE

Lallybroch

26

Le retour du laird

LES PREMIERS JOURS, NOUS NOUS CONTENTÂMES de jouir du plaisir d'être ensemble, échangeant peu de paroles. Nous chevauchions sur les vastes étendues plates de la lande, mes bras autour de sa taille, nous repaissant du soleil. Quels que soient les problèmes qui nous attendaient – et ils étaient nombreux –, nous étions réunis. Pour toujours. Je n'en demandais pas plus.

Puis peu à peu le premier choc de notre bonheur retrouvé s'estompa pour laisser la place à la sérénité. Puisant tout notre plaisir dans la compagnie l'un de l'autre, nous nous remîmes à discuter. Nous parlions des paysages que nous traversions, puis, peu à peu, de mon époque, de cette existence que j'avais laissée derrière moi. Il était fasciné par le portrait que je lui dressais de la vie moderne, bien que la majeure partie de mes histoires lui parussent sans doute plus invraisemblables que des contes de fées. Il était particulièrement fasciné par mes descriptions d'automobiles, de tanks et d'avions et me les faisait répéter encore et encore, avec le plus de détails possible. Par un accord tacite, nous évitions d'aborder le sujet de Frank.

Puis nos conversations revinrent peu à peu à notre conjoncture présente : Colum, le château, la chasse au cerf et le duc.

— Il m'a l'air d'un homme sur qui on peut compter, observa Jamie.

Le terrain étant devenu accidenté, nous marchions à côté de Donas, ce qui facilitait nos échanges.

— Mmm, à moi aussi, mais...

— Oh oui, je sais. On ne peut pas se fier aux apparences, de nos jours. Toutefois, nous nous sommes entendus. Un soir, nous nous sommes assis côte à côte près du feu. Il est nettement plus malin qu'il n'en a l'air. Il est parfaitement conscient de l'effet que produit sa voix et je crois qu'il en joue pour paraître plus idiot qu'il ne l'est. Cela lui laisse tout loisir d'observer les intrigues qui se trament autour de lui.

— C'est bien ce que je crains. Tu lui as parlé de... tes problèmes ?

— Un peu. Il connaissait mon nom, bien sûr. Il se souvenait de moi.

À la mémoire des incidents survenus au château toutes ces années plus tôt, il se mit à rire.

— Tu lui as rappelé ce qui s'était passé ?

Il sourit, le vent d'automne ébouriffant ses cheveux.

— Oh ! je n'en ai pas eu besoin ! Il m'a demandé si je souffrais toujours de ces coliques. J'ai réussi à garder mon sérieux et lui ai répondu que, depuis, mon état s'était nettement amélioré, mais que je sentais venir une petite crise. Il s'est mis à rire et a déclaré qu'il espérait que ça n'incommoderait pas trop ma jolie épouse.

» Je lui ai touché deux mots de ma situation, ajouta-t-il. Je lui ai dit que j'étais un hors-la-loi sans avoir commis de crime, mais que j'avais peu de chances de prouver mon innocence. Il a paru compatir, mais j'ai évité de lui donner des détails tels que la prime offerte pour ma capture. Je n'avais pas encore décidé si je pouvais ou non lui faire confiance quand le vieil Alec a fait irruption comme un beau diable dans le campement. Murtagh et moi sommes partis sur-le-champ.

— Où est passé Murtagh ? Il est rentré avec toi à Leoch ?

J'espérais que le petit homme au visage de fouine n'était pas tombé entre les griffes de Colum ou des villageois de Cranesmuir.

— Il est parti avec moi mais son cheval ne pouvait pas suivre Donas. Ne t'inquiète pas pour lui, c'est un sacré débrouillard et un joyeux luron qui a plus d'un tour dans son sac.

— Joyeux ? Je ne crois pas l'avoir jamais vu sourire. Et toi ?

— Oh si, au moins deux fois !

— Depuis combien de temps le connais-tu ?

— Vingt-trois ans. C'est mon parrain.

— Ah, je comprends mieux. Je ne pensais pas qu'il se serait donné la peine de venir à mon secours.

— Bien sûr que si. Il t'aime bien.

— Si tu le dis…

Puisque nous en étions à discuter des événements récents, je pris une profonde inspiration et posai la question qui me brûlait les lèvres depuis un certain temps.

— Dis-moi, Jamie…

— Oui ?

— Geillis Duncan. Tu crois… qu'ils vont vraiment la brûler ?

Il fronça légèrement les sourcils et hocha la tête.

— C'est fort probable, mais ils attendront que l'enfant naisse. C'est ça qui t'ennuie ?

— Entre autres. Regarde ça.

Je tentai vainement de retrousser ma manche volumineuse puis, m'énervant, je tirai sur l'encolure jusqu'à dénuder mon épaule pour lui montrer la cicatrice de ma vaccination.

— Mon Dieu ! souffla-t-il, après que je lui eus expliqué ce que c'était. Alors c'est pour ça que… elle vient de la même époque que toi ?

— Je ne sais pas. Tout ce que je peux dire, c'est qu'elle est probablement née après 1920. C'est à cette date qu'ont commencé les campagnes de vaccination de masse.

Je me tournai vers la haute falaise au sommet couvert de nuages qui nous séparait de Leoch.

— Je suppose que je ne le saurai jamais.

Il me serra contre lui.

— Ne pleure pas pour elle. C'est une méchante femme, une meurtrière, à défaut d'être une sorcière. Elle a bien assassiné son mari, non ?

— Oui, frissonnai-je en revoyant le visage bleu d'Arthur Duncan.

— Je ne comprends toujours pas pourquoi elle l'a tué, dit Jamie en secouant la tête d'un air perplexe. Il avait de l'argent, une bonne position, et il ne la battait sans doute pas.

Je le dévisageai, mi-amusée, mi-exaspérée.

— Parce que c'est là ta définition d'un bon mari ?

— Eh bien… oui. Que voulait-elle de plus ?

— Que voulait-elle *de plus* ?

Je fus si surprise que je restai sans voix un instant avant d'éclater de rire.

— Qu'est-ce qu'il y a de si drôle ?

— C'est que… hoquetai-je. Si, pour toi, un bon mari c'est un homme riche avec une bonne situation et qui ne bat pas sa femme, où te situeras-tu ?

— Oh ! fit-il. Ben… je n'ai jamais dit que j'étais un bon mari, *Sassenach*. Et toi non plus. Je suis un « sadique » comme tu dis, et bien d'autres choses que je n'ose pas répéter. Tout sauf un bon mari.

— Bien, je suis contente de te l'entendre dire. Au moins, je n'aurai pas besoin de t'empoisonner au cyanure.

— Au cyanure ? Qu'est-ce que c'est ?

— Le poison qui a tué Arthur. Il est fulgurant. Assez répandu à mon époque, mais pas à la tienne. Rien qu'en lui faisant du bouche-à-bouche, j'ai eu les lèvres paralysées. J'aurais dû comprendre tout de suite, au sujet de Geillis. Elle l'a sans doute obtenu en broyant des noyaux de cerises ou de pêches, mais ça a dû être très difficile.

— Elle t'a dit pourquoi elle l'avait tué ?

— Oui, ça et bien d'autres choses encore. S'il reste quelque chose à grignoter dans tes sacoches, tu ferais bien de le sortir et je te raconterai.

Nous arrivâmes dans la vallée de Broch Tuarach le lendemain. En descendant une colline, j'aperçus au loin un cavalier solitaire galopant dans notre direction. C'était le premier être humain que je voyais depuis que nous avions quitté Cranesmuir.

L'homme qui approchait était gras et bien habillé, avec un foulard immaculé autour du cou sur une veste en serge grise dont les pans tombaient sur ses culottes.

Nous voyagions depuis plusieurs jours, dormant à la belle étoile, nous lavant dans les ruisseaux et nous nourrissant des lapins et des poissons qu'attrapait Jamie ainsi que des plantes et des baies que je trouvais au hasard de la route. Nos efforts réunis nous avaient assuré un régime plus sain et plus varié que celui de Leoch, quoique imprévisible.

En revanche, notre aspect laissait à désirer, ce qui expliquait probablement pourquoi, en nous apercevant, le cavalier hésita quelques instants et faillit prendre une autre direction avant de se raviser et d'approcher au petit trot.

Couverts d'une épaisse poussière rouge, nos vêtements en lambeaux, les cheveux en désordre et parsemés de brindilles, nous devions avoir l'air de deux sauvages des Highlands.

— C'est Jock Graham, me chuchota Jamie. Il vient de Murch Nardagh.

L'homme s'arrêta à quelques mètres et nous inspecta des pieds à la tête d'un air soupçonneux. Ses yeux bouffis et plissés s'arrêtèrent longuement sur Jamie, puis s'écarquillèrent brusquement.

— Lallybroch ? s'écria-t-il, incrédule.

Jamie acquiesça d'un sourire. Avec un air de propriétaire fort déplacé, il posa une main sur ma cuisse et annonça fièrement :

— Et voici ma femme, la nouvelle dame de Broch Tuarach.

La mâchoire de Jock Graham s'abaissa encore de quelques centimètres avant qu'il ne se reprenne et balbutie en ôtant respectueusement son chapeau :

— Ah... mes... hommages... madame.

Se tournant vers Jamie, il poursuivit, essayant de détourner son regard de ma cuisse nue et tachée de jus de sureau, qui apparaissait sous les lambeaux de ma jupe :

— Vous... euh... rentrez au domaine, laird ?

— Oui. Tu y es passé récemment, Jock ? demanda Jamie.

— Oh oui. Tout le monde va bien. Ils seront ravis de vous revoir. Alors, bonne route, Fraser !

Sur ce, il fit tourner son cheval et reprit sa route.

Nous le regardâmes s'éloigner. Soudain, à quelques centaines de mètres, il tira sur les rênes et se tourna vers nous. Mettant ses mains en porte-voix, il cria :

— Et bienvenue à la maison !

Puis il disparut derrière une colline.

Broch Tuarach signifie « la tour orientée vers le nord ». Vu du flanc de la montagne, le *broch* qui donnait son nom au domaine n'était que l'une de ces collines faites de rochers comme nous en avions vu des dizaines tout au long de notre périple.

Nous descendîmes un sentier pentu entre deux flancs escarpés, menant le cheval entre les rochers. Puis le chemin devint moins accidenté, zigzaguant dans les champs et passant devant quelques hameaux isolés. Enfin nous atteignîmes une petite route sinueuse qui menait à la maison.

Elle était plus grande que je me l'étais imaginé : c'était un beau manoir blanc de trois étages, les fenêtres soulignées de linteaux en pierre grise, avec un haut toit en ardoise aux nombreuses cheminées et plusieurs dépendances aux façades blanchies à la chaux, agglutinées tout autour comme des poussins autour d'une poule. La vieille tour en pierre, située sur un talus à l'arrière de la maison, s'élevait à une vingtaine de mètres de hauteur, avec un toit pointu comme un chapeau de sorcière, bordé de trois rangées de meurtrières.

Au moment où nous approchions, un terrible vacarme retentit du côté des communs et Donas rua. Je dégringolai de selle, atterrissant sur la route poudreuse.

Je me relevai pour me trouver entourée d'une meute de chiens hurlant et montrant les dents d'un air menaçant.

— Bran ! Luke ! *Sheas* ! hurla Jamie.

Les chiens s'aplatirent au sol à quelques mètres de moi, l'air confus. Ils continuèrent toutefois à gronder jusqu'à ce que Jamie parle à nouveau.

— *Sheas, mo maise* ! Debout, bande de voyous !

Ce qu'ils firent. Le plus grand se mit à agiter la queue d'un air incertain, bientôt imité par les autres.

— Claire, tiens les rênes de Donas et éloigne-le. Il a peur. Avance lentement et ils ne te feront rien.

J'obtempérai sans discuter tandis que Jamie se laissait renifler et lécher par les chiens qui commençaient à le reconnaître. En fait de meute, ils n'étaient que quatre et, une fois calmés, ils paraissaient aussi inoffensifs que des caniches, même si le plus grand m'arrivait à la taille.

Une fois ces retrouvailles terminées, nous nous dirigeâmes vers le manoir, escortés par les molosses. Sur le perron, Jamie hésita.

— On devrait peut-être frapper ? suggérai-je, un peu inquiète.

Il me lança un regard sidéré.

— Je suis chez moi, rétorqua-t-il en poussant la porte.

Il me conduisit dans la maison, sans prêter garde aux regards ébahis des domestiques sur notre passage. Nous entrâmes dans un salon où trônait une énorme cheminée au manteau en marbre luisant. Ici et là, des objets en argent reflétaient la lumière du soleil de fin d'après-midi. Tout d'abord je crus que la pièce était déserte, puis, du coin de l'œil, je perçus un mouvement près de la cheminée.

Elle était plus petite que je ne l'aurais cru. Avec un frère comme Jamie, je m'étais attendue à une femme de ma taille, voire plus grande, mais elle dépassait à peine le mètre cinquante-cinq. Elle nous tournait le dos, en train de chercher quelque chose dans un cabinet de porcelaine.

En l'apercevant, Jamie resta figé sur place.

— Jenny !

Elle se retourna et j'eus juste le temps d'entrevoir des sourcils noirs de jais et des yeux bleus écarquillés qui dévoraient un visage pâle avant qu'elle ne se lance dans les bras de son frère.

Elle avait beau être petite, Jamie chancela sous son étreinte. Il passa ses bras autour d'elle par réflexe tandis qu'elle pressait son visage contre son torse et ils restèrent enlacés un long moment. Le visage de Jamie exprimait un mélange d'incertitude et de joie qui me fit presque me sentir une intruse.

Elle lui murmura quelque chose en gaélique et le visage de Jamie se décomposa. Il l'empoigna par le bras et la repoussa.

Ils avaient les mêmes yeux bleu nuit légèrement bridés, les mêmes pommettes saillantes, le même nez fin, un rien trop long. Mais elle était aussi brune que Jamie était roux, avec des cascades de cheveux noirs bouclés retenus en arrière par un ruban vert.

Elle était très belle, avec des traits fins et une peau d'albâtre. Elle était aussi en état de grossesse très avancé.

Jamie, lui, était blême.

— Jenny, murmura-t-il. Oh, Jenny, *mo cridh.*

Son attention fut détournée par l'apparition d'un enfant sur le pas de la porte. Jenny s'écarta de son frère sans remarquer son air sombre. Prenant l'enfant par la main, elle le fit entrer dans le salon, lui chuchotant des paroles d'encouragement. Il résistait un peu, son pouce dans la bouche, inspectant les deux étrangers, caché derrière les jupes de sa mère.

Car on ne pouvait douter qu'elle était sa mère. Il avait sa tignasse noire et bouclée et ses épaules carrées, même si ses traits ne ressemblaient pas à ceux de Jenny.

— Voici le petit Jamie, annonça-t-elle fièrement. Jamie, voici ton oncle Jamie, *mo cridh*, celui dont je t'ai donné le nom.

— Mon nom ? Tu lui as donné mon nom ?

Jamie avait l'air d'un boxeur qui vient de prendre un upper-cut dans l'estomac. Il recula d'un pas et heurta une chaise sur laquelle il se laissa tomber de tout son poids. Puis il enfouit son visage dans ses mains.

Cette fois, sa sœur remarqua que quelque chose n'allait pas. Elle lui toucha l'épaule.

— Jamie, que se passe-t-il, mon chéri ? Tu ne te sens pas bien ?

Il releva la tête, les yeux pleins de larmes.

— Je ne peux pas croire que tu aies fait une chose pareille, Jenny. Tu crois que je n'ai pas assez souffert de ce qui s'est passé… de ce que j'ai laissé t'arriver ? Il fallait encore que tu donnes mon nom au bâtard de Randall, pour me le faire payer jusqu'à la fin de mes jours ?

Le visage de Jenny, déjà pâle, perdit cette fois toute couleur.

— Le bâtard de Randall ? Tu veux dire, de Jonathan Randall ? Le capitaine des dragons ?

— Oui, celui-là même ! Qui d'autre, bon sang ! Tu l'as déjà oublié ?

Jenny regarda son frère d'un air soupçonneux, un sourcil arqué.

— Tu as perdu la tête, mon frère ? Ou est-ce que tu as bu avant de venir ?

— Je n'aurais jamais dû revenir ! marmonna Jamie.

Il se leva et la contourna, évitant soigneusement de la toucher. Elle se tint droite, sans bouger, puis le rattrapa par le bras.

— Dis-moi si je me trompe, mon frère, mais j'ai la nette impression que tu m'accuses d'avoir fait la putain avec le capitaine Randall, et je me demande bien si tu n'aurais pas des vers en train de te bouffer la cervelle !

— Des vers ? J'aimerais bien, ma sœur. Je préférerais même être mort plutôt que de savoir que ma sœur est tombée aussi bas.

Il la saisit par les épaules et la secoua comme un prunier.

— Pourquoi, Jenny ? Pourquoi ? Te savoir déshonorée par ma faute était déjà terrible, mais ça...

Il se tourna brusquement vers la porte. Une vieille femme, qui était entrée discrètement et tenait l'enfant dans ses jupes, eut un mouvement de recul.

— Je n'aurais jamais dû revenir, répéta Jamie. Je vais repartir sur-le-champ.

— Certainement pas, Jamie Fraser ! s'écria sa sœur. En tout cas, pas avant de m'avoir écoutée. Assieds-toi et je te parlerai du capitaine Randall, si c'est ce que tu veux.

— Je ne veux pas le savoir ! Je ne veux pas l'entendre ! hurla Jamie.

Il se tourna vers la fenêtre. Elle vint se placer derrière lui et voulut lui toucher le bras mais il la repoussa.

— Laisse-moi ! Ne me parle pas ! Je ne supporterai pas de l'entendre !

— Ah oui ?

Elle foudroya le dos de son frère du regard et croisa les bras, l'air de réfléchir. Puis, aussi rapide que l'éclair, elle se pencha en avant et glissa une main sous son kilt.

Jamie laissa échapper un cri de stupéfaction et se raidit.

— C'est là que les hommes sont le plus sensibles, dit-elle en se tournant vers moi avec un petit sourire, et les animaux aussi. Il y en a qui ne feront rien à moins qu'on ne les prenne par les bourses. Alors maintenant, tu vas enfin m'écouter poliment ? Ou tu préfères que je te les écrase encore un peu plus ?

Il ne bougeait pas, le visage cramoisi, et respirait profondément entre ses mâchoires crispées.

— C'est bon, je vais t'écouter ! Et après je te tordrai le cou, Janet ! Lâche-moi !

Dès qu'elle l'eut lâché, il fit volte-face et se rua vers elle.

— Qu'est-ce qui te prend ? vociféra-t-il. Tu oses m'humilier devant ma femme ?

Jenny ne semblait guère impressionnée. Elle nous regarda tous les deux d'un air sardonique.

— Si c'est ta femme, je suppose qu'elle connaît mieux tes parties intimes que moi. Personnellement, je ne les ai pas revues depuis que tu es en âge de prendre tes bains tout seul. Elles se sont sacrément développées depuis, il me semble !

Le visage de Jamie subit plusieurs transformations successives et inquiétantes, tandis que les diktats du monde civilisé luttaient en lui contre l'impulsion primitive d'étrangler sa sœur. La civilisation finit par l'emporter et il siffla entre ses dents :

— Laisse mes bourses en dehors de ça. Puisque tu tiens tant à me parler de Randall, vas-y. Dis-moi pourquoi tu as désobéi à mes ordres et tu as choisi de te déshonorer, toi et les tiens.

Jenny plaça ses mains sur ses hanches et bomba le torse, prête au combat.

— Désobéi à tes ordres ? C'est donc ça qui te ronge, Jamie, n'est-ce pas ? Tu sais tout mieux que les autres et nous n'avons plus qu'à courber le dos. Figure-toi que, si je t'avais obéi ce jour-là, tu serais mort sur le pas de la porte, père aurait été pendu pour s'être vengé en assassinant Randall, et nos terres auraient été confisquées par la Couronne. Sans parler de ce qui me serait arrivé, à moi, sans famille et sans toit. Je serais sans doute en train de mendier sur les routes.

— Il aurait mieux valu devenir mendiante que putain ! aboya Jamie. J'aurais préféré la mort, entraînant père et nos terres en enfer avec moi, et tu le sais !

— Oui, je le sais. Mais tu n'es qu'un idiot, Jamie Fraser, et tu l'as toujours été !

— Regarde qui parle ! Non contente de souiller ton nom et le mien, tu dois répandre le scandale autour de toi et crier ta honte à tout le voisinage !

— Tu n'as pas le droit de me parler comme ça, frère ou pas ! Que veux-tu dire, « ma honte » ? Tu n'es qu'un misérable crétin qui ne sait…

— Ce que je veux dire ? Que tu n'as pas besoin de t'exhiber devant tout le monde avec ton ventre gonflé comme un crapaud…

Elle prit son élan et lui envoya une gifle retentissante. Il encaissa le coup, posant une main sur sa joue où l'on voyait encore les traces de doigts. Les yeux de Jenny lançaient des éclairs de fureur et elle respirait lentement. Les paroles se déversaient entre ses dents serrées comme un torrent.

— Tu m'as traitée de crapaud ? Espèce de sale couard… tu n'as rien trouvé de mieux à faire que de me laisser seule ici, sans me donner de nouvelles, te croyant mort ou emprisonné. Et puis, un beau jour, tu reviens, comme si de rien n'était, avec une femme par-dessus le marché, pour me traiter de crapaud et de traînée, et…

— Je ne t'ai pas traitée de traînée.

Je jugeai le moment opportun de les laisser en tête à tête et m'éclipsai discrètement dans le hall. Après un petit sourire embarrassé à la vieille femme, je sortis dans la cour, trouvai un banc sous une pergola et m'y assis, contemplant le paysage autour de moi.

Derrière la pergola s'étendait un petit jardin fermé de murets. On y voyait les dernières roses de l'automne. Plus loin se dressait ce que Jamie m'avait décrit comme le *doocot*, un pigeonnier strié de petits orifices d'où les oiseaux entraient et sortaient sans interruption.

Autour du manoir se trouvaient également une grange, un silo, un grenier à blé, un poulailler, un chenil et une chapelle abandonnée. Il restait un petit bâtiment dont je ne connaissais pas l'usage. Le vent d'automne soufflait de cette direction. Je humai l'air et sentis le parfum riche de la levure et de l'orge. C'était la brasserie où l'on faisait la bière et l'ale du domaine.

Le sentier qui partait du manoir grimpait une petite colline. Comme je levais les yeux vers son sommet, un groupe d'hommes apparut, se détachant sur le ciel du soir. Ils s'arrêtèrent un moment, comme s'ils se saluaient avant de se séparer, puis un seul d'entre eux descendit vers le manoir, les autres coupant à travers champs vers un hameau qui se dessinait au loin.

L'homme qui s'approchait boitait. Lorsqu'il passa la grille, je compris pourquoi. Sa jambe droite était coupée juste au-dessus du genou et avait été remplacée par une prothèse en bois.

En dépit de sa démarche clopinante, il semblait jeune. De fait, lorsqu'il approcha du jardin, je constatai qu'il avait une vingtaine d'années. Il était presque aussi grand que Jamie, mais plus étroit d'épaules, et mince, presque maigre.

Il s'arrêta devant la pergola, prit appui sur les montants et me regarda avec intérêt. Son épaisse chevelure châtaine lui tombait sur le front. Ses yeux brillaient d'une lueur chaleureuse.

Les éclats de voix nous parvenaient par les fenêtres grandes ouvertes du salon. Si tous les mots n'étaient pas distincts, on pouvait sans mal suivre le déroulement du combat.

— Sale garce, mêle-toi de ce qui te regarde... vociférait Jamie, ou quelque chose du genre.

— Tu n'as même pas la décence de... répondait sa sœur dont la voix se perdit dans le vent.

Le nouveau venu m'adressa un sourire.

— Je vois que Jamie est rentré, dit-il simplement.

Je fis oui de la tête, me demandant si je devais me présenter. Il ne m'en laissa pas le temps.

— Je suis Ian Murray, se présenta-t-il, le mari de Jenny. Et vous devez être...

— La *Sassenach* que Jamie a épousée, terminai-je pour lui. Je m'appelle Claire. Vous étiez donc au courant ?

Il rit pendant que je réfléchissais à toute allure : le « mari » de Jenny ?

— Oh ! bien sûr ! C'est Joe Orr qui nous a prévenus. Il l'a entendu dire chez un ferrailleur d'Ardaigh. Les secrets ne font jamais long feu dans les Highlands. Vous devriez le savoir, même si vous n'êtes pas mariée depuis longtemps. Cela fait des semaines que Jenny se demande à quoi vous ressemblez.

— Putain ! hurla Jamie à l'intérieur.

Le mari de Jenny ne sourcilla pas et continua à m'examiner avec une curiosité amicale.

— Vous êtes jolie fille, dit-il sans détour : Vous aimez vraiment Jamie ?

— Euh... oui.

J'avais beau m'être habituée à la franchise des Highlanders, je me laissais encore parfois surprendre.

Il plissa les lèvres et hocha la tête d'un air satisfait avant de s'asseoir à mes côtés.

— Il vaut mieux leur laisser encore quelques minutes, suggéra-t-il avec un signe de tête vers la maison où les insultes fusaient à présent en gaélique. De toute façon, les Fraser n'écoutent jamais ce qu'on leur dit quand ils sont en rogne. Mais, une fois qu'ils sont à bout de souffle, on arrive parfois à leur faire entendre raison.

— Oui, j'avais remarqué.

Il se mit à rire.

— Je vois que vous avez été mariée suffisamment longtemps pour le découvrir ! On a su comment Dougal avait obligé Jamie à se marier, mais, d'après Jenny, même la force de persuasion de Dougal n'aurait pu convaincre Jamie de faire quelque chose contre son gré. Maintenant que je vous vois, je comprends mieux.

— Je suppose qu'il avait ses raisons, répondis-je, mon attention partagée entre mon interlocuteur et les cris venant du salon. J'espère simplement que je n'y suis... que c'est pas...

Ian interpréta correctement mes paroles hésitantes et mes regards vers la maison.

— Oh ! ne vous inquiétez pas, votre présence y est sans doute pour quelque chose, mais elle s'en prendrait à lui que vous soyez là ou non. Elle adore Jamie, vous savez, et son absence la rendait folle d'inquiétude, surtout après la mort soudaine de leur père. Vous êtes au courant ?

— Oui, Jamie m'a tout raconté.

— Ah. Et puis, naturellement, il y a l'enfant qu'elle attend.

— Oui, j'avais remarqué ça aussi.

— Le contraire serait étonnant, non ?

Nous nous mîmes à rire.

— La grossesse la rend encore plus irritable, expliqua-t-il, on ne peut pas lui en vouloir. Il faut une certaine dose d'inconscience pour oser la contrarier alors qu'elle en est à son neuvième mois.

Il se pencha en arrière, étirant sa jambe de bois devant lui.

— Je l'ai perdue avec Fergus nic Leodhas. Un coup de mitraille. Elle me fait un peu mal en fin de journée.

Il massa la chair juste au-dessus du bourrelet de cuir qui finissait le morceau de bois.

— Vous avez essayé de la frotter avec du baume de Giléade ? Ou bien de l'eau poivrée et de la rue bouillie ?

— Non, je n'ai pas encore essayé l'eau poivrée, répondit-il, intéressé. Je demanderai à Jenny si elle sait la préparer.

— Je serais ravie de le faire pour vous. Si nous restons assez longtemps...

Nous continuâmes à bavarder de tout et de rien un bon moment, une oreille toujours tendue vers le salon.

— Je crois qu'on peut y aller maintenant, dit finalement Ian. Si l'un d'eux cesse de brailler quelques secondes et entend ce que l'autre lui dit, il risque de se vexer.

— J'espère au moins qu'ils n'en viendront pas aux mains.

Ian ricana.

— Oh ! je ne crois pas que Jamie la frapperait. Il sait faire face aux provocations. Quant à Jenny, elle lui fichera peut-être une gifle, mais pas plus.

— C'est déjà fait.

— Ah, je vois. Heureusement, nos fusils sont enfermés à clef et tous les couteaux sont dans la cuisine. Je ne pense pas qu'ils risquent grand-chose.

Il s'arrêta devant la porte et me lança un clin d'œil.

— J'aimerais pouvoir en dire autant de vous et moi.

À l'intérieur, les servantes battirent en retraite en voyant arriver Ian. Seule la gouvernante resta dans l'antichambre, le petit Jamie toujours caché sous ses jupes, semblant fascinée par la réunion de famille de l'autre côté de la porte. Lorsque Ian lui parla, elle sursauta en se posant la main sur le cœur.

Ian prit le petit garçon dans ses bras et entra dans le salon. Nous nous arrêtâmes sur le pas de la porte pour voir où ils en étaient. Le frère et la sœur marquaient une pause pour reprendre leur souffle, les yeux brillants.

Le petit Jamie courut vers sa mère en tendant les bras. Elle le souleva et roucoula :

— Mon chéri, tu peux dire à ton oncle quel âge tu as ?

Intimidé, l'enfant enfouit son visage dans le corsage de sa mère.

— Puisqu'il ne veut pas, je vais te le dire, moi. Il a eu deux ans au mois d'août. Si tu sais compter – ce qui reste à voir –, tu constateras qu'il a été conçu six mois avant le jour où Randall est venu ici, le seul d'ailleurs où je l'ai vu.

— Ce n'est pas ce qu'on m'a raconté, rétorqua Jamie. Tout le monde sait que cet homme a été ton amant et que cet enfant est de lui. Je veux bien croire que le nouveau bâtard dans ton ventre n'est pas de Randall puisqu'il était en France jusqu'en mars. Donc, tu n'es pas seulement une putain, mais une putain peu regardante. Alors, quel enfant de salaud t'a engrossée, cette fois ?

Le jeune homme à mes côtés toussota délicatement dans le creux de sa main.

— Humm... c'est moi. Et le premier aussi est de moi, d'ailleurs.

Il prit l'enfant des bras de sa mère et le présenta de face.

— Il me ressemble, non ?

De fait, c'était frappant. Côte à côte, le père et le fils étaient presque identiques, mis à part les joues rondes du second et le nez busqué du premier. Jamie ferma la bouche et déglutit, ne sachant manifestement plus quoi dire.

— Ian... alors, vous êtes mariés ?

— Bien sûr, répondit son beau-frère avec un sourire.

— Je vois... euh... c'est... euh... c'est généreux de ta part, Ian. Vraiment.

— Comment ça, « généreux de ta part » ? glapit Jenny. Tu veux dire qu'il m'a épousée malgré ma condition de femme souillée ?

— Ce ne sont pas des propos de salon, intervint Ian en prenant Jamie par l'épaule et en l'éloignant prudemment hors de portée des poings de Jenny, mais tu seras peut-être intéressé de savoir que ta sœur était vierge la nuit de nos noces. Je suis bien placé pour le savoir.

La fureur de Jenny se trouva soudain partagée entre son frère et son mari.

— Comment oses-tu dire ce genre de choses en ma présence, Ian Murray ? fulmina-t-elle. Ma nuit de noces ne regarde que moi et toi, et certainement pas *lui* ! Pourquoi ne pas lui montrer nos draps tachés de sang, pendant que tu y es ?

— Bonne idée, au moins on en aurait terminé une fois pour toutes, rétorqua Ian. Allez, *mi dhu*, ne t'énerve pas comme ça, c'est mauvais pour le bébé et vos cris font peur au petit Jamie.

Il caressa les cheveux du garçonnet qui roulait des yeux effarés, ne sachant pas encore s'il allait fondre en larmes. D'un signe de tête, Ian m'indiqua Jamie.

Comprenant son message, je pris Jamie par le bras et l'entraînai vers un fauteuil dans un coin neutre de la pièce. En posant ma main sur son épaule, je sentis que la tension commençait à se relâcher.

Ian esquissa un sourire dans sa direction.

— Jamie, je suis content de te voir. Nous sommes tous heureux que tu sois revenu parmi nous, et nous sommes également ravis d'accueillir ta femme. N'est-ce pas, *mi dhu* ?

Les lèvres de Jenny se serrèrent puis s'entrouvrirent à peine pour lâcher :

— Tout dépend.

Jamie se frotta le menton et redressa la tête, prêt pour un nouveau round.

— Pourtant, je t'ai vue entrer dans la maison avec Randall, s'entêta-t-il. Et d'après ce qu'il m'en a dit plus tard… comment se fait-il qu'il sache que tu as un grain de beauté sur le sein ?

Elle ricana bruyamment.

— Te souviens-tu seulement de ce qui s'est passé, ce jour-là, ou est-ce que le capitaine t'avait battu au point de t'abrutir plus que tu ne l'es déjà ?

— Et comment que je m'en souviens ! Je ne suis pas près de l'oublier !

— Alors tu te rappelleras sans doute le coup de genou que je lui ai envoyé dans ses parties intimes ?

Jamie haussa les épaules en faisant :

— Mmmouais…

Jenny le toisa avec un sourire ironique.

— Eh bien, si ta femme ici présente – tu aurais pu au moins me la présenter, comment s'appelle-t-elle ? Tu n'as vraiment pas de manières, Jamie –, eh bien donc, si ta femme te faisait la même chose, et Dieu sait que tu le mérites, tu crois vraiment que tu serais en mesure de l'honorer dans les minutes qui suivent ?

Jamie, qui avait ouvert la bouche pour rétorquer, se ravisa. Il dévisagea sa sœur un long moment, puis les commissures de ses lèvres se tordirent légèrement.

— Tout dépend.

Il observait Jenny avec l'air sceptique d'un petit frère qui écoute les contes de fées que lui raconte sa grande sœur, se sentant trop âgé pour être dupe mais la croyant malgré lui.

— Vraiment ? dit-il enfin.

Jenny se tourna vers Ian.

— C'est bon, va chercher les draps, ordonna-t-elle.

— Non, non, je te crois ! se ravisa Jamie. C'est juste que… de la manière dont il s'est comporté avec moi par la suite…

Jenny se détendit. Elle s'adossa à Ian et prit son enfant sur ses genoux avec un air victorieux.

— Que veux-tu, expliqua-t-elle, après ce qu'il m'avait promis dehors, il ne pouvait pas avouer devant tous ses hommes qu'il n'était pas à la hauteur de ses engagements, non ? Il fallait qu'il joue le jeu jusqu'au bout, et je dois dire que ce ne fut pas une partie de plaisir. Il m'a frappée plusieurs fois et m'a déchiré ma robe. Je me suis évanouie et, à mon réveil, les Anglais étaient partis, et toi avec.

Jamie poussa un long soupir et ferma les yeux. Je posai une main sur la sienne et la pressai doucement.

— D'accord, Jenny, reprit-il, mais dis-moi alors une chose : quand tu es entrée dans la maison avec lui, tu savais déjà qu'il ne te ferait rien ?

Elle ne répondit pas tout de suite, mais fixa longuement son frère. Enfin, elle fit non de la tête et esquissa un sourire.

Sentant que Jamie allait protester, elle leva une main pour le faire taire.

— Tu étais prêt à sacrifier ta vie pour mon honneur, et je serais incapable de sacrifier mon honneur pour te sauver la vie ? Ou essaies-tu de dire que ton amour pour moi est plus fort que le mien ? Parce que, si c'est le cas, Jamie Fraser, laisse-moi te dire que tu te trompes !

Jamie voulut protester une fois de plus, mais elle ne lui en laissa pas le temps, profitant de son avantage.

— Parce que je t'aime, petit frère, même si tu n'es qu'un crétin et une tête de mule. Et je ne t'aurais pas laissé te faire tuer sur le pas de la porte, simplement parce que tu étais trop têtu pour la boucler.

Encaissant les insultes, non sans peine, Jamie chercha vainement une réponse adéquate. Enfin, résigné, il poussa un soupir.

— C'est bon, c'est bon. J'avais tort. Je te demande pardon.

Le frère et la sœur se dévisagèrent un long moment, mais Jenny resta de marbre. Elle l'observait, se mordillant les lèvres, sans sourciller.

— Puisque je t'ai dit que je m'excusais, s'impatienta-t-il. Que veux-tu de plus ? Que je me mette à genoux ? Je le ferai si c'est ce que tu demandes !

Elle secoua lentement la tête.

— Non, je ne veux pas que tu t'agenouilles dans ta propre maison. Lève-toi.

Jamie s'exécuta. Posant l'enfant à terre, elle traversa le salon et s'approcha de lui.

— Enlève ta chemise.

— Il n'en est pas question !

Elle tira sur les pans de sa chemise et tendit la main vers les boutons. Manifestement, il allait devoir obéir ou se laisser déshabiller devant tout le monde. Il repoussa la main de sa sœur et déboutonna sa chemise dignement. Puis il se retourna pour lui montrer son dos nu.

Elle contempla la chair meurtrie avec le même regard vide que j'avais déjà observé chez Jamie quand il voulait cacher son émotion. Enfin, elle hocha la tête, comme pour confirmer ce qu'elle suspectait depuis longtemps.

— Tu as dû avoir très mal.

— Oui.

— Tu as pleuré ?

Il serra involontairement les poings.

— Oui !

Jenny revint se placer devant lui, son petit menton pointu levé vers lui, ses yeux en amande brillant.

— Moi aussi, dit-elle doucement. Tous les jours depuis que tu es parti.

L'émotion qui se lisait sur leurs visages était telle que je me levai et m'éclipsai discrètement vers la cuisine. Au moment où la porte se refermait derrière moi, j'aperçus le frère et la sœur dans les bras l'un de l'autre, les cheveux roux mêlés aux cheveux noirs formant une seule et même tignasse bicolore.

27

La dernière raison

NOUS PASSÂMES NOTRE PREMIÈRE NUIT à Lallybroch dans une chambre spacieuse où, contents et repus, nous dormîmes comme des loirs. Le lendemain, tandis que Jamie faisait le tour du domaine, son neveu perché sur ses épaules, et que Ian était au verger, je passai de longues heures dans le salon en tête à tête avec ma nouvelle belle-sœur. Elle faisait du raccommodage tandis que j'embobinais des pelotes de laine et que je triais des étoffes en soie. Nous discutions de choses et d'autres tout en nous épiant du coin de l'œil. Jamie et Jenny étaient unis à jamais par une enfance passée côte à côte, mais ces liens avaient été desserrés par l'absence, le soupçon, puis le mariage. Ian faisait partie de leur paysage commun depuis toujours, tandis que j'étais entièrement nouvelle. La conversation était amicale, mais chargée de sous-entendus relatifs à Jamie.

— Alors, comme ça, tu t'occupes de cette maison depuis la mort de votre mère ?

— Oui, depuis que j'ai dix ans.

Je l'ai soigné et aimé quand c'était un gamin. Que feras-tu de l'homme que j'ai aidé à se construire ?

— Jamie m'a dit que tu étais une très bonne guérisseuse.

— Je lui ai soigné l'épaule quand nous nous sommes rencontrés.

Oui, je suis compétente, et bonne. Je prendrai soin de lui.

— J'ai entendu dire que votre mariage a été plutôt soudain ? As-tu épousé mon frère pour ses terres et son argent ?

— Oh oui, je n'ai su son vrai nom de famille que juste avant la cérémonie.

Je ne savais pas qu'il était laird. Je l'ai épousé pour lui-même.

Et ainsi de suite jusqu'à l'heure du déjeuner puis tout au long de l'après-midi. Nous échangeâmes des opinions, des informations, et même quelques plaisanteries, chacune prenant la mesure de l'autre. Je me demandais bien ce qu'elle pensait de moi, mais elle était aussi forte que son frère pour cacher ses sentiments quand elle le voulait.

Lorsque la pendule sur la cheminée frappa cinq heures, Jenny bâilla et s'étira. Le vêtement qu'elle était en train de repriser glissa au sol. La voyant faire des efforts maladroits pour se pencher, je me précipitai pour le ramasser.

— Merci... Claire.

C'était la première fois qu'elle prononçait mon nom et elle l'accompagna d'un sourire timide, que je lui retournai aussitôt.

Au même moment, nous fûmes interrompues par Mme Crook, la gouvernante, qui passa son long nez dans l'entrebâillement de la porte et demanda avec inquiétude si nous avions vu le petit maître Jamie.

Jenny reposa sa couture de côté avec un soupir.

— Il a encore filé ? Ne vous inquiétez pas, Lizzie. Il est sans doute avec son père ou son oncle. Nous allons jeter un œil, d'accord, Claire ? Un peu d'air frais nous fera du bien avant le dîner.

Elle se leva péniblement de son fauteuil et, posant les mains sur son ventre arrondi, gémit en faisant la grimace.

— Plus que trois semaines. Il est temps, je n'en peux plus !

Nous nous promenâmes lentement dans le jardin, Jenny me faisant visiter les lieux, m'indiquant la brasserie et la chapelle, m'expliquant l'histoire du domaine, me donnant les dates de construction des différents édifices.

Au moment où nous approchions du pigeonnier, nous entendîmes des voix près de la pergola.

— Le voilà, le petit sacripant, attends que je mette la main dessus ! menaça Jenny.

— Un instant ! l'arrêtai-je, reconnaissant la voix plus grave de Jamie.

— Ne t'inquiète pas, disait-il. Tu apprendras. Ce n'est pas facile quand ta petite queue ne dépasse pas ton nombril.

Je passai ma tête dans l'angle et le découvris assis sur une souche en pleine conversation avec son homonyme. Ce dernier se débattait virilement avec les plis de son petit sarrau.

— Qu'est-ce que tu fais à cet enfant ? demandai-je, intriguée.

— Je lui apprends l'art difficile de ne pas se pisser sur ses souliers. C'est la moindre des choses de la part d'un oncle.

— Tu aurais plus tôt fait de lui montrer.

— Oh, mais nous avons déjà fait quelques expériences. Sauf que, la dernière fois, nous avons eu un petit accident.

Il lui lança un regard complice.

— Oh, ne me regarde pas comme ça ! Je n'y étais pour rien. Je t'avais bien dit de ne pas bouger !

— Hum, intervint Jenny.

Son regard réprobateur allait et venait entre son fils et son frère. L'enfant répondit en rabattant sa blouse par-dessus sa tête mais l'oncle ne parut nullement intimidé. Il caressa les cheveux de son neveu.

— Chaque chose en son temps, petit garnement, et, Dieu merci, il est temps de dîner.

Le lendemain après-midi, Jamie me fit visiter la maison. Construite en 1702, elle était moderne pour l'époque, comportant des innovations telles que des poêles en faïence et un grand four en brique encastré dans un mur de la cuisine, afin que le pain ne soit plus cuit dans le foyer de la cheminée. Les murs du couloir du rez-de-chaussée, de l'escalier et du petit salon étaient couverts de tableaux, avec çà et là des scènes pastorales, la plupart étant des portraits de famille.

Je m'arrêtai devant un portrait de Jenny jeune fille. Elle était assise sur le muret du jardin avec, en toile de fond, une vigne vierge rouge. À côté d'elle, sur le muret, plusieurs moineaux, une grive, une alouette et même un faisan se disputaient la primauté de se tenir près de leur maîtresse qui riait aux éclats. Ce tableau n'avait rien des poses formelles des autres portraits, où des ancêtres lançaient des regards menaçants depuis leur cadre comme si leur collerette les étranglait.

— C'est ma mère qui l'a peint, expliqua Jamie. Elle en a peint plusieurs autres qui sont dans l'escalier, mais c'est celui-ci que je préfère.

Il effleura du doigt les petites silhouettes sur la toile.

— C'étaient les oiseaux apprivoisés de Jenny. Chaque fois qu'on trouvait un oiseau avec une patte ou une aile cassée, on le lui apportait et elle le remettait d'aplomb en quelques jours. Ils mangeaient dans le creux de sa main. Celui-ci m'a toujours fait penser à Ian.

Il indiqua le faisan, les ailes déployées pour garder son équilibre, contemplant sa maîtresse avec un regard adorateur.

— Tu es un monstre, Jamie. Il y en a un de toi ?

— Oui, celui-là, près de la fenêtre.

Deux petits rouquins se tenaient d'un air solennel près d'un énorme chien de chasse. Le plus grand devait être Willie, le frère aîné de Jamie qui était mort de la variole à l'âge de onze ans. Jamie, lui, ne devait pas avoir plus de deux ans quand le tableau avait été peint. Il se dressait fièrement entre les jambes de son frère aîné, une main posée sur la tête du chien.

Jamie m'avait parlé de Willie une nuit, lorsque nous étions en route pour Lallybroch. Il avait sorti de son *sporran* un morceau d'écorce de cerisier sur lequel était sculpté un serpent.

— Willie me l'a offert pour mon cinquième anniversaire, avait-il dit en le caressant du doigt.

Il me l'avait tendu. Au recto, je remarquai des lettres gravées.

— Qu'est-ce que c'est ? S-a-w-n-y. Sawny ?

— C'est moi. C'est le surnom qu'il m'avait donné.

Les deux visages sur le tableau se ressemblaient comme deux gouttes d'eau. Décidément, tous les enfants Fraser avaient ce regard qui semblait défier la terre entière.

— Tu l'aimais beaucoup ? demandai-je.

— Je le vénérais. Il avait cinq ans de plus que moi et, pour moi, c'était Dieu. Je le suivais partout, quand il le voulait bien…

Il se détourna vers la bibliothèque. Comprenant que je devais le laisser seul quelques instants, je m'approchai de la fenêtre.

De ce côté de la maison, on apercevait l'ombre d'une haute colline rocailleuse qui se détachait sous la bruine. Elle me rappela Craigh na Dun. Six mois s'étaient écoulés depuis mon arrivée, mais j'avais l'impression que cela faisait bien plus…

Jamie vint se placer derrière moi à la fenêtre. Regardant au loin, il murmura :

— Il y avait une autre raison. La principale.

— Une raison pourquoi ?

— Pour t'épouser.

— Ah ?

Je ne savais trop à quoi m'attendre. Peut-être une nouvelle révélation au sujet de ses affaires de famille.

— Parce que je te désirais, plus que tout au monde.

Je me tournai vers lui, abasourdie. Voyant mon expression, il reprit :

— Quand j'ai demandé à mon père comment reconnaître la femme que je devais épouser, il m'a répondu que, le moment venu, je n'aurais aucun doute. Et il avait raison. Quand je me suis réveillé dans le noir, sous cet arbre sur la route de Leoch, avec toi assise à califourchon sur moi, me maudissant parce que je pissais le sang, je me suis dit : « Jamie Fraser, c'est elle, même si tu ne peux pas voir à quoi elle ressemble et qu'elle pèse autant qu'un cheval de trait. »

Je fis un pas vers lui et il recula, continuant à toute allure :

— Je me suis dit : « Elle t'a déjà réparé deux fois en quelques heures. Compte tenu du train de vie chez les Mac-Kenzie, autant prendre une femme qui sait arrêter les saignements et remettre les os en place. » Et puis, je me suis dit aussi : « Si c'est aussi agréable quand elle te touche la clavicule, imagine ce que ce doit être si sa main descend plus bas... »

Toujours reculant, il faillit heurter un fauteuil et esquiva de justesse le coussin que je lui lançai à la figure.

— Bien sûr, ce pouvait être l'effet des quatre mois passés dans un monastère, mais ensuite il y a eu ce voyage dans la nuit avec toi sur ma selle, et ce joli cul bien dodu entre mes cuisses, et ta tête qui cognait ma poitrine. Je me suis dit...

Il riait si fort qu'il avait du mal à reprendre son souffle.

— « Jamie, que je me suis dit, elle a beau être une garce de *Sassenach*... avec une langue de vipère... avec un arrière-train comme ça... qu'importe si elle ressemble à une vache... »

Cette fois je bondis sur lui et nous tombâmes avec un bruit qui fit trembler toute la maison. Assise une nouvelle fois à califourchon sur lui, je le tenais à ma merci.

— Tu veux dire que tu m'as épousée par amour ?

Il luttait pour retrouver son souffle.

— Ce... n'est pas... ce que... je viens de dire ?

Immobilisant mes deux mains dans l'une des siennes, il glissa son autre main sous ma jupe, pinçant cette partie de mon anatomie dont il venait de chanter les louanges.

Au même instant, Jenny entra dans la pièce pour y chercher son nécessaire de couture. Nous apercevant sur le sol, elle croisa les bras avec une moue amusée.

— Qu'est-ce que tu manigances, mon cher frère ?

— Je fais la cour à ma femme, haleta-t-il.

— Tu pourrais trouver un endroit plus approprié, rétorqua-t-elle. Le parquet va te laisser des échardes dans les fesses.

Si Lallybroch était un endroit paisible, on y travaillait dur. Au premier chant du coq, tout le monde s'agitait et le domaine se mettait en branle comme un mécanisme d'horlogerie jusqu'au tomber de la nuit, lorsque chaque rouage qui le composait commençait à ralentir avant de s'éloigner en quête de son dîner et d'une bonne nuit de sommeil, pour retrouver sa place comme par magie le lendemain matin.

Chaque homme, femme et enfant semblait occuper un rôle essentiel de la machinerie, au point que je me demandai comment le domaine avait pu survivre ces dernières années sans un maître pour le diriger. Les mains de Jamie et les miennes furent exploitées au maximum de leurs possibilités, et, pour la première fois, je compris la sévérité des dictons écossais concernant la paresse. L'oisiveté n'était pas qu'un signe de décrépitude morale, mais une insulte à l'ordre naturel des choses.

Certes, il y avait bien quelques moments, de brefs laps de temps, trop rares, hélas, où tout semblait s'arrêter, et l'existence trouvait un parfait point d'équilibre. Je savourais un tel répit, deux ou trois jours après notre arrivée à Lallybroch. Assise sur la clôture derrière le manoir, je contemplais les champs fauves qui s'étendaient à perte de vue sur les collines environnantes. La ligne des arbres qui longeait le col que nous avions franchi pour venir jusqu'ici se détachait sur le gris perle du ciel. Les distances devenaient floues à mesure que les ombres se confondaient avec le crépuscule.

Une brise fraîche annonçait du gel pendant la nuit mais, absorbée par la beauté du paysage, je ne me décidais pas à rentrer. Je ne vis même pas Jamie approcher avec un lourd manteau qu'il me glissa sur les épaules. Il me serra contre lui.

— Je t'ai vue frissonner depuis la fenêtre du salon, dit-il en prenant mes mains dans les siennes. Tu vas prendre froid.

— Et toi, alors ?

Malgré la fraîcheur mordante, il ne portait qu'une chemise et son kilt.

— Moi, j'ai l'habitude. Les Écossais ne sont pas des mauviettes délicates comme vous autres, les gens du Sud.

Il déposa un baiser sur le bout de mon nez. Je me blottis contre lui et l'embrassai sauvagement, me réchauffant à la chaleur de sa bouche jusqu'à ce que nos deux corps soient à la même température. Le vent, dans mon dos, rabattait mes cheveux sur mon visage. Il écarta mes mèches en les lissant en arrière, et les derniers rayons du soleil filtraient à travers elles.

— Avec la lumière t'illuminant par-derrière, on dirait que tu portes une auréole. Tu es comme un ange couronné d'or.

— Pourquoi tu ne me l'as pas dit plus tôt ?

Il savait parfaitement de quoi je voulais parler. Il haussa les épaules avant de répondre :

— Bah, je savais qu'au fond de toi tu ne voulais pas m'épouser. Je ne voulais pas t'ennuyer ou t'embarrasser, alors qu'il était évident que tu ne partageais mon lit que par respect des vœux que tu avais prononcés malgré toi.

Il sourit, devançant mes protestations.

— La première nuit, du moins. J'ai quand même ma fierté…

Je l'attirai de nouveau à moi. Toujours assise sur la clôture, je nouai mes jambes autour de ses fesses et rabattis le manteau sur lui.

— Mon amour, murmura-t-il. Oh, mon amour, j'ai tant envie de toi !

— Aimer et désirer, ce n'est pas tout à fait la même chose.

Il émit un petit rire rauque.

— Pour moi, en tout cas, c'est très proche, *Sassenach*.

Je pouvais sentir la puissance de son désir, dur et pressant. Il recula brusquement d'un pas et me souleva dans ses bras.

— Où va-t-on ? demandai-je en le voyant tourner le dos à la maison.

— Chercher une meule de foin.

28

Le caleçon des Fraser

J E TROUVAIS PEU À PEU MA PLACE dans la gestion du domaine. Comme Jenny ne pouvait plus faire la longue marche jusqu'aux fermes des métayers, je pris l'habitude de leur rendre visite moi-même, tantôt accompagnée de Jamie, tantôt avec Ian. J'emportais de la nourriture et des médicaments. Je soignais les malades de mon mieux et émettais des suggestions pour améliorer l'hygiène et la santé, qui étaient accueillies avec plus ou moins bonne grâce.

À Lallybroch, j'essayais de me rendre utile dans la maison et les jardins. Outre le charmant jardinet ornemental, le manoir disposait de plusieurs carrés de simples et d'un immense potager rempli de navets, de salades et de courges.

Jamie rattrapait le temps perdu en étant partout à la fois : dans le bureau avec les registres comptables, dans les champs avec les métayers, dans l'écurie avec Ian. Pour lui, c'était plus qu'un devoir ou une passion. Nous ne pourrions pas rester éternellement à Lallybroch. Il tenait à laisser des directives claires pour que le domaine continue de fonctionner pendant son absence, jusqu'à ce qu'il... ou plutôt que *nous* puissions revenir y vivre définitivement.

Je savais qu'il nous faudrait partir tôt ou tard. Pourtant, dans l'atmosphère paisible de Lallybroch et grâce à la compagnie chaleureuse de Jenny, de Ian et du petit Jamie, j'avais l'impression d'être enfin chez moi.

Un matin après le petit déjeuner, Jamie se leva de table en annonçant qu'il comptait se rendre de l'autre côté de la vallée pour voir un cheval que Martin Mack avait mis en vente.

Jenny se tourna vers lui, l'air soucieux.

— Tu crois que c'est raisonnable, Jamie ? On a vu plusieurs patrouilles anglaises dans le comté, le mois dernier.

Il haussa les épaules, prenant son manteau sur la chaise.

— Je ferai attention.

— Oh, Jamie ! lança Ian qui entrait au même moment, les bras chargés de bûches. Tu pourrais faire un tour au moulin, ce matin ? Jock est passé hier pour nous dire que la roue était coincée. J'y ai jeté un œil, mais nous n'avons rien pu faire. Une saleté a dû se prendre dans une des aubes, au fond de l'eau.

Il frappa le sol de sa jambe en bois.

— Je peux encore marcher, Dieu merci, et monter, mais pas question de nager. Je patauge tout juste comme un chien.

Jamie reposa son manteau.

— Tant mieux, Ian, autrement je suis sûr que tu passerais tes matinées à barboter dans l'étang au lieu de travailler. J'y vais.

Se tournant vers moi, il ajouta :

— Tu veux venir, *Sassenach* ? Il fait beau, ce matin, tu pourras emporter ton petit panier.

Il lança un clin d'œil ironique à l'énorme panier qui me servait pour mes cueillettes.

— Je file me changer, attends-moi.

Sur ce, il grimpa quatre à quatre les marches de l'escalier.

Ian et moi échangeâmes un sourire. Si Ian regrettait de ne plus pouvoir tout faire, ce sentiment était largement atténué par le plaisir de voir l'enthousiasme de Jamie.

— C'est bon de l'avoir de nouveau à la maison, me confia-t-il.

— Ah, si seulement nous pouvions rester ! soupirai-je.

Ses doux yeux bruns s'emplirent d'inquiétude.

— Vous n'allez quand même pas nous quitter tout de suite ?

— Non, mais il faut partir avant les premières neiges.

Jamie avait décidé que la meilleure solution était de nous rendre à Beauly, siège du clan des Fraser. Là-bas, son grand-père, lord Lovat, pourrait peut-être nous aider. Et sinon, il pourrait au moins nous arranger la traversée vers la France.

Ian hocha la tête, rassuré.

— Ça va, il vous reste encore quelques semaines.

Une fois que le meunier fut sorti de son repaire et que les présentations hâtives furent faites, je m'installai confortablement sur la berge de l'étang pendant que Jamie écoutait les explications du problème. Puis le meunier rentra dans son moulin pour tenter de faire tourner sa meule. Jamie attendit quelques minutes et commença à se déshabiller.

— Rien à faire, m'informa-t-il. Ian avait raison, quelque chose s'est coincé sous la roue. Il va falloir que je plonge.

Lorsqu'il ôta son kilt, j'en restai le souffle coupé.

— Que se passe-t-il ? demanda-t-il en voyant ma mine effarée. Tu n'as jamais vu un homme en caleçon ?

— Pas... des... comme ça ! balbutiai-je.

Il portait un caleçon en flanelle qui semblait dater d'un autre âge. Il avait dû être rouge, mais, à force d'être rapiécé, il n'était plus qu'un étourdissant carnaval de couleurs. Son premier propriétaire devait faire quelques centimètres de tour de taille de plus, car il bâillait lamentablement sur le ventre plat de Jamie, au point qu'il était obligé de le tenir d'une main.

— C'est celui de ton grand-père ou de ta grand-mère ? demandai-je en tentant de réprimer un fou rire.

— De mon père, répondit-il sèchement. Tu ne voulais tout de même pas que je plonge nu comme un ver devant tout le monde ?

Prenant un air digne, il avança dans l'étang. Parvenu près de la roue, il prit une profonde inspiration et plongea, suivi de son caleçon en flanelle rouge qui descendit en montgolfière derrière lui. Passant la tête par la fenêtre de son moulin, le meunier lançait des encouragements et des conseils chaque fois que Jamie réapparaissait à la surface.

Le bord de l'étang était plein de plantes aquatiques et je me mis à fouiller du bout de mon bâton en quête de racines de mauve et d'œnanthe. J'en avais presque rempli mon panier quand un toussotement poli derrière moi me fit sursauter.

C'était une très vieille dame, appuyée sur une canne en aubépine, portant des vêtements qu'elle devait posséder depuis cinquante ans et qui paraissaient maintenant trop grands sur sa carcasse rabougrie.

— Bien le bonjour, dit-elle d'une voix éraillée en hochant la tête comme si elle était retenue par une poulie.

Quelques mèches argentées s'échappaient de son fichu blanc et encadraient ses joues rebondies comme deux vieilles pommes ridées.

— Bonjour, répondis-je.

J'allais me lever du tronc d'arbre sur lequel je venais de m'installer mais elle vint s'asseoir près de moi avec une agilité étonnante. J'espérai qu'elle pourrait se relever aussi facilement.

— Je suis… commençai-je.

— Vous devez être la nouvelle maîtresse de Lallybroch, bien sûr. Je suis Mme MacNab, la mère MacNab, comme on dit, pour me différencier de l'armée de mes brus qui s'appellent toutes MacNab aussi.

Elle tendit une main noueuse vers mon panier et en inspecta le contenu.

— De la mauve… ah, c'est bon pour la toux. Mais surtout ne vous avisez pas d'utiliser ceci, ma belle, prévint-elle en me montrant un tubercule brun. On dirait une racine de lis, mais ne vous y fiez pas.

— Qu'est-ce que c'est ?

— De la langue de serpent. Mangez-en et vous ferez des galipettes sous la table.

Elle extirpa la plante incriminée et la jeta au milieu de l'étang. Puis elle prit carrément le panier sur ses genoux et farfouilla dedans. Je l'observai, mi-amusée, mi-agacée. Enfin, elle me le rendit d'un air satisfait.

— Ça va, ma fille, vous n'êtes pas trop sotte pour une *Sassenach*. Vous savez reconnaître la bétoine de l'épinard sauvage.

Elle lança un regard vers l'étang où la tête de Jamie venait de réapparaître pour quelques secondes.

— Je vois que le laird ne vous a pas épousée uniquement pour votre joli visage.

— Merci, dis-je en décidant qu'il s'agissait d'un compliment.

Les yeux de la vieille fixèrent mon ventre.

— Vous ne lui avez pas encore donné d'héritier ? Des feuilles de framboisier, voilà ce qu'il vous faut. Faites-les bouillir avec une poignée de boutons d'églantine, et buvez-en entre le premier croissant et la pleine lune. Puis, pendant la lune décroissante, purgez-vous les intestins avec de l'épine-vinette.

— Ah… fis-je.

— Je voulais demander une petite faveur au laird, poursuivit-elle. Mais je vois qu'il est occupé, alors c'est à vous que je m'adresse.

— Soit, acceptai-je faiblement, ne voyant pas comment je pourrais l'en empêcher de toute façon.

— C'est au sujet de Rabbie, mon petit-fils. J'en ai seize, voyez-vous, dont trois Robert. Alors il y a Bob, Rob et le petit dernier, Rabbie.

— Félicitations.

— Je voudrais que le laird prenne l'enfant aux écuries.

— C'est que, je ne sais…

— C'est à cause de son père, voyez-vous, dit-elle en se penchant vers moi d'un air de conspirateur. C'est pas que je sois contre un peu de sévérité, surtout avec les garçons. Si le Seigneur ne voulait pas qu'on les punisse de temps à autre, il ne leur aurait pas mis le diable dans la peau, comme je dis souvent. Mais de là à faire coucher un enfant sur la terre battue, avec un bleu plus gros qu'un poing au milieu du visage ! Et tout ça pour avoir chipé un petit pain !

— Vous voulez dire que Rabbie est battu par son père ?
Elle acquiesça.

— Oui, ce n'est pas ce que je viens de dire ? En temps normal, je ne m'en mêlerais pas. Après tout, c'est au père de savoir comment élever ses enfants, mais… il faut bien dire que Rabbie a toujours été mon préféré. Et ce n'est pas sa faute si son père n'est qu'un bon à rien d'ivrogne… Si ce n'est pas honteux pour une mère d'avoir à dire ces choses-là, mais que voulez-vous, c'est la triste vérité !

Elle se tourna vers moi et agita un doigt sous mon nez.

— Faut dire que le père de Ronald avait lui aussi tendance à lever le coude. Mais il n'a jamais levé la main sur moi ni sur les enfants… enfin, pas après la première fois… C'est qu'il a bien essayé, une fois. Mais j'ai aussitôt sorti le tisonnier du feu et je lui en ai collé une sur le crâne… Ah, mais !… J'ai cru que je l'avais tué. J'ai pleuré comme une madeleine en lui tenant la tête sur mes genoux, me demandant ce que j'allais devenir, une veuve avec douze bouches à nourrir ! Heureusement qu'il est revenu à lui, j'étais sacrément soulagée ! Depuis ce jour-là, il n'a plus jamais levé la main sur moi ni sur les petits. J'en ai eu treize ! dit-elle fièrement. Et j'en ai élevé dix.

— Félicitations, répétai-je.

— Des feuilles de framboisier, enchaîna-t-elle en posant une main sur mon genou. Croyez-moi, ma fille, il n'y a que ça ! Et si ça ne marche toujours pas, venez me trouver, et je vous ferai un breuvage avec des extraits de mauve et un œuf cru battu. Ça fait monter la graine de votre mari tout droit dans vos entrailles et vous serez gonflée comme une citrouille avant Pâques.

— Mmmmphm... fis-je. Et vous voudriez que Jamie, euh... le laird, prenne votre petit-fils comme garçon d'écurie pour l'éloigner de son père, c'est bien ça ?

— Oui. Mon petit Rabbie est un bon travailleur et le laird ne sera pas...

Le vieux visage ridé se figea. Lançant un regard par-dessus mon épaule, je compris pourquoi. Six dragons approchaient à cheval, descendant précautionneusement la colline.

Avec une remarquable présence d'esprit, Mme MacNab se redressa et se rassit sur les vêtements de Jamie, étalant ses jupes autour d'elle.

Au même instant, Jamie rejaillit au milieu de l'étang pour reprendre une bouffée d'air. L'appeler pour le prévenir aurait attiré l'attention des soldats, mais heureusement ce ne fut pas la peine. Il replongea aussitôt après avoir lâché un « *Merde*[1] ! » qui résonna à la surface de l'eau.

La vieille femme et moi restâmes immobiles, le visage de marbre, observant les dragons approcher. Au dernier moment, alors qu'ils contournaient le moulin, elle se tourna rapidement vers moi et posa un doigt sur ses lèvres, m'indiquant que je devais la laisser parler et surtout ne pas leur faire entendre que j'étais anglaise. Je n'eus même pas le temps de lui répondre. Les chevaux s'arrêtèrent à quelques mètres de nous.

— Bonjour, mesdames, lança leur chef.

C'était un caporal, mais Dieu merci ce n'était pas Hawkins. Un bref tour d'horizon me rassura. Aucun de ces hommes n'était parmi ceux que j'avais vus à Fort William.

— Nous avons aperçu le moulin depuis le sommet de la colline. Peut-être accepterez-vous de nous vendre un sac de farine ?

Ne sachant pas à laquelle s'adresser, il nous parlait à toutes les deux.

Mme MacNab fut glaciale, mais courtoise.

---

1. En français dans le texte. (*N.d.T.*)

— Bonjour. Si vous avez fait tout ce détour pour de la farine, vous allez être déçus. Le moulin est en panne en ce moment. Peut-être la prochaine fois que vous repasserez par là.

— Oh, quel est le problème ? demanda le caporal.

C'était un aimable jeune homme de petite taille au teint rose. Il descendit de cheval et s'approcha de la berge pour voir la roue de plus près. Le meunier qui sortait la tête juste à ce moment pour indiquer à Jamie où en était la meule l'aperçut et la rentra juste à temps.

Le caporal appela l'un de ses hommes qui vint lui faire la courte échelle pour l'aider à grimper sur le toit de chaume. Debout, il arrivait tout juste à attraper les aubes de la grande roue. Il s'y suspendit et tira de toutes ses forces. Puis il se pencha pour crier au meunier d'essayer de tourner la meule à la main.

Je faisais de mon mieux pour ne pas regarder vers l'étang. Je ne m'y connaissais pas suffisamment en moulin, mais je craignais qu'en se remettant brusquement à tourner, la roue n'attire et ne broie tout ce qui se trouvait sous l'eau à proximité. Apparemment, mes craintes n'étaient pas vaines, car Mme MacNab intervint en lançant à l'un des soldats qui se tenaient près de nous :

— Vous devriez dire à votre chef qu'il redescende de là, mon garçon. Il va se briser le cou ou casser la roue. Il ne devrait pas se mêler de choses qu'il ne connaît pas.

— Oh, ne vous inquiétez pas, madame, répondit le jeune homme. Le père du caporal Silver possède un moulin dans le Hampshire. Personne ne s'y connaît mieux en moulins.

Mme MacNab et moi échangeâmes un regard consterné. Après avoir vainement tenté de faire tourner la roue de force, le caporal redescendit du toit et vint vers nous. Il était en nage et essuya son visage rougi par l'effort sur un grand mouchoir d'une propreté douteuse.

— Je n'arrive pas à la bouger d'en haut et cet idiot de meunier ne semble pas parler un mot d'anglais.

Il lança un regard vers le bâton noueux de Mme MacNab puis vers moi.

— Peut-être que la jeune dame pourrait nous servir d'interprète.

Mme MacNab étendit un bras protecteur devant moi, me tirant par la manche.

— Excusez ma belle-fille, mais elle n'a plus tout à fait sa tête depuis qu'elle a mis au monde un enfant mort-né. Elle n'a pas dit un mot depuis, la pauvre enfant. Je ne peux pas la laisser seule une minute, elle serait capable de se jeter dans l'eau par désespoir.

Je m'efforçai de prendre une mine affligée, ce qui ne fut guère difficile, vu mon état d'angoisse.

Le caporal parut déconcerté.

— Oh... euh... bien.

Il avança vers l'étang, regardant le moulin d'un air inquiet.

— Rien à faire, dit-il enfin à l'un de ses hommes, il va falloir que je plonge pour voir ce qui coince.

Il enleva sa veste rouge et commença à déboutonner ses manchettes. Je lançai un regard horrifié à Mme MacNab. S'il y avait suffisamment d'air sous le moulin pour respirer, il ne devait pas y avoir beaucoup de place où se cacher.

J'envisageais sans grand espoir de feindre une crise d'épilepsie quand la grande roue émit un couinement strident. Elle décrivit un demi-arc de cercle, s'arrêta, puis repartit en une rotation régulière, les aubes dégoulinant d'eau verdâtre.

Le caporal cessa son strip-tease, admirant le moulin.

— Ça, par exemple, Collins ! Je me demande bien ce qui pouvait la coincer !

Comme pour lui répondre, un morceau d'étoffe bariolée apparut au sommet de la roue. Il resta suspendu à l'une des aubes puis, lorsque celle-ci replongea dans l'eau, flotta à la surface de l'étang en dérivant vers nous. Un vieux dragon le repêcha au bout d'un bâton et le présenta gaiement à son chef, qui le saisit et l'inspecta d'un air perplexe.

— Hmmm... Je me demande d'où ça peut venir. Ce devait être pris dans les rouages. C'est étrange qu'un bout de chiffon puisse bloquer une roue aussi grande, n'est-ce pas, Collins ?

— Oui, chef, répondit poliment le dénommé Collins.

Manifestement, le vieux dragon ne partageait pas la passion de son caporal pour les vieux moulins écossais.

Après avoir retourné le caleçon de Jamie plusieurs fois dans ses mains, le caporal haussa les épaules et le tendit à Collins.

— C'est de la flanelle de bonne qualité. Elle pourra nous servir pour lustrer les bottes. Ça nous fera un petit souvenir, hein, Collins ?

Sur ce, il s'inclina poliment devant Mme MacNab et moi, et remonta en selle.

Les dragons avaient à peine disparu de l'autre côté de la colline que Jamie jaillit hors de l'eau, prenant une bouffée d'air explosive.

Sa peau était blême, parcourue de veines violacées comme un marbre de Carrare. Ses dents claquaient si fort que je ne saisis pas ses premiers mots qui, de toute manière, étaient en gaélique.

Mme MacNab dut les comprendre, car elle en resta bouche bée.

Jamie commença à sortir de l'eau en se tenant les côtes, puis aperçut la vieille femme à côté de moi.

— Madame MacNab ! dit-il en s'arrêtant net, l'eau au niveau de la taille.

— Laird. Une belle journée, non ?

— Un p-p-peu fraîche.

Il me lança un regard interrogateur et je haussai les épaules, l'air impuissant.

— Nous sommes tous heureux de vous savoir de nouveau parmi nous, laird. Mes fils et moi-même espérons que vous serez définitivement de retour sous peu.

— M-m-merci, madame MacNab.

Ne prêtant pas attention aux regards implorants qu'il me lançait, elle posa ses mains noueuses sur ses genoux et se redressa d'un air digne.

— Laird, j'ai une faveur à vous demander, commença-t-elle. C'est au sujet...

— Madame MacNab, l'interrompit Jamie. Je vous l'accorde, quelle qu'elle soit, à condition que vous me laissiez me rhabiller avant que je me sois définitivement gelé les burnes.

29

Le prix de la sincérité

L E SOIR, APRÈS LE DÎNER, nous passions généralement au salon avec Jenny et Ian pour bavarder tranquillement ou écouter les histoires de Jenny.

Ce soir-là, toutefois, c'était mon tour et je tins Ian et Jenny en haleine en leur racontant la scène avec Mme MacNab et les dragons.

— « C'est pas que je sois contre un peu de sévérité, surtout avec les garçons. Si le Seigneur ne voulait pas qu'on les punisse de temps à autre, il ne leur aurait pas mis le diable dans la peau, comme je dis souvent. »

Mon imitation de la mère MacNab remporta un franc succès. Jenny essuya les larmes qui lui coulaient le long des joues.

— Seigneur, elle sait de quoi elle parle ! Elle a eu combien de fils déjà, Ian ? Huit ?

Ian acquiesça.

— Au moins. Je ne me souviens même pas de tous leurs noms. Quand on était petits, Jamie et moi, il y avait toujours deux ou trois MacNab pour venir pêcher ou nager avec nous.

— Vous avez grandi ensemble ? demandai-je.

Jamie et Ian échangèrent un sourire complice.

— Oh oui, pour ça, on se connaît bien, rit Jamie. Le père de Ian était le régisseur de Lallybroch, comme Ian aujourd'hui.

À plusieurs reprises, on s'est retrouvés coude à coude, à devoir expliquer à l'un ou l'autre de nos pères respectifs à quel point les apparences étaient trompeuses, ou, lorsque ça ne prenait pas, pourquoi les circonstances exigeaient qu'on atténue notre châtiment.

— Oui, et quand cela ne marchait pas non plus, renchérit Ian, je me suis souvent retrouvé penché en avant sur la clôture, attendant mon tour à côté du laird Fraser ici présent, l'écoutant beugler de toutes ses forces.

— Ce n'est pas vrai, s'indigna Jamie, je ne beuglais jamais.

— Appelle ça comme tu veux, mais tu faisais un sacré boucan !

— Vous faisiez tous les deux du boucan, intervint Jenny, et pas seulement en beuglant. Jamie essayait toujours de négocier, même pendant qu'il recevait sa raclée.

— Oui, tu aurais dû être avocat, Jamie, convint Ian. Mais je sais pas pourquoi je te laissais toujours parler à ma place, tu ne faisais souvent qu'aggraver notre cas.

— Tu veux parler du *broch* ? dit Jamie en riant de plus belle.

— Oui, répondit Ian.

Se tournant vers moi, il pointa un doigt vers l'ouest, où se dressait la vieille tour.

— Un jour, m'expliqua-t-il, pour éviter une raclée, Jamie a mis au point un argument particulièrement percutant : il a déclaré à Brian qu'avoir recours à la force pour faire valoir son point de vue n'était pas civilisé. « Le châtiment corporel est un acte barbare, a-t-il annoncé, et, qui plus est, désuet. Battre quelqu'un simplement parce qu'il a commis un geste dont les implications ne correspondent pas à votre point de vue n'est pas une punition constructive... »

— Et comment Brian a-t-il réagi ? demandai-je.

— Oh ! très bien ! Son père hochait la tête chaque fois que Jamie s'interrompait pour reprendre son souffle. Quand il a eu fini, Brian a dit : « Je vois. » Puis il s'est tourné vers la fenêtre, penchant la tête, l'air de réfléchir à la question. Enfin, il s'est tourné vers nous et nous a demandé de le suivre à l'écurie.

— Là, continua Jamie, il nous a donné à chacun un balai, une brosse et un seau et nous a montré la tour. Il a déclaré que je l'avais convaincu et qu'il avait décidé de nous donner une punition plus « constructive ».

Ian leva les yeux au ciel.

— La tour fait bien vingt mètres de haut, expliqua-t-il, et près de dix mètres de large, avec trois étages. On l'a balayée de bas en haut, puis on a brossé les planchers de haut en bas. Il nous a fallu cinq jours. Encore aujourd'hui, j'ai un goût de paille rancie dans la bouche quand je tousse.

— Et tu as essayé de me tuer le troisième jour, entonna Jamie en se massant le crâne. J'ai encore la cicatrice derrière l'oreille, là où tu m'as assommé avec le balai.

— Peuh ! rétorqua Ian. C'est le jour où tu m'as cassé le nez pour la deuxième fois, alors on était quittes.

— Ah, vous les Murray, vous êtes d'un rancunier !

— Voyons voir, dis-je en comptant sur mes doigts. Selon toi, les Fraser sont cabochards, les Campbell faux culs, les MacKenzie charmants mais sournois, les Graham stupides. Et quelle est la caractéristique principale des Murray ?

— On peut compter sur eux pour la bagarre, répondirent en chœur Jamie et Ian avant d'éclater de rire.

— C'est vrai, reprit Jamie. Le tout, c'est de s'assurer qu'ils sont bien de votre côté.

Jenny secoua la tête d'un air réprobateur devant son frère et son mari. Ils repartirent de plus belle d'un grand éclat de rire.

— Et dire qu'ils n'ont encore rien bu ! Viens avec moi, Claire, on va voir si Mme Crook a préparé des biscuits pour prendre avec le porto.

Revenant au salon un quart d'heure plus tard avec un plateau chargé, je surpris Ian demandant à Jamie :

— Alors, c'est vrai, tu ne nous en veux pas ?

— De quoi ?

— De nous être mariés sans ton consentement.

Jenny, qui marchait derrière moi, s'arrêta net.

Jamie, affalé dans un fauteuil, les pieds sur un coffre, marqua une pause avant de répondre :

— Vous ne saviez pas où j'étais, et vous ne saviez même pas si je reviendrais un jour.

Ian, penché en avant, les coudes sur les genoux, fronça les sourcils.

— C'est que… je trouvais que ce n'était pas juste… moi, un infirme.

— Jenny aurait pu tomber pire, l'interrompit Jamie, tu aurais pu être cul-de-jatte !

Ian rougit légèrement. Jamie toussota et se tourna vers lui.

— Mais dis-moi, comment se fait-il que vous vous soyez mariés finalement, si tu étais réticent ?

— Parce que tu crois qu'on m'a laissé le choix ? Je ne fais pas le poids devant une Fraser ! Un jour, expliqua-t-il, elle est venue me trouver aux champs pendant que je réparais un essieu. Je me suis extirpé de sous la carriole, crotté jusqu'au cou, et elle était là, devant moi, ressemblant à un buisson couvert de papillons. Elle m'a toisé de haut en bas et elle m'a dit…

Il se gratta la tête, cherchant à se souvenir.

— Bref, je ne sais plus ce qu'elle m'a dit, mais quelques minutes plus tard elle m'embrassait, moi couvert de boue. Puis elle a annoncé : « Parfait, puisque c'est comme ça, on se mariera le jour de la Saint-Martin. »

Il haussa les épaules d'un air résigné.

— J'ai eu beau lui dire que c'était impossible, le jour de la Saint-Martin, je me suis retrouvé devant le prêtre et déclarant : « Je te prends, Janet, pour le meilleur et pour le pire », et à faire tout un tas de promesses impossibles.

Jamie se renversa dans son fauteuil en riant.

— Oui, ça me rappelle quelque chose. On se sent tout bizarre, non ?

Ian sourit, sa gêne oubliée.

— Pour ça, oui. Ça me fait encore la même impression parfois, quand j'aperçois Jenny par hasard, debout sur une colline au soleil. Chaque fois je me dis : « Seigneur, ce n'est pas possible, elle n'est pas à moi, c'est trop beau pour être vrai. » Enfin, tu sais ce dont je parle. Je peux voir que c'est la même chose entre toi et Claire. Je me trompe ?

Jamie fit non de la tête, l'air songeur.

— Non, soupira-t-il. Et c'est bien comme ça.

Tout en dégustant du porto et des biscuits, Ian et Jamie poursuivirent leurs réminiscences, parlant de leur enfance et de leurs pères. William, le père de Ian, était mort le printemps dernier, laissant son fils gérer seul le domaine.

— Tu te souviens du jour où on a accompagné ton père chez le forgeron ?

— Oui, il n'arrêtait pas de nous demander si on ne voulait pas aller au petit coin…

Les deux hommes riaient si fort qu'ils ne purent terminer leur histoire.

— Des crapauds, m'expliqua succinctement Jenny. Ils en avaient chacun cinq ou six cachés sous leur chemise.

— Seigneur ! s'exclama Ian. Il y en a un qui a grimpé hors de ton col et qui a sauté sous le nez du forgeron ! J'ai cru mourir !

— Je me demande comment mon père ne m'a pas tordu le cou, cette fois-là, dit Jamie. C'est un miracle que j'aie survécu jusqu'à l'âge adulte.

Ian lança un regard attendri vers sa propre progéniture, occupée à empiler des cubes en bois près du feu.

— Un jour viendra où il faudra que je le corrige à mon tour. Il est si… *petit.*

Jamie regarda son neveu d'un air cynique.

— Bah, je suis sûr qu'il sera aussi insupportable que toi et moi, laisse-lui le temps. Après tout, nous devions avoir l'air tout aussi innocents à cet âge...

— Tu ne crois pas si bien dire, intervint Jenny, plaçant un verre de cidre dans la main de son mari.

Elle tapota son frère sur le haut du crâne.

— Tu étais si mignon, Jamie ! Je me souviens qu'un soir, on était tous réunis autour de ton lit, tu ne devais pas avoir plus de deux ans. Et nous sommes convenus que tu étais le plus joli bébé du monde. Tu avais de grosses joues bien rondes et des bouclettes si charmantes !

L'ex-plus beau bébé du monde devint cramoisi et siffla son verre cul sec, évitant soigneusement de croiser mon regard.

— Ça n'a pas duré très longtemps, reprit Jenny. Quel âge avais-tu quand tu as reçu ta première raclée ? Sept ans ?

— Non, huit. Sacrebleu, qu'est-ce que j'ai eu mal ! Douze coups de baguette sur les fesses, et père n'a pas faibli du début à la fin. Il ne faiblissait jamais. Une fois qu'il a eu terminé, il s'est assis sur un rocher pendant que je me reculottais. Lorsque j'ai cessé de pleurnicher, il m'a appelé à lui. Il m'a pris entre ses genoux et m'a dit : « C'était la première fois, Jamie, et sans doute pas la dernière. Tu en recevras peut-être une centaine d'autres avant de devenir un homme. Parfois, je le ferai avec joie, selon ce que tu auras fait. La plupart du temps, ce ne sera pas un plaisir, mais je le ferai quand même, parce qu'on doit toujours payer pour les bêtises qu'on a faites. » Puis il m'a serré dans ses bras et m'a dit : « Maintenant, rentre à la maison te faire consoler par ta mère. » Comme j'allais protester, il a ajouté : « Non, je sais bien que tu n'en as pas besoin, mais elle, si. » Alors je suis rentré à la maison, et ma mère m'a donné des tartines et de la confiture.

Jenny partit d'un grand éclat de rire.

— Je viens juste de me souvenir, dit-elle. Père disait toujours que, lorsque tu avais reçu ta raclée et qu'il te renvoyait à la maison, tu t'arrêtais à mi-chemin et tu l'attendais pour lui demander : « Dis, père, est-ce que ça t'a fait plaisir, cette fois ? » Et quand il te répondait non, tu disais : « Eh bien, moi non plus ! »

Nous nous mîmes tous à rire, puis Jenny regarda tendrement son frère.

— Il adorait raconter cette histoire. Il disait toujours que tu le faisais mourir.

Le sourire s'effaça aussitôt du visage de Jamie et il baissa les yeux.

— Oui, dit-il doucement. C'est bien ce que j'ai fait, non ?

Jenny et Ian échangèrent un regard consterné et je détournai les yeux, ne sachant que dire. Pendant un long moment, on n'entendit plus que le crépitement des bûches dans la cheminée. Puis Jenny, après un bref regard inquiet vers Ian, reposa son verre et tapota le genou de son frère.

— Jamie, ce n'était pas ta faute.

Il releva la tête et esquissa un petit sourire.

— Non ? La faute à qui, alors ?

Elle prit une profonde inspiration et répondit :

— La mienne.

Il la dévisagea d'un air incrédule.

— Jamie... je suis en grande partie responsable de ce qui vous est arrivé à tous les deux, père et toi.

Il prit sa main dans la sienne et la caressa doucement.

— Tu dis des sottises, sœurette. Tu as fait ton possible pour me sauver la vie. Tu as eu raison. Si tu n'étais pas rentrée dans la maison avec Randall, il m'aurait sans doute tué sur place.

Elle le dévisagea longuement, le front plissé.

— Non, je ne regrette pas d'être rentrée avec lui, ce n'est pas ça. C'est que, quand je l'ai conduit dans ma chambre... je... je... je ne savais pas trop à quoi m'attendre. Il avait l'air très énervé. Il était tout rouge et ne semblait plus sûr de lui, ce qui m'a paru étrange. Il m'a poussée sur le lit et puis il s'est tenu là, debout, à se frotter. Au début, j'ai cru que je l'avais vraiment blessé avec mon genou, mais pourtant je n'avais pas frappé si fort…

Ses joues étaient rouges. Elle lança un regard de biais vers Ian avant de poursuivre :

— J'ai compris depuis qu'il essayait de… se préparer. Je ne voulais pas lui montrer qu'il me faisait peur, alors je me suis redressée sur le lit et je l'ai fixé. Ça l'a mis en rogne et il m'a ordonné de me retourner. Mais j'ai refusé et j'ai continué à le narguer. Il s'est déboutonné et… je me suis mise à rire.

— Tu as fait quoi ? demanda Jamie, interdit.

— J'ai ri… Je savais parfaitement comment un homme était fait. Je vous avais vus nus, toi, Willie et Ian. Mais il…

Ses lèvres ne purent réprimer un petit sourire.

— … il était si… ridicule, rouge comme une pivoine, à frotter frénétiquement sa chose à demi molle…

Ian manqua de s'étrangler et elle se mordit les lèvres.

— Autant dire que ça ne lui a pas plu du tout, alors j'ai ri de plus belle. C'est à ce moment qu'il m'a attrapée et a déchiré ma robe. Je l'ai giflé et il m'a frappée au visage, assez fort pour me faire voir trente-six chandelles. Cette fois, ça a semblé lui plaire davantage. Il a grimpé sur le lit. Même étourdie, j'ai continué à rire. Je lui ai dit qu'il n'était pas un homme, qu'il était incapable de faire l'amour à une femme. J'ai… achevé de déchirer mon corsage et je… l'ai nargué en lui montrant mes seins. Je lui ai dit qu'il avait peur de moi, parce qu'il savait qu'il était tout juste bon à tripoter les animaux de ferme et les valets d'écurie…

— Jenny… souffla Jamie, en secouant la tête d'un air ahuri.

— Eh bien oui, quoi ! se défendit-elle. C'est tout ce que j'ai trouvé à lui dire. J'ai bien vu que ça le mettait hors de lui, mais il était clair qu'il n'était pas en état de me faire… quoi que ce soit. J'ai montré son sexe du doigt et j'ai ri encore et encore. Alors il a voulu m'étrangler et ma tête a heurté le montant du lit… Quand je me suis réveillée, il n'y avait plus personne.

Ses beaux yeux bleus étaient remplis de larmes.

— Jamie, pardonne-moi. Je sais que, si je ne l'avais pas mis dans une telle rogne, il ne t'aurait pas traité comme il l'a fait, et puis père...

— Jenny, *mo cridh*, ne pleure pas, la consola Jamie en s'agenouillant auprès d'elle.

De son côté, Ian semblait pétrifié.

Jamie la berça doucement entre ses bras.

— Tout doux, ma petite colombe. Tu as eu raison, Jenny. Ce n'est pas ta faute et sans doute pas la mienne non plus. Il est venu ici parce qu'on lui avait donné l'ordre de semer la pagaille. Il aurait traité n'importe qui de la même manière. Il était venu pour provoquer les Highlanders et les monter contre les Anglais, afin de servir ses fins... et celles de l'homme qui l'avait envoyé.

Jenny cessa de sangloter et releva des yeux stupéfaits.

— Pour monter les gens contre les Anglais ? Mais pourquoi ?

— Afin d'identifier ceux qui seraient susceptibles de soutenir le prince Charles dans l'éventualité d'un nouveau soulèvement. Je ne sais pas encore de quel côté se situe l'employeur de Randall. Peut-être veut-il faire tenir les fidèles du prince à l'œil, et confisquer leurs terres, ou peut-être est-il lui-même pour le prince et veut-il que les Highlanders soient prêts, le moment venu. Je ne sais pas, mais cela n'a plus d'importance. Tout ce qui compte, c'est que tu sois saine et sauve et que je sois revenu. Je serai bientôt de retour pour de bon, *mo cridh*, je te le promets.

Elle prit ses mains entre les siennes et les embrassa. Puis elle sortit un mouchoir de sa manche et se moucha avant de se tourner vers Ian qui se tenait à ses côtés, immobile, l'air à la fois furieux et blessé. Elle lui posa doucement une main sur le bras.

— Tu estimes que j'aurais dû t'en parler ?

Il ne sourcilla pas, mais son regard était dur.

— Oui.

— Ian, je ne t'ai rien dit de peur de te perdre. Mon frère avait disparu, mon père était mort. Je ne voulais pas que tu me quittes à ton tour car tu m'es encore plus cher que ma famille, mon amour.

Lançant un regard vers Jamie, elle ajouta :

— Ce qui n'est pas peu dire.

Le visage de Ian était tiraillé entre l'amour et l'orgueil blessé. Jamie se leva et me toucha l'épaule. Nous quittâmes discrètement le salon, les laissant tous les deux en tête à tête devant les braises mourantes.

30

Conversations au coin du feu

S I LES RÉVÉLATIONS DE JENNY avaient rouvert de vieilles blessures entre elle et Ian, celles-ci semblaient être pansées le lendemain.

Nous nous prélassâmes au salon après le dîner, Ian et Jamie discutant des affaires du domaine dans un coin, accompagnés d'une carafe de vin de sureau pendant que Jenny détendait ses chevilles gonflées en reposant ses pieds sur un tabouret. J'en profitai pour consigner par écrit quelques-unes des recettes qu'elle m'avait indiquées au cours de la journée.

POUR TRAITER LES FURONCLES

Faire tremper trois clous en fer une semaine dans de l'ale aigre. Ajouter des copeaux de cèdre, laisser reposer. Lorsque tous les copeaux sont tombés au fond, la mixture est prête. Appliquer trois fois par jour, à compter du premier quart de lune.

CHANDELLES À LA CIRE D'ABEILLE

Drainer le miel des rayons. Enlever les abeilles mortes. Faire fondre le rayon dans une petite quantité d'eau dans un grand chaudron. Enlever les abeilles, les ailes et autres impuretés qui remontent à la surface. Drainer l'eau et la remplacer.

Mélanger fréquemment pendant une demi-heure, puis laisser reposer. Drainer l'eau et la garder pour sucrer. Purifier à l'eau claire encore deux fois.

Je commençais à avoir des crampes à la main et je n'en étais pas encore à la confection des moules et des mèches.

— Jenny, combien de temps faut-il pour faire les chandelles, en comptant toutes les étapes ?

Elle reposa la petite chemise qu'elle était en train de coudre et réfléchit.

— Une demi-journée pour prélever les rayons des ruches, deux pour drainer le miel, un seul s'il est chaud, un jour pour purifier la cire, à moins qu'il n'y en ait beaucoup ou qu'elle soit très sale, dans ce cas deux jours ; une demi-journée pour faire les mèches, un ou deux jours pour les moules, une demi-journée pour faire fondre la cire, remplir les moules et les suspendre à sécher. Disons une semaine en tout.

Je vins m'asseoir près d'elle pour admirer le minuscule vêtement qu'elle brodait avec des points pratiquement invisibles. Son ventre rond se souleva brusquement, comme si son petit occupant changeait de position. Je le regardai, fascinée. Je n'avais jamais côtoyé de si près une femme enceinte pendant si longtemps et je ne m'étais pas rendu compte de toute l'activité qui se déroulait dans ses entrailles.

— Tu veux le sentir ? demanda-t-elle.

Elle me prit la main et la posa sur son ventre.

— Attends un peu, il ne va pas tarder à donner un autre coup de pied. Ils n'aiment pas du tout quand on est penchée en arrière comme ça. Ils s'agitent.

Elle n'avait pas plutôt parlé que je sentis une secousse vigoureuse sous ma paume.

— Mon Dieu ! m'exclamai-je. Qu'est-ce qu'il est fort !

— Oui, ce sera un beau gaillard, comme son frère et son père.

Elle sourit tendrement à Ian, qui s'était momentanément interrompu pour contempler sa femme et son ventre rond.

— Voire même un bon à rien de rouquin comme son oncle, ajouta-t-elle en haussant légèrement la voix.

— Hein, quoi ? demanda Jamie levant le nez de ses comptes. Vous me parliez ?

— Je me demande si c'est « rouquin » ou « bon à rien » qui a attiré son attention, me chuchota Jenny.

» Rien, *mo cridh*, reprit-elle à voix haute. Nous nous demandions simplement si le petit aurait la malchance de ressembler à son oncle.

L'oncle en question se leva et vint s'asseoir sur le tabouret, déplaçant les pieds de sa sœur et les reposant sur ses genoux.

— Masse-les-moi, supplia celle-ci. Tu sais bien mieux le faire que Ian.

Il s'exécuta et Jenny ferma les yeux de plaisir. Elle laissa tomber la petite chemise sur son ventre qui continua à remuer comme pour protester. Comme moi un peu plus tôt, Jamie semblait fasciné par les mouvements sous la peau.

— Ça ne te fait pas mal ? demanda-t-il. Ce doit être étrange d'avoir quelqu'un qui fait des sauts périlleux dans ton ventre !

Jenny rouvrit les yeux et grimaça.

— Mmm. Parfois j'ai l'impression d'avoir le foie en compote, mais généralement c'est plutôt agréable. C'est comme si…

Elle hésita.

— C'est difficile à expliquer à un homme, nous n'avons pas les mêmes sensations puisque nos corps sont différents. C'est un peu comme si tu cherchais à me faire comprendre ce que signifie recevoir un coup de pied dans les roubignoles.

— Ah, ça, je pourrais te le décrire sans problème, se récria Jamie.

Il se plia en deux, s'étreignant lui-même, roulant des yeux, et émit un grognement sourd.

— Hein, que c'est comme ça, Ian ? demanda-t-il à son beau-frère qui riait aux éclats.

— Dans ce cas, répliqua Jenny, je suis vraiment soulagée de ne pas en avoir !

— Non, sincèrement, se calma Jamie, dis-moi ce que ça fait. Ou sinon, décris-le à Claire. Elle comprendra, elle, puisque c'est une femme, même si elle n'a pas encore eu d'enfant.

Je tiquai légèrement, mais ne dis rien.

— Soit, convint Jenny. C'est comme si... ta peau devenait soudain très fine. Tes sensations sont aiguisées, tu sens tout ce qui t'effleure, même tes vêtements, et pas uniquement sur ton ventre, mais partout : sur tes jambes, tes hanches et ta poitrine. Tes seins gonflent et s'alourdissent... ils deviennent très sensibles au bout.

Ses petits doigts aux ongles ras décrivirent un cercle autour de ses mamelons qui pointaient sous le justaucorps.

— Et naturellement, tu te sens maladroite. Tu prends plus de place que d'habitude et tu te cognes partout.

Elle plaça ses deux mains sur son ventre.

— Mais bien sûr, c'est là que tu ressens le plus de choses. Les premiers jours, c'est comme si tu avais le ventre rempli d'air, avec de grosses bulles qui flottent dans ton estomac. Plus tard, quand l'enfant commence à bouger, c'est comme si un poisson avait mordu à ta ligne, puis s'était libéré. Tu sens quelques coups secs, puis plus rien.

— Ce doit être rassurant de savoir qu'il est là, bien en vie, suggéra Jamie.

— Oh oui ! Mais ils dorment la plupart du temps, tu sais. Parfois, quand tu ne sens rien pendant longtemps, tu as peur qu'il ne soit mort, alors tu essaies de le réveiller.

Pour illustrer ses propos, elle appuya fermement d'un côté de son ventre. Aussitôt, il y eut une forte poussée de l'autre côté.

— Et quand il répond d'un coup de pied, tu pousses un soupir de soulagement, conclut-elle. Vers la fin, tu es gonflée de partout. Ce n'est pas douloureux, tu te sens comme un fruit mûr sur le point d'éclater. Tu as envie d'être touchée, très doucement… partout.

Ses yeux étaient fixés sur ceux de Ian. Ils semblaient unis par un fort sentiment d'intimité, comme s'ils s'étaient raconté cette histoire maintes fois, sans jamais s'en lasser.

— Enfin, le dernier mois, le lait commence à monter. Tu sens tes seins se remplir, petit à petit, un peu plus chaque fois que l'enfant bouge. Un beau jour, ton ventre durcit. Ça ne fait pas mal. Tu te sens juste un peu essoufflée et tes seins te chatouillent. Tu as l'impression qu'ils vont exploser à moins qu'on ne les tète.

Elle ferma les yeux et s'enfonça dans le fauteuil, caressant lentement son ventre.

Nous étions tous en transe dans la pièce enfumée, saisis par une sensation de désir intense de nous unir et de procréer. Sans regarder Jamie je savais que tous les poils de son corps étaient hérissés.

Jenny rouvrit les yeux et posa sur son mari un regard riche de tendresse et de promesses.

— Un peu avant la naissance, l'enfant remue tout le temps et c'est comme si tu avais ton homme en toi, comme quand il te pénètre profondément et se déverse en toi. Tu as la sensation d'un autre pouls qui bat en toi, mais beaucoup plus fort. Il résonne dans les parois de ton ventre et te remplit.

Jenny se tourna brusquement vers moi et le charme fut brisé.

— C'est ce que les hommes cherchent, tu sais, expliqua-t-elle. Ils essaient de retourner dans le ventre de la femme.

Un peu plus tard, Jenny se leva et se dirigea vers la porte, lançant derrière elle un regard qui fit se lever Ian comme un aimant attiré par le pôle Nord. Avant de sortir, elle lança à son frère :

— Tu n'oublieras pas d'éteindre le feu ?

J'étirai longuement mes muscles fatigués. Les mains de Jamie glissèrent sur mes hanches et je m'adossai contre lui, attirant ses doigts sur mon ventre, les imaginant caressant la courbe douce d'une grossesse qui se faisait attendre.

En me retournant pour l'embrasser, je remarquai le petit corps couché en chien de fusil devant le foyer.

— Ils ont oublié Jamie, chuchotai-je.

Généralement, l'enfant dormait dans la chambre de ses parents. Ce soir, il s'était endormi près du feu pendant que nous discutions doucement en buvant notre vin, mais personne n'avait songé à le mettre au lit.

— Jenny n'oublie jamais rien, répondit mon Jamie. Je suppose que Ian et elle voulaient rester seuls pour une fois.

Ses doigts tripotaient les lacets de ma jupe.

— Il peut bien passer la nuit ici, ajouta-t-il.

— Mais s'il se réveille ?

Ses mains s'affairaient déjà sur mon corsage.

— Bah ! Il faut bien qu'il apprenne un jour. Au moins, il sera un peu moins niais que son oncle.

Il jeta plusieurs coussins sur le sol et s'y allongea en me tirant vers lui.

La lueur des flammes dansait sur les cicatrices de son dos, comme s'il était l'homme d'acier que je l'avais accusé d'être un jour. Je le caressai et il frissonna sous mes doigts.

— Tu crois que Jenny a raison ? demandai-je. Les hommes cherchent-ils vraiment à retourner dans le ventre de leur mère ? C'est pour ça qu'ils nous font l'amour ?

Il se mit à rire.

— Ce n'est pas la première chose à laquelle je pense quand je me couche près de toi, loin s'en faut. Mais...

Il prit mes seins dans le creux de ses mains, et ses lèvres se refermèrent sur mon mamelon.

— ... d'un autre côté, elle n'a pas tout à fait tort. Parfois, ce serait bon de retourner à l'intérieur, bien au chaud et en sécurité. C'est peut-être le fait de savoir que c'est impossible qui nous pousse à faire des enfants. Ne pouvant y retourner nous-mêmes, on peut du moins offrir à nos fils ce précieux cadeau, pour un temps…

Il secoua la tête comme un chien mouillé qui s'ébroue.

— Ne fais pas attention à ce que je dis, *Sassenach*. Le vin de sureau m'a ramolli le cerveau.

31

Le laird reçoit

ON FRAPPA À LA PORTE ET JENNY ENTRA dans la chambre, portant un vêtement bleu sur le bras et un chapeau dans l'autre main. Elle inspecta son frère d'un œil critique puis hocha la tête.

— Mmm, pour ce qui est de la chemise, ça ira. Je t'ai sorti ta plus belle veste. Tu as forci un peu des épaules depuis la dernière fois. Quant à tes cheveux, c'est un désastre !

— Mes cheveux ? s'indigna-t-il. Qu'est-ce qu'ils ont, mes cheveux ?

Sans perdre de temps, elle le poussa vers un tabouret près de la fenêtre et le força à s'asseoir. Depuis que j'avais rencontré Jamie, ses cheveux avaient considérablement poussé et lui tombaient à présent sur les épaules. Il les retenait généralement derrière la tête avec un lacet de cuir. Elle le dénoua et les lui ébouriffa consciencieusement.

— Tu veux que je te dise ce qu'elle a, ta tignasse ? C'est un vrai nid à rats !

Elle extirpa délicatement un morceau de feuille de chêne de la masse hirsute et le posa sur la table.

— Où étais-tu hier ? En train de fourrager sous les arbres comme un cochon ?

— Aïe !

— Cesse de remuer, *Roy*.

Plissant le front d'un air concentré, elle s'empara d'une brosse et commença à démêler les longues mèches, lissant sa belle chevelure où se mêlaient les reflets auburn, cuivre, cannelle et or, rendue plus flamboyante encore par les rayons du soleil matinal.

— Je me demande bien pourquoi le Seigneur a jugé bon de gaspiller des cheveux pareils sur un homme, grogna-t-elle. Par endroits, on dirait la robe d'un cerf rouge.

— Ils sont beaux, n'est-ce pas ? m'émerveillai-je à mon tour. Regarde, sur le haut du crâne le soleil les a décolorés en laissant des mèches dorées.

L'objet de notre admiration se rebella.

— Si vous n'arrêtez pas tout de suite, je me rase la tête ! menaça-t-il.

Sa sœur le frappa avec le dos de sa brosse. Il glapit et allait exercer des représailles quand elle lui tira les cheveux en arrière.

— Arrête de gigoter, ordonna-t-elle.

Elle sépara la chevelure en trois mèches épaisses, qu'elle tressa soigneusement.

— Tu ne vas quand même pas te présenter devant tes métayers en ayant l'air d'un sauvage ! bougonna-t-elle.

Jamie marmonna quelques paroles inintelligibles, mais se laissa faire. Quand elle eut terminé et lié la tresse avec un petit bout de ficelle, elle fouilla dans sa poche et en sortit un ruban de soie bleue qu'elle noua d'un air triomphal.

— Voilà ! s'exclama-t-elle, satisfaite. Il n'est pas beau comme ça ?

Elle se tourna vers moi, et je fus bien forcée de reconnaître que, les cheveux tirés en arrière, propre, avec sa chemise blanche et ses pantalons gris, il avait une allure folle.

— C'est surtout le ruban, répondis-je en pouffant de rire. Il est de la même couleur que ses yeux.

Jamie fusilla sa sœur du regard.

— Non ! Pas de ruban ! On n'est pas en France, ni à la cour du roi Geordie ! Je me fiche si c'est la couleur du manteau de la Vierge. Pas de ruban, Janet !

— Bon, d'accord, nigaud ! soupira-t-elle.

Elle dénoua le ruban et recula d'un pas.

— Voilà, tu es fin prêt.

Puis elle se tourna vers moi.

— Mmmm, fit-elle, en tapotant du pied d'un air dubitatif.

Étant arrivée au manoir pratiquement en haillons, il avait fallu me confectionner d'urgence deux nouvelles robes, l'une en serge grise pour tous les jours, une autre en soie pour des occasions telles que celle-ci. Plus douée pour recoudre des plaies que des étoffes, j'avais aidé à couper la soie et à poser les épingles, mais avais laissé le soin de la couture à Jenny et à Mme Crook.

Elles avaient fait un travail superbe et la robe en soie jaune moulait mon buste comme un gant, avec des plis profonds qui retombaient derrière les épaules et allaient se mêler au drapé luxuriant de la jupe. Devant mon refus catégorique de porter un corset, elles avaient rivalisé d'ingéniosité en cousant des baleines à l'intérieur du bustier.

Jenny m'inspecta des pieds à la tête. Puis, avec un soupir résigné, elle m'indiqua le tabouret.

— À toi.

Elle ôta les brindilles et les miettes de feuilles de chêne de ma chevelure, les déposant minutieusement sur la table à côté de celles glanées sur le crâne de Jamie. Une fois qu'elle m'eut coiffée à sa guise, elle sortit un petit bonnet en dentelle de son tablier.

— Voilà, ma chère, annonça-t-elle en le fixant avec des épingles. Vous avez enfin l'air d'une dame respectable.

Prenant cette remarque comme un compliment, je marmonnai quelques remerciements.

— Tu as des bijoux ? demanda-t-elle soudain.

Je fis non de la tête.

— Je n'avais que les perles que Jamie m'a offertes pour notre mariage, mais elles sont restées à Leoch.

— Ah, j'allais oublier ! s'écria Jamie.

Il fouilla dans le *sporran* posé sur la table et en sortit le collier de perles baroques.

— Mais d'où les sors-tu ? m'étonnai-je.

— Murtagh nous les a ramenées, tôt ce matin. Il est retourné à Leoch pendant le procès et a ramassé tout ce qu'il pouvait porter, pensant qu'on en aurait besoin si on survivait. Il nous a cherchés sur la route, mais il ne pouvait pas savoir qu'on avait fait un détour par... la colline.

— Il est encore là ?

Jamie vint se poster derrière moi pour m'attacher le collier.

— Oui, il est en bas en train de dévorer tout ce qu'il trouve dans les cuisines et de conter fleurette à Mme Crook.

Hormis quand il chantait, je n'avais jamais entendu le petit homme sombre dire plus d'une dizaine de mots à la suite depuis que je le connaissais, et je le voyais mal « contant fleurette » à quiconque. Il devait se sentir très à l'aise à Lallybroch.

— Mais qui est-il au juste ? Un parent à vous ?

Jamie et Jenny échangèrent un regard surpris.

— Ben... oui, fit Jenny.

Se tournant vers son frère, elle l'interrogea :

— Il est... quoi donc ? L'oncle du cousin germain de père, c'est bien ça ?

— Le neveu, corrigea-t-il. Tu ne te souviens pas ? L'oncle Leo avait deux fils et puis...

Je pressai mes mains contre mes oreilles, les suppliant de ne pas remettre ça. Mon geste parut rappeler quelque chose à Jenny, qui claqua soudain des doigts.

— Des boucles d'oreilles ! s'écria-t-elle.

Elle sortit précipitamment de la pièce.

— Pourquoi ta sœur t'appelle-t-elle Roy ? demandai-je, intriguée.

Il était en train d'ajuster son foulard devant le miroir, avec cet air grave de celui qui s'apprête à affronter un adversaire dans un combat mortel qu'ont tous les hommes quand ils nouent leur cravate.

— Ah, ça ! Ce n'est pas le prénom anglais, mais un surnom gaélique, à cause de la couleur de mes cheveux. Le vrai mot est *ruadh*, « rouge ».

Tout en parlant, il retourna le contenu de son *sporran* sur la table, triant les objets du bout du doigt.

— Mon Dieu, je n'ai jamais vu un tel fourbi ! Jamie, tu es pire qu'une pie !

— Ce n'est pas un fourbi, toutes ces choses me sont utiles, se défendit-il.

Je regardai le petit tas et en dressai l'inventaire.

— Bon, que le fil à pêche et les hameçons te servent, je veux bien. La lanière de cuir, c'est pour les collets, je suppose ? La bourre et les balles sont pour tes pistolets, d'accord. Et je comprends aussi la valeur sentimentale du petit serpent que Willie t'a donné. Mais une coquille d'escargot ? Et un morceau de verre ? Et ça, qu'est-ce que c'est que cette saleté ?

Je me penchai pour mieux voir. C'était une petite masse de poils sombres.

— Jamie ! Mais pourquoi te promènes-tu avec une patte de taupe desséchée ?

— C'est contre les rhumatismes, dit-il en remettant précipitamment l'objet dans son *sporran*.

— Ah ! raillai-je. Voilà donc pourquoi tu ne grinces pas !

J'extirpai une petite bible de la pile et la feuilletai tandis qu'il rangeait ses trésors.

— Alexander William Roderick MacGregor, lus-je à voix haute sur la page de garde. Tu m'as dit un jour que tu avais une dette envers lui, que voulais-tu dire ?

— Je t'ai déjà raconté que c'était un prisonnier mort à Fort William, non ?

— Oui.

— Je ne l'ai pas connu personnellement. Il est mort un mois avant mon arrivée. Mais le médecin qui m'a donné cette bible m'a longuement parlé de lui pendant qu'il soignait mon dos. Je crois qu'il avait besoin de soulager sa conscience, il ne pouvait en parler à personne d'autre à la garnison.

Alex MacGregor, âgé de dix-huit ans à peine, avait été arrêté pour le délit mineur de vol de bétail. C'était un joli garçon au tempérament tranquille, qui aurait normalement dû purger sa peine et être relâché sans incident. Toutefois, une semaine avant sa libération, il avait été retrouvé pendu dans sa cellule.

— D'après le médecin, il ne faisait aucun doute qu'il s'était pendu tout seul, poursuivit Jamie. Il ne m'a pas dit précisément ce qu'il en pensait, mais il m'a confié que le capitaine Randall avait eu un entretien en tête à tête avec le garçon une semaine plus tôt.

Je déglutis.

— Et tu crois que…

— Non. J'en suis *sûr*, et le médecin aussi. Je suppose que le sergent-major était également au courant, c'est pourquoi il est mort.

Il posa ses mains à plat sur la bible, observant ses longs doigts de fermier et de guerrier. Puis il fit disparaître le petit livre dans son *sporran*.

— Un jour, *mo duinne*, ces deux mains feront la peau de Jack Randall. Et lorsque ce sera fait, j'enverrai ce livre à la mère d'Alex MacGregor, avec un message lui annonçant que son fils a été vengé.

Jenny revint dans la pièce au même moment, resplendissante dans une robe bleue, portant une grande boîte en cuir usé.

— Jamie, les Curran sont déjà là, ainsi que Willie Murray et les Jeffry. Tu ferais mieux de descendre et de prendre un second petit déjeuner avec eux. J'ai mis du pain frais et des harengs salés sur la table, et Mme Crook est en train de préparer des crêpes.

Il sortit. Je l'entendis dévaler les premières marches de l'escalier, puis, se rappelant probablement son rang, il acheva sa descente d'un pas plus lent et plus digne.

Déposant la boîte sur le lit, Jenny l'ouvrit, révélant un mélange de bijoux et de colifichets. Cela ne ressemblait pas du tout à la Jenny Murray que je connaissais, organisée et ordonnée, qui dirigeait d'une main de fer la maisonnée de l'aube au crépuscule.

Elle fouilla dans le tas puis, surprenant mon regard amusé, elle me sourit.

— Voilà une éternité que je me dis que je dois y mettre de l'ordre. Mais quand j'étais petite, ma mère me laissait jouer avec sa boîte, et c'était comme de découvrir un trésor. J'ai peur qu'une fois rangée, elle ne perde sa magie. C'est idiot, non ?

— Non, pas du tout, ris-je.

Nous passâmes en revue le trésor de la famille Fraser, examinant un à un les joyaux de quatre générations de femmes.

— Ceci appartenait à ma grand-mère, expliqua Jenny en me montrant une broche en argent en forme de croissant de lune.

Un petit diamant brillait au sommet comme une étoile.

Je remarquai un curieux éclat au fond de la boîte.

— Et ça, qu'est-ce que c'est ?

— Ah, ça ! Je ne les ai jamais portés, ils ne me vont pas. Mais tu peux les prendre. Tu es grande, comme ma mère. Ils étaient à elle.

C'était une paire de bracelets chacun façonné dans la courbe d'une défense de sanglier. L'ivoire était magnifiquement patiné par le temps et couronné des deux côtés par une gaine en argent finement ciselée d'un motif fleuri.

— Oh, ils sont superbes ! m'enthousiasmai-je. Je n'ai jamais rien vu d'aussi... merveilleusement barbare !

Jenny parut amusée.

— Oui, tu peux le dire. Quelqu'un les avait offerts à maman pour son mariage, mais elle n'a jamais voulu nous dire qui. Mon père la taquinait parfois au sujet de son admirateur secret, mais elle se contentait de sourire d'un air mystérieux. Tiens, essaie-les.

L'ivoire était frais et lourd au bout de mon bras. Je ne pouvais m'empêcher de caresser la surface lisse et douce.

— Ils te vont bien, déclara Jenny, et ils sont parfaits avec ta robe jaune. Allez, mets ces boucles d'oreilles et descendons faire notre devoir.

Murtagh était assis devant la table de la cuisine, dévorant à pleines dents un morceau de jambon perché au bout de son poignard. Passant derrière lui avec un plateau, Mme Crook glissa trois petits pains encore chauds dans son assiette sans même s'arrêter.

Jenny s'affairait de-ci, de-là, préparant et surveillant. Marquant une pause, elle lança un regard à l'assiette de Murtagh, déjà presque vide.

— Ne t'empiffre pas tant, mon homme. Après tout, il y a déjà un porc dans la porcherie.

— Vous n'allez quand même pas laisser un parent mourir de faim ? grogna-t-il, sans cesser de mâcher.

— Moi ? Certainement pas ! Après tout, ce n'est que la quatrième fois que tu te ressers. Madame Crook, appela-t-elle, lorsque vous en aurez terminé avec les petits pains, donnez donc à ce pauvre affamé un bol de porridge pour combler les trous. Il ne faudrait pas que ce malheureux tourne de l'œil sur notre perron !

Quand il me vit sur le pas de la porte, Murtagh s'étrangla sur son morceau de jambon.

— Mmmmphm, fit-il après que Jenny lui eut tapé dans le dos.

— Moi aussi, je suis ravie de vous voir, répondis-je. Au fait, merci infiniment.

— Mmmmphm ?

— Pour avoir rapporté nos affaires de Leoch, précisai-je.

— Mmmmphm, fit-il encore en agitant une main pour dire que ce n'était rien.

Il en profita pour attraper le beurrier.

— J'ai aussi rapporté vos plantes, dit-il en faisant un signe vers la fenêtre. Elles sont dans la cour, dans mes sacoches.

— Vous m'avez rapporté ma sacoche à pharmacie ? C'est fantastique !

Certaines de mes simples étaient rares et j'avais eu un mal fou à les trouver et à les préparer.

— Mais comment avez-vous fait ? l'interrogeai-je. J'espère que vous n'avez pas rencontré trop de difficultés.

Après avoir réchappé aux horreurs du procès pour sorcellerie, je m'étais souvent demandé comment les habitants du château avaient pris mon arrestation et mon évasion.

— Bah, pas tant que ça !

Je dus attendre qu'il ait fini de mastiquer pour avoir la suite.

— Mme Fitz vous les avait mises de côté dans une boîte. J'ai d'abord été la voir parce que je ne savais pas trop comment on allait me recevoir au château.

— Vous avez bien fait. J'imagine mal Mme Fitz poussant des cris d'orfraie en vous voyant.

— Mouais. Je savais bien qu'elle n'allait pas appeler au secours. On était bons amis, la mère Fitz et moi, il y a long-temps.

— Ah, je vois, une ancienne flamme ! le taquinai-je, l'imaginant tendrement enlacé avec la volumineuse matrone.

Murtagh me lança un regard glacial.

— Vous seriez bien gentille de rester polie en parlant de cette dame. Son mari était le frère de ma mère. Et elle était très inquiète à votre sujet, je peux vous le dire !

Je baissai les yeux, gênée.

— Désolée. Je me demandais seulement ce que les gens du château avaient pensé quand… quand j'ai…

— Ils ne s'en sont pas aperçus tout de suite. Quand vous n'êtes pas venue dîner, ils ont pensé que vous vous étiez attardée dans les champs ou que vous étiez montée directement vous coucher. La porte de votre chambre était fermée. Le lendemain, on ne parlait que de l'arrestation de Mme Duncan, et personne n'a pensé à vous. Le messager qui a apporté la nouvelle du village n'a parlé que de la veuve du procureur.

Personne n'avait de raison de s'apercevoir de mon absence, pensai-je, mis à part ceux qui avaient besoin de soins. Dès le départ de Jamie, j'avais passé le plus clair de mon temps dans la bibliothèque de Colum.

— Et Colum ? demandai-je.

Murtagh haussa les épaules, cherchant des yeux quelque chose à manger sur la table. Ne trouvant rien, il se cala contre le dossier de sa chaise, croisant les bras sur son ventre plat.

— Quand il a entendu la nouvelle, il a aussitôt fait fermer les portes du château et a interdit à tous de descendre au village, de peur qu'ils ne soient entraînés dans la chasse aux sorcières. Le deuxième jour, Mme Fitz s'est mise à vous chercher. Elle a interrogé toutes les filles de cuisine. Elles ne savaient rien, sauf une, qui pensait vous avoir vue partir dans la direction du village. Selon elle, vous auriez pris refuge dans une des maisons, en attendant que l'affaire se tasse.

Il s'interrompit pour lâcher un rot sonore.

Je n'avais pas besoin d'un dessin pour savoir qui était cette innocente jeune fille si observatrice.

— Mme Fitz a mis le château sens dessus dessous, puis elle a obligé Colum à envoyer un homme au village. Quand ils ont appris ce qui s'était passé...

Une lueur amusée traversa son regard.

— La mère Fitz ne m'a pas tout raconté, mais j'imagine qu'elle a dû rendre la vie du laird encore plus misérable que d'habitude, le harcelant pour qu'il envoie des hommes vous libérer, par la force si nécessaire. Lui, de son côté, il s'est défendu de son mieux en soutenant qu'il était déjà trop tard, que tout résidait entre les mains des juges, et patati et patata.

Finalement, ni l'un ni l'autre ne l'avait emporté. Ned Gowan, avec son talent inné pour le compromis, avait tranché pour eux en offrant de se rendre au procès, non pas en tant que représentant du laird, mais à titre personnel, pour me défendre.

— Mme Fitz croit-elle que je suis une sorcière ? demandai-je.

Murtagh émit un petit rire.

— Je serais étonné que la vieille croie aux sorcières, et les plus jeunes non plus, d'ailleurs. Y a que des hommes pour croire au mauvais sort et à la magie des femmes, alors que c'est une chose naturelle chez elles.

— Je commence à comprendre pourquoi vous ne vous êtes jamais marié.

— Vous croyez vraiment ? rétorqua-t-il d'un air piqué.

Il se leva brusquement et se tourna vers Jenny qui venait d'entrer.

— Je dois y aller. Vous transmettrez mes respects au laird. Je ne veux pas le déranger, il doit être très occupé.

Jenny lui tendit un grand sac en toile, plein à craquer de provisions.

— Pour la route, expliqua-t-elle avec un clin d'œil.

Ils disparurent dans le couloir en plaisantant et je restai seule dans la cuisine, songeuse, caressant les bracelets en ivoire d'Ellen MacKenzie. Une porte claquant au loin me rappela sur terre. Je me secouai et m'apprêtai à prendre ma place comme dame de Lallybroch.

Si Lallybroch était d'ordinaire un endroit animé, ce jour-là, ce fut le chaos le plus total. Les métayers se succédèrent tout au long de la journée. Beaucoup ne restaient que le temps de payer leur loyer. D'autres s'attardaient, se promenant dans le domaine, visitant les lieux avec des amis, prenant des rafraîchissements dans le salon. Jenny, épanouie dans sa robe bleue, et Mme Crook, raide dans son tablier blanc amidonné, faisaient l'aller-retour entre la cuisine et le salon, surveillant les deux servantes qui titubaient sous les énormes plateaux chargés de galettes d'avoine, de tartelettes aux fruits et autres délices.

Jamie me présenta officiellement aux invités présents dans le salon et le boudoir, puis se retira dans son bureau avec Ian pour recevoir les métayers individuellement, discuter avec eux des semailles du prochain printemps, les consulter sur les ventes de blé et de laine, prendre note des activités du domaine et mettre les choses en ordre pour les saisons à venir.

J'errai gaiement dans la maison, échangeant des mondanités avec les invités, servant les boissons, aidant aux cuisines ou me contentant de me faire toute petite dans un coin pour mieux observer les allées et venues.

Me souvenant de la promesse que Jamie avait faite à la vieille femme près du moulin, j'attendais avec curiosité l'arrivée de Ronald MacNab.

Il fit son apparition peu après midi, perché sur une mule squelettique, un petit garçon grimpé derrière lui. Je les observai depuis la fenêtre du boudoir, me rappelant la description de Mme MacNab.

Si le terme d'« ivrogne » était peut-être une exagération, la mère avait dressé un portrait relativement fidèle de son fils. Les longs cheveux gras de Ronald MacNab pendouillaient lamentablement sur son col grisâtre. Sa chemise était d'une propreté douteuse. Il devait avoir un ou deux ans de moins que Jamie, pourtant il en paraissait quinze de plus. Son visage osseux était couvert de couperose, avec de petits yeux ternes et injectés de sang.

Quant à l'enfant, il était crasseux et mal vêtu. Pis encore, il ne quittait pas son père d'une semelle, la tête basse, tressaillant chaque fois que celui-ci se retournait ou lui parlait sèchement. Jamie, qui l'accueillit à la porte de son bureau, lança un regard entendu vers Jenny qui lui apportait une nouvelle carafe de vin.

Elle lui répondit d'un hochement de tête à peine perceptible et lui tendit la carafe. Puis, prenant fermement l'enfant par la main, elle l'entraîna vers la cuisine.

— Viens avec moi, mon petit, j'ai des biscuits pour toi, ou tu préfères peut-être une tranche de cake aux fruits ?

Jamie salua Ronald MacNab et s'effaça pour le laisser entrer dans le bureau. Avant de refermer la porte, il croisa mon regard et me fit un petit signe de tête vers la cuisine. J'acquiesçai et emboîtai le pas à Jenny et au jeune Rabbie.

Je les trouvai plongés dans une aimable conversation avec Mme Crook, qui transvasait à la louche le punch d'une grosse marmite dans une coupe en cristal. Elle en versa un peu dans un bol en bois et le tendit au garçon. Celui-ci l'inspecta d'un air soupçonneux avant de l'accepter. Jenny continua de papoter gaiement tout en chargeant des plateaux, tandis que la petite créature à demi sauvage lui répondait par des grognements inintelligibles.

— Ta chemise est un peu sale, observa-t-elle en se penchant vers lui pour retourner son col. Enlève-la, je vais te la laver avant que tu ne rentres chez toi.

« Un peu sale » était un euphémisme, mais le garçon se raidit, sur la défensive. Je me tenais derrière et, sur un geste de Jenny, je le retins par les bras avant qu'il puisse filer.

Il se débattit comme un beau diable, mais Jenny et Mme Crook se joignirent à la mêlée, et nous parvînmes enfin à lui ôter sa chemise.

— Seigneur ! soupira Jenny.

Elle tenait la tête de l'enfant fermement coincée sous son bras, exposant son dos maigre et crasseux, couvert de croûtes et de zébrures. Certaines marques étaient anciennes, ne laissant qu'une ombre sur les os saillants, d'autres étaient encore fraîches et violacées. Sans lâcher l'enfant, Jenny lui parla doucement, l'amadouant jusqu'à ce qu'il se détende. Elle me montra le hall d'un geste du menton.

— Claire, tu ferais bien d'aller prévenir Jamie.

Je frappai discrètement à la porte du bureau, tenant un plat de galettes d'avoine tartinées de miel en guise de prétexte.

Ma mine consternée tandis que je servais MacNab dut suffire à Jamie, car je n'eus pas même besoin de lui toucher deux mots en privé. Il me fixa un moment d'un air méditatif, puis se tourna vers son métayer.

— Bien, Ronnie, reprit-il, nous sommes donc d'accord pour ce qui est de la parcelle de blé. Mais je voulais te parler d'autre chose. Je crois que tu as un fils qui s'appelle Rabbie. J'aurais besoin d'un garçon de sa taille pour travailler aux écuries. Tu veux bien le laisser venir au manoir ?

Les longs doigts de Jamie jouaient avec sa plume d'oie. Ian, assis devant une autre petite table à l'écart, posa son menton sur son poing, étudiant Ronald MacNab avec intérêt.

Ce dernier avait l'air renfrogné de celui qui n'est pas soûl mais aimerait bien l'être.

— Non, j'ai besoin de lui, répondit-il sèchement.

— Naturellement, je te paierai pour ses services.

L'autre grogna et s'agita sur sa chaise.

— C'est ma mère qui est venue vous trouver, hein ? J'ai dit non et c'est non. C'est mon fils et j'en ferai ce que je veux. Il restera à la maison.

Jamie dévisagea longuement MacNab, puis replongea le nez dans ses registres sans insister davantage.

Plus tard dans l'après-midi, tandis que les métayers prenaient progressivement congé, j'aperçus par la fenêtre Jamie se dirigeant d'un pas nonchalant vers la porcherie, un bras sur l'épaule de MacNab comme deux vieux camarades d'école. Les deux hommes disparurent derrière la bâtisse, sans doute pour discuter d'un détail agricole. Ils réapparurent quelques minutes plus tard, et revinrent vers la maison.

Jamie tenait toujours MacNab par les épaules, mais cette fois il semblait plutôt le soutenir qu'autre chose. Le visage du métayer était grisâtre et trempé de sueur. Il marchait d'un pas incertain, le dos courbé, semblant incapable de se redresser.

— Alors, on est d'accord, déclara joyeusement Jamie une fois devant la porte. Je suis sûr que ta femme sera ravie d'avoir quelques sous en plus, hein, Ronald ? Tiens, voilà ta mule. Belle bête, ma foi !

La vieille rosse décharnée avança vers son maître d'un air las, une gerbe de foin pendant entre ses dents jaunes.

Jamie donna une grande tape sur l'épaule de MacNab et l'aida à grimper en selle. Apparemment, le métayer avait besoin de toute l'aide qu'on pouvait lui donner. L'air hagard, il se retourna à peine quand Jamie lui lança gaiement :

— Bonne route, et bien le bonjour à Mme MacNab !

Jamie resta sur le porche, serrant les mains des derniers métayers et échangeant des plaisanteries, jusqu'à ce que la silhouette voûtée de MacNab eût disparu derrière la crête de la colline. Puis il se retourna et siffla entre ses doigts. Rabbie MacNab, avec son kilt taché et sa chemise déchirée mais propre, sortit en rampant de sous une carriole de foin.

— Alors, Rabbie, il semblerait que ton père ait accepté que tu restes avec nous pour travailler dans l'écurie. Je suis sûr que tu travailleras dur et que tu lui feras honneur, n'est-ce pas ?

Le garçon leva des petits yeux ronds et rouges vers Jamie, mais ne répondit rien. Jamie lui posa la main sur l'épaule et le poussa vers la maison.

— File à la cuisine. Un dîner t'attend, mais avant, n'oublie pas de te débarbouiller. Mme Crook n'aime pas les petits sauvages. Oh, et, Rabbie...

Il se pencha et murmura à l'oreille du garçon :

— N'oublie pas de te laver les oreilles ou Mme Crook s'en chargera elle-même. Elle m'a récuré les miennes, ce matin, regarde.

Il plaça les mains derrière ses oreilles et rabattit ses pavillons. L'enfant esquissa un sourire timide et fila vers la maison.

— Bravo, félicitai-je Jamie en passant un bras sous son coude pour aller dîner. Comment t'es-tu débrouillé ?

— J'ai entraîné Ronald derrière la porcherie et je lui ai filé un grand coup de poing dans le ventre. Puis je lui ai demandé s'il préférait se séparer de son fils ou de son foie.

Il fronça les sourcils.

— Ce n'est pas franchement correct de ma part, mais je ne voyais pas ce que je pouvais faire d'autre. Ce n'est pas uniquement à cause de ma promesse à la mère MacNab, mais Jenny m'a décrit le dos du gamin.

Il hésita.

— Tu sais, *Sassenach*, mon père me fouettait autant qu'il le jugeait nécessaire, c'est-à-dire souvent, mais je ne tremblais pas chaque fois qu'il m'adressait la parole. Je ne crois pas que le jeune Rabbie pourra en rire plus tard en en parlant au lit avec sa femme.

Il redressa les épaules, d'un air sombre.

— MacNab a raison, c'est son fils et c'est à lui de décider. Je ne suis que le laird, pas Dieu. Mais la frontière est parfois ténue entre la justice et la barbarie. J'espère simplement que je suis du bon côté.

Je me blottis contre lui.

— Tu as bien fait, Jamie.

— Tu crois ?

— J'en suis sûre.

Nous reprîmes le chemin de la maison, bras dessus bras dessous, mais au lieu d'entrer Jamie m'attira vers la colline derrière le manoir. Le soleil couchant teintait d'ambre les façades blanchies à la chaux des bâtiments. De là-haut, nous pouvions voir l'ensemble du domaine à nos pieds.

Je posai ma tête sur l'épaule de Jamie et il me serra doucement contre lui.

— Toute ta vie est ici, n'est-ce pas, Jamie ? Tu es né pour régner sur Lallybroch.

— Sans doute, *Sassenach*. Et toi ? Tu es née pour devenir quoi, au juste ? Une châtelaine ? Ou pour dormir à la belle étoile comme une bohémienne ? Pour être guérisseuse, la femme d'un professeur, ou celle d'un hors-la-loi ?

— Je suis née pour te rencontrer, répondis-je simplement en tendant les bras vers lui.

— Tu sais, observa-t-il en se libérant, tu ne l'as jamais dit.

— Toi non plus.

— Si, je l'ai dit. Le lendemain de notre arrivée. J'ai dit que je te désirais plus que toute autre chose.

— Et je t'ai répondu que désirer et aimer, ce n'était pas la même chose.

— Tu as sans doute raison, rit-il.

Il lissa mes cheveux et baisa mon front.

— Je t'ai désirée dès que j'ai posé les yeux sur toi, mais je t'ai aimée quand tu as pleuré dans mes bras et que tu m'as laissé te consoler, la première nuit à Leoch.

Le soleil se coucha derrière les sapins noirs et les premières étoiles s'allumèrent dans le ciel. C'était la mi-novembre et la brise du soir était fraîche. Jamie appuya son front contre le mien, noyant son regard dans mes yeux.

— Toi d'abord.

— Non, toi.

— Pourquoi ?

— J'ai peur.

— Peur de quoi, *Sassenach* ?

— De ne plus pouvoir m'arrêter de le dire.

Il lança un regard vers la ligne d'horizon où se levait la faucille de la lune.

— C'est bientôt l'hiver et les nuits rallongent, *mo duinne*.

Serrée contre lui, je sentais son cœur battre.

— Je t'aime.

32

Un travail épuisant

QUELQUES JOURS PLUS TARD, AU COUCHER DU SOLEIL, je travaillais sur la colline à déterrer des bulbes de corydalis. Entendant un bruit de pas, je me retournai, pensant voir Jenny ou Mme Crook venues m'annoncer que le dîner était prêt. C'était Jamie, les cheveux mouillés par ses ablutions du soir. Il vint s'asseoir près de moi et nous regardâmes ensemble le soleil se coucher derrière les sapins, nimbant le paysage d'or et de pourpre. Il commençait à faire sombre et j'entendis Jenny nous appeler de la maison.

— Rentrons, proposai-je à contrecœur.

— Mmm… fit Jamie sans bouger d'un pouce.

Il avait le regard fixé au loin, comme s'il voulait enregistrer chaque détail du paysage dans sa mémoire.

— Que se passe-t-il ? Nous allons devoir partir bientôt, c'est ça ?

Mon cœur se serra à l'idée de quitter Lallybroch, mais il était trop dangereux de nous attarder plus longtemps. Les dragons anglais pouvaient revenir d'un jour à l'autre, avec des conséquences désastreuses.

— Mouais, demain ou après-demain au plus tard. Il y a des Anglais à Knockchoilum. C'est à une trentaine de kilomètres d'ici, mais à deux jours de cheval seulement par beau temps.

Je me levai péniblement, mais Jamie me retint par la main. Sa peau sentait bon le soleil. Il avait passé toute la semaine à aider aux récoltes. C'était un travail éreintant et Ian et lui avaient souvent du mal à garder les yeux ouverts pendant le dîner. Un soir, en revenant de la cuisine avec le dessert, je les avais trouvés tous les deux profondément endormis, Jenny riant doucement devant les vestiges du repas. Ian était affalé sur sa chaise, le menton écrasé contre son torse, respirant profondément. Jamie, lui, était à moitié couché sur la table, la tête sur ses bras croisés, ronflant paisiblement entre la carafe de vin et le moulin à poivre.

Jenny me prit le plat des mains et nous servit toutes les deux.

— Ils bâillaient tellement que je me suis demandé ce qui arriverait si je me taisais quelques minutes, expliqua-t-elle. Alors je me suis tue, et deux minutes plus tard il n'y avait plus personne.

Elle lissa tendrement les cheveux de Ian.

— C'est pour ça qu'il y a peu de bébés qui naissent l'été, poursuivit-elle avec un clin d'œil. En novembre, les hommes ne restent pas éveillés assez longtemps le soir pour en faire à leur femme.

Je me mis à rire. Jamie remua à mes côtés et je posai une main sur sa nuque pour l'apaiser. Ses lèvres esquissèrent un doux sourire rêveur.

— C'est drôle, me confia Jenny. Je ne l'ai pas vu faire ça depuis qu'il était tout petit.

— Faire quoi ?

— Sourire dans son sommeil. Quand il était enfant, il souriait toujours en dormant. Parfois, maman et moi, on se relayait auprès de son berceau pour lui caresser la tête et voir si ça le faisait sourire. Ça ne ratait jamais.

Nous restâmes un moment à le regarder.

— Je me demande ce qui le fait sourire comme ça, dis-je enfin en l'observant avec fascination.

— Je suppose que c'est parce qu'il est heureux.

Nous ne devions pas partir le lendemain. Au beau milieu de la nuit, je fus réveillée par un bruit de conversation étouffée dans la chambre. J'ouvris les yeux pour découvrir Ian penché au-dessus du lit une chandelle à la main.

— Le bébé est en route, me dit Jamie en me voyant éveillée. Il se redressa et bâilla.

— Ce n'est pas un peu tôt, Ian ?

— On ne peut jamais savoir. Le petit Jamie, lui, était en retard. Mieux vaut tôt que tard, je suppose.

Il esquissa un sourire nerveux. Jamie se tourna vers moi.

— *Sassenach*, tu sais mettre les enfants au monde ? Ou vaut-il mieux aller chercher une sage-femme ?

Je n'hésitai pas une seconde.

— Allez chercher une sage-femme.

Je n'avais vu que trois accouchements au cours de ma formation, tous dans un bloc opératoire stérile, la patiente anesthésiée et recouverte d'un drap ne laissant paraître que le périnée enflé d'une manière grotesque.

Jamie fila donc prévenir Mme Martins, la sage-femme, pendant que je suivais Ian dans les escaliers.

Jenny était assise sur une chaise près de la fenêtre, le dos confortablement calé. Elle avait enfilé une chemise de nuit usée, enlevé les draps du lit et étalé un vieil édredon sur le matelas. À présent, elle attendait.

Elle semblait ailleurs, comme si elle écoutait quelque chose au loin qu'elle seule pouvait entendre. Ian s'agitait nerveusement autour d'elle, déplaçant inutilement des objets, arpentant la chambre. Finalement, elle lui demanda de sortir.

— Va plutôt réveiller Mme Crook, Ian, dit-elle doucement. Qu'elle prépare les affaires dont Mme Martins aura besoin.

Elle fit une grimace et posa ses deux mains sur son ventre tendu. Je vis avec fascination celui-ci s'arrondir à vue d'œil et durcir. Elle se mordit les lèvres et respira bruyamment quelques instants avant de se détendre à nouveau. Son ventre avait repris sa forme normale, pendant légèrement en avant.

J'attendis nerveusement avec Jenny ce qui me parut une éternité. Jamie ne revenait toujours pas avec Mme Martins. J'avais entendu dire que le deuxième enfant naissait plus vite que le premier. Et si celui-ci décidait de venir au monde avant l'arrivée de la sage-femme ?

Au début, Jenny bavardait tranquillement avec moi, s'interrompant de temps à autre pour se pencher légèrement en avant en se tenant le ventre à mesure que les contractions se faisaient plus rapprochées et plus fortes. Mais elle perdit bientôt l'envie de faire la conversation. Elle se cala sur sa chaise, se reposant calmement entre les périodes de douleur de plus en plus longues. Enfin, elle me tendit la main.

— Aide-moi à marcher, Claire, demanda-t-elle d'une voix faible.

Nous fîmes plusieurs fois le tour de la chambre, nous arrêtant chaque fois qu'une contraction la prenait. Peu avant que la sage-femme arrive, Jenny s'allongea sur le lit.

Mme Martins avait un aspect rassurant, grande et mince, avec des épaules larges, des avant-bras musclés, et une expression douce et pragmatique qui inspirait confiance.

Elle commença son examen préliminaire. Tout lui parut normal. Mme Crook arriva avec une pile de linges propres et Mme Martins en prit un, le roula en boudin et le cala sous les reins de Jenny. J'aperçus alors un filet de sang noirâtre couler entre ses cuisses et lançai un regard inquiet vers la sage-femme.

Elle hocha la tête d'un air apaisant.

— Ce n'est rien. Ce n'est que quand le sang est rouge et abondant qu'il y a lieu de s'inquiéter.

Nous nous installâmes confortablement et attendîmes. Mme Martins parlait tranquillement avec Jenny, lui tenant la main et la réconfortant. À chaque contraction, elle lui massait fermement le creux des reins.

Les cheveux de Jenny étaient trempés de transpiration et son visage rougi par l'effort. En la regardant, je compris tout le sens du mot « travail ». Enfanter n'était pas de tout repos !

Pendant les deux heures qui suivirent, il ne se passa pratiquement rien. Jenny ne parlait presque plus. Chaque contraction la laissait pantelante, son visage virant du rouge vif au blafard en quelques secondes.

Après une dernière contraction particulièrement douloureuse, elle me fit signe d'approcher.

— Si l'enfant vit... et que c'est une fille... elle s'appellera Margaret. Dis à Ian... de l'appeler Margaret Ellen.

— Oui, bien sûr, la réconfortai-je. Mais tu pourras le lui annoncer toi-même très prochainement. Il n'y en a plus pour très longtemps.

Elle secoua vigoureusement la tête pour m'indiquer le contraire et serra les dents pour affronter le prochain assaut. Mme Martins m'attira à part et me chuchota :

— Ne vous en faites pas, elles croient toujours qu'elles n'y survivront pas.

— Ah ! fis-je, un peu soulagée.

— Remarquez, reprit-elle, elles ont parfois raison.

Même Mme Martins parut légèrement inquiète en constatant que les contractions s'éternisaient sans grand résultat. Jenny commençait à se fatiguer. Après chaque douleur, son corps se relâchait, et il lui arrivait même de s'endormir. Puis, dès que les griffes impitoyables lui lacéraient de nouveau les entrailles, elle se réveillait en sursaut, luttant et grognant, tentant de rouler sur le côté pour soulager la douleur.

— Et si l'enfant était... à l'envers ? chuchotai-je timidement à Mme Martins.

La sage-femme ne répondit pas, mais son front était plissé d'inquiétude.

Dès la fin de la contraction suivante, elle retira le drap et retroussa la chemise de nuit. Elle palpa ici et là le ventre de ses doigts rapides et expérimentés. Elle dut s'y reprendre à deux ou trois fois, car la pression de ses mains semblait intensifier les contractions.

Enfin, elle recula d'un pas, observant d'un air concentré la malheureuse qui se tordait dans son lit. Jenny tirait tant sur les draps que l'un se déchira brusquement en deux. Comme s'il s'agissait d'un signal, Mme Martins me fit un signe énergique.

— Aidez-la à se cambrer un peu plus, m'ordonna-t-elle sans se laisser impressionner par les cris de Jenny.

Elle posa les mains sur l'enfant à travers la paroi abdominale et tenta de le retourner. Jenny hurla et me tira violemment sur le bras.

Mme Martins fit une nouvelle tentative. Encore et encore. Incapable de s'empêcher de pousser, Jenny était au bord de l'éreintement, son corps ayant depuis longtemps dépassé les limites de l'endurance.

Puis il y eut un brusque mouvement de liquide et la masse amorphe de l'enfant pivota sous les mains de Mme Martins. D'un seul coup, la forme du ventre de Jenny se transforma.

— Poussez maintenant, s'écria Mme Martins.

Jenny s'exécuta et la sage-femme s'agenouilla au pied du lit. Apparemment, elle remarqua un progrès notable car elle se releva aussitôt et alla chercher une bouteille sur la table. Elle versa un peu de son contenu huileux dans ses mains et se mit à en oindre doucement l'entrecuisse de Jenny, lui parlant doucement, lui répétant que tout allait bien.

À la contraction suivante, Mme Martins posa les deux mains sur le ventre de Jenny et appuya fortement. Jenny poussa un cri aigu, mais la sage-femme continua de pousser jusqu'à la fin de la contraction.

— À la prochaine, vous pousserez avec moi, me demanda-t-elle. On y est presque.

Je plaçai mes mains sur celles de Mme Martins et, à son signal, nous nous mîmes à pousser toutes les trois. Jenny lâcha un profond grognement de victoire et une forme ronde apparut soudain entre ses cuisses. Elle étira les jambes, poussa une dernière fois et Margaret Ellen Murray surgit parmi nous, comme un porcelet huilé à souhait.

Quelque temps plus tard, je finis d'essuyer le visage souriant de Jenny avec un linge humide et regardai par la fenêtre. Le soleil allait bientôt se coucher.

— Je vais bien, me rassura Jenny. Très bien.

Le sourire rayonnant avec lequel elle avait accueilli sa fille avait cédé la place à une expression de béatitude. Elle me toucha la manche.

— Va prévenir Ian, me dit-elle. Il doit être mort d'inquiétude.

Ce n'était pas tout à fait le cas, du moins à mes yeux cyniques. Le bureau où s'étaient réfugiés Ian et Jamie ressemblait à une scène de débauche. Une carafe vide attendait sur la console, accompagnée de plusieurs cadavres de bouteilles. Une forte odeur d'alcool flottait dans la pièce.

Le fier papa semblait avoir tourné de l'œil, la tête posée sur le bureau du laird. Le laird lui-même était encore conscient, mais avait le regard vitreux.

Outragée, je saisis Ian par les épaules et le secouai vigoureusement, ne prêtant pas garde à Jamie qui s'était redressé.

— Attends, *Sassenach*...

Ian releva lentement la tête avec une mine sinistre et des yeux implorants et je compris soudain qu'il s'attendait que je lui annonce que Jenny était morte en couches.

— Elle va bien, lui dis-je doucement. Tu as une petite fille.

Il laissa retomber sa tête sur le bureau et je m'éclipsai, laissant Jamie tapoter ses épaules secouées de sanglots.

Un peu plus tard, les survivants s'étant ressaisis et rafraîchis, les familles Murray-Fraser se réunirent dans la chambre de la nouvelle maman pour célébrer l'arrivée de Margaret. Cette dernière, lavée, poudrée et enveloppée dans une petite couverture, fut confiée à son père qui la reçut avec un air d'admiration béate.

— Bonjour, petite Maggie, chuchota-t-il en caressant le petit nez du bout du doigt.

Sa fille, peu impressionnée, ferma les yeux et urina sur la chemise de son père.

Pendant que nous réparions les dégâts, Jamie junior profita de l'hilarité générale pour échapper aux griffes de Mme Crook et se jeta sur le lit de ses parents. Jenny réprima une grimace de douleur et l'accueillit avec un sourire, faisant signe à la gouvernante qu'elle pouvait le laisser.

— Tu es *ma* maman ! déclara-t-il en enfouissant son nez sous l'aisselle de sa mère.

— Mais bien sûr, mon chéri, roucoula-t-elle.

Elle le serra dans ses bras et déposa un baiser sur le sommet de son crâne. Alors il se détendit, rassuré, glissa son pouce dans sa bouche et s'endormit aussitôt.

Lorsque ce fut son tour de tenir le bébé, Jamie s'avéra très compétent, soutenant le petit crâne duveteux dans la paume de sa main comme une balle. Il ne rendit l'enfant à sa mère qu'à contrecœur.

Lorsque nous retournâmes dans notre chambre, elle me parut bien vide et silencieuse après la chaleureuse réunion de famille que nous laissions derrière nous : Ian agenouillé près de sa femme, caressant la tête de son fils, tandis que Jenny allaitait Margaret. Je n'avais pas encore pris conscience de l'état de fatigue dans lequel je me trouvais. Près de vingt-quatre heures s'étaient écoulées depuis que Ian nous avait réveillés.

Jamie referma doucement la porte et vint se placer derrière moi sans un mot pour m'aider à dénouer les lacets de ma robe. Ses bras encerclèrent ma taille et je m'adossai contre lui. Je ne me sentais pas seulement épuisée, mais aussi pleine de tendresse, et un peu triste.

— Finalement, c'est aussi bien comme ça, me murmura-t-il à l'oreille.

— Quoi donc ?

— Que tu sois stérile.

Il ne pouvait voir mon visage, mais il me sentit sûrement me raidir.

— Oui, reprit-il, je le sais depuis belle lurette. C'est Geillis Duncan qui me l'a dit peu après notre mariage. Au début, je l'ai regretté, mais après je me suis dit que cela valait mieux ainsi. Avec la vie qu'on mène, que ferions-nous si tu attendais un enfant ! Et à présent, j'en suis même heureux. Je ne voudrais pas que tu souffres comme Jenny.

— Ça ne m'ennuierait pas, dis-je en repensant à la petite tête ronde et aux doigts minuscules.

— Moi si. J'ai vu la tête que faisait Ian. C'était comme si on lui arrachait sa propre chair chaque fois que Jenny criait. Je peux endurer ma douleur, mais pas la tienne. Je ne le supporterais pas.

33

La Garde

JENNY SE REMIT RAPIDEMENT DE LA NAISSANCE de Margaret et, dès le lendemain, insista pour se lever. Devant les protestations conjuguées de Ian et de Jamie, elle accepta à contrecœur de ne pas travailler, se contentant de surveiller les activités ménagères depuis le canapé du salon, la petite Margaret dormant dans son berceau à côté d'elle.

Toutefois, incapable de rester à ne rien faire, moins de deux jours plus tard elle s'aventura dans la cuisine, puis dans le jardin. Assise sur le muret, le bébé dans les bras, elle me tenait compagnie tandis que j'arrachais les pieds de vigne morts tout en surveillant d'un œil l'énorme chaudron où l'on faisait bouillir le linge de la maison. Mme Crook et les servantes avaient déjà étendu les draps propres. J'attendais que l'eau refroidisse suffisamment pour la jeter.

Jamie junior « m'aidait », arrachant les plantes comme un forcené et projetant de la terre dans tous les sens. Le voyant soudain courir vers le chaudron, je lui criai de ne pas s'en approcher, puis, comme il poursuivait inexorablement sa route, je me précipitai derrière lui. Fort heureusement, la fonte s'était déjà rafraîchie. Lui ordonnant d'aller retrouver sa mère, j'inclinai le chaudron pour laisser l'eau tiède se déverser sur la terre. Accroupi derrière moi, Jamie junior battit joyeusement des mains sous la cascade encore fumante, projetant des gerbes d'eau boueuse sur mes jupes.

Sa mère sauta au pied du muret et lui tira l'oreille.

— Tu as perdu la tête, *gille* ? Regarde-toi ! Il va falloir de nouveau laver ta chemise toute propre ! Et regarde ce que tu as fait à la jupe de ta tante, tu n'as pas honte ?

— Ce n'est pas grave, protestai-je, voyant le menton du petit garnement commencer à trembler.

— Mais si, c'est grave ! Demande pardon à ta tante et file à la cuisine pour que Mme Crook te lave.

Elle lui donna une tape sur les fesses et l'enfant partit, tête baissée, vers la maison.

Au même moment, un bruit de sabots nous fit nous retourner.

— Ce doit être Jamie qui est de retour, dis-je en tendant l'oreille. Je ne l'attendais pas si tôt.

Jenny fit non de la tête, scrutant le sommet de la colline.

— Ce n'est pas son cheval.

De fait, à en juger par ses sourcils froncés, le cheval qui apparut quelques instants plus tard lui était inconnu. En revanche, l'homme perché sur la selle était familier. Elle se raidit puis se mit à courir vers le portail, serrant fortement le bébé contre elle.

— C'est Ian ! me lança-t-elle.

Il avait des bleus sur le visage et était couvert de poussière. Il se laissa glisser au pied de sa monture, pantelant, et Jenny le rattrapa de justesse avant qu'il ne s'effondre. C'est alors que je remarquai qu'il n'avait plus sa jambe en bois.

— Jamie… haleta-t-il. On est tombés sur la Garde près du moulin. Ils nous attendaient. Ils savaient qu'on passerait par là.

Mon sang se glaça.

— Il est vivant ?

— Oui… et indemne. Ils l'ont emmené dans la direction de Killin.

Jenny lui palpa le visage.

— Tu es blessé ?

Il fit non de la tête.

— Non. Ils ont juste pris mon cheval et ma jambe. Ils savaient bien que je ne pourrais pas les suivre.

Jenny scruta la ligne d'horizon où le soleil n'allait pas tarder à se coucher. Il devait être environ quatre heures. Ian suivit son regard et devança sa question.

— Il était près de midi quand ils nous sont tombés dessus. Il m'a fallu deux heures pour rejoindre la première ferme et emprunter un cheval.

Elle resta immobile quelques instants, réfléchissant intensément, puis elle se tourna vers moi d'un air décidé.

— Claire, conduis Ian à la maison et vois s'il a besoin de soins. Je file confier le bébé à Mme Crook et je prépare les chevaux.

Avant même que nous puissions protester, elle était partie.

— Mais... elle ne compte tout de même pas... m'exclamai-je. Elle ne va pas laisser le bébé !

Ian se reposa de tout son poids sur mon épaule tandis que nous avancions lentement vers la maison.

— Peut-être pas. Mais je ne crois pas non plus qu'elle va laisser les Anglais pendre son frère sans rien faire.

Lorsque nous atteignîmes l'endroit où Jamie et Ian étaient tombés dans l'embuscade, il faisait déjà nuit. Jenny sauta de son cheval et inspecta le sol comme un petit terrier, écartant les branches et marmonnant entre ses dents des paroles inintelligibles qui rappelaient fortement les jurons de son frère.

— Ils sont bien partis vers l'est, annonça-t-elle en époussetant calmement sa jupe et en suçant le dos de sa main écorchée par les ronces. On ne peut pas les suivre dans l'obscurité, mais au moins on sait quelle direction prendre demain matin.

Voyant ma mine angoissée, elle ajouta :

— Ne t'inquiète pas, vingt chevaux dans un sous-bois ne peuvent pas aller bien vite. Nous aurons tôt fait de les rattraper. La Garde a sans doute rejoint la route d'Eskadale. En coupant par les collines, on les retrouvera vers Midmains.

Nous attachâmes les chevaux et nous installâmes pour dormir à la belle étoile. Je regardai avec admiration Jenny faire un feu de camp.

— Quand on était petits, expliqua-t-elle, j'étais toujours sur les talons de Jamie et de Ian. Ils m'ont appris à faire du feu, à grimper aux arbres, et même à dépecer le gibier. Je n'ai pas ma pareille pour traquer une proie dans la forêt.

Elle dénoua les lacets de sa robe et je la vis avec stupeur dégager ses seins. Ils étaient énormes et paraissaient durs, gorgés de lait.

— Je ne peux pas m'éloigner du bébé trop longtemps, ils vont exploser, grimaça-t-elle en en prenant un dans sa main.

Au contact de ses doigts, du lait bleuâtre se mit à suinter au bout de son mamelon gonflé. Elle extirpa un mouchoir de sa poche et le glissa sous son sein. Puis, elle prit un petit bol en bois dans sa sacoche et le plaça sous le téton. Elle caressa doucement son sein du bout des doigts, pinçant délicatement le mamelon. Le lait se mit à sortir plus vite, puis soudain l'aréole autour du téton se contracta et un jet de lait jaillit avec une puissance surprenante.

— Seigneur, c'est toujours comme ça ? m'étonnai-je, honteuse de mon ignorance.

Jenny recueillit le liquide dans le bol et hocha la tête.

— En tétant, le bébé déclenche la réaction, puis il n'a plus qu'à avaler, le lait sort naturellement. Ouf, ça va mieux !

Elle jeta le contenu du bol sur la terre.

— Quel gâchis ! observa-t-elle. Mais c'est la seule solution.

Puis elle passa au sein suivant et répéta l'opération.

— Quel ennui ! soupira-t-elle. Mettre un enfant au monde ne cause que des ennuis. Mais on remet ça à chaque fois.

— Peut-être, admis-je. J'aimerais bien connaître ce genre d'ennuis.

— Ton temps viendra, me consola-t-elle, tu verras.

Je me mis à rire nerveusement.

— Encore faudrait-il retrouver le père !

Elle vida le deuxième bol et se recouvrit.

— On les retrouvera demain. Il le faut, car je dois retourner auprès de Maggie après-demain au plus tard.

— Et lorsqu'on les aura retrouvés ? Que ferons-nous ?

Elle haussa les épaules et commença à dérouler les couvertures.

— Tout dépend de Jamie. Espérons qu'il ne les aura pas trop provoqués et qu'il sera encore en état de marcher !

Jenny avait vu juste, nous rattrapâmes la Garde le lendemain.

Nous quittâmes notre campement avant l'aube, ne nous arrêtant que pour laisser à Jenny le temps de tirer encore un peu de lait. Elle connaissait la région comme sa poche, et je la suivis sans poser de questions tandis que nous avancions dans l'épais sous-bois.

Nous tombâmes sur eux vers midi. Je reconnus le cliquètement des harnais et les accents familiers. Jenny me fit signe de m'arrêter.

— Il y a un fjord en contrebas, ils s'y sont sûrement arrêtés pour faire boire leurs chevaux.

Nous attachâmes nos montures et nous glissâmes discrètement dans les fourrés. Elle me conduisit sur une corniche d'où l'on avait une vue imprenable sur le fjord. De là, nous apercevions pratiquement tous les hommes de la Garde, certains assis en train de manger tandis que d'autres conduisaient les chevaux par petits groupes jusqu'à l'eau. En revanche, Jamie n'était visible nulle part.

— Tu ne crois pas qu'ils l'ont tué ? paniquai-je.

Je recomptai un à un les hommes, sûre de m'être trompée. Ils étaient vingt, accompagnés de vingt-six chevaux. Tous étaient apparemment dans notre champ de vision, mais je ne voyais pas la moindre tignasse rousse parmi eux.

— Non, je ne pense pas, répondit Jenny. Mais il n'y a qu'un moyen de le savoir.

Elle commença à reculer de la corniche en rampant.

— Qu'est-ce que tu comptes faire ?

— Leur demander.

La route qui s'éloignait du fjord était étroite, un simple sentier bordé d'un épais rideau de sapins et d'aulnes. Les hommes de la Garde durent l'emprunter en file indienne.

Au moment où le dernier d'entre eux allait s'engager dans un coude du chemin, Jenny Murray jaillit d'entre les arbres. Effrayé, son cheval fit une embardée et le dragon jura en tentant de contrôler sa monture. Il ouvrit une bouche indignée pour demander ce que signifiait ce comportement, mais je ne lui laissai pas le temps de parler. Sortant d'un buisson derrière lui, je lui flanquai un grand coup derrière la tête avec une branche.

Pris par surprise, il perdit l'équilibre et son cheval rua, l'envoyant rouler sur le bas-côté. Il n'était pas assommé, simplement désarçonné. Jenny y remédia rapidement en lui assenant un coup sur le crâne avec une pierre.

Elle s'empara des rênes et me fit signe de le prendre sous les bras.

— Vite, enlève-le du chemin avant qu'ils ne s'aperçoivent de son absence !

Lorsque Robert MacDonald, de la Garde de Glen Elrive, reprit connaissance, il était solidement attaché à un tronc d'arbre, un pistolet pointé sous son nez.

— Qu'avez-vous fait de Jamie Fraser ? demanda Jenny.

MacDonald secoua la tête d'un air abruti, se demandant manifestement dans quel cauchemar il était tombé. Nous attendîmes patiemment qu'il se soit persuadé que son triste sort était bien réel et qu'il comprenne que le seul moyen de s'en sortir était encore de répondre aux questions des deux folles qui le tenaient en joue.

— Il est mort, dit-il platement.

Le doigt de Jenny se resserra sur la détente et il ajouta, paniqué :

— Ce n'est pas moi ! Je n'y suis pour rien !

Jamie, nous raconta-t-il, avait été jeté en travers d'une selle, les poings liés dans le dos, encadré par deux cavaliers fermant le convoi. Comme il s'était montré relativement docile, ceux-ci n'avaient pas pris de précautions particulières en traversant la rivière à une dizaine de kilomètres du moulin.

— Ce pauvre fou s'est laissé tomber de cheval au milieu de la rivière. On lui a tiré dessus et il a dû être touché car il a coulé à pic. La rivière se jette dans le fjord quelques kilomètres plus bas. Il y a des remous et elle est profonde. On a longé la berge pour le repêcher, mais il a dû être emporté par le courant. Je vous jure que c'est la vérité, alors maintenant, s'il vous plaît, mesdames, détachez-moi !

Malgré ses menaces, Jenny ne put rien en tirer de plus. Il nous répéta son histoire sans rien y changer, et nous dûmes nous en contenter. Jenny refusa de le détacher, mais elle relâcha légèrement ses liens de sorte qu'il puisse se dégager de lui-même... avec un peu de temps. Puis nous prîmes nos jambes à nos cous.

— Tu crois vraiment qu'il s'est noyé ? haletai-je quand nous eûmes rejoint nos chevaux.

— Impossible. Jamie nage comme un poisson et je l'ai déjà vu retenir sa respiration trois minutes d'affilée. Viens, on va fouiller la berge.

Nous redescendîmes vers la rivière, trébuchant sur les pierres, pataugeant dans l'eau glacée, nous écorchant le visage et les mains dans les ronces.

Enfin, Jenny laissa échapper un cri de victoire et j'accourus en projetant de grandes éclaboussures autour de moi. Je la rejoignis sur un rocher couvert de mousse au milieu de la rivière, dans un endroit peu profond.

Elle tenait une lanière de cuir, encore nouée en boucle. Un des côtés en était taché de sang.

— Il a réussi à se libérer les mains, annonça-t-elle. Comment t'es-tu donc débrouillé, Jamie ? murmura-t-elle.

Sur la berge à quelques mètres de là, nous découvrîmes un coin où l'herbe avait été foulée et où il s'était manifestement étendu pour reprendre son souffle. Je trouvai une tache brunâtre sur l'écorce d'un aulne.

— Il est blessé.

— Peut-être, mais il est encore capable de se déplacer, répondit Jenny, les yeux rivés sur le sol.

— Tu crois pouvoir suivre sa trace ? demandai-je, pleine d'espoir.

— Je ne suis pas très douée pour la chasse, mais si je ne peux pas traquer un animal de la taille de Jamie à travers les fougères sèches, je ne suis plus une Fraser.

De fait, un large sentier de fougères écrasées grimpait au flanc de la colline et disparaissait dans un épais taillis de bruyère. Là, la piste se perdait dans la nature et nos appels n'eurent aucun effet.

— Il est parti, soupira Jenny.

Elle s'assit sur une souche et s'éventa avec sa jupe. Je la trouvai soudain très pâle et réalisai que kidnapper et interroger des soldats aguerris sous la menace n'étaient pas des activités pour une femme qui avait accouché quelques jours plus tôt.

— Jenny, il faut que tu rentres à Lallybroch. De plus, Jamie y est peut-être déjà.

— Non, il ne ferait jamais ça. Les hommes de la Garde ne vont pas abandonner si facilement, surtout avec une récompense à la clef. Je suis sûre qu'ils ont envoyé quelqu'un au domaine, au cas où. Non, c'est vraiment le dernier endroit où il irait se réfugier.

Elle referma le col de sa robe. Malgré la brise fraîche, elle était en nage. Sur son corsage je pouvais voir des auréoles là où le lait suintait. Elle croisa mon regard et hocha la tête.

— Oui, je sais, il va falloir que je rentre bientôt. Mme Crook nourrit Maggie au lait de chèvre et à l'eau sucrée, mais elle ne peut pas se passer de moi très longtemps, ni moi d'elle. Mais ça m'embête de te laisser seule.

À vrai dire, je n'étais pas très rassurée à l'idée de me retrouver seule, fouillant les Highlands à la recherche d'un homme qui pouvait être n'importe où, mais je fis bonne figure.

— Je me débrouillerai. Ce pourrait être pire. Au moins, je sais qu'il est en vie.

— C'est vrai.

Elle lança un regard vers le soleil bas.

— Je resterai avec toi jusqu'à l'aube.

Blottie l'une contre l'autre devant le feu, nous ne parlâmes pas beaucoup. Jenny était inquiète au sujet de son bébé et je me demandais comment j'allais m'en sortir, livrée à moi-même, ne connaissant ni la géographie des lieux ni le gaélique.

Soudain, Jenny redressa la tête, tendant l'oreille. J'écoutai à mon tour, mais n'entendis rien. Suivant le regard de ma compagne, je fixai les ténèbres, sans rien voir non plus.

Lorsque je me retournai vers le feu, Murtagh était assis en face de nous, se réchauffant les mains au-dessus des flammes. En entendant mon cri d'effroi, Jenny fit volte-face à son tour et éclata de rire.

— J'aurais pu vous trancher la gorge à toutes les deux avant que vous regardiez dans la bonne direction.

— Ah, tu crois ça ? rétorqua Jenny.

Elle ouvrit la main et lui montra le *sgian dhu* qu'elle tenait, prêt à servir. Je ne l'avais même pas vue dégainer.

— Pas mal, convint notre visiteur. Est-ce que la *Sassenach* est aussi rapide ?

— Non, répondit Jenny en glissant le petit poignard dans son bas. C'est pourquoi tu tombes à pic. C'est Ian qui t'a envoyé ?

Le petit homme hocha la tête.

— Vous avez retrouvé la Garde ?

Nous lui racontâmes tout ce que nous savions. En apprenant que Jamie s'était évadé, je crus voir un coin de sa lèvre tressaillir, mais parler de sourire aurait sans doute été exagéré.

Enfin, je vis Jenny rouler sa couverture et se lever.

— Où vas-tu ? demandai-je.

— À la maison. Tu n'as plus besoin de moi, maintenant qu'il est là.

Murtagh leva le nez vers le ciel. La lune pâle était à peine visible entre les nuages chargés de pluie.

— Tu peux attendre le matin. Le vent se lève et la nuit sera noire.

Jenny secoua la tête.

— Je connais mon chemin.

— Tu es aussi têtue que ton frère, si je peux me permettre. Tu n'as aucune raison de te précipiter chez toi. Je doute que ton homme ait eu le temps de mettre une autre donzelle dans ton lit depuis que tu es partie.

— C'est parce que tu ne vois pas plus loin que le bout de ton nez, *duine*, et il n'est pas bien long. Si tu ne sais pas encore qu'il ne faut jamais se mettre entre une mère qui allaite et un bébé affamé, c'est que tu es encore plus sot que tu n'en as l'air.

Murtagh leva les bras en signe de reddition.

— Bon, bon, fais comme tu veux. Je ne sais pas pourquoi j'essaie de faire entendre raison à un Fraser. Autant parler à un mur.

Jenny se mit à rire.

— Vieux bouc, lança-t-elle en jetant sa selle sur son cheval. Veille bien sur ma belle-sœur, et dès que vous aurez retrouvé Jamie, faites-le-moi savoir.

— Au fait, ajouta Murtagh, tu vas sans doute trouver une nouvelle fille de cuisine à ton retour.

Elle s'interrompit et se tourna vers lui.

— Qui donc ?

— La veuve MacNab.

Elle resta silencieuse un moment, fixant Murtagh.

— Comment est-ce arrivé ? demanda-t-elle enfin.

— Un incendie. Fais attention en traversant le grand champ, les cendres sont encore chaudes.

Il joignit ses mains en coupe et se baissa pour lui faire la courte échelle, mais elle fit non de la tête. Se tournant vers moi, elle me proposa :

— Claire, tu veux bien m'accompagner jusqu'au haut de la colline ?

Loin du feu, il faisait froid et humide. Mes jupes collaient à mes jambes, entravant mes pas. Jenny avançait dans le vent, tête baissée, mais je distinguais son profil pâle, ses lèvres serrées.

— C'est MacNab qui a vendu Jamie aux Anglais ? demandai-je.

— Sans doute. Ian a dû l'apprendre, à moins que ce ne soit l'un des métayers. Peu importe qui, du reste.

Les paroles de Jamie résonnèrent dans mon crâne. « La frontière est parfois ténue entre la justice et la barbarie. »

Je me rendis compte que Jenny me dévisageait d'un air interrogateur. Sur ce point du moins, nous nous situions du même côté de cette frontière sinistre et arbitraire.

Nous nous arrêtâmes au sommet de la colline. Plus bas, la silhouette de Murtagh n'était qu'un point noir près du feu. Jenny fouilla dans sa poche, puis me glissa une petite bourse en cuir dans la main.

— Ce sont les fermages. Tu en auras peut-être besoin.

Je protestai, insistant sur le fait que Jamie refuserait catégoriquement de prendre l'argent nécessaire à la gestion du domaine, mais elle ne voulut rien entendre.

Je finis par accepter et glissai la bourse dans ma poche. Elle insista également pour que je prenne le *sgian dhu*.

— C'est celui de Ian, mais nous en avons d'autres. Mets-le sous ta jarretière et ne l'enlève jamais, même pour dormir.

Elle marqua une pause. Elle avait quelque chose d'autre à me dire, mais hésitait.

— Jamie m'a dit, se décida-t-elle finalement, que tu aurais peut-être des choses importantes à me confier un jour... et que je devrais faire tout ce que tu me dirais... Tu as... quelque chose à m'annoncer ?

Jamie et moi avions discuté de la nécessité de préparer Lallybroch et ses habitants à la débâcle prochaine du soulèvement jacobite. Mais nous avions cru alors avoir tout le temps devant nous pour le faire. À présent, je n'avais plus que quelques minutes pour donner à cette femme qui m'était déjà chère assez d'informations pour sauver Lallybroch de la tornade qui allait balayer les Highlands.

Il n'est pas facile d'être prophète, et j'étais néophyte en la matière. Je ressentis soudain une grande sympathie à l'égard de Jérémie et de ses lamentations, et de Cassandre, si peu appréciée des siens. Sur la crête de cette colline écossaise, mes cheveux et mes jupes gonflés par le vent, je tournai mon visage vers le ciel sans étoiles et me préparai à prophétiser.

— Plantez des patates ! annonçai-je.

Jenny ouvrit la bouche, puis se reprit et acquiesça brièvement.

— Des pommes de terre, d'accord. Je crois qu'on en trouve dans la région d'Édimbourg. C'est loin, mais je peux en faire venir. Combien ?

— Le plus possible. On n'en plante pas encore dans les Highlands, mais ça viendra. Elles se conservent longtemps et leur rendement est bien meilleur que le blé. Plantez le plus possible de denrées qui peuvent être stockées. Il va y avoir une famine, très sévère, dans deux ans. Si vous avez des terres qui ne servent à rien, vendez-les contre de l'or. Il y aura une guerre, et des massacres. Les hommes seront pourchassés, ici et partout ailleurs dans les Highlands. Y a-t-il une cache à prêtre[1] à Lallybroch ?

---

1. *Priesthole* : chambre secrète destinée à cacher les prêtres catholiques lorsqu'ils furent proscrits aux XVIe et XVIIe siècles. (*N.d.T.*)

— Non, le manoir a été construit après le Protectorat.

— Construisez-en une, ou trouvez un refuge sûr. J'espère que Jamie n'en aura pas besoin, mais cela servira sûrement à quelqu'un.

— Très bien. C'est tout ?

Son visage était sérieux et concentré. Je remerciai intérieurement Jamie de m'avoir préparé le terrain, et Jenny d'avoir une foi aveugle en son frère. Elle ne me demanda pas comment ni pourquoi, mais se contenta de noter mentalement tout ce que je lui disais, et je savais que mes instructions hâtives seraient suivies à la lettre.

— Je ne vois rien d'autre pour le moment, répondis-je.

Je tentai de sourire mais le résultat n'était guère convaincant.

Le sien en revanche était réconfortant. Elle effleura ma joue en guise d'adieu.

— Que Dieu t'accompagne, Claire. On se reverra… bientôt, j'en suis sûre… avec Jamie.

SIXIÈME PARTIE

La quête

34

Le récit de Dougal

QUELS QUE SOIENT LES INCONVÉNIENTS de la civilisation, les avantages en sont indéniables, pensai-je, maussade. Prenez les téléphones, par exemple, ou encore les quotidiens. Ceux-ci étaient déjà monnaie courante dans les métropoles telles qu'Édimbourg ou même Perth, mais totalement inconnus dans les Highlands.

En l'absence de moyens de communication de masse, les nouvelles se propageaient de bouche à oreille à la vitesse du pas d'un homme. On finissait toujours par apprendre ce qu'on avait besoin de savoir, mais avec un retard de plusieurs semaines. Par conséquent, confrontés au problème de retrouver la trace de Jamie, nous ne pouvions compter que sur nous-mêmes, à moins que quelqu'un le connaissant ne le rencontre par hasard et n'en informe Lallybroch. Cela pouvait prendre des mois. En outre, l'hiver approchait à grands pas et il serait bientôt impossible de voyager jusqu'à Beauly. Accroupie devant le feu, je jetais des brindilles dans les flammes, retournant le problème sous tous les angles.

Quelle direction Jamie avait-il prise ? Pas celle de Lallybroch, et certainement pas celle des terres des MacKenzie. Vers le sud alors, pour retrouver Hugh Munro et ses anciens compagnons de vie sauvage ? Non, la route du nord-est, celle de Beauly, était la plus probable. Mais si je pouvais parvenir à cette déduction, les hommes de la Ronde le pouvaient aussi.

Murtagh revint avec du petit bois qu'il jeta sur le sol, puis il s'assit en tailleur et lança un regard vers le ciel. Les nuages filaient devant la lune.

— Il ne neigera pas avant une semaine ou deux. On pourra peut-être rejoindre Beauly avant.

Je fus flattée de constater qu'il en était arrivé à la même conclusion.

— Vous croyez vraiment qu'il y sera ?

Le petit homme haussa les épaules et resserra son plaid autour de son cou.

— Ch'ais pas, marmonna-t-il. C'est une sacrée trotte pour lui. Il doit rester caché pendant la journée et se tenir à l'écart des routes. Et il n'a pas de cheval.

Il se gratta la barbe d'un air songeur.

— On ne pourra pas le trouver. Mieux vaut le laisser nous retrouver.

— Comment ? En lançant des fusées traçantes ? rétorquai-je.

L'avantage, avec Murtagh, c'était qu'il n'y avait jamais de surprise. On pouvait lui balancer n'importe quoi, il restait imperturbable.

— Je vous ai amené votre sacoche de remèdes, dit-il avec un signe de tête vers sa selle. Vous vous êtes bâti une solide réputation tout autour de Lallybroch. Dans la région, tout le monde sait que vous êtes guérisseuse. Ça nous sera utile.

Sans autres explications, il s'enroula dans sa couverture et s'endormit, sans se soucier du vent dans les arbres, ni de la pluie qui commençait à tomber, ni de moi.

Je compris rapidement ce qu'il avait voulu dire. Voyageant à découvert en empruntant les routes principales, nous nous arrêtions à chaque chaumière et chaque hameau. Là, il passait en revue toute la population, repérait les malades et les blessés, puis me les amenait. Les médecins étaient rares dans ces endroits reculés, et il y avait toujours quelqu'un ayant besoin de soins.

Pendant que je m'affairais avec mes toniques et mes onguents, il bavardait nonchalamment avec les amis et parents du souffrant, prenant soin d'indiquer la route que nous suivions vers Beauly. Lorsqu'il n'y avait aucun patient, nous nous arrêtions quand même pour la nuit, nous abritant dans une chaumière ou une taverne. Là, Murtagh chantait pour divertir les clients et gagner notre dîner. Il insistait pour que je conserve l'argent que j'avais sur moi, arguant que nous en aurions sans doute besoin lorsque nous retrouverions Jamie.

Étant peu doué pour la conversation, il m'apprit quelques-unes de ses chansons en chemin.

— Vous ne chantez pas trop mal, observa-t-il un jour, après que j'eus entonné une de ses ballades écossaises avec plus ou moins de bonheur. Vous manquez d'entraînement, mais vous avez de la voix et vous chantez juste. Répétez-la encore une dernière fois et on la chantera ensemble ce soir. Il y a une petite taverne à Limraigh.

— Vous croyez vraiment que ça va marcher ? Je veux dire, ce que nous faisons depuis plusieurs jours ?

Il se retourna sur sa selle. N'étant pas un cavalier-né, il avait toujours l'air d'un chimpanzé de cirque. En revanche, il était encore frais et guilleret à la fin de la journée, alors que je pouvais à peine marcher.

— Oh oui. Tôt ou tard, vous verrez. Vous avez de plus en plus de malades, non ?

En effet, à chaque étape le nombre de mes patients grossissait.

— C'est parce que la rumeur se propage, expliqua-t-il. Les gens se passent le mot, disant que vous avez des dons. C'est ce qu'il nous faut. Mais on peut faire encore mieux, voilà pourquoi vous chanterez avec moi, ce soir, et peut-être...

Il hésita et je devinai qu'il allait aborder un sujet épineux.

— Peut-être quoi ?

— Vous ne savez pas dire l'avenir, par hasard ? demanda-t-il prudemment.

Je comprenais son hésitation pour avoir vécu l'hystérie collective de la chasse aux sorcières de Cranesmuir.

— Un peu. Vous voulez que j'essaye ?

— Oui. Plus on aura à offrir, plus les gens viendront nous voir… et en parleront autour d'eux. Jamie finira bien par entendre parler de nous. Vous êtes prête à tenter le coup ?

— Si ça peut aider, pourquoi pas ?

C'est ainsi qu'un soir, à Limraigh, je fis mes débuts de chanteuse de taverne et de diseuse de bonne aventure et ce, je dois l'avouer, avec un grand succès. Je constatai que Mme Graham ne m'avait pas menti : c'étaient les visages et non les mains qui parlaient le plus.

— Vous savez, notre petit numéro pourrait faire un tabac ! fis-je remarquer un soir à Murtagh en rangeant nos gains de la soirée. Dommage qu'il n'y ait pas un music-hall digne de ce nom dans le coin. Je nous vois déjà : Murtagh le magicien et Gladys, sa fidèle assistante.

Murtagh accueillit ma remarque avec son grognement taciturne habituel. Mais vraiment nous formions un couple parfait. Sans doute était-ce parce que en dépit de nos personnalités diamétralement opposées nous étions unis par la même quête.

Le temps empirait de jour en jour, ralentissant considérablement notre course, et toujours pas un mot de Jamie. Puis, une nuit, à la sortie de Belladrum, nous tombâmes sur un camp de vrais bohémiens.

Je clignai des yeux, médusée : le petit groupe de roulottes bigarrées sur le bord de la route ressemblait à s'y méprendre aux campements des musiciens tziganes qui venaient s'installer à Hampstead Down chaque année.

Leurs occupants leur ressemblaient également : basanés, joyeux et hospitaliers. En entendant nos chevaux, une femme passa la tête par une fenêtre de sa roulotte et lança un cri.

Aussitôt, la petite clairière s'anima d'une multitude de visages souriants.

— Confiez-moi votre bourse, ça vaut mieux, me souffla Murtagh, l'air toujours aussi lugubre, en voyant un jeune homme venir à notre rencontre sans se soucier de la pluie qui trempait sa chemise ouverte jusqu'au nombril. Et surtout, ajouta-t-il en hâte, ne tournez le dos à personne.

Je fus prudente mais les bohémiens nous accueillirent chaleureusement, nous offrant de partager leur repas. Il sentait délicieusement bon et j'acceptai avec joie, ignorant les spéculations pessimistes de Murtagh sur l'origine de la viande en question.

Ils parlaient peu l'anglais et encore moins le gaélique, s'exprimant surtout par gestes ou dans une sorte de langue bâtarde où je crus reconnaître quelques racines françaises. La roulotte dans laquelle nous nous trouvions était chaude et agréable. Hommes, femmes et enfants mangeaient sans façon dans des écuelles, assis n'importe où, trempant des morceaux de pain dans la sauce succulente. Je n'avais rien mangé d'aussi bon depuis des semaines et m'en remplis la panse. Ensuite, repue et épuisée, j'accompagnai tant bien que mal Murtagh dans ses chansons, faisant « la, la, la » quand je ne me souvenais plus des paroles.

Notre prestation reçut une ovation, puis ce fut leur tour. Un jeune homme chanta une complainte déchirante, accompagnée à la viole. Une fillette à la mine grave ponctuait son chant de coups de tambourin.

Alors qu'il avait été prudent en questionnant les villageois et les paysans, avec les bohémiens Murtagh se montra des plus directs. À ma grande surprise, il leur décrivit franchement celui que nous cherchions : un homme grand, avec des cheveux de feu et des yeux comme un ciel d'été. Les bohémiens échangèrent des regards interrogateurs et secouèrent la tête d'un air navré. Non, ils ne l'avaient pas vu. Toutefois, leur chef, le jeune homme à la chemise violette qui nous avait accueillis, nous fit comprendre à grand renfort de gesticulations que, s'ils le croisaient sur leur route, ils nous enverraient un messager.

Ils auraient pu tout autant promettre de nous suivre et de nous trancher la gorge, et Murtagh se comporta comme si cela avait été le cas. À peine sorti du campement, il lança nos chevaux au grand galop pendant plusieurs kilomètres, puis, parvenus à un croisement, nous bifurquâmes brusquement à travers champs et décrivîmes un grand détour avant de rejoindre la route un peu plus loin.

— Vous croyez vraiment qu'ils nous ont suivis ? demandai-je à bout de souffle.

— Je ne sais pas, mais vu qu'ils sont douze et nous deux, j'ai pensé qu'il valait mieux faire comme si.

Cela me parut sensé et je le suivis sans plus poser de questions tandis qu'il nous faisait encore décrire quelques manœuvres évasives. Enfin, nous entrâmes dans Rossmoor où nous trouvâmes refuge dans une grange.

Il neigea le lendemain. Quelques flocons, juste assez pour recouvrir la route d'une fine couche farineuse. Mais j'étais inquiète. Je pensais à Jamie, seul à découvert dans la lande, bravant les tempêtes de neige vêtu d'une unique chemise et du plaid qu'il portait lors de sa capture par la Garde.

Deux jours plus tard, le messager arriva.

Le soleil n'était pas encore couché, mais le paysage tout entier baignait déjà dans la pénombre. La grisaille des arbres nus le long du chemin se confondait avec le sentier, au point de le rendre, par endroits, pratiquement invisible. Je hâtai le pas, de peur de perdre le messager dans le noir, et manquai même piétiner l'ourlet traînant de son manteau. Lassé sans doute par ma maladresse, il émit un grognement impatient et me fit signe de passer devant lui, me guidant dans l'obscurité en posant une lourde main sur mon épaule.

J'avais l'impression de marcher depuis des heures. Je n'essayais même plus de mémoriser la route sinueuse que nous avions empruntée et qui serpentait entre les rochers et d'épais taillis. Je ne pouvais qu'espérer que Murtagh nous suivait discrètement, hors de vue mais à portée d'oreille. L'homme qui était venu me chercher à la taverne, un bohémien d'âge moyen qui ne parlait pas un mot d'anglais, avait refusé catégoriquement que je sois accompagnée, pointant avec insistance un doigt vers Murtagh puis vers le sol, pour indiquer qu'il devait rester dans la salle.

Ma lourde cape me protégeait à peine du vent glacial qui balayait la lande. Seul l'espoir de retrouver bientôt Jamie me donnait la force de continuer.

Enfin, mon guide me fit signe de m'arrêter, puis il sortit du sentier et disparut dans les ténèbres. J'attendis patiemment, les mains coincées sous mes aisselles pour les protéger du froid. Il réapparut aussi soudainement qu'il était parti, me faisant sursauter. D'un signe de tête, il m'enjoignit de le suivre avant de s'enfoncer à nouveau à travers un épais rideau d'aulnes morts.

L'entrée de la grotte était étroite. Une lampe tempête brûlait sur une corniche, projetant l'ombre immense de celui qui m'attendait.

Je me précipitai vers lui, ne comprenant qu'au dernier instant que ce n'était pas Jamie. La déception m'atteignit comme un coup de poing au ventre, et je dus reculer et déglutir à plusieurs reprises pour refouler la bile qui me montait à la gorge.

Je posai mes poings sur mes hanches, respirant profondément jusqu'à ce que j'aie retrouvé mon calme.

— Ce n'est pas vraiment votre territoire, dis-je enfin. Que faites-vous ici ?

Dougal MacKenzie avait suivi non sans une certaine compassion mes efforts pour me contrôler. Il me prit le bras pour m'entraîner dans la grotte. Un grand nombre de sacs étaient empilés dans un coin, plus que n'en pouvait porter un cheval. Donc il n'était pas seul. J'ignorais ce que contenaient ces sacs, mais c'était manifestement quelque chose qui n'était pas destiné à être vu de tous.

— Vous faites de la contrebande, à présent ? raillai-je.

Je n'eus pas besoin de réfléchir longuement pour rectifier ma pensée et répondre moi-même :

— Non, ce sont sans doute des vivres destinés au prince Charles. Je me trompe ?

Il ne daigna pas répondre et s'assit sur un rocher en face de moi, les mains sur les genoux.

— J'ai des nouvelles, annonça-t-il.

Je me préparai au pire. À en juger par sa mine sombre, les nouvelles en question n'étaient pas bonnes.

— Je vous écoute.

— Il est vivant, mais il a été arrêté près de Kiltorlity il y a environ dix jours. Il est tombé nez à nez sur une patrouille de six dragons et l'un d'entre eux l'a reconnu.

Le nœud dans mon estomac se desserra légèrement.

— Il est blessé ?

— Pas que je sache. Ils l'ont emmené à la prison de Wentworth.

— Wentworth, répétai-je machinalement.

Initialement l'une des grandes forteresses érigées sur la frontière, elle avait été construite vers la fin du XVIᵉ siècle, puis agrandie au fil des années. À présent l'immense structure de pierre occupait deux hectares de terrain, scellés derrière des murailles d'un mètre d'épaisseur. Mais même les murailles avaient une porte.

— Quoi d'autre ? demandai-je.

Son regard resta fixé sur le mien, inébranlable.

— Son procès a eu lieu il y a trois jours. Il a été condamné à la pendaison.

Le nœud se resserra et je fermai les yeux.

— Dans combien de temps ?

— Je ne sais pas, d'un jour à l'autre sans doute.

— Alors nous ne devons pas perdre de temps. Vous avez combien d'hommes avec vous ?

Au lieu de répondre, il se leva et vint vers moi. Me prenant les deux mains, il secoua lentement la tête.

— Non, ma petite. C'est sans espoir.

Je le repoussai brutalement.

— C'est faux ! Il y a forcément quelque chose à faire ! Vous venez de dire qu'il était encore en vie !

— Oui, mais j'ai précisé qu'il serait pendu d'un jour à l'autre ! répliqua-t-il sèchement. Wentworth n'est pas le puits aux voleurs de Cranesmuir ! Ils peuvent le pendre demain, ou après-demain, ou la semaine prochaine. Il est absolument impossible de prendre la prison de force avec dix hommes !

— Ah non ? hurlai-je, soudain ivre de rage contre lui. Qu'en savez-vous ? Rien, vous n'en avez pas la moindre idée, voilà la vérité ! Vous ne voulez surtout pas risquer votre peau, ni votre misérable... butin !

Dougal tenta de me prendre les bras tandis que je martelais son poitrail d'une pluie de coups. Il parvint à m'immobiliser en m'étreignant jusqu'à ce que je cesse de me débattre.

— Claire, Claire, murmura-t-il. Vous savez bien que je ferais mon possible pour le libérer s'il y avait la moindre chance. Bon sang, Jamie est comme mon fils adoptif ! Mais il n'y a aucune solution, aucune ! Ce serait sacrifier vainement de braves garçons et Jamie ne le voudrait pas ! Vous le savez aussi bien que moi.

Les larmes me brûlaient les joues. Je tentai de me libérer mais il me serra plus fort.

— Claire, ma chère Claire, ce qui arrive à Jamie et à vous me brise le cœur. Venez avec moi, je vous protégerai. Je vais vous emmener chez moi.

Voyant mon air ahuri, il se reprit aussitôt.

— J'ai dit chez moi, à Beannachd, pas à Leoch. Vous ne pensez tout de même pas que je vous emmènerais près de Cranesmuir ? Non, vous serez en sécurité à Beannachd.

Il sourit tristement et un terrible soupçon m'envahit.

— En sécurité, ou à votre merci ?

En entendant le ton glacial de ma voix, il me lâcha.

— Que voulez-vous dire ?

— Vous avez éloigné Jamie de ses terres en prétendant que Jenny avait eu un enfant de Randall, afin que vous et votre cher frère puissiez l'avoir à l'œil. À présent qu'il est entre les mains des Anglais, vous avez perdu votre dernière chance de contrôler le domaine de Broch Tuarach à travers lui.

Il me dévisageait, abasourdi.

— Lorsque vous avez négocié le contrat de mariage de votre sœur, vous avez insisté pour que Broch Tuarach puisse éventuellement devenir la propriété d'une femme. Si Jamie meurt, Broch Tuarach m'appartiendra. C'est pourquoi vous cherchez à me séduire, à moins que vous n'ayez décidé de me forcer à vous épouser.

— Quoi ? Vous… vous croyez vraiment… que tout ceci est une conspiration ? Par sainte Agnès ! Vous croyez que je vous ai menti ?

— Non. Je vous crois. Vous n'auriez pas inventé que Jamie est en prison, c'est trop facile à vérifier. Je ne pense pas non plus que vous l'ayez dénoncé aux Anglais, même vous, vous ne feriez pas une chose pareille à une personne de votre sang. De plus, si c'était le cas, vos hommes l'auraient déjà appris. S'ils tolèrent beaucoup d'écarts de votre part, ils ne vous pardonneraient jamais d'avoir trahi un homme du clan.

Tout en parlant, un souvenir me revint.

— C'est vous qui avez attaqué Jamie près de la frontière, l'an dernier ?

Il écarquilla les yeux.

— Moi ? Bien sûr que non ! Je l'ai trouvé à moitié mort et je lui ai sauvé la vie !

— Si ce n'était pas vous, qui alors ?

— Je ne sais pas. Il y avait trois hommes qui chassaient avec lui, des hors-la-loi. Ils s'accusaient tous mutuellement.

Il haussa les épaules. Son visage était las, mais paraissait sincère.

— De toute façon, enchaîna-t-il, ça n'a plus grande importance maintenant. Deux d'entre eux sont morts et le troisième est derrière les barreaux.

Dans un sens, j'étais soulagée de savoir qu'il n'était pas un assassin. Il n'avait plus aucune raison de me mentir, car j'étais sans défense. Il pouvait faire de moi ce qu'il voulait. Du moins le croyait-il sans doute. Je tâtai le petit poignard sous ma jupe pour me rassurer.

Malgré la faible lumière dans la grotte, je perçus une lueur d'indécision dans son regard. Il fit un pas vers moi, la main tendue, mais s'arrêta en me voyant me raidir.

— Claire, ma douce Claire, susurra-t-il.

Ainsi, il avait opté pour la séduction plutôt que pour la force.

— Claire, je sais tout le mal que tu penses de moi. Pourtant, je me consume pour toi, je te l'assure. Je rêve de toi depuis cette fameuse nuit, lors de l'Assemblée, quand je t'ai embrassée dans ce couloir.

Il posa sa main sur mon épaule et se pencha vers moi.

— Si je n'avais pas été marié quand Randall t'a menacée, je t'aurais épousée sur-le-champ et j'aurais envoyé cette ordure au diable.

Sa main se rapprochait dangereusement de ma nuque et je me blottis contre la paroi rocheuse. Ses doigts caressaient déjà les lacets qui retenaient ma cape.

Il dut croiser mon regard, car il s'arrêta net et laissa sa main là où elle était, sur la veine palpitante de mon cou.

— Même ainsi, reprit-il, malgré tout ce que j'éprouve pour toi, tu crois que j'abandonnerais Jamie s'il y avait le moindre espoir de le sauver ? Fraser est tout ce que j'ai qui se rapproche le plus d'un fils !

— Pas tout à fait. Il y a votre vrai fils. À moins qu'il n'y en ait deux à présent ?

Les doigts sur mon cou accentuèrent leur pression, l'espace d'une seconde, puis s'écartèrent.

— Que voulez-vous dire ?

Cette fois, il ne jouait plus. Son regard noir scrutait le mien. J'étais allée trop loin pour reculer.

— Que je sais qui est le vrai père de Hamish.

Malgré sa remarquable maîtrise, je vis la petite étincelle de panique traverser son regard.

J'avais fait mouche. En dépit du danger, je sentis un bref moment d'exultation. Je ne m'étais pas trompée et ce que je savais était sans doute ma seule arme.

— Vraiment ? fit-il.

— Oui, et je suppose que Colum le sait aussi. C'est sans doute vous qui avez propagé la rumeur selon laquelle Jamie serait le vrai père, en le faisant croire à Geillis. Pourquoi ? Parce que Colum a commencé à avoir des soupçons et à interroger Letitia ? Elle n'a pas dû faire le poids face à son mari. À moins que Geillis n'ait suspecté que vous étiez l'amant de Letitia et que vous lui ayez fait croire que c'était Jamie pour la rassurer ? Geillis est une femme jalouse, mais elle n'a plus aucune raison de vouloir vous protéger.

Un sourire cruel apparut sur les lèvres de Dougal.

— Elle aurait du mal. La sorcière est morte.

— Morte !

— Brûlée. Ils l'ont plongée la tête la première dans un fût de poix, puis roulée dans la tourbe sèche. Ils l'ont ensuite attachée à un pieu et l'ont allumée comme une torche. Elle est partie au diable dans une colonne de flammes, sous des branches de sorbier.

Je crus tout d'abord que cette impitoyable suite de détails était censée m'impressionner, mais je me trompais. En me tournant vers lui, je vis que son visage était empreint d'une profonde tristesse. Il ne m'inspira toutefois aucune pitié.

— Ainsi, vous l'aimiez bien. On peut dire que ça lui a réussi ! Et l'enfant ? Qu'en avez-vous fait ?

— Je l'ai fait placer dans une bonne maison. C'est un fils, un beau garçon en bonne santé, en dépit de sa sorcière et adultère de mère !

— Et de son adultère et traître de père ! Votre femme, votre maîtresse, votre neveu, votre frère... y a-t-il quelqu'un que vous n'ayez pas encore trahi ou trompé ? Vous... vous...

Sa main s'abattit lourdement sur mon bras.

— Mon frère ? Vous croyez vraiment que je trahirais mon frère ?

Pour une raison ou une autre, ce détail l'avait piqué à vif. Il fulminait.

— Vous venez vous-même de reconnaître que vous couchiez avec sa femme dans son dos !

C'est alors que je compris.

— Vous étiez de mèche ! m'exclamai-je. Comme toujours.

Je pris sa main et la repoussai brutalement.

— Colum ne pouvait devenir laird à moins que vous ne meniez les guerres à sa place. Il ne pouvait assurer la cohésion du clan à moins que vous ne voyagiez pour lui. Il ne pouvait monter à cheval, ni voyager. Et il ne pouvait avoir de descendance pour transmettre son titre. Et vous, vous aviez juré d'être ses bras et ses jambes, vous pouviez tout aussi bien être son sexe !

La colère avait quitté le visage de Dougal. Il m'observait d'un air spéculateur, assis sur l'un des sacs, attendant que j'aie terminé.

— Et Letitia ? poursuivis-je. Elle était consentante ?

Compte tenu de la détermination dont savaient faire preuve les deux frères, ils n'auraient sans doute pas hésité à la forcer.

Dougal acquiesça.

— Oh pour ça, elle n'a pas dit non ! Elle ne m'aimait pas particulièrement, mais elle voulait un enfant, assez pour m'accepter dans son lit pendant les trois mois qu'il nous a fallu pour concevoir Hamish. Croyez-moi, ce n'était pas une partie de plaisir ! Cette femme est aussi excitante au lit qu'un bol de lait !

— Vous l'avez dit à Colum ?

Il me regarda longuement, puis sourit légèrement.

— Non. Je lui ai dit qu'elle était tendre et douce comme une pêche mûre et qu'elle était tout ce qu'un homme pouvait désirer.

Son sourire se transforma bientôt en grimace sardonique.

— Vous n'êtes pas vraiment ce que j'appellerais douce et tendre, observa-t-il, mais tout ce qu'un homme pourrait désirer...

Son regard se promena lascivement sur mon corps, s'arrêtant sur la rondeur de mes seins et de mes hanches. Sa main allait et venait inconsciemment le long de sa cuisse.

— Qui sait ? reprit-il comme s'il se parlait à lui-même. Je pourrais peut-être avoir un autre fils, légitime celui-là. Si vous n'avez pas encore eu d'enfant avec Jamie, c'est peut-être que vous êtes stérile. J'en prendrai le risque. Quoi qu'il en soit, le domaine en vaut la chandelle.

Il se leva subitement et fit un pas vers moi.

— Je suis sûr qu'en plantant ma graine dans ce sillon touffu, un peu chaque jour...

— Eh bien, vous en avez mis, du temps ! m'exclamai-je sèchement.

Un air incrédule s'inscrivit sur son visage avant qu'il ne comprenne que je m'adressais à un autre derrière lui.

— Je ne voulais pas interrompre votre charmante conversation, répondit Murtagh.

Il avança dans la grotte, pointant deux pistolets sur Dougal.

— Si vous ne souhaitez pas accepter sa proposition, je suggère qu'on s'en aille au plus vite, me lança-t-il. Autrement, c'est moi qui m'en irai.

— Personne ne bougera d'ici pour le moment, rétorquai-je.

Me tournant vers Dougal, j'ordonnai :

— Asseyez-vous.

Il fixait Murtagh comme s'il était une apparition.

— Où est passé Rupert ? demanda-t-il.

— Rupert ?

Murtagh se gratta le menton du bout d'un de ses pistolets.

— À l'heure qu'il est, il doit être à Belladrum. Il devrait être de retour avant l'aube, avec le fût de rhum qu'il croit que vous l'avez envoyé chercher. Vos autres hommes dorment tranquillement à Quinbrough.

Dougal eut l'élégance d'en rire. Il se rassit, les mains sagement posées sur les genoux. Un ange passa.

— Alors ? demanda-t-il enfin. Qu'est-ce qu'on fait ?

C'était une bonne question. Surprise de le trouver lui au lieu de Jamie, choquée par ses révélations, rendue furieuse par ses avances, je n'avais pas encore eu le temps d'y réfléchir. Heureusement, Murtagh fut plus rapide.

— Il nous faut de l'argent... et des hommes.

Il inspecta brièvement les sacs entassés près de la paroi.

— Non, conclut-il. Laissons ça au roi James. On prendra tout ce que vous avez sur vous.

Il indiqua le *sporran* de Dougal du bout de son canon.

Résigné, celui-ci en sortit une petite bourse qu'il jeta à mes pieds.

— Vingt pièces d'or et une trentaine de shillings, indiqua-t-il. Je vous les offre avec plaisir.

Devant mon air sceptique, il se récria :

— Mais je vous l'assure ! Pensez de moi ce que vous voudrez. Jamie est mon neveu et si vous parvenez à le libérer, que Dieu vous bénisse ! Mais j'en doute fort.

Se tournant vers Murtagh, il ajouta :

— Quant aux hommes, n'y comptez pas. Si vous voulez vous faire tuer, libre à vous. J'offre même de vous enterrer moi-même, un de chaque côté de Jamie. Mais vous n'entraînerez pas mes hommes en enfer avec vous, pistolets ou pas.

Il croisa les bras et s'adossa contre la roche, nous observant calmement.

Murtagh pointait toujours ses armes sur lui. Il me lança un regard interrogateur, prêt à l'abattre sur ma demande.

— Je vous propose un marché, déclarai-je.

Dougal haussa un sourcil.

— Vous êtes en meilleure position que moi pour négocier. Quelle est votre offre ?

— Laissez-moi parler aux hommes. S'ils décident de nous suivre, vous ne vous y opposerez pas. Dans le cas contraire, nous partirons comme nous sommes venus... et nous vous rendrons même votre bourse.

Il parut amusé. Il m'inspecta soigneusement, comme s'il évaluait ma force de persuasion et mes talents d'orateur. Enfin, il hocha la tête.

— Marché conclu, dit-il.

Finalement, nous quittâmes la grotte avec la bourse de Dougal et cinq hommes. En plus de Murtagh et de moi-même, il y avait Rupert, John Whitlow, Willie MacMurtry et les jumeaux Rufus et Geordie Coulter. L'adhésion de Rupert à notre plan avait été décisive. Je voyais encore, non sans une certaine jubilation, l'expression médusée de Dougal lorsque son fidèle lieutenant avait avancé d'un pas, après m'avoir examinée d'un air dubitatif, et avait déclaré :

— D'accord, pourquoi pas ?

La prison de Wentworth était située à une cinquantaine de kilomètres. Cela représentait une demi-heure de voiture sur de bonnes routes goudronnées, mais deux jours de cheval à patauger dans la gadoue glacée. Les paroles de Dougal résonnaient dans ma tête : « D'un jour à l'autre. » Elles seules me tenaient en selle.

Pendant ce voyage interminable, je ressassai mon dernier entretien avec Dougal, et surtout ses dernières paroles.

Debout devant la grotte, pendant que Rupert et ses compagnons allaient chercher leurs chevaux, il m'avait prise à part et m'avait déclaré de but en blanc :

— J'ai un message pour vous… De la part de la sorcière.

— De Geillis ?

Je n'étais pas peu surprise.

— Je l'ai revue une dernière fois, quand je suis venu prendre l'enfant.

— Qu'a-t-elle dit ?

— Que si je vous revoyais un jour, je devais vous répéter deux choses, mot pour mot. La première était : « Je crois que c'est possible, mais je ne sais pas comment. » La seconde… ce n'était que des numéros. Elle me les a fait répéter mille fois, pour que je les mémorise, car je devais vous les donner dans l'ordre : un, neuf, six et sept.

« Je crois que c'est possible. » Cela ne pouvait avoir qu'un sens. Elle pensait qu'il était possible de retourner dans son époque, à travers le cercle de menhirs. Manifestement, elle n'avait pas essayé, et avait choisi de rester, au prix de sa vie. Elle devait avoir eu ses raisons. Dougal, peut-être ?

Quant aux numéros, je croyais comprendre. Elle les lui avait donnés séparément mais ils formaient un nombre. 1967. L'année de *sa* disparition dans le passé.

Je ressentis un petit frisson de curiosité et un profond regret. Quel dommage que je n'aie pas vu la cicatrice de son vaccin plus tôt ! D'un autre côté, elle m'aurait sans doute aidée à retourner plus tôt à Craigh na Dun, et j'aurais quitté Jamie à jamais !

Jamie. Sa pensée pesait comme du plomb dans ma tête, un pendule se balançant lentement au bout d'une corde. *D'un jour à l'autre.* La route s'étirait devant nous, interminable et sinistre, parfois interrompue par un marais couvert de givre ou une étendue d'eau qui avait été autrefois un pré ou la lande. Nous atteignîmes notre but le lendemain en début de soirée, sous une bruine glacée.

La forteresse noire se dressait contre un ciel chargé. Ce cube gigantesque, avec une tour à chaque angle, pouvait accueillir trois cents prisonniers, plus les quarante soldats de la garnison, leur commandant, le gouverneur et son équipe, sans compter la trentaine de cuisiniers, ordonnances, commis et autres domestiques nécessaires au fonctionnement d'un tel établissement. La prison de Wentworth.

Je contemplai les remparts menaçants en granit verdâtre d'Argyll. Ici et là, ils étaient percés de minuscules fenêtres. Certaines étaient éclairées, les autres, sans doute les cellules des prisonniers, restaient sombres. Je déglutis. Devant cet édifice massif aux murs imprenables, au portail monumental, aux gardes en veste rouge, je commençais à douter.

— Et si… et si on échoue ? demandai-je à Murtagh, la gorge sèche.

Il resta imperturbable, comme à son habitude. Sans même me regarder, le regard rivé sur les sombres murailles, il répondit calmement :

— Alors Dougal nous enterrera avec lui, un de chaque côté. Allez, ce n'est pas le moment de flancher.

SEPTIÈME PARTIE

Le sanctuaire

35

La prison de Wentworth

SIR FLETCHER GORDON ÉTAIT UN PETIT HOMME POTELÉ dont le gilet rayé épousait les formes comme une seconde peau. Avec ses épaules tombantes et sa bedaine rebondie, il avait l'air d'un jambon dodu oublié sur le fauteuil du gouverneur.

Son crâne chauve et son teint rose ne faisaient rien pour arranger cet état de fait, quoique je n'aie jamais vu de jambon avec des yeux aussi bleus. Il feuilletait la liasse de papiers devant lui avec une lenteur délibérée.

— Ah, le voilà ! dit-il après avoir lu une page entière dans un silence interminable. Fraser James. Jugé pour meurtre. Condamné à la pendaison. Voyons voir… où est donc l'ordre d'exécution ?

Il marqua une nouvelle pause, approchant plusieurs feuilles de ses yeux myopes. J'enfonçai mes ongles dans la paume de ma main, faisant de mon mieux pour ne rien laisser paraître de mon agitation.

— Ah, date d'exécution : le 23 décembre. Oui, oui, il est encore là.

Je déglutis, tiraillée entre l'exultation et la panique. Il était encore en vie, pour deux jours. Et il était à deux pas d'ici, quelque part entre ces murs.

Je me penchai en avant sur ma chaise et tentai mon sourire le plus charmeur.

— Pourrais-je le voir, sir Fletcher ? Rien qu'un moment, au cas… où il voudrait me confier un message pour sa famille ?

Officiellement, j'étais une amie anglaise de la famille, ce qui m'avait permis d'entrer assez facilement dans Wentworth et de demander une audience à sir Fletcher, gouverneur de la prison. Demander à voir Jamie était plutôt risqué. Ne connaissant pas ma couverture, il pouvait me trahir s'il me voyait soudain sans être averti. De même, je pouvais fort bien me trahir toute seule : je n'étais pas sûre de conserver mon masque en le voyant. Mais l'étape suivante était d'abord de découvrir où il était enfermé. Dans ce dédale de couloirs, on ne pouvait espérer le retrouver sans indications précises.

Sir Fletcher fronça les sourcils. De toute évidence, cette requête de la part d'une simple relation de la famille l'ennuyait. Mais ce n'était pas un homme insensible. Il secoua la tête d'un air navré.

— Non, chère madame, je crains que ce ne soit impossible. La prison est surpeuplée ces temps-ci et nous n'avons plus assez de place pour autoriser des entretiens en tête à tête. Et cet homme se trouve actuellement…

Il consulta son registre.

— … dans l'une des cellules collectives de l'aile ouest, avec quelques autres condamnés à mort. C'est un endroit bien trop périlleux pour vous. De plus, on ne peut décemment pas vous laisser seule en compagnie de cet homme, c'est un dangereux criminel. Il est écrit ici que les gardes ont dû l'enchaîner dès son arrivée chez nous.

Je dus me retenir de le frapper.

Il secoua encore la tête, son poitrail de rouge-gorge gonflé par ses soupirs désolés.

— Encore, si vous étiez une parente directe…

Il releva la tête, papillonnant des yeux. Je serrai les dents, résolue à ne pas craquer. Il eut une soudaine inspiration.

— À moins que…

Il ne termina pas sa phrase. Il se leva et se dirigea vers la porte derrière laquelle un garde était en faction. Il lui murmura quelque chose et le soldat disparut.

Sir Fletcher revint s'asseoir à son bureau, saisissant au vol une carafe et deux coupes sur une console. J'acceptai avec grâce le verre de clairet, j'en avais grand besoin.

Nous en étions au deuxième verre quand le garde revint. Il entra sans frapper, plaça une boîte en bois devant le gouverneur et sortit. Je remarquai au passage le coup d'œil entendu qu'il m'avait lancé. Je portais une robe empruntée à une connaissance de Rupert qui vivait dans la ville voisine et, au parfum qui s'en dégageait, j'avais une petite idée sur la profession de la dame en question. J'espérai seulement que le garde n'avait pas reconnu la robe.

Après avoir vidé sa coupe, sir Fletcher ouvrit la boîte. C'était un simple rectangle en bois brut, avec un couvercle coulissant. Il y avait une inscription à la craie sur un côté que je lus à l'envers : FRAYSER.

— Ce sont les effets personnels du prisonnier, expliqua-t-il. D'ordinaire, nous les adressons à celui que le condamné nous désigne comme son plus proche parent. Mais cet homme a refusé catégoriquement de nous dire quoi que ce soit sur sa famille. Ils ne sont sans doute pas en très bons termes. Cela n'a rien d'exceptionnel, bien sûr, mais c'est regrettable vu les circonstances. J'ose à peine vous le demander, madame Beauchamp, mais… puisque vous connaissez la famille, auriez-vous l'obligeance de confier ces effets à la personne la plus indiquée ?

Je n'osai pas ouvrir la bouche. Je me contentai d'acquiescer et de baisser le nez dans mon verre de clairet.

Sir Fletcher parut soulagé, bien que je ne sache pas si c'était de se débarrasser de la boîte ou de mon départ imminent.

— C'est très aimable de votre part, madame Beauchamp. Je sais que c'est une tâche bien ingrate que je vous confie là et je suis très sensible à votre geste, croyez-le.

— P-p-pas du tout, balbutiai-je.

Je parvins à me lever et à prendre la boîte. Elle mesurait à peu près vingt centimètres sur dix et faisait une quinzaine de centimètres de profondeur. Une petite boîte bien légère pour contenir les vestiges de toute une existence.

Je savais ce qu'elle contenait : trois morceaux de fils à pêche ; plusieurs hameçons plantés sur un bouchon de liège ; un briquet à silex ; un morceau de verre poli par le temps ; quelques cailloux aux formes inhabituelles ; une patte de taupe séchée ; une bible, à moins qu'il ne l'ait gardée, ce que j'espérais ; une bague en rubis, si elle n'avait pas été volée ; et un petit morceau de bois sur lequel était sculpté un serpent et qui portait l'inscription : SAWNY.

Je m'arrêtai sur le pas de la porte, me retenant au chambranle pour ne pas tomber. Sir Fletcher, qui me raccompagnait galamment, s'écria :

— Madame Beauchamp ! Vous ne vous sentez pas bien ? Vite, garde, une chaise !

— Non, non, je vous remercie, cela ira. Mon valet m'attend devant le portail.

J'avais surtout besoin de sortir de cette prison et de respirer une grande bouffée d'air frais.

Me forçant à me redresser et à sourire, il me vint soudain une idée.

— Oh, sir Fletcher…

— Quoi donc, chère madame ?

— Je viens juste de penser… comme c'est triste qu'un jeune homme dans sa situation soit en froid avec sa famille. Peut-être souhaiterait-il… leur écrire une lettre de réconciliation ? Je serais ravie de la transmettre… à sa mère.

— Quelle touchante attention !

Sir Fletcher était jovial, à présent que je ne risquais plus de tourner de l'œil sur son tapis.

— Je lui ferai transmettre votre offre, ma chère. Où pouvons-nous vous trouver ? Si lettre il y a, je vous la ferai porter.

— C'est que… je ne le sais pas encore. J'ai plusieurs parents en ville et je crains de devoir passer de l'un à l'autre… pour ne vexer personne, comprenez-vous.

Je lâchai un petit rire nerveux avant d'ajouter :

— Aussi, si cela ne vous ennuie pas, je vous enverrai mon valet.

— Naturellement, naturellement. C'est une excellente idée. Excellente !

Sur ce, il me prit le bras et me raccompagna jusqu'au portail.

— Alors, ma fille, ça va mieux ?

Rupert écarta les mèches qui me tombaient devant les yeux.

— Tenez, prenez encore un peu de remontant.

Je refusai la flasque de whisky qu'il me tendait, puis, me redressant, ôtai le chiffon humide et crasseux qu'il m'avait plaqué sur le visage.

À peine hors de vue des gardes de la prison, escortée par Murtagh, j'étais tombée de mon cheval et j'avais vomi dans la neige. Puis j'étais restée là, à serrer la boîte contre moi en pleurant.

Il avait fallu toute la force de persuasion de Murtagh pour me convaincre de remonter en selle jusqu'à la petite auberge où Rupert nous avait loué des chambres.

— Alors, il est mort ou pas ? s'impatienta Rupert.

— Non, pas encore.

Je lui racontai tout ce que j'avais appris et il se mit à arpenter la pièce en marmonnant entre ses dents. Murtagh, lui, était assis dans un coin, le visage indéchiffrable, comme à son habitude.

Enfin, Rupert se laissa tomber sur le lit à mes côtés.

— Bon, le principal, c'est qu'il soit encore en vie. Mais bon sang, je ne vois vraiment pas comment faire. Il n'y a aucun moyen de s'introduire dans cette foutue prison !

— Si, il y en a un, intervint Murtagh. Grâce à cette histoire de lettre.

— Mmmmphm. Oui, mais ils ne laisseront entrer qu'un seul homme, et encore, uniquement jusqu'au bureau du gouverneur. Cet endroit est immense.

— Au moins nous savons dans quelle aile le chercher, objectai-je.

Le fait de constater qu'ils ne baissaient pas les bras, si désespérée que semble notre entreprise, me redonnait du courage.

— Combien d'argent avez-vous, ma fille ? demanda Rupert.

Je vidai mes poches. Il y avait l'argent de Dougal, plus la bourse que m'avait donnée Jenny et mon collier de perles. Rupert rejeta les perles, mais prit la bourse, versant une pluie de pièces dans la paume de sa main.

— Ça ira.

Il lança un clin d'œil aux jumeaux Coulter.

— Vous deux et Willie, vous venez avec moi. John et Murtagh restent ici avec elle.

— Où allez-vous ? m'inquiétai-je.

Il rangea les pièces dans son *sporran*, n'en gardant qu'une qu'il lança en l'air.

— Il y a une autre taverne de l'autre côté de la ville. Les gardes de la prison y vont quand ils ne sont pas de service, parce qu'elle est plus près et que le whisky y est moins cher.

Il relança la pièce et la rattrapa entre deux doigts. Il tourna la main, une fois, deux fois : la pièce avait disparu. Je crus comprendre ce qu'il avait derrière la tête.

— Ce ne serait pas des amateurs de cartes, par hasard ?

Il tendit la main vers moi et fit réapparaître la pièce derrière mon oreille. Son visage s'illumina d'un grand sourire.

— Allez savoir, ma fille ! Ça vaut la peine d'aller y faire un tour, non ?

Le lendemain, peu après une heure de l'après-midi, je franchis de nouveau les grilles de Wentworth.

Selon les informations recueillies par Rupert et ses espions, sir Fletcher devait être en plein repas. Ils étaient rentrés à l'aube, titubant et empestant la bière. Tout ce que je pus tirer de Rupert fut :

— Oh, ma fille, pour gagner il faut de la chance. Mais pour perdre il faut du talent !

Il s'était enroulé sur le sol dans un coin et s'était aussitôt endormi comme une souche, me laissant faire les cent pas dans la chambre en ravalant ma frustration.

Il se réveilla une heure plus tard, la tête et le regard clairs, et formula l'ébauche d'un plan que je commençai à mettre à exécution.

— Sir Fletcher ne supporte pas qu'on le dérange pendant ses repas. Tous ceux qui le demandent pendant qu'il est à table doivent attendre dans son bureau qu'il ait terminé. Après déjeuner, il se retire dans ses appartements pour une petite sieste digestive.

Murtagh, me tenant lieu de valet, était arrivé un quart d'heure avant moi. On l'avait laissé entrer sans difficulté et, si tout se passait comme prévu, il devait être dans le bureau de Fletcher en train de fouiller les tiroirs à la recherche d'un plan de l'aile ouest et, à tout hasard, des clefs des cellules.

Je m'attardai un peu, regardant le ciel pour évaluer l'heure. Si j'arrivais avant que Fletcher se mette à table, je risquais d'être invitée à partager son repas, ce qui n'arrangerait pas mes affaires. Les compagnons de jeu de Rupert avaient assuré que les habitudes du gouverneur étaient réglées comme du papier à musique : la cloche sonnait à une heure pile et la soupe était servie cinq minutes plus tard.

Le garde de service était le même que la veille. Il parut surpris de me voir mais me salua courtoisement.

— C'est trop fâcheux, minaudai-je. J'ai envoyé mon valet porter un petit cadeau au gouverneur pour le remercier de la gentillesse qu'il a bien voulu me témoigner hier. Mais cet imbécile l'a oublié et j'ai dû courir après lui pour le lui donner. Est-il déjà arrivé ?

Je lui montrai le petit paquet en lui adressant mon plus beau sourire.

Il s'effaça pour me laisser passer et me conduisit dans les longs couloirs qui menaient chez le gouverneur. Par bonheur, je le précédais car, arrivée à quelques mètres de notre destination, j'aperçus Murtagh par la porte entrouverte en train de traîner la masse inconsciente du garde de faction derrière l'imposant bureau.

Je marquai le pas et laissai tomber mon paquet sur le sol. Il y eut un bruit de verre brisé et une forte odeur d'eau-de-vie de pêche se répandit dans le couloir.

— Oh, mon Dieu, que je suis sotte ! Qu'ai-je fait ?

Pendant que le garde appelait un collègue pour venir réparer les dégâts, je marmonnai avec tact que j'allais attendre sir Fletcher dans son bureau et me glissai dans la pièce en refermant hâtivement la porte derrière moi.

— Mais vous êtes fou, qu'est-ce que vous lui avez fait ? chuchotai-je à Murtagh.

Peu impressionné, il fouillait les poches de sa victime.

— Sir Fletcher ne conserve pas de clefs dans son bureau, mais ce jeune homme a un trousseau.

Il brandit victorieusement un anneau où était accrochée une multitude de clefs.

Je tombai à genoux à ses côtés et soupirai de soulagement en constatant que le jeune homme en question respirait encore.

— Vous avez trouvé un plan de la prison ?

— Non, mais mon jeune ami m'a donné quelques tuyaux pendant que j'attendais. Les cellules des condamnés se trouvent à cet étage, au milieu du couloir ouest. Malheureusement, il y en a trois. Je n'ai pas pu en savoir plus, il commençait à devenir méfiant.

— J'espère que ça suffira. Donnez-moi les clefs et filez.

— Moi ? C'est à vous de filer, et sans tarder.

Il lança un regard inquiet vers la porte mais on n'entendait aucun bruit.

— Non, il faut que ce soit moi, dis-je en saisissant le trousseau et en le fourrant non sans mal dans ma poche. Imaginez qu'ils vous trouvent en train de vous promener dans la prison avec un trousseau de clefs, et qu'ils découvrent ensuite le garde que vous avez assommé, nous sommes cuits tous les deux car je n'aurai pas appelé au secours.

Murtagh était toujours sceptique.

— Et s'ils vous arrêtent, vous ?

— Je tomberai dans les pommes. Puis, quand j'ouvrirai les yeux, je dirai que je vous ai vu en train d'assassiner un garde et que je me suis enfuie, terrorisée, sans savoir où j'allais. Je me suis perdue en cherchant du secours.

Il hocha lentement la tête.

— Bon, d'accord. Mais pourquoi serais-je... ah, je sais !

Il revint vers le bureau et renversa le contenu des tiroirs sur le tapis.

— Je suis venu voler, expliqua-t-il en revenant vers la porte.

Il l'entrebâilla doucement et regarda dans le couloir.

— Mais si vous êtes un voleur, ne devriez-vous pas prendre quelque chose ? suggérai-je.

Je pris une petite boîte émaillée sur la console.

— Ça, peut-être ?

Il me fit signe de reposer la boîte d'un geste impatient.

— Vous êtes tombée sur la tête ? Si on me trouve avec un objet appartenant au gouverneur, je suis bon pour la corde, alors qu'une simple tentative de vol ne me vaudra qu'une flagellation ou une mutilation.

— Oh ! fis-je en remettant hâtivement la boîte à sa place.

— Je passe le premier, chuchota-t-il. Si je rencontre quelqu'un, je l'attirerai ailleurs. Comptez jusqu'à trente avant de sortir d'ici. On se retrouve dans le petit bois au nord de Wentworth.

Juste avant de sortir dans le couloir, il hésita puis se tourna vers moi.

— Si vous vous faites prendre, pensez à vous débarrasser du trousseau.

Avant même que je lui réponde, il avait disparu dans le couloir, se déplaçant comme un chat dans l'obscurité.

Il me fallut une éternité pour trouver l'aile ouest, me faufilant dans le dédale des couloirs de la vieille forteresse, rasant les murs et me cachant derrière des colonnes. Je ne vis qu'un seul garde et parvins à l'éviter en plongeant dans une encoignure. J'attendis qu'il passe son chemin, plaquée contre le mur, le cœur battant.

Lorsque je trouvai enfin l'aile ouest, je ne pus douter d'être au bon endroit : le couloir ne comptait que trois grandes portes, chacune percée d'une petite lucarne grillagée à travers laquelle je ne pouvais entrevoir qu'une infime partie de la pièce.

— Amstramgram… marmonnai-je.

Le sort désigna la porte du milieu. Les clefs ne portaient pas d'étiquette et étaient toutes différentes. Vu la grosseur de la serrure, seules les trois plus grandes pouvaient fonctionner. Naturellement, ce fut la troisième. J'essuyai mes mains moites sur ma jupe et poussai la porte.

L'odeur fétide me prit à la gorge. J'avançai en trébuchant sur un enchevêtrement de pieds et de jambes, parmi des corps qui se déplaçaient avec une lenteur exaspérante. Le mouvement de surprise suscité par mon entrée se répandit rapidement dans la cellule. Ceux qui dormaient sur le sol jonché de détritus se réveillèrent, hagards. Certains étaient enchaînés aux murs. J'attrapai par le bras un grand barbu qui se tenait debout, son tartan en lambeaux. Il n'avait plus que la peau sur les os. Une chose était sûre : les Anglais ne se ruinaient pas pour nourrir leurs prisonniers.

— James Fraser ! Un grand… avec des cheveux roux ! Est-il dans cette cellule ? Où est-il ?

Il avançait déjà vers la porte avec les autres détenus qui n'étaient pas entravés. La plupart des prisonniers avaient enfin compris l'opportunité qui s'offrait à eux et se bousculaient pour sortir.

— Qui ça ? Fraser ? Ah oui, ils l'ont emmené ce matin.

Il tenta de dégager son bras. Je le retins par sa ceinture.

— Où ? Où l'ont-ils emmené ?

— Je ne sais pas. Un officier est venu le chercher. Un certain capitaine Randall. Une belle ordure, ce salaud-là !

Me repoussant sans ménagement, il se libéra et se hâta de sortir.

Randall ! Je restai interdite, bousculée par les fuyards, assourdie par les cris et les supplications des malheureux enchaînés. Geordie surveillait la forteresse depuis l'aube. Personne n'en était sorti sauf une équipe de commis de cuisine partis chercher des provisions. Donc, ils étaient quelque part dans ce labyrinthe.

Randall était capitaine, sans doute le plus haut gradé après sir Fletcher. Il avait donc tout loisir de trouver un endroit tranquille dans la prison où torturer son prisonnier.

Car il ne pouvait avoir que la torture en tête, même si Jamie était déjà condamné à mort. L'homme auquel j'avais eu affaire à Fort William était un vrai félin, un chat qui ne pouvait laisser passer une telle chance de jouer avec sa souris.

M'efforçant de ne pas penser à tout ce qui avait pu se passer depuis le matin, je me précipitai dans le couloir à mon tour, heurtant de plein fouet un dragon qui arrivait au pas de charge. Il bascula en arrière, décrivant de grands moulinets avec les bras pour retrouver son équilibre. Quant à moi, je m'écrasai contre la porte en me cognant la tête. À demi étourdie, je cherchai désespérément la poche de ma jupe dans laquelle j'avais glissé ma dague, me maudissant de ne pas avoir pensé à la sortir avant d'entrer dans la cellule.

Entre-temps, le soldat anglais avait retrouvé son équilibre et me regardait bouche bée. Pour le moment, je bénéficiais de l'effet de surprise, mais pas pour longtemps. Laissant tomber ma poche introuvable, je relevai mes jupons, sortis le *sgian dhu* coincé sous ma jarretière et, dans le même mouvement, me ruai vers lui. La lame se planta sous son menton au moment où il portait la main à sa ceinture. Ouvrant grands des yeux ahuris, il se tint le cou, chancela, heurta le mur derrière lui puis se laissa lentement glisser au sol. Comme moi, il s'était précipité sans prendre soin de sortir préalablement son arme, et cette négligence lui avait coûté la vie. C'était une erreur que je ne pouvais plus me permettre. J'enjambai le corps, en évitant de le regarder.

Je repartis à toutes jambes par où j'étais venue. Parvenue au pied d'un escalier, je remarquai une petite niche où je pouvais me tenir sans qu'on me voie d'un côté comme de l'autre. Je m'y blottis, le temps de réfléchir à ce que j'allais faire à présent.

Je sortis la dague de ma poche et la pris bien en main. C'était désormais ma seule arme : je n'avais eu ni le temps ni le courage de récupérer le *sgian dhu* planté dans la gorge du dragon. C'était sans doute aussi bien. Il y avait eu relativement peu de sang. Je frémis à l'idée des flots qui se seraient déversés si j'avais retiré la lame.

Je lançai un regard prudent dans le couloir. Les prisonniers que j'avais libérés sans le vouloir étaient partis vers la gauche. Je ne savais pas où ils comptaient aller, mais ils allaient occuper les Anglais pendant un certain temps. Le mieux était donc de partir dans la direction opposée. Il était essentiel de ne pas perdre le sens de l'orientation. Je me trouvais dans l'aile ouest et Rupert avait dit qu'il m'attendrait à la porte sud. Je tentai de me concentrer, fixant les escaliers devant moi.

Quel était l'endroit le plus indiqué pour torturer quelqu'un ? Un lieu à l'abri des regards et des oreilles. Comme un cachot isolé. Or, les cachots se trouvaient généralement sous terre, sous des tonnes de terre qui étouffaient les cris, là où les ténèbres atténuaient la cruauté aux yeux mêmes de ceux qui la perpétraient.

Le mur derrière les escaliers était arrondi. Je me trouvais sans doute dans l'une des tours de la forteresse. Il y avait une chance sur mille…

Je dévalai les marches en colimaçon, glissant à plusieurs reprises, m'écorchant contre les pierres rugueuses. À chaque palier, une petite meurtrière constituait la seule source de lumière. M'arrêtant devant l'une d'elles, j'eus une vue sur la cour, ce qui me permit de m'orienter. Un petit groupe de soldats était rassemblé en carré pour la revue. Derrière eux se dressait un gibet, où, pour le moment, personne ne se balançait au bout d'une corde.

Je repris ma descente à toute allure. Arrivée en bas, je me pris les pieds dans ma jupe et m'étalai de tout mon long. Un couloir s'étirait devant moi, désert et silencieux. Au moins, cette partie de la prison était utilisée : une rangée de torches brûlaient le long d'un mur, dégageant une fumée qui stagnait en un nuage gris sous le plafond voûté.

Je n'avais pas d'autre choix que d'aller droit devant moi. J'avançai, pas à pas, la dague pointée, passant sur la pointe des pieds devant d'épaisses portes renforcées, assez épaisses pour étouffer tous les bruits à l'intérieur. Me penchant au ras du sol, je vérifiai qu'aucun rayon de lumière ne filtrait par-dessous. Si les Anglais pouvaient laisser leurs prisonniers croupir dans le noir, les activités de Randall requéraient de la lumière. Le sol devant les cachots était couvert d'une épaisse couche de poussière qui n'avait pas été foulée depuis belle lurette. Apparemment, ces cellules ne servaient plus. Pourtant, quelqu'un utilisait cette partie de la prison, sinon pourquoi ces torches allumées ?

Je trouvai le rayon de lumière que je cherchais sous la quatrième porte. Je m'agenouillai, appuyant mon oreille contre le métal froid, mais n'entendis aucun son, mis à part le doux crépitement d'un feu.

Elle n'était pas verrouillée, je l'entrebâillai et regardai discrètement à l'intérieur. Jamie était assis par terre, adossé au mur, le front sur les genoux. Il était seul.

La pièce était petite mais remarquablement douillette pour un cachot. Un brasero crépitait dans un coin et les dalles avaient été balayées. Un petit lit de camp était poussé contre un mur. Il y avait aussi deux chaises et une table, sur laquelle étaient posés plusieurs objets dont une grande carafe et des coupes. Après les longs couloirs suintants et grouillants de rats, c'était un spectacle inattendu. Ce devait être là que les officiers de la garnison faisaient venir des filles. C'était nettement plus discret que dans les casernes !

— Jamie ! appelai-je doucement.

Mon estomac se noua quand il ne redressa même pas la tête.

Je refermai doucement la porte derrière moi et traversai rapidement la pièce pour m'agenouiller près de lui.

— Jamie !

Il leva les yeux. Il était livide, le front baigné d'une sueur froide. La pièce entière était imprégnée de l'odeur de la peur et du vomi.

— Claire ! Qu'est-ce que tu… Tu dois partir. Tout de suite. Il va bientôt revenir.

Il parlait d'une voix rauque et lasse.

— Ne sois pas ridicule !

J'évaluai rapidement la situation. Sa seule entrave était une lourde chaîne reliant sa cheville à un anneau dans le mur. Quelque chose m'échappait. Il était manifestement sonné et son corps entier exprimait la douleur, et pourtant je ne voyais ni traces de coups ni blessures. J'essayai les unes après les autres les clefs de mon trousseau dans la serrure de l'anneau à sa cheville.

— Que t'a-t-il fait ? demandai-je.

Jamie oscilla, les yeux fermés. Il était visiblement sur le point de défaillir. Avec une lenteur infinie, il souleva sa main gauche qui cachait quelque chose entre ses cuisses. C'était sa main droite, méconnaissable. Violet et bleu, elle avait triplé de volume, les doigts écartés dans des positions invraisemblables. Un fragment d'os saillait par la chair déchirée de son majeur. Un filet de sang s'écoulait entre ses articulations broyées.

La main humaine est une merveilleuse machine, un système complexe de câbles et de poulies, contrôlée par un réseau de millions de nerfs microscopiques, extrêmement sensibles au toucher. Un seul doigt cassé suffit pour faire tomber un homme à genoux, hurlant de douleur.

— C'est ma punition... souffla Jamie. Pour son nez cassé.

Je restai pétrifiée par le spectacle sanglant, puis murmurai d'une voix méconnaissable :

— Je tuerai ce fils de pute !

Jamie trouva la force d'esquisser un sourire.

— Je te tiendrai la chandelle, *Sassenach*.

Épuisé par cet effort, il referma les yeux et s'affaissa contre le mur. Comme il basculait sur le côté, il tendit instinctivement la main droite pour se rattraper et poussa un cri étranglé en tombant de tout son poids sur son bras replié.

— Et merde ! lâchai-je.

Il s'était évanoui. J'essayai tout le trousseau en vain. Les clefs glissaient entre mes doigts tremblants et moites. Je jurai entre mes dents et regardai autour de moi à la recherche d'une idée. Parmi les objets sur la table se trouvait un maillet, sans doute l'instrument du supplice de Jamie. J'allai le chercher. Profitant de l'inconscience de Jamie, je lui calai la cheville contre le mur, glissai une des clefs dans la serrure et frappai un grand coup dessus dans l'espoir de la faire sauter. Peine perdue. Je pestai contre les ferronniers écossais quand la porte s'ouvrit avec fracas derrière moi.

Comme celui de Frank, le visage de Randall exprimait rarement ses émotions. Cette fois, toutefois, le capitaine perdit momentanément son flegme. Il se tenait sur le seuil, la bouche grande ouverte, l'air presque aussi bête que celui qui l'accompagnait, un colosse engoncé dans un uniforme rapiécé et taché, avec un front bas, un nez aplati, des lèvres lippues, en gros le faciès typique du retardé mental.

Se reprenant, Randall traversa la pièce et vint vérifier l'état de l'anneau autour de la cheville de Jamie.

— Alors, on abîme la propriété de la Couronne ? C'est un délit passible d'une peine sérieuse, savez-vous. Sans parler d'aider un dangereux prisonnier à s'évader.

Ses yeux gris pâle lancèrent un éclat amusé.

— En attendant, il va falloir vous trouver un logement adéquat…

Il me força à me relever en me tordant le bras derrière le dos. Je savais qu'il était inutile de me débattre, mais je ne résistai pas à l'envie de lui écraser les orteils de mon talon.

— Aïe !

Il me poussa violemment sur le lit, puis me toisa d'un air satisfait, essuyant sa botte avec un mouchoir de lin.

— Vous n'avez pas froid aux yeux, je vous l'accorde. De fait, vous semblez faits l'un pour l'autre.

Il indiqua Jamie, toujours inerte sur le sol.

— Et ce n'est pas peu dire !

Il se caressa la gorge de l'index. Un vilain bleu pointait sous son col.

— Il a essayé de me tuer quand je l'ai détaché. Et il a bien failli réussir. Dommage que je n'aie pas vu tout de suite qu'il était gaucher.

— Ce n'était vraiment pas raisonnable de sa part, raillai-je.

— Je ne vous le fais pas dire. Je ne doute pas que vous saurez faire preuve de plus de courtoisie. Toutefois, juste au cas…

Il se tourna vers le colosse.

— Marley, fouillez cette femme.

Il observa, amusé, la brute épaisse qui palpait maladroitement mes habits et qui ne tarda pas à trouver la dague dans ma poche.

— Vous ne semblez pas apprécier Marley ? me demanda le capitaine en me voyant tiquer quand les gros doigts de boucher me palpèrent un peu trop intimement. Quel dommage ! Je suis sûr qu'il vous trouve à son goût ! Il faut dire que ce pauvre homme n'a guère de chance avec les femmes. N'est-ce pas, Marley ? Même les putains ne veulent pas de lui.

Il me lança un regard entendu.

— « Trop grosse », affirment-elles. Ce qui en dit long, de la part d'une putain !

Marley interrompit sa fouille pour essuyer un filet de bave à la commissure de ses lèvres. Je me rétractai dans le coin, répugnée.

Randall, qui avait surpris ma réaction, renchérit :

— Je suis sûr que Marley se fera un plaisir de vous emmener dans ses appartements, une fois que nous aurons terminé notre petite conversation. Naturellement, je ne doute pas qu'il voudra faire profiter ses petits camarades d'une telle aubaine, mais cela dépend de lui.

— Ah, vous ne comptez pas rester avec nous pour regarder ? demandai-je sur un ton sarcastique.

Randall éclata de rire.

— J'ai peut-être des goûts contre nature, comme vous le savez sans doute, mais j'ai néanmoins certains principes esthétiques. Non, vraiment... vous êtes une fort jolie femme, en dépit de votre langue de mégère. Et de vous voir avec Marley... non, sincèrement. C'est que, outre son aspect, ses manières laissent quelque peu à désirer.

Il frissonna de dégoût.

— Les vôtres aussi.

— C'est possible. Rassurez-vous, vous n'aurez plus à les supporter très longtemps.

Il marqua une pause, et prit un air perplexe.

— Toutefois, il y a une chose que je voudrais savoir avant de prendre congé de vous. Manifestement, vous êtes une jacobite, mais de quel camp, au juste ? Celui de Marischal ? Celui de Seaforth ? À moins que ce ne soit Lovat, puisque vous voilà devenue une Fraser.

Il poussa Jamie du bout du pied, mais celui-ci ne réagit pas. Je pouvais voir son poitrail se soulever et s'abaisser régulièrement. Peut-être dormait-il, tout simplement. Les cernes bleutés sous ses yeux témoignaient de son état d'épuisement.

— J'ai même entendu dire que vous étiez une sorcière, poursuivit le capitaine. Si je ne m'abuse, il y a eu un peu d'agitation à Cranesmuir il y a quelque temps, non ? Qui s'est soldée par une mort ? Bah, ce ne sont sans doute que de stupides superstitions.

Il me toisa longuement, les bras croisés.

— Je me demande si je ne vais pas vous proposer un marché.

— Je vous écoute, vous êtes en position de force.

— Je vous offre un choix : dites-moi qui vous êtes, qui vous a envoyée en Écosse, ce que vous y faites et quelles informations vous avez déjà fait parvenir à votre employeur. Si vous parvenez à me convaincre, je vous conduirai chez sir Fletcher au lieu de vous confier à Marley.

J'évitai soigneusement de regarder vers Marley. J'avais déjà remarqué les quelques chicots noirâtres qui lui servaient de dents, enchâssés dans ses gencives purulentes. Rien que l'idée d'être embrassée par ce monstre me donnait envie de vomir. Randall avait raison : je n'étais pas lâche. Mais je n'étais pas complètement idiote non plus.

— Vous savez aussi bien que moi que vous ne pouvez pas me conduire chez sir Fletcher. Comment justifieriez-vous tout ceci ?

Je lui indiquai la pièce, le petit feu, le lit sur lequel j'étais assise, et Jamie couché à ses pieds.

— Je ne crois pas que sir Fletcher puisse cautionner la torture dans son établissement. Même l'armée anglaise doit bien respecter quelques principes.

Randall prit un air étonné.

— De la torture ? Ah, ça !

Il indiqua négligemment Jamie.

— Un accident. Il est tombé dans sa cellule et a été piétiné par les autres détenus. Que voulez-vous ? Ces prisons sont surpeuplées.

Je restai silencieuse. Sir Fletcher avalerait peut-être que la main de Jamie était le résultat d'un accident. En revanche, il ne croirait certainement rien de ce que lui dirait une espionne prise en flagrant délit dans ses geôles.

Randall attendait patiemment, guettant du regard tout signe de reddition de ma part.

— Alors ? Vous avez choisi ?

Je soupirai et fermai les yeux. Le choix ne m'appartenait pas, mais je pouvais difficilement le lui expliquer.

— Laissez tomber, répondis-je enfin. Je ne peux rien vous dire.

— Réfléchissez-y.

Il s'approcha de Jamie et extirpa une clef de sa poche. Il ouvrit l'anneau à sa cheville et, le prenant sous les aisselles, le hissa sur un tabouret, calant son dos contre le mur.

— Réveillez-le, ordonna-t-il à Marley en montrant d'un signe de tête un seau d'eau posé dans un coin.

Ce dernier arrosa Jamie qui gémit en tournant la tête vers le mur.

Le second seau le fit tousser. Randall s'avança vers lui et, le prenant par les cheveux, il le secoua brutalement. Les yeux de Jamie restèrent fermés. Randall le repoussa avec dégoût et se détourna en essuyant ses mains sur son pantalon. Il perçut un mouvement derrière lui, mais pas assez vite pour éviter Jamie qui bondit soudain sur lui.

Les bras de Jamie se refermèrent autour du cou de Randall. Ne pouvant utiliser sa main droite, il saisit son poignet droit dans la main gauche et serra de toutes ses forces en écrasant la trachée du capitaine. Randall vira au rouge, puis au violet. Jamie lâcha prise juste le temps d'envoyer un crochet dans les reins de l'Anglais. Il avait beau être affaibli, le coup fut assez fort pour que Randall s'effondre.

Jusque-là, Marley avait observé la scène sans que la moindre lueur d'intérêt n'éclaire son regard vitreux. Voyant son supérieur à terre, il se décida toutefois à intervenir et saisit le maillet. Il se précipita vers Jamie, le rata de justesse et fracassa le tabouret.

Jamie saisit au vol un pied du siège en morceaux et le brandit devant lui. Les deux hommes firent le tour de la pièce, dos au mur, sans se lâcher du regard. N'osant ouvrir la bouche de peur de briser la concentration précaire de Jamie, je me fis le plus petite possible sur le lit.

Il était évident que Jamie ne tiendrait pas longtemps. Qu'il soit debout relevait déjà du miracle. Il lui fallait faire vite. Il avança prudemment vers Marley, l'acculant contre le mur. Se voyant coincé, l'ordonnance balaya l'espace devant lui de son maillet. Au lieu de reculer, Jamie avança d'un pas, se laissant cueillir au flanc, mais non sans avoir préalablement assené de toutes ses forces le pied de tabouret contre la tempe de son adversaire. Observant, fascinée, Marley qui titubait dans la pièce, les yeux exorbités, je ne prêtai pas attention au capitaine allongé près de la porte, jusqu'à ce qu'un souffle rauque chatouille mon oreille.

— Bien joué, Fraser, dit Randall, la voix éraillée mais le ton toujours aussi calme. Dommage que vous y ayez laissé quelques côtes pour rien !

Jamie s'adossa au mur, reprenant péniblement sa respiration, serrant son arme contre lui. Ses yeux mesurèrent la distance qui le séparait de Randall.

— N'y songez même pas ! lança celui-ci. Elle sera morte avant que vous ayez fait deux pas.

Une fine lame froide caressait mon cou. Je sentis la pointe piquer l'angle de ma mâchoire.

Jamie observait la scène d'un regard las. Puis, rassemblant ses forces, il se détacha du mur et ramassa le maillet tombé à ses pieds. Il s'approcha de la table, d'un pas hésitant, y déposa le maillet et s'assit péniblement sur une chaise, les deux mains posées à plat devant lui.

— Laissez-la partir, dit-il simplement.

La main qui tenait le couteau sur mon cou se détendit légèrement.

— Et pourquoi le ferais-je ?

— Vous ne pouvez pas menacer deux personnes en même temps avec un poignard. Si vous la tuez ou si vous vous écartez d'elle, je vous tuerai.

Jamie parlait calmement, semblant parfaitement maître de lui en dépit de son teint blafard et de ses tempes perlées de sueur.

— Et qu'est-ce qui m'empêcherait de vous tuer tous les deux ?

— Que raconterez-vous demain au bourreau ? Ma mort précoce sera difficile à expliquer, non ?

Jamie indiqua le colosse inconscient sur le sol.

— Vous avez été forcé d'avoir recours à votre petit ami pour me ligoter avant de me casser la main.

— Et alors ?

— Il ne vous sera d'aucune utilité avant un bon bout de temps.

C'était indiscutable. L'ordonnance gisait face contre terre, le visage rouge, le souffle irrégulier et rauque. « Commotion grave », conclus-je machinalement. Peut-être même hémorragie cérébrale. Ce monstre pouvait bien crever sous mes yeux, c'était le dernier de mes soucis.

— Vous n'êtes pas de taille à vous mesurer à moi seul à seul, reprit Jamie. Je suis nettement plus fort, même avec une seule main. Si vous ne teniez pas cette femme, je vous aurais déjà arraché votre poignard et je vous l'aurais enfoncé dans le cœur. Et vous le savez, c'est pourquoi vous ne lui avez rien fait.

— Mais justement, je la tiens, rétorqua Randall. Naturellement, vous pouvez vous enfuir – il y a une sortie tout près d'ici – en laissant votre femme. Vous avez bien dit que c'était votre femme, non ? Elle n'y survivra pas, bien entendu.

Jamie haussa les épaules.

— Moi non plus. Je n'irais pas loin avec toute la garnison à mes trousses.

Une brève grimace tordit son visage et il retint son souffle quelques instants. J'ignorais quel état de choc lui permettait de surmonter sa douleur, mais ses effets commençaient visiblement à s'estomper.

— Hum, fit Randall. Nous semblons nous trouver dans un cul-de-sac. À moins que vous n'ayez une suggestion ?

— J'en ai une. C'est moi que vous voulez. Libérez-la et je serai à vous.

La lame bougea légèrement et je sentis une goutte de sang tiède couler le long de mon cou.

— Vous ferez de moi ce que vous voudrez, je ne me débattrai pas. Je vous laisserai même me ligoter si vous le souhaitez. Et je ne dirai rien demain matin quand on viendra me chercher pour me pendre.

Je fixai la main mutilée de Jamie et vis une petite mare de sang s'étendre sous ses doigts. Je compris soudain qu'il les pressait délibérément contre la table afin que la douleur le tienne éveillé. Il négociait ma vie avec la seule chose qui lui restait : la sienne. S'il tournait de l'œil maintenant, cette dernière chance s'évanouirait avec lui.

Randall se détendit, posant la main qui tenait le poignard sur mon épaule pendant qu'il réfléchissait. Jamie devait être pendu le lendemain. Tôt ou tard, on s'apercevrait de sa disparition et la forteresse serait fouillée de fond en comble. Si une certaine dose de brutalité à l'égard des prisonniers était tolérée, et cette brutalité s'étendait sans doute à une main broyée ou un dos lacéré de coups de fouet, les autres penchants de Randall seraient certainement moins bien perçus. Même si Jamie était considéré comme un dangereux criminel, s'il montait sur la potence demain matin en déclarant avoir été violé par Randall, une enquête serait ouverte. Et si un examen médical prouvait qu'il disait vrai, la carrière du capitaine risquait de toucher à sa fin, et sa vie également. Mais si Jamie jurait de se taire…

— Vous me donnerez votre parole ?

Jamie hocha la tête.

— Si j'ai la vôtre.

L'attrait d'une victime qui se donnait d'elle-même s'avéra irrésistible.

— Adjugé !

Le poignard quitta mon épaule et j'entendis le crissement du métal rentrant dans son fourreau. Randall contourna la table et saisit le maillet. Il le soupesa avec une moue ironique.

— Vous me permettez de mettre brièvement votre sincérité à l'épreuve ?

— Oui, répondit Jamie d'une voix faible.

Ses mains étaient toujours posées à plat sur la table. Je voulus protester, mais mes mots s'arrêtèrent dans ma gorge trop sèche.

Sans se presser, Randall se pencha et prit un clou dans un panier en osier. Il le plaça soigneusement au centre de la main droite de Jamie et l'enfonça avec quatre grands coups de maillet. Les doigts brisés se convulsèrent, comme les pattes d'une araignée punaisée dans une vitrine de collectionneur.

Jamie laissa échapper un râle et ses yeux roulèrent dans leurs orbites. Randall reposa lentement le maillet. Il prit le menton de Jamie entre ses doigts et lui redressa la tête.

— À présent, embrasse-moi, dit-il doucement.

Ses lèvres se posèrent sur celles de Jamie sans rencontrer la moindre résistance.

Quand il se redressa, le visage de Randall était radieux. Son regard était doux et lointain, ses lèvres arboraient un sourire rêveur. Autrefois, j'avais aimé un sourire tel que le sien et ce regard mystérieux avait suffi à éveiller le désir en moi. À présent, il me répugnait. Les larmes coulaient sur mes joues sans que je me souvienne de m'être mise à pleurer. Randall resta un moment à contempler Jamie, comme en transe. Puis il revint sur terre et se tourna vers moi.

Me saisissant par le coude, il me poussa vers la porte.

— Attendez ! appela Jamie derrière nous.

Randall se retourna d'un air impatient.

— Laissez-nous nous dire adieu.

Le capitaine n'hésita que brièvement avant d'acquiescer et me lâcha. Je me précipitai vers la table.

De son bras valide Jamie m'attira vers lui et je nichai ma tête dans son cou.

— Tu ne peux pas ! murmurai-je. Tu ne peux pas, Jamie. Je ne te laisserai pas !

Son souffle chaud caressait mon oreille.

— Claire, ils vont me pendre demain matin. Ce qui peut m'arriver d'ici là n'a plus d'importance.

— Ça en a pour moi !

— Je sais, *mo duinne*, et c'est pour ça que tu dois partir maintenant. Afin que je sache qu'il y a encore quelqu'un qui pense à moi.

Il m'embrassa doucement et murmura en gaélique :

— Il te laissera partir parce qu'il te croit sans défense. Je sais bien que ce n'est pas le cas.

Il retira son bras de mes épaules et dit en anglais :

— Pars maintenant. Je t'aime.

Tandis qu'il m'entraînait vers la porte, Randall se retourna vers lui.

— Je reviens tout de suite ! dit-il sur un ton charmeur.

Jamie inclina la tête vers sa main clouée à la table.

— Je ne pense pas bouger d'ici.

— Par ici.

C'étaient les premières paroles que prononçait Randall depuis que nous avions quitté la cellule. Il me montrait une petite alcôve sombre creusée dans le mur. Ce devait être l'issue dont il avait parlé à Jamie un peu plus tôt.

Je reculai d'un pas, prenant soin de me placer à la lumière d'une torche. Je voulais qu'il n'oublie jamais mon visage.

— Tout à l'heure, capitaine, vous m'avez demandé si j'étais une sorcière. Je peux bien vous le dire à présent. Oui, j'en suis une. Je suis une sorcière et je vous maudis. Je peux lire dans votre avenir : vous allez bientôt vous marier et votre femme vous donnera un enfant. Mais vous ne vivrez pas assez longtemps pour admirer votre progéniture. Je vous maudis, Jack Randall ! Et pour vous le prouver, écoutez donc la date de votre mort.

Son visage était dans l'ombre, mais l'éclat de ses yeux brillants m'assura qu'il me croyait. Et pourquoi ne me croirait-il pas ? Je disais la vérité et il le savait. Je voyais mentalement l'arbre généalogique de Frank, aussi précisément que s'il était gravé sur les pierres du mur en face de moi.

— Jonathan Wolverton Randall. Né le 3 septembre 1705. Mort…

Il bondit vers moi, mais pas assez vite pour m'empêcher de parler.

Une porte cachée dans le renfoncement s'ouvrit en grinçant sur ses gonds et je fus aveuglée par l'éclat de la neige. Une violente poussée me propulsa dans le vide.

Quand je rouvris les yeux, j'étais couchée sur le dos dans une sorte de fosse derrière la prison. Les congères autour de moi recouvraient des amas de détritus. Le mur de la forteresse qui se dressait devant moi était strié de traînées noirâtres, sans doute laissées par les ordures que l'on déversait par la trappe que j'apercevais un peu plus haut. Il y avait quelque chose de dur sous mes reins. Un morceau de bois, peut-être. Je roulai sur moi-même pour me redresser et me retrouvai face à face avec une paire d'yeux bleus. Le visage était presque aussi bleu que les yeux en question et aussi dur que le morceau de bois pour lequel je l'avais pris. Je me levai précipitamment et me plaquai contre le mur de la prison.

« Du calme, respire lentement, me répétai-je. Tu ne vas pas t'évanouir, tu as déjà vu des cadavres par le passé, tu ne dois pas t'évanouir. »

Quand mon premier mouvement de panique se fut estompé, je regardai de nouveau les yeux bleus, essuyant convulsivement mes mains sur ma jupe. J'ignore si c'était la pitié, la curiosité ou le simple état de choc qui m'empêchait de détourner le regard de ce regard mort. Une fois l'effet de surprise dissipé, il n'y a rien de terrifiant au spectacle d'un cadavre. Si laide soit la manière dont un être humain meurt, seule la vision de la souffrance est insoutenable. Une fois celle-ci disparue, il ne reste qu'un objet inerte.

L'inconnu aux yeux bleus avait été pendu. Il n'était pas le seul occupant de ce fossé. Autour de moi je distinguai des membres et des fragments de visages pris dans la neige. Il y avait près d'une douzaine d'hommes jetés pêle-mêle ici, peut-être dans l'attente d'un dégel qui rendrait plus facile l'excavation d'une sépulture digne de ce nom, à moins qu'on ne compte sur les bêtes de la forêt pour s'en charger.

Cette pensée me sortit de ma léthargie. Je n'avais pas de temps à perdre en méditations morbides, je devais retrouver Murtagh et Rupert au plus tôt. Il me fallait de l'aide, et vite.

Je suivis la fosse qui longeait la forteresse, cherchant un endroit facile à escalader. Un peu plus loin, elle s'écartait des murailles et semblait prendre la direction de la rivière, formant une sorte de canal sans doute destiné à évacuer les ordures de la prison.

Un bruit derrière moi me fit me retourner. Des cailloux roulaient du bord de la fosse, délogés par les pattes d'un grand loup gris qui me dévisageait fixement.

Comparée aux réserves de nourriture qui gisaient sous la neige, je présentais certains avantages aux yeux d'un prédateur. Si j'étais mobile, et donc plus difficile à attraper, j'étais nettement plus tendre, n'étant pas gelée. En d'autres termes, j'étais de la bonne chair fraîche. Si j'avais été un loup, je n'aurais pas hésité. De fait, il ne mit pas longtemps à prendre sa décision.

J'avais autrefois entendu un dresseur raconter comment réagir lorsqu'on était attaqué par un chien. Il ne me restait qu'à espérer que la créature qui s'approchait lentement partageait quelques traits communs avec ses lointains cousins.

— Vilain chien ! lançai-je fermement. Tu es très très méchant. (« Parlez fermement et d'une voix forte », avait dit le dresseur.) Tu n'as pas honte, gros méchant ?

Tout en reculant lentement, je dénouai les lacets de ma cape sans cesser de dire au loup d'une voix haute et ferme tout le mal que je pensais de lui, de ses ancêtres et de ses proches. Il semblait très intéressé par ma diatribe, dressant les oreilles d'un air intrigué. Apparemment, il n'était pas pressé et boitait légèrement. De fait, il était fort maigre et sa robe était miteuse. Il devait avoir du mal à chasser. C'était sans doute la raison qui l'avait attiré près de la fosse pour se nourrir de charognes.

J'ôtai ma cape et l'enroulai autour de mon bras droit. Puis je sortis mes gants de cuir de ma poche et les enfilai. (« À moins que leur maître ne leur donne d'autres instructions, ils attaquent généralement à la gorge, avait dit le dresseur. Il faut toujours les regarder droit dans les yeux. Ainsi, on peut pressentir avec quelques secondes d'avance quand ils vont plonger. C'est là qu'il faut réagir. »)

Je ne voyais qu'une paire de billes jaunes, exprimant la faim, la curiosité et l'incertitude, mais pas encore la décision de bondir.

— Espèce de sale bête, ose un peu me sauter à la gorge et tu verras ! le menaçai-je en prenant appui contre le mur derrière moi.

Je ne le vis même pas quitter le sol, et pourtant je ne l'avais pas lâché du regard un seul instant. Ce fut l'instinct, et rien d'autre, qui me fit lever le bras tandis que la masse de poils gris fonçait vers moi.

Les crocs se refermèrent sur la cape avec une puissance qui m'écrasa le bras comme un étau. Je ne m'étais pas attendue à le trouver si lourd et je faillis perdre l'équilibre. J'avais prémédité de le projeter contre le mur dans l'espoir de l'étourdir un peu, mais c'était moi qui me heurtais contre les pierres. Je tentai de rabattre les pans de la cape autour de lui. Ses griffes déchirèrent ma jupe et tailladèrent ma cuisse. Je lui enfonçai de toutes mes forces un genou dans la cage thoracique, lui arrachant un glapissement étranglé. Ce n'est qu'en l'entendant que je compris que les étranges grognements rauques que je percevais depuis quelques minutes ne venaient pas de lui mais de moi.

Bizarrement, je n'avais plus peur. Mon esprit tout entier n'était occupé que par une seule pensée : si je ne parvenais pas à tuer ce loup, il me tuerait.

Je réussis à lui cogner le crâne contre le mur, mais pas assez fort. Je me fatiguais rapidement. Si le loup avait été en bonne santé, je n'aurais pas eu la moindre chance. Je me laissai tomber de tout mon poids sur l'animal. Son haleine fétide me balayait le visage. Il se débattait furieusement sous moi, et, surpris de se retrouver sur le dos, il lâcha mon bras. De ma main ainsi libérée, j'agrippai son museau humide.

Je glissai mes doigts à l'arrière de sa gueule, où ils étaient hors de portée de ses crocs carnassiers. Sa salive dégoulinait le long de mon bras. À une cinquantaine de centimètres de nous, le mur de la prison décrivait un angle droit. Il fallait coûte que coûte que je l'atteigne, entraînant la masse furieuse qui s'agitait sous moi.

Poussant du bout des pieds, l'écrasant de tout mon poids, j'avançais centimètre par centimètre, tous mes muscles bandés pour garder la gueule béante loin de ma gorge. Une fois là, la manœuvre délicate commençait. Puisque je n'aurais pas assez de force pour agir d'une seule main, il fallait d'une manière ou d'une autre que j'arrive à lui plaquer mon autre main sous le museau.

Je roulai brusquement sur le côté et le loup se glissa aussitôt dans l'espace étroit entre mon corps et le mur. Avant qu'il ait pu se redresser, je lui donnai un coup de genou avec le peu de forces qui me restaient. Cela suffit pour le clouer contre le mur.

Cette fois, j'avais bien les deux mains sous son museau, dont l'une au fond de sa gueule. Je poussai et poussai sa tête en arrière, utilisant l'angle du mur comme point d'appui pour faire levier avec le cou de la bête. Je crus que mon bras allait casser, mais c'était ma seule chance.

Il n'y eut aucun bruit, mais je sentis la réverbération dans tout le corps du loup quand sa nuque se brisa. Ses membres se détendirent aussitôt, et sa vessie également. Je relâchai mes muscles, devenant aussi molle que la bête agonisante. Je sentais les fibrillations de son cœur résonner contre ma joue. Je puais l'ammoniaque et le poil mouillé. Je voulus m'écarter, mais n'y parvins pas.

Si étrange que cela puisse paraître, je crois bien que je m'endormis quelques minutes. En ouvrant les yeux, je vis la muraille grise à quelques centimètres. Seule la pensée de ce qui se tramait de l'autre côté de ces murs me persuada de me relever.

Je repris ma route en trébuchant, longeant toujours la fosse qui s'éloignait de la prison. Je traînais ma cape derrière moi, me cognant les chevilles contre des racines à moitié enfouies. Inconsciemment, je devais avoir gardé à l'esprit que les loups se déplacent toujours en meute, car je ne fus même pas surprise en entendant le hurlement qui retentit dans la forêt. Ma seule émotion fut une rage noire contre ce qui paraissait être une conspiration visant à me retarder.

Je cherchai autour de moi d'où ce cri était venu. Cette fois j'étais à découvert, sans arme et sans mur pour protéger mes arrières. Je n'avais pu me débarrasser du premier loup que par une chance inouïe. Jamais je ne pourrais en tuer un deuxième à mains nues… et combien étaient-ils ? La seule question était de savoir si cela valait vraiment la peine de lutter encore ou s'il n'était pas préférable de me coucher dans la neige et d'attendre. Cette dernière option me parut soudain très séduisante.

Mais Jamie avait donné sa vie, et bien plus encore, pour que je puisse sortir de prison. Je lui devais au moins d'essayer.

Une fois de plus, j'avançai à reculons. Le soir tombait rapidement et il ferait bientôt noir. Le premier d'entre eux apparut au bord de la fosse, immobile et alerte. Mon cœur fit un bond quand j'en aperçus deux autres un peu plus loin, déjà dans la fosse, avançant tranquillement l'un derrière l'autre. Ils étaient de la même couleur que la neige au crépuscule, gris sale et presque invisibles.

Je ramassai une branche morte à mes pieds et la brandis en la faisant tournoyer au-dessus de ma tête, criant à pleins poumons. Les loups s'immobilisèrent, mais ne battirent pas en retraite. Apercevant une pierre à moitié enfouie, je la déterrai et la lançai à la tête du premier loup. Je le ratai, mais il fit un bond sur le côté. Encouragée, je me mis à leur lancer tout ce qui me tombait sous la main : pierres, brindilles, boules de neige.

Dans un premier temps, je crus que l'un de mes projectiles avait atteint sa cible. Le loup le plus proche de moi glapit puis s'effondra, secoué de convulsions. Une autre flèche fusa à quelques mètres de moi et se ficha dans le poitrail du second loup qui fut tué sur le coup.

Hagarde, je contemplai l'animal mort sans comprendre. Le troisième loup opta judicieusement pour la fuite et disparut entre les arbres.

Hissée sur la pointe des pieds, je scrutais, incrédule, l'étendue enneigée qui s'étalait entre la fosse et la lisière de la forêt quand une main me saisit par le coude. Je fis volte-face en poussant un cri étouffé et me retrouvai le nez plongé dans une barbe miteuse. Je ne le connaissais pas, mais son plaid et son coutelas proclamaient son appartenance à la gent écossaise.

— Aidez-moi ! m'écriai-je en lui tombant dans les bras.

36

MacRannoch

IL FAISAIT SOMBRE DANS LE COTTAGE et un ours se tenait tapi dans un coin de la pièce. Je me blottis contre celui qui m'accompagnait, ayant suffisamment vu de bêtes sauvages ces derniers temps. Mais il me poussa sans ménagement en avant. Tandis que je m'approchais du feu d'un pas hésitant, la grosse masse de poils se tourna vers moi et je constatai avec soulagement qu'il s'agissait d'un homme vêtu d'une peau d'ours.

C'était une cape en fourrure, plus précisément, retenue au cou par une broche en argent aussi grande que la paume de ma main. Elle représentait deux daguets bondissant, le dos arqué, leurs bois se rejoignant pour former un cercle. L'épingle qui la fermait se terminait par une sorte d'éventail sur lequel était ciselée une queue de daim.

Je remarquai les détails de cette broche parce que je l'avais exactement sous le nez. Levant les yeux, je me demandai si ma première impression n'avait pas été la bonne : son propriétaire avait vraiment tout d'un ours, mis à part les petits yeux bleus, ronds et brillants.

— Vous semblez avoir eu quelques difficultés, madame, dit-il courtoisement en inclinant sa tête massive dont les cheveux longs et grisonnants étaient encore pleins de neige. Nous pouvons peut-être vous aider.

J'hésitai à répondre. J'avais désespérément besoin de l'aide de cet homme, mais mon accent anglais ne manquerait pas d'attirer les soupçons. L'archer qui m'avait amenée résolut le problème à ma place.

— C'est une Anglaise que j'ai trouvée près de Wentworth, dit-il sur un ton laconique. Elle se battait avec des loups.

Mon hôte se tourna vers moi avec une lueur de doute assez déplaisante dans le regard. Je gonflai le torse et pris mon air de matrone.

— Je suis anglaise de naissance mais écossaise par alliance. Je m'appelle Claire Fraser. Mon mari est emprisonné à Wentworth.

— Hum, fit l'ours en hochant la tête. Pour ma part, je suis sir Marcus MacRannoch, et vous êtes actuellement sur mes terres. Je vois à votre robe que vous êtes une dame de bonne famille. Que faisiez-vous seule, dans le bois d'Eldridge, par une nuit d'hiver ?

On me tendait une perche. C'était ma chance de prouver ma bonne foi et de retrouver Murtagh et Rupert.

— Je suis venue à Wentworth avec des hommes du clan de mon mari. Nous avons pensé qu'étant anglaise, je pourrais entrer dans la prison sans trop de difficultés pour… euh… en faire sortir mon mari d'une manière ou d'une autre. Malheureusement, je… j'ai dû quitter la prison par une porte dérobée. Je cherchais mes amis quand j'ai été attaquée par des loups. Ce charmant monsieur m'a porté secours.

Je gratifiai l'archer d'un sourire reconnaissant. Il resta de marbre.

— Ma foi, vous avez effectivement rencontré quelque chose avec des dents, ça ne fait aucun doute, convint MacRannoch en inspectant ma jupe en lambeaux.

Ses soupçons cédèrent temporairement le pas aux lois de l'hospitalité.

— Vous êtes blessée ? Ou juste un peu égratignée ? En tout cas vous devez mourir de froid. Asseyez-vous près du feu, Hector va vous chercher un bol de soupe et vous me parlerez plus en détail de vos amis.

Il tira un trépied du bout de sa botte et me força à m'y asseoir en appuyant fermement sur mes épaules.

Le feu de tourbe éclairait peu mais dégageait une agréable chaleur. Quelques gorgées de la flasque en cuir qu'Hector me tendit achevèrent de me revigorer.

J'expliquai ma situation de mon mieux, ce qui n'était guère brillant. Mon bref récit de ma sortie expéditive de la forteresse et de mon corps à corps avec le loup fut accueilli avec un scepticisme non dissimulé.

— Je veux bien que vous ayez réussi à vous introduire dans la forteresse, objecta MacRannoch, mais je m'étonne que sir Fletcher vous ait laissée errer dans les lieux sans escorte. Quant à ce capitaine Randall, j'ai du mal à croire que, vous trouvant dans les cachots, il vous ait simplement indiqué la sortie la plus proche.

— C'est que... il avait de bonnes raisons de me laisser partir.

— Mais encore ?

Ses yeux bleu nuit étaient implacables.

Je capitulai et lui résumai grosso modo l'histoire. J'étais trop fatiguée pour prendre des gants.

Cette fois, MacRannoch parut à demi convaincu, mais toujours réticent à prendre des mesures.

— Je comprends votre inquiétude, déclara-t-il, mais ce n'est pas si grave.

— Pas si grave ! m'écriai-je.

Il secoua la tête.

— Je veux dire par là que si ce n'est qu'après le cul de ce garçon que le capitaine en a, il ne lui fera pas grand mal. Sauf votre respect, la sodomie n'a jamais tué personne.

Devant mon regard fulminant, il se défendit en agitant les mains devant lui.

— Je ne dis pas qu'il va aimer ça, bien sûr ! Mais enfin, il n'y a pas de quoi se mettre à mal avec sir Fletcher juste pour épargner des hémorroïdes à ce jeune homme. Vous me mettez dans une position très délicate, vous savez, très délicate.

Je ravalai ma rage et tentai une nouvelle fois de le raisonner :

— À ce stade, il est un peu tard pour sauver son cul. Ce qui m'intéresse, c'est de sauver sa peau. Les Anglais comptent le pendre demain matin.

MacRannoch marmonna entre ses dents, tournant en rond comme un ours en cage. Il s'arrêta brusquement devant moi et approcha son nez à quelques centimètres du mien.

— Et même si je décidais de vous aider, à quoi bon ? rugit-il. Que voulez-vous que je dise à sir Fletcher ? « Un de vos officiers s'amuse à torturer vos prisonniers pendant que vous avez le dos tourné » ? Et quand il me demandera comment je le sais, je lui répondrai que mes hommes ont trouvé une *Sassenach* errant seule dans la nature et qu'elle m'a raconté que cet individu avait fait des propositions indécentes à son mari, un hors-la-loi, condamné à mort par-dessus le marché !

MacRannoch frappa un grand coup de poing sur la table.

— Quant à entraîner mes hommes dans cette histoire… encore faudrait-il pouvoir les faire entrer dans la prison…

— C'est possible, le coupai-je. Je peux vous montrer une entrée.

— Mmmmphm. Peut-être. Même si nous parvenons à entrer, que se passera-t-il quand sir Fletcher trouvera mes hommes se promenant dans sa forteresse ? Je vais vous le dire : il enverra son capitaine Randall dès le lendemain matin raser Eldridge à coups de canon. Non, ma fille, je ne vois vraiment pas comment…

Il fut interrompu par la porte qui s'ouvrit avec fracas. Un autre archer entra en poussant Murtagh devant lui au bout d'un coutelas. MacRannoch se tourna vers eux avec stupeur.

— Qu'est-ce que c'est, encore ? Mais on se croirait dans un moulin, parbleu ! D'où sort-il, celui-là ?

Ne se laissant pas décontenancer par cet accueil plutôt glacial, Murtagh dévisagea longuement notre hôte, fouillant sa mémoire.

— Sir Marcus MacRannoch ? dit-il enfin. Vous n'auriez pas assisté à une assemblée à Leoch, il y a des années ?

MacRannoch fut provisoirement désarçonné.

— Euh… oui, ça fait un bail ! C'était il y a au moins trente ans. Comment le savez-vous ?

— Je me disais bien. J'y étais, moi aussi. Je m'en souviens comme si c'était hier, probablement pour les mêmes raisons que vous.

MacRannoch examina attentivement le petit homme brun, essayant de l'imaginer trente ans plus tôt.

— Mais oui, j'y suis ! Vous avez achevé au couteau un sanglier blessé pendant le *tynchal*. Une sacrée bête ! MacKenzie vous a offert les défenses, elles faisaient presque un cercle complet. C'était du beau travail !

Je sursautai, me souvenant des magnifiques bracelets barbares de Lallybroch. « Le présent d'un admirateur à ma mère », avait dit Jenny. Incrédule, je regardai Murtagh. Même avec trente ans de moins, je le voyais mal en amoureux transi.

Ellen MacKenzie me fit penser aux perles que je portais toujours, cousues dans l'ourlet de ma robe. Je les extirpai en déchirant le tissu et les brandis à la lueur du feu.

— Je peux vous payer, proposai-je. Je ne m'attends pas que vos hommes risquent leur cou pour rien.

Se déplaçant bien plus rapidement que je ne l'aurais cru possible, MacRannoch m'arracha le collier des mains.

— Où les avez-vous trouvées ? aboya-t-il. Vous avez bien dit que votre nom était Fraser ?

— Oui, et ces perles sont à moi. Mon mari me les a données le jour de notre mariage.

Son expression se radoucit soudain. Il se tourna vers Murtagh.

— Le fils d'Ellen ? Le garçon dont vous m'avez parlé est le fils d'Ellen ?

— Oui, répondit Murtagh. C'est le portrait craché de sa mère.

MacRannoch caressa les perles baroques du bout du pouce, l'air songeur.

— Je les avais offertes à Ellen MacKenzie en cadeau de noces. Je comptais les lui donner pour notre mariage, mais elle en a préféré un autre… J'ai souvent repensé à ce collier autour de son cou de cygne…

Se reprenant, il se tourna vers moi :

— Alors ainsi, c'est vous qui en avez hérité ! déclara-t-il en me rendant le bijou. J'espère qu'elles vous porteront chance.

— Elles me seraient encore plus utiles, rétorquai-je, si vous m'aidiez à sauver mon mari.

Sir Marcus tripota sa barbe.

— Mmm. Mais comme je vous l'ai déjà dit, je ne vois pas ce qu'on peut faire. En outre, j'ai une femme et trois enfants qui m'attendent chez moi. Je veux bien faire un geste pour le fils d'Ellen, mais vous m'en demandez trop.

Cette fois, je craquai pour de bon. Mes jambes lâchèrent sous moi. Je m'affaissai dans un coin, prenant ma tête entre mes mains, et me mis à sangloter. Le monde disparut autour de moi. Je n'entendis plus que de faibles échos de la voix de Murtagh comme un jappement lointain. Il tentait toujours de convaincre MacRannoch.

Ce furent des beuglements de bétail qui me sortirent de ma torpeur. Levant la tête, je vis sir Marcus sortir de la pièce à grandes enjambées. Quand il ouvrit la porte, une rafale de vent glacial pénétra dans le cottage. Je me tournai vers Murtagh, l'interrogeant du regard.

Pour la première fois depuis que je le connaissais, le visage de fouine du petit homme brun exprimait une émotion : il rayonnait d'excitation contenue.

Je le tirai par la manche.

— Que se passe-t-il ? Vite, dites-le-moi !

Il n'eut que le temps de me glisser :

— Les bêtes ! Elles sont à MacRannoch !

Au même moment, sir Marcus fit irruption dans la pièce, poussant devant lui un jeune homme dégingandé. Le plaquant contre le mur, il le foudroya du regard.

— Absalom, commença-t-il d'une voix mielleuse, je t'ai envoyé il y a trois heures afin de ramener quarante têtes de bétail. Je t'ai recommandé de les retrouver coûte que coûte avant cette satanée tempête de neige...

Il marqua une pause avant d'exploser :

— Et voilà que j'entends mes vaches beugler dehors. Je me dis : « Ah, Marcus, c'est ce brave Absalom qui a retrouvé toutes tes bêtes ! Le bon garçon ! À présent, on va pouvoir enfin rentrer à la maison et nous réchauffer au coin du feu, avec nos bêtes sagement rentrées à l'étable. »

Il saisit le malheureux Absalom par le col et le secoua comme un prunier en rugissant :

— Je sors te féliciter pour ton bon travail et je commence à compter les bêtes. Et combien j'en compte, hein, mon brave Absalom ? Quinze ! Quinze, c'est tout ce qu'il m'a retrouvé, cet abruti ! Quinze sur quarante ! Et où sont passées les autres ? Où ça ? Je vais te le dire, moi : elles sont en train de mourir de froid dans la neige !

Murtagh s'était retranché dans un coin. J'observai son visage et y lus une lueur amusée. Je compris alors ce qu'il avait essayé de me dire un peu plus tôt et je sus où était passé Rupert. Ou plutôt, ce qu'il était en train de faire. Je commençai à reprendre espoir.

Il faisait nuit noire. En contrebas, les lampes de la prison se reflétaient faiblement sur la neige, comme les lumières d'une épave au fond de l'eau. Attendant sous les arbres avec mes deux compagnons, je passais en revue pour la millième fois tous les détails du plan qui pouvaient tourner mal.

MacRannoch allait-il réellement remplir sa part du marché ? Il avait intérêt à le faire s'il voulait récupérer ses précieuses vaches pur sang des Highlands. Sir Fletcher croirait-il MacRannoch sur parole et ferait-il fouiller aussitôt les cachots ? C'était probable. Le baronnet n'était pas un homme qu'on prend à la légère.

J'avais vu les bêtes disparaître une à une dans le fossé qui longeait l'arrière de la forteresse, guidées par Rupert et ses hommes. Mais pourraient-ils les faire passer de force par la petite porte ? Et si oui, comment réagiraient-elles une fois dans les couloirs de pierre, aveuglées par la lueur des torches flambantes ? Cela pouvait marcher. Après tout, le couloir en question n'était pas si différent des allées de leur étable, torches incluses. Si elles parvenaient jusqu'aux cachots, Randall n'oserait pas appeler des renforts pour faire face à l'invasion bovine, de peur que l'on ne découvre ses petits jeux pervers.

Une fois les bêtes lâchées dans les couloirs, leurs guides devaient fuir le plus rapidement possible et se réfugier sur les terres des MacKenzie. Peu importait Randall. Que pourrait-il faire en de telles circonstances ? Mais si le vacarme des vaches courant dans les souterrains attirait la garnison plus tôt que prévu ? Dougal était déjà réticent à l'idée d'aider son neveu à s'évader de Wentworth. Je n'osais imaginer sa fureur s'il apprenait que des MacKenzie avaient été arrêtés pour s'être introduits dans la prison.

Mais la perspective la plus angoissante de toutes, c'était que notre plan fonctionne, mais trop tard. Si Randall allait trop loin ? Pour avoir entendu les récits de soldats de retour des camps de prisonniers, je savais à quel point il était facile de faire mourir un détenu « accidentellement », et de se débarrasser d'un corps encombrant avant que les autorités puissent poser des questions embarrassantes. Même s'il y avait une enquête par la suite et que Randall était démasqué, ce serait une bien piètre consolation pour moi… et pour Jamie.

Mes supputations moroses furent interrompues par des bruits de sabots étouffés par la neige. Les deux MacRannoch qui m'accompagnaient dégainèrent leurs pistolets et voulurent m'entraîner à couvert sous les arbres, mais je distinguai le mugissement du bétail et éperonnai mon cheval.

Sir Marcus ouvrait le convoi, suivi par plusieurs de ses hommes, tous d'excellente humeur à en juger par le ton de leurs voix. Plus loin derrière, d'autres hommes encadraient le troupeau, menant les bêtes hébétées vers leur refuge mérité.

MacRannoch m'accueillit avec un grand éclat de rire.

— Je dois vous remercier, madame, me lança-t-il joyeusement, pour une des soirées les plus drôles que j'aie passées depuis longtemps.

Avec ses sourcils et sa moustache blanchis par le givre, on aurait dit le père Noël. Saisissant mes rênes, il entraîna mon cheval à l'écart. Il fit signe à mes deux compagnons plus haut sur la colline d'aller rejoindre les autres et d'aider à rentrer le bétail puis descendit de selle.

— Vous auriez dû le voir ! Sir Fletcher est devenu rouge comme une pivoine quand j'ai fait irruption dans sa salle à manger en m'écriant qu'il cachait des biens volés. Puis dans l'escalier, quand il a entendu les vaches qui beuglaient comme des folles, j'ai cru qu'il allait faire sous lui. Il…

— Vous avez trouvé mon mari ? l'interrompis-je.

MacRannoch s'essuya les yeux du revers de sa manche.

— Ah euh… oui, nous l'avons trouvé.

— Comment va-t-il ? demandai-je en me retenant de hurler.

MacRannoch m'indiqua un point derrière nous et je fis volte-face pour apercevoir un cavalier avançant lentement entre les arbres. Il portait un long paquet enveloppé dans un drap en travers de sa selle. Je me précipitai vers lui, suivie de MacRannoch qui m'expliquait :

— Il n'est pas mort, du moins il ne l'était pas quand nous l'avons trouvé. Il a été quelque peu malmené, le pauvre garçon.

Je rabattis le linge qui couvrait la tête de Jamie, essayant de l'examiner malgré le cheval qui gigotait sans cesse. Son visage était strié de taches brunes et ses cheveux maculés de sang séché, mais je ne voyais pas grand-chose dans l'obscurité. Il me semblait sentir son pouls battre dans son cou glacé, mais je n'étais pas sûre.

MacRannoch me prit par le bras.

— Nous ferions mieux de nous mettre à l'abri. Venez avec moi. Hector nous suivra avec votre mari.

Dans le grand salon du manoir d'Eldridge, la demeure des MacRannoch, Hector se délesta de son fardeau devant la cheminée. Saisissant deux coins du drap, il le tira vers lui et un corps nu et inerte roula sur les motifs de fleurs roses et jaunes du tapis qui faisait la fierté de lady Annabelle MacRannoch.

Il faut dire, à la décharge de la maîtresse de maison, qu'elle fit semblant de ne pas voir le sang qui coulait sur son précieux Aubusson. Âgée d'une quarantaine d'années, avec un visage de pinson et une robe en soie jaune vif, elle manœuvra promptement son armée de domestiques en claquant des doigts. Des couvertures, du linge propre, de l'eau chaude et un flacon de whisky apparurent à mes côtés avant même que j'aie eu le temps d'enlever ma cape.

— Il vaut mieux le retourner sur le ventre, conseilla sir Marcus en servant deux grands verres de whisky. Son dos est blessé et ça doit lui faire atrocement mal.

Se penchant sur le visage couleur de cendre et les paupières bleuies de Jamie, il rectifia :

— Remarquez, je me demande s'il sent quelque chose. Vous êtes certaine qu'il est encore en vie ?

— Oui, répondis-je hâtivement en priant de ne pas me tromper.

Avec l'aide de MacRannoch, nous plaçâmes Jamie dans une meilleure position, le dos vers le feu. Une auscultation rapide me confirma qu'il était effectivement en vie, qu'aucune partie de son anatomie ne manquait à l'appel, et qu'il ne courait pas de danger immédiat.

— Je peux faire chercher un médecin, proposa lady Annabelle, mais avec cette tempête de neige, il ne sera pas là avant une heure.

Son ton réticent n'était qu'en partie dû aux intempéries. Un médecin serait un témoin gênant de la présence d'un criminel évadé dans la maison.

— Ce n'est pas la peine, la rassurai-je, je peux le soigner moi-même.

Sans prêter attention aux regards surpris de mes deux hôtes, je m'agenouillai près de Jamie, tirai une couverture sur lui et commençai à tamponner son visage d'un chiffon imbibé d'eau chaude. Il fallait avant tout le réchauffer.

Sir Marcus s'agenouilla près de moi et se mit à masser les pieds de Jamie, faisant une petite pause de temps à autre pour siroter son whisky pendant que je faisais l'inventaire des dégâts.

Son corps était strié de fines lignes noires de la nuque aux genoux, laissées par quelque chose qui devait ressembler à une cravache. Les traces bien ordonnées et parallèles témoignaient d'un acharnement délibéré et méticuleux qui me rendit ivre de rage.

Un objet plus lourd, une canne peut-être, avait été utilisé sur les épaules, laissant des entailles si profondes qu'on apercevait un fragment d'os au niveau de l'omoplate. J'appliquai délicatement une épaisse compresse sur les plaies les plus marquées et poursuivis mon examen.

La marque sur son flanc, là où le maillet l'avait frappé, était enflée et bleue, plus large que la main de sir Marcus. Plusieurs côtes étaient cassées, mais elles pouvaient attendre. Mon attention fut attirée par des plaies au niveau du cou et de la poitrine. La peau était fendue et rouge, les contours noirs et bordés de cendre blanche.

— Avec quoi a-t-on bien pu lui faire ça ? demanda sir Marcus, regardant par-dessus mon épaule, vivement intéressé.

— Un tisonnier rougi au feu.

La voix était faible et rauque, et il me fallut quelques secondes avant de me rendre compte que Jamie avait parlé. Il redressa péniblement la tête. Sa lèvre inférieure avait doublé de volume.

Avec une remarquable présence d'esprit, sir Marcus glissa une main sous sa nuque et lui versa une rasade de whisky dans la gorge. Jamie grimaça quand l'alcool piqua sa bouche blessée, mais déglutit le tout avant de reposer sa tête. Il m'interrogea du regard.

— Des vaches ? demanda-t-il. C'étaient bien des vaches ou j'ai rêvé ?

— C'est tout ce que j'ai trouvé, ris-je enfin, soulagée de le voir en vie et conscient. Mon pauvre chéri, tu as une mine affreuse, lui susurrai-je en posant une main sur son front. Comment te sens-tu ?

— En vie, répondit-il.

Il se hissa sur un coude pour boire une nouvelle rasade de whisky.

— Cela suffit avec le whisky, intervint lady Annabelle, réapparaissant derrière nous tel le soleil levant. Ce qu'il faut à ce garçon, c'est du bon thé chaud.

Le thé suivait, porté par une servante en chemise de nuit.

— Du thé avec beaucoup de sucre ! précisai-je.

— Et peut-être une goutte de whisky ? risqua MacRannoch.

Il souleva le couvercle de la théière et y versa une généreuse dose d'alcool.

D'autres serviteurs entrèrent dans le salon portant un lit de camp, des couvertures, des bandages, de l'eau chaude et un grand coffre en bois contenant les remèdes et préparations médicales de la maison.

— J'ai pensé que vous seriez mieux ici dans le salon, expliqua lady Annabelle. Il y fait plus clair et c'est de loin la pièce la plus chaude de la maison.

Sous sa direction, deux valets saisirent chacun un coin de la couverture sur laquelle reposait Jamie et le transférèrent sur le lit de camp installé devant la cheminée, où une jeune femme attisait le feu. En dépit de son apparence d'oiseau, lady Annabelle était un vrai général.

— Puisqu'il est éveillé, autant le faire tout de suite, décidai-je. Vous n'auriez pas une planche en bois mesurant environ soixante centimètres, une lanière de cuir assez solide et, peut-être, des bâtonnets plats, minces ?

Aussitôt, une des servantes disparut, comme un djinn prêt à exaucer mes moindres vœux.

De fait, la maison tout entière semblait magique. Peut-être était-ce le contraste entre la tempête qui sévissait au-dehors et l'intérieur luxueux et chaleureux dans lequel nous nous trouvions, à moins que ce ne fût le soulagement de voir Jamie sain et sauf après tant d'heures de peur et d'angoisse ?

Personne ne nous posa de questions. Nous étions les invités de sir Marcus et de lady Annabelle, et nos hôtes se comportaient comme s'ils voyaient chaque jour des inconnus faire irruption dans leur salon et déverser tout leur sang sur leur tapis précieux.

Lorsque les serviteurs revinrent avec les objets que j'avais demandés, je pris délicatement la main de Jamie et l'approchai de la lumière. J'allais devoir la soigner, le plus tôt possible. Tirés par les muscles blessés, les doigts se recroquevillaient déjà. Je me sentais désemparée devant l'ampleur de la tâche. Mais si je ne faisais rien, il risquait de ne plus jamais pouvoir utiliser sa main.

Lady Annabelle souleva le couvercle du coffre.

— Je suppose qu'il vous faudra de l'eupatoire, et peut-être de l'écorce de cerisier, et quoi d'autre…

Elle lança un regard songeur vers Jamie.

— … des sangsues ?

Je secouai vivement la tête.

— Non, je ne pense pas. Vous n'auriez pas plutôt quelque chose qui ressemble à de l'opium ?

— Ah si !

Elle extirpa un flacon du coffre et lut l'étiquette :

— Fleurs de laudanum, ça vous irait ?

— Parfait !

J'en versai une bonne quantité dans un verre et me tournai vers Jamie.

— Il faut que tu te redresses le temps d'avaler ça. Ensuite tu dormiras d'un long et profond sommeil.

Je n'étais pas certaine qu'il soit très judicieux d'administrer du laudanum après une telle quantité de whisky, mais l'idée de reconstituer sa main alors qu'il était encore conscient était inimaginable.

Jamie m'arrêta de sa main valide.

— Je ne veux pas que tu m'endormes. Donne-moi plutôt encore un peu de whisky et quelque chose à mordre.

Sir Marcus ne se le fit pas dire deux fois. Il lui tendit aussitôt le flacon et alla fouiller dans un secrétaire. Il revint quelques instants plus tard avec une petite rondelle de cuir usé. En regardant plus attentivement, je remarquai plusieurs entailles dans la peau épaisse, des empreintes de dents.

— Prenez ça, dit-il à Jamie. Je l'ai utilisé moi-même à Saint Simone pendant qu'on m'extirpait une balle de mousquet de la jambe.

Je les dévisageai, éberluée, tandis que Jamie acceptait le morceau de cuir.

— Tu crois vraiment que je vais remettre en place neuf os brisés alors que tu es éveillé ?

— Eh bien oui, répondit Jamie, étonné.

Il glissa le cuir dans sa bouche et testa sa solidité.

Devant cette scène qui semblait sortir d'un mauvais western, je perdis soudain tout mon sang-froid.

— Mais quand vas-tu enfin cesser de jouer les héros, bon sang ! explosai-je. Après tout ce que tu as fait, tu as encore besoin de prouver que tu es un homme, un vrai ? Ou crois-tu que le monde va s'écrouler si tu n'es pas là pour le diriger ? Tu te prends pour qui, bordel, John Wayne ?

Un silence gêné s'abattit sur le salon. Jamie me regarda, bouche bée.

— Claire, dit-il enfin. Nous ne sommes qu'à quelques kilomètres de la prison de Wentworth. Je suis censé être pendu demain matin. Ils s'apercevront tôt ou tard de ma disparition.

Je me mordis la lèvre. Il avait raison, bien entendu. Les prisonniers que j'avais libérés accidentellement allaient brouiller les pistes un bout de temps, mais les Anglais finiraient par dresser la liste des détenus manquants et entamer des recherches. La méthode d'évasion spectaculaire que j'avais choisie ne tarderait pas à orienter les soupçons vers Eldridge.

— Avec un peu de chance, poursuivit Jamie d'une voix calme, la neige retardera les recherches jusqu'à notre départ. Dans le cas contraire... il n'est pas question que je retourne là-bas. C'est pour ça que je ne veux pas être drogué et me trouver à leur merci s'ils viennent jusqu'ici... pour me réveiller de nouveau enchaîné dans une cellule. Non, Claire, je ne le supporterais pas.

Les larmes me coulaient le long des joues. Je serrai les dents, incapable de détourner mon regard du sien.

— Ne pleure pas, *Sassenach*. Je suis sûr que nous sommes en sécurité ici. Si je craignais que nous soyons capturés, je ne gaspillerais pas mes dernières heures à te laisser soigner une main qui ne me servirait bientôt plus à grand-chose. S'il te plaît, va me chercher Murtagh. Puis apporte-moi à boire et finissons-en.

Occupée devant la table à faire mes préparatifs pour l'opération, je n'entendis pas ce qu'il dit à Murtagh, mais je vis leurs deux têtes penchées l'une vers l'autre un long moment, puis la main noueuse de Murtagh effleura l'oreille de Jamie, la seule partie de son corps qui ne soit pas douloureuse.

À peine Murtagh sorti du salon, je le rattrapai discrètement dans le couloir, le retenant par son plaid juste avant qu'il ne passe la porte.

— Qu'est-ce qu'il vous a dit ? Et où allez-vous ?

Il hésita un moment, puis répondit d'une voix neutre :

— Je pars avec Absalom monter la garde sur la route de Wentworth. Si je vois des Anglais approcher, je dois les prendre de vitesse et rappliquer ici. S'il y a assez de temps, je vous cache dans la cave, puis je file avec trois chevaux pour les attirer loin du manoir. S'ils ne fouillent pas la maison trop scrupuleusement, vous devriez pouvoir vous en sortir.

— Et si nous n'avons pas le temps de nous cacher ?

— Alors j'ai ordre de le tuer et de vous emmener avec moi... avec ou sans votre accord.

Il esquissa un sourire sournois et se tourna pour sortir.

— Un instant ! l'appelai-je encore. Vous n'auriez pas un poignard de trop ?

Il porta sa main à sa ceinture sans hésitation.

— Vous croyez que vous en aurez besoin ? Ici ?

Il indiqua le luxueux hall d'entrée, avec ses fresques et ses boiseries sculptées.

Ma poche déchirée n'avait plus de fond. Je glissai le poignard dans mon dos, entre ma ceinture et ma jupe, comme je l'avais vu faire à une bohémienne.

— Sait-on jamais ? répondis-je sur le même ton.

Certaines parties de l'opération, comme d'éclisser les deux doigts qui n'étaient que fracturés, furent relativement faciles. D'autres nettement moins. Jamie hurla quand je voulus remettre en place son majeur brisé, appuyant de toutes mes forces pour faire rentrer les fragments d'os sous la peau.

Sir Marcus, assis au chevet du blessé, m'encourageait.

Je travaillais lentement, concentrée sur ma tâche. Je dus m'interrompre à plusieurs reprises pour laisser Jamie vomir. Il recrachait principalement du whisky, n'ayant pas avalé grand-chose au cours de son séjour en prison. Il gardait le visage tourné vers le feu, mais je voyais les muscles de ses mâchoires se tendre tandis qu'il mordait le bout de cuir. Je serrais moi aussi les dents. Enfin, les bords tranchants de l'os reprirent lentement leur place et le doigt se raidit, nous laissant tous deux en nage et tremblants.

Bientôt, les cinq doigts de sa main droite étaient redressés, raides comme des baguettes avec leurs éclisses bandées. Une infection était toujours à craindre, notamment à son majeur déchiré, mais sinon j'étais relativement sûre que sa main guérirait. Par chance, une seule articulation avait été sérieusement abîmée. Il ne pourrait sans doute plus plier son annulaire mais, avec le temps, les autres doigts fonctionneraient normalement. Je ne pouvais rien faire pour les métacarpes fracturés ni la plaie ouverte, si ce n'était la laver avec une solution antiseptique, appliquer un onguent et prier qu'il n'attrape pas le tétanos.

Je me laissai retomber sur ma chaise, chaque muscle de mon corps endolori par la tension de la nuit et ma robe trempée de sueur.

Lady Annabelle apparut aussitôt, me tendant une tasse de thé arrosée de whisky. Je dus m'assoupir sans m'en apercevoir, car je me réveillai en sursaut : lady Annabelle me tirait par le bras.

— Allez, mon enfant, venez. Vous devez vous aussi soigner vos blessures et prendre un peu de repos.

Je la repoussai poliment.

— Non, non. Je dois d'abord terminer…

Sir Marcus me prit le linge et le flacon de vinaigre des mains.

— Je m'occupe du reste, intervint-il. Je sais bander les plaies, moi aussi.

Rabattant les couvertures, il épongea le sang des zébrures avec une délicatesse et une efficacité impressionnantes. Croisant mon regard surpris, il cligna de l'œil.

— C'est que j'ai nettoyé un bon nombre de plaies dans ma vie. Et j'en ai provoqué quelques-unes aussi. Celles-ci ne sont pas bien méchantes, elles seront guéries dans quelques jours.

Sachant qu'il avait raison, je m'approchai du lit. Jamie était éveillé, grimaçant sous la piqûre de la solution antiseptique sur sa chair à vif. Ses paupières étaient lourdes et ses yeux cernés par l'épuisement et la douleur.

— Va dormir, *Sassenach*, me murmura-t-il. Je vais faire de même.

J'en doutais fortement, mais le fait était que je ne tenais plus sur mes jambes et les griffures sur mes cuisses me cuisaient.

Je hochai la tête et me laissai entraîner par lady Annabelle. À mi-chemin dans les escaliers, je réalisai que j'avais oublié de dire à sir Marcus comment bander les entailles. Les plaies profondes sur les épaules devaient être protégées afin qu'il puisse porter une chemise lorsque nous partirions. Mais les zébrures de fouet devaient, elles, être laissées à l'air libre afin de sécher.

Je redescendis vers le salon, lady Annabelle sur mes talons. Arrivée sur le seuil, je m'arrêtai net. Jamie, couché sur le ventre, semblait s'être assoupi. Les couvertures, rendues inutiles par la chaleur du feu, avaient glissé. Voulant attraper un linge humide de l'autre côté du lit, sir Marcus se pencha au-dessus de Jamie et lui posa une main sur les fesses. L'effet fut instantané. Jamie cambra violemment le dos, les muscles de ses fessiers se contractèrent et il se propulsa en avant en se recroquevillant malgré ses côtes cassées. Il se retourna ensuite en prenant appui sur un coude et dévisagea sir Marcus avec des yeux paniqués. MacRannoch resta lui aussi paralysé de stupeur quelques secondes, puis, prenant Jamie par le bras, il l'aida à se recoucher sur le ventre. Il lui passa brièvement un doigt sur les fesses, et le frotta contre son pouce, laissant une trace huileuse visible à la lueur du feu.

— Oh, fit-il simplement.

Le vieux soldat rabattit les couvertures de Jamie jusqu'à la taille et je vis les épaules tendues se décontracter à nouveau.

Sir Marcus s'assit au chevet du blessé et servit deux généreuses rations de whisky.

— Au moins, il a eu la délicatesse de te graisser au préalable, observa-t-il en lui tendant son verre.

Jamie se redressa laborieusement sur les coudes.

— Je doute qu'il l'ait fait pour mon bénéfice, rétorqua-t-il.

Les deux hommes se turent un long moment, mais ni lady Annabelle ni moi ne fîmes mine d'entrer dans la pièce.

— Si cela peut te réconforter, mon garçon, reprit MacRannoch, il est mort.

— Vous en êtes sûr ?

— Je ne vois pas comment il aurait survécu après avoir été piétiné par une trentaine de bestiaux d'une demi-tonne chacun. Il est sorti dans le couloir pour voir d'où venait le raffut. Sa manche a été happée par une corne et il a été entraîné par le troupeau. Sir Fletcher et moi étions dans l'escalier, à l'abri. Le gouverneur a crié à ses hommes d'aller le sortir de là, mais personne ne pouvait approcher. Lorsqu'on a enfin réussi à évacuer les bêtes, il ne restait plus qu'une poupée de chiffon ensanglantée gisant sur le sol. Les hommes de sir Fletcher l'ont emporté, mais, s'il était encore en vie, il n'a pas pu faire long feu. Encore un peu, mon garçon ?

— Oui, merci.

Il y eut un nouveau long silence, que Jamie rompit :

— Non, sir Marcus, je ne peux pas dire que cela me réconforte, mais merci quand même de me l'avoir dit.

— Mmmmphm. Ce n'est pas le genre de blessure qu'on oublie facilement, je sais. Laisse-la cicatriser, mon garçon. N'y pense pas trop et tu verras, cela finira par s'estomper.

Se souvenant soudain de quelque chose, Jamie s'agita et roula sur le côté.

— Hé, fais attention ! Tu vas t'enfoncer une côte dans le poumon ! s'inquiéta MacRannoch.

— J'ai besoin d'un couteau, haleta Jamie. Bien tranchant, si possible.

Sans poser de question, sir Marcus se leva et alla fouiller dans un tiroir du buffet en faisant un vacarme épouvantable. Il en revint avec un couteau à dessert au manche en nacre qu'il plaça dans la main gauche de Jamie.

— Tu ne crois pas que tu as déjà suffisamment de cicatrices ? demanda-t-il. Il t'en faut plus ?

— Rien qu'une, répondit Jamie.

Il se balança dans un équilibre précaire sur un coude, le menton pressé contre la poitrine, tentant de placer la lame tranchante sous son sein gauche. Avec un soupir résigné, sir Marcus lui saisit le poignet.

— Laisse-moi t'aider, tu vas te faire mal.

À contrecœur, Jamie lui rendit le couteau, puis il montra un point quelques centimètres en dessous de son téton.

— Là.

MacRannoch avala une nouvelle gorgée de whisky, puis enfonça le couteau dans la poitrine de Jamie. Je dus faire un mouvement involontaire car lady Annabelle me retint par le bras. La lame pivota sur elle-même comme pour enlever la partie pourrie d'un fruit mûr. Jamie gémit et un filet de sang coula le long de son ventre. Il se rallongea, épongeant la plaie sur le matelas.

Sir Marcus reposa son couteau.

— Dès que tu en seras capable, mon garçon, retrouve le lit de ton épouse et laisse-la te consoler. Les femmes adorent ça.

Il lança un regard vers le seuil plongé dans l'obscurité et ajouta :

— Dieu seul sait pourquoi.

— Venez, murmura lady Annabelle. Il vaut mieux le laisser seul maintenant.

Décidant que sir Marcus saurait très bien s'en sortir avec les bandages, je la suivis d'un pas traînant.

Je me réveillai en sursaut au beau milieu de la nuit. Dans mon cauchemar, je dévalais d'interminables escaliers en colimaçon au bout desquels l'horreur était tapie. Je me redressai sur le lit et cherchai à tâtons la chandelle et la pierre à briquet, prise d'une soudaine angoisse. Et si Jamie avait besoin de moi ? Pis encore, et si les Anglais étaient venus pendant qu'il était seul, désarmé ? Je pressai mon front contre la fenêtre. Dehors la tempête faisait toujours rage. Tant qu'il continuerait de neiger, nous étions relativement hors de danger.

La maison était calme, mis à part le crépitement du feu. Jamie avait les yeux fermés. Je m'assis près de lui sur le tapis, sans faire de bruit pour ne pas le réveiller.

— Claire, c'est toi ? Tu vas bien ?

— Si je vais bien ! Mon Dieu, Jamie, c'est toi qui me demandes une chose pareille ?

Il tendit un bras vers moi et posa sa main sur mes cheveux. Il m'attira à lui mais je me libérai, soudain consciente de la tête que je devais avoir, le visage égratigné et couvert de résine, les cheveux rendus poisseux par tout un assortiment de substances peu appétissantes.

— Viens, murmura-t-il. Je veux te sentir contre moi.

— Mais je suis couverte de sang et de vomi, protestai-je en tentant vainement de remettre un peu d'ordre dans ma coiffure.

Il émit un léger sifflement, tout ce que ses côtes brisées lui permettaient en guise de rire.

— Je t'en prie, *Sassenach*, après tout c'est mon sang et mon vomi ! Viens.

Son bras sur mon épaule était réconfortant. Je posai ma tête près de la sienne sur l'oreiller et nous restâmes silencieux à contempler le feu, retrouvant force et paix dans la présence l'un de l'autre.

— Je pensais ne jamais te revoir, *Sassenach*. Je suis tellement heureux que tu sois là.

— Comment ça ? Tu ne croyais pas que je pourrais te sortir de là ?

Il esquissa un sourire du coin des lèvres.

— Sincèrement, non. Mais j'ai pensé que, si je te le disais, tu t'entêterais et tu refuserais de partir.

— Moi, m'entêter ! Tu peux parler !

Il y eut une nouvelle pause, légèrement tendue. Plusieurs questions me brûlaient les lèvres, mais je ne savais pas trop comment les aborder.

— Comment te sens-tu ? demandai-je finalement.

— Je ne sais pas, *Sassenach*. Je ne me suis jamais senti comme ça. Il y a plusieurs choses que j'ai envie de faire, toutes à la fois, mais mon corps me trahit et je n'ai plus les idées très claires. J'ai envie de partir d'ici, de prendre mes jambes à mon cou et d'aller loin, très loin. J'ai envie de frapper quelqu'un, de le démolir. J'ai envie de foutre le feu à la prison de Wentworth. J'ai aussi envie de dormir.

— La pierre ne brûle pas, remarquai-je, pratique. Tu ferais mieux de dormir.

Sa main valide chercha la mienne et la trouva.

— Et puis j'ai envie de te serrer fort contre moi, de t'embrasser et de ne plus jamais te lâcher. J'ai envie de te faire l'amour comme un fou, jusqu'à oublier que j'existe. Et j'ai envie de poser ma tête sur tes genoux et de pleurer comme un enfant.

Il me lança un regard de biais.

— Malheureusement, je ne peux rien faire de tout cela sans m'évanouir ou vomir de nouveau.

— Ce n'est pas grave. Tout ça peut attendre, répondis-je en riant.

Je remuai un peu trop brutalement et il faillit être de nouveau malade. Enfin, je parvins à m'asseoir sur le lit, le dos contre le mur, sa tête reposant sur ma cuisse.

— Qu'est-ce que sir Marcus a enlevé de ta poitrine ? demandai-je. Une flétrissure ?

— Un sceau, avec ses initiales. Je vais déjà devoir porter les traces qu'il m'a faites toute la vie, je n'ai pas besoin qu'il me signe, comme un fichu tableau !

Je suivis du bout du doigt les contours d'une trace de brûlure sur son épaule.

— Jamie ?

— Mmm ?

— Tu as très mal ?

Il tourna légèrement la tête pour me regarder. Puis il ferma les yeux et se mit à trembler. Inquiète, je crus avoir fait resurgir un souvenir insoutenable jusqu'à ce que je m'aperçoive qu'il riait au point d'en avoir les larmes aux yeux.

— *Sassenach*, dit-il enfin. Il doit me rester quinze centimètres carrés de peau qui ne soient pas lacérés, brûlés ou tailladés, et tu me demandes si j'ai mal ?

— Je veux dire… commençai-je, légèrement piquée.

Il m'interrompit en posant sa main sur mon bras.

— Je sais ce que tu voulais dire, *Sassenach*. Ne t'inquiète pas, les quinze centimètres qui me restent sont entre mes cuisses.

J'appréciai son effort pour faire une plaisanterie, même si celle-ci était de mauvais goût, et lui donnai une tape sur la bouche.

— Tu es ivre, James Fraser.

Après une pause, j'ajoutai :

— Tu as bien dit quinze ?

— Bah, peut-être même dix-huit ! Ô mon Dieu, *Sassenach*, ne me fais pas rire, mes côtes me tuent !

J'essuyai ses yeux avec un pan de ma jupe et lui fis boire une gorgée d'eau en soutenant sa tête sur mon genou.

— Ce n'est pas ça non plus que j'ai voulu dire, repris-je.

Soudain sérieux, il pressa ma main dans la sienne.

— Je sais. Tu n'as pas besoin de prendre des gants à ce sujet. J'avais raison : c'était beaucoup moins douloureux que le fouet… mais nettement plus désagréable.

Une lueur ironique traversa son regard.

— Au moins, je ne serai pas constipé pendant un bout de temps.

— Tu n'es pas obligé de m'en parler si tu ne veux pas. J'ai pensé que... ça pourrait te soulager un peu...

— Je ne veux pas en parler, lâcha-t-il d'un ton amer. Je voudrais ne plus jamais y penser, mais je ne crois pas avoir le choix. Non, *Sassenach*, je ne voulais pas t'en parler... pas plus que tu ne veux m'entendre, mais il faut que ça sorte d'une manière ou d'une autre avant que ça ne m'étouffe.

» Il m'a fait ramper à ses pieds. Il m'a obligé à le supplier. Il m'a fait faire pis encore et, vers la fin, je souhaitais sincèrement être mort.

» C'est difficile à expliquer, poursuivit-il. Je crois qu'on a tous en nous un petit espace qui n'appartient qu'à nous, comme une forteresse, notre refuge le plus intime. C'est peut-être notre âme, cette chose qui fait qu'on est soi-même et personne d'autre. C'est un endroit qu'on ne montre à personne, sauf parfois à quelqu'un qu'on aime beaucoup.

Sa main lâcha la mienne et il ferma les yeux.

— À présent... c'est comme si ma forteresse avait volé en éclats sous des coups de canon. Il ne reste rien que des cendres et une charpente calcinée. Et la petite créature qui y vivait se retrouve nue, tremblante de peur, essayant de se cacher sous un brin d'herbe, une feuille, mais... elle n'y parvient pas.

Sa voix se brisa et il enfouit son visage dans les plis de ma jupe. Je ne pouvais rien faire pour le consoler, mis à part lui caresser les cheveux.

Il redressa soudain la tête et reprit avec véhémence :

— J'ai frôlé plusieurs fois la mort, mais je n'avais jamais voulu mourir auparavant. Mais cette fois...

Il ne termina pas sa phrase car un violent tremblement agitait tout son corps.

— Claire ! Serre-moi, serre-moi fort. Je ne peux p-p-plus m'arrêter de trembler.

Les convulsions qui secouaient ses côtes le faisaient gémir de douleur. Je me penchai sur lui et le tins fermement, me balançant doucement d'avant en arrière jusqu'à ce que les spasmes s'atténuent. Je glissai une main sous sa nuque, massant vigoureusement la base de son crâne. Enfin, les tremblements cessèrent, et sa tête retomba mollement sur ma cuisse.

— Je suis désolé, s'excusa-t-il une minute plus tard. La vérité, c'est que j'ai très mal et que je suis complètement soûl, je ne me maîtrise plus.

Pour qu'un Écossais reconnaisse son état d'ivresse, il fallait vraiment qu'il soit mal en point !

— Tu as besoin de sommeil, lui murmurai-je.

— J'ai froid.

— Tu es en état de choc. Tu as perdu beaucoup de sang.

Je regardai autour de moi. Nos hôtes et leurs domestiques étaient tous couchés. Murtagh était probablement encore quelque part sous la neige, les yeux rivés vers Wentworth. Envoyant promener toutes les bienséances d'un haussement d'épaules, je me déshabillai et me glissai sous les couvertures.

Tout doucement, je me pressai contre lui, lui communiquant la chaleur de mon corps. Il blottit son visage dans le creux de mon épaule comme un enfant.

— *Sassenach ?* appela-t-il quelques minutes plus tard.

— Mmm ?

— Qui est John Wayne ?

— C'est toi. Dors.

37

La fuite

IL CESSA DE NEIGER LE LENDEMAIN vers le milieu de la matinée. Le ciel était toujours chargé et menaçant, mais pas au point de retarder encore les patrouilles de Wentworth. Il nous fallait quitter Eldridge avant midi.

Jamie avait meilleure mine, sauf que ses ecchymoses avaient bleui pendant la nuit et mouchetaient son visage de marques sombres. Sir Marcus m'aida à protéger ses cuisses et ses hanches d'épaisses bandes de lin et à lui enfiler des chausses et une vieille culotte usée de couleur sombre, afin de camoufler les taches s'il se remettait à saigner. Lady Annabelle avait fendu en deux une chemise de son mari pour recouvrir ses épaules bandées. Il refusa de se laisser coiffer, prétextant que même son cuir chevelu était douloureux. Il offrait un spectacle pitoyable, avec ses mèches rouges hérissées sur le crâne et son visage enflé et violacé.

— Si on vous arrête, me recommanda sir Marcus, dites que vous êtes mon invitée et qu'on vous a enlevée tandis que vous voyagiez sur mes terres. Demandez-leur de vous ramener ici pour que je vous identifie. On vous fera passer pour une amie d'Annabelle, arrivée récemment de Londres.

— Puis on vous fera disparaître discrètement avant que sir Fletcher ne vienne vous présenter ses hommages, ajouta lady Annabelle, prévoyante.

MacRannoch offrit de nous faire escorter par Absalom et Hector, mais Murtagh refusa en faisant valoir que cela ne manquerait pas de compromettre Eldridge si nous rencontrions des soldats anglais. Aussi nous partîmes tous les trois, emmitouflés pour nous protéger du froid, en direction de Dingwall. J'emportais une bourse bien remplie et une lettre du maître d'Eldridge, qui devaient nous assurer la traversée de la Manche.

L'épais manteau de neige rendait la marche difficile, cachant les pierres, les ornières et autres obstacles de la route. Les chevaux avançaient lentement, manquant de glisser à chaque pas. Murtagh ouvrait la voie. Je chevauchais à côté de Jamie, le surveillant sans cesse de crainte qu'il ne s'évanouisse. Il avait insisté pour qu'on l'attache à sa selle. Sa main valide ne quittait pas la crosse du pistolet dissimulé sous son manteau.

Nous passâmes quelques chaumières isolées. Leurs cheminées fumaient et leurs occupants, hommes et bêtes, étaient tous sagement blottis au chaud. Ici et là, une silhouette isolée allait de la maison à l'étable, portant un seau ou un fagot de bois. En revanche, la route était totalement déserte.

À quelques kilomètres d'Eldridge, nous passâmes à proximité de Wentworth. La masse austère de pierre grise se dressait au loin, accrochée à flanc de colline. Nous avions fait de sorte que notre passage coïncide avec l'heure du repas de la mi-journée, dans l'espoir que les sentinelles seraient trop occupées par leur soupe et leur bière pour surveiller les environs.

Nous franchîmes le croisement d'où partait l'allée menant aux portes de la forteresse. La neige était foulée. Le mauvais temps n'avait pas entravé les allées et venues de et vers la prison.

Wentworth était déjà loin derrière nous quand je vis Murtagh sursauter. Suivant son regard, je les aperçus à mon tour : quatre soldats anglais qui arrivaient vers nous.

Il était trop tard pour se cacher. Ils nous avaient vus et approchaient au trot. Sans même un regard vers nous, Murtagh éperonna sa monture et partit au-devant d'eux.

Leur caporal, un homme d'âge moyen, se tenait raide comme un piquet dans son grand manteau. Il inclina poliment la tête puis se tourna vers Jamie.

— Veuillez nous excuser, madame, messieurs. Nous avons ordre d'intercepter tous les voyageurs sur cette route. Nous recherchons des prisonniers évadés de Wentworth.

Jamie ne répondit pas, mais se pencha un peu plus en avant sur sa selle, tête baissée. Je distinguai ses yeux sous l'ombre de son chapeau. Il n'était pas inconscient, mais avait certainement reconnu un ou plusieurs des soldats et tentait de cacher son visage. Murtagh vint placer son cheval entre les soldats et moi.

— Comme vous pouvez le constater, mon maître est mal en point, annonça-t-il. Auriez-vous l'obligeance de nous indiquer la route de Ballagh ? Je crois que nous nous sommes trompés de direction.

Lançant un regard vers Jamie, je compris soudain le manège de Murtagh : le sang gouttait lentement sous la selle, formant une tache dans la neige qui grandissait à vue d'œil.

Murtagh, au risque de passer pour un parfait crétin, réussit à convaincre les soldats de l'accompagner au sommet de la colline pour lui montrer la route de Dingwall, la seule visible à des kilomètres à la ronde. Elle traversait Ballagh puis se dirigeait droit vers la côte, cinq kilomètres plus loin.

Je dégringolai de selle et, du bout de ma botte, je recouvris précipitamment de neige fraîche les taches sombres. Plus haut, les soldats étaient toujours engagés dans une conversation animée avec Murtagh. L'un d'eux regarda dans notre direction, sans doute pour s'assurer que nous étions toujours là. Je lui fis un petit signe joyeux de la main puis, dès qu'il se fut retourné, déchirai un de mes trois jupons et le glissai sous la cuisse de Jamie en dépit de son exclamation de douleur. Je remis son manteau en place et eus juste le temps de courir près de mon cheval et de faire semblant de rajuster ma sangle avant que Murtagh et les Anglais soient de retour.

— Je ne sais pas comment elle a pu se défaire ! m'étonnai-je en papillonnant des yeux.

— Oh ? Pourquoi n'aidez-vous donc pas la dame ? demanda le caporal à Jamie.

— Mon mari est malade. Je peux me débrouiller toute seule.

Le caporal prit un air soupçonneux.

— Malade, dites-vous ? Qu'est-ce que vous avez ?

Il approcha de Jamie, se penchant pour voir son visage sous son chapeau.

— Hé, je vous parle ! C'est vrai que vous avez mauvaise mine. Enlevez donc votre chapeau, monsieur. Qu'avez-vous au visage ?

La balle l'atteignit en pleine poitrine. Jamie avait tiré d'entre les plis de son manteau. Le caporal n'avait même pas touché terre que Murtagh avait un pistolet dans chaque main. Son premier coup manqua sa cible, car son cheval effrayé avait fait une embardée, mais le second frappa un des Anglais en plein front.

L'un des deux soldats restants fit faire demi-tour à sa monture et partit au galop en direction de Wentworth, sans doute pour chercher des renforts.

— Claire ! hurla Jamie. Rattrape-le !

Il me lança une arme avant de dégainer son épée pour faire face à la charge du quatrième soldat.

Je grimpai en selle et me lançai à la poursuite du fugitif. Mon cheval était aguerri aux bruits de combat. Il n'avait même pas tressailli quand les coups de feu étaient partis. Il était également plus rapide que celui de l'Anglais. À la longue, j'aurais certainement fini par le rattraper, mais je n'avais pas ce luxe : il approchait de Wentworth et si j'attendais trop, nous risquions d'être vus depuis la prison.

Arrivée à une dizaine de mètres de lui, je tirai brusquement sur les rênes et sautai à terre. Je posai un genou dans la neige, appuyai un coude sur mon genou, calai le pistolet sur mon avant-bras comme me l'avait montré Jamie et pressai la détente.

À ma grande surprise, je touchai le cheval. Il dérapa, tomba sur un genou et roula dans la neige en soulevant un nuage blanc. Le recul du pistolet avait endolori mon bras. Je me relevai en le frottant, observant le soldat à terre.

Il était blessé. Il se redressa péniblement puis retomba dans la neige. Son cheval, l'épaule ensanglantée, se remit sur pied et s'éloigna, ses rênes traînant au sol.

En avançant vers lui, je ne savais qu'une chose : je ne pouvais pas le laisser vivre. Nous étions à deux pas de Wentworth et une autre patrouille ne tarderait pas à passer par là. Non seulement il était en mesure de nous décrire – adieu notre histoire d'otage ! –, mais il saurait leur indiquer quelle direction nous avions prise. Il nous restait encore deux heures de route avant de rejoindre la côte, et il nous fallait trouver un bateau. Je ne pouvais pas courir le risque de le laisser parler.

En me voyant approcher, il se redressa sur les coudes. Ses yeux s'écarquillèrent en me reconnaissant, puis il se détendit. Je n'étais qu'une femme, cela ne lui faisait pas peur.

Un homme expérimenté aurait sans doute été plus méfiant, indépendamment de mon sexe ; mais il n'était encore qu'un enfant. Je déglutis péniblement en m'apercevant qu'il n'avait guère plus de seize ans. Ses joues avaient encore les rondeurs de l'enfance et un léger duvet sur sa lèvre supérieure annonçait une future moustache.

Il ouvrit la bouche, mais ne put émettre qu'un gémissement de douleur. Il pressa sa main contre son flanc où sa tunique était imbibée de sang. Il avait dû être écrasé sous le cheval.

Je tentai de me convaincre qu'il souffrait certainement de lésions internes et que, de toute façon, il avait peu de chances de s'en sortir. Une piètre consolation.

Je tenais le poignard dans la main droite, caché sous les plis de ma cape et posai la gauche sur la tête du blessé. J'avais touché ainsi des centaines d'hommes, les réconfortant, les examinant, les préparant à ce qui allait suivre. Et comme ce garçon, ils avaient levé vers moi des yeux pleins d'espoir et de confiance.

Je ne pouvais me résoudre à lui trancher la gorge. Je m'agenouillai près de lui et lui tournai doucement la tête. Toutes les techniques que m'avait montrées Rupert pour tuer « propre et net » présupposaient une certaine résistance de la part de la victime. Celle-ci ne m'en opposa aucune quand je lui plongeai ma lame dans la nuque à la base du crâne.

Je le laissai gisant la face dans la neige et partis rejoindre les autres.

Notre encombrant fardeau confortablement installé sous des couvertures dans une cabine, Murtagh et moi nous retrouvâmes sur le pont du *Cristabel* pour surveiller le ciel orageux.

— Il semble que nous aurons un bon vent, dis-je avec optimisme, pointant un doigt humide en l'air.

Murtagh contempla les nuages d'un air morose.

— Hum, espérons que la traversée ne sera pas trop agitée, autrement on risque de se retrouver avec un cadavre sur les bras.

Une demi-heure plus tard, ballottée par les eaux houleuses de la Manche, je compris ce qu'il avait voulu dire.

— Le mal de mer ? m'exclamai-je, incrédule. On n'a jamais vu un Écossais souffrant du mal de mer !

Murtagh était d'humeur irascible.

— Alors, c'est peut-être un Turc déguisé en rouquin ! Tout ce que je sais, c'est qu'il est vert comme un poisson crevé et qu'il est en train de recracher ses boyaux. Est-ce que vous allez vous décider à descendre et m'aider à le tenir avant que ses côtes ne lui déchirent la poitrine ?

— Bon sang, pestai-je au cours d'une brève accalmie, s'il savait qu'il souffrait du mal de mer, pourquoi a-t-il insisté pour embarquer ?

— Parce qu'il savait très bien qu'il ne tiendrait pas le coup si nous courions les routes, et qu'il ne voulait pas mettre MacRannoch en danger en restant chez lui.

— Alors il a préféré se tuer tranquillement en pleine mer ?

— Oui. Comme ça, il ne fait courir de risque à personne. C'est généreux de sa part, mais peu ragoûtant.

— Félicitations, réprimandai-je Jamie une heure ou deux après en lui essuyant la bouche. Je crois que tu vas entrer dans les annales de la médecine comme le premier homme à succomber au mal de mer.

— Ô mon Dieu, ça recommence ! gémit Jamie en roulant sur le côté.

Murtagh et moi reprîmes précipitamment nos places, faisant de notre mieux pour l'immobiliser tandis qu'il était agité d'une nouvelle vague de spasmes et de vomissements.

Quelque temps plus tard, je pris son pouls et posai une main sur son front moite. Murtagh me dévisagea, l'air inquiet, puis me suivit sur le pont.

— C'est de mal en pis, hein ? me dit-il doucement.

— Je ne sais pas, soupirai-je. Il vomit du sang et ce n'est pas bon signe. Son pouls est faible et irrégulier. Son cœur se fatigue.

— Il a un cœur de lion.

Il avait parlé si doucement que je n'étais pas même sûre d'avoir entendu sa voix. Cela aurait pu être le vent... Il me fit face brusquement.

— Et un crâne de bœuf. Vous avez encore de ce laudanum que lady Annabelle vous a donné ?

— Oui, mais il n'en veut pas. Il dit qu'il ne veut pas dormir.

— Bah, il y a souvent un monde entre ce qu'on veut et ce qu'on obtient. Laissez-moi faire.

De retour dans la cabine, je l'aidai à redresser Jamie en position assise.

— Je vais mourir, balbutia celui-ci. Laissez-moi. Le plus tôt sera le mieux.

Murtagh lui pressa la fiole contre les lèvres.

— Bois ça, mon joli petit loir, et ne t'avise pas de le recracher ou je te tords le cou.

Jamie toussa, cracha et manqua de s'étouffer à plusieurs reprises, mais nous parvînmes non sans mal à vider presque toute la fiole dans son gosier. Le peu qui parvint dans son estomac se propagea dans son sang. Enfin, nous l'étendîmes inerte sur sa couche, le visage plus blanc que les draps.

Murtagh me rejoignit sur le pont quelque temps plus tard.

— Regardez, annonçai-je en pointant un doigt devant nous.

Les côtes françaises se dessinaient au loin.

— D'après le capitaine, nous devrions accoster dans trois ou quatre heures.

— C'est pas trop tôt ! soupira mon compagnon.

Il se tourna vers moi et je découvris alors sur son visage ce qui pouvait le plus ressembler à un sourire.

De fait, quelques heures plus tard, suivant Jamie toujours inconscient sur une civière portée par deux moines, nous franchissions le haut portail de l'abbaye de Sainte-Anne-de-Beaupré.

38

L'abbaye

'ABBAYE ÉTAIT UN IMPOSANT ÉDIFICE du XIIe siècle, érigé pour résister aux tempêtes déferlantes comme aux assauts des envahisseurs venus de la terre. En cette période paisible, le portail restait grand ouvert pour permettre les allées et venues entre l'abbaye et le village voisin. Les cellules réservées aux visiteurs étaient aménagées avec des tapisseries et un mobilier confortable.

Je me levai de mon fauteuil douillet, me demandant comment on était censé saluer un abbé. Fallait-il mettre un genou en terre et baiser sa bague, ou était-ce l'apanage des papes ? J'optai pour une simple révérence.

L'abbé Alexander avait la même mâchoire carrée et les mêmes yeux en amande que son neveu. En revanche, il était plus petit, mesurant plus ou moins ma taille. Il portait une robe de prêtre, mais marchait d'un pas de guerrier.

— Soyez la bienvenue, *ma nièce*[1], déclara-t-il en inclinant la tête.

— Je vous remercie de votre hospitalité. Vous, euh ?… vous n'auriez pas vu Jamie ?

Dès notre arrivée, les moines l'avaient emmené pour le laver, une opération délicate à laquelle je n'avais pas été conviée.

---

1. En français dans le texte. (*N.d.T.*)

— Si, si, répondit l'abbé dans un anglais cultivé où perçaient néanmoins quelques intonations écossaises. Frère Ambrose est en train de panser ses plaies.

Devant mon air dubitatif, il ajouta un peu sèchement :

— N'ayez aucune inquiétude, madame, frère Ambrose est parfaitement compétent.

Il m'inspecta sans se gêner des pieds à la tête. Sa ressemblance avec Jamie était troublante.

— Murtagh nous informe que vous excellez dans l'art de la médecine ?

— C'est vrai.

— Je vois que vous ne souffrez pas du défaut de fausse modestie, dit-il en me souriant.

— J'en ai d'autres.

— Comme nous tous. Frère Ambrose se fera un plaisir de discuter avec vous.

— Murtagh vous a-t-il raconté… ce qui nous est arrivé ? hésitai-je.

Les lèvres minces se plissèrent.

— En effet. Il nous a raconté ce qu'il *savait*.

Il attendit que je lui en dise plus, mais je me tus. Manifestement, il aurait aimé me poser quelques questions, mais il eut la bonté de ne pas insister.

— Soyez les bienvenus, répéta-t-il. Je vais envoyer quelqu'un vous apporter de quoi manger.

Il m'examina une fois de plus et ajouta :

— Et de quoi vous laver.

Il esquissa un signe de croix dans ma direction, en guise d'adieu ou pour exorciser ma crasse, puis sortit dans un froissement de jupe.

Brusquement épuisée, je me laissai tomber sur le lit, me demandant si j'aurais la force d'attendre d'avoir mangé *et* de m'être lavée. Je dormais déjà avant d'avoir décidé.

Je faisais un horrible cauchemar. Jamie se trouvait de l'autre côté d'une épaisse muraille. Je l'entendais appeler au secours mais ne pouvais l'atteindre. Je martelais désespérément les pierres quand mes poings les traversèrent soudain comme s'il s'agissait d'un rideau d'eau.

— Aïe !

Je me redressai sur mon lit. Je frottais ma main que j'avais cognée contre le mur derrière moi quand je me rendis compte que les cris résonnaient toujours.

Je me précipitai dans le couloir. La porte de Jamie était ouverte, la lueur vacillante des bougies en inondant le seuil.

Un moine que je ne connaissais pas était assis à son chevet, le tenant fermement. Jamie tremblait comme une feuille et les bandages de ses épaules étaient tachés de sang frais. Il respirait bruyamment en émettant un râle rauque. Le moine essuyait doucement son front, écartant les mèches trempées de sueur.

— Vous devez être sa femme, me dit-il. Je crois que la crise est passée.

De fait, quelques minutes plus tard, Jamie ouvrit les yeux.

— Ça va, ça va, Claire, haleta-t-il. C'est fini, maintenant. Mais je t'en supplie, débarrasse-moi de cette puanteur !

Humant l'air, je remarquai en effet une légère odeur épicée et fleurie dans la pièce, un parfum si commun que je n'y avais pas fait attention. De la lavande. Une essence qu'on utilisait pour parfumer les savons et les eaux de toilette. La dernière fois que je l'avais sentie, c'était dans la prison de Wentworth où elle imprégnait le linge et la personne du capitaine Jonathan Randall.

L'odeur émanait d'une petite coupe en métal remplie d'huile parfumée et suspendue au bout d'une chaîne au-dessus d'une bougie.

Le franciscain moucha la flamme et enveloppa la coupe brûlante dans un linge avant de l'emporter dans le couloir.

Jamie poussa un long soupir de soulagement, puis se redressa en grimaçant.

— La plaie dans ton dos s'est rouverte, expliquai-je. Ce n'est rien de grave.

— C'est sans doute pour ça que j'ai rêvé qu'on me fouettait, dit-il en acceptant le verre d'eau que le moine lui tendait.

Il but une longue gorgée puis lui rendit le verre.

— Vous n'auriez pas quelque chose de plus costaud ?

Aussitôt dit aussitôt fait, le moine disparut et revint quelques instants plus tard avec une carafe de vin dans une main et une fiole dans l'autre.

— Alcool ou opium ? proposa-t-il. Ici, vous pouvez choisir votre drogue.

— Je prendrai le vin, merci. Je crois que j'ai assez rêvé pour cette nuit.

Il but lentement pendant que le franciscain m'aidait à changer ses pansements et à appliquer un onguent frais à base de soucis sur ses plaies. Ce ne fut qu'une fois le malade confortablement installé, les couvertures tirées sous son menton, qu'il se tourna pour sortir.

— Reposez-vous bien, dit-il en traçant le signe de croix sur le front de Jamie.

— Merci, mon père, répondit celui-ci déjà à demi endormi.

Voyant qu'il n'aurait plus besoin de moi avant le lendemain matin, je suivis le franciscain dans le couloir.

— Merci encore, lui dis-je. Vous m'avez été d'un grand secours.

— Ce n'est rien. Je suis content de vous avoir été utile. Je passais dans le couloir en me rendant à la chapelle de saint Gilles quand je l'ai entendu crier.

— À la chapelle ? Mais je croyais que les matines se tenaient dans la grande église.

Le franciscain sourit. Il était petit et assez jeune, sans doute la trentaine, mais ses cheveux soyeux grisonnaient déjà. Sa tonsure était impeccable et il portait une barbe finement taillée qui arrivait au ras de son col rond.

— Il est un peu tôt pour les matines, répondit-il avec un sourire amusé. Je me rendais à la chapelle car c'est mon tour de prier pour l'adoration perpétuelle du saint-sacrement. Je suis très en retard, frère Bartholomé doit se demander où je suis passé.

Il me bénit rapidement et disparut derrière les portes battantes au bout du couloir avant que j'aie pensé à lui demander son nom.

Le lendemain matin, je me sentais nettement mieux, mais Jamie avait des cernes sous les yeux et était irritable après sa nuit agitée. Il refusa catégoriquement l'idée même de boire un bouillon et me repoussa avec agacement lorsque je voulus inspecter les bandages de ses mains.

— Bon sang, Claire ! Tu ne peux pas me laisser un peu tranquille ? J'en ai assez d'être tripoté sans arrêt !

Sidérée, je tentai de cacher ma peine en lui tournant le dos et en remettant de l'ordre dans les petits pots et les sachets de remèdes sur la console. Je les classai méthodiquement : onguent de soucis et baume au peuplier pour calmer les douleurs ; camomille, écorces de saule et de cerisier pour les infusions ; ail et mille-feuille pour la désinfection.

Quelques minutes plus tard, il me rappela, l'air piteux.

— Claire, excuse-moi. Mon ventre me fait un mal de chien et je suis d'humeur exécrable. Je ne voulais pas te parler sur ce ton.

— Tu n'as pas à t'excuser, le rassurai-je en lui caressant les cheveux.

— C'est que... je crois que j'ai besoin d'être seul pendant un moment. Tu ne m'en veux pas ?

J'acquiesçai à sa requête sans discuter et partis en quête de mon petit déjeuner.

Un peu plus tard, en revenant du réfectoire, j'aperçus une mince silhouette portant la robe noire des franciscains traverser la cour en direction du cloître. Je hâtai le pas pour la rejoindre.

— Mon père ? appelai-je.

Il se retourna et, me reconnaissant, sourit.

— Bonjour, madame Fraser. Comment se porte votre mari, ce matin ?

— Un peu mieux. Hier soir, vous êtes parti avant que j'aie eu le temps de vous demander votre nom.

Ses yeux noisette brillèrent de malice et il posa une main sur son cœur.

— François Anselme Mericœur d'Armagnac, pour vous servir, madame. C'est du moins mon nom de naissance. Désormais, on me connaît comme frère Anselme.

— Je ne veux pas vous retenir, mais je tenais simplement à vous remercier pour hier.

— Vous ne me retenez pas, dit-il en lançant un regard vers le cloître. À vrai dire, je cherchais un moyen de différer le moment de me remettre à la tâche. En d'autres termes, je m'adonnais au péché d'oisiveté.

— Quelle est votre tâche ? demandai-je, intriguée.

De toute évidence, cet homme n'était pas de l'abbaye. Parmi les bures brunes des bénédictins, sa robe noire de franciscain était aussi voyante qu'une mouche dans un verre de lait. Au réfectoire, frère Polydore m'avait expliqué que l'abbaye accueillait un bon nombre d'érudits venus consulter sa bibliothèque renommée. Frère Anselme me confirma qu'il n'était là que depuis quelques mois, travaillant sur une traduction des œuvres d'Hérodote.

— Avez-vous déjà vu la bibliothèque ? me demanda-t-il. Venez avec moi, je suis sûr que votre oncle l'abbé n'y verra aucune objection.

Je ne me fis pas prier.

La bibliothèque était magnifique, avec de hautes colonnes gothiques qui se rejoignaient en ogives sous le plafond cloisonné. De grandes fenêtres surmontées de vitraux laissaient filtrer des flots de lumière qui tombaient en diagonale sur les tables de travail. Passant sur la pointe des pieds entre des rangées de moines plongés dans leurs études, je m'approchai des rayons.

Il devait y avoir des milliers de volumes alignés sur les étagères. Certains étaient posés à plat sur des présentoirs pour protéger leurs reliures anciennes. Il y avait même une vitrine contenant plusieurs rouleaux de parchemin. Il régnait dans cette grande salle une atmosphère d'exultation, comme si tous les livres conservés avec amour chantaient en chœur sans faire de bruit. J'en sortis apaisée et déambulai lentement dans le couloir avec frère Anselme.

Je tentai de le remercier encore pour son aide de la veille. Il m'arrêta d'un geste de la main.

— N'y pensez plus, mon enfant. J'espère que votre mari se remettra bientôt.

— Moi aussi. Excusez-moi, mon père, mais qu'est-ce que l'« adoration perpétuelle » dont vous parliez hier ?

— Vous n'êtes pas catholique ? demanda-t-il, surpris. Ah, mais c'est vrai ! J'oubliais que vous êtes anglaise. Naturellement, vous devez être protestante.

— Ma foi, je ne suis ni l'un ni l'autre. Enfin, techniquement, je suppose que je suis catholique.

— Techniquement ?

Après mon expérience peu probante avec le père Bain, j'hésitai. Mais cet homme ne me semblait pas du genre à brandir un crucifix sous mon nez.

— C'est que... j'ai été baptisée selon le rite catholique, mais mes parents sont morts quand j'avais cinq ans et j'ai été élevée par mon oncle. Oncle Lambert était...

Je songeai à l'appétit vorace d'oncle Lamb pour le savoir et à son cynisme quant à la religion qu'il considérait simplement comme une étiquette permettant de cataloguer les cultures.

— En fait, il était tout et rien à la fois, terminai-je. Il connaissait toutes les religions et ne croyait en aucune. Aussi, mon instruction religieuse a été assez... bâclée. Mon mari... c'est-à-dire mon premier mari, était catholique, mais non pratiquant. En somme, je suppose que je suis une païenne.

Je le surveillai du coin de l'œil, m'attendant au pire. Loin d'être scandalisé, il partit d'un grand éclat de rire.

— Tout et rien à la fois ! Voilà qui me plaît beaucoup ! Quant à vous, mon enfant, sachez qu'une fois admise au sein de notre sainte mère l'Église, vous y restez éternellement. Quelle que soit votre foi, vous êtes et resterez aussi catholique que le pape.

Il leva la tête et inspecta le ciel.

— Le vent est tombé, dit-il soudain. Je comptais justement faire un petit tour pour m'éclaircir l'esprit. Pourquoi ne pas m'accompagner ? Vous avez besoin d'air frais et d'exercice, et j'en profiterai pour éclairer votre âme en vous expliquant le principe de l'adoration perpétuelle.

— C'est ce qu'on appelle « faire d'une pierre deux coups », sans doute ?

Le cours de catéchisme mis à part, la proposition était alléchante et j'allai chercher ma cape avec joie.

Nous passâmes devant la chapelle sombre et tranquille, longeâmes la galerie du cloître, puis sortîmes dans les jardins. Une fois sûr que nos voix ne dérangeraient pas ses frères à l'étude ou en prière, Anselme reprit la conversation interrompue :

— L'idée est fort simple. Vous vous souvenez de l'histoire du mont des Oliviers, où Notre-Seigneur passa la nuit à prier avant d'être jugé et crucifié, pendant que ses disciples dormaient au lieu de veiller avec lui ?

— Ah oui ! dis-je, comprenant où il voulait en venir. Il leur a dit : « Ne pouvez-vous pas veiller avec moi pendant une heure ? » Alors, c'est ce que vous faites : vous veillez avec lui pour compenser la faiblesse des apôtres !

L'idée me plut et la pénombre de la chapelle me parut soudain riche de spiritualité et réconfortante.

— Exactement. Nous nous relayons pour veiller, et le saint sacrement sur l'autel ne reste jamais seul.

— Mais ce doit être difficile de ne pas s'endormir. Vous veillez toujours la nuit ?

— Chacun choisit l'heure qui lui convient le mieux. Pour ma part, c'est deux heures du matin.

Il hésita et me lança un regard de biais, se demandant sans doute comment j'allais prendre ce qu'il s'apprêtait à dire.

— Pour moi, à cette heure-là, c'est comme si le temps s'arrêtait. Toutes les humeurs de mon corps, mon sang et ma bile, tout ce qui fait un homme... semble alors travailler en parfaite harmonie ou bien s'être arrêté... Je me suis souvent demandé si ce moment n'était pas similaire à la naissance ou à la mort. Je sais que l'heure diffère selon chacun... ou chacune, ajouta-t-il en se tournant vers moi.

» Mais pendant ce bref laps de temps, reprit-il, tout vous paraît soudain possible. Vous pouvez voir au-delà de vos propres limites et constater qu'elles ne sont rien. Dans ce bref instant où le temps s'arrête, vous avez l'impression de pouvoir tout entreprendre, atteindre vos objectifs, puis revenir dans votre corps et retrouver le monde exactement tel que vous l'avez laissé. C'est comme si... sachant que tout est possible, plus rien n'a d'importance.

— Mais... intervins-je. Qu'est-ce que vous faites au juste ? Vous priez ?

— Moi ? Eh bien... je m'assois et je Le regarde.

Un large sourire illumina son visage.

— Et Il me regarde.

L'état de Jamie m'inquiétait de plus en plus. Ses nausées persistaient et il n'avalait presque rien. Le peu qu'il mangeait, il le rejetait rapidement. Il était chaque jour un peu plus pâle et nerveux, ne s'intéressant à rien. Ne pouvant fermer l'œil de la nuit, il dormait pendant la journée. Bien qu'il semblât terrifié à l'idée de rêver, il refusait de me laisser partager sa chambre afin que son agitation ne perturbe pas mon sommeil.

Ne voulant pas l'importuner en tournant sans cesse autour de lui, je passais le plus clair de mon temps dans l'herbarium avec frère Ambrose, un grand homme cadavérique qui avait un talent inouï pour faire pousser toutes sortes de plantes, ou à me promener dans l'abbaye à converser avec frère Anselme. Ce dernier ne perdait pas espoir de parfaire mon instruction religieuse, bien que je l'aie assuré à maintes reprises de mon profond agnosticisme.

— *Ma chère*[1], me dit-il au cours de l'une de nos promenades, vous souvenez-vous des conditions nécessaires à l'accomplissement d'un péché dont je parlais hier ?

Ma moralité était peut-être défaillante, mais ma mémoire ne l'était pas.

— Primo, que ce soit mal ; secundo, qu'il soit commis en connaissance de cause, récitai-je.

— En connaissance de cause, répéta-t-il. Et c'est là que les conditions du péché rejoignent celles de la grâce, ma chère.

Nous étions accoudés à la clôture de la porcherie de l'abbaye, contemplant plusieurs porcs qui s'ébattaient au faible soleil de l'hiver.

— Je ne comprends pas, contestai-je. Soit on a la grâce, soit on ne l'a pas !

J'hésitai avant de reprendre, ne voulant pas le blesser :

— Pour vous, cette chose posée sur l'autel représente Dieu. Pour moi, ce n'est jamais qu'un morceau de pain, même s'il est placé dans un ostensoir en or massif !

---

1. En français dans le texte. (*N.d.T.*)

Il poussa un soupir impatient et se redressa en étirant son dos.

— En me rendant à la veillée, j'ai remarqué que votre mari avait du mal à dormir. Je suppose qu'il en est de même pour vous. Puisque vous ne dormez pas, je vous invite à vous joindre à moi, cette nuit. Venez passer une heure avec moi dans la chapelle.

— Pourquoi ?

— Pourquoi pas ?

Je n'eus aucun mal à demeurer éveillée jusqu'à l'heure de mon rendez-vous nocturne. Jamie ne dormait pas non plus. Chaque fois que je passais la tête dans le couloir, j'apercevais la lumière des bougies dans sa chambre et j'entendais le bruit des pages qui tournaient, ponctué d'un occasionnel grognement de douleur quand il changeait de position.

Incapable de rester allongée, je n'avais pas pris la peine de me déshabiller. Aussi étais-je fin prête quand frère Anselme gratta à la porte.

L'abbaye était calme et déserte. Toutefois, si le rythme cadencé des nombreuses activités de la journée avait cessé, son cœur battait toujours, plus lent, moins perceptible, mais inexorable. Il y avait toujours quelqu'un debout, se déplaçant silencieusement entre les murs, gardant les lieux, les mainte-nant en vie. À présent, c'était mon tour de me joindre à la veillée.

La chapelle était sombre. Seules quelques veilleuses posées sur les autels des différents saints projetaient des ombres dan-santes sur les murs. Je suivis Anselme dans l'allée centrale. La silhouette frêle de frère Bartholomé était agenouillée devant le grand autel, la tête penchée. Il ne se retourna pas en nous entendant entrer, mais resta immobile, prostré dans son ado-ration.

Le sain sacrement était presque éclipsé par la magnificence de son réceptacle. Le gigantesque ostensoir, explosion d'or

mesurant près d'un demi-mètre de large, trônait majestueuse-
ment sur la grande dalle de marbre.

Ne me sentant pas trop à mon aise, je pris place sur un
des sièges somptueusement ouvragés de chérubins, de fleurs
et de démons qu'Anselme m'indiquait dans la nef.

— Que dois-je faire ? lui chuchotai-je.

— Mais rien, *ma chère*. Contentez-vous d'être !

Aussi me tus-je et attendis-je, écoutant ma respiration et
les petits bruits propres aux endroits silencieux, bruits à peine
perceptibles, normalement étouffés par d'autres sons. Le craquement du bois et de la pierre, le chuintement d'une bougie,
le grattement des pattes d'un petit rongeur.

C'était un lieu paisible, je devais le reconnaître. Malgré ma
fatigue et mon inquiétude au sujet de Jamie, je sentis mes
muscles se décontracter peu à peu et mon esprit se relaxer
lentement comme un ressort qui se détend. Étrangement, en
dépit de l'heure tardive et des tensions accumulées au cours
des derniers jours, je ne me sentais plus épuisée.

Après tout, que représentaient quelques semaines ou quelques
mois devant l'éternité ? Car c'était bien de cela qu'il s'agissait
pour Anselme, Bartholomé, Ambrose et tous les autres moines,
y compris le redoutable abbé Alexander.

C'était une idée réconfortante. Lorsqu'on avait tout le temps
du monde, les événements liés à des moments particuliers
semblaient moins importants. Je pouvais comprendre que l'on
veuille prendre du recul, chercher un peu de répit dans la
contemplation d'un être infini, quelle que soit la forme qu'on
lui donne.

Et si l'éternité existait réellement, ou même uniquement
son concept, alors Anselme avait raison : tout était possible.
Et l'amour ? J'avais aimé Frank, et je l'aimais encore. J'aimais
Jamie plus que ma vie. Mais, emprisonnée dans les limites du
temps et de la chair, je ne pouvais pas les garder tous les deux.
Au-delà, peut-être ? Existait-il un lieu où le temps n'existait

plus, où il s'arrêtait ? Anselme le croyait. Un lieu où tout était possible, où plus rien n'avait d'importance.

Et l'amour y était-il ? Au-delà des limites du temps et de la chair ? Tout l'amour possible ? Avait-il de l'importance ?

Dans mes pensées, je croyais entendre la voix d'oncle Lamb. Il représentait ma seule famille et toute mon enfance. C'était un homme qui ne m'avait jamais parlé d'amour, qui n'en avait jamais eu besoin, car je n'avais jamais douté de ses sentiments à mon égard. Car là où il y a tout l'amour, il n'est plus besoin de paroles. Il est tout. Il est immortel et se suffit à lui-même.

Le temps passa sans que je m'en rende compte. Je sursautai en voyant soudain Anselme apparaître, sortant d'une petite porte dérobée derrière l'autel. J'étais pourtant sûre qu'il était resté assis derrière moi tout le temps. En me retournant, j'aperçus un jeune moine se signant à l'entrée de la chapelle. Anselme s'agenouilla devant l'autel, puis me fit signe de le suivre.

— Vous êtes sorti ? lui demandai-je une fois hors de la chapelle. Je croyais que vous ne deviez jamais laisser le saint sacrement seul !

Il sourit tranquillement.

— Je ne l'ai pas laissé seul. Vous étiez là.

Je me retins de dire que je ne comptais pas. Après tout, il n'y avait sans doute pas de diplôme d'adorateur officiel. Il suffisait d'être humain et je l'étais encore, même s'il m'arrivait d'en douter.

Il y avait toujours de la lumière dans la chambre de Jamie. Je me serais bien arrêtée mais Anselme continua tout droit pour me raccompagner à ma porte. Arrivée à ma chambre, je le remerciai une fois de plus, cherchant mes mots.

— C'était... très reposant.

Il hocha la tête.

— Oui, madame, c'est toujours ainsi.

J'allais refermer ma porte, mais il reprit :

— Tout à l'heure, je vous ai dit que le saint sacrement n'était pas seul puisque vous étiez là. Mais vous, *ma chère*, vous êtes-vous sentie seule ?

Je mis un certain temps avant de répondre.

— Non, je n'étais pas seule.

39

La rançon d'une âme

LE LENDEMAIN MATIN, COMME À MON HABITUDE, je me rendis dans la chambre de Jamie vérifier son état de santé. Murtagh surgit d'une alcôve juste à côté de sa porte, et me barra la route.

— Qu'est-ce qu'il y a ? m'inquiétai-je aussitôt. Qu'est-il arrivé ?

Ma panique devait être manifeste car Murtagh s'empressa de me rassurer.

— Il va bien, grogna-t-il. Enfin, disons plutôt qu'il ne va pas plus mal.

— Alors laissez-moi entrer !

Ses petits yeux se plissèrent d'un air embarrassé.

— Il ne veut pas vous voir pour le moment.

— Et pourquoi ça ?

Il hésita, cherchant les mots justes.

— Eh bien... il a décidé qu'il vaudrait mieux que vous le laissiez ici et que vous rentriez en Écosse. Il...

Je ne lui laissai pas le temps d'achever sa phrase. Le repoussant brutalement, j'entrai dans la chambre et claquai la porte derrière moi.

Jamie tressaillit quand j'effleurai son épaule. Son regard encore endormi était fuyant et ses traits hantés par les rêves.

Je voulus saisir sa main mais il la retira. Avec un air misérable, il referma les yeux et enfouit son visage dans l'oreiller.

Je tirai doucement un tabouret et m'y assis.

— Je ne te toucherai pas, promis-je. Mais il faut que tu me parles.

J'attendis quelques minutes tandis qu'il restait immobile. Enfin, il soupira et se redressa péniblement, s'asseyant sur le lit.

— Oui, dit-il en évitant de croiser mon regard. Je suppose qu'il le faut. J'aurais dû le faire plus tôt… mais j'ai eu la lâcheté d'espérer que ce ne serait pas nécessaire.

Son ton était amer et il gardait la tête baissée.

— Je ne m'étais encore jamais considéré comme un lâche, mais je le suis. J'aurais dû forcer Randall à me tuer, mais je n'ai pas pu. Je n'avais plus aucune raison de vivre, mais je n'ai pas eu le courage de mourir. Je savais qu'il me faudrait te voir une dernière fois… pour te le dire, mais… Claire, mon amour… oh, mon amour.

Il prit l'oreiller à ses côtés et le serra contre lui comme pour se protéger, un substitut au réconfort que je ne pouvais lui apporter.

— Lorsque tu m'as quitté à Wentworth, reprit-il, j'ai écouté le bruit de tes pas sur les dalles et je me suis dit : « Je vais penser à elle. Je vais me concentrer sur le souvenir de sa peau, le parfum de ses cheveux, le contact de ses lèvres sur les miennes. Je penserai à elle jusqu'à ce que les portes s'ouvrent à nouveau. Et je penserai encore à elle en montant sur la potence demain matin pour me donner du courage jusqu'à la fin. »

Dans son cachot, il avait fermé les yeux et avait attendu. Quand il ne bougeait pas, la douleur était supportable. Même s'il la craignait, elle lui était familière. Il s'était résigné à l'endurance, espérant seulement que ses forces ne l'abandonneraient pas trop tôt.

Lorsque Randall était revenu, il avait traversé la pièce et était venu se placer derrière Jamie. Il avait posé une main sur sa nuque, puis avait arraché le clou dans sa main d'un geste brusque. Il lui avait ensuite donné un verre de cognac, l'aidant à boire en lui soutenant la tête.

— Il a pris ma tête entre ses mains et a léché les gouttes de cognac sur mes lèvres. Puis il a caressé mes cheveux, tout doucement, longuement. Je crois... je crois que je me suis alors endormi pendant un court instant.

Quand il s'était réveillé, il était nu comme un ver, couché sur le lit. Randall se tenait debout devant lui.

— J'avais promis de ne pas me débattre, mais je n'avais pas dit que je lui faciliterais la tâche. Je suis resté raide comme un morceau de bois. J'ai pensé : « Je le laisserai faire ce qu'il veut. Je penserai à autre chose, comme si ce n'était pas moi. » Il a pris un couteau et a traîné la lame en travers de mon torse. L'entaille n'était pas profonde, mais elle saignait un peu. Il m'a regardé un long moment. Puis il a trempé son doigt dans mon sang et l'a sucé, à petits coups de langue, comme un chat fait sa toilette. Il a souri d'un air très doux, puis il s'est penché sur moi et a léché la plaie. Je n'étais pas attaché, j'aurais pu le frapper, mais je n'ai pas bougé. Ça ne faisait pas vraiment mal, c'était une sensation... très étrange. Après quoi, il s'est redressé et s'est essuyé délicatement la bouche. Il m'a dit que... c'était délicieux. La blessure ne saignait presque plus, mais il l'a frottée avec la serviette pour la rouvrir. Ensuite, il a déboutonné son pantalon. Il s'est badigeonné le sexe avec mon sang, puis m'a dit que c'était mon tour d'y goûter.

Ensuite, Randall lui avait tenu la tête, l'aidant à vomir. Il avait essuyé doucement le visage avec un linge humide et lui avait donné un autre verre de cognac pour se rincer la bouche. Ainsi, tour à tour cruel et tendre, utilisant la douleur comme une arme, il avait progressivement détruit toutes les barrières de son corps et de son esprit.

Je voulais dire à Jamie d'arrêter, qu'il n'avait pas besoin d'en dire plus, qu'il ne *devait* pas en dire plus, mais je me mordis les lèvres et serrai mes mains l'une contre l'autre pour me retenir de le toucher.

Il me raconta la suite : les coups de fouet, précis et espacés, ponctués de baisers ; la douleur cuisante des brûlures, administrées pour le ranimer et l'obliger à faire face à de nouvelles humiliations. Il me raconta tout, avec des hésitations, des larmes parfois, des choses que je ne voulais pas entendre mais que je devais écouter, aussi silencieuse qu'un confesseur.

— Il ne se contentait pas de me faire mal, Claire, il me faisait l'amour. Il me faisait souffrir le martyre, mais pour lui c'était un acte d'amour. Et il m'a obligé à lui répondre... maudit soit-il ! il m'a fait aimer ça !

Son poing s'abattit violemment sur les montants du lit avec une rage impuissante.

— La... la première fois, il a été très doux. Il m'a enduit d'huile, la faisant pénétrer lentement dans ma peau, me massant tout le corps... me caressant doucement. Je ne pouvais pas m'empêcher d'être excité. Je ne voulais pas penser à toi, Claire. C'était... un blasphème. Je voulais t'effacer de mon esprit et rester... vide. Mais il ne l'entendait pas ainsi. Il parlait, sans arrêt. Parfois c'étaient des menaces, parfois des mots d'amour, souvent, il s'agissait de toi.

— Moi ? glapis-je.

— Oui. Il était très jaloux de toi, tu sais.

— Non, je ne le savais pas.

— Oh si ! Tout en me caressant, il me demandait : « Est-ce qu'elle fait ça pour toi ? Est-ce qu'elle sait t'exciter aussi bien que moi ? » Je ne voulais pas lui répondre... je ne pouvais pas. Alors, il me demandait ce que tu ressentirais en me voyant me faire... me faire...

Il se mordit la lèvre, incapable de poursuivre.

— Il me faisait souffrir, puis s'arrêtait et me caressait jusqu'à ce que je sois de nouveau excité... puis, tout d'un coup, il m'infligeait une douleur atroce et me pénétrait brutalement. Et pendant tout ce temps, il me parlait de toi, pour que je te garde constamment présente à l'esprit. J'ai lutté, mentalement, pour m'éloigner de lui, pour séparer mon esprit de mon corps, mais chaque fois la douleur me rattrapait, encore et encore, écrasant tous les obstacles mentaux que je dressais sur son chemin. Mon Dieu, j'ai essayé si fort, Claire, mais...

Il enfouit son visage entre ses mains.

— Je comprends maintenant pourquoi le jeune Alex MacGregor s'est pendu. J'aurais fait pareil si ce n'était pas un péché mortel. S'il a ruiné ma vie, il n'en sera pas de même au ciel. C'est que... tout est lié désormais dans ma tête. Claire, je ne peux plus penser à toi, ni même t'embrasser ou te toucher la main, sans être envahi de nouveau par la peur, la douleur et la nausée. Je reste là à penser que je vais mourir sans tes caresses, mais dès que tu me touches, j'ai envie de vomir de honte et du dégoût de moi-même. Je ne peux même pas te voir sans...

Il reposa sa tête sur ses genoux. Les tendons de son cou saillaient et sa voix était étranglée.

— Claire, je veux que tu partes. Retourne en Écosse, à Craigh na Dun. Rentre chez toi, chez ton... mari. Murtagh t'accompagnera, je le lui ai déjà demandé.

Il resta silencieux un long moment. Je ne bronchai pas.

— Je t'aimerai toute ma vie, reprit-il enfin. Mais je ne peux plus être ton mari et je ne saurais être autre chose pour toi. Je te désire tellement que j'en tremble, mais... mon Dieu, aidez-moi... j'ai peur de te toucher !

Je voulais aller vers lui, mais il m'arrêta d'un geste. Son menton tremblait et il faisait un effort surhumain pour se contenir.

— Je t'en prie, pars. Je... je vais être malade et je ne veux pas que tu me voies. Je t'en supplie.

Devant son ton implorant, je n'insistai pas. Pour la première fois de ma vie professionnelle, je laissais un malade livré à lui-même, seul et désemparé.

Une fois dans le couloir, je m'appuyai contre le mur, pressant mes joues en feu contre les pierres blanches et fraîches, ne prêtant pas attention aux regards perplexes de Murtagh et de frère Guillaume. « Mon Dieu, aidez-moi », avait-il dit. « Mon Dieu, aidez-moi… j'ai peur de te toucher ! »

Soit, pourquoi pas ? Après tout, je ne voyais personne d'autre.

Pour la seconde nuit consécutive, je fis une génuflexion dans l'allée centrale de la chapelle de saint Gilles. Anselme était là, sa silhouette élégante se dessinant seule près de l'autel. Il était immobile, tête baissée.

Je restai agenouillée un long moment, me laissant pénétrer par le silence et le calme de la chapelle. J'attendis que les battements de mon cœur épousent les rythmes de la nuit, puis me glissai vers un banc à l'arrière de la salle.

Je restai assise, droite, sans savoir par où commencer. Finalement, je déclarai brutalement et silencieusement : « J'ai besoin d'aide. S'il vous plaît. »

Puis je laissai le silence retomber autour de moi et j'attendis.

Il y avait une petite table près de la porte de la chapelle, sur laquelle étaient posés un bénitier, une bible et deux ou trois autres livres. Sans doute des ouvrages mystiques, destinés aux adorateurs qui trouvaient le temps long.

Cela commençait à être mon cas. J'allai chercher la bible et la rapportai sur mon prie-Dieu. Il y avait tout juste assez de lumière pour pouvoir lire les pages flétries.

« Hélas, je ne suis qu'un ver, pas un homme… Je suis vidé de ma substance ; mes membres sont disloqués ; mon cœur embrasé a fondu telle une cire brûlante en se déversant de mes entrailles. »

Excellent diagnostic, pensai-je. Mais existait-il un traitement ?

« Ne t'éloigne pas de moi, ô Seigneur ! ô mes forces, hâtez-vous de m'aider... Délivrez mon âme de l'épée ; sauvez l'être aimé des pouvoirs du chien. »

Hum. Voilà qui me paraissait plutôt hermétique.
Je passai au Livre de Job, le préféré de Jamie. Si quelqu'un était en position d'offrir un conseil avisé...

« Il le corrige sur son grabat par la souffrance, quand ses os tremblent sans arrêt ; quand sa vie prend en dégoût la nourriture et son appétit les friandises ; quand sa chair se consume à vue d'œil et qu'apparaissent ses os dénudés. »

Bien vu ! pensai-je.

« Quand son âme approche de la fosse et sa vie du séjour des morts. Alors qu'il se trouve près de lui un ange, un médiateur pris entre mille, qui rappelle à l'homme ses devoirs, le prenne en pitié et déclare : Exempte-le de descendre dans la fosse, j'ai trouvé la rançon pour sa vie. Sa chair retrouve alors une fraîcheur juvénile, il revient aux jours de son adolescence. »

Mais quelle était cette rançon qui pouvait racheter l'âme d'un homme, et délivrer mon bien-aimé des pouvoirs du chien ?
Je refermai le livre et mes yeux. Les mots se mélangeaient en moi. Une profonde tristesse m'envahit quand j'invoquai le nom de Jamie. Et pourtant, je ressentais un étrange calme

tandis que je répétais inlassablement : « Seigneur, entre tes mains je remets l'âme de ton serviteur James. »

Il me vint à l'esprit que Jamie ne trouverait peut-être la paix que dans la mort. Lui-même avait prétendu vouloir mourir. J'étais certaine que, si je le quittais comme il me le demandait, il ne serait bientôt plus de ce monde, qu'il succombe aux effets secondaires de la torture et de la maladie, ou qu'il périsse dans une bataille quelconque. Et je savais qu'il en était lui aussi conscient. Devais-je faire ce qu'il me demandait ? Jamais ! « Jamais de la vie ! » hurlai-je mentalement à l'ostensoir resplendissant sur l'autel.

Il me fallut un certain temps pour me rendre compte que ma litanie n'était plus un monologue. Je compris soudain que je venais de répondre à une question que je ne me souvenais pas de m'être posée. Dans les transes de mon épuisement physique et mental, on m'avait demandé quelque chose. Je ne savais pas quoi au juste, mais j'avais répondu sans hésiter : « Oui, je le ferai. »

Ce fut comme si on avait placé un petit objet entre mes mains. Précieux comme une opale, lisse comme le jade, lourd comme un galet et plus fragile qu'un œuf de caille. Il ne m'était pas donné, mais confié. Un objet à chérir et à protéger.

J'esquissai une génuflexion devant ce que je qualifiai, à défaut d'autre terme, de « présence », et sortis de la chapelle, sans douter un instant que j'avais ma réponse, sans savoir ce qu'elle était exactement. Je savais uniquement que l'objet précieux que je tenais entre mes mains était une âme. La mienne ou celle d'un autre ? Je l'ignorais.

Les jours qui suivirent, l'état de Jamie s'aggrava encore. Sa fièvre grimpa, provoquée par l'infection de sa main droite.

En l'absence de sulfamides ou d'antibiotiques, la chaleur était le seul moyen de lutter contre la propagation des bactéries. Assistée par frère Polydore, je lui plongeais régulièrement la main dans une bassine d'eau très chaude. L'opération visait à fournir suffisamment de chaleur localement tout en conservant le reste du corps au frais pour éviter les lésions graves que pouvait engendrer une si forte fièvre.

Désormais, le moral et le confort de Jamie étaient secondaires. Notre priorité était de le garder en vie jusqu'à ce que l'infection et la fièvre aient suivi leur cours. Plus rien d'autre n'avait d'importance.

Le soir du second jour, il commença à délirer. Nous dûmes l'attacher pour l'empêcher de se fracasser le crâne contre le mur. En désespoir de cause, j'envoyai des moines chercher des seaux de neige que nous répandîmes autour de lui. Cela déclencha de violentes crises de tremblements qui le laissèrent éreinté, mais sa température baissa de quelques degrés.

Malheureusement, le traitement devait être répété toutes les deux heures. À l'aube, Polydore et moi pataugions dans une triste gadoue, les vêtements trempés et les mains glacées, morts d'épuisement malgré l'aide d'Anselme et de plusieurs autres frères.

Pendant ses moments de lucidité de plus en plus brefs, Jamie me suppliait de le laisser mourir. Comme la veille dans la chapelle, je lui répondais sèchement : « Jamais de la vie ! »

Le lendemain soir, la porte de la cellule s'ouvrit sur l'abbé, accompagné d'Anselme et de trois autres moines dont l'un portait une petite boîte en bois de cèdre. L'abbé Alexander s'approcha de moi, me bénit rapidement et m'attira à l'écart.

— Nous allons lui administrer l'extrême-onction, il n'y a pas lieu de vous alarmer.

Je lançai un regard paniqué vers le lit.

— L'extrême-onction ? Mais c'est pour les mourants !

— Allons, allons, disons plutôt qu'il s'agit d'une bénédiction pour les malades, bien qu'on la réserve à ceux qui sont en péril de mort.

Les moines avaient retourné délicatement Jamie sur le dos, arrangeant soigneusement ses draps et ses couvertures de façon à protéger ses épaules à vif.

— Le dernier sacrement a deux objectifs, me chuchota Anselme pendant que nous observions les préparatifs. D'abord, c'est un rite de guérison : nous prions pour que le souffrant recouvre la santé, si Dieu le veut. Le chrême, l'huile sainte, symbolise la vie et la guérison.

— Et si Dieu ne le veut pas ? demandai-je en connaissant déjà la réponse.

— Si Dieu décide qu'il ne doit pas se remettre, alors nous l'absolvons pour ses péchés et Lui recommandons son âme, afin qu'elle puisse partir en paix.

Comme je m'apprêtais à protester, il m'arrêta en posant une main sur mon bras.

— Ce sont les derniers rites de l'Église. Il y a droit, ils peuvent peut-être lui apporter la paix.

Cette nuit-là, je veillai avec frère Polydore au chevet du malade. Jamie flottait dans un état de semi-conscience. Ses lèvres étaient craquelées et il ne pouvait même plus parler, mais il ouvrait encore parfois des yeux voilés qui nous regardaient sans nous reconnaître.

Polydore se pencha vers moi.

— Il n'y a plus rien que vous puissiez faire pour lui, cette nuit. Allez prendre un peu de repos.

— Mais… commençai-je.

Il avait raison. Nous avions fait tout ce qui était en notre pouvoir. À présent, soit la fièvre baissait d'elle-même, soit Jamie mourait. Un corps si puissant soit-il ne pouvait endurer les ravages d'une aussi forte fièvre plus d'un jour ou deux. Et il lui restait bien peu de forces pour résister à un tel siège.

— Je ne bougerai pas d'ici, insista-t-il. Allez vous coucher. Je vous appellerai si…

Sans finir sa phrase, il me poussa gentiment vers la porte.

Je restai éveillée sur mon lit, fixant les poutres du plafond. Mes yeux secs me brûlaient et je frissonnais comme sous l'effet de la fièvre. Était-ce là la réponse à ma prière... que nous mourions tous deux ensemble ?

Enfin, je me levai et allai chercher l'aiguière et la cuvette posées dans un coin près de la porte. Je plaçai la lourde vasque en terre cuite au milieu de la chambre et la remplis à ras bord. Ensuite, je me faufilai dans le couloir et me glissai discrètement dans l'atelier de frère Ambrose. J'en revins quelques minutes plus tard, les bras chargés de petits paquets d'herbes. J'en défis quelques-uns au-dessus du brasero. Une fumée parfumée au camphre et à la myrrhe s'éleva dans la pièce.

Je plaçai mon bougeoir près du miroir d'eau, puis m'assis confortablement et m'apprêtai à invoquer un fantôme.

Je frappai une seule fois contre la lourde porte et ouvris sans attendre la réponse.

Frère Roger était assis à son chevet, égrenant son chapelet en marmonnant à voix basse. Il acheva son Ave Maria avant de venir m'accueillir à la porte.

— Rien de nouveau, chuchota-t-il. Je viens juste de changer l'eau de la bassine.

Je posai une main sur son bras, adoptant le même ton feutré comme si Jamie avait pu nous entendre.

— J'aimerais rester seule avec lui, si ça ne vous ennuie pas.

— Bien sûr. Je vais aller à la chapelle, à moins que vous ne préfériez que je reste dans les parages...

— Non, non, allez à la chapelle, ou plutôt allez vous coucher. Je ne peux pas dormir de toute façon, je resterai avec lui jusqu'à demain matin. Si j'ai besoin d'aide, je viendrai vous chercher.

Il lança un regard hésitant vers le lit, mais il était lui-même épuisé. De lourds cernes se dessinaient sous ses yeux.

La porte se referma, me laissant seule avec Jamie. Seule, effrayée et très incertaine quant à ce que je me proposais de faire.

J'extirpai de sous ma chemise de nuit les objets volés dans l'atelier d'Ambrose : une fiole d'ammoniaque ; un sachet de lavande séchée ; un autre de valériane ; un petit encensoir ; deux boulettes d'opium. Et un poignard.

Je repoussai quelques instants la lourde tenture qui masquait la fenêtre, aérant la pièce. L'air frais caressa mes tempes, atténuant quelque peu le martèlement dans mon crâne, un martèlement qui n'avait pas cessé depuis que j'avais fixé mon regard sur le miroir d'eau.

Un gémissement sourd s'éleva derrière moi. Parfait ! Jamie n'était donc pas totalement inconscient.

Je laissai retomber la tenture et entamai la première phase de mon plan. Je glissai les boulettes d'opium dans l'encensoir, l'allumai et le posai sur la table de chevet de Jamie, veillant à ne pas inhaler les vapeurs odorantes qui s'en dégageaient.

Je dénouai le devant de ma chemise de nuit et me massai vigoureusement le corps avec la lavande et la valériane. Je m'en frottai également les mains et éparpillai les restes parfumés sur le sol.

Puis je sortis délicatement la main de Jamie qui trempait dans son bain d'eau chaude et la reposai sur le côté.

Rassemblant tout mon courage, je débouchai ensuite la fiole d'ammoniaque et l'agitai sous le nez de Jamie.

— Allez, sale bâtard d'Écossais ! m'écriai-je. Debout ! Montre-moi quelle tête de mule tu fais !

Jamie grogna et se détourna, mais n'ouvrit pas les yeux. Je passai une main sous sa nuque pour le forcer à se redresser et lui remis la fiole sous le nez. Il tressaillit et secoua violemment la tête de droite à gauche. Enfin, ses yeux s'entrouvrirent légèrement.

— Ce n'est pas fini, Fraser ! murmurai-je à son oreille en imitant de mon mieux l'accent aristocratique de Randall.

Jamie gémit et rentra les épaules. Je le saisis fermement par les bras et le secouai. Sa peau était brûlante.

— Réveille-toi, salaud d'Écossais. Je n'en ai pas terminé avec toi !

Il tenta péniblement de se redresser sur les coudes dans un effort d'obéissance qui me fendit le cœur. Ses lèvres gercées répétaient quelques paroles presque inaudibles qui semblaient être : « Je vous en prie, pas encore. »

À bout de forces, il se laissa retomber sur le lit et roula sur le ventre. La chambre commençait à se remplir de vapeurs d'opium et la tête me tournait.

Je serrai les dents et glissai une main dans la fente de ses fesses. Il poussa un hurlement, se roulant en boule, les deux mains jointes entre ses cuisses.

J'avais passé une heure dans ma chambre, penchée au-dessus de la vasque remplie d'eau, à invoquer des souvenirs de Black Jack Randall et de son descendant Frank. Deux hommes très différents, mais présentant une ressemblance physique frappante.

Faire resurgir Frank était douloureux. Je songeai à son visage, à sa voix, à ses petites manies, à sa façon de me faire l'amour. Après avoir fait mon choix dans le cercle de menhirs, j'avais tout fait pour l'effacer de ma mémoire, mais il était toujours là, comme une ombre tapie au fond de mon esprit.

Je savais que c'était le trahir, mais, ne voyant aucune autre solution, j'avais suivi les instructions de Geillis, faisant le vide en moi, me concentrant sur la flamme de la bougie, inhalant les vapeurs astringentes jusqu'à pouvoir le faire resurgir de l'ombre, voir son visage, sentir une fois de plus la caresse de sa main sans pleurer.

Il y avait un autre homme tapi dans l'ombre, avec les mêmes mains, le même visage, les yeux brillants à la lueur de la chandelle. Je l'avais fait resurgir lui aussi, observant, écoutant, notant leurs différences et leurs ressemblances, construisant un... quoi ? Un simulacre, une impression, une mascarade.

Un visage flou, une voix chuchotée, une caresse amoureuse qui puissent tromper un esprit à la dérive, emporté par le délire.

En quittant ma chambre, j'avais fait une brève prière pour l'âme de la sorcière Geillis Duncan.

Jamie était à présent couché sur le dos, les yeux grands ouverts, sans paraître comprendre où il était ni qui j'étais.

Je le caressai de la manière que je connaissais si bien, traçant du doigt les contours de ses côtes, lentement, comme Frank l'aurait fait, puis appuyant fortement sur ses plaies comme j'étais sûre que l'autre l'aurait fait. Je me penchai sur lui et lui titillai l'oreille, léchant, dardant, lui chuchotant :

— Bats-toi ! Ne me laisse pas faire ! Défends-toi !

Ses muscles se raidirent et ses mâchoires se serrèrent, mais il continua à fixer droit devant lui.

Je pris le poignard sur la table et traînai la lame sur son torse le long de l'entaille fraîchement cicatrisée. Il retint son souffle et rentra les épaules. Prenant une serviette, je frottai vigoureusement la plaie où perlait le sang. Puis je mis un peu de sang sur mes doigts et les pressai sauvagement sur ses lèvres. Me penchant sur lui, je murmurai la phrase qui résonnait encore à mes oreilles :

— À présent, embrasse-moi.

Sa réaction fut immédiate. Il me projeta à travers la pièce et j'allai m'écraser contre la table, renversant une paire de candélabres. Poussant un rugissement inhumain, il se rua sur moi.

J'avais sous-estimé sa rapidité et sa force, même s'il titubait et se cognait aux meubles. Il me coinça entre le brasero et la table, et j'entendis son souffle rauque quand il me saisit par les cheveux et assena un coup de poing vers mon visage, qui m'aurait sûrement tuée si je ne l'avais esquivé de justesse.

Je rampai sous la table. En voulant m'attraper par un pied, il perdit l'équilibre et s'effondra sur le brasero. Des charbons ardents roulèrent sur le plancher. Je saisis l'oreiller et me précipitai pour étouffer les braises. Du coup, je ne le vis pas venir et un violent coup sur le crâne m'envoya à plat ventre de l'autre côté de la pièce. Je tentai de me protéger derrière le lit de camp, essayant de reprendre mes esprits. Je l'entendis me chercher dans la pénombre en marmonnant des imprécations incohérentes en gaélique. Soudain, il m'aperçut et se jeta vers le lit, roulant des yeux déments.

Je ne saurais dire combien de fois cette scène se répéta. Dix, douze peut-être ? Chaque fois, les mains brûlantes de Jamie se refermèrent sur mon cou. Chaque fois je parvins à me dégager *in extremis*, battant en retraite entre les fragments de meubles brisés, esquivant les coups, plongeant à terre, rampant sous le lit.

N'étant plus protégés par le brasero, les charbons s'éteignirent peu à peu. Bientôt, la chambre fut plongée dans l'obscurité. Dans les derniers éclats de lumière, je l'aperçus, accroupi dans un coin, couvert de sang, son sexe dressé entre ses cuisses, le visage blafard, ses yeux lançant des éclairs assassins. On aurait dit un de ces démons venus du Nord, jaillissant de leurs vaisseaux en forme de dragon pour tuer, piller et incendier. Des hommes qui auraient utilisé leur dernier souffle pour semer la mort, violer et planter leur graine de violence dans le ventre des vaincues.

Nous nous tînmes un moment immobiles dans le noir, haletant, chacun écoutant la respiration de l'autre, l'esprit embué par l'opium.

Mes membres étaient lourds et j'avais de plus en plus de mal à me mouvoir. J'avais l'impression d'être en train de marcher dans l'eau jusqu'à mi-cuisse, poursuivie par un monstrueux poisson. Je levai les genoux, sentant l'eau éclabousser mon visage.

Soudain une poigne d'acier m'enserra le gras du bras. Le monstre marin m'avait rattrapée. Il me plaqua contre le mur. Je sentais la morsure de la pierre dans mon dos, aussi dure que le corps qui m'écrasait et le genou qui remontait entre mes cuisses, un corps de pierre et d'os qui me déchira les entrailles d'un violent coup de reins.

Nous roulâmes enlacés sur le sol, renversant au passage les rares meubles encore debout, nous prenant dans la tenture qui céda et s'effondra, laissant entrer dans la chambre un vent de fraîcheur. Les vapeurs de folie commencèrent à se dissiper.

La main de Jamie était agrippée à mon sein, ses ongles s'enfonçant dans ma chair. Il y avait quelque chose d'humide contre ma joue. Des larmes ou de la sueur ? Quand j'ouvris les yeux, Jamie me regardait. Sa main se détendit et il suivit d'un doigt le contour de mon sein.

— M-m-maman ? hésita-t-il.

Les poils se hérissèrent sur ma nuque. Il avait parlé de la voix claire et aiguë d'un petit garçon.

Je caressai sa joue.

— Chut... fis-je. Dors, mon petit, dors.

Son menton se mit à trembler et je serrai fort contre moi ce grand homme qui sanglotait comme un enfant.

Fort heureusement, ce fut l'imperturbable frère Guillaume qui nous découvrit le lendemain matin. Je me réveillai, groggy, en percevant vaguement le grincement de la porte, puis sursautai soudain, parfaitement consciente, en l'entendant se racler la gorge et lancer d'une voix claire :

— Bonjour, tout le monde !

La tête de Jamie pesait lourdement sur mon ventre, ses mèches emmêlées et durcies par la sueur et le sang étalées sur mes seins comme les pétales d'un chrysanthème chinois.

La lumière du jour se déversait à flots par la fenêtre, révélant l'étendue des dégâts que je n'avais que devinés la veille : le sol était jonché de débris de meubles, les deux grands candélabres gisaient comme des branches mortes au milieu de la tenture déchirée et des draps éparpillés un peu partout.

Frère Guillaume se tint immobile sur le seuil, tenant une aiguière et une cuvette. Le regard diplomatiquement fixé sur le front de Jamie, il demanda :

— Comment vous sentez-vous, ce matin ?

Après un silence relativement long, ce dernier répondit :

— J'ai faim.

— Ah, fort bien ! Je vais de ce pas prévenir frère Joseph.

Sur ce, il referma la porte sans bruit.

— Ouf ! Merci de ne pas avoir bougé ! remerciai-je Jamie. Je m'en voudrais d'avoir donné des idées impures à frère Guillaume.

Jamie releva précautionneusement la tête et me dévisagea attentivement :

— Je ne sais si j'ai rêvé une grande partie de ce qui s'est passé la nuit dernière, mais si la moitié de ce dont je me souviens est réellement arrivé, il me semble que je devrais être mort.

— Tu ne l'es pas.

Non sans une certaine hésitation, j'ajoutai :

— Tu souhaiterais l'être ?

Il esquissa une petite grimace.

— Non, *Sassenach*. Non.

Ses traits étaient tirés mais paisibles. Les rides autour de sa bouche avaient disparu et son regard bleu était clair.

— Tu peux te lever ?

Il réfléchit quelques instants, puis fit non de la tête.

Je m'extirpai de sous lui et refis le lit avant d'essayer de le hisser. Il parvint à tenir debout quelques secondes avant que ses genoux ne flanchent, et il s'effondra évanoui sur le matelas. Je cherchai frénétiquement son pouls. Il était lent mais audible. Après un mois d'emprisonnement et une semaine d'intense surmenage physique et mental, de jeûne et de fièvre, cette carcasse vigoureuse était finalement arrivée au bout de ses ressources.

— Un cœur de lion, soupirai-je, et un crâne de bœuf. Il ne te manque plus que la peau d'un rhinocéros.

Il ouvrit un œil.

— Qu'est-ce qu'un rhinocéros ?

— Je te croyais évanoui !

— Je l'étais. Je le suis encore. J'ai la tête qui tourne comme une toupie.

Je rabattis les couvertures jusque sous son menton.

— Ce qu'il te faut à présent, c'est de la nourriture et du repos.

— Et toi, ce qu'il te faut, ce sont quelques vêtements !

Refermant l'œil, il s'endormit promptement.

40

L'absolution

JE NE ME SOUVENAIS PAS d'avoir retrouvé le chemin de mon lit, mais j'avais bien dû y parvenir d'une manière ou d'une autre, car c'est là que je me réveillai. Anselme était assis près de la fenêtre, en train de lire.

— Jamie ? demandai-je d'une voix rauque.

— Il dort.

Il reposa son livre.

— Vous savez que vous avez dormi pendant trente-six heures, *ma belle*[1] ?

Il saisit une cruche en terre cuite et remplit un verre qu'il porta à mes lèvres. En d'autres temps et lieu, j'aurais considéré boire du vin au lit avant même de s'être brossé les dents comme le comble de la décadence. Mais dans un monastère, en compagnie d'un franciscain en robe, le geste me parut moins scandaleux. En outre, le vin dissipa le goût pâteux que j'avais dans la bouche.

Je voulus me lever et retombai assise sur le bord du lit. La chambre tanguait dangereusement. Anselme me rattrapa par le bras et m'aida à me rallonger. Je lui voyais quatre yeux et beaucoup plus de nez et de bouches que nécessaire.

---

1. En français dans le texte. (*N.d.T.*)

— Ce n'est rien, juste un étourdissement, dis-je en fermant les yeux.

Quand je les rouvris, il n'y avait plus qu'un Anselme, quoique encore un peu flou.

— Voulez-vous que j'appelle frère Ambrose ou frère Polydore ? Je ne m'y connais pas très bien en médecine, malheureusement.

— Non, merci, je n'ai besoin de rien. Je me suis simplement levée trop vite.

Je réessayai, plus lentement cette fois. Entre-temps, la chambre avait retrouvé un aspect plus ou moins normal. Je pris conscience d'un certain nombre de points douloureux éparpillés sur mon corps. En voulant m'éclaircir la gorge, je découvris qu'elle me brûlait terriblement. Je tendis une main vers la psyché sur la table de nuit, puis me ravisai. Je n'étais pas prête pour un quelconque choc.

Anselme semblait très inquiet. Il hésitait entre la porte et le lit, ne sachant s'il devait demander du renfort. Une fois convaincu que je n'allais pas tourner de l'œil, il se rassit. Je terminai lentement mon verre de vin, essayant de dissiper les effets secondaires des rêves induits par l'opium.

Ils avaient été chaotiques, remplis de violence et de sang. J'avais rêvé à plusieurs reprises que Jamie était mort ou mourant. À un moment donné, l'image du garçon gisant dans la neige avait surgi du brouillard, son visage rond et surpris se superposant à celui, tuméfié, de Jamie. Parfois, son petit semblant de moustache réapparaissait sur le visage de Frank. Je me souvenais distinctement de les avoir tués tous les trois. J'avais l'impression de sortir d'une nuit de massacre et de boucherie.

Anselme m'observait patiemment, les mains sur les genoux.

— Mon père, j'ai besoin de vos services.

Il se leva aussitôt, ravi de pouvoir être utile.

— Mais naturellement ! Encore un peu de vin ?

Je souris faiblement.

— Oui, mais tout à l'heure. Pour le moment, je voudrais que vous m'entendiez en confession.

Il me regarda, déconcerté, mais son professionnalisme prit rapidement le dessus.

— Mais certainement, *chère madame*, si vous le souhaitez. Mais ne préféreriez-vous pas que j'appelle frère Gérard ? C'est un excellent confesseur, alors que je...

— C'est vous que je veux, dis-je fermement. Et je voudrais le faire tout de suite.

Il poussa un soupir résigné et partit chercher son étole. Quand il revint, il s'assit le dos raide, son écharpe de soie violette tombant droit sur ses épaules, et attendit.

Je lui racontai tout. Qui j'étais, d'où je venais et comment. Je lui parlai de Frank, de Jamie et du jeune soldat anglais mort le visage dans la neige.

Il ne broncha pas, seuls ses grands yeux bruns s'arrondissaient parfois. Lorsque j'eus terminé, il cligna deux ou trois fois des yeux, ouvrit la bouche, la referma, puis secoua la tête comme pour s'éclaircir les idées.

— Non, lui dis-je. Vous n'entendez pas des voix. Et vous n'êtes pas non plus en proie à des hallucinations. Vous comprenez maintenant pourquoi je tenais à vous parler dans le secret de la confession ?

— Oui, oui, naturellement... Vous vouliez être sûre que je ne le répéterais à personne. En outre, puisque vous êtes protégée par le sacrement... vous pensiez que je vous croirais, mais...

Il se gratta le crâne, puis un large sourire illumina son visage.

— Mais c'est extraordinaire ! s'exclama-t-il. C'est merveilleux !

— « Merveilleux » n'est peut-être pas le terme que j'emploierais, répondis-je sèchement. Mais c'est effectivement extraordinaire.

Du coup, je me servis un autre verre de vin.

— Mais non, c'est plus que cela. C'est un… miracle ! poursuivit-il, se parlant à lui-même.

— Si vous insistez, soupirai-je. Mais ce qui m'intéresse, c'est : suis-je coupable de meurtre ? d'adultère ? Non pas que j'y puisse grand-chose à présent, mais j'aimerais quand même savoir. Et, puisque je suis là, devrais-je utiliser ce que je sais pour… changer le cours des choses ? Je ne sais même pas si c'est possible. Mais, le cas échéant, en ai-je le droit ?

Il se balança sur sa chaise, réfléchissant. Il joignit ses deux index et les contempla un long moment. Enfin, il se tourna vers moi avec un sourire.

— Je ne sais pas, *ma bonne amie.* Vous conviendrez que ce n'est pas une situation qu'on s'attend à rencontrer dans un confessionnal. Il faut que j'y réfléchisse, et que je prie. Cette nuit, j'examinerai votre cas pendant ma veille devant le saint sacrement. Et je serai peut-être en mesure de vous conseiller demain.

Il me fit signe de m'agenouiller.

— Pour le moment, mon enfant, je vous absous. Quels que soient vos péchés, ayez la foi et ils vous seront pardonnés.

Il plaça une main sur mon front et fit le signe de croix de l'autre.

— *Te absolvo, in nomine Patri, et Filii…*

Puis il m'aida à me relever.

N'ayant pas la foi, j'avais utilisé la confession pour l'obliger à m'écouter et à me prendre au sérieux. Je découvris avec stupeur que je me sentais soudain déchargée d'un lourd fardeau. Sans doute était-ce le soulagement d'avoir enfin pu dire la vérité à quelqu'un.

— À demain donc, *chère madame.* Vous devriez vous reposer encore un peu.

Il se dirigea vers la porte, pliant soigneusement son étole en carré. Sur le seuil, il hésita et se tourna vers moi avec un sourire. Une lueur d'excitation enfantine brillait dans ses yeux.

— Et peut-être que demain... vous me direz quel effet ça fait ?

Je souris à mon tour.

— Oui, mon père. Je vous raconterai.

Lorsqu'il fut parti, je filai dans la chambre de Jamie. J'avais déjà vu des cadavres avec une bien meilleure mine, mais sa poitrine se soulevait et s'abaissait régulièrement et il avait perdu son vilain teint verdâtre.

Frère Roger était en train de remettre les draps en ordre.

— Je le réveille toutes les deux heures pour lui faire boire du bouillon, expliqua-t-il.

Se tournant vers moi, il vit mes traits dévastés et sursauta.

— Vous en voulez peut-être un peu ?

— Non, merci, mon père, je crois... je crois que je vais retourner dormir encore un peu.

Jamie dormit les deux jours suivants, n'ouvrant les yeux de temps à autre que pour avaler du bouillon ou du vin. Une fois réveillé, il entama une convalescence normale, comme tout jeune homme vigoureux qui se trouve soudain privé de l'indépendance et de la force qu'il tenait pour acquises. En d'autres termes, il se laissa dorloter pendant vingt-quatre heures, après quoi il devint tour à tour agité, nerveux, irascible, caustique, revêche et de fort méchante humeur.

Les plaies de ses épaules le cuisaient. Les cicatrices de ses jambes le démangeaient. Il n'en pouvait plus d'être couché sur le ventre. Il faisait trop chaud dans la pièce. Il avait mal à la main. La fumée du brasero lui piquait les yeux. Il en avait par-dessus la tête du bouillon, de la bouillie et du lait. Il voulait de la viande.

Soulagée, je reconnus là les symptômes de la guérison, mais ma patience avait ses limites. J'ouvris la fenêtre pour aérer la pièce, changeai ses draps, appliquai un baume aux soucis sur son dos et massai ses jambes avec du jus d'aloès. Puis j'appelai un frère et lui demandai du bouillon.

— Je ne veux plus de cette horreur ! hurla-t-il. Je veux de la nourriture, de la vraie !

Il repoussa brutalement le plateau en éclaboussant les draps.

Je croisai les bras et le toisai. Un regard impérieux bleu acier me répondit. Il était maigre comme un clou. Les os de ses mâchoires et de ses pommettes saillaient sous la peau. Même s'ils se régénéraient rapidement, les nerfs à vif de son estomac n'étaient pas encore totalement guéris. Il lui arrivait encore de vomir le bouillon et le lait.

— Tu auras de la nourriture solide quand je te le dirai et pas avant, l'informai-je.

— J'en veux maintenant ! Ce n'est pas à toi de me dire ce que je dois manger !

— Ah non ? m'énervai-je. Je te rappelle que c'est moi le médecin !

Il s'assit sur le bord du lit, avec l'intention manifeste de se lever. Je posai une main sur sa poitrine et le repoussai en position couchée.

— Pour une fois dans ta vie, tu feras ce qu'on te dit, et je te dis de rester au lit. Tu n'es pas encore en état de te lever. Frère Roger m'a dit que tu avais encore vomi, ce matin.

— Frère Roger ferait mieux de s'occuper de ses affaires, et toi aussi, siffla-t-il entre ses dents.

Il profita de ce que j'avais le dos tourné pour prendre appui sur la table de nuit et se hisser debout. Il se tint là, se balançant sur ses jambes.

— Recouche-toi ! Tu vas tomber !

Il était d'une pâleur alarmante et le simple effort de tenir debout le faisait transpirer.

— Je ne tomberai pas. Et quand bien même, c'est mon affaire !

Je fulminai.

— Ah, c'est comme ça ! explosai-je. Et qui à ton avis t'a sauvé la vie, hein ? Tu crois peut-être y être arrivé tout seul ?

Je saisis son bras pour le remettre au lit mais il se dégagea.

— Je ne t'avais rien demandé ! Je t'ai même suppliée de me laisser ! Et puis je me demande pourquoi tu t'es fatiguée à me sauver la vie si c'est pour me laisser mourir de faim ! À moins que ce ne soit pour le plaisir de me voir souffrir.

— Sale ingrat !

— Mégère !

Je pointai un doigt menaçant vers le lit. Rassemblant toute mon autorité d'infirmière, j'ordonnai :

— Retourne te coucher immédiatement, espèce de crétin d'entêté…

— … d'Écossais, termina-t-il à ma place.

Il fit un pas vers la porte et se rattrapa de justesse à un tabouret. Il se laissa tomber dessus, le regard vague.

— D'accord, vociférai-je. Je vais te faire monter de la viande et du pain, mais lorsque tu auras vomi le tout, ce sera ton tour de te mettre à quatre pattes pour nettoyer le parquet ! Ne compte pas sur moi pour t'aider. Et si frère Roger s'avise de le faire, je l'écorcherai vif !

Je sortis en claquant la porte, juste avant que la cuvette en porcelaine ne s'écrase contre le mur. Je me trouvai nez à nez avec frère Roger et Murtagh, sans doute attirés par le vacarme. Le moine avait l'air déconcerté, mais un large sourire fendit le visage de fouine de Murtagh tandis que s'élevait une longue litanie d'obscénités en gaélique de l'autre côté de la porte.

— Il va mieux, à ce que je vois, dit-il d'un air satisfait.

— Nettement mieux, rétorquai-je, les joues en feu.

En revenant d'une matinée passée dans l'herbarium, je croisai Anselme sortant du cloître. Son visage s'illumina en m'apercevant et il hâta le pas pour me rejoindre. Nous nous promenâmes dans les jardins de l'abbaye, tout en discutant.

— Votre cas est décidément fort intéressant, m'affirma-t-il. J'y vois deux aspects distincts…

Il s'interrompit pour effleurer du bout des doigts les feuilles d'un buisson de roses, secouant la tête d'un air stupéfait.

— J'ai encore du mal à y croire ! C'est... tellement sidérant ! Vraiment, je ne peux que remercier Dieu de m'avoir donné l'occasion d'entendre un tel témoignage.

— Hum... J'aimerais pouvoir en dire autant.

— Mais pourquoi pas ? C'est une aubaine ! Certes, ces circonstances vous ont mise dans des situations... délicates.

— C'est le moins qu'on puisse dire.

— Mais pourquoi ne pas les considérer comme le signe d'une faveur divine ? La nuit dernière, agenouillé devant le saint sacrement, j'ai prié pour votre salut. Et, assis seul dans la chapelle, je vous ai soudain vue comme une naufragée. Une âme rejetée par les vagues sur une terre étrangère, sans amis, sans parents, sans autres ressources que celles offertes par cette nouvelle terre. Une telle occurrence est une catastrophe, naturellement, mais elle peut également devenir une bénédiction. Et si cette nouvelle terre était pleine de promesses, l'occasion rêvée de se faire de nouveaux amis et de commencer une nouvelle existence ?

— Oui, mais...

— Estimant que vous aviez été spoliée dans votre ancienne vie, Dieu a peut-être décidé de vous en offrir une autre, plus riche et plus pleine.

— Oh, pour être pleine, elle l'est ! Mais...

— Du point de vue du droit canon, vos deux mariages ne posent aucun problème. Tous deux sont légaux, consacrés par l'Église. En outre, à strictement parler, votre mariage avec M. Fraser est antérieur à celui avec M. Randall.

— Oui, à strictement parler, convins-je, trop heureuse de pouvoir enfin terminer une phrase. Mais pas à *mon* époque. Je ne pense pas que le droit canon ait été écrit en tenant compte de ce cas de figure.

Anselme se mit à rire.

— C'est exact, *ma chère*, tout à fait exact. Je voulais dire par là que, d'un point de vue strictement juridique, vous n'avez commis aucun crime vis-à-vis de ces deux hommes. Ce sont là les deux aspects auxquels je faisais allusion tout à l'heure : il y a ce que vous avez fait, et ce que vous *allez* faire.

Il me prit la main et me força à m'asseoir sur le banc à côté de lui.

— C'est bien ce que vous me demandiez hier en vous confessant, non ? Qu'ai-je fait ? Que dois-je faire ?

— Oui. Et vous êtes en train de me dire que je n'ai rien fait de mal ? Mais j'ai...

Décidément, il était pire que Dougal MacKenzie pour ce qui était d'interrompre les gens.

— On peut fort bien agir en accord avec la loi de Dieu et sa conscience et être néanmoins confronté à la tragédie et aux difficultés. Hélas, nous ignorons pourquoi *le bon Dieu*[1] permet le mal, mais nous avons Sa parole qu'il existe. Il est écrit dans la Bible : « J'ai créé le bien et j'ai créé le mal. » Par conséquent, il arrive que des gens de bien, et particulièrement ces gens, soient confrontés à de grandes difficultés au cours de leur existence. Par exemple, ce jeune homme que vous avez dû tuer. Vous n'aviez guère le choix, vu les circonstances. Même notre sainte mère l'Église – qui nous enseigne que la vie est sacrée – reconnaît le droit de se défendre et de défendre sa famille. Et, étant donné l'état de votre mari, je ne doute pas que vous ayez été obligée d'avoir recours à la violence. Cela dit, vous n'avez rien à vous reprocher. Naturellement, comme vous êtes une personne de grande compassion et sensibilité, vous ressentez de la pitié et du remords, c'est tout naturel.

Il me tapota le genou en guise de réconfort.

— Parfois, nos meilleures intentions ont des résultats regrettables. Vous ne pouviez pas faire autrement. Nous ignorons quels étaient les projets de Dieu pour ce jeune homme. Qui

---

1. En français dans le texte. (*N.d.T.*)

835

sait si ce n'était pas Sa volonté que cet enfant Le rejoigne aux cieux ? Mais vous n'êtes pas Dieu.

Une brise fraîche s'était levée. Je frissonnai et rabattis mon châle sur mes épaules. Remarquant mon geste, Anselme me montra le grand bassin qui s'étendait dans les jardins derrière nous.

— L'eau est chaude, madame. Pourquoi ne pas y tremper vos pieds ?

— Chaude ? m'étonnai-je.

Pour illustrer ses propos, Anselme ôta ses sandales. Si cultivés que puissent être ses manières et son visage, il avait des pieds trapus et carrés de paysan normand. Retroussant sa robe jusqu'aux genoux, il plongea les pieds dans l'eau.

Je l'imitai et trempai prudemment un orteil dans le bassin. À ma grande surprise, l'eau était d'une tiédeur très agréable.

— Il y a plusieurs sources chaudes près de l'abbaye, expliqua Anselme. Elles ont de grandes vertus médicales.

Le soleil réapparut derrière les nuages et nous barbotâmes en silence un long moment. Anselme ferma les yeux, laissant les rayons de lumière réchauffer son visage.

— Votre premier mari, reprit-il soudain, comment s'appelait-il déjà... Frank ? Il fait partie de ces choses regrettables auxquelles vous ne pouvez rien.

— Mais j'aurais pu faire quelque chose, objectai-je. J'aurais pu peut-être revenir.

Il ouvrit un œil et me regarda d'un air sceptique.

— Oui, « peut-être ». Mais peut-être pas. Vous ne pouvez vous blâmer d'avoir hésité à risquer votre vie.

— Ce n'était pas le risque. Enfin... pas entièrement. C'est vrai que j'ai eu peur, mais c'est surtout que... je ne pouvais pas quitter Jamie. Non... je ne pouvais pas m'y résoudre.

Anselme sourit.

— Une union heureuse est un précieux cadeau de Dieu. Vous avez eu le bon sens de reconnaître et d'accepter ce cadeau, il n'y a rien de mal à cela. En outre, vous êtes partie de chez vous il y a près d'un an. Votre mari a eu le temps de se remettre de votre disparition. Nous sommes tous amenés un jour ou l'autre à pleurer la perte d'un être cher, mais nous avons en nous les moyens de surmonter notre chagrin. Aussi fort ait été son amour pour vous, il a sans doute commencé à refaire sa vie. À quoi vous servirait-il de quitter un homme que vous aimez, et auquel vous êtes unie par les liens sacrés du mariage, pour aller perturber la vie d'un autre homme qui ne vous attend plus ?

Se tournant vers la façade de l'abbaye, il ajouta sur un tout autre ton :

— Quant à ce que vous devez faire à présent, je propose que nous en discutions dans les cuisines, où nous pourrons peut-être convaincre frère Eulogius de nous offrir une boisson chaude.

J'acceptai avec empressement et il m'offrit son bras.

— Vous ne pouvez pas savoir quel soulagement c'est pour moi de pouvoir parler de tout ça, lui confiai-je. Je ne me suis pas encore faite à l'idée que vous m'ayez crue.

— *Ma chère*, je sers un homme qui multipliait les petits pains et marchait sur l'eau. Pourquoi m'étonnerais-je que le maître de l'éternité ait jugé bon de faire voyager une jeune femme à travers les pierres ?

Frère Eulogius, les bras dans la pâte à pain jusqu'aux coudes, nous accueillit chaleureusement et appela un des frères mitrons pour qu'il nous serve à boire. Nous nous assîmes dans un petit coin à l'écart devant deux verres de vin et un plat contenant un gâteau encore chaud. Je le poussai vers Anselme, trop préoccupée pour avoir faim.

— Le problème est le suivant, commençai-je. Admettons que je sache que de graves maux vont s'abattre sur un groupe de personnes, dois-je essayer de les en prévenir ?

Anselme se frotta le nez du revers de sa manche, songeur.

— En principe, oui, mais tout dépend d'un certain nombre de choses : Quels sont les risques que vous encourez ? Quelles sont vos autres obligations ? Et quelles sont vos chances de réussir ?

— Je n'en ai pas la moindre idée. Pour ce qui est des obligations, il y a Jamie. Il fait partie du groupe en question.

Il coupa un morceau de gâteau et me le tendit.

— Ces deux hommes que j'ai tués, repris-je, ils auraient peut-être eu des enfants. Ils auraient pu faire... je ne sais pas... tout un tas de choses. Qui sait ? En les tuant, j'ai altéré l'avenir, mais je ne sais pas de quelle manière, c'est ce qui m'effraie le plus.

Anselme fit signe à un des frères qui passait par là, et celui-ci s'empressa de nous apporter un nouveau plat et de remplir nos verres.

— Si vous avez interrompu des vies, objecta le franciscain, vous en avez préservé d'autres. Combien des personnes que vous avez soignées seraient mortes sans votre intervention ? Elles aussi altéreront l'avenir. Et si l'une de ces personnes commet plus tard un grave méfait ? En serez-vous responsable ? Auriez-vous dû la laisser mourir pour autant ? Certainement pas. Vous dites avoir peur d'altérer l'avenir. C'est absurde. Nous commettons tous des actes qui modifient l'avenir. Si vous étiez restée à votre place, vos actes auraient eu une influence sur le cours de ce qui allait suivre, tout comme aujourd'hui. Vous avez ici les mêmes responsabilités que vous auriez eues dans votre autre vie, celles que tout homme a vis-à-vis de son temps. La seule différence, c'est que vous êtes davantage en mesure de savoir quels effets auront vos actes, mais ce n'est pas certain.

» Si les voies du Seigneur sont impénétrables, poursuivit-il avec un soupir, c'est sans doute pour une bonne raison. Vous disiez vrai, *ma chère*, les lois de l'Église n'ont pas pris en considération des situations telles que la vôtre. Aussi, vous ne pouvez vous reposer que sur votre conscience et sur la main de Dieu. Je ne peux pas vous dire ce que vous devez faire, ou ne pas faire. Vous êtes libre de vos choix, comme nous tous. Si je ne m'abuse, l'histoire n'est que la somme de tous nos actes réunis. Certains sont choisis par Dieu pour influer sur le destin de leurs semblables. C'est peut-être votre cas, peut-être pas. Comme vous, j'ignore pourquoi vous êtes ici, et nous ne le saurons probablement jamais ni l'un ni l'autre.

Il roula des yeux en faisant une grimace comique.

— Parfois, je ne sais même pas pourquoi *je* suis ici !

Je me mis à rire et il me répondit par un petit sourire.

Puis il se pencha vers moi et déclara d'un air grave :

— Votre connaissance du futur est un outil, comme une canne à pêche ou un couteau tombant entre les mains d'un naufragé sur une île déserte. Il n'y a rien d'immoral à vous en servir tant que vous le faites conformément aux préceptes du Christ.

Il se redressa et prit une profonde inspiration.

— Voilà, *ma chère madame*, tout ce que je peux vous dire. Ce n'est rien de plus que ce que je pourrais dire à n'importe quelle âme troublée me demandant conseil : ayez confiance en Dieu et priez qu'Il vous guide.

Il poussa le plat vers moi avant d'ajouter :

— Mais, quoi que vous fassiez, vous aurez besoin de forces. Aussi, un dernier conseil : ne doutez jamais le ventre vide !

En repassant dans la chambre de Jamie ce même soir, je le trouvai profondément endormi. Le bol de bouillon vide reposait sur son plateau, à côté d'une assiette de viande et d'une miche de pain, intactes. Mon regard alla plusieurs fois du visage innocent du bel endormi au plateau. Puis j'effleurai le pain. Il était frais.

Je le laissai dormir et me mis à la recherche de frère Roger. Je le trouvai à l'office.

— Il a mangé son pain et sa viande ? demandai-je sans préliminaires.

— Oui.

— Il les a gardés ?

— Non.

Je l'examinai d'un air soupçonneux.

— Vous ne l'avez pas aidé à nettoyer, j'espère ?

Il esquissa une moue amusée, ses petits yeux pétillant de malice.

— Oh, je n'aurais pas osé ! Non, il avait pris la précaution de faire placer une cuvette à côté du lit.

Je me mis à rire malgré moi. Je retournai au chevet du malade et déposai un baiser sur son front. Il remua légèrement mais ne se réveilla pas. Suivant le conseil de frère Anselme, je pris l'assiette de viande et la miche de pain et les emportai dans ma chambre.

Décidant de laisser à Jamie le temps de se remettre, tant de son indigestion que de sa mauvaise humeur, je passai la matinée du lendemain dans ma chambre à feuilleter un herbier que frère Ambrose m'avait prêté. Après le déjeuner, j'allai rendre visite à mon malade récalcitrant. Au lieu de Jamie, je trouvai Murtagh se balançant sur un tabouret, une expression ahurie sur le visage.

— Où est-il passé ? demandai-je en fouillant la pièce des yeux.

Murtagh me montra la fenêtre du pouce.

— Il est sorti ? glapis-je, suffoquée. Où ? Pourquoi ? Qu'est-ce qu'il avait sur le dos ?

Murtagh eut une moue lasse et compta sur ses doigts.

— Ça fait beaucoup de questions à la fois. Un : oui, il est sorti. Deux : où ? J'en sais foutre rien. Trois : pourquoi ? Il a dit qu'il en avait assez d'être enfermé. Quatre : il ne portait strictement rien la dernière fois que je l'ai vu.

Il replia ses doigts et ajouta :

— Vous ne me l'avez pas demandé, mais il est parti il y a environ une heure.

— Mais comment avez-vous pu le laisser sortir ? vociférai-je. Et que voulez-vous dire par « Il ne portait strictement rien » ?

— J'ai bien essayé de le retenir. Je lui ai dit qu'il n'était pas encore en état, que vous alliez m'arracher les yeux et qu'il devrait d'abord me marcher sur le corps.

Sautant du coq à l'âne, il enchaîna, les yeux tournés vers la fenêtre :

— Ellen MacKenzie avait le sourire le plus doux que j'aie jamais vu.

— Qu'est-ce que sa mère vient faire là-dedans ?

— Quand j'ai refusé de le laisser passer, le gamin m'a souri exactement comme sa mère, et puis il a enjambé la fenêtre nu comme un ver. Avant que j'aie pu dire quoi que ce soit, il avait disparu.

Je levai les yeux au ciel.

Je suivis la seule route qui s'enfonçait au milieu des terres et le découvris à près d'un kilomètre des portes de l'abbaye, assis tranquillement sur une borne romaine. Il était pieds nus, mais s'était dégoté un vieux pourpoint taché et des culottes de peau tombant à mi-mollet, appartenant sans doute à un des palefreniers.

J'arrêtai mon cheval à sa hauteur et déclarai d'un ton dégagé :

— Tu as le bout du nez tout bleu, et les pieds aussi.

Il grimaça et s'essuya le nez du dos de la main.

— Mes burnes aussi, tu veux les réchauffer ?

Apparemment, il était de meilleure humeur.

— Tu es disposé à rentrer ou non ? demandai-je en m'efforçant de rester calme.

— Conduis ton cheval jusqu'à ce grand chêne, là-bas, et attends-moi. Je veux marcher jusque-là, sans aide.

Je me mordis les lèvres pour me retenir de lui lancer quelques observations désobligeantes et obtempérai. Une fois au pied du chêne, je le regardai avancer pas à pas vers moi.

À la première chute, je manquai de me précipiter, puis je tournai rageusement les talons et attendis.

Nous regagnâmes sa cellule non sans mal, trébuchant dans les longs couloirs, son bras sur mes épaules pour se soutenir. Je le laissai retomber sur le lit et lui ôtai ses loques crasseuses.

Il se laissa coucher sans faire d'histoires et ferma les yeux, épuisé, tandis que je m'affairais dans la chambre, remettant des charbons dans le brasero.

Je le croyais endormi quand sa voix me fit sursauter.

— Claire ?

— Oui ?

— Je t'aime.

— Oh !

J'étais surprise, mais indubitablement ravie.

— Je t'aime aussi.

Il soupira et entrouvrit les yeux.

— Randall... commença-t-il. À la fin, c'est ce qu'il voulait que je lui dise.

Ses yeux étaient tournés vers la fenêtre où de gros nuages chargés de neige s'accumulaient dans le ciel gris de plomb.

— J'étais allongé sur le sol et il était couché près de moi. Il était nu, lui aussi, et nous étions tous les deux couverts de sang, entre autres choses. Je ne ressentais plus la douleur, uniquement un grand sommeil. Je ne sais pas combien de temps nous sommes restés ainsi, mais, à un moment, je l'ai senti se presser contre moi. Il a mis ses bras autour de mon cou et a enfoui son visage dans le creux de mon épaule. Il pleurait doucement et, entre deux sanglots, il me répétait : « Je t'aime, je t'aime, je t'aime... » Je ne sais pas ce qui m'a pris, mais j'ai passé mes bras autour de sa taille et je l'ai serré contre moi. On est restés enlacés un long moment. Il a cessé de pleurer, m'a embrassé, m'a caressé, puis il a chuchoté à mon oreille : « Dis-moi que tu m'aimes... » Je n'ai pas pu. Je ne sais pas pourquoi. J'aurais léché ses bottes et l'aurais appelé roi d'Écosse s'il me l'avait demandé. Mais je ne pouvais pas me résoudre à lui dire ça. Alors, il m'a de nouveau pris, brutalement, et pendant qu'il allait et venait en moi, il répétait : « Dis-moi que tu m'aimes, Alex, dis-moi que tu m'aimes. »

— Il t'a appelé Alex ? ne pus-je m'empêcher de demander.

— Oui. Je me suis d'ailleurs demandé comment il connaissait mon deuxième prénom. Enfin... je n'ai pas bougé ni prononcé un mot. Quand il a eu fini, il est devenu comme fou. Il s'est remis à me battre en hurlant : « Tu sais que tu m'aimes ! Dis-le ! Je sais que c'est vrai ! » Je me suis protégé comme j'ai pu et j'ai fini par m'évanouir. Quand je me suis réveillé, je ballottais sur le ventre en travers d'une selle, puis plus rien de nouveau jusqu'à ce que je me retrouve près du feu à Eldridge, toi penchée sur moi. Je crois que... si je lui avais dit ce qu'il voulait... il m'aurait tué.

Certaines personnes font des cauchemars peuplés de monstres. Pour ma part, je rêvais d'arbres généalogiques, avec des branches tentaculaires auxquelles étaient suspendus des écriteaux avec des dates et des noms. Une fois de plus, la voix de Frank retentit dans mon crâne : « Il a servi comme capitaine des dragons et a fait une belle carrière dans l'armée. Il n'avait guère le choix : étant le cadet de sa famille, son avenir était tout tracé. Le benjamin a suivi lui aussi la tradition en entrant dans les ordres, mais je ne sais pas grand-chose à son sujet. » Moi non plus je ne savais pas grand-chose sur lui, mis à part son nom. Joseph et Mary Randall avaient eu trois fils ; l'aîné s'appelait William, le cadet Jonathan et le benjamin Alexander.

— *Sassenach* ?
— Oui.
— Tu sais, la forteresse dont je t'avais parlé, celle que je porte en moi ?
— Oui, alors ?

843

— Elle n'est pas totalement détruite. Et il me reste encore un toit pour m'abriter de la pluie.

L'abbaye était un refuge, certes, mais provisoire. Tôt ou tard, il nous faudrait repartir, en dépit de l'hospitalité des moines. L'Écosse et l'Angleterre étaient bien trop dangereuses pour nous, à moins que lord Lovat n'accepte de nous aider, mais c'était une éventualité sur laquelle il valait mieux ne pas compter. Notre avenir se trouvait nécessairement de ce côté-ci de la Manche. Compte tenu du mal de mer de Jamie, je comprenais ses réticences à s'embarquer pour l'Amérique – la perspective de trois mois de nausées avait de quoi en décourager plus d'un. Que nous restait-il ?

La France était le choix le plus logique. Nous parlions tous deux couramment le français. Si Jamie maîtrisait pareillement l'allemand, l'espagnol et l'italien, j'étais nettement moins douée pour les langues. En outre, la famille Fraser avait de nombreuses ramifications en France. Nous pourrions peut-être trouver une propriété appartenant à un parent ou un ami et y vivre paisiblement. C'était une perspective attirante.

Restait le problème de l'histoire. Nous étions à deux semaines du Nouvel An. Bientôt nous allions passer en 1744. En 1745, Bonnie Prince Charlie allait s'embarquer sur les côtes françaises pour faire voile vers l'Écosse et tenter de récupérer le trône de son père. Il apporterait avec lui la guerre, le massacre, la destruction des clans des Highlands et de tout ce qui était cher au cœur de Jamie... et au mien.

Il me restait une année. Une année pour essayer d'éviter le carnage. Comment et avec quels moyens ?

Pouvait-on changer le fil des événements ?

« Je vous maudis ! avais-je annoncé à Randall. Et pour vous le prouver, écoutez donc la date de votre mort. » Je lui avais donné la date inscrite sur l'arbre généalogique de Frank : le 16 avril 1745, Jonathan Randall aurait dû mourir lors de la bataille de Culloden. Et pourtant, il était mort un an et demi plus tôt, piétiné par les sabots de ma vengeance.

Il était mort célibataire et, à ce que je sache, sans descendance. L'arbre – ce maudit arbre ! – donnait également la date de son mariage, en 1744, et la date de naissance de son premier fils, quelques mois plus tard. Mais, si Jack Randall avait disparu sans progéniture, comment Frank pouvait-il être né ? Je portais toujours sa bague à mon doigt. Donc il existait… allait exister.

41

Des entrailles de la terre

P ENDANT LES DEUX SEMAINES QUI SUIVIRENT, Jamie continua de guérir, et je continuai de ressasser les mêmes
doutes. Certains jours, il me semblait que nous devions
aller à Rome, où se trouvait la cour en exil du Prétendant, et
lui dire… quoi ? À d'autres moments, je n'aspirais qu'à trouver
un petit coin isolé où nous pourrions vivre nos vies en paix.

C'était une journée chaude et ensoleillée. Sous les gar-
gouilles, les stalactites de glace gouttaient en laissant des petits
trous dans la neige.

Dans la chambre de Jamie la fenêtre était grande ouverte
et la porte entrebâillée pour dissiper les dernières odeurs de
fumée et de maladie.

J'étais couchée sur son lit, mon front contre sa poitrine,
mes bras autour de sa taille.

— Au fait, j'ai quelque chose à te montrer, dit-il soudain.

Il ouvrit le tiroir de la table de chevet et me tendit un
rouleau de parchemin décacheté.

C'était une lettre d'introduction de l'abbé Alexander adres-
sée au chevalier de Saint-George, également connu sous le
nom de James, Sa Majesté le roi d'Écosse. Il lui recommandait
chaleureusement son neveu en qualité d'excellent linguiste et
traducteur.

— C'est toujours un endroit où aller, déclara Jamie. Et il nous faut bien aller quelque part, non ? Mais ce que tu m'as dit un jour sur la colline de Craigh na Dun, ça va vraiment arriver ?

— Oui.

Il reprit la lettre et l'étala sur ses genoux.

— Alors, ce que propose cette lettre n'est pas sans danger.

— C'est fort possible, oui.

Il remit le parchemin à sa place et me dévisagea fixement.

— Tout dépend de toi, Claire. Ma vie t'appartient. À toi de décider où aller : en France, en Italie, ou même en Écosse. Mon cœur t'appartient depuis que j'ai posé les yeux sur toi et que tu as tenu mon âme et mon corps entre tes mains. Nous irons où tu voudras.

Au même moment, on frappa à la porte, et nous nous écartâmes précipitamment l'un de l'autre comme deux amants coupables.

Un frère convers entra et laissa tomber une lourde sacoche sur la table.

— De MacRannoch d'Eldridge, annonça-t-il, à l'attention de la dame de Broch Tuarach.

Il inclina le chef et sortit, laissant un léger parfum d'algues et d'eau de mer dans son sillage.

Je défis les sangles de cuir et examinai avec curiosité le contenu de la sacoche. Elle renfermait trois choses : un message non signé, un petit paquet adressé à Jamie, et une peau de loup enroulée qui empestait le fauve.

Le message disait : « Car la femme vertueuse est une perle précieuse et sa valeur excède celle des rubis. »

Jamie ouvrit son paquet et contempla avec perplexité ce qu'il renfermait.

— Sir Marcus a dû se tromper, déclara-t-il enfin. Il t'a envoyé une peau de loup, et à moi un bracelet en perles !

Le bracelet en question était ravissant, avec une rangée de grosses perles baroques prises entre deux chaînes d'or tressé.

— Non, répondis-je en l'admirant. Le bracelet va avec le collier que tu m'as donné le jour de notre mariage. Il l'avait offert à ta mère, tu le savais ?

— Non, père me l'avait confié pour que je le donne à ma future femme sans me dire d'où il venait.

Il m'attrapa la main et noua le bracelet à mon poignet.

— Mais il ne m'est pas destiné ! me récriai-je.

— Bien sûr que si. Sir Marcus me l'a adressé parce qu'il n'est pas convenable pour un homme d'envoyer des bijoux à une femme mariée. En outre, je ne peux pas le mettre, j'ai le poignet trop gros.

Me prenant par la taille, il ajouta :

— Maintenant que j'y pense, moi aussi j'ai un cadeau pour toi.

Il se dirigea vers le bahut et se mit à fouiller dans la pile de linge.

— Je suis désolée, je n'ai rien à te donner, dis-je en le regardant faire.

— Mis à part des petits présents sans importance tels que ma vie, ma virilité et ma main droite ! plaisanta-t-il. Ah, voilà !

Il se redressa en me tendant une robe blanche de novice.

— Déshabille-toi.

— Quoi !

— Déshabille-toi, *Sassenach*, et enfile cette robe. Il faut peut-être que je me retourne pendant que tu te changes ?

Retroussant l'épaisse jupe de lin blanc, je suivis Jamie dans un autre escalier sombre. C'était le troisième, et le plus étroit. Il ne faisait pas plus d'un demi-mètre de large. La lanterne qu'il tenait à bout de bras éclairait des murs faits de blocs massifs suintant d'humidité.

— Tu es sûr de savoir où l'on va ? demandai-je.

Ma voix résonna dans le goulot de l'escalier d'une manière étouffée, comme si j'avais parlé sous l'eau.

— Je ne vois pas où j'aurais pu me tromper, répondit-il. On ne fait que descendre depuis tout à l'heure.

Nous atteignîmes un palier, puis descendîmes encore une volée de marches. Enfin, nous arrivâmes devant une porte close. Elle était faite de planches de chêne avec des gonds en cuivre. Le seuil était balayé. Cette partie du monastère était donc encore fréquentée.

Il y avait une torche éteinte accrochée au mur. Jamie l'alluma avec la mèche de sa lanterne et ouvrit la porte.

Tout d'abord, je ne vis rien que l'obscurité. Je suivis des yeux la lanterne de Jamie qui s'éloignait de moi dans le noir. Tous les deux ou trois mètres, il s'arrêtait, inclinait sa lanterne et une nouvelle lumière s'allumait. Bientôt, je distinguai une rangée de lanternes suspendues à des colonnes de pierre.

C'était une grotte abritant un lac souterrain. L'eau transparente étincelait comme du verre sur un fond de sable volcanique noir. L'air était chaud et humide. La vapeur qui se condensait sur les parois fraîches de la grotte formait de fines gouttelettes qui ruisselaient sur les colonnes.

Les sources chaudes dont m'avait parlé Anselme ! Une légère odeur de soufre titilla mes narines.

Jamie se tint derrière moi, contemplant par-dessus mon épaule l'étendue miroitante de jais et de rubis.

— Que dirais-tu d'un bon bain chaud ?

— Nom de Dieu ! jurai-je.

— Alors viens.

— Elle… elle n'est pas trop chaude ? hésitai-je.

— Ne t'inquiète pas, elle ne te brûlera pas. Mais si tu y mijotes une heure ou deux, elle te cuira comme un ragoût de mouton.

— Charmante perspective, soupirai-je en ôtant ma robe.

Il y avait des marches taillées dans le roc, avec une corde tendue contre la paroi pour ne pas glisser.

J'entrai doucement dans l'eau derrière Jamie. Au plus profond, j'avais de l'eau jusqu'aux épaules. Je marchai doucement sur le sable. La surface du lac était huileuse, mais de délicieux remous sous l'eau vous chatouillaient les cuisses et ajoutaient encore à la sensation merveilleusement apaisante de la chaleur. C'était divin.

Jamie émergea derrière moi, prenant mes seins dans ses mains.

— Alors, ça te plaît ?

— C'est fantastique. Je crois que c'est la première fois que je me sens réchauffée depuis le mois d'août.

Me tirant en arrière, il me remorqua doucement. Je laissai traîner mes jambes, mes pieds pointant hors de l'eau en formant des vaguelettes dans leur sillage. L'extraordinaire chaleur caressait mes membres.

Jamie me fit pivoter et asseoir sur un banc submergé, puis prit place à côté de moi, étirant ses bras sur le rebord de pierre.

— Tu crois qu'il y a des créatures qui vivent dans cette grotte ? demandai-je. Des chauves-souris ou des poissons ?

— Non, *Sassenach*, il n'y a personne d'autre que l'esprit de la source.

— L'esprit de la source ? Ça sonne un peu païen pour être enterré sous un monastère.

— Appelle-le comme tu veux, mais il est là depuis bien plus longtemps que les moines.

— Je n'en doute pas.

Les parois de la grotte étaient formées de roche volcanique lisse et sombre, presque comme du verre noir, luisant de l'humidité de la source. On avait l'impression d'être enfermé dans une bulle gigantesque, à moitié remplie de cette eau étrangement vivante bien que calme. On se serait cru dans les entrailles de la terre. J'étais sûre que, si je pressais mon oreille contre la roche, j'entendrais les battements lents d'un énorme cœur.

Nous restâmes silencieux un très long moment, flottant à moitié, rêvant à moitié, parfois poussés l'un contre l'autre par des courants invisibles.

— J'ai décidé, dis-je soudain.

— Ah ! Alors ce sera Rome ?

— Oui. Une fois là-bas, je ne sais pas encore…

— Peu importe. Nous ferons ce que nous pourrons.

Il m'attira vers lui, jusqu'à ce que la pointe de mes seins frôle sa poitrine. Une de ses mains glissa le long de mon dos, passa sous mes fesses et me souleva.

Nos corps chauds roulèrent l'un contre l'autre sans que nous ayons l'impression de nous toucher. Mais sa présence en moi, elle, était bien solide, comme un point fixe dans un monde flottant, un cordon ombilical alimentant mon corps à la dérive dans un ventre géant. J'émis un petit cri de surprise en sentant le jet d'eau chaude qui accompagna sa pénétration en moi.

— Oh, il me plaît, celui-là ! lança Jamie.

— Quoi donc ?

— Ce petit bruit que tu viens de faire.

— Désolée, je ne voulais pas être bruyante.

Il se mit à rire.

— Au contraire, *Sassenach*. C'est l'une des choses que je préfère quand on fait l'amour… tous ces petits cris que tu pousses.

Il me serra contre lui et me donna un petit coup de reins qui me fit gémir.

— Voilà, comme ça… dit-il doucement. Ou… comme ça !

— Ah !

Il rit de plus belle, sans s'arrêter pour autant.

— C'est à ça que je pensais en prison, enchaîné dans ma cellule avec une dizaine d'autres hommes, les écoutant ronfler, péter et grogner. Je songeais à tous les petits sons que tu émets quand je te caresse, et je t'imaginais couchée à mes côtés dans le noir…

Ma respiration s'accélérait. Ses mains se promenaient sur ma peau, glissaient entre mes fesses, caressaient le point tendu et enflé de désir où nos deux corps se rejoignaient.

Sa voix rauque se répercutait sur l'eau, emplissant la grotte.

— Je me revoyais venir à toi gonflé de désir, et tu me prenais en toi avec un soupir et ce doux bourdonnement comme une ruche au soleil, et tu m'emportais avec toi dans un lieu paisible avec de petits gémissements.

— Jamie, Jamie, je t'en prie...

— Pas encore, *mo duinne*. Je veux t'entendre gémir encore une fois. Je veux t'entendre soupirer comme si ton cœur allait se briser, et hurler de plaisir.

Le feu entre mes cuisses darda ses flammes jusqu'au plus profond de mon ventre, écartelant mes membres au point que mes mains glissèrent mollement de ses épaules et retombèrent contre mes flancs. Mes reins se cambrèrent et mes seins gonflés s'écrasèrent contre son torse. Je restai pantelante dans l'obscurité moite, seules les mains de Jamie m'empêchaient de couler à pic.

J'étais inerte entre ses bras. J'ignorais quels sons j'avais émis cette fois. Je me sentais incapable d'articuler une phrase cohérente et me laissais aller comme une poupée de chiffon flottant dans l'eau, quand il recommença à aller et venir en moi.

— Non, Jamie, je ne peux plus.

— Si, tu le peux, parce que je t'aime et parce que je te veux.

Il pressa mes hanches contre les siennes, me transportant hors de moi-même avec la puissance du ressac. Je m'écrasai contre lui comme une vague et il m'accueillit avec la force brutale du granit.

Désarticulée et liquide comme l'eau autour de nous, n'existant plus que par la pression de ses doigts sur ma peau, je criai. C'était le cri étranglé du marin à demi englouti par les flots, aspiré sous les vagues. Et son cri me répondit.

Nous remontâmes lentement des entrailles de la terre, ruisselant, le corps fumant. Au premier palier, je tombai à genoux. En voulant m'aider à me relever, Jamie s'effondra à son tour dans un enchevêtrement de robes de lin et de jambes nues. Gloussant comme deux jouvencelles, plus ivres d'amour que de

vin, nous grimpâmes à quatre pattes le second escalier, nous
bousculant et chahutant jusqu'au second palier où nous nous
effondrâmes de nouveau, enlacés.

Là, un oriel s'ouvrait sur le ciel. La lune pleine emplissait
presque toute la fenêtre. Elle semblait si proche et si grosse
qu'il n'y avait pas à s'étonner de ce que les cycles marins et
féminins soient soumis à l'attraction d'un astre aussi puissant.

Mes propres cycles ne répondaient pourtant plus à ses appels
chastes et stériles.

Prenant la main de Jamie, je la posai sur mon ventre encore
plat.

— Moi aussi, je crois bien que j'ai un cadeau pour toi.

Et le monde s'ouvrit tout autour de nous, riche de promesses.

Remerciements

L'auteur tient à remercier :

Jackie Cantor, la quintessence du directeur de collection, dont l'enthousiasme infaillible a permis à ce livre d'être publié un jour ; Perry Knowlton, agent au jugement irréprochable, qui m'a dit : « Vas-y, écris l'histoire comme tu la sens, on s'occupera des coupes plus tard » ; mon mari, Doug Watkins, qui, bien qu'il n'ait pu s'empêcher parfois de regarder par-dessus mon épaule et de lâcher : « Si l'histoire se déroule en Écosse, comment se fait-il que personne ne dise : *"Hoot, mon"* ? », a déployé une énergie considérable à chasser les enfants en leur déclarant : « Maman travaille, laissez-la tranquille ! » ; ma fille Laura, pour avoir annoncé à une amie sur un ton hautain : « Ma maman écrit des livres ! » ; comme mon fils Samuel qui, quand on lui a demandé la profession de sa mère, a répondu prudemment : « Ben... elle fixe tout le temps son ordinateur » ; ma fille Jennifer, qui me lance régulièrement : « Pousse-toi de là, maman, c'est à mon tour de taper » ; Jerry O'Neill, camarade d'école et première lectrice, ainsi que les autres membres de ma petite « bande des quatre », Janet McConnaughey, Margaret J. Campbell et John L. Myers, qui lisent tout ce que j'écris et m'encouragent à persévérer ; le docteur Gary Hoff, pour avoir relu les passages médicaux et m'avoir expliqué comment remettre en place une épaule luxée ;

T. Lawrence Tuohy, pour les détails d'histoire militaire et les costumes ; Robert Riffle, pour ses informations botaniques, pour m'avoir dressé un inventaire de toutes les espèces de myosotis connues à ce jour et avoir vérifié que les trembles poussaient effectivement en Écosse ; Virginia Kidd, pour avoir relu les premiers jets de mon manuscrit et m'avoir encouragée à continuer ; Alex Krislov, pour coanimer avec d'autres informaticiens le CompuServe Literary Forum, la formation la plus extraordinaire et délirante au monde, ainsi que les autres membres de ce Forum – John Stith, John Simpson, John L. Myers, Judson Jerome, Angelia Dorman, Ziglia Quafay et les autres – pour les ballades écossaises, leurs poèmes galants en latin, et pour avoir ri (et pleuré) aux bons endroits.

Table

PREMIÈRE PARTIE
Inverness, 1945

DEUXIÈME PARTIE
Le château de Leoch

TROISIÈME PARTIE
La traversée des terres MacKenzie

QUATRIÈME PARTIE
Une odeur de soufre

CINQUIÈME PARTIE
Lallybroch

SIXIÈME PARTIE
La quête

SEPTIÈME PARTIE
Le sanctuaire

Composition
NORD COMPO

Achevé d'imprimer en Italie
par GRAFICA VENETA
le 31 juillet 2015.

1er dépôt légal dans la collection: juillet 2014.
EAN 9782290065242
OTP L21EDDN000442B003

ÉDITIONS J'AI LU
87, quai Panhard-et-Levassor, 75013 Paris

Diffusion France et étranger : Flammarion